Développement humain et rôle parental

Mary K. Cunningham • Eva Meriorg • Laura Tryssenaar

Consultante à l'édition française
Lynne Massé-Racine
Casselman (Ontario)

Traduit de l'anglais par
Peggy Brenier et
Johanne Charlebois

Développement humain et rôle parental

Traduction de : *Parenting in Canada : Human Growth and Development* de Mary K. Cunningham et coll. © 2003, Nelson, une division de Thomson Canada Limited (ISBN 0-17-620196-3)

Coordination : Sabine Cerboni
Révision linguistique : Nicole Blanchette
Correction d'épreuves : Anne-Marie Théorêt
Infographie : Alphatek

Conception graphique : Sarah Battersby
Conception de la couverture : Ken Phipps

Cette ressource est disponible grâce à l'appui financier de Patrimoine canadien/Canadian Heritage, sous la gestion du ministère de l'Éducation de l'Ontario.

CHENELIÈRE ÉDUCATION
7001, boul. Saint-Laurent
Montréal (Québec)
Canada H2S 3E3
Téléphone : (514) 273-1066
Télécopieur : (514) 276-0324
info@cheneliere-education.ca

ISBN 2-7650-0110-3

Dépôt légal : 1er trimestre 2004
Bibliothèque nationale du Québec
Bibliothèque nationale du Canada

Imprimé au Canada

1 2 3 4 5 ITM 08 07 06 05 04

Nous reconnaissons l'aide financière du gouvernement du Canada par l'entremise du Programme d'aide au développement de l'industrie de l'édition (PADIÉ) pour nos activités d'édition.

Gouvernement du Québec — Programme de crédit d'impôt pour l'édition de livres — Gestion SODEC

Liste des consultants

Consultants à l'édition anglaise

Jane Bertrand

Dr. Robert Glossop
Ottawa (ON)

Bev Murray
Ottawa (ON)

Sharron Richards
Toronto (ON)

Dr. Carol Crill Russell
Toronto (ON)

Dr. Otto Weininger

Consultants pour le contenu ontarien

Adora Achtenberg
Thunder Bay (ON)

Jane Atal
Aurora (ON)

Penny Ballagh
Toronto (ON)

Carole Booth
Burlington (ON)

Patricia Cibinell
Thunder Bay (ON)

Sue Dalton
Owen Sound (ON)

Denise Kelly
Guelph (ON)

Helen Miller
Ajax (ON)

Donna Pree
St. Catharines (ON)

Suzanne Robertson
Mississauga (ON)

Anne Sabourin
Arnprior (ON)

Pat Taylor
Owen Sound (ON)

Consultants pour le contenu national

Sharon Anderson
Montaque (I.-P.-É)

Judy Chan
Vancouver (C.-B.)

Merle MacDonald
Canning (N.-É.)

Eunice Martin
Esterhazy (SK)

Lorraine Pollock
Sussex (NB)

Jenell DeFehr Wiebe, B. H.ECOL., B.ED.
Winnipeg (Man.)

Consultant pour le contenu autochtone

Rocky Landon
Kingston (ON)

Consultante pour le contenu pédagogique

Mary Anne MacArthur
Mississauga (ON)

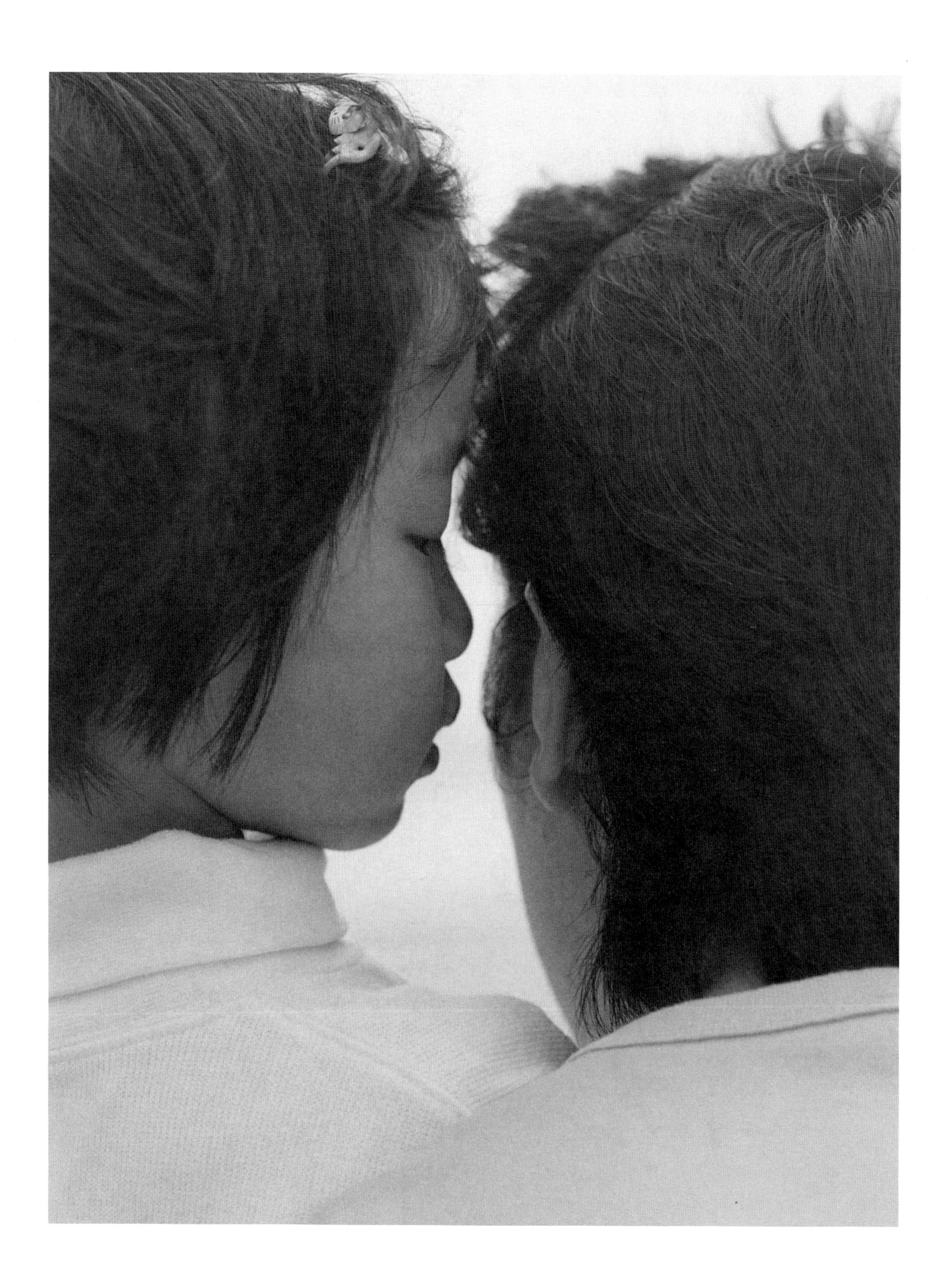

Table des matières

Introduction

Un mot à l'intention de l'élève

Nous t'invitons à explorer l'univers des parents et des enfants. Ce manuel s'adresse aux élèves du secondaire suivant un cours sur le développement humain et le rôle parental, mais son contenu peut intéresser toute personne qui aime les enfants et qui souhaite les connaître davantage. Il y a des enfants partout et à l'avenir, à tout moment de ta vie quotidienne, tu seras en contact avec eux, que tu deviennes parent ou non. Connaître les enfants t'aidera à les comprendre, à communiquer efficacement avec eux et à développer des relations saines avec eux.

La plupart des cours sur le rôle parental et le développement humain ont certains buts en commun : t'aider à acquérir une connaissance essentielle du développement humain et te préparer au rôle de parent. Ces cours t'incitent à mieux comprendre les enfants et à prendre soin d'eux de la meilleure façon possible. Selon le cours que tu suis, les questions, les exercices, les activités et les travaux de recherche varieront. Ton enseignante ou ton enseignant t'indiquera les sections du manuel qui correspondent au cours que tu suis présentement. Tu auras peut-être envie de lire les textes portant sur des sujets ou des thèmes qui débordent ton cours ; ces lectures pourront se révéler utiles pour ta future carrière, un emploi à temps partiel ou pour garder des enfants.

Pour chacun des sujets traités, nous utilisons différentes approches afin de t'aider à connaître ce que sont le rôle parental, la vie et le travail auprès des enfants ainsi que le développement humain : il peut s'agir d'articles, d'exposés théoriques, de statistiques, d'études de cas, d'info-carrières ou encore de conseils de spécialistes et d'organismes spécialisés dans le bien-être des enfants. L'ouvrage explore également le développement humain et familial et aborde des questions d'importance pour les parents, le personnel soignant et toute personne, dans notre société, qui s'occupe des enfants.

Nous te suggérons de t'arrêter et de réfléchir à ce que tu lis, de t'interroger et d'analyser les points soulevés, en particulier quand tu commenceras à mettre en pratique tes connaissances dans tes interactions quotidiennes avec les enfants. Les enfants sont fascinants et on peut prendre bien du plaisir à les côtoyer. C'est pourquoi apprendre à les connaître se révèle si gratifiant et enrichissant.

Sincèrement,
Mary K. Cunningham, Eva Meriorg et Laura Tryssenaar

Un manuel pour l'étude des enfants

Ce manuel propose beaucoup d'information sur le développement humain et sur le rôle parental dans un contexte social. Il s'agit d'un ouvrage de sciences sociales consacré aux enfants, en particulier à la période de l'enfance, à la préparation au rôle de parent, à la nature des enfants ainsi qu'à leur croissance et à leur développement, à la nurturance des enfants à travers leur socialisation et, enfin, à un portrait global de la société et de son influence sur les enfants au-delà de la famille.

Ce manuel comporte sept modules.

Module 1 **Le rôle parental au Canada** : ce module fait un survol des méthodes de recherche servant à l'étude des enfants et de leur développement.

Module 2 **Un examen historique et culturel de l'enfance** : ce module raconte l'histoire des enfants et de l'enfance au Canada et explique la nature universelle de l'enfance dans les diverses cultures.

Module 3 **Les cycles de la vie** : ce module étudie les enfants dans leur milieu familial et au sein de leurs relations.

Module 4 **Les enfants dans ton avenir** : ce module explore la décision d'avoir un enfant et l'importance de se préparer au rôle de parent.

Module 5 **La nature des enfants** : ce module met l'accent sur l'étude de la croissance et du développement humains, des premières années de vie, en passant par la petite enfance, l'âge scolaire jusqu'à l'adolescence.

Module 6 **La nurturance** : ce module montre que la socialisation des enfants revient en premier lieu à la famille et décrit les différentes pratiques éducatives.

Module 7 **Les enfants dans le monde** : ce module analyse le rôle de la société dans la vie des enfants, l'influence du monde extérieur à leur famille et les perspectives des enfants.

Les rubriques du manuel

- Chaque module commence par une explication du thème étudié, suivie d'une liste des chapitres qui le composent.
- Chaque chapitre s'ouvre sur une liste d'objectifs à atteindre qui représentent les apprentissages que tu feras. La rubrique **Mots clés** met en évidence des termes rencontrés dans le chapitre et que tu retrouveras dans le glossaire. La rubrique **Aperçu du chapitre** dresse la liste des principaux sujets du chapitre.

- La rubrique **Vérifie tes connaissances**, qui revient plusieurs fois dans un chapitre, comporte des questions te permettant de vérifier tes connaissances et ta compréhension des faits et des concepts.
- La rubrique **Liens** te pose quelques questions qui t'aideront à relier la théorie et les idées du chapitre à des situations de la vie courante.
- La rubrique **Avis d'experts** est une mine de renseignements à jour provenant de spécialistes qui travaillent auprès des enfants.
- La rubrique **Astuces** donne de l'information et montre des compétences utiles pour les personnes qui prennent soin d'enfants, qui travaillent auprès d'eux ou qui développent une relation avec eux.
- Dans **La parole aux parents**, tu trouveras des exemples de la façon dont les parents mettent leurs idées en pratique dans la vie quotidienne.
- Les **notes en marge** ajoutent des détails, résument l'information et proposent des citations sur le rôle des parents.
- Les **encadrés** apportent un supplément d'information essentiel en lien avec le texte principal.
- La rubrique **Étude de cas** raconte des situations et des problématiques qui touchent les enfants.
- La rubrique **Info-carrière** décrit de nombreux emplois qui concernent directement ou indirectement les enfants. Tu y découvriras toutes sortes de carrières où tu peux intervenir directement ou indirectement auprès des enfants.
- Chaque chapitre se termine par le **Résumé** comprenant :
  - les **Points marquants**, soit un résumé des principaux points abordés dans le chapitre ;
  - **Révision et approfondissement**, qui se compose de questions et d'activités. Des icônes indiquent quel type d'habileté tu devras démontrer : Connaissance/Compréhension C/C, Réflexion/Recherche R/R, Communication C, Mise en application A;
  - **Recherche**, qui te soumet des situations à approfondir ;
  - **Analyse et solution**, qui explore certaines questions reliées aux sujets abordés dans le chapitre.
- L'**Annexe** de la page 463 contient du matériel tiré du guide ressources *Les cinq premières années* produit par Investir dans l'enfance, un organisme à but non lucratif. Tu devras consulter ce matériel au chapitre 12.
- Les termes et les concepts difficiles apparaissent en caractères gras et leur définition paraît dans le **Glossaire** de la page 478.
- Tu trouveras un **Index** détaillé à la page 486.

Bibliographie

BEE, Helen. *Les âges de la vie – Psychologie du développement humain,* Québec, Éditions du Renouveau pédagogique, 1997, 500 p.

BOISVERT-BELLEMARE, Gaétanne, et Diane SIMARD-CARIGNAN. *Moi... toi... lui, Le rôle parental,* Montréal, Guérin Éditeur, 1996, 446 p.

JARMAN, Frédérick, et Susan Howlett. *La famille en évolution : perspective canadienne,* Montréal, Guérin Éditeur, 1995, 444 p.

LACOURSE, Marie-Thérèse, *Famille et société.* Montréal, Chenelière/McGraw-Hill, 1999, 356 p.

LEMAY, Bernadette, *La boîte à outils.* Esquisse de cours 9e, Vanier, CFORP, 1999.

L'INSTITUT VANIER DE LA FAMILLE. *Profil des familles canadiennes II,* Nepean, Institut Vanier de la famille, 2000, 187 p.

PELLETIER, Danièle. *L'activité-projet – Le développement global en action,* Mont-Royal, Modulo Éditeur, 1998, 232 p.

PÉRON, Yves, et al. *Les familles canadiennes à l'approche de l'an 2000,* Ottawa, Statistique Canada, 1995, 186 p.

VAN CUTSEM, Chantal. *La famille recomposée, Entre défi et incertitude,* Paris, Éditions Erès,1998, 187 p.

VANDER ZANDEN, James. *Introduction à la psychologie du développement,* Montréal, Les Éditions de la Chenelière, 1996, 390 p.

Module 1 Le rôle parental au Canada

Dans ce module, tu apprendras que les enfants font l'objet d'études officielles et non officielles. Les sociologues observent les enfants pour comprendre leur comportement, leur croissance et leur mode d'apprentissage. Un autre objectif est de découvrir les tendances de la croissance et du développement. À partir de diverses sources, tu vas acquérir les connaissances et les compétences nécessaires à l'étude des enfants. De plus, tu verras comment recueillir de l'information sur les enfants, comment l'interpréter et comment la présenter.

THÈMES DÉVELOPPÉS :

- L'étude des enfants accroît l'efficacité des parents.
- L'étude des enfants permet aux personnes qui vivent et travaillent avec des enfants de jouer leur rôle efficacement.
- L'étude des enfants d'âge scolaire et à l'adolescence prépare les gens à vivre leur rôle de parent ou à travailler auprès de jeunes de ces groupes d'âge.
- Les recherches en sciences sociales permettent d'expliquer les enjeux de la croissance et du développement humains et d'augmenter les connaissances sur le sujet.

Aperçu du module

Chapitre 1

L'étude des enfants

À la fin de ce chapitre, tu pourras :

- utiliser des méthodes adéquates de recherche en sciences sociales ;
- montrer ta compréhension des moyens permettant de trouver de l'information à des fins de recherche ;
- structurer et analyser des données quantitatives et qualitatives ;
- établir et présenter les résultats d'une recherche.

Mots clés

anthropologie
consentement éclairé
domaine public
écologie humaine
éthique
étude de la famille
étude interdisciplinaire
guides de rédaction
hypothèse
méthode scientifique
psychologie
question de recherche
recherche primaire
recherche qualitative
recherche quantitative
recherche secondaire
sciences sociales
sociologie
théorie

Aperçu du chapitre

Pourquoi étudier les enfants ?

Les enfants sont mignons, intéressants, attachants, adorables, délicieux, délirants, exigeants, précieux, mais également curieux, contrariants et épuisants. Malgré leur extrême dépendance lorsqu'ils sont bébés, ils ont tout pour devenir des adultes uniques et autonomes. Chaque stade du développement présente des caractéristiques particulières et mérite qu'on l'examine.

Comment peux-tu connaître les enfants si tu ne les étudies pas ? Quand tu joues avec des enfants, quand tu les surveilles, quand tu les écoutes, quand tu en prends soin ou quand tu leur parles, tu les étudies d'une manière non officielle. Par contre, si tu suis des cours sur le rôle parental, sur le soin aux enfants ou sur leur développement, tu choisis de les étudier d'une façon plus officielle.

Figure 1.1
Le jeu occupe une place importante dans l'enfance.

Dix bonnes raisons d'étudier les enfants

1. Pour découvrir l'enfant que tu as été.
2. Pour apprendre comment les enfants pensent et agissent.
3. Pour comprendre la croissance et le développement humains.
4. Pour renforcer les liens que tu as déjà avec des enfants.
5. Pour te préparer à vivre des situations avec des enfants dans ta communauté, en société ou au travail.
6. Pour te donner de l'assurance quand tu dois prendre soin d'enfants.
7. Pour être en mesure de reconnaître les abus à l'égard des enfants et de les contrer.
8. Pour voir le monde avec les yeux d'un enfant.
9. Pour devenir un jour le meilleur parent possible.
10. Pour comprendre comment tes parents ont contribué à ta croissance et à ton développement.

Il y a de nombreuses raisons d'étudier les enfants. Grâce à des lectures sur les enfants, à du temps passé avec eux et à des recherches sur des sujets liés aux enfants, tu apprendras beaucoup de choses sur leur manière de penser et de se comporter. Étudier les enfants te permettra non seulement de mieux les comprendre, mais de mieux te comprendre toi-même. La plupart des adolescentes et des adolescents deviendront parents un jour. Si tu connais bien les enfants de tous âges et à tous les stades de leur développement, tu pourras mieux en prendre soin maintenant. Tu seras aussi en mesure d'assumer ton rôle parental, qui dure toute la vie, ou de t'occuper d'enfants un jour.

Les sciences sociales et l'étude des enfants

Les **sciences sociales** portent sur l'étude de l'être humain en société, de sa pensée, de sa culture et de son comportement. Vu la nature complexe de l'humanité, les sciences sociales comprennent plusieurs disciplines.

Les sciences sociales portent sur l'étude :

de l'être humain en société

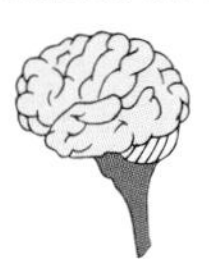

de la pensée humaine

de la culture humaine

du comportement humain

Trois d'entre elles concernent l'étude du rôle parental :

- la **psychologie**, soit l'étude scientifique du comportement et de l'esprit humain ;
- la **sociologie**, ou l'étude systématique des rapports humains dans les organisations sociales ;
- l'**anthropologie**, c'est-à-dire l'étude de la vie et de la culture des êtres humains.

Les sciences sociales comprennent également l'**étude de la famille** ou **écologie humaine.** Il s'agit de l'**étude interdisciplinaire** des personnes et de leur famille du point de vue de l'anthropologie, de la sociologie, de la psychologie ainsi que de l'économie et de la science politique. L'étude de la famille fait aussi intervenir des disciplines des sciences humaines, comme la religion, la philosophie, le droit et l'éducation.

En sciences sociales, on étudie les enfants depuis longtemps, et ce, pour plusieurs raisons. Les enfants grandissent et changent si vite, et de façons si diverses, qu'ils constituent d'excellents sujets pour l'étude du développement humain. L'étude des enfants permet d'apprendre comment les êtres humains s'approprient le langage, établissent des relations, font preuve d'intelligence, développent et maîtrisent des habiletés et s'adaptent à la complexité du monde. Grâce à ce cours sur le rôle parental, sur les soins aux enfants et sur le développement humain, tu deviens toi-même spécialiste des sciences sociales. En effet, tu feras une recherche en sciences sociales orientée sur les enfants.

Les attentes des adolescentes et des adolescents, 1992-2000

Vous attendez-vous à...	(Le pourcentage correspond à la réponse « oui ».)	1992	2000
Carrière	Faire carrière	96	95
	Obtenir l'emploi que vous souhaitez après vos études	83	86
	Faire des heures supplémentaires pour joindre les deux bouts	41	44
Famille	Vous marier	85	88
	Rester toute votre vie avec la même personne	86	88
	Avoir des enfants	84	92
Réussite	Être propriétaire de votre maison	96	96
	Vivre plus à l'aise que vos parents	77	79
	Voyager souvent à l'étranger	73	72

Adapté de R. W. Bibby, *Canada's Teens: Today, Yesterday, and Tomorrow,* Toronto, Stoddart Publishing, 2001, p. 200.

Figure 1.2
La plupart des adolescentes et des adolescents prévoient avoir des enfants un jour. Apprendre à connaître les enfants dès aujourd'hui peut les aider à devenir meilleurs parents et à améliorer les relations familiales.

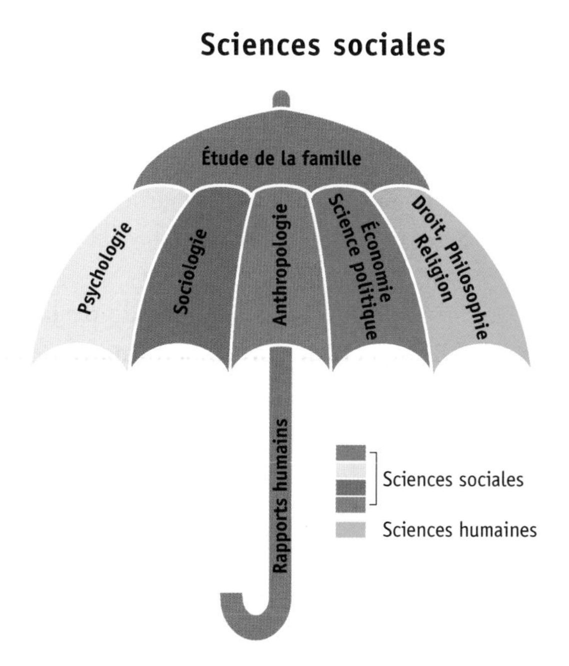

Figure 1.3
Les sciences sociales se composent de plusieurs disciplines.

L'anthropologie est une discipline dont le but premier, sinon le seul, est d'analyser et d'interpréter les différences.
— Claude Lévi-Strauss

Figure 1.4
Les enfants sont à la fois adorables et contrariants.

Avis d'experts

ROBERT GLOSSOP

Robert Glossop, directeur des programmes et de la recherche de l'Institut Vanier de la famille, à Ottawa, répond à la question suivante :

Quel est le rôle de la recherche en sciences sociales dans la mission de l'Institut Vanier de la famille ?

En 1965, l'Institut Vanier de la famille voyait le jour dans le but de favoriser le bien-être des familles canadiennes. Grâce à la recherche, nous tentons de découvrir et de comprendre les modèles courants dans la formation des familles, leurs activités et leurs sentiments. Une fois que nous avons un portrait précis de ces dimensions de la vie familiale, nous repérons les problèmes particuliers des membres de la famille ainsi que les questions relevant de la politique des pouvoirs publics que révèlent ces tendances. C'est grâce à cette information que la population canadienne peut mieux comprendre comment apporter un soutien aux familles d'aujourd'hui.

On a raison de dire que la recherche à elle seule ne parvient pas à consolider les familles, mais il est vrai aussi que toute tentative de consolidation non fondée sur une recherche sérieuse est vouée à l'échec. En conséquence, si un gouvernement ou un organisme souhaite faire changer certaines questions relatives aux pouvoirs publics afin d'aider les familles, il doit d'abord effectuer des recherches.

L'étude de la famille est une activité multidisciplinaire. L'histoire des sciences sociales nous apprend qu'il est impossible de donner une définition unique de « la » famille, car les familles évoluent constamment pour s'adapter aux conséquences des mouvements sociaux, technologiques, économiques et culturels, par le biais des différentes cultures et l'histoire. Les sociologues ont fait de nombreuses découvertes sur la façon dont les familles reflètent leur environnement et le consolident. Les psychologues et les psychosociologues nous enseignent comment les interactions des membres d'une famille façonnent les différentes personnalités qui nous distinguent dans nos rôles au travail et en société.

Le plus important changement survenu dans les familles est sans doute attribuable au fait que 70 % des couples qui élèvent des enfants ont besoin de deux revenus pour joindre les deux bouts. De plus, aujourd'hui, on attend la même contribution des hommes et des femmes pour combler les besoins financiers et affectifs de leur famille et pour créer un foyer.

La recherche montre aussi que ces changements ne sont pas accidentels. Vers 1950, la plupart des hommes et des femmes avaient une idée assez précise de ce qu'on attendait d'eux. Aujourd'hui, les gens n'ont pas une image aussi nette du rôle propre à leur sexe. Les changements survenus dans le milieu du travail et notre aspiration à accroître notre niveau de vie ont laissé la plupart d'entre nous dans le doute quant à la définition de nos rôles. Que veut dire faire partie d'une famille égalitaire dans laquelle l'homme et la femme travaillent tous les deux, partagent les corvées domestiques et s'occupent ensemble d'éduquer et de soigner leurs enfants ? Nous comprenons mieux les nouveaux rôles, mais cette compréhension progresse lentement et il reste encore beaucoup à faire pour s'adapter à ces changements majeurs.

Certaines personnes pensent que le rôle parental a une nature instinctive et qu'il est inutile d'en faire un sujet de recherche. Pourtant, je ne crois pas que les parents s'appuient uniquement sur leur instinct. Le rôle parental ne va pas aussi de soi qu'on le prétend. Nous avons tous entendu le commentaire «... il faut toute une communauté pour élever un enfant». Il serait juste aussi de dire qu'il faut une communauté pour guider les parents. La plupart des sociétés ont compris depuis longtemps que la tâche de soigner et d'élever la prochaine génération de citoyennes et de citoyens est trop fondamentale pour reposer uniquement sur les parents. C'est pour cette raison que, dans le passé, les parents ont reçu non seulement du soutien, mais également une instruction quant à leur rôle de parent de la part de membres de leur religion ou de leur communauté, de leurs propres parents ou de membres de leur famille.

Depuis peu, les parents peuvent aussi compter sur les enseignements de la recherche pour se guider. Ils y apprennent l'importance cruciale des liens solides entre parents et enfants, le rôle essentiel de la stimulation au cours des premières années de vie pour le développement cognitif, social et affectif, ainsi que les facteurs qui déterminent le sort d'un enfant, comme un revenu suffisant et le soutien de la communauté.

En conclusion, être un bon parent dépend essentiellement du respect que nous portons à l'enfant, de la portée de notre dévouement à son égard, des ressources que nous sommes prêts à lui offrir et de la constance avec laquelle nous exprimons nos attentes et notre affection.

■ Aucune méthode de recherche n'est supérieure à une autre. Ton choix dépend de ce que tu souhaites apprendre.

Les enfants sont l'avenir de toute famille et de toute société. Ils constituent le pont entre les générations. Ce que tu apprends au sujet des enfants peut influer sur ta relation avec eux dès aujourd'hui et dans les années à venir. Ce que tu apprends peut aussi contribuer à faire du Canada un pays plus fort où il fera bon vivre, car demain les enfants d'aujourd'hui enseigneront, dirigeront la société et auront à leur tour des enfants.

Les méthodes de recherche

L'observation : Note ce que tu vois et ce que tu entends quand tu observes les enfants.

L'observation participante : Joue et interagis avec les enfants tout en les observant.

L'entretien personnel : Parle à une experte ou un expert au sujet des enfants.

La phénoménologie (l'histoire de vie) : Écoute quelqu'un raconter une expérience unique faisant intervenir des enfants.

L'enquête : Pose les mêmes questions à plusieurs personnes au sujet des enfants.

La recherche historique : Vérifie l'information relative aux enfants dans les documents historiques.

Les statistiques officielles : Repère et analyse les données qui concernent les enfants dans les archives publiques et les recensements.

La documentation : Résume ce que plusieurs spécialistes ont écrit sur les enfants.

Les façons de se renseigner sur les enfants et sur le rôle parental

Plusieurs méthodes s'avèrent adéquates pour recueillir de l'information relative aux enfants. Aucune méthode n'est supérieure à une autre. Ton choix dépend de ce que tu souhaites apprendre. En recherche, il faut montrer de l'impartialité et de l'objectivité. Il faut aussi faire preuve d'ouverture d'esprit et utiliser les méthodes présentées ci-après, sans préjugé.

L'observation

On peut apprendre beaucoup par l'observation et l'écoute des enfants. Parfois, on se place derrière des miroirs diaphanes afin que les enfants en observation ne voient pas qu'on les regarde. On peut noter les observations de plusieurs manières :

- sur des grilles dans les cas où on s'intéresse à un ensemble de comportements en particulier ;
- dans des rapports anecdotiques, soit sous la forme de descriptions écrites détaillées de tout ce qu'un enfant dit et fait, soit sous la forme d'enregistrements narratifs décrivant ce qu'on voit et entend ;
- sur des bandes vidéo qu'on peut analyser plus tard.

Les personnes qui observent doivent faire preuve d'objectivité et consigner seulement ce qu'elles voient et entendent. La subjectivité pourra entrer en ligne de compte au moment de l'analyse et de l'interprétation des observations.

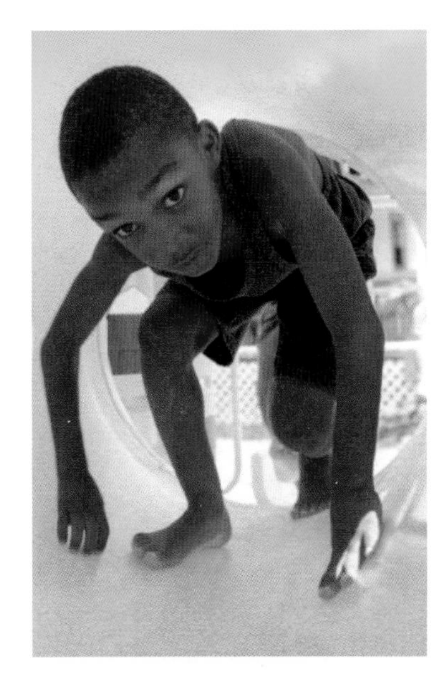

Figure 1.5
En observant les enfants, les spécialistes des sciences sociales apprennent comment les êtres humains utilisent leur intelligence, développent et maîtrisent des habiletés et s'adaptent à la complexité de leur environnement.

L'observation participante

Dans l'observation participante, on interagit avec les enfants et on participe à leurs activités. Il peut s'agir de leur poser des questions pour découvrir ce qu'ils pensent ou pour savoir s'ils sont capables d'accomplir certaines tâches, comme compter, sauter ou distinguer des couleurs. On note les observations dans des grilles ou on rédige une description. Encore une fois, il faut éviter les interprétations subjectives des faits observés. Plus tard, on procède à l'analyse des observations à la recherche de tendances. On peut aussi comparer les constatations avec des modèles de développement déjà reconnus par d'autres spécialistes, chercheuses ou chercheurs.

L'entretien personnel

Avec la permission des parents, il est possible d'interroger un enfant. À cet effet, on doit préparer un calendrier d'entretiens avec des questions précises et tenter d'obtenir des réponses. Ces questions peuvent ressembler aux suivantes : « Quel âge as-tu ? », « En quelle année es-tu ? », « Comment te sens-tu quand quelqu'un prend un objet qui t'appartient sans te le demander ? » Il faut dresser le questionnaire à l'avance et noter les réponses mot pour mot ; on peut aussi faire un enregistrement de l'entretien qu'on transcrit par la suite. Grâce aux notes d'entretien, on peut comparer l'information recueillie avec les opinions, les théories et les constatations d'autres personnes.

La phénoménologie (l'histoire de vie)

Les spécialistes des sciences sociales recourent souvent à la phénoménologie, c'est-à-dire l'examen approfondi d'une expérience de vie particulière afin d'étudier le vécu des enfants et des familles. Par exemple, le témoignage de parents peut servir à examiner un phénomène, comme l'éducation d'un enfant atteint d'une incapacité physique, ou la vie avec un enfant souffrant du syndrome d'alcoolisme fœtal (SAF), ou encore la tragique expérience du syndrome de la mort subite du nourrisson (SMSN). Il convient d'enregistrer les conversations avec les parents puis de les transcrire ; ces conversations permettront de reconnaître et d'examiner des thèmes communs et de mieux comprendre ce que ressentent les personnes qui vivent cette expérience. Les spécialistes peuvent simplement relater l'histoire ou la ponctuer d'informations tirées de travaux de recherche ou de sociodémographie. La phénoménologie est un outil très efficace de recherche en sciences sociales.

Figure 1.6
Une enquête est un outil efficace pour recueillir des données sur des faits et des opinions.

L'enquête

L'enquête sert habituellement à recueillir de l'information ou des données auprès d'un grand nombre de gens. Les questionnaires d'enquête permettent d'obtenir assez rapidement des chiffres, des faits et des opinions. Les questions peuvent prendre la forme suivante : « Combien y a-t-il d'enfants de quatre ans inscrits à la maternelle de votre conseil scolaire ? », « Quelles sont les activités préférées des enfants de trois et de quatre ans dans votre garderie ? » Le personnel en recherche peut noter les résultats de l'enquête dans un tableau ou un graphique, ce qui facilite les comparaisons. Comme la personne interviewée doit lire et remplir le questionnaire, on ne peut le remettre qu'à des adultes capables de noter leurs observations. En conséquence, l'enquête n'est peut-être pas la méthode idéale pour recueillir de l'information auprès des enfants.

La recherche historique

Les gens qui font de la recherche peuvent puiser dans différentes sources pour se familiariser avec l'histoire des enfants. Les journaux intimes, les romans historiques, les familles, les institutions religieuses, les registres d'école, les vieilles photos ou dessins d'enfants, les lettres anciennes, les histoires racontées par des hommes et des femmes au sujet du temps où ils étaient des enfants sont d'excellentes ressources pour se renseigner sur les enfants d'autrefois. Pour utiliser ces ressources objectivement, il faut cependant se limiter aux mêmes questions pour chacune des sources et délimiter ainsi le cadre de la recherche. On prend beaucoup de notes, puis on les analyse afin de déceler des tendances et des cas atypiques.

Les statistiques officielles

Les données de recensement, les registres d'école et autres recueils officiels renseignent sur la taille, la composition et les caractéristiques sociodémographiques ou la répartition des populations humaines. Quelquefois, les spécialistes transposent ces données en diagrammes, en graphiques ou en tableaux pour illustrer les variations, en fonction du temps, de facteurs comme le taux de natalité, la fertilité, le taux de mortalité infantile ou le revenu familial. Statistique Canada recueille les données démographiques sur les tendances de la population canadienne. Les chercheuses et les chercheurs se consacrant à l'étude des enfants et de la famille peuvent consulter ces données afin d'observer les tendances et les caractéristiques propres à l'objet de leur recherche.

La documentation

Les monographies et les articles sur le phénomène humain publiés dans des livres, des manuels comme celui-ci, des magazines, des médias électroniques et des imprimés permettent de rassembler des renseignements sur un sujet particulier. La personne qui effectue la recherche lit la documentation et note l'information dans ses propres mots ou peut citer des extraits. Lorsqu'elle fait référence aux travaux d'une ou d'un spécialiste, dans ses mots ou au moyen d'une citation, elle doit mentionner le nom de l'auteur. Les **guides de rédaction** expliquent comment s'y prendre. Après la collecte d'information auprès de différentes sources, on regroupe les points connexes sous des titres et on insère des intertitres pour donner le point de vue de chaque auteure ou auteur. Il faut signaler autant les opinions contraires que les points de vue semblables.

Le *Guide de rédaction des travaux universitaires,* de François-Pierre Gingras est utile pour la rédaction en sciences sociales. Tu peux le consulter dans Internet par l'intermédiaire du site **www.dlcmcgrawhill.ca.**

Info-carrière

LES RECHERCHISTES

Les tâches et les responsabilités

Les recherchistes savent où trouver une information, peu importe de quoi il s'agit. Ils naviguent aisément à travers le gigantesque volume de données d'Internet, les bases de données, les agences de transmission, les publications commerciales et les archives publiques. Ils savent juger de la valeur d'une source, vérifier les faits et, quelquefois, ils interrogent des spécialistes, des fonctionnaires ou des gens faisant partie d'un segment particulier de la population. À partir de leurs découvertes, ils rédigent des résumés ou des analyses.

Les sociétés de conseil, les gouvernements et les entreprises comptent sur les recherchistes pour trouver et structurer l'information relative aux marchés, aux normes gouvernementales, aux nouvelles technologies et aux tendances de l'industrie. En plus de ces tâches, plusieurs « bibliothécaires spécialisés » font de la recherche pour le personnel de direction, les cadres et les fonctionnaires. Ils peuvent aussi surveiller de près les développements dans l'industrie ou dans les activités gouvernementales et faire circuler des articles ou des rapports.

Le milieu de travail

Les recherchistes offrent leurs services aux banques, aux sociétés de conseil, aux entreprises et aux différents secteurs du gouvernement. Ils travaillent habituellement dans des bureaux et passent beaucoup de temps à l'ordinateur. La plupart travaillent à temps plein durant les heures habituelles de travail. Certains d'entre eux, par contre, qu'on appelle « courtières ou courtiers en information », travaillent de façon indépendante. Comme la profession de courtage en information est un tout nouveau domaine, il faut mettre les bouchées doubles pour établir une clientèle à qui vendre ses services.

La formation et les compétences

Pour travailler en recherche, il faut au moins un baccalauréat. Cependant, la plupart des emplois en recherche exigent une maîtrise dans un domaine relié à l'entreprise, en bibliothéconomie ou en sciences de l'information. Les programmes universitaires de bibliothéconomie et de sciences de l'information enseignent les méthodes avancées de recherche ainsi que les techniques pour interpréter, organiser et enregistrer les documents, le matériel et les données.

Vérifie tes connaissances

1. De quoi se composent les sciences sociales ?
2. Décris trois méthodes servant à noter les observations sur les enfants.
3. Explique en quoi les enquêtes, les statistiques officielles et les recherches historiques peuvent contribuer aux recherches en sciences sociales.
4. Choisis trois méthodes de recherche. Pour chacune, décris comment elle permet de faire preuve d'objectivité.

Les recherches en sciences sociales

Tu as vu que les sciences sociales touchent plusieurs domaines. C'est pourquoi elles font appel à divers types de recherches qui prennent différentes formes. À une époque, la recherche en sciences sociales suivait la méthode scientifique parce que c'était la méthode traditionnelle de recherche. La **méthode scientifique** correspond à la procédure qui sert à la rédaction des rapports d'expériences scientifiques. Elle comporte un objectif, une **hypothèse**, une méthode, des résultats (données), une analyse et une conclusion.

La méthode scientifique a servi plus souvent pour certaines disciplines des sciences sociales que pour d'autres. En psychologie, on a souvent converti les expériences sur les sujets humains en données statistiques. Combien de premiers-nés accèdent à l'enseignement supérieur ? Combien de fois un enfant contourne-t-il un obstacle avant de le renverser ? Les sociologues et les anthropologues ont aussi réalisé des expériences, mais plus souvent pour savoir pourquoi les premiers-nés choisissent l'enseignement supérieur ou pourquoi certains enfants évitent les obstacles et d'autres, non. Dans ces cas, les descriptions détaillées des comportements et les théories qui expliquent ces comportements l'emportaient sur les données numériques.

La **recherche quantitative** est une recherche expérimentale qui fournit des données, comme des nombres, des mesures et des statistiques. Parfois, elle ne renseigne pas vraiment sans une **recherche qualitative,** c'est-à-dire l'histoire ou la description de ce que signifient ces nombres, ces mesures et ces statistiques en regard des êtres humains. De plus, la recherche qualitative apporte une dimension fort utile. Si la question est « Le taux de natalité a-t-il varié au Canada au cours des deux dernières décennies ? », une recherche quantitative permettra d'y répondre. Cependant, pour une question comme « L'expérience de la naissance d'un enfant pour les nouveaux parents a-t-elle changé pendant les deux dernières décennies ? », la recherche empirique sera plus appropriée parce qu'elle décrit l'expérience des parents.

La recherche quantitative et la recherche qualitative ont chacune leurs avantages et leurs inconvénients. Quelquefois, on préférera l'une à l'autre, mais pour certains projets de recherche, on utilisera les deux méthodes à la fois.

■ Compte tenu de ce que tu as appris jusqu'à maintenant, que penses-tu de cette citation ?
Après tout, le but ultime de toute recherche n'est pas l'objectivité, mais la vérité.
— Helene Deutsch

Les étapes de la recherche

1. Définis le problème, le sujet ou la question.
2. Fais une recherche préliminaire pour déterminer tes intérêts ainsi que les points de vue et les théories sur le sujet.
3. Prends position et formule une question de recherche.
4. Recueille l'information ou les données à l'aide de la ou des méthodes qui fourniront les meilleures réponses.
5. Structure, résume et analyse ton information.
6. Rédige ton argumentation.
7. Formule une conclusion où tu expliques comment ta recherche a répondu à la question.

Le choix de la méthode de recherche dépend le plus souvent des objectifs et des préférences de la personne qui mène la recherche. La **question de recherche** à laquelle on souhaite répondre indique souvent la méthode à employer.

La formulation d'une question de recherche

La question de recherche est une question à laquelle on répond en recueillant des renseignements précis. Choisis un sujet et pense à ce que tu souhaites savoir en particulier. Fais une recherche préliminaire, c'est-à-dire lis la documentation, renseigne-toi sur les différentes théories ou parle avec des gens qui connaissent le sujet. La question de recherche va forcément avoir une portée plus restreinte parce qu'elle demande une réponse précise, mais ton travail préliminaire te donnera une idée du genre de recherche que tu devrais faire pour y répondre. Améliore la question et décide ensuite où tu pourrais obtenir l'information nécessaire pour y répondre.

Une bonne question de recherche concerne un sujet d'importance qu'on peut observer sous différents angles et ne peut avoir « oui » ou « non » comme réponse. Par exemple, la question « Les pleurs d'un bébé dérangent-ils les parents ? » ne pourrait pas servir à une recherche parce que la réponse serait soit « oui », soit « non ». Cependant, la question « Comment les parents réagissent-ils quand les enfants pleurent ? » nécessite plus de recherche. Pour y répondre, il faut parler à de nombreux parents ou lire d'autres travaux de recherche, ou encore consulter des articles qui ont déjà abordé ce thème.

Une bonne question de recherche :

- répondra précisément à ce que tu veux savoir ;
- n'aura pas « oui » ou « non » comme réponse ;
- exigera forcément une collecte d'information.

Des questions de recherche et des méthodes possibles

Sujet	Questions de recherche possibles	Méthodes de recherche possibles
Soins à l'enfant	• Quels services de soins à l'enfant offrait-on aux parents, au Canada, à la fin des années 1800 ? • Quels problèmes les mères et pères célibataires éprouvent-ils dans leur recherche de services de soins à l'enfant ?	• lettres et documents historiques • romans historiques • archives • entretiens personnels • histoires de vie • livres et articles de magazines
Pauvreté	• Comment lutte-t-on contre la pauvreté au Canada ? • À quoi ressemble la vie d'un enfant pauvre ? • Que disent les journaux au sujet de la pauvreté et comment la décrivent-ils ?	• rapports sociodémographiques et statistiques • archives publiques • documentation • histoires de vie • entretiens personnels • articles de journaux
Développement de l'enfant	• Quel est le lien entre la stimulation que reçoit un bébé à qui ses parents parlent et lisent des histoires et sa future réussite scolaire ?	• documentation • entretiens personnels avec les parents • registres d'école

Figure 1.7
La question de recherche indique souvent la méthode de recherche la plus appropriée.

❖ Liens

1. Choisis deux questions de la figure 1.7, détermine un titre de recherche et suggère trois sous-thèmes qui permettraient d'explorer le sujet.
2. À ton avis, pour les questions suivantes, quelles méthodes de recherche seraient les plus pertinentes ?
   - Quels sont les effets à court et à long terme du tabagisme pendant la grossesse, pour l'enfant ?
   - Quelles sont les difficultés qu'affrontent les parents d'enfants atteints d'un trouble déficitaire de l'attention ?
   - Comment les parents peuvent-ils régler les problèmes de rivalité fraternelle ?

La structuration et l'analyse des données d'une recherche

On fait des recherches pour toutes sortes de raisons. L'achat d'une auto, la planification d'un voyage ou le choix d'un type d'emploi sont des activités qui requièrent un certain genre de recherche. La sorte de recherche que tu entreprends et l'énergie que tu y consacres dépendent de ton objectif.

Les élèves doivent effectuer différents types de recherches. Pense aux projets de recherche que tu as réalisés ces dernières années. As-tu recueilli des données sur un sujet afin de confectionner une affiche ? de préparer une brochure ? de concevoir une campagne médiatique ? As-tu cherché de l'information à la bibliothèque ou dans Internet pour ensuite la présenter à ta classe ? Ou encore, as-tu fait une recherche approfondie avant de rédiger un rapport ou une dissertation de recherche importante ? Pour chacun de ces projets, tu as réuni l'information pertinente pour renseigner les personnes qui prendront connaissance de ta recherche et les convaincre de son exactitude et de sa précision. Dans chaque cas, il faut respecter quelques étapes importantes pour recueillir, structurer et analyser l'information.

Figure 1.8
Tu fais une recherche secondaire quand tu lis et notes ce que d'autres chercheuses et chercheurs ont déjà rapporté.

La collecte de données

Après avoir déterminé la question de recherche à laquelle tu souhaites répondre, tu dois établir comment tu trouveras l'information nécessaire pour obtenir une réponse (voir la figure 1.9 de la page 15). Si tu interroges des gens au sujet de leur expérience ou de leur expertise et que tu enregistres cette conversation ou cet entretien, tu effectues une **recherche primaire**. Si tu consultes des imprimés, tu dois prendre des notes ou faire des photocopies et surligner les éléments clés. Si tu lis et prends en note ce que d'autres chercheuses et chercheurs ont déjà découvert ou publié, tu fais une **recherche**

secondaire. Si tu recueilles des artefacts, comme des lettres, des journaux intimes ou de vieux articles de journaux, tu pourrais les photocopier s'ils ne sont pas trop fragiles ou les conserver dans une chemise et prendre des notes détaillées de ce que tu as découvert. Ce qui importe, c'est d'assembler assez de matériel pour répondre à ta question de recherche de manière convaincante.

Le plagiat

Peu importe où tu trouves de l'information, tu dois toujours mentionner la source. Autrement, tu ferais du plagiat, c'est-à-dire que tu ferais passer les idées de quelqu'un d'autre pour les tiennes. Le plagiat est un délit grave ; tu peux obtenir zéro pour ton travail ou encore voir ton cours annulé. Dans les collèges et les universités, on expulse parfois des gens pour cette raison.

Pour prévenir le plagiat, consigne toutes tes sources. Certains manuels indiquent comment présenter des sources dans un rapport de recherche. Chaque type de source a ses exigences particulières. Les livres écrits par une seule auteure ou un seul auteur, ceux écrits par un collectif, les articles de magazine, les sources Internet, les articles de journaux, les bandes vidéo et les émissions de radio, entre autres, ont leur présentation propre. Pour chaque élément d'information recueilli, prends en note les sources. Cela t'évite d'avoir à les vérifier de nouveau quand tu fais la compilation de ta recherche. Inclus-les ensuite dans une liste de références ou une bibliographie.

Si tu utilises le *Guide de rédaction des travaux universitaires,* tu trouveras les normes de présentation des références dans la partie intitulée « L'organisation et la mise au point du texte ». Ce manuel est mis à jour régulièrement, alors assure-toi de consulter la plus récente édition.

Fais le suivi des sources de l'information que tu recueilles de façon à pouvoir citer l'auteure ou l'auteur des ouvrages consultés. Dans les recherches en sciences sociales, tu dois donner l'origine de toutes les idées qui ne sont pas les tiennes. D'une part, citer les sources rend justice aux auteures et aux auteurs et, d'autre part, cela renforce tes propres constatations parce que d'autres spécialistes partagent ton point de vue.

Quelle information faut-il retenir ?

Un problème des spécialistes en sciences sociales est de distinguer entre les faits et les opinions. Les faits et les opinions ont tous deux leur place dans la recherche en sciences sociales. Les faits sont importants pour rendre la recherche convaincante. Les opinions sont utiles pour soulever des questions et explorer des problématiques propres à la recherche. Quand tu fais part d'une opinion, tu dois préciser qui pense ainsi et si cette opinion découle d'une expérience personnelle ou d'une recherche. Une opinion a plus de poids quand elle s'appuie sur des faits.

Les techniques de collecte de données

Sources d'information	Façons de recueillir des données
Imprimés : livres, magazines, journaux, journaux intimes	• Photocopie les idées importantes et surligne-les ; note la source complète sur chaque page que tu photocopies. • Si tu ne peux pas faire de photocopies, prends des notes détaillées de l'information qui répond le mieux à ta question de recherche et cite la source complète en haut de chaque page. • Copie mot pour mot les citations éclairantes, mets-les entre guillemets et note le numéro de la page entre crochets. • Écris dans tes propres mots les autres données pertinentes, mais que tu n'as pas besoin de rapporter textuellement.
Personnes	• Utilise des bandes audio pour enregistrer des entretiens personnels et rapporte ensuite par écrit ce que tu entends. • Utilise une bande vidéo pour enregistrer des entretiens ou des observations (avec la permission des personnes participantes) et prends des notes quand tu visionnes la bande. • Prends des notes détaillées, remplis des grilles, ou les deux, quand tu fais de l'observation. Note uniquement ce que tu vois et entends, et non ce que tu penses que cela signifie. • Dresse des questionnaires ou des formulaires d'enquête clairs, faciles à répondre et qui t'apprendront précisément ce que tu veux savoir.
Médias électroniques : sites Web, Internet	• Sélectionne un passage pertinent et copie l'information dans un document de traitement de texte. • Sélectionne l'adresse du site Web et copie-la dans ton document de traitement de texte. • Imprime des copies et surligne les points importants. • Utilise la fonction couper/coller pour rapporter les citations dans un document de travail, sans oublier de noter la source pour chacune d'elles.

Figure 1.9
Dans une recherche primaire ou secondaire, l'objectif est de recueillir suffisamment d'information pour répondre à ta question de recherche de manière convaincante.

Comment distinguer un fait d'une opinion ?

En recherche, il faut savoir faire la différence entre les faits et les opinions.

Les faits sont des éléments d'information qu'on peut prouver. Ils s'appuient souvent sur la recherche scientifique, des preuves concrètes ou des données numériques. Par exemple : « Les adolescentes et les adolescents vivent avec leur père et leur mère dans une proportion de 71 %. » (Bibby, 2001, p. 54)

Les opinions décrivent les attitudes des gens, leurs sentiments et leurs pensées face à un sujet particulier. Il ne s'agit pas de données exactes puisqu'elles se basent sur les points de vue des personnes. Par exemple : « Les gens ont droit à l'assurance-maladie. »

Les enquêtes permettent de déterminer combien de gens partagent une opinion. Par exemple : « Les adolescentes et les adolescents, dans une proportion de 92 %, croient que les gens défavorisés ont droit à l'assurance-maladie. » (Bibby, 2001, p. 191)

Questions minute

Parmi les énoncés suivants, détermine les faits et les opinions.

1. Selon Statistique Canada, deux couples mariés sur cinq finissent par divorcer.
2. Selon Alison Ouimet, une mère célibataire, un divorce a un effet négatif sur la qualité de vie.
3. Le taux de divorce au Canada est inférieur à celui des États-Unis.
4. On observe le syndrome d'alcoolisme fœtal dans 1 naissance vivante sur 100.
5. Avoir un enfant atteint d'un retard de développement met l'existence d'un couple en péril.
6. L'idée de devenir parent était inquiétante, mais l'expérience s'est révélée vraiment heureuse.
7. La dystrophie musculaire est une maladie génétique affectant les enfants mâles.

Réponses : 1. F; 2. O; 3. F; 4. F; 5. O; 6. O; 7. F.

L'analyse des données

Après avoir recueilli l'information, tu dois en dégager le sens afin de réaliser ton projet de recherche. Que signifie analyser l'information ? Cela veut dire étudier les données sous différents angles. Tu peux étudier, scruter, considérer, évaluer, mettre en doute, explorer, sonder ou vérifier ton information. Tu peux accomplir ces tâches pendant la collecte des données afin de déterminer ce qui est important et nécessaire pour ta présentation et ce que tu devrais éliminer.

En fonction de l'objectif de ta recherche, tu peux analyser l'information de façon à répondre aux questions suivantes :

1. Quelles données sont les plus convaincantes ?
2. Quelles données devrais-tu conserver ? Quelles données devrais-tu éliminer ?
3. Quelles tendances se dégagent des données ?
4. Quels thèmes, quels sujets ou quelles catégories ressortent des données ?
5. Sous quels titres et sous-titres peux-tu regrouper les données ?
6. Quels points de vue les données appuient-elles ?
7. Quels arguments est-il possible d'apporter ?
8. Que manque-t-il ?
9. Quelles généralisations peux-tu faire à partir de ta recherche ?
10. Quelles conclusions se dégagent de ta recherche ?

Après avoir analysé les données et déterminé comment tu vas t'en servir, tu peux commencer à les structurer selon une forme de présentation.

La structuration des données

Utilise des titres pour structurer tes présentations écrites, visuelles ou orales. En outre, tu dois inclure une introduction, une conclusion et une liste de références.

Tu peux choisir entre plusieurs formes de présentation : un rapport écrit, une présentation de groupe, une affiche, un travail de recherche approfondi ou encore la présentation d'observations à tes camarades de classe. Dans tous les cas, tu devras structurer ton travail pour le rendre intéressant, cohérent et convaincant.

La préparation de ta présentation de recherche

- **Annonce ton sujet.** Profite de l'introduction pour capter l'attention et faire un survol du sujet. Explique en quoi ton sujet justifie une recherche et indique les grandes lignes de ce que tu vas explorer.
- **Énonce la question de recherche.** Dans ton introduction, présente ta question de recherche, les méthodes de collecte d'information et ce que tu souhaites prouver.
- **Analyse.** Examine tes données de façon à pouvoir les structurer, les interpréter et les résumer. Les tableaux, les diagrammes ou les tableurs se prêtent bien aux données quantitatives. Le regroupement par thème ou la division en sujets secondaires convient bien à l'analyse des observations qualitatives. Compare tes résultats. Cherche les liens entre l'information recueillie et la question de recherche. Explique-les de manière intéressante.
- **Établis une structure.** Présente tes idées de façon logique. Ton information se divise-t-elle en catégories ? Correspond-elle à un modèle, par exemple du moins important au plus important, du plus ancien au plus récent, de la société à la personne ? Utilise des titres pour regrouper l'information connexe.
- **Donne des détails.** Fournis des exemples précis tirés de ta recherche en les présentant dans tes mots, en citant tes sources ou en décrivant les étapes qui t'ont permis d'obtenir une information de première main.
- **Cite tes sources.** Tout au long de ta présentation, cite tes sources et, à la fin, présente-les selon la méthode suggérée dans le *Guide de rédaction des travaux universitaires*. Voici un exemple d'une source incluse dans le texte de ta présentation :

  « Environ 71 % des jeunes gens disent avoir beaucoup d'agrément avec leur mère alors que 62 % disent la même chose de leur père. » (Bibby, 2001, p. 24)

  La référence (auteur, date et page) paraît après les guillemets fermants. La référence complète de toutes les sources doit également paraître à la fin de la présentation dans une section intitulée « Références » ou « Ouvrages consultés », un peu comme dans un générique de film.

Structure ta présentation de recherche

1. Annonce ton sujet.
2. Énonce la question de recherche.
3. Analyse.
4. Établis une structure.
5. Donne des détails.
6. Cite tes sources.
7. Explique.
8. Formule une conclusion.

Figure 1.10
Assure-toi de fournir au public tous les éléments pour bien comprendre ton sujet.

La référence complète de la citation mentionnée plus haut serait :

BIBBY, R. W. *Canada's teens : Today, yesterday, and tomorrow,* Toronto, Stoddart Publishing, 2001.

- **Explique.** Défends ton point de vue dans tes propres mots pour montrer que tu penses vraiment ce que tes recherches ont démontré.
- **Formule une conclusion.** Pour conclure ta présentation, assure-toi que ton sujet est clair et révèle tes découvertes. Décris brièvement comment tes résultats répondent à la question de recherche. Pour terminer, tu dois régler les questions en suspens et amener la recherche à sa conclusion finale.

La communication des résultats de recherche en sciences sociales

Après la collecte et le traitement de ton information, tu as le choix entre plusieurs formes de présentation de recherche.

Les formes de présentation d'une recherche

Le travail de recherche Une dissertation de recherche et un article de revue spécialisée, en plus de décrire le processus de recherche, établissent des liens entre plusieurs sources d'information afin de démontrer un énoncé et de faire partager un point de vue.

Le rapport écrit Un rapport présente généralement une description claire et concise des méthodes employées, de l'information recueillie, de l'analyse et de la conclusion, le tout sous des titres appropriés. Les rapports écrits peuvent prendre plusieurs formes, de l'article de journal ou de revue spécialisée jusqu'au rapport présenté devant un comité ou un organisme.

La présentation orale ou le rapport oral Il s'agit de présenter le sujet, de décrire le processus de recherche et de montrer comment l'information recueillie répond à la question de recherche. Le matériel audiovisuel contribuera à rendre la présentation ou le rapport plus intéressant. L'introduction et la conclusion sont tout aussi importantes dans une présentation orale.

L'affiche L'affiche est une présentation visuelle avec des titres clairs, de l'information sous forme de notes, une analyse et une conclusion, le tout imprimé en gros caractères lisibles à distance. Des éléments visuels comme des tableaux, des diagrammes, des éléments graphiques et des photos servent à présenter l'information recueillie afin de répondre à une question de recherche.

La présentation multimédia Dans une présentation multimédia, on choisit parmi diverses méthodes technologiques, y compris des enregistrements vidéo ou des vidéos numériques, des pages Web, des diaporamas et des enregistrements audio, entre autres. On présente l'information analysée et structurée avec différents médias jusqu'à la conclusion de façon que le public comprenne comment l'information répond à la question de recherche.

La présentation de groupe La présentation de groupe peut prendre n'importe laquelle des formes précédentes, ou une combinaison de formes, mais requiert la participation d'au moins deux personnes au processus de recherche. Chaque personne du groupe peut assumer une responsabilité différente et contribuer ainsi au résultat final. Par exemple, un membre de l'équipe s'occupera de la mise en pages et du graphisme alors qu'un autre sera le porte-parole du groupe.

Ce manuel fait référence à plusieurs recherches afin d'accroître tes connaissances sur différents sujets. Certaines recherches s'effectuent rapidement, par exemple au moyen d'enquêtes auprès de tes camarades de classe, d'entretiens avec des parents ou par l'observation d'enfants de ta communauté. D'autres types de recherches te demanderont de lire davantage, de prendre des notes, de structurer l'information et de préparer la présentation.

La recherche te donne l'occasion d'explorer toutes sortes de sujets, de questions et de théories et d'en apprendre davantage sur les parents et les enfants.

❖ Vérifie tes connaissances

1. Après avoir amassé et analysé l'information pour ta recherche, quelles étapes dois-tu suivre pour structurer et publier l'information ?
2. À quoi peut servir un manuel comme le *Guide de rédaction des travaux universitaires,* si tu souhaites publier une recherche et prévenir le plagiat ?
3. Nomme et décris quelques façons de communiquer efficacement les résultats de ta recherche.

L'éthique dans la recherche en sciences sociales

Chaque fois qu'une recherche en sciences sociales a recours à des sujets humains, cela soulève des questions éthiques complexes. Dans ce type de recherche, la chercheuse ou le chercheur doit obtenir le **consentement éclairé** des sujets avant d'entreprendre l'étude. Autrement dit, il faut informer les sujets de tous les aspects de la recherche et les sujets doivent accepter les conditions, habituellement par la signature d'une entente. Si les sujets sont des enfants trop jeunes ou trop peu matures pour donner leur consentement, il faudra l'obtenir des parents ou des tutrices et des tuteurs.

On doit se rappeler que la recherche en sciences sociales peut dans certains cas nuire, sur les plans affectif ou physique, aux sujets d'étude. Il faut bien informer les sujets au préalable de toute la portée de l'étude et des conséquences possibles. Les sujets doivent connaître ces renseignements pour donner un consentement éclairé.

La chercheuse ou le chercheur qui travaille avec des sujets humains doit obtenir leur consentement éclairé.

Les spécialistes en recherche déterminent généralement le comportement qu'ils considèrent comme moralement souhaitable lors d'une étude. Ces normes professionnelles constituent l'**éthique.** Dans son livre *Introduction to Child Psychology* (1993), J. P. Dworetzky a dressé une liste des droits des enfants dans la recherche en sciences sociales. Cette liste est un exemple des principes éthiques à respecter dans la recherche avec des enfants. Quand tu planifieras ta recherche pour ce cours, consulte cette liste et demande-toi si ton étude respecte ces principes. Si tu réponds « oui », alors ta recherche prend un bon départ du point de vue éthique. Toute bonne recherche en sciences sociales doit placer l'intérêt des sujets de recherche avant les objectifs de l'expérience ou les intérêts personnels.

Les normes éthiques pour la recherche sur des sujets humains

Liste des droits de l'enfant

1. L'enfant, si jeune soit-il, a des droits qui ont préséance sur ceux de la personne qui enquête.
2. Tout écart des principes éthiques exige que l'enquêteuse ou l'enquêteur demande conseil afin de protéger les droits des personnes participant à la recherche.
3. La personne qui fait enquête doit informer l'enfant de tous les aspects de la recherche qui pourraient changer sa volonté d'y participer; elle doit aussi répondre aux questions de l'enfant en termes qu'il peut comprendre.
4. Le consentement éclairé des parents ou des personnes qui agissent à ce titre (par exemple, des enseignantes et des enseignants ou des chefs de service d'une institution) doit également être obtenu, préférablement par écrit. Le consentement éclairé exige que les parents ou les autres adultes responsables soient informés de tous les aspects de la recherche pouvant affecter leur volonté de laisser l'enfant y participer. Les adultes responsables doivent avoir la possibilité de refuser sans être pénalisés.
5. La personne qui fait enquête ne peut entreprendre aucune action susceptible d'affecter l'enfant physiquement ou psychologiquement.
6. En cas de dissimulation ou de tromperie, des mesures seront prises, une fois l'étude terminée, pour assurer que les personnes participantes comprennent les causes de la dissimulation ou de la tromperie.
7. La personne qui fait enquête doit assurer la confidentialité de l'information obtenue sur les personnes participant à la recherche.
8. La personne qui fait enquête doit tirer au clair tout malentendu pouvant surgir pendant ou après la recherche.
9. Si, en cours de recherche, la personne qui fait enquête apprend des faits susceptibles d'affecter sérieusement le bien-être de l'enfant, elle doit prendre toutes les dispositions nécessaires pour apporter un soutien à l'enfant.
10. Si la recherche entraîne des conséquences néfastes n'ayant pas été prévues, la chercheuse ou le chercheur a le devoir de les corriger ou de revoir les procédures expérimentales.
11. Quand le traitement expérimental profite aux enfants, le groupe témoin doit se voir offrir le même traitement ou un traitement similaire.
12. La personne qui fait enquête a également la responsabilité de voir à ce que ses collègues respectent les normes éthiques.
13. Les personnes qui donnent des cours sur les enfants doivent informer leurs élèves des normes éthiques.
14. La recherche doit être scientifiquement valide et significative.
15. La recherche doit prendre comme sujets des animaux, des adultes et des enfants plus vieux avant de porter sur des nourrissons.

Note : *Introduction to Child Psychology* n'existe qu'en anglais.

Liens

1. Dans les recherches suivantes, peux-tu déterminer ce qui pourrait s'avérer contraire à l'éthique ?
   - Les élèves d'un cours sur le rôle parental doivent mentionner les nom et prénom d'un enfant dans le rapport qu'ils rédigent à partir de leurs observations de son comportement dans un groupe de jeu.
   - Des élèves de secondaire filment des enfants de 1re année aux fins d'une présentation devant la classe.
   - Un élève veut faire l'étude de l'effet des injures sur les enfants dans les centres de la petite enfance.
2. Relis les projets de recherche décrits à la figure 1.7 de la page 12. Décris les problèmes éthiques qui se poseraient aux chercheuses et aux chercheurs menant ces projets.

La parole aux parents

Nathalie Jean

Nathalie Jean est la mère d'une pré-adolescente de 9 ans et d'un garçon de 6 ans. Très rapidement, la naissance de sa fille l'a amenée à adapter sa vie professionnelle aux exigences de son nouveau rôle de mère. « Mon métier de traductrice me permettait de travailler à la maison et de concilier ainsi mon horaire selon les besoins de mon bébé et de mes contrats. J'ai alors cessé de me sentir coupable de passer trop de temps à l'extérieur, préférant donner des moments supplémentaires et toute mon énergie à ma petite fille », raconte Nathalie.

Figure 1.11
Nathalie et ses enfants, Élizabeth (9 ans) et Laurent (6 ans).

Avant d'être mère, elle avait déjà des convictions très précises quant à son futur rôle parental. « En prenant la décision d'avoir des enfants, je voulais des conditions non négociables, insiste-t-elle. Comme les enfants seraient notre priorité, il était indispensable que le père soit présent et que les fins de semaine soient consacrées à la famille. » Pendant sa grossesse, elle a énormément aimé la lecture de «*Votre bébé*» (Sélection du Reader's Digest) car ce livre répondait clairement à toutes ses interrogations. « C'était pour moi "l'ABC" idéal. Il parlait autant de la grossesse, de l'accouchement, de pédiatrie et de puériculture, que de l'alimentation et des différentes étapes du développement physique et psychologique de mon futur bébé », se souvient Nathalie Jean. Après la naissance de sa fille, le livre de Louise Lambert-Lagacé «*Comment nourrir son enfant*» est devenu son livre de référence dit-elle « car il me donnait une base sécurisante et m'offrait des choix de menus appréciables. »

Les changements survenus chaque fois que la famille s'agrandissait ont nécessité certains ajustements. « Il y avait une rupture d'équilibre au sein du noyau familial, explique Nathalie et j'étais très affectée par la perte de ma liberté de mouvement. Je devais me plier à des horaires fixes et à une routine. » Des souvenirs d'une enfance heureuse, de sérieuses discussions avec son conjoint, des lectures ont préparé Nathalie à son rôle de mère. « Pour bâtir une vie familiale harmonieuse et équilibrée, je crois à la présence des deux parents, au partage des tâches et au respect mutuel, non seulement à la maison, mais aussi en société. » Par contre, elle estime indispensable que le couple se retrouve seul à l'occasion de sorties, de petits voyages, « pour éviter de se perdre de vue ! » souligne-t-elle. Il faut donc prévoir des solutions (grands-parents, gardienne, etc.) « C'est important de faire confiance aux autres, de déléguer. De plus, être à l'aise avec ses convictions facilite la transmission des valeurs et contribue au développement global des enfants. » Les activités familiales ont une place importante dans la famille de Nathalie (jeux de société, bricolage, lecture, bicyclette, marche, patin et ski). « Le jeu et les sports font partie de l'apprentissage et renforcent le lien qui nous unit. » Elle est également convaincue de l'utilité des conversations autour de la table pour former le sens critique des enfants. « J'essaie de leur expliquer la vie de façon très "sociale", sans porter de jugement. »

Le grand défi de Nathalie consiste à garder l'équilibre entre son rôle de mère, de conjointe et de travailleuse autonome. « C'est compliqué, nous dit-elle en conclusion, d'organiser le fonctionnement du quotidien quand on ne reproduit pas les modèles familiaux traditionnels. »

L'étude des théories et des enjeux

Les recherches déjà effectuées en sciences sociales ont jeté les bases de l'étude des différentes théories et des enjeux. Ce manuel t'offre plusieurs occasions d'étudier les théories et les enjeux qui te permettent de comprendre les parents et les enfants.

L'étude des théories sur les enfants

Toute activité, qu'il s'agisse d'enseignement, d'investissement, de mise en marché ou de rôle parental, se fonde sur une théorie.

Une **théorie** est une explication ou une conception d'événements, de comportements ou de situations qui les met en perspective pour mieux les comprendre. Certaines théories découlent d'années de recherche expérimentale, alors que d'autres sont des hypothèses basées sur des événements qui, lorsqu'ils se produisent, suivent toujours le même modèle. Toutes les théories possèdent un élément de vérité et c'est pourquoi on les accepte et on les adopte. Les bonnes théories jouissent d'une grande reconnaissance. Elles résistent à l'épreuve du temps et les gens continuent de les appliquer. Une bonne théorie arrive à prédire la réalité avec précision. Quelquefois, cependant, une théorie perd du terrain parce qu'elle ne semble plus aussi vraie ou parce que de nouvelles théories donnent une explication plus juste d'un phénomène.

Étude de cas : Dr Benjamin Spock

Dr Benjamin Spock était un médecin célèbre dont les théories sur l'éducation des enfants ont évolué au cours de sa longue carrière. Sa première publication, en 1945, *Comment soigner et éduquer son enfant,* a connu huit rééditions. Pour plusieurs générations de parents, ses conseils ont répondu à toutes les questions sur le nettoyage du nombril, la dentition, l'entraînement à la propreté, les cauchemars, la discipline et l'éducation des enfants en général. Les éditions plus récentes ont commencé à reconnaître l'importance du bien-être affectif de l'enfant et à tenir compte de l'incidence grandissante des problèmes sociaux que vivent maintenant les familles, comme le divorce, les parents célibataires et les familles recomposées.

Questions

1. Décris une recherche qui pourrait servir à développer une théorie sur l'entraînement à la propreté.
2. Pourquoi les parents ont-ils fait confiance aux théories du Dr Spock au lieu d'élaborer leurs propres théories ?

La théorie joue aussi un rôle important en recherche. Une chercheuse ou un chercheur peut mettre en doute certaines théories actuelles ou les utiliser pour guider et appuyer un projet en particulier. La recherche apporte quelquefois une nouvelle dimension à une théorie ou révèle un phénomène jusque-là insoupçonné.

L'étude du rôle parental et du développement humain tient compte de nombreuses théories. Il y a des théories sur l'alimentation durant la grossesse ou sur les moyens de lutter contre les douleurs de l'accouchement. D'autres expliquent comment développer au maximum le cerveau d'un bébé, favoriser le langage et entraîner à la propreté. Les théories nous aident à comprendre les nombreuses situations que vivent parents et enfants. Certaines sont plus crédibles que d'autres. Tu bâtiras probablement tes propres théories en étudiant les enfants ou en appliquant certaines des théories mentionnées dans ce manuel dans tes interactions avec les enfants que tu côtoies.

Figure 1.12
Dr Benjamin Spock (1903-1998) était pédiatre. Ses théories sur les soins des enfants ont guidé des parents du monde entier.

L'étude des enjeux

La vie est complexe. C'est vrai pour les enfants, c'est vrai pour les adultes. C'est pourquoi on fait face à des enjeux ou à des préoccupations. Les enjeux sont des problèmes qui concernent autant les parents que les enfants. Ce manuel en examine quelques-uns, par exemple les soins aux enfants, la pauvreté et le mauvais traitement ou la négligence à l'égard des enfants. Tu auras l'occasion d'en explorer toi-même quelques-uns grâce à la recherche que tu entreprendras dans ce cours.

Quand le **domaine public** (la télévision, les médias et les débats publics) examine un enjeu, il en renvoie souvent une image déformée. Les études mentionnées dans les journaux ou les médias ont souvent des lacunes : on ne peut justifier la validité de la recherche, la ou le journaliste peut s'en tenir uniquement aux résultats susceptibles d'intéresser le public, ou les conclusions se fondent sur un échantillon.

Quand tu étudies un enjeu, tu dois absolument avoir l'esprit ouvert, demeurer critique et t'appuyer sur des sources fiables.

Les enjeux concernant les enfants exigent une attention toute particulière. Il se peut que tu étudies des enjeux que vivent plusieurs enfants et familles autour de toi, maintenant ou plus tard. Une fois qu'on les a étudiés et analysés, les enjeux semblent moins menaçants et il devient possible de les comprendre et de les régler.

Les étapes de l'analyse d'un enjeu

1. Définis l'enjeu (par exemple, la grossesse chez les adolescentes).
2. Nomme les personnes concernées par le problème (par exemple, les jeunes parents et leurs propres parents).
3. Examine le point de vue de chaque personne concernée et ses raisons (par exemple, les parents du jeune père souhaitent que la mère donne l'enfant en adoption, mais le jeune père veut épouser la mère ; la mère veut abandonner l'école pour s'occuper du bébé, mais ses parents insistent pour qu'elle reste célibataire et poursuive ses études).
4. Renseigne-toi sur les courants de pensée actuels concernant ce problème et détermine quels points de vue ils appuient (par exemple, une jeune mère peut poursuivre ses études tout en élevant son enfant).
5. Trouve d'autres recherches ou études sérieuses qui appuient différents points de vue (par exemple, des statistiques sur le nombre de jeunes mères qui se marient, donnent leur enfant en adoption ou élèvent leur enfant seules).
6. Dresse la liste des arguments pour chacun des points de vue.
7. Donne ton propre point de vue et explique pourquoi tu penses de cette façon.

Figure 1.13
Que l'étude des enfants et des parents soit nouvelle ou non pour toi, tu vas découvrir les enfants dans ta vie aujourd'hui et à l'avenir. À mesure que tu en sauras plus et que tu comprendras davantage les enfants, tu pourras établir des liens entre tes apprentissages et le développement humain ainsi que le rôle parental tels qu'ils existent. Profite bien de la prochaine étape de ton aventure.

Liens

1. **Dresse une liste des préoccupations ou des enjeux qui te semblent importants pour les enfants, les adolescentes et les adolescents ainsi que les parents dans notre société moderne. Choisis un élément de la liste et analyse-le selon les étapes décrites précédemment.**

Résumé

Points marquants

- Ce chapitre te présente l'étude des enfants du point de vue des sciences sociales.
- Il y a plusieurs raisons d'étudier les enfants, entre autres s'il y a des enfants dans ta vie maintenant, si tu prévois en avoir un jour ou travailler avec eux plus tard.
- En sciences sociales, on étudie les enfants par l'observation, l'observation participante, l'entrevue, la phénoménologie (l'histoire de vie), l'enquête, la recherche historique, la documentation ou les statistiques officielles.
- La méthode de recherche en sciences sociales commence par l'énoncé d'une question de recherche à laquelle on répond en réunissant l'information pertinente. Il y a plusieurs façons de présenter la recherche une fois l'information analysée, structurée et résumée.
- En plus de faire de la recherche, les spécialistes en sciences sociales étudient des théories et des enjeux concernant les enfants.
- Ce manuel propose plusieurs enjeux et théories, car il vise à couvrir un éventail de connaissances sur le rôle parental et le développement humain dans un contexte social.

Révision et approfondissement

1. Relis la lettre des auteures dans la partie « Introduction ». À ton tour, écris une lettre pour leur expliquer ce que tu étudies, pourquoi tu as choisi ce cours et ce que tu espères apprendre. C
2. En quoi l'étude des enfants est-elle positive ? Explique ce que l'étude des enfants peut te rapporter sur le plan personnel. C/C A
3. Décris la discipline des sciences sociales. Cherche en quoi elle diffère des autres disciplines ou en quoi elle leur ressemble. C/C R/R
4. Fais un survol de ce manuel. Lis les introductions des modules et des chapitres pour te faire une idée des sujets abordés. Tu peux aussi consulter la partie « Introduction » au début du livre. Résume ce que tu apprendras dans ce manuel. C/C C A
5. Repère les différentes rubriques du manuel. Prépare une liste de stratégies pour les utiliser de façon qu'elles contribuent à ton apprentissage. C/C A

6. Choisis un sujet qui t'intéresse. Explique ce que t'apprendraient une recherche quantitative et une recherche qualitative dans l'analyse de ton sujet. C/C A

7. La recherche en sciences sociales fait appel à plusieurs méthodes. Formule une question de recherche afin d'illustrer cette approche propre aux sciences sociales. R/R A

8. Certaines revues spécialisées, comme la *Revue canadienne d'économie familiale*, publient des rapports de recherche. Tu peux trouver de tels articles en ligne en consultant le site **www.dlcmcgrawhill.ca**, ou à la bibliothèque. Trouve un rapport de recherche dans une revue spécialisée et repère les titres qui forment la structure de l'étude. Avec une ou un autre élève, discute de tes découvertes. Compare les structures des deux rapports de recherche. Se ressemblent-elles ? R/R C

9. Relis la rubrique « Avis d'experts » à la page 5.
   a) Choisis des extraits de l'article sur la théorie de Robert Glossop au sujet des pratiques parentales saines.
   b) Quel est le rôle de la recherche à l'Institut Vanier de la famille ? C/C R/R

Recherche

10. Sur le site Web de Statistique Canada, trouve un exemple de statistiques officielles tirées du plus récent recensement au Canada. Suggère un sujet de recherche qui pourrait faire appel à ces statistiques.

Module 2 Un examen historique et culturel de l'enfance

Ce module fournit une base et un contexte riches pour étudier l'enfance et les enfants. Tu y verras l'histoire de l'enfance ainsi que le caractère universel du jeu. Tu découvriras comment tu peux mieux connaître et mieux comprendre les enfants en les observant jouer. Ce module traite également de l'influence importante de la grande diversité culturelle et religieuse du Canada sur la vie des parents et des enfants qui y vivent.

THÈMES DÉVELOPPÉS :

- Les enfants et l'enfance ont changé au cours de l'histoire.
- Le jeu constitue un aspect essentiel du développement.
- Le jeu stimule la croissance humaine à tous les stades de la vie.
- L'héritage culturel influence les enfants et les types d'éducation.
- La culture et l'héritage culturel jouent un rôle dans la façon d'éduquer les enfants et dans l'importance qu'on accorde aux enfants.
- La diversité culturelle et religieuse influence les enfants et les parents.

Aperçu du module

Chapitre 2

L'histoire des enfants et de l'enfance

À la fin de ce chapitre, tu pourras :

- examiner les rôles historiques des enfants en famille et en société ;
- relever des différences historiques, sociales et culturelles entre les enfants de différentes époques ;
- expliquer des faits historiques ayant eu une grande influence sur les enfants et l'enfance ;
- reconnaître et évaluer diverses pratiques et croyances relatives à l'éducation des enfants ayant eu cours dans le passé.

Mots clés

adolescence
dot
enfance
prix de la fiancée
propriété
rite de passage
rôle parental
sage-femme

Aperçu du chapitre

Qu'est-ce que l'enfance ?

Tout être humain traverse une période de la vie appelée l'**enfance.** Le dictionnaire définit l'enfance comme l'état ou la période de la vie d'un être humain se situant entre la petite enfance et l'**adolescence.** L'enfance est une période marquée par le jeu, une croissance rapide, un formidable apprentissage et l'acquisition des compétences nécessaires à la vie quotidienne. Pendant l'enfance, une personne prend conscience de sa place au sein de sa famille, de sa communauté et de son pays.

Figure 2.1
Les enfants sont plus petits que les adultes. Les traits de leur visage sont moins définis, leurs cheveux sont plus fins, leurs mains, plus rondelettes, et leur voix, plus aiguë. Ils ont des activités et des comportements différents de ceux des adultes.

Aujourd'hui au Canada, on considère l'enfance comme une période spéciale de la vie. On protège les enfants et on les tient à l'écart de la société adulte. La plupart des enfants ignorent les réalités de la vie adulte, comme la procréation, la mort, le travail, le chômage et les difficultés quotidiennes. Ils ont peu de responsabilités dans le monde des adultes et y participent peu. Ils jouent à la maison, vont à la garderie ou à l'école, où on les regroupe en fonction de leur âge.

L'enfance n'a pas toujours été ainsi au Canada. Par le passé, on distinguait peu les enfants des adultes, car ils faisaient pleinement partie de la société adulte.

L'enfance et l'adolescence tout au long de l'histoire

L'histoire du Canada se fonde sur deux récits distincts. L'un est le récit des peuples autochtones, qui vivaient depuis longtemps sur le territoire et qui connaissaient ses étendues naturelles. L'autre est le récit des peuples européens qui ont exploré ce qui était pour eux un pays inconnu et qui l'ont colonisé. Malgré de nombreuses différences, ces deux groupes avaient une chose en commun : ils savaient ce que signifie de devoir lutter chaque jour pour leur survie. Cette réalité a façonné la vie de leurs enfants.

L'enfance et l'adolescence des Autochtones

Avant l'arrivée des peuples d'Europe, il y avait des Autochtones du cercle arctique à l'extrémité de l'Amérique du Sud. Les Autochtones vivaient en groupes définis selon des liens de parenté. Chaque groupe avait une identité forte et distincte ainsi que sa propre langue. La plupart des Autochtones pratiquaient la chasse et la cueillette. Nomades, ils suivaient les trajets de migration des animaux sauvages. Peu importe leur lieu de vie, soit les côtes, les forêts, les plaines, le nord ou le sud, ces populations partageaient un même but : survivre.

Figure 2.2
De nombreuses femmes inuites perpétuent la tradition de porter leur bébé sur leur dos. Autrefois, cela permettait de protéger l'enfant pendant que la mère travaillait.

Pour assurer la survie du groupe, il fallait chaque jour chasser, rassembler des plantes et des graines comestibles, pêcher, planter, stocker la nourriture ou la préparer. Les hommes et les femmes avaient des rôles distincts. En plus de chasser, de poser des pièges ou de pêcher, les hommes avaient la responsabilité de fabriquer les armes et les outils nécessaires pour se procurer de la nourriture. Les femmes agissaient comme porteuses. Elles rapportaient la nourriture au camp ou transportaient les possessions du groupe à l'emplacement du futur campement. Elles préparaient la nourriture, cherchaient des racines, cueillaient des baies et des noix ; elles séchaient le poisson, la viande et les fruits pour l'hiver. Elles s'occupaient des enfants tout en accomplissant leurs tâches. Que ce soit en écharpe, dans un châle, sur une planche dorsale ou dans une poche, les femmes portaient les enfants pendant qu'elles travaillaient à assurer la survie de la communauté.

Les cultures autochtones ont toujours accordé de l'importance aux enfants et les ont toujours traités avec respect. Les enfants étaient, comme les adultes, des membres à part entière de la communauté. La naissance d'un enfant rapprochait les familles de leurs ancêtres. Les enfants n'étaient pas un fardeau, car en général tout le groupe s'en occupait. Tout le monde contribuait à leur développement physique et social. Les personnes âgées de la communauté jouaient l'important rôle de communiquer leur sagesse aux jeunes et de leur apprendre les coutumes rituelles et spirituelles de leur culture.

On valorisait l'indépendance chez les enfants autochtones. On guidait leur comportement à l'aide de récits à valeur morale et on le corrigeait par la honte associée au fait de décevoir le groupe.

La parole aux parents

Les pratiques d'éducation autochtones

Rosemary Forbes décrit ce qu'elle a appris sur les pratiques traditionnelles d'éducation employées dans sa communauté autochtone. Cet article a paru dans le magazine de l'Association manitobaine d'aide à l'enfance.

■ Chez les Autochtones, les enfants plus âgés devaient s'occuper de leurs frères et sœurs.

Je suis née et j'ai été élevée dans la réserve du lac Saint-Martin à environ 300 kilomètres au nord de Winnipeg. J'étais l'une des treize enfants que ma mère, qui vit toujours dans la réserve, a mis au monde. Ma mère m'a appris à m'occuper de mes frères et sœurs alors que j'étais encore très jeune. Je suis désormais mère ainsi que grand-mère et j'apprends à mes filles, et je les encourage, à élever leurs enfants selon les traditions autochtones.

L'une des meilleures façons d'aider un nouveau-né ou un enfant de un an à dormir est de l'emmailloter dans une couverture de flanelle. Il faut lui croiser les bras ou les laisser le long de son corps puis l'envelopper sans trop serrer. Ainsi, l'enfant est bien au chaud et a un sentiment de sécurité. Envelopper l'enfant favorise aussi le développement musculaire et la fermeté de la colonne vertébrale. Cette technique a le même but que le tikinagan, qui est une structure plate en bois. Cependant, le tikinagan sert aussi d'outil d'intégration à la société. En effet, il maintient le bébé en position plus verticale, et ce dernier peut donc observer les personnes et les choses qui l'entourent. On utilise beaucoup le tikinagan dans le nord du Manitoba, dans la région de St. Theresa Point, même si on en voit peu à Winnipeg.

Ma mère fabrique encore des chaussons pour enfant. Ce sont des mocassins de type mukluk. Ils ont une fente sur le devant et deux longues bandes de cuir qu'on peut attacher autour du pied. Lorsque leur bébé commence à marcher et peut porter des chaussures, certaines mères autochtones lui font porter ces chaussons par tradition. En effet, les chaussons facilitent la marche et gardent leurs pieds au chaud. Nos mères autochtones affirment que le bébé doit être à l'aise lorsqu'il marche. On laisse ces chaussons aux pieds des bébés même lorsqu'ils ne portent pas de chaussures.

Afin d'accélérer le ménage de la maison, ma mère installait un hamac dans la chambre. Le bébé y faisait la sieste pendant qu'elle effectuait les tâches ménagères. Le bébé dormait deux heures. Le hamac était fait de corde de pêche et de deux grands bâtons insérés dans le mur l'un en face de l'autre. Il fallait tresser la corde double et la fixer de façon à former une large poche de 120 cm à 180 cm du sol. Ma mère déposait une couverture de flanelle sur les cordes tressées. Elle mettait aussi un coussin entre les deux cordes pour rendre le hamac confortable. Elle installait le bébé sur le coussin et elle l'attachait à l'aide d'une couche de flanelle pliée en triangle afin qu'il ne tombe pas. Il suffisait de bercer le bébé jusqu'à ce qu'il s'endorme.

En outre, ma mère utilisait des couches en tissu, faites de flanelle. On n'avait pas encore inventé les couches jetables lorsque j'aidais ma mère à élever mes frères et sœurs plus jeunes. Les couches en flanelle coûtent moins cher que les couches jetables et sont faciles à laver. J'encourage mes filles à les utiliser pour leurs enfants.

Rosemary Forbes a travaillé comme éducatrice, enseignant la conscience de soi, entre autres à Yellowquill College. Elle est titulaire d'un diplôme en service social spécialisé auprès des populations autochtones.

Dès que les garçons étaient assez vieux pour s'éloigner des femmes qui s'occupaient des enfants, ils allaient chaque jour avec leur père, leurs oncles et d'autres hommes plus âgés à la recherche de nourriture et ils les aidaient à fabriquer les outils indispensables à la communauté. Les filles se joignaient aux femmes pour préparer la nourriture, la porter et la récolter, et pour fabriquer des couvertures, des vêtements et des ornements. Les filles plus âgées pouvaient s'occuper des petits enfants. Le processus de socialisation définissait clairement les rôles des hommes et des femmes. Les garçons imitaient les hommes et apprenaient le rôle de l'homme, alors que les filles imitaient les femmes et apprenaient le rôle de la femme. La transition entre l'enfance et l'âge adulte se faisait en douceur pour les garçons comme pour les filles.

Cette transition se faisait assez tôt. Un garçon méritait le statut d'adulte lorsqu'il réussissait à effectuer une tâche d'adulte, par exemple tuer un orignal. Une fille atteignait l'âge adulte à l'occasion de ses premières menstruations. Dans beaucoup de groupes, selon les croyances religieuses ou culturelles, des rites et des cérémonies marquaient l'événement qui symbolisait le passage à l'âge adulte. En sciences sociales, on appelle la cérémonie qui marque le passage à l'âge adulte un **rite de passage.**

Après la cérémonie du mariage, le nouveau couple prenait place dans la société.

Le mariage suivait la puberté. À cet égard, la volonté des parents et des personnes âgées de la communauté prévalait. Ces gens choisissaient un époux ou une épouse pour une jeune personne et déterminaient la **dot** ou le **prix de la fiancée.** Le prix de la fiancée est un cadeau ou un bien que le jeune homme offrait au père de la mariée pour acquérir la jeune fille. La dot est un bien que la famille de la jeune fille donnait à la famille du futur époux en échange du mariage. Après la cérémonie et la célébration du mariage, les jeunes mariés, généralement âgés de 14 ou 16 ans, prenaient place au sein de la société des adultes.

Vérifie tes connaissances

1. Décris les rôles des femmes et des hommes autochtones dans le passé.
2. Donne des exemples de différences entre la vie d'un garçon autochtone et la vie d'une fille autochtone.
3. Comment les enfants autochtones passaient-ils de l'enfance à l'âge adulte ?

L'expérience européenne

Les premiers colons canadiens sont venus de France et d'Angleterre et ont apporté avec eux leurs lois, leur religion, leur langue, leur culture et leur histoire respectives. Des tableaux dépeignant la vie de famille en Europe avant l'arrivée des colons au Canada fournissent beaucoup de renseignements sur la vie de l'époque, y compris la manière dont ces cultures traitaient les enfants. On peut trouver de tels tableaux dans des musées ou dans des livres sur l'histoire de l'art.

De l'an 1200 à l'an 1500

Les tableaux peints entre 1200 et 1500 représentent les enfants comme des adultes en miniatures. Les enfants y portent les mêmes vêtements que les adultes et ressemblent à de petits adultes. À cette époque, on ne séparait pas le rôle des enfants dans la société de celui des grandes personnes. Les enfants participaient à tous les aspects de la vie adulte. Ils devaient travailler selon leur capacité et étaient présents lors des naissances, des décès, des maladies, des fêtes et des célébrations. On les considérait comme des êtres essentiels. S'ils mouraient en bas âge, on mettait d'autres enfants au monde pour les remplacer. Beaucoup de parents essayaient de ne pas trop s'attacher à leurs enfants, car un grand nombre d'entre eux mouraient de maladies infantiles.

Avant le XVIe siècle en Europe, on considérait parfois les enfants comme la **propriété** de leurs parents. Ces derniers pouvaient les tuer, les abandonner ou même les vendre comme esclaves. Ils pouvaient les battre s'ils se comportaient mal. La plupart des enfants ne recevaient pas d'éducation formelle, mais ils apprenaient le métier des parents ou travaillaient dans la cuisine ou les étables d'autres familles de la communauté afin de se nourrir et de se loger.

Figure 2.3
Dans les tableaux peints entre les années 1200 et 1500, on représente les enfants comme de petits adultes.

De l'an 1500 à l'an 1800

Après 1500 et la diffusion du christianisme, l'attitude envers les enfants a beaucoup changé en Europe. Selon l'idéologie chrétienne, les enfants avaient une âme et il fallait les protéger et les instruire « correctement ». Les tableaux peints entre 1500 et 1800 reflètent cette évolution. On y voit des bébés qui ressemblent plutôt à des anges, souvent dans les bras de leur mère. Les enfants ont encore les mêmes vêtements que les adultes, mais leurs visages présentent des traits enfantins. Les tableaux les montrent participant à des activités qui ressemblent à des jeux.

De l'an 1800 à l'an 1900

Au XIXe siècle, on observe des différences nettes entre les enfants des classes aisées et ceux des classes défavorisées. Seuls les plus riches avaient accès à l'instruction, à une tutrice ou à un tuteur ainsi qu'à la formation religieuse. Les enfants des classes inférieures ne recevaient pas d'éducation formelle. Ils travaillaient avec les adultes. Avec l'industrialisation de l'Europe, on les a employés dans les usines. On appréciait les enfants en raison de leur petite taille. Ils pouvaient se glisser sous les machines et installer les fils pour le tissage et la fabrication des tapis, ainsi que nettoyer et huiler les mécanismes. Il y avait beaucoup d'accidents de travail en usine impliquant de jeunes enfants. En Angleterre, on rassemblait les enfants pauvres, orphelins et abandonnés et on leur faisait faire le ramonage des cheminées. Ils avaient juste la bonne taille pour grimper à l'intérieur des conduits de cheminées et en enlever la suie. Beaucoup d'enfants sont morts à cause d'une chute, de la chaleur excessive des briques ou parce qu'ils sont restés coincés dans une cheminée.

Figure 2.4
L'industrie du textile employait des enfants en raison de leur petite taille. Ces enfants avaient de longues journées dans des conditions insalubres et dangereuses. Il y avait beaucoup de maladies et d'accidents mortels.

Vers la fin du XIXe siècle, l'ère industrielle battait son plein. Grâce au progrès de la mécanisation, les usines n'avaient plus besoin d'engager des enfants et des jeunes. Les jeunes sans emploi représentaient un problème social. Pour sortir les enfants de la rue, on les a envoyés à l'école. Les enfants des classes inférieures ont eu l'occasion de s'élever socialement grâce à ces nouvelles possibilités d'apprentissage. Les églises ont été les premières institutions à proposer une instruction, suivies plus tard par le gouvernement. À la fin du XIXe siècle, la plupart des enfants de Grande-Bretagne et d'Europe allaient à l'école. Beaucoup de pays encourageaient l'enseignement obligatoire.

Vérifie tes connaissances

1. Décris la vie des enfants en Europe de 1200 à 1800.
2. Comment l'industrialisation a-t-elle changé la vie des enfants européens ?

Liens

1. Compare la vie des enfants du Canada aujourd'hui à celle des enfants d'Europe à différentes époques.
2. Selon toi, pourquoi les attitudes des adultes et des parents envers les enfants à différentes époques sont-elles différentes de celle des adultes et des parents d'aujourd'hui ?

L'histoire des enfants au Canada

À la fin du XVIIe siècle, les colons français avaient établi de petites communautés au Québec, constituées en grande majorité d'hommes. Afin de développer le peuplement du Nouveau Monde, le roi de France, Louis XIV, a offert le transport et une dot à toute femme acceptant de se rendre en Nouvelle-France afin d'y trouver un mari. À partir de 1663, plus de 700 femmes ont débarqué au Canada dans l'espoir de se marier et de fonder une famille. Certaines d'entre elles avaient seulement 13 ou 14 ans et venaient des orphelinats de France. On les a surnommées les « filles du roi ». En 1671, dans le but d'accroître la population de Nouvelle-France, le gouverneur a prévu des pénalités pour les célibataires. Beaucoup de membres de la communauté canadienne-française sont des descendants des mariages de cette époque. Ces mesures ont donné les résultats attendus. Chaque enfant qui naissait dans le Nouveau Monde représentait des bras disponibles pour défricher les terres, construire des abris et préparer la nourriture pour survivre aux hivers rigoureux.

Figure 2.5
On a appelé « filles du roi » les femmes envoyées en Nouvelle-France par le roi Louis XIV afin d'épouser les premiers colons.

Les colons en provenance des îles Britanniques ont également peuplé l'Amérique du Nord au début du XVIIe siècle. Leur population a augmenté rapidement. Ils se sont surtout installés dans les Treize Colonies le long de la côte atlantique, dans le territoire qui allait devenir les États-Unis. Certains se sont établis dans les provinces maritimes.

Bon nombre de ces colons voulaient échapper à des persécutions religieuses. Ils vivaient dans l'observation stricte de leurs croyances. La religion protestante a modelé leur façon d'éduquer leurs enfants. Les parents croyaient qu'une éducation trop permissive était néfaste pour l'enfant et pour assurer la discipline, ils appliquaient des punitions corporelles. Les enfants ne pouvaient parler que si on s'adressait à eux. Ils devaient travailler avec leurs parents du lever au coucher du soleil. On considérait l'oisiveté comme la mère de tous les vices. Par conséquent, on encourageait les filles à coudre ou à broder ; les garçons devaient cirer les chaussures, réparer les harnais ou travailler le bois lorsqu'ils n'avaient rien à faire. Une rigoureuse éthique de travail a permis aux colons britanniques de survivre dans le Nouveau Monde.

Lorsque les Treize Colonies ont acquis leur indépendance, devenant les États-Unis, les colons loyaux à la Grande-Bretagne ont émigré, en échange de terres arables, vers ce qui devait devenir le Canada. On les a appelés les loyalistes de l'Empire-Uni. Il y avait parmi eux des Noires et des Noirs des États-Unis ainsi que des Autochtones. Ces loyalistes se sont établis surtout dans les provinces maritimes et dans le Haut-Canada (l'Ontario actuel). C'était le premier peuplement non autochtone dans cette région. Ils amenaient avec eux leurs traditions de relations familiales et d'éducation.

Pour les familles arrivant dans le Nouveau Monde, il était difficile de survivre. Les colons ont beaucoup appris des peuples autochtones, par exemple comment chasser, pêcher, préparer et préserver les denrées, ainsi que comment s'occuper des enfants. Ils ont imité leur système en accordant plus de liberté aux enfants et en limitant les punitions afin d'encourager l'indépendance et l'autonomie des enfants. Comme chez les Autochtones, les garçons et les filles des colons suivaient des modèles d'activités différents. Les filles travaillaient avec leur mère et, en grandissant, se chargeaient des enfants. Les garçons aidaient leur père à abattre des arbres, à défricher et à cultiver les terres, à chasser, à poser des pièges et à pêcher.

La survie était difficile dans le Haut-Canada pour les loyalistes de l'Empire-Uni.

Le rôle de l'Église

L'Église catholique a joué un grand rôle dans la vie des colons français au Canada par l'éducation religieuse et par sa participation à la vie de la communauté. L'instruction est vite devenue une préoccupation importante dans le Nouveau Monde. Venus de France, des Jésuites et des Ursulines ont établi les premières écoles et ont offert l'enseignement dans la nouvelle colonie. En plus d'apprendre à lire et à écrire, les filles apprenaient à coudre et à broder. On enseignait le latin aux garçons dans l'espoir que certains d'entre eux deviennent prêtres. Les filles avaient deux options : se marier ou devenir religieuses. On s'attendait que chaque famille canadienne-française engendre au moins une religieuse et un prêtre à chaque génération. Le fils aîné de chaque famille devait s'occuper de ses parents âgés au sein d'une famille étendue.

L'histoire d'une véritable famille de pionniers canadiens en Nouvelle-France

François-Pierre Cherrier, de Metz dans l'est de la France, a immigré en Nouvelle-France en 1732. La guerre presque continuelle qui faisait rage dans cette région de France a poussé beaucoup de Français à partir vers le Nouveau Monde. Son oncle, prêtre dans une paroisse au sud de Montréal, a accueilli le jeune homme, qui devint commerçant.

Peu après son arrivée, François-Pierre a rencontré et épousé Marie Dubuc. Ils ont eu neuf enfants – quatre garçons et cinq filles. Une fille est morte en bas âge. Les autres filles se sont mariées et ont donné naissance au premier maire de Montréal (Denis-Benjamin Viger), au premier évêque de Montréal (Jean-Jacques Lartigue) et au chef de la rébellion du Bas-Canada (Louis-Joseph Papineau).

Les garçons ont étudié chez les Jésuites à une époque où peu de gens savaient lire et écrire. Le frère aîné a choisi la prêtrise comme son grand-oncle. Deux fils sont devenus géomètres. Le quatrième fils, Joseph-Marie, exerçait le métier de tonnelier. Il a épousé Marie-Josephte Gate Bellefleur en 1777, alors qu'elle avait 17 ans. Marie-Josephte a eu au moins 12 enfants de 1777 à 1800. Elle est décédée en 1800 à l'âge de 40 ans. On suppose que les enfants aînés de Joseph-Marie ont aidé à l'éducation de leurs frères et sœurs cadets. Il semble que Joseph-Marie se soit remarié avec une femme plus jeune après le décès de sa première femme. Le Québec de cette époque n'était pas un endroit adéquat pour un veuf et ses 12 enfants. Plus tard, Joseph-Marie, ses frères et ses sœurs ont pris en charge leurs parents âgés ayant perdu la fortune qu'ils avaient amassée comme marchands après une série de dépressions économiques. Aujourd'hui, les familles descendant de ces colons peuvent reconnaître les modèles familiaux et d'éducation de leurs ancêtres canadiens-français.

Vérifie tes connaissances

1. Décris une enfance typique au cours des premières années du Canada français.
2. Quels rôles la famille, l'Église et le système d'enseignement ont-ils joués dans la façon d'élever les enfants ?
3. Dans quelle mesure la famille Cherrier a-t-elle suivi les traditions familiales canadiennes-françaises décrites dans ce chapitre ?

Liens

1. Réfléchis au rôle de la religion dans la vie familiale et dans l'éducation de nos jours au Canada.
2. En quoi les rôles des garçons et des filles au début de l'histoire du Canada sont-ils semblables ou différents de ceux des garçons et des filles qui grandissent au Canada aujourd'hui ?

Les familles dans le Canada naissant

En peu de temps, on a vu apparaître beaucoup de peuplements au Canada. Les colons venaient de France, de Grande-Bretagne, d'Écosse et d'Irlande, et de plus loin encore. Dès 1775, des familles noires ont trouvé refuge en Nouvelle-Écosse et dans le sud de l'Ontario pour échapper à l'esclavage pratiqué aux États-Unis, même s'il arrivait qu'on capture des personnes noires et qu'on les vende comme esclaves au Canada. Des hommes chinois de tous

Les origines de la population canadienne de 1881 à 1911

Origine	1881	1901	1911
Autochtone	108 547	127 941	105 611
Autrichienne	-	10 947	44 036
Belge	-	2 994	9 664
Noire	21 394	17 437	16 994
Chinoise	4 383	17 312	27 831
Hollandaise	30 412	33 845	55 961
Anglaise	881 301	1 260 899	1 871 268
Finnoise	-	2 502	15 500
Française	1 298 929	1 649 371	2 061 719
Allemande	254 319	310 501	403 417
Grecque	-	291	3 614
Hongroise	-	1 549	11 648
Irlandaise	957 403	988 721	1 074 738
Italienne	1 849	10 834	45 963
Japonaise	-	4 738	9 067
Juive	667	16 131	76 199
Polonaise	-	6 285	33 652
Russe	1 227	19 825	44 376
Scandinave	5 223	31 042	112 682
Écossaise	699 863	800 154	1 027 015
Ukrainienne	-	5 682	75 432
Autres	59 293	52 314	80 256
TOTAL	4 324 810	5 371 315	7 206 643

Adapté de la publication «Statistiques historiques du Canada» de Statistique Canada, Catalogue 11-516, 1983.

Figure 2.6
La population du Canada s'est de plus en plus diversifiée entre 1881 et 1911.

âges ont participé à la construction de la ligne de chemin de fer du Canadien Pacifique. Plus tard, les familles chinoises ont suivi la ruée vers l'or et se sont établies le long de la côte ouest du Canada. Au début du XXe siècle, des gens sont venus d'Ukraine, de Pologne, de Hongrie, de Hollande et d'autres lieux d'Europe afin d'obtenir des terres arables dans les provinces de l'Ouest. Ils ont fondé leurs propres communautés. Des gens de la Finlande ont peuplé le nord de l'Ontario et travaillé dans l'industrie forestière, principalement à Port Arthur et à Fort William. Ces deux villes devaient former par la suite Thunder Bay. Dans certains cas, des familles entières arrivaient ensemble. Dans d'autres, les hommes arrivaient d'abord, puis les femmes et les enfants venaient les rejoindre plus tard.

Étude de cas : L'héritage culturel de Neesha

« Et voilà ! » Neesha était tout excitée de montrer à sa grand-mère son projet pour l'exposition d'histoire. Elle la regarda ajuster ses lunettes et examiner l'affiche. Grand-mère Brown lut le titre en caractères gras : « L'histoire d'une famille noire au Canada ». Elle scruta attentivement les photos de famille. Il y en avait une d'elle-même, le jour de son mariage en 1941. Elle portait un tailleur crème et un chapeau à fleurs qu'elle mit longtemps par la suite pour aller à l'église. Son mari semblait si sérieux et si fringant dans son uniforme. Il était alors sur le point de partir à cette guerre d'où il ne revint pas. Les parents de la mariée se tenaient fièrement à ses côtés. Sa propre grand-mère, qui lui racontait toutes sortes d'histoires, était voûtée et appuyée sur sa canne, mais avait l'air si réjouie.

Puis elle lut les histoires que Neesha avait mises en page pour son affiche. C'était les mêmes histoires qu'elle-même avait entendues lorsqu'elle était jeune, l'histoire de l'arrivée de sa propre grand-mère au Canada comme esclave d'un riche colon britannique qui s'installa à Mont-Royal, au Québec. Sa grand-mère travaillait de longues journées, à laver le linge à la main, à astiquer les parquets de chêne, à vider les pots de chambre, à servir les repas et à faire la vaisselle. Tard dans la soirée, elle allait chercher ses deux enfants chez O'Mama, une esclave trop âgée pour travailler dans la maison des maîtres. Puis elle rentrait à la maison qu'elle partageait avec sa petite famille. Cette femme-là savait déjà qu'il est difficile de concilier le travail et la famille, un siècle ou plus avant que cela ne devienne un problème sociologique populaire.

Joyeuse, Neesha attendait que sa grand-mère ait lu son récit racontant la lutte des gens de race noire pour former une communauté au Canada. Grand-mère admira la carte présentant les emplacements et les dates des premiers peuplements noirs. Puis elle suivit de ses doigts noueux l'organigramme montrant la progression de l'immigration des Noires et des Noirs au Canada, arrivés d'abord comme esclaves, puis fuyant l'esclavage pratiqué aux États-Unis, et plus récemment en provenance des Caraïbes et d'autres pays du monde. Elle hocha la tête en lisant la description des contributions des populations noires au Canada. Enfin, elle lut toute la dissertation de Neesha : « Le rôle des Canadiennes et des Canadiens de race noire dans la création du Canada ».

Grand-mère Brown caressa le ruban du premier prix fixé à l'affiche et poussa un long soupir. « C'est vraiment quelque chose, Neesha, dit-elle les larmes aux yeux. Cela me donne un grand sentiment d'appartenance. » Neesha la prit dans ses bras et lui avoua : « Tu sais, grand-mère, que tu sois fière signifie plus pour moi que tous les rubans de premier prix du monde. »

Questions

1. Quel rôle l'esclavage a-t-il joué dans l'histoire des Canadiennes et des Canadiens de race noire ?
2. Comment peut-on comparer l'histoire de la grand-mère de Neesha aux défis qui attendent aujourd'hui les parents du Canada et du reste du monde ?

Les familles arrivées au Canada avant le XXe siècle avaient une faible espérance de vie et un taux de mortalité infantile élevé. On ne connaissait pas encore la pénicilline et on n'y a eu accès seulement après la Seconde Guerre mondiale. Des épidémies de typhus, de diphtérie, de variole et de tuberculose pouvaient anéantir des communautés entières. Les enfants naissaient à la maison, avec ou sans l'aide d'une **sage-femme** (une femme de la communauté qui accompagnait les femmes au moment de l'accouchement) ou d'une personne de la famille ou du voisinage.

Comme en Europe, les enfants qui survivaient à la petite enfance aidaient leurs parents sur les fermes, dans le commerce ou l'atelier de la famille. On a instauré l'instruction publique dans la plupart des provinces au XIXe siècle. À l'exception du Québec, où le français était la langue première, les enfants devaient apprendre à parler, à lire et à écrire en anglais dans les écoles publiques du Canada. Ils pouvaient parler leur langue maternelle à la maison, mais ils subissaient de la discrimination s'ils la parlaient ailleurs. Ces premières générations d'enfants canadiens ont servi de lien entre les traditions et la culture du Nouveau Monde et celles de leurs parents immigrants. Souvent, de jeunes enfants servaient d'interprètes à leurs parents, qui ne parlaient ni anglais ni français. Ces enfants ont découvert ainsi les mondes de la finance et des lois bien avant les enfants francophones et anglophones.

Vérifie tes connaissances

1. Selon le tableau « Les origines de la population canadienne de 1881 à 1911 », quel groupe ethnique était le plus nombreux en 1881 ? en 1901 ? en 1911 ?
2. Qu'expriment ces statistiques quant aux effets de l'immigration sur la vie familiale au Canada ?
3. Depuis combien de temps ta famille réside-t-elle au Canada ? Combien de générations de ta famille ont vécu au Canada ? Si ta famille vit depuis peu au Canada, quelle est son histoire ? Raconte l'histoire de ta famille et compare-la avec celle de tes camarades.

Sans parents et dans la rue au Canada

Au milieu et à la fin du XIXe siècle, les villes canadiennes ont grandi rapidement. Beaucoup de familles ont quitté la dure vie de la campagne en espérant trouver un emploi rémunéré en ville, souvent pour constater que la vie en ville n'était pas plus facile. Il fallait payer chaque bouchée de pain avec son salaire. Souvent, les garçons quittaient l'école pour travailler et gagner de l'argent afin d'aider la famille. Des emplois de cirage de chaussures, de livraison de journaux et de courses leur rapportaient peu d'argent. Pire encore, beaucoup d'enfants ont perdu leurs parents à cause de maladies ou d'accidents, avant même l'adolescence. Il y avait quelques orphelinats, et des membres de la famille les accueillaient parfois. Cependant, ces enfants se retrouvaient souvent seuls, voire en prison. On considérait ces vagabonds, comme on les appelait, comme une menace pour la société.

Figure 2.7
Durant les années 1880, il y avait beaucoup d'enfants abandonnés dans les rues de Toronto. Certains tentaient de survivre en cirant des chaussures.

Les enfants de la rue avaient peu d'instruction ou de compétences, donc ils pouvaient difficilement trouver un travail rémunéré. S'ils en trouvaient un, ils gagnaient si peu d'argent qu'ils pouvaient à peine acheter de quoi se nourrir, encore moins de quoi se loger. En hiver, la situation s'aggravait et beaucoup d'enfants mouraient de froid ou devaient subir des amputations à cause d'engelures. Des jeunes femmes ont aussi afflué en ville afin de trouver du travail comme aides-ménagères. Certaines travaillaient pour des familles aisées, mais celles qui ne réussissaient pas à gagner leur vie ainsi se tournaient souvent vers la prostitution.

Le chômage des enfants représentait un grave problème. Comme dans le cas de l'Europe, on a réglé le problème par l'instruction. Au début du XXe siècle, on a ouvert plusieurs écoles secondaires, car plus d'enfants restaient à l'école entre 13 et 16 ans. Les enfants de la rue acquéraient des compétences dans des maisons de correction ou des écoles professionnelles. Enfin, la plupart des provinces ont rendu l'instruction obligatoire pour les enfants jusqu'à l'âge de 16 ans. Ainsi, les enfants n'occupaient pas le marché du travail et ne traînaient pas dans la rue. De plus, on leur donnait l'instruction et la formation nécessaires pour trouver un emploi. Comme Margaret Visser l'indique dans un article paru dans le magazine *Transition* de l'Institut Vanier (décembre 1990), on a utilisé le terme *teenage* (qui signifie « adolescence » en anglais) pour la première fois le 11 mars 1921. On attribue sa création à un journaliste du *Daily Colonist* de Victoria, en Colombie-Britannique. Depuis, on a adopté ce terme.

Vérifie tes connaissances

1. Au milieu et à la fin du XIXe siècle, beaucoup d'enfants étaient orphelins. Décris leurs conditions de vie.
2. Comment l'essor des villes au Canada a-t-il affecté la vie des familles et des enfants ?
3. Pourquoi a-t-on développé l'instruction ?

Liens

1. Tout au long de l'histoire, l'instruction a joué divers rôles dans la vie des enfants. Compare le rôle de l'instruction pour les enfants d'aujourd'hui avec le rôle de l'instruction à la fin du XIXe siècle et au début du XXe siècle.
2. Sur le plan historique, l'objectif de l'instruction était de préparer les enfants au monde du travail. Est-ce toujours le cas aujourd'hui ? Explique.
3. Dans quelle mesure le problème des enfants de la rue est-il toujours d'actualité ?

Le rôle parental et le soin des enfants par le passé

L'expression « **rôle parental** » est assez récente. Autrefois, on disait « élever un enfant » pour décrire le rôle des parents. La tâche des parents consistait à nourrir et à vêtir leurs enfants, à s'en occuper et à les guider. On voulait donner aux enfants le sens de la citoyenneté, le goût du travail et la capacité de fonder une famille à leur tour. La façon d'y arriver dépendait de la culture des parents, de leurs croyances religieuses et de leur propre expérience de l'enfance. Les familles et les sociétés ne s'inquiétaient pas de l'efficacité des pratiques éducatives. Élever un enfant allait de soi et faisait partie de la vie et de la fonction familiale.

Les familles nombreuses, les rudes conditions de vie et les valeurs religieuses ont conduit bien des parents s'établissant au Canada à avoir recours à une discipline sévère et à des punitions corporelles afin de corriger le comportement de leurs enfants. L'éducation des enfants était une affaire privée. Les enfants devaient obéir à leurs parents et aux autres adultes de la communauté. Le plus souvent, ils parlaient seulement si quelqu'un leur adressait la parole. Bien sûr, la religion, les attentes sociales et les coutumes locales définissaient des normes éducatives à suivre. Mais la façon dont les parents élevaient leurs enfants demeurait une affaire privée.

Autrefois, dans beaucoup de familles, les enfants ne devaient pas déranger les adultes.

Les parents apprenaient à élever leurs enfants en suivant le modèle de leurs propres parents ou d'autres membres de la famille. Les expériences de leur propre enfance les guidaient. À cette époque, les spécialistes en rôle parental étaient les parents, les amies et les amis ainsi que les membres de la communauté. Au cours du XIXe siècle, une nouvelle ressource a vu le jour : les magazines féminins. Bien souvent, des hommes conseillaient des femmes quant à la manière de gérer les problèmes éprouvés dans l'éducation des enfants.

Le rôle parental a intéressé davantage la société lorsque les scientifiques ont appris à prévenir les maladies. À la fin du XIXe siècle, le mouvement pour la santé publique a pris de l'ampleur au Canada. L'Ontario a été la première province à mettre sur pied un conseil régional de la santé, bientôt suivie par d'autres provinces. Ces conseils se concentraient sur la promotion de l'hygiène publique. On s'y préoccupait de la gestion des ordures et de l'hygiène dans les familles. Des agentes et des agents de la santé publique ont entrepris d'éduquer les familles, le corps médical et le personnel enseignant. Enfin, on a mis au point le vaccin contre la variole. De plus, les familles devaient se mettre en quarantaine afin d'éviter les épidémies de diphtérie. Les livres enseignant aux parents comment prévenir les maladies ont gagné en popularité. En Ontario, on doit l'enseignement des arts ménagers à Adelaide Hoodless. Dans les écoles d'arts ménagers, les femmes apprenaient à nourrir et à vêtir leur famille et à la protéger des maladies. Mme Hoodless a voulu enseigner ces choses après que son bébé soit mort d'avoir bu du lait dans lequel des bactéries s'étaient développées.

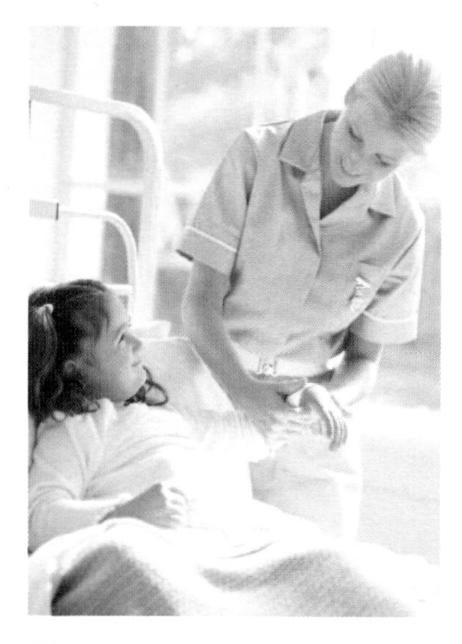

Figure 2.8
Aujourd'hui, au Canada, fournir l'accès aux soins de santé fait partie intégrante du rôle parental.

❖ Liens

1. Au XIXe siècle, de quelles ressources les parents disposaient-ils pour élever leurs enfants ?
2. Imagine-toi à la fin des années 1880. La radio et la télévision n'existent pas encore. Une bonne partie de la population canadienne ne sait ni lire ni même parler anglais ou français. En tant qu'agente ou agent de la santé publique, tu dois informer le plus de gens possible sur l'importance des installations sanitaires, de l'hygiène et de la vaccination. Comment t'y prends-tu ?

Les spécialistes s'adressent aux parents

Une fois qu'on a pu enseigner aux parents comment protéger leurs enfants des maladies et réduire la mortalité infantile, on a aussi pu leur apprendre à éduquer leurs enfants. À la fin du XIXe siècle et au début du XXe, il y a eu un engouement pour les théories psychanalytiques de Sigmund Freud. Ce dernier reliait le comportement adulte aux expériences vécues dans la petite enfance. À la suite de cet engouement, beaucoup de personnes ont voulu faire part de leur « expertise » aux parents quant aux questions d'éducation. Certaines théories formulées à cette époque peuvent sembler cocasses aujourd'hui, néanmoins elles ont influencé des générations entières de parents et d'enfants. À mesure que l'information sur le rôle parental et la qualité de vie des enfants circulait, la société a accepté qu'on intervienne dans les pratiques éducatives des familles.

Henry P. Chavasse est l'un de ces spécialistes en éducation des enfants. Son guide, publié à Toronto en 1880 par Willing and Williamson, représente bien le type de conseils alors adressés aux parents, surtout aux mères. Le titre ne laisse aucun doute quant au contenu du livre : *Advice to a Mother on the Management of Her Children and on the Treatment on the Moment of Some of Their More Pressing Illnesses and Accidents* [ce titre n'existe qu'en anglais]. Selon Chavasse, la tâche éducative incombait clairement à la mère. Il écrivait :

> L'attention et la gestion, et donc la santé et la réussite future d'un enfant, incombent principalement à la mère ; car c'est la mère après tout qui est la plus engagée dans la création ou dans la ruine de l'homme. (1880, p. 2) [Traduction libre]

Figure 2.9
Dans son livre, Chavasse adresse ses conseils d'éducation aux mères.

Chavasse a divisé son livre en trois parties. La première traitait de la petite enfance et proposait des suggestions concernant l'hygiène dans divers domaines, tels que les ablutions, le soin du nombril, la vaccination, la dentition, le régime alimentaire, l'exercice, le sommeil, la vessie et les intestins, les maux et les maladies. La seconde partie s'intéressait à l'enfance et incluait les sujets habituels du sommeil, de l'exercice et du régime alimentaire, ainsi que l'éducation, le divertissement, les bains chauds et les cataplasmes. La dernière partie portait sur les enfants plus vieux jusqu'aux adolescentes et aux adolescents, même si on ne les appelait pas ainsi à l'époque. À nouveau, on discutait des sujets habituels d'hygiène, ainsi que des tâches ménagères pour les filles et du choix d'une profession ou d'un métier pour les garçons.

Aujourd'hui, il y a beaucoup de ressources en matière d'éducation des enfants. Des magazines populaires, certains entièrement consacrés au rôle parental, présentent les conseils les plus récents destinés aux parents. Il y a des milliers de livres sur des sujets tels que « Comment élever des enfants intelligents » ou « Comment enseigner la notion d'argent à l'adolescence ». Se basant sur des recherches menées ces 50 dernières années dans le domaine des pratiques éducatives parentales, on propose des techniques susceptibles de favoriser le développement des enfants.

Les parents d'aujourd'hui recherchent des sources d'information et d'inspiration. Beaucoup de spécialistes fournissent des renseignements aux parents quant à l'éducation des enfants. C'est aux parents de décider qui détient l'information la plus appropriée et la plus fiable. Voici un article sur Kathy Lynn, éducatrice en rôle parental...

Figure 2.10
Kathy Lynn est éducatrice en rôle parental et est originaire de la Colombie-Britannique.

Figure incontournable au Canada dans le domaine du rôle parental et des problèmes familiaux

Kathy Lynn est la principale porte-parole au Canada en matière d'enfance, de rôle parental et de questions familiales. Elle est aussi l'éducatrice en rôle parental la plus réputée du pays.

Grâce à plus de 30 ans de discussions avec des parents et des professionnels sur des questions concernant les enfants et les familles, Kathy a aidé des milliers de mères et de pères à devenir de meilleurs parents. Elle a joué un grand rôle dans la vie des enfants au Canada. Elle anime désormais *Parenting Today* à CKNW, à Vancouver, une émission de radio d'une heure comportant des entrevues et une tribune téléphonique.

Par le biais de ses interventions adressées à des groupes de parents et aux membres des professions en relation d'aide, de son travail à la télévision et à la radio et de ses articles publiés dans les journaux et les magazines, Kathy inspire les parents à se consacrer à nouveau à l'éducation de leurs enfants.

« Tous les parents souhaitent élever leurs enfants le mieux possible, explique-t-elle. Les grands-parents souhaitent également aider. Lorsqu'ils viennent me demander un conseil ou de l'aide et que mon aide fonctionne pour eux, ils sont ravis et moi aussi. »

La carrière de Kathy dans le domaine de l'éducation des parents a débuté lorsque ses enfants étaient petits et qu'elle-même cherchait de l'aide dans le défi quotidien que représente l'éducation d'un enfant. Très peu d'aide professionnelle était alors disponible et elle suivit donc une formation comme éducatrice en rôle parental et commença à donner des cours dans ce domaine. Elle consacre désormais la majorité de son temps à son rôle d'intervenante professionnelle à l'occasion de conventions, d'ateliers et de séminaires destinés à des groupes scolaires, à des parents et à des professionnels, en Colombie-Britannique et à travers le Canada.

Elle contribue toutes les semaines à l'émission *Bill Good Show,* à CKNW, à Vancouver et présente une courte chronique quotidienne à l'émission *NW News* du réseau Corus Entertainment Network. Elle rédige régulièrement des articles pour la publication *Today's Parent Magazine.*

Les soins apportés aux enfants autrefois

Pendant des années, le Canada a eu une vocation rurale. La majorité des gens avaient une ferme ou une propriété assez grande pour subvenir aux besoins d'une famille. Les femmes devaient travailler chaque jour à la ferme familiale. Par exemple, il fallait pomper l'eau, laver les vêtements, jardiner, préparer les repas, conserver la nourriture, tisser, coudre, tricoter et même s'occuper de la basse-cour. Ce faisant, les femmes s'occupaient de leurs enfants. Elles devaient les garder tout près pour les surveiller, sans qu'ils les empêchent de travailler. Le berceau et le parc à jouer permettaient d'encadrer les jeunes enfants.

Figure 2.11
Autrefois, si des enfants demandaient une attention particulière, on les gardait à la maison où un membre de la famille s'occupait d'eux. Aujourd'hui, il arrive souvent qu'on confie les enfants à des professionnelles et à des professionnels de l'enfance en dehors de leur foyer.

On demandait l'aide d'autres membres de la famille dans les cas où il fallait une attention particulière. Les grands-parents vivaient souvent à proximité, voire sous le même toit. Les garçons trop jeunes pour passer la journée entière avec leur père aidaient aux tâches ménagères et surveillaient leurs frères et sœurs cadets. On confiait souvent le soin des enfants aux filles, aux sœurs, aux belles-sœurs, aux cousines ou aux tantes. Si la famille ne vivait pas à proximité, une voisine pouvait venir en aide. Généralement, on s'occupait des enfants à la maison. Avant la Seconde Guerre mondiale, il n'y avait pas de garderies ni de centres de la petite enfance comme nous les connaissons aujourd'hui. Cependant, l'école voisine pouvait accueillir les enfants de plus de cinq ans.

Dans certains cas, il fallait de l'aide de l'extérieur. Employer une jeune fille constituait souvent la solution. On engageait des filles dès l'âge de 10 ans comme aides familiales. Certaines étaient orphelines et s'occupaient des enfants et des tâches ménagères en échange de nourriture et d'un toit. D'autres provenaient de familles nombreuses ou pauvres et les aidaient avec leurs maigres revenus. Ces jeunes filles venaient souvent de la campagne et espéraient avoir une vie meilleure dans les villes. Elles n'étaient pas toujours bien traitées et avaient de très bas salaires. Elles avaient des journées très longues, effectuaient des tâches pénibles, et il arrivait qu'on les batte si elles travaillaient trop lentement, oubliaient une tâche ou cassaient de la vaisselle. Le contraire existait également. Certaines filles recevaient un bon traitement et faisaient presque partie de la famille.

Avec le développement économique d'après-guerre des années 1950, les femmes sont peu à peu entrées sur le marché du travail. Les familles comptent de plus en plus sur les revenus des deux parents pour boucler leur budget. Puisque les deux parents quittent la maison pour travailler, ils doivent confier leurs enfants à des garderies hors de leur domicile. Par conséquent, le nombre de personnes nécessaires pour fournir ces soins adaptés aux enfants a beaucoup augmenté. De nos jours, il faut avoir une éducation formelle pour obtenir le titre d'éducatrice ou d'éducateur en garderie.

Les enfants n'ont pas changé. C'est l'enfance qui a changé.
— Barbara Oehlberg

Les enfants au Canada aujourd'hui

À quoi ressemble la vie des enfants aujourd'hui et comment a-t-elle changé ? En observant les enfants à l'école ou en groupe, en discutant avec des enfants de divers âges et en étudiant des recherches menées sur le sujet, on peut obtenir une image juste de la vie des enfants d'aujourd'hui.

Les enfants ne travaillent plus du matin au soir dans l'ombre de leurs parents. Ils passent bien plus de temps à jouer qu'à effectuer des tâches ménagères. L'instruction et l'éducation ont beaucoup changé. Légalement, les enfants doivent aller à l'école quotidiennement de 4 ans à 16 ans, et on s'attend que bon nombre d'entre eux poursuivent leurs études au-delà de l'école secondaire. Ils atteignent le statut d'adulte plus tard, se marient plus tard et passent plus de temps en compagnie d'enfants du même âge, en comparaison des enfants de la première moitié du XXe siècle.

Figure 2.12
Au Canada, aujourd'hui, les enfants passent presque tout leur temps à apprendre par le jeu.

Des spécialistes des sciences sociales suggèrent qu'en fait les enfants ne soient pas isolés de la société adulte. Par le biais des médias, de la vidéo, de la télévision et des jeux vidéo, ils découvrent à un très jeune âge tous les aspects du monde adulte. Les médias leur montrent tous les jours de la sexualité, des naissances et surtout la mort. Les enfants d'aujourd'hui ont des niveaux de stress bien plus élevés que les enfants d'il y a seulement 20 ou 30 ans. Le Conseil canadien de développement social le prouve dans son cinquième rapport annuel, *Progrès des enfants au Canada 2001*. Les rapports du Conseil étudient le bien-être des enfants, des jeunes et des familles et incluent les études récentes qui fournissent des données intéressantes sur la vie des enfants d'aujourd'hui. Tu peux lire ci-dessous des faits saillants tirés de ce rapport. Même si l'enfance au Canada a bien changé, les enfants et les familles d'aujourd'hui affrontent encore les mêmes problèmes ainsi que de nouveaux défis.

Les faits saillants de *Progrès des enfants au Canada 2001*

- La plupart des enfants d'âge scolaire vivent des amitiés. Chez les enfants de 10 à 13 ans, 92 % disent qu'ils peuvent parler de leurs problèmes à quelqu'un d'autre que leurs amies et amis. De plus, 86 % disent qu'ils se confient à leur mère.
- Les élèves plus âgés sentent plus de pression face à leur rendement scolaire. Ainsi, 26 % des filles de 10e année sentaient « beaucoup de pression » face à leurs travaux scolaires en 1998, ce qui représente une hausse de 24 % par rapport à 1994. Chez les garçons, 21 % ont dit sentir beaucoup de pression.
- La plupart des enfants d'âge scolaire ont une mère qui a un emploi. Près de 80 % des femmes avec des enfants d'âge scolaire faisaient partie de la population active en 1999. Au cours des deux dernières décennies, ce nombre a grimpé de 42 %. La hausse s'est surtout produite durant les années 1980.
- Le niveau de revenu de leur famille affecte le niveau de participation des enfants aux loisirs. On note que 60 % des enfants de ménages très pauvres ne participent « presque jamais » à des sports organisés, par rapport à 27 % des enfants dans des familles bien nanties.

Résumé

Points marquants

- Par tradition, les filles et les garçons des peuples autochtones du Canada avaient des rôles distincts ; la communauté entière s'en occupait et leur enseignait la discipline par des récits moraux et la désapprobation du groupe plutôt que par des punitions.
- Les colons français et anglais qui s'installèrent au Canada venaient d'un monde qui semblait ne pas avoir beaucoup d'affection pour les enfants et ne les différenciait pas des adultes avant le XVIe siècle. Les enfants ont eu une vie meilleure au cours des siècles suivants.
- Après leur arrivée au Canada avec les premières vagues d'immigration vers le Nouveau Monde, les enfants ont constitué une main-d'œuvre très recherchée dans les fermes et les commerces familiaux.
- L'instruction a vite représenté une part importante de l'éducation des enfants au Canada. Autrefois, en Nouvelle-France, les religieuses et les prêtres français enseignaient aux enfants.

- À la fin du XIXe siècle, les villes ont résolu le problème des enfants de la rue en ouvrant des écoles professionnelles, des écoles élémentaires et, plus tard, des écoles secondaires.
- La période qu'on désigne comme l'adolescence a émergé lentement alors que les enfants de cet âge ne faisaient plus partie de la population active en raison de l'instruction obligatoire. Ceux qui n'allaient pas à l'école trouvaient du travail dans les fermes et dans les maisons.
- À mesure que la santé et l'hygiène ont pris de l'importance, on s'est intéressé au comportement des parents. L'information et l'enseignement en matière d'éducation des enfants ont passé d'une responsabilité familiale à un problème de société.
- L'enfance au Canada de nos jours montre des changements évidents, mais le bien-être des enfants, leur santé, leur éducation et les perspectives d'emploi soulèvent toujours des inquiétudes.

Révision et approfondissement

1. Définis ce qu'est l'enfance. Comment l'enfance a-t-elle changé tout au long de l'histoire? C/C
2. Chaque culture accorde une importance différente aux enfants. Compare l'expérience de l'enfance au sein des peuples autochtones du Canada avec l'expérience de l'enfance en Europe, à différentes époques. R/R C
3. Donne des exemples des différences entre la vie des enfants des classes supérieures et la vie des enfants des classes inférieures, autrefois. C/C
4. Explique pourquoi il y avait beaucoup d'enfants orphelins autrefois. Pourquoi est-ce différent aujourd'hui? C/C A
5. S'occuper de leurs enfants a toujours été la responsabilité principale des parents. Où et comment les parents apprenaient-ils à le faire par le passé? C/C
6. Décris les conditions et les événements qui ont engendré la popularité des « spécialistes en rôle parental ». C/C R/R
7. Compare les conseils qu'on donnait auparavant aux parents avec le type de conseils qu'on donne aujourd'hui. C/C A
8. Rédige une description d'une journée imaginaire de la vie d'un enfant de la rue ou d'une fille travaillant comme aide familiale à la fin du XIXe siècle ou au début du XXe siècle. C/C C

Recherche

9. Inspire-toi de ce chapitre pour formuler une question de recherche sur l'histoire de l'enfance en Europe ou dans une autre culture de ton choix. Indique deux autres ressources qui peuvent t'aider à répondre à cette question. Rédige un rapport de deux pages sur tes découvertes. Rappelle-toi d'indiquer tes sources à l'intérieur du rapport et à la fin.
10. Recherche le plus vieux livre, le plus vieux magazine ou la plus vieille brochure donnant des conseils d'éducation aux parents. Tu peux en trouver auprès des membres de ta famille ou de gens de ton quartier, dans Internet grâce à une recherche de documents historiques, ou encore à la bibliothèque ou au centre d'archives de ta communauté. Réponds ensuite aux questions suivantes :
    a) À quand remonte cette source d'information?
    b) Comment y décrit-on les parents?
    c) Quels étaient les principaux thèmes de l'éducation des enfants à cette époque? En quoi les conseils concernant les enfants ont-ils changé?

Analyse et solution

11. Analyse des cas de négligence ou de mauvais traitements, infligés par les parents, rapportés dans les médias. Détermine ensuite ce qu'on pense aujourd'hui au Canada de l'affirmation : « La façon dont les voisins traitaient leurs enfants était leur affaire. »
12. Les enfants d'aujourd'hui sont-ils protégés et isolés de la société adulte ? Analyse la question et fais un débat.

Chapitre

3

Le caractère universel du jeu chez les enfants

À la fin de ce chapitre, tu pourras:

- nommer quelques éléments communs de l'enfance et des expériences de jeunes enfants dans les cultures du monde;
- expliquer les stratégies qui encouragent les enfants à adopter des comportements appropriés à leur âge;
- décrire des aires de jeux dont les conditions favorisent le développement optimal de l'enfant;
- réfléchir sur tes propres expériences de jeu avec les enfants.

Mots clés

consentement éclairé
développement affectif
développement cognitif
développement intellectuel
développement physique
développement social
jeu actif
jeu associatif
jeu coopératif
jeu d'observation
jeu exubérant
jeu imaginatif
jeu parallèle
jeu solitaire
jeu symbolique
jeu tranquille
ludothérapie
protocole d'observation
tempérament

Aperçu du chapitre

Figure 3.1
Le jeu est universel.

Qu'est-ce que le jeu ?

Dans tous les pays du monde, les enfants jouent pour le simple plaisir de jouer. Par la manipulation des jouets et l'action des jeux, ils apprennent et se développent. Par le jeu, les enfants découvrent leur culture et le monde qui les entoure. L'observation des enfants qui jouent permet d'en apprendre beaucoup sur eux, sur leurs modèles de comportement et sur leur développement en général. Elle nous fait pénétrer dans l'univers des enfants et redécouvrir ce que beaucoup d'entre nous ont oublié.

Si tu observes des enfants qui jouent, peu importe l'endroit, tu verras des choses intéressantes. Tu verras de la concentration, de l'intensité et de la détermination. Tu verras à la fois de la frustration et du ravissement. Pour tous les enfants du monde, le jeu est une activité très sérieuse. En effet, comme le faisait remarquer Friedrich Froebel, un spécialiste en éducation du XIXe siècle : « Le jeu, c'est le travail des enfants. »

Qu'est-ce que le jeu ?

- Le jeu est éducatif. Il permet aux enfants de se découvrir eux-mêmes et d'explorer le monde qui les entoure.
- Le jeu donne aux enfants l'occasion de faire des choix importants et de trouver de vraies solutions aux problèmes.
- Le jeu permet aux enfants de faire appel à leur imagination et de reproduire des comportements familiaux.
- Le jeu est un lieu spécial pour l'enfant, qui combine la réalité et la fantaisie. Le jeu agit comme un pont entre le monde intérieur de l'imaginaire et le monde extérieur de la réalité.
- Le jeu constitue une routine familière et un rituel rassurant. En effet, il y a des enfants qui changent souvent d'environnement : ils déménagent, ils changent de garderie certains jours ou certaines semaines, ils vivent en garde partagée, parfois chez leur père, parfois chez leur mère, ils voyagent avec leur famille pendant les vacances.
- Le jeu est une façon d'évacuer la frustration et de régler les conflits liés aux changements dans le développement de l'enfant.
- Le jeu favorise l'établissement de liens d'amitié, peu importe l'endroit.

Les jeux des enfants ne sont pas des jeux, et les faut juger en eux comme leurs plus sérieuses actions.
— Michel Eyquem, seigneur de Montaigne (1533-1592)

Le jeu : Une activité agréable entreprise pour le simple plaisir qu'elle procure et dont le déroulement compte davantage que l'aboutissement. Le jeu met habituellement de côté les préoccupations sérieuses. Le jeu a beaucoup de souplesse parce qu'il prend diverses formes et se déroule dans plusieurs contextes.

Le jeu est un processus normal du développement humain. Il donne aux enfants les moyens de comprendre leur univers, d'apprendre et de grandir tout en tirant du plaisir de leurs jouets et de leurs interactions avec les autres. Les enfants de toute origine se développent grâce aux expériences qu'ils vivent. Ils jouent avec intensité, mais sans effort. Les bébés sont fascinés par leurs doigts et leurs orteils, et ils développent diverses aptitudes en jouant avec eux. En Amérique du Nord, les parents donnent quelquefois un coup de pouce à la nature : ils font porter aux bébés de petites pantoufles ou des mitaines aux motifs de couleurs vives afin de stimuler leur développement.

Le jeu et le développement humain

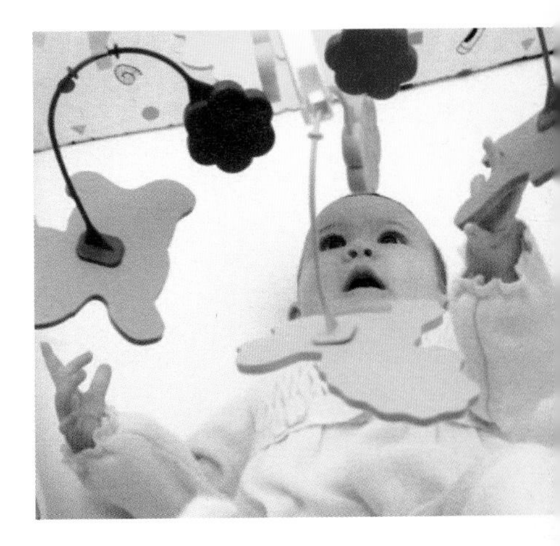

Figure 3.2
Les bébés apprennent à atteindre et à saisir des objets.

La fondation Investir dans l'enfance est un organisme national à but non lucratif ayant comme seul but de promouvoir le sain développement des enfants, de zéro à cinq ans. La Fondation met l'accent sur le besoin qu'ont les enfants de jouer pour grandir et se développer normalement. Il y a trois règles essentielles à suivre pour prendre soin efficacement des enfants de zéro à cinq ou six ans :

- jouer,
- réconforter,
- enseigner.

Fournir des occasions de jeux qui conviennent à chaque stade du développement représente une part importante du rôle parental et des soins aux jeunes enfants.

Comme tu l'as vu déjà, tous les bébés entrent dans l'univers du jeu par la découverte de leurs mains et de leurs pieds. Dès que les extrémités des bébés apparaissent dans leur champ visuel, elles deviennent des objets de jeu. Il est fascinant d'observer les enfants qui viennent de découvrir leurs doigts et leurs orteils : ils les fixent du regard, les agitent, les mettent dans leur bouche et donnent des coups. Ils passent beaucoup de temps chaque jour à s'occuper de leurs pieds et de leurs mains.

Après la découverte des pieds et des mains, l'étape suivante consiste à atteindre et à saisir un objet. Quand les parents de toutes les cultures voient le bébé essayer d'atteindre et de saisir autre chose que ses pieds, ils mettent spontanément un objet intéressant dans ses mains : un hochet de plastique multicolore au dessin élaboré ou tout simplement un bout de bois poncé et arrondi. Simple ou complexe, un jouet qui capte l'intérêt du bébé contribue à son apprentissage.

L'étape suivante survient naturellement. Quand doit-on passer au prochain type de jeu ? Les enfants te le feront savoir. Arrivés à un nouveau stade de leur développement, les enfants donnent des signes de leur intérêt pour d'autres jeux. Tu le vois à la façon dont ils s'intéressent à un nouveau jouet ou à un nouvel objet, ou lorsqu'ils manipulent un objet familier d'une manière différente.

Jouer, c'est apprendre

Le jeu représente bien plus qu'un simple divertissement. C'est l'école où on apprend la vie. Les enfants jouent avec tous leurs sens en éveil. Ils voient, ils touchent, ils ressentent, ils écoutent et ils sentent. Pendant leurs jeux, ils pensent, ils résolvent des problèmes, ils planifient et expérimentent. Ils se transforment en scientifiques à la découverte du monde et de son

Le jeu est bien plus qu'un simple divertissement. C'est l'école où on apprend la vie.

fonctionnement. Ils imitent les rôles de père, de mère ou de frères et sœurs plus âgés. Ils s'imaginent dans toutes sortes de carrières : pompière ou pompier, pilote, infirmière ou infirmier, dompteuse ou dompteur d'animaux, coiffeuse ou coiffeur, actrice ou acteur, artiste, boulangère ou boulanger, menuisière ou menuisier, astronaute. Ils engagent des conversations, règlent des problèmes, réalisent des exploits d'envergure et tout ça au cours d'un avant-midi.

Le jeu contribue à tous les aspects du développement de l'enfant. Quand les enfants bougent pour attraper un ballon, sauter et courir, ils accroissent leur développement physique. Les casse-tête, les jeux et les autres activités créatives favorisent davantage le développement intellectuel. Les jeux de rôle et le théâtre permettent aux enfants de se développer des points de vue social et affectif. Les jeux n'ont pas forcément de règles, mais ils comportent toujours des rituels rassurants. Sans s'en rendre compte, les enfants exercent à répétition leurs aptitudes physiques, verbales et sociales. Quand ils atteignent un certain niveau d'habileté et de compréhension, ils passent à des types de jeux plus complexes.

La ludothérapie

On admet aujourd'hui que le jeu permet de comprendre l'esprit d'un enfant. Les pédopsychologues et d'autres spécialistes des enfants emploient la **ludothérapie** pour reconnaître les émotions cachées, les frustrations, les peurs, la colère et l'hostilité chez les enfants. En quelques mots, les ludothérapeutes proposent à un enfant certains jouets ou objets dans une salle de jeu : une maison miniature et des poupées représentant une famille, des autos et des camions. Ils observent la façon dont l'enfant joue et ce qu'il dit pendant le jeu tout en prenant des notes. Après quelques séances, ils arrivent à déceler des thèmes communs et des modèles qui se répètent. Lorsqu'ils saisissent les problèmes sous-jacents de l'enfant, les thérapeutes invitent les parents ou les personnes responsables de l'enfant à apporter des changements qui aideront à régler les problèmes.

Figure 3.3
Jouer au grand air stimule tous les sens des enfants : ils voient, ils touchent, ils entendent et ils sentent le monde qui les entoure.

Jouer, c'est découvrir

Les adultes n'ont pas besoin d'organiser tous les jeux des enfants. Par définition, jouer dehors est une aventure en soi. Un parc, une cour arrière, un sentier dans le voisinage ou une cour de récréation peuvent servir de décor à une foule d'aventures. Par sécurité, les parents surveillent les jeux extérieurs. Mieux encore, quand c'est possible, ils peuvent eux aussi frapper le sol avec un bâton, rouler jusqu'au bas de la colline, faire des anges dans la neige ou suivre la piste d'un escargot.

La nature se prête à toutes sortes de jeux. Même en ville, les parents peuvent amener les enfants dans des sentiers pour voir les plantes et découvrir comment les oiseaux et les écureuils se construisent une maison. Dans les vieilles villes d'Europe, les enfants jouent au soccer ou se lancent la balle dans des cours et des petits parcs recouverts de ciment ou de pavé. Après la pluie, ils font voguer des bouts de bois sur les étangs. Ils courent, grimpent et inventent mille et un jeux.

Observe des enfants et les jouets qu'ils préfèrent à différents âges. Regarde comment les bambins de différentes cultures s'amusent. Sur les emballages de jeux, lis l'âge recommandé pour savoir lesquels correspondent à chaque stade de développement. Rappelle-toi les jeux que tu préférais lorsque tu étais enfant. As-tu encore ton jouet préféré ? Assieds-toi par terre et joue avec les enfants pour réapprendre ce qu'est le jeu : ce qu'on ressent quand on joue, ce qu'on entend et comment le jeu donne un sens à l'univers des enfants.

Figure 3.4
Au Canada, on accorde beaucoup d'importance au langage et à la linguistique. La plupart des enfants ont accès à du papier, à des crayons ainsi qu'à du matériel d'artiste.

Jouer, c'est se donner une culture

Le jeu est aussi une expression de la culture. Les jouets et les jeux les plus populaires dans une culture reflètent souvent ses valeurs. Dans les villes d'Amérique du Nord, par exemple, on accorde beaucoup d'importance à la technologie et aux mathématiques. Les enfants découvrent le monde du commerce et des affaires dans la salle de jeu avec les ordinateurs jouets, les caisses enregistreuses et les calculatrices. Dans les sociétés qui vivent de chasse et de cueillette, on met l'accent sur les activités liées au sens spatial. Par conséquent, les jeunes jouent à des jeux qui requièrent de la précision en fonction de la distance, comme lancer un bâton dans le but d'atteindre une cible. Dans les sociétés où on attribue de la valeur au langage et à la linguistique, il y a dans la plupart des maisons des livres, des cubes avec des lettres, du papier, des crayons. Peu importe le pays, la région ou la province, les enfants de partout entrent dans le monde des adultes par la porte du jeu.

Dans le passé, les enfants autochtones développaient constamment les aptitudes nécessaires à la survie, souvent par le jeu.

Le jeu contribue aussi à renforcer les stéréotypes d'une société. Dans les salles de jeu, il y a souvent de vives discussions sur le rôle des garçons et des filles. Les enfants reproduisent dans le jeu les stéréotypes qu'ils ont vus à la télévision, même si leurs expériences familiales sont différentes. Malgré la vigilance des parents et des personnes s'occupant des enfants, la violence et la mort s'infiltrent dans le jeu. Tant que leurs jeux ne menacent pas les autres ou n'entraînent pas un comportement nuisible, on devrait laisser les enfants explorer tous les sentiments que suscitent les différents aspects de la vie et trouver des solutions. Après tout, le jeu sert aussi à s'amuser.

Jouer, c'est faire de la musique, de l'art et du théâtre

Le jeu donne l'occasion aux enfants d'explorer les arts, la musique et le théâtre. Les enfants de partout découvrent un jour qu'en mélangeant de l'eau à de la terre, ils peuvent lui donner différentes formes. Les enfants dessinent avec des bâtons ou avec des marqueurs. Ils produisent des sons ; parfois ils frappent des objets ou ils soufflent sur un brin d'herbe inséré entre leurs pouces. Plusieurs jeux se basent sur des chansons, comme « Trois fois passera » ou « J'ai un beau château ». Les jeux de mains et les chansons à gestes combinent le chant et le mouvement.

Figure 3.5
Les enfants se mettent parfois à la place des adultes en se déguisant.

L'enfance est une période où les enfants devraient pouvoir chanter ou faire des jeux de rôle sans se poser de questions. Ils aiment revêtir de vieux vêtements et des costumes et se déguiser en maman, en papa, en médecin, en pompière ou pompier ou encore en vedette de cinéma. Ils se mettent à la place des adultes qui font partie de leur vie. Les jeux de rôle, comme porter un casque de pompier, et d'autres activités créatives constituent une bonne façon de faire découvrir aux enfants les plaisirs de la musique, des arts et du théâtre.

Vérifie tes connaissances

1. En quoi le jeu contribue-t-il au développement humain ?
2. Comment le jeu peut-il être thérapeutique pour les enfants ?

Les jouets et le développement humain

Un jouet est un objet qui exerce une certaine fascination chez la personne qui l'utilise. Dans notre société, on fabrique généralement les jouets en usine. On reconnaît souvent les jouets à leurs formes, à leurs couleurs et à leurs matières, notamment le plastique résistant. Cependant, pour les enfants, n'importe quel objet peut devenir un jouet, pourvu qu'il leur permette de faire ce qu'ils ont imaginé.

Au Canada, les enfants trouvent facilement des jouets. Souvent, la famille et l'entourage d'une future maman lui offrent des jouets dès l'annonce de la grossesse. Il semble que les adultes aiment les jouets autant que les enfants. On conserve les jouets délaissés par l'aînée ou l'aîné pour les enfants plus jeunes. Certaines familles ont même des jouets qui se transmettent de génération en génération.

Les parents et l'entourage achètent souvent des jouets trop avancés pour les enfants. Un ballon de basket-ball restera sur la tablette si on l'offre à un bambin trop petit pour le faire rebondir. Tant que l'enfant n'a pas acquis les aptitudes nécessaires, un casse-tête avec un grand nombre de pièces, un jeu comportant plusieurs règles et un module de jeux extérieurs où il est difficile de grimper causent de la frustration. Il faut attendre que l'enfant soit prêt. De la même manière, quand un enfant maîtrise une aptitude particulière, il délaisse les jouets, les jeux ou les activités qui l'ont occupé pendant des heures. Il délaisse le hochet, abandonne le jeu à bouton-poussoir et remplace l'auto à pédales par un tricycle. L'univers du jeu se modifie à chaque nouveau stade du **développement cognitif**, physique et affectif.

Les éducatrices et les éducateurs de la petite enfance, les parents, les personnes soignantes et celles qui gardent les enfants doivent reconnaître les jouets qui conviennent à chaque groupe d'âge.

Des jouets pour tous les âges

Voici quelques suggestions de jouets pour chaque groupe d'âge. Beaucoup d'autres jouets semblables peuvent aussi convenir. Pense toujours à l'aspect de la sécurité.

Le stade de la main à la bouche (de la naissance à 1 an)
Les objets colorés, les jouets sonores ou musicaux, les jouets souples.

Le stade des premiers pas (de 1 an à 2 ans)
Les jouets qu'on pousse ou qu'on tire, ceux qu'on chevauche, les gros ballons qu'on roule et qu'on poursuit, les jouets qu'on peut manipuler, cogner, empiler et trier.

Le stade de l'exploration (de 2 ans à 3 ans)
Les livres d'images, les casse-tête à grosses pièces, les bacs à sable avec un seau et une pelle, les jouets qui vont dans l'eau, les wagons et les landaus de poupées.

Le stade de la simulation (de 3 ans à 4 ans)
Des livres animés en relief, des costumes, des électroménagers ou des ateliers miniatures, des téléphones jouets, des poupées et des accessoires.

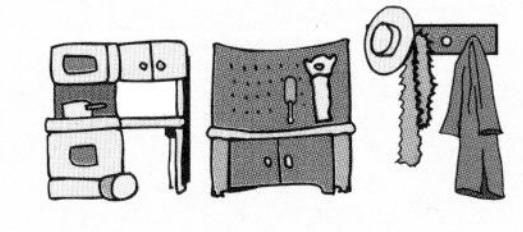

Le stade créatif (de 4 ans à 6 ans)
Des livres d'histoires, des costumes, de la pâte à modeler, de la peinture au doigt, du matériel d'art et d'artisanat, des boîtes à outils, des blocs de construction, des théâtres de marionnettes, des jeux de sport sur table.

Le stade actif (de 6 ans à 10 ans)
Des patins, des skis, des trottinettes, des bicyclettes et l'équipement de protection approprié, des trousses d'artisanat et de sciences, des jouets à piles et des livres de recettes.

Le stade de la maîtrise (de 10 ans à 14 ans)
De l'équipement pour les passe-temps et pour les sports, des ordinateurs, des jeux de société, des jeux d'habileté mentale et des livres de mystères.

Heureusement, on peut trouver ce genre d'information dans des livres ou en ligne. Par exemple, le site Web de la fondation Investir dans l'enfance donne des renseignements brefs et faciles à comprendre.

Les différentes personnes qui travaillent auprès des enfants doivent bien comprendre la relation entre le jeu et le développement de l'enfant. Dans une clinique médicale, un cabinet de dentiste, un restaurant ou même un salon de coiffure, tu sais tout de suite si on a prévu des jouets et des activités qui conviennent à l'âge des enfants présents. Sinon, ils inventent simplement leurs propres jouets pour s'occuper : des tables, des magazines, des clés d'auto, des serviettes de table, des fourchettes et des cuillères, sans parler de leurs doigts, leurs bras et leurs jambes.

Les jouets dans le monde

Dans plusieurs pays, les enfants s'amusent avec les mêmes jouets qu'en Amérique du Nord. Qu'arrive-t-il dans les pays où la pauvreté, la famine et la guerre empêchent les enfants d'avoir les jouets qu'on tient pour acquis dans le reste du monde ? Comment ces enfants s'amusent-ils ?

Les adultes et les enfants de tous les pays n'ont aucune difficulté à fabriquer des jouets à partir des matériaux les plus simples. Au Japon, par exemple, on plie le papier d'une certaine façon. Lorsqu'on souffle dans une petite ouverture, il gonfle et devient une balle. Les enfants se lancent la balle jusqu'à ce que l'air s'en échappe et la gonflent de nouveau. Là où il y a beaucoup d'arbres, on sculpte des jouets dans le bois. Là où il y a des pierres, on en fait des poupées, des balles et des animaux grâce à des teintures et à des dessins. On fabrique aussi des jouets à partir de matières végétales non toxiques que l'on peut sculpter, tisser, peindre et sécher. On confectionne entre autres des poupées, des épées ou des instruments de musique. Les vieux vêtements, les articles ménagers désuets, les os d'animaux, les lanières de cuir, les boîtes de carton et bien d'autres choses ont une grande valeur de récupération en jouets. Bien sûr, on ne voit pas ces types de jouets dans les catalogues de cadeaux des fêtes, les circulaires ou les publicités télévisées. Cependant, ils permettent aux enfants de dépenser leur énergie et de poursuivre un objectif.

Figure 3.6
Ce père et ses enfants jouent avec une boîte. Une boîte a une grande valeur de jeu. On l'utilise le plus souvent comme théâtre de marionnettes.

Vérifie tes connaissances

1. Analyse le lien entre les stades de développement et l'utilisation des jouets.
2. Décris les types de jouets avec lesquels les enfants jouent quand ils ne possèdent pas de jouets du commerce.
3. Énumère les ressemblances et les différences entre les jouets des enfants selon l'endroit du monde où ils vivent.

Liens

1. Trouve un jouet fait à la main ou une photo d'un tel jouet. Comment l'a-t-on fabriqué ? Comment l'utilise-t-on ? En quoi est-il semblable à un jouet du commerce ? En quoi est-il différent ? Vérifie auprès de quelques familles si les enfants ont des jouets faits à la main.
2. Imagine que tu voyages avec deux enfants, de trois et de cinq ans. Ton train a trois heures de retard. Quels objets utiliserais-tu pour amuser les enfants ?
3. Décris un objet de la vie courante avec lequel tu as joué quand tu étais enfant.

Les jeux et le développement humain

Les jeux représentent l'une des formes du jeu. Généralement, un jeu se joue toujours de la même façon. Par contre, un jouet peut avoir différentes fonctions à chaque usage. Par exemple, les enfants peuvent empiler des blocs un jour, construire une maison de blocs le lendemain et, une autre fois, en faire un long train. Les jeux s'adressent souvent à des enfants plus vieux qui s'intéressent moins aux jouets. Les jeux imposent des règles et requièrent la coopération de deux ou de plusieurs personnes. Les parents jouent à des jeux avec leurs enfants et les enfants de tous âges jouent à des jeux les uns avec les autres.

Les jeux sont la forme de recherche la plus poussée.
— Albert Einstein

Les jeux pour les bébés et les bambins

Les jeux pour les bébés impliquent en général la participation du bébé et d'une autre personne. Le jeu « Content-content-content » existe dans bien des cultures. Peu importe la chanson, le but reste le même : amener l'enfant à frapper des mains au rythme des mots. Ce jeu n'a qu'une règle : les mots accompagnent toujours les gestes selon le même modèle. La répétition des mots est excellente pour le développement du langage. De plus, le fait de frapper des mains enchante le bébé parce qu'il réussit à imiter quelqu'un. Frapper des mains aide aussi l'enfant à développer le sens du rythme.

Quand le bébé parvient à se tenir debout, la personne qui s'en occupe peut introduire des jeux, comme balancer doucement le bébé sur ses genoux ou le faire sauter au rythme de la musique. Ces jeux font participer tout le corps et mettent l'enfant en contact avec la musique et le rythme. Lorsque le bébé comprend que les objets existent même quand il ne les voit pas, il raffole du jeu « Coucou » autant que la personne qui joue avec lui. Ce jeu l'aide à développer la mémoire, la réflexion et la perception.

Figure 3.7
Les bébés adorent jouer à « Coucou ». Ce jeu leur permet aussi d'apprendre.

Les bambins qui jouent à des jeux réussissent à suivre quelques règles simples seulement. Observe un groupe d'enfants de deux ans jouant au mouchoir. Tu verras qu'ils n'ont aucune idée des règles. Ils adorent courir autour du cercle, mais n'ont aucune intention de s'asseoir à l'intérieur. Les enfants ne comprennent pas le concept d'attendre son tour avant l'âge

Figure 3.8
Les enfants qui jouent aux « Quatre coins » doivent suivre les règles du jeu.

de quatre ans environ. Ainsi, il se pourrait que plusieurs enfants se lèvent en même temps pour courir autour du cercle. Même si on les leur explique patiemment, il y a de fortes chances que les bambins de deux ans ne comprennent pas les règles. Voilà qui peut s'avérer frustrant pour la personne qui a organisé l'activité ! Cette personne doit faire preuve de patience et saisir qu'un enfant doit développer sa capacité de raisonnement avant de pouvoir apprendre et suivre des règles. Avec de jeunes enfants, il vaut mieux choisir des jeux simples pour s'assurer que tout le monde a du plaisir.

Les jeux pour les enfants d'âge préscolaire

Une fois que les enfants peuvent suivre des règles, marcher et courir avec assurance, ils adorent les jeux comme la cachette, « Trois fois passera », le jeu du miroir et « Jean dit... ». Les jeux où il faut faire certains gestes au rythme de la musique comme « Tête, épaules, genoux, orteils » contribuent à développer le sens de l'autonomie personnelle et favorisent la conscience de soi. Non seulement les enfants en retirent du plaisir, mais ils apprennent également des concepts importants, comme la relation entre l'enfant meneur et les autres ou entre l'enfant poursuivant et le poursuivi. Ils découvrent différentes émotions dans le contexte sécuritaire d'un jeu ayant un commencement et une fin. Ils auront peur que personne ne les trouve au jeu de la cachette, ils éprouveront bien du plaisir à attraper quelqu'un en jouant au chat ou vivront de la frustration s'ils ne suivent pas correctement les directives de « Jean dit... ».

Les jeux pour les enfants d'âge scolaire

Figure 3.9
La plupart des municipalités au Canada organisent des activités sportives pour les enfants d'âge scolaire.

Comme les jouets, un jeu ne convient pas aux enfants qui n'ont pas encore atteint le stade de développement correspondant. En effet, ils doivent avoir les aptitudes physiques nécessaires pour pratiquer le jeu ou la capacité intellectuelle pour en comprendre les règles. Vers l'âge de six ou sept ans, les enfants maîtrisent assez leur corps pour pratiquer des sports organisés exigeants comme le soccer, le baseball ou le hockey. À cet âge, ils comprennent les règles complexes et aiment les suivre ou les contourner. Dans les jeux correspondant à l'âge scolaire, les enfants consacrent beaucoup de temps et d'énergie à fixer des règles et à débattre si quelqu'un a suivi ou violé les règles. À ce stade, les jeux permettent aux jeunes de connaître leurs habiletés et leurs intérêts, d'établir des relations avec autrui et de renforcer leur confiance en soi.

Les sports organisés sont une forme de jeu qui plaît à la préadolescence et à l'adolescence. Au sein d'une équipe, les jeunes vivent un entraînement qui les amène à développer des habiletés et des stratégies. Les arbitres s'assurent que tout le monde respecte rigoureusement les règles. Les membres des équipes portent un uniforme. On compte les victoires et les défaites et on déclare les vainqueurs. Jouer à un jeu d'équipe apprend aux enfants l'art d'observer les règles, et ce, quelle que soit la situation.

Les jeux à l'adolescence et à l'âge adulte

Pendant l'adolescence, les jeux procurent divertissement et plaisir, ils permettent d'établir des liens avec les pairs et améliorent différents types de compétences et d'aptitudes. Les jeunes de cet âge s'intéressent de plus en plus aux jeux qui font appel aux aptitudes mentales, comme les jeux de société, les jeux de cartes et les jeux vidéo. Beaucoup de jeunes qui pratiquent des jeux récréatifs demandant une certaine adresse, comme le golf, le curling ou le bridge, continuent de s'y adonner une fois à l'âge adulte. Les adultes aussi aiment les jeux, car ils sont une source de divertissement, d'interaction, de stimulation mentale et de bien-être.

Les jeux dans le monde

Il y a des jeux dans toutes les cultures. Les enfants d'un même groupe d'âge jouent aux mêmes jeux dans différents pays, avec quelques variantes. La figure 3.11 à la page 60 présente quelques types de jeux universels.

Les enfants autochtones du Canada ont joué à des jeux transmis de génération en génération. Certains existent encore aujourd'hui. Par exemple, les enfants autochtones de certaines régions fabriquent un cerceau avec une branche de saule en la maintenant au sol pour lui donner sa forme. Sur une toile de Pieter Bruegel l'Ancien, peinte en 1560 et intitulée *Les jeux d'enfants*, on peut voir un garçon jouer au cerceau. La crosse, encore en vigueur au Canada aujourd'hui, était un jeu traditionnel des Autochtones, comme les Iroquois, les Algonquins, les Passamaquoddy et les Ojibwas. Les Hurons s'adonnaient à une sorte de jeu de quilles où il fallait faire rouler une roche dans le but de renverser des pierres empilées à distance. Aujourd'hui, les enfants de toutes les cultures ont leurs propres jeux.

Figure 3.10
La crosse est un jeu traditionnel autochtone. On le joue avec des bâtons et une balle.

Vérifie tes connaissances

1. À ton avis, pourquoi les enfants d'aujourd'hui passent-ils moins de temps à jouer dehors qu'il y a 10 ou 20 ans ?
2. Dresse une liste de tes jeux préférés d'hier et d'aujourd'hui. De quels types de jeux s'agit-il ? Qu'as-tu appris ou qu'apprends-tu de chacun de ces jeux ? Quels genres d'aptitudes développent-ils ? Présente à ta classe un des jeux de ta liste qui n'apparaît pas à la figure 3.11.
3. Le jeu aide les enfants à se développer physiquement, intellectuellement, socialement et affectivement. Examine la liste des jeux du monde à la figure 3.11. Décris le type de développement que chaque jeu favorise.
4. Explique la relation entre le développement et l'apprentissage des règles d'un jeu.

Des jeux universels

Types de jeux	Comment jouer
Jeux de poursuite	Une personne en pourchasse d'autres. **Exemples :** le jeu du chat, le drapeau, la cachette
Jeux de balle	On frappe la balle du pied. On frappe la balle avec un bâton. On lance et on attrape la balle. **Exemples :** le soccer, le baseball, le lancer de la balle
Jeux en cercle	Une personne au milieu ou à l'extérieur d'un cercle doit faire accomplir quelque chose aux autres personnes dans le cercle. **Exemples :** le jeu du mouchoir, le jeu de billes
Jeux de simulation des rôles familiaux	Activité à caractère universel des garçons et des filles. Les enfants jouent les rôles de père, de mère, de frère et de sœur et reproduisent les situations de la vie courante.
Jeux d'habileté mentale	Jeux de devinettes **Exemples :** « Qu'est-ce que je fais ? », « Mon beau Fido, qui a ton os ? », colin-maillard
Jeux sensoriels	On doit reconnaître quelqu'un ou quelque chose au toucher. **Exemple :** le jeu de l'âne
Jeux de force	Des personnes ou des équipes mesurent leur force. **Exemples :** le tir au poignet, le jeu de tir à la corde
Jeux de saut à la corde	Des personnes font tourner une corde tandis que les autres sautent par-dessus. **Exemple :** le saut à la corde
Jeux de saut dans des carrés	À tour de rôle, les enfants sautent au milieu de carrés dessinés sur le sol. **Exemple :** la marelle
Jeux de rôle	Les enfants simulent des rôles d'adultes, comme celui d'infirmière ou d'infirmier, de pompière ou de pompier, d'enseignante ou d'enseignant.

Figure 3.11
Nomme les jeux auxquels tu as joué quand tu étais enfant.

❖ Liens

1. Choisis un groupe d'âge. Conçois un centre de jeu pour les enfants de ce groupe d'âge. Inclus des jouets et des jeux qui donnent beaucoup d'occasions d'apprendre et de créer.
2. Décris les jouets, les jeux ou l'équipement que tu inclus dans ton centre. Explique comment les enfants pourraient les utiliser.
3. Fabrique un jouet pour ton centre de jeu à partir de matériaux de la vie courante.

Info-carrière

LES AMUSEUSES ET LES AMUSEURS D'ENFANTS

Les tâches et les responsabilités

Le terme « amuseuses » ou « amuseurs » définit toutes les personnes qui se produisent devant un public d'enfants et font appel à leur imagination pour leur faire goûter la magie et la joie dans leur vie. Les prestations peuvent inclure de la musique, des clowneries, de la magie, du théâtre et d'autres arts. Les spectacles pour enfants doivent être clairs et simples pour procurer du plaisir. Les amuseuses et amuseurs d'enfants écrivent leurs propres scénarios et s'occupent de leurs costumes et de leurs accessoires.

L'environnement de travail

L'environnement de travail d'une amuseuse ou d'un amuseur varie selon son rôle. Les clowns ou les magiciennes et les magiciens peuvent faire leur numéro à une fête d'anniversaire ou à une foire locale. Les spectacles de musique se donnent devant un plus grand public, comme dans une salle de concerts ou un centre communautaire. Des artistes visitent les écoles ; d'autres présentent leur spectacle dans les hôpitaux. La plupart du temps, les amuseuses et les amuseurs travaillent à temps partiel et deviennent plus tard leur propre agent.

La formation et les aptitudes

Pour vraiment amuser les enfants, il faut aimer les enfants et avoir du plaisir en leur présence. Il est important de pouvoir jouir de la vie à leur manière. Un bon sens de l'humour est très utile. De plus, il faut faire preuve de créativité, car il faut concevoir des sketches, composer des chansons ou planifier des activités.

Les études et la formation des amuseuses ou des amuseurs d'enfants varient selon les personnes ; il peut s'agir de cours offerts par la municipalité, de cours autodidactiques ou de programmes universitaires en théâtre, en danse, en musique ou en beaux-arts.

Les modèles de jeux

Si tu dois un jour surveiller un groupe de jeu ou si tu participes à une réunion de famille où il y a beaucoup d'enfants, rappelle-toi que tous les enfants ne jouent pas de la même façon. Plus les enfants grandissent et mûrissent physiquement, socialement, intellectuellement et affectivement, plus le jeu devient complexe et sophistiqué. Mildred Parten a répertorié des modèles de jeux dans une étude célèbre du début des années 1900. Les enfants d'aujourd'hui ont encore les mêmes types de comportements au jeu. Voici les différents types de jeux en fonction de l'âge selon Mildred Parten.

1. Les enfants jouent seuls pendant le **jeu solitaire.** C'est souvent le cas des bébés et des très jeunes enfants. Cependant, les enfants de tous âges jouent seuls à l'occasion, surtout quand ils n'ont pas de compagnie. Un bébé qui joue avec ses pieds fait un jeu solitaire. Un bambin qui s'amuse avec un centre d'activités suspendu aux barreaux de son lit après la sieste fait aussi un jeu solitaire.

Figure 3.12
Dans le jeu associatif, les enfants partagent les jouets et se parlent.

Les modèles de jeux
- jeu solitaire
- jeu d'observation
- jeu parallèle
- jeu associatif
- jeu coopératif
- jeu symbolique
- jeu imaginatif

2. Les enfants qui regardent les autres jouer font du **jeu d'observation.** Cela se produit souvent à l'époque des premiers pas et à l'âge préscolaire. Les enfants apprennent probablement comment jouer avant de participer eux-mêmes à l'activité. Les enfants timides ont davantage tendance à faire du jeu d'observation que les enfants plus sûrs d'eux.
3. Dans le **jeu parallèle,** les enfants jouent côte à côte, chacun avec ses jouets ou occupé à ses propres activités. On observe souvent ce type de jeu chez les enfants de 18 à 30 mois. À cet âge, les enfants aiment la compagnie de leurs pairs, mais ils jouent seuls. Par exemple, des enfants peuvent jouer l'un à côté de l'autre dans un bac à sable sans ou à peu près sans interaction. Chacun se concentre sur sa propre activité. Il est très difficile de partager des jouets à cet âge, car les enfants ne saisissent pas encore le concept de jouer ensemble avec le même jouet.
4. Les enfants qui jouent avec les autres tout en partageant leurs jouets participent à un **jeu associatif,** c'est-à-dire une sorte de jeu social. Le jeu associatif survient surtout chez les enfants d'environ trois ans et plus. Dès l'âge de trois ans et demi, les petits se mettent souvent à babiller quand ils jouent avec d'autres. Ils commencent à établir des liens avec des enfants qu'ils aiment bien. Deux fillettes de quatre ans qui partagent des ours en peluche et des poupées font du jeu associatif.
5. Le **jeu coopératif** est un type de jeu social dans lequel les enfants jouent ensemble à des jeux structurés par des règles. Pour participer à un jeu coopératif, les enfants doivent avoir atteint le stade de développement où ils sont intellectuellement capables de comprendre des règles et de les suivre. Au début, ce sont presque toujours des adultes ou des enfants plus vieux qui organisent les jeux coopératifs. Plus tard, vers l'âge de six ou sept ans, les enfants sont capables de le faire eux-mêmes. La cachette et le chat sont des exemples de jeu coopératif.
6. Le **jeu symbolique** consiste en un type de jeu spontané apprécié des enfants de tous âges. Il s'agit d'utiliser des jouets ou des objets en supposant qu'ils représentent quelque chose de complètement différent. Par exemple, une brosse à cheveux poussée sur le plancher devient une auto ou un train. Un bloc de plastique devient un morceau de pain grillé et une cuillère, un peigne. Même quand les enfants n'ont pas encore un vocabulaire étendu, le jeu symbolique montre qu'ils comprennent bien certains concepts.
7. Le **jeu imaginatif** rappelle la pièce de théâtre. Voici quelques exemples : un enfant joue à papa et maman ; un enfant prétend exercer un métier ; un enfant simule des situations de la vie courante sur le jeu à grimper, dans le bac à sable ou avec des boîtes de carton. Le jeu imaginaire peut inclure d'autres modèles de jeu. En effet, quand les enfants mettent en commun leurs idées et qu'ils s'entendent sur ce que représentent les jouets et les objets, ils associent le jeu symbolique et le jeu coopératif.

Astuces

Les parents, les personnes soignantes ainsi que les éducatrices et les éducateurs de la petite enfance doivent comprendre comment les enfants jouent aux différents stades de leur développement. Par exemple, au lieu de disputer un enfant qui ne peut saisir le concept du partage, ces adultes pourraient aménager les aires de jeu pour lui permettre de jouer avec ses pairs ou à côté d'eux. De la même manière, on ne peut pas s'attendre que des enfants rendus au stade du jeu coopératif et heureux de communiquer et de partager avec les autres jouent en silence côte à côte.

Le tempérament et le jeu

Chaque enfant vient au monde avec un **tempérament** unique. Les enfants tranquilles et passifs préfèrent observer le monde au lieu d'y participer. Certains enfants sont éveillés et sociables. D'autres sont très sensibles, faciles à surexciter et souvent irritables tandis que d'autres veulent tout faire et ne ralentissent jamais. Le tempérament affecte les enfants de bien des façons ; il détermine, par exemple, ce qui les apaise ou ce qui agit sur leur désir de faire de nouvelles expériences.

Le type de jeu que les enfants préfèrent découle directement de leur tempérament. Les groupes de jeu, les centres de la petite enfance, les jardins d'enfants et les garderies réunissent des enfants aux tempéraments variés. C'est pourquoi les personnes qui s'occupent des enfants doivent proposer plusieurs types de jeux, en plus de prévoir des emplacements appropriés et sécuritaires.

Des endroits pour chaque type de jeu

Le **jeu tranquille** peut se dérouler dans une aire de taille réduite, comme le coin d'une pièce ou sous une table, où les enfants peuvent jouer seuls ou en très petit groupe.

Le **jeu actif** exige plus d'espace. Par exemple, dans une salle de jeu ou une pièce familiale, les enfants peuvent bouger, interagir et manipuler des objets.

Le **jeu exubérant** et très actif demande beaucoup de place. On utilise alors des gymnases ou des aires de jeu extérieures où les enfants peuvent courir, se pourchasser, faire la culbute et crier.

Info-carrière

LA THÉRAPIE PAR LE JEU

Les pédopsychologues utilisent parfois la *thérapie par le jeu* pour aider un enfant à comprendre son comportement et l'aider à résoudre une situation conflictuelle. Selon les résultats d'une évaluation basée sur des tests intellectuels, moteurs et affectifs, ils adaptent la thérapie par le jeu ou ils dirigent l'enfant vers un professionnel qui saura mieux répondre à son problème : trouble de langage, hyperactivité, etc.

Au Canada, la thérapie par le jeu se base sur l'approche psychodynamique ou analytique (école de pensée de Mélanie Klein et d'Anna Freud, milieu du xxe siècle). Le jeu permet à l'enfant de projeter son conflit. En le regardant jouer, on peut décoder une situation précise. L'interprétation du message est donc un outil de travail important du psychologue pour enfant. Pour y arriver, il offre à l'enfant un éventail de jeux suffisant pour l'amener à extérioriser son conflit. Par exemple, l'enfant qui tape une poupée apprivoise une situation désagréable.

Cet outil analytique s'adresse particulièrement aux enfants de 2 à 12 ans. Le jeu symbolique rejoint davantage les 3 à 6 ans, qui aiment imiter leur quotidien grâce à différents personnages. L'enfant se fait des représentations mentales extrêmement parlantes. Dès 6-7 ans, on utilise beaucoup les jeux de société (jeux de cartes, Monopoly©, etc.), car c'est l'âge de l'assimilation des règles.

Ce type de thérapie est efficace puisque le conflit apparaît rapidement dans le jeu. De plus, le jeu est souvent le principal moyen de communication de l'enfant. Jouer a aussi un aspect cognitif et émotionnel : il permet à l'enfant d'apprivoiser la vie. La thérapie par le jeu revêt donc également une valeur éducative.

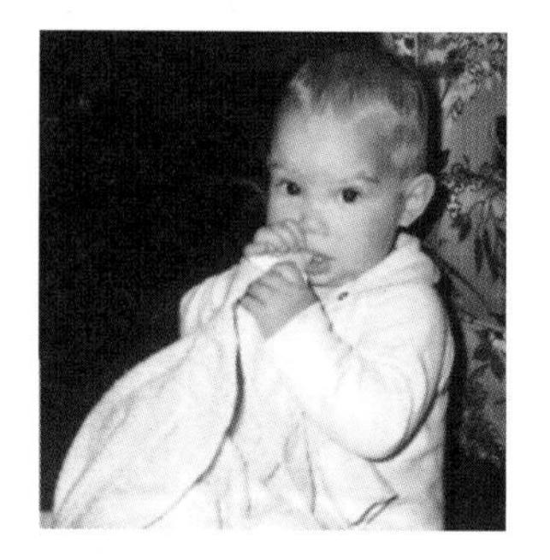

Figure 3.13
Souvent, une peluche ou une couverture sera le premier objet auquel l'enfant s'attachera. Cet objet contribue à renforcer le sentiment de sécurité et la conscience de soi.

Vérifie tes connaissances

1. En quoi le fait de connaître les modèles de jeux peut-il aider une gardienne ou un gardien d'enfants à superviser un groupe de trois enfants d'âge préscolaire ? Décris au moins trois modèles de jeux pour appuyer ta réponse.
2. Explique les différences entre le jeu tranquille et le jeu actif. Cite des exemples dans chaque cas.

Le jeu en toute sécurité

Il n'y a pas si longtemps, tous les enfants pouvaient jouer librement dehors. À la campagne, les enfants jouaient dans les champs, les étangs, les forêts, les granges, les vergers et les tas de terre. Ceux qui avaient la chance de vivre près d'un lac ou d'une plage allaient se baigner, nager, pêcher et faisaient du canot dès que la température de l'eau le permettait. En ville, les enfants s'amusaient dans les cours arrière, les espaces verts et les parcs, mais aussi dans les ruelles, les terrains vagues et les gares. Ils observaient l'activité des stations-service ou des chantiers de construction. Même s'il y avait du danger, les enfants jouaient souvent sans supervision. Bien entendu, les adultes responsables disaient aux enfants de faire attention, mais ils savaient bien que la journée apporterait son lot de coupures, d'égratignures et de piqûres.

Aujourd'hui, les parents connaissent les risques du jeu sans supervision. Ils savent que l'eau est polluée, qu'il y a des sols contaminés et que des pédophiles sont aux aguets. Chaque année, des enfants se blessent ou meurent en jouant. Des enfants ont suffoqué dans des éboulements de terrain, un coffre à jouets ou un réfrigérateur abandonné. Certains sont morts d'avoir joué avec des armes chargées. Les mines antipersonnel laissées en place après une guerre d'adultes ont blessé et tué des enfants. Il y a eu des enfants renversés par des véhicules, écrasés par des équipements agricoles ou qui sont tombés de plusieurs étages. Les cordons d'un manteau ou d'une combinaison de ski ainsi que les cordes des stores de leur chambre peuvent causer la mort.

Les accidents et les blessures peuvent survenir dans presque toutes les aires de jeu. Même de l'équipement pour terrains de jeu bien conçu peut représenter un danger. Voici un article de Santé Canada au sujet de la sécurité sur les terrains de jeu.

Terrains de jeu – Danger d'étranglement

Chaque année au Canada, des milliers d'enfants se blessent aux terrains de jeu en s'amusant sur les glissoires, balançoires ou autres structures de jeu. Des enfants sont morts lorsque leurs vêtements ou les cordons attachés à leurs vêtements se sont accrochés à l'équipement de jeu ou à une clôture. Des enfants ont péri après s'être retrouvés accrochés à des cordes à sauter ou à d'autres cordes qui avaient été attachées aux structures de jeu. Les vêtements amples, les capuchons, les foulards, les cordons de vêtements et de mitaines, les cordes à sauter ou toute autre corde peuvent étrangler un enfant.

Conseils de sécurité

- Retirez les cordons des capuchons, des chapeaux et des manteaux de l'enfant.
- Rentrez tous les vêtements qui risquent de s'accrocher à l'équipement de jeu.
- Utilisez un cache-cou plutôt qu'un foulard.
- Assurez-vous que les enfants enlèvent leurs casques protecteurs avant d'aller jouer sur les structures. Le casque peut s'accrocher à l'équipement et étrangler l'enfant.
- Assurez-vous que ni les cordes à sauter ni d'autres cordes ne soient attachées aux glissoires et aux autres équipements de jeu.
- Surveillez de près les enfants qui s'amusent au terrain de jeu.
- Apprenez aux enfants à bien utiliser l'équipement de jeu et à jouer en toute sécurité.

Bureau de la sécurité des produits, Santé Canada, 2003. Reproduit avec l'autorisation du ministère des Travaux publics et Services gouvernementaux Canada, 2003.

La famille d'un enfant qui se blesse ou qui meurt n'oubliera jamais ce drame. Chaque fois qu'un accident se produit, on établit de nouvelles règles de sécurité afin d'éviter qu'une telle tragédie ne se reproduise. Les enfants en général ont une grande insouciance et ils se méfient rarement du danger. C'est aux parents, aux enseignantes et aux enseignants ainsi qu'aux autres adultes que revient la responsabilité de fournir aux enfants des aires de jeu sécuritaires, de surveiller leurs jeux et de les prévenir du danger.

Vérifie tes connaissances

1. En quoi le jeu est-il plus sécuritaire aujourd'hui que par le passé ?
2. Énumère six règles de sécurité sur les terrains de jeu. Si tu as besoin de renseignements sur l'équipement de terrains de jeu, communique avec le Bureau de la sécurité des produits de Santé Canada de ta province ou de ton territoire.

Liens

1. Marche jusqu'au terrain de jeu de ton quartier. Fais des hypothèses sur ce qui pourrait causer des blessures ou qui représente un danger pour les enfants.
2. Décris des façons d'enseigner aux enfants comment éviter le danger quand ils jouent dehors.
3. Décris des expériences de jeu de ton enfance en tenant compte de la qualité des jouets ou des jeux et de la sécurité.

L'observation des enfants au jeu

Figure 3.14
Que pourrait-on conclure à partir de cette photo ?

As-tu déjà observé un bébé qui s'amuse avec un objet ou un jouet ? Il peut le fixer du regard, l'agiter, le retourner, le frapper, le mâcher et même le sentir. L'observation de l'enfant permet de déterminer les sens que le bébé éveille par ses actions. On peut même deviner ce que le bébé apprend, surtout si ses actions provoquent chez lui une réaction.

Les jeunes enfants ne savent pas lire ni écrire. Par conséquent, la façon la plus directe et la plus efficace de les étudier consiste à les observer, à les surveiller, à les écouter. Les spécialistes des sciences sociales, comme les sociologues, les psychologues et les anthropologues, recourent à l'observation pour faire des études et tirer des conclusions quand leurs sujets d'étude sont incapables de répondre à des questions ou de remplir des formulaires d'enquête.

Où observer les enfants ?

Tu peux observer les enfants spontanément dans beaucoup de situations de la vie quotidienne : au centre commercial, dans un lieu de prière, dans une réunion de famille, chez le médecin ou à la bibliothèque. Si tu souhaites voir des enfants au jeu, tu peux aller dans un centre de la petite enfance ou au terrain de jeu, ou encore leur rendre visite à la maison. L'une des meilleures façons d'observer les enfants consiste à former un groupe de jeu avec plusieurs enfants à des fins de comparaison.

Obtenir le consentement

Chaque fois que tu observes des enfants d'une façon officielle, dans le but de recueillir de l'information sur leur développement ou pour un travail scolaire, il faut en informer les parents et obtenir leur permission. Tu peux le faire à l'aide d'une lettre les renseignant sur l'étude : qui fera l'observation, dans quel but et à quel moment. Quand les parents signent un formulaire d'autorisation, ils donnent leur **consentement éclairé**, c'est-à-dire qu'ils acceptent que des personnes autorisées observent leur enfant et prennent des notes à son sujet dans le but de rédiger un rapport sur la base de leurs observations. Les enfants de plus de 16 ans peuvent donner eux-mêmes leur consentement éclairé.

Avant d'entreprendre une recherche, il faut absolument obtenir le consentement éclairé des sujets et leur garantir la confidentialité.

Il importe également de garantir la confidentialité de l'étude. Assure-toi de ne jamais mentionner, dans un rapport oral ou écrit, le nom complet d'un enfant que tu observes. Utilise plutôt des phrases comme « J'ai observé un garçon de trois ans que j'appellerai Seth » ou « L'enfant A a rampé sous la table et a dit... ». Si tu remplis une grille, écris les initiales de l'enfant, son prénom ou Enfant A et Enfant B. Tu dois suivre ces règles si tu parles de tes observations aux membres de ta famille et de ton entourage. Certains centres de la petite enfance exigeront que tu signes un serment de confidentialité si tu travailles ou interagis avec les enfants.

De plus, si tu réalises une bande vidéo, tu dois obtenir la permission de toutes les personnes qui y figurent avant de les montrer en public, par exemple à des élèves ou à un groupe de parents.

Comment observer les enfants ?

Les spécialistes emploient différentes techniques pour observer les enfants. Les enfants ne devraient pas savoir qu'on les observe, car ils pourraient se comporter différemment ou même interrompre leurs activités. Pour avoir une image réaliste de la nature des enfants, de leurs capacités et même, quelquefois, de leurs pensées, on doit pouvoir les observer quand ils agissent au naturel. Les spécialistes les regardent agir à la recherche d'indices sur leur développement physique, verbal, intellectuel, social et affectif. Ils portent attention à ce que les enfants sont capables d'accomplir physiquement, à leur degré de langage, à ce qu'ils disent, à leur comportement, à leur interaction avec les autres, à ce qui les rend heureux ou tristes.

Les sociologues, les psychologues et les anthropologues recourent à l'observation pour tirer des conclusions sur les sujets.

Les méthodes d'observation

Le processus d'observation fait appel à différentes méthodes. Le type d'information que tu cherches à obtenir déterminera le choix de la méthode.

L'observation participante

Si tu t'assois par terre pour jouer avec des enfants, tu deviens une participante ou un participant. De jeunes enfants pourront t'offrir des jouets ou simplement te parler en jouant. Des enfants plus vieux voudront te faire participer directement dans leur jeu en t'invitant à jouer un rôle, en faisant semblant de te nourrir ou en te proposant de lancer une balle. Prendre des notes en même temps que tu joues peut affecter l'activité; il vaut mieux attendre et écrire ce que l'enfant a dit et fait le plus tôt possible après la période de jeu.

L'observation en retrait

Si tu observes les enfants de loin ou en retrait, ils oublieront souvent que tu es là. Pendant qu'ils jouent, tu pourras prendre des notes, remplir des grilles ou dicter tes observations à l'aide d'une enregistreuse de poche. Note les comportements et les conversations; tu feras l'interprétation des faits plus tard.

L'observation à travers un miroir diaphane

Certains centres de la petite enfance, des classes de développement de l'enfant et des bureaux de thérapeutes disposent de miroirs diaphanes. De la salle de jeu, les enfants ne voient qu'un miroir, mais il s'agit en réalité d'une fenêtre d'où se fait l'observation.

Étant donné que les enfants ne voient pas les personnes qui les observent, ils s'amusent normalement, avec naturel. Dans les salles d'observation, des haut-parleurs transmettent les sons de la salle de jeu. On peut ainsi prendre des notes et faire une bande vidéo à l'insu des enfants.

L'observation enregistrée sur bande vidéo

Cette méthode présente le grand avantage de permettre de revoir la scène et d'observer ce que les enfants ont dit et fait. Tu peux prendre des notes à partir de l'enregistrement ou t'en servir comme point de départ d'une discussion. Des comportements ou des situations que tu n'avais pas remarqués sur le moment peuvent te sauter aux yeux au moment du visionnement de l'enregistrement.

Cette méthode a toutefois ses limites. Il peut survenir quelque chose d'important en dehors du champ de ta caméra ou les enfants peuvent manquer de naturel s'ils savent qu'on les filme.

Liens

1. Quels sont les avantages et les inconvénients des quatre méthodes d'observation des enfants?
2. Comment pourrais-tu combiner des méthodes d'observation?

Que faut-il observer?

Il n'y a pas de limites aux questions que tu peux formuler pour guider tes observations sur les enfants. Comment s'entendent-ils avec les autres enfants? Qu'est-ce qui les intéresse? Qu'est-ce qui les contrarie? Grâce à un **protocole d'observation,** c'est-à-dire un outil reconnu de collecte de données, tu pourras délimiter le champ de tes observations. Le protocole d'observation est une liste de questions à poser ou de détails auxquels tu dois porter attention.

Par exemple, pour observer le **développement physique** des enfants, tu peux prendre des notes sur leur équilibre, leur taille, leur poids, l'emploi qu'ils font de leurs grands muscles (pour courir, grimper et lancer) ou de leurs petits muscles (pour écrire ou tourner les pages). Par contre, si tu t'intéresses au **développement social,** tu observeras plutôt comment les enfants jouent ensemble, s'ils partagent, s'ils attendent leur tour, s'ils invitent leurs pairs à jouer ou s'ils engagent des conversations. Pour mesurer le **développement affectif,** tu vérifieras s'ils sont sympathiques envers les autres enfants, s'ils pleurent facilement, ce qui les rend heureux, tristes, fâchés ou excités. Enfin, pour connaître le **développement intellectuel,** tu noteras leur aptitude à parler, à écouter, à suivre des directives, à compter, à reconnaître des couleurs ainsi que toutes les actions ou les habiletés qui témoignent de ce qu'ils savent ou ne savent pas.

Figure 3.15
Cette observatrice participante étudie le développement intellectuel des enfants en jouant avec eux à un jeu de nombres.

Comment consigner les observations ?

La façon de consigner les observations dépend du lieu et de ce que tu souhaites observer. Par exemple, si tu veux vérifier l'acquisition d'aptitudes particulières, une grille fera l'affaire. Par contre, si tu veux suivre l'évolution des comportements et des attitudes, un enregistrement anecdotique conviendrait mieux.

L'enregistrement chronologique

Note simplement ce que tu vois et entends, au fur et à mesure, avec l'heure de chaque observation. Ne fais aucune interprétation ; tu t'en occuperas plus tard quand tu analyseras tes notes.

L'enregistrement anecdotique

Une anecdote est une histoire qui décrit en détail des événements et des comportements, comme ils se présentent. Dans un enregistrement anecdotique, tu voudras peut-être noter également tes réflexions sur les raisons expliquant ce qui se passe et y revenir plus tard pour déterminer ce que tu as appris.

Les grilles

Une grille comprend une liste de capacités, comme sauter sur un pied, distinguer correctement des couleurs et des formes ou lancer avec précision. On bâtit la liste en fonction des types de comportements étudiés. Au moment de l'observation, tu ne fais que cocher les comportements que tu vois chez un enfant.

L'interprétation des observations

Quand Mathieu lance de la pâte à modeler à un autre enfant, tu ne sais pas s'il est en colère, s'il est bouleversé ou s'il vit une autre émotion. Tu peux écrire que Mathieu a dit : « Je te déteste », et qu'il a lancé la pâte à modeler. Si tu écris qu'il était fâché, tu as peut-être raison, mais il peut s'agir d'une observation erronée, par exemple si l'enfant incarnait un rôle. Si les deux enfants éclatent de rire après l'incident, la seconde interprétation serait la plus juste. La justesse des interprétations dépend de la précision avec laquelle tu notes tes observations.

Mieux tu connaîtras le développement de l'enfant, plus tu feras des interprétations justes de tes observations. Tu pourras mieux saisir la signification de tes observations en consultant des livres, des articles, des vidéos ou des ressources en ligne. Observe des enfants et prête attention à leur façon de travailler, de jouer, d'incarner un rôle, de parler et de se comporter. Cela t'amènera à avoir une meilleure idée de ce qu'on peut attendre des enfants à différents âges et stades de développement.

Résumé

Points marquants

- Sous plusieurs aspects, tous les enfants du monde sont pareils. Ils suivent à peu près le même modèle de développement et ils apprennent tous grâce au jeu.
- Le jeu a bien des fonctions. Toutes les formes de jeux préparent l'enfant à jouer son rôle dans la société et contribuent à son développement.
- Les jouets sont les outils de jeu de tous les enfants. Il peut s'agir d'objets de la nature, faits à la main ou fabriqués en usine.
- Le type de jouet qu'un enfant préfère dépend du stade de développement où il est rendu et devrait convenir à ses capacités.
- Les jeux sont un divertissement soumis à certaines règles. La complexité de ces règles doit convenir aux aptitudes mentales et physiques d'un enfant.
- Il y a des jeux auxquels on joue partout dans le monde, avec quelques variantes.
- Les enfants ont le droit d'avoir des aires de jeu sécuritaires. Les adultes ont le devoir d'assurer la sécurité des enfants quand ils choisissent des jouets, organisent des jeux ou des activités.
- L'observation des jeux d'enfants permet de distinguer les différents modèles de jeux ainsi que les tempéraments.
- En observant les enfants et en communiquant avec eux, tu peux déterminer leur processus de développement, voir comment le jeu contribue à leur apprentissage et mieux les comprendre et les apprécier.

Révision et approfondissement

1. Explique l'énoncé suivant dans tes mots : « Le jeu, c'est le travail des enfants. » C
2. Pourquoi est-ce important que les parents et les personnes qui s'occupent des enfants comprennent le lien entre les stades du développement et les types de jouets, de jeux et

d'aires de jeu qu'ils mettent à la disposition des enfants ? C/C

3. Quelles sont les différences et les ressemblances entre les jouets et les jeux ? C/C
4. Choisis un jouet ou un jeu, détermine à quel groupe d'âge il s'adresse et explique comment il contribue au développement des enfants. C/C R/R
5. Explique en quoi le jeu est une expression de la culture. C/C
6. Consulte l'encadré « Des endroits pour chaque tempérament ». Détermine les types de jouets qui conviendraient bien à chaque tempérament et explique tes réponses.
7. Indique pourquoi on observe des enfants au jeu ainsi que les avantages de cette observation. Explique ce que l'observation des enfants pourrait t'apporter personnellement. C/C C A
8. Va au terrain de jeu de ton quartier et observe les enfants en action. Choisis une méthode d'observation appropriée. Présente à la classe ce que tes observations t'ont appris sur le développement de l'enfant. C A

Recherche

9. Fais une recherche historique au sujet des jeux de société. Consulte des personnes âgées ou des documents au sujet des jeux et des loisirs du passé. Détermine pourquoi on jouait à ces jeux. Renseigne-toi sur les règles de l'un de ces jeux. Explique le jeu que tu as choisi à la classe.
10. Consulte les statistiques canadiennes sur les accidents et les causes de décès les plus courants chez les bambins, les enfants d'âge préscolaire et les enfants d'âge scolaire. Construis un tableau ou un diagramme pour présenter tes découvertes.

Analyse et solution

11. De nos jours, surtout dans les villes, on laisse moins les enfants jouer dehors librement qu'avant. Même quand les enfants jouent dans la cour, les parents redoutent les enlèvements et restent aux aguets. Les enfants n'ont pas le droit d'aller au parc sans une personne responsable. Les enfants qui reviennent à la maison en l'absence de leurs parents doivent rester dans la maison et s'enfermer à clé en les attendant. En conséquence, ces enfants regardent la télévision ou s'amusent à des jeux vidéo au lieu de jouer dehors. Donne ton opinion sur les effets possibles de ce changement dans les modèles de jeux des enfants. En quoi peut-il affecter leur croissance et leur développement ?

Chapitre

4

Les enfants et leur héritage culturel

À la fin de ce chapitre, tu pourras :

- décrire les expériences communes des jeunes enfants de diverses cultures partout dans le monde ;
- expliquer les divers types de différences sociales et culturelles en matière de comportement des enfants ;
- reconnaître quelques influences universelles qui agissent sur les enfants et sur les familles ;
- résumer le rôle que joue la société dans la vie des enfants.

Mots clés

autorité égalitaire ou partagée
contre-culture
culture
kibboutz
langue maternelle
matriarcat
patriarcat
pensionnat
prénom androgyne
règles explicites
règles implicites
surnom
travail des enfants

Aperçu du chapitre

Qu'est-ce que l'héritage culturel ?

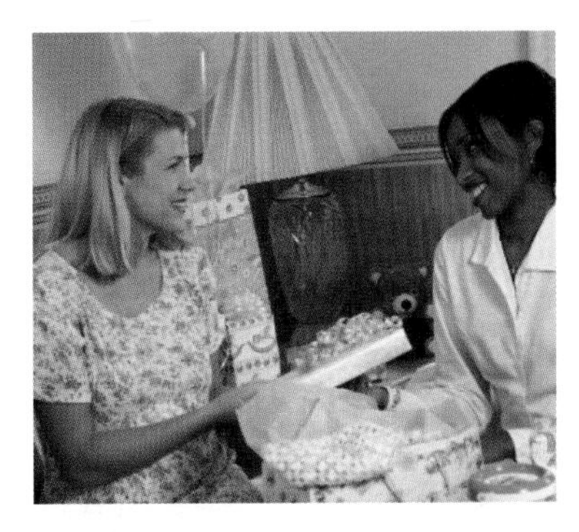

Figure 4.1
La culture détermine souvent la manière dont les futurs parents se préparent à la naissance de leur enfant.

La culture canadienne se définit par un ensemble de cultures. Depuis l'adoption de la *Loi sur les langues officielles* en 1969 et de la politique multiculturelle du Canada en 1971, le bilinguisme et le multiculturalisme ont aidé à définir ce que signifie être Canadienne et Canadien. Le Canada inclut des peuples variés dont l'héritage culturel continue d'être une part importante de leur identité canadienne.

L'héritage culturel et son interprétation par les familles et les groupes sociaux diffèrent beaucoup à travers le Canada et dans le monde. Les parents commencent à transmettre leur culture unique à leurs enfants avant même leur naissance. Leurs attentes envers l'enfant à venir, leurs croyances religieuses, les techniques prénatales et la préparation du foyer et de la vie en vue de la venue de l'enfant expriment leur appartenance culturelle.

Qu'est-ce que la culture ? La **culture** va bien au-delà de la cuisine et des festivals. Elle fait partie de l'essence d'une personne. Selon des sociologues, la culture inclut les types de comportements d'une population, ses arts, ses croyances et ses institutions. Les peuples se transmettent des coutumes de génération en génération. La culture façonne tes expériences quotidiennes, tes émotions et ta façon d'envisager le monde. Elle inclut ton passé, ton présent et ton avenir. L'ethnicité, la religion, la langue, les valeurs, les attitudes et les croyances font toutes partie de la culture, tout comme les pratiques et les comportements considérés comme acceptables par la société canadienne en général, et par les groupes constituant notre société.

La culture, c'est la mémoire du peuple, la conscience collective et la continuité historique, le mode de penser et de vivre.
—Milan Kundera

La culture définit le milieu où tu te sens à l'aise dans le monde. Par exemple, si tu étais une fille issue d'une culture où les filles et les femmes ne doivent pas courir, te sentirais-tu à l'aise de faire quatre fois le tour de la piste d'athlétisme de l'école en courant pendant les cours d'éducation physique ? Si tu étais un garçon issu d'une culture où les garçons et les hommes ne doivent pas pleurer, te sentirais-tu bien d'être ému jusqu'aux larmes lors d'un événement très touchant, comme l'enterrement d'un proche ?

La culture façonne la personnalité d'un individu et sa façon de voir le monde. Tout le monde subit l'influence de sa propre culture et de la culture des autres. Tout le monde partage sa culture par les interactions de tous les jours : tes amies et tes amis, tes camarades de classe, les enfants que tu observes et avec qui tu travailles, les membres de tous âges de ta communauté. La culture donne du caractère à une communauté et de l'originalité à une relation.

Figure 4.2
Pour beaucoup de parents d'Amérique du Nord, la réussite scolaire de leurs enfants a une grande importance.

La culture et l'éducation des enfants

Élever un enfant est, par définition, une activité culturelle. Il y a toutes sortes de façons d'élever un enfant. Pourtant, il semble que les cultures du monde entier ont en commun certaines attentes envers leurs enfants. Peu importe leur sexe, on souhaite que les enfants apprennent à suivre des instructions et fassent preuve de responsabilité, de nurturance, de réussite, d'autonomie et d'indépendance.

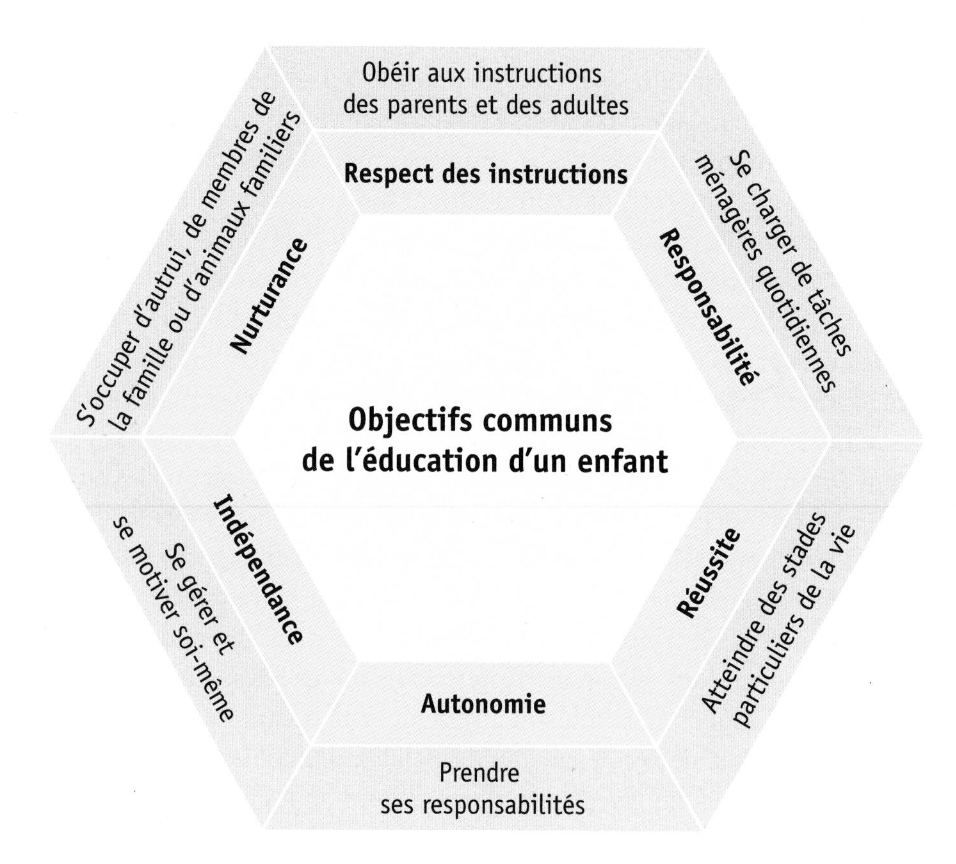

Figure 4.3
Les cultures du monde ont des attentes communes envers leurs enfants.

On ne consacre pas en tout temps la même énergie à chacun des domaines de réalisation. Selon l'âge de l'enfant, ses capacités et les circonstances, on accorde plus d'importance à l'un ou l'autre des domaines ; pourtant, les parents se préoccupent de chacun de ces domaines à un moment donné de la vie d'un enfant.

L'autorité parentale

La culture exerce une grande influence sur la structure du pouvoir dans les familles. Le pouvoir et la perception du pouvoir influent sur les rôles et les responsabilités des parents, des enfants et des autres membres de la communauté. La répartition du pouvoir dans les familles prend en général l'une des trois formes suivantes :

- le **patriarcat** (dominance masculine) ;
- le **matriarcat** (dominance féminine) ;
- l'**autorité égalitaire** ou **partagée,** qui se caractérise par le partage du pouvoir entre les adultes dirigeant la famille.

Dans un couple, une famille et dans les pratiques parentales, la définition des rôles basée sur le sexe reflète la structure du pouvoir dans les familles. Par exemple, le patriarcat a cours dans les sociétés du monde depuis des siècles. Aujourd'hui, il se retrouve dans de nombreuses cultures au Canada et ailleurs. Il tire souvent son origine de la religion. En effet, la religion le soutient et exerce une grande influence sur les rôles et les responsabilités des femmes et des hommes dans la société.

Dans les sociétés dominées par les hommes, ceux-ci dirigent souvent la communauté religieuse ainsi que la famille. Dans les ménages dominés par les hommes, les hommes ont des responsabilités, car ils subviennent aux besoins de la famille, prennent les décisions et assurent la discipline. Le rôle des femmes est d'assister le chef de famille en entretenant le foyer, en s'occupant des enfants et, bien souvent, en agissant comme médiatrices entre le père et les enfants. Les garçons suivent le modèle du père, alors que les filles deviennent la génération suivante de nourricières et de médiatrices.

Dans le passé, beaucoup de familles vivaient selon le patriarcat, mais on observe maintenant un partage toujours plus grand du pouvoir.

Le matriarcat est moins courant que le patriarcat dans le monde. On l'observe le plus souvent dans les sociétés où les hommes sont généralement absents. L'autorité partagée est un modèle sociologique relativement nouveau vers lequel de nombreuses sociétés occidentales semblent se diriger.

Les règles de comportement

Les croyances religieuses et culturelles influent souvent sur les règles familiales, la discipline parentale et les conseils prodigués. Les familles ont des codes explicites et implicites régissant le comportement des parents et celui des enfants. Les **règles explicites** sont des règles énoncées clairement. Voici une règle explicite : « Dans la famille, nous allons tous dîner chez grand-mère le dimanche. » À l'inverse, on n'exprime pas ouvertement les **règles implicites** ; on les comprend par l'observation, parce qu'elles semblent aller de soi. Dans une famille, on peut passer la nourriture au chef de famille avant de se servir soi-même même si personne n'a dit de le faire, mais parce qu'on a observé qu'il en est ainsi à chaque repas. Il est plus facile de remettre en question et de changer une règle explicite qu'une règle implicite. Imagine

Figure 4.4
La façon dont une famille se passe la nourriture à table reflète ses croyances culturelles.

Figure 4.5
Les enfants ont besoin d'une figure d'autorité dans leur vie qui les guide et les conseille.

la réaction de ta famille si tu remettais en question ou si tu rejetais une habitude implicite en vigueur non seulement dans ta famille, mais également dans l'ensemble de ta culture.

La discipline

Au Canada, des lois dénoncent les mauvais traitements corporels. Toutefois, certains groupes culturels privilégient encore le recours à une discipline stricte et à des punitions physiques. Les parents autoritaires imposent de nombreuses règles et des sanctions sévères, et exigent l'obéissance de leurs enfants. Il arrive que les parents qui ont eu une telle éducation adoptent l'approche opposée et fassent preuve d'indulgence, permettant à leurs enfants de définir leurs propres règles et évitant, le plus possible, les confrontations. Le choix du type de discipline dépend beaucoup des croyances culturelles et religieuses, de l'expérience personnelle et des pratiques dominantes. À l'heure actuelle, on observe une tendance à s'éloigner à la fois des disciplines autoritaire et indulgente pour faire place à une approche plus démocratique.

Les conseils

Dans sa vie, tout enfant a besoin des conseils d'une figure d'autorité. Il est important pour un enfant de savoir qu'au moins une personne dans sa vie peut répondre à ses questions, peut l'aider à prendre une décision difficile ou importante et a la capacité ou le pouvoir de subvenir à ses besoins, et le fera. Un enfant doit connaître une personne qui lui inspire confiance, qui lui donnera de bons conseils et qui le soutiendra dans son cheminement. Souvent, la culture détermine la personne jouant ce rôle. Il peut s'agir d'un parent ou des deux, ou encore d'une tutrice ou d'un tuteur. Dans certaines cultures, cette tâche revient aux personnes plus âgées de la communauté. Une grand-mère ou un grand-père de confiance, une aînée ou un aîné de la tribu ou un chef religieux peut agir comme figure d'autorité, fournissant des conseils aux enfants comme aux parents.

Liens

1. Indique des règles explicites et implicites observées dans ta famille et propres à ta culture. Compare les règles de ta famille avec celles des familles de tes camarades.
2. Fais une recherche à la bibliothèque ou dans Internet au sujet d'une culture dominée par les hommes au Canada. Rédige un texte qui compare les rôles et les responsabilités des hommes, des femmes et des enfants de cette culture avec ceux de ta propre famille.

La transmission de l'héritage culturel aux enfants

Figure 4.6
Un bébé peut reconnaître la voix de ses parents.

Les pratiques d'un groupe, d'une famille ou d'un individu façonnent l'identité culturelle. La culture, en grande partie, est un apprentissage. À la maison, les enfants baignent dans les pratiques quotidiennes de la culture de leur famille. Certaines familles choisissent d'enseigner à leurs enfants des aspects particuliers de leur culture, mais tous les enfants apprennent et absorbent leur culture par leurs cinq sens tous les jours de leur vie. L'expérience que tu as acquise par le toucher, la vue, l'ouïe, le goût et l'odorat a contribué à te transmettre ton héritage culturel et a modelé ta personnalité.

Le rôle de la langue dans la culture

L'expression **langue maternelle** désigne la première langue qu'une personne apprend. Il s'agit de la langue qu'un enfant entend depuis sa naissance. Dans les premiers jours de sa vie, on tient le bébé, on l'allaite, on le calme, on lui chante des chansons et on joue avec lui. Pendant ce temps, le bébé entend surtout la voix de la mère. Un bébé de quelques heures à peine est capable de distinguer la voix de sa mère de celle d'une personne étrangère. Cela n'exclut pas pour autant les pères. On a observé de très jeunes bébés se tournant au son de la voix de leur père. Des bébés en pleurs se calment parfois dès qu'ils entendent leur père parler.

La langue est donc la première dimension culturelle qu'un enfant reçoit de ses parents. La réponse immédiate et intense d'un enfant à la parole et au chant encourage les parents à répondre avec encore davantage de mots, de conversations et de chansons. Toute culture a ses propres versions de paroles d'enfants, de comptines et de chansonnettes pour enfants. Beaucoup de jeunes Canadiennes et Canadiens de deuxième ou troisième génération peuvent réciter des chansonnettes et des rimes dans la langue de leurs grands-parents.

Tout peut changer, sauf la langue que nous portons au fond de nous, tel un monde plus exclusif et définitif encore que le ventre d'une mère.
— Italo Calvino

Les traditions orales font partie de toute société. Dans beaucoup de familles, on raconte des histoires afin de transmettre la culture. Des contes moraux, des récits traditionnels et de vieilles histoires de famille, lorsqu'on les raconte aux enfants, leur permettent de comprendre leur milieu et la façon de faire les choses dans une culture donnée. Les grands-parents et les arrière-grands-parents connaissent des histoires et ont des souvenirs lointains. Ils aiment beaucoup les partager avec les enfants de la famille. Ces récits constituent le lien avec l'héritage culturel familial.

La musique est une autre manière de transmettre la culture. Son expression va au-delà des mots. Les gens du monde jouent de la musique de manières très différentes. Chaque instrument a des origines régionales et étrangères. La musique que tu écoutes régulièrement s'inspire probablement de plusieurs cultures. L'expression **contre-culture** décrit la musique que préfèrent certains groupes d'une société s'opposant à la tendance générale.

La musique que tu écoutes aujourd'hui est sans doute différente de la musique que tes parents écoutaient à ton âge, et même différente de la musique que tu écoutais il y a cinq ou dix ans.

Figure 4.7
Marta Kivik et ses filles

La parole aux parents

Marta Kivik est la mère de deux adolescentes, Erika et Andrea. Elle explique l'importance des programmes d'apprentissage de langues allophones.

Les programmes de langues allophones dans un pays où on parle presque toutes les langues du monde – surtout à Toronto où on parle plus de 100 langues – sont très importants pour les enfants qui ont leurs racines dans un petit pays comme l'Estonie. La population d'Estonie est de 1,5 million d'habitants, soit la moitié de la population de Toronto. Les linguistes prédisent que dans 100 ans, plus de 50 % des langues du monde auront disparu. C'est pourquoi il est très important que les enfants puissent apprendre et sauvegarder la langue de leurs ancêtres. L'apprentissage d'une autre langue développe la capacité cérébrale, permet aux élèves de comprendre comment d'autres langues fonctionnent et les aide ainsi à apprendre plus facilement.

Le seul endroit où nos filles rencontraient d'autres enfants estoniens était le cours d'estonien où elles allaient toutes les semaines. Il était important de rendre cette activité aussi intéressante qu'une classe « canadienne » afin que les enfants aient envie d'y participer. Le programme d'estonien enseignait non seulement la langue et l'histoire, mais également les danses folkloriques, les chants, le folklore, l'artisanat, les jeux, les traditions, etc. Les enfants qui ont fréquenté l'école maternelle à trois ans sont aujourd'hui des adolescentes et des adolescents. Ils ont conservé des liens d'amitié grâce à cette « unique » similarité culturelle. Maintenant, lorsque je sors avec mes filles, nous parlons estonien dans les magasins, les restaurants et d'autres endroits publics, soit parce que cela nous amuse d'être différentes, soit pour parler de façon privée en public.

J'ai renforcé leur participation aux programmes de langues allophones en insistant pour que nous parlions estonien à la maison, surtout lorsque les filles étaient enfants. Cela leur a donné la chance de décider si elles souhaitaient continuer l'étude de l'estonien, de l'histoire et de la culture estoniennes ou choisir une autre langue. De plus, qui sait, mes filles voudront peut-être « retourner » un jour en Estonie pour y travailler ou y étudier. Déjà, beaucoup de jeunes ont vu leur intérêt pour leur héritage ravivé après que l'Estonie a obtenu son indépendance en 1991.

La religion d'une famille a également son propre langage. Le langage des rituels, de la liturgie, des prières, des lectures, des chants ou des pratiques religieuses est très important et remonte à des centaines, voire à des milliers d'années. Les enfants apprennent le langage de leur religion par le biais de leurs parents, de leur école et des lieux de culte. Un enfant acquiert les croyances parentales au fil des conversations et de la pratique.

Figure 4.8
Embrasser un bébé est naturel dans de nombreuses cultures et inacceptable dans d'autres.

Liens

1. **Demande à une personne d'une autre culture que la tienne de t'apprendre une chanson d'enfant dans sa propre langue. Raconte cette expérience à la classe.**
2. **Décris à une ou à un de tes camarades une chanson d'enfant dont tu te souviens. Détermine ce qui te plaisait dans cette chanson et explique pourquoi tu te la rappelles.**

Transmettre la culture par le toucher

Dès la naissance d'un enfant, la culture définit la façon dont on le tient et le touche. Dans les hôpitaux canadiens, la mère prend souvent son nouveau-né immédiatement après sa naissance. Dans certaines cultures, on tient les bébés face à la personne qui les porte, alors que dans d'autres, on garde le bébé tourné vers le monde extérieur. Parfois, on tient les bébés près du corps et on les caresse, ailleurs, on les emmaillote dans des couvertures ou on les maintient à l'aide d'une écharpe près du corps de la mère. Au Canada, de nombreux parents des deux sexes portent leur bébé contre eux. Embrasser et câliner des bébés est naturel dans de nombreuses cultures et désapprouvé dans d'autres.

L'allaitement représente la forme la plus intime du toucher. Il subit aussi l'influence de la culture. Dans certaines cultures, les mères n'envisagent pas d'autre forme d'alimentation pour leur enfant et continuent l'allaitement pendant deux ou trois ans. Cependant, l'allaitement n'a pas toujours été le premier choix des nouvelles mères. Dans de nombreuses cultures, de l'Antiquité jusqu'à la première partie du XXe siècle, les femmes des classes supérieures employaient souvent des nourrices. Elles les recrutaient en général parmi les femmes des classes inférieures ayant allaité leurs propres enfants ou dont l'enfant était mort. Au lieu de laisser leur lait se tarir, ces femmes se faisaient engager pour allaiter les enfants des familles plus aisées. Souvent, les nourrices restaient au service des familles pendant des années. Obtenir un poste de nourrice constituait un grand avantage, car cela permettait à une femme d'avoir accès à un meilleur niveau de vie.

Figure 4.9
Partager des mets spécifiques au cours d'une célébration marque et enseigne l'importance de cet événement culturel ou religieux.

La nourriture en tant que culture

La nourriture fait intervenir tous les sens. Le goût et l'odeur d'un mets traditionnel, son apparence, la sensation en bouche et les sons émis pendant sa préparation et sa consommation ont des liens étroits avec l'identité culturelle.

Le Canada célèbre ses cultures à travers la cuisine. Les enfants découvrent les mets de leur propre culture bien avant de goûter ceux des autres cultures. Un enfant peut adorer les mets épicés alors qu'un autre ne les tolérera pas.

Les habitudes alimentaires traditionnelles sont les dernières choses que les familles arrivant au Canada abandonnent. Les gens se transmettent les recettes de génération en génération, parfois par écrit, parfois oralement. Dans certaines familles, les hommes préparent les mets particuliers de leur culture, alors que dans d'autres familles, on ne laisse pas les hommes s'approcher de la cuisine. Peut-être ressens-tu, à certaines périodes de l'année ou lors de certaines occasions, une envie pour un certain type de nourriture qui a fait partie de ton enfance. À la première neige ou loin de chez soi, on rêve d'un mets familier pour nous réconforter. La soupe de grand-mère, un pain pita fraîchement cuit ou un curry à l'odeur chaleureuse sont des exemples de mets de réconfort. Ils peuvent déclencher le souvenir de la chaleur et de la satisfaction associées à ta propre culture.

Avec un intérêt grandissant pour les mets d'autres cultures et un grand nombre de festivals et de restaurants proposant des mets d'autres nations, les Canadiennes et les Canadiens ont appris à apprécier la diversité et le plaisir de goûter une nourriture multiethnique. Bien sûr, une famille chinoise peut manger de la pizza et une famille ukrainienne, un curry. Cependant, à l'occasion de festivals religieux ou de célébrations familiales, les mets traditionnels retrouvent leur importance. La nourriture revêt différentes significations selon les gens et, à mesure que les enfants prennent conscience des pratiques culturelles liées à la nourriture, ils apprennent ses valeurs symboliques.

Vérifie tes connaissances

1. Nomme et décris les éléments composant une culture.
2. Comment les histoires de famille et les contes transmettent-ils la culture ?
3. Quel est le lien entre l'allaitement et la transmission de la culture ?
4. Décris les liens entre la nourriture et la culture.

Liens

1. Dresse une liste de mets et d'aliments qui ont une signification culturelle dans ta famille.
2. Quand et pourquoi sert-on ces mets ? Décris comment tu te sens lorsque tu consommes ces mets.

Les expressions visuelles de la culture

Par l'observation et la pratique, les enfants découvrent leur culture et leur religion ainsi que celles des autres. Tous les jours, les enfants observent les manières de faire les choses, les pratiques religieuses et les rituels familiaux. Se laver les mains, allumer des bougies, céder sa place à une personne plus âgée, montrer du respect, se tenir en file, dire des prières ou chanter des cantiques sont des exemples d'actions que les enfants observent et imitent. Savoir se comporter comme les autres membres de la famille met un enfant à l'aise dans son milieu culturel.

Les enfants voient également les vêtements associés à leur culture. Au Canada, il y a des personnes issues de toutes les nations. Beaucoup de familles ont immigré au Canada, car elles savaient qu'elles pourraient y préserver leur culture. On peut voir dans toutes les grandes villes canadiennes diverses cultures identifiables par l'habillement allant des coiffes aux costumes nationaux. Dans certains cas, les enfants portent tous les jours la tenue représentant leur culture. Dans d'autres, ils la portent seulement à l'occasion de festivals ou d'événements familiaux particuliers. Pour d'autres familles, il s'agit uniquement d'un élément intéressant de leur passé. Ces personnes choisissent de toujours s'habiller à l'occidentale.

Figure 4.10
Les costumes traditionnels sont une manière de représenter une culture et de montrer des traditions.

De plus, la culture transparaît dans la décoration du foyer, les biens d'une famille et les souvenirs particuliers provenant des générations antérieures. Un livre ou un objet religieux, des baguettes en ivoire, des tasses à thé bleu de faïence, le fauteuil à bascule du grand-père ou une tenture en tartan sont des exemples de trésors familiaux qu'on expose à la maison.

Les œuvres d'art révèlent beaucoup de choses quant aux valeurs, aux croyances et aux pratiques culturelles observées au Canada et dans le monde. Les peintures, les sculptures, les décorations et d'autres objets et produits artisanaux illustrent les coutumes et les styles de vie. Ce que les artistes voient et ressentent dans leur culture se reflète dans leur art. Les œuvres d'art peuvent représenter des symboles ou des rites religieux, des interactions humaines ou familiales ou des paysages chers à une culture. Une personne peut donc avoir une préférence pour un certain type d'art du fait d'influences culturelles remontant à son enfance.

Les coutumes et le folklore liés au rôle parental

Toute culture a ses propres rituels, ses pratiques et son folklore. Certains éléments sont communs à plusieurs cultures ; d'autres sont uniques. Il en est de même pour le rôle parental : certaines pratiques culturelles se retrouvent partout alors que d'autres sont uniques.

Le choix du prénom d'un enfant

Une pratique d'éducation commune à toutes les cultures est de donner un prénom à un enfant. Au Canada, la loi l'exige. Il faut enregistrer le prénom d'un enfant auprès de la province ou du territoire avant un délai donné suivant sa naissance, puis l'État émet un acte de naissance. Cependant, il y a des choses qui varient : qui choisit le prénom, comment on nomme l'enfant et quand on le fait. Certaines cérémonies d'attribution du prénom de l'enfant peuvent s'avérer extravagantes.

Prénommer un enfant est un acte important. Le prénom doit convenir à l'enfant, de sa naissance à sa vieillesse. Un nom charmant pour un bébé peut sembler étrange pour une personne de 80 ans. Des gens pensent qu'il est nécessaire de voir l'enfant avant de pouvoir choisir un prénom qui lui corresponde. D'autres estiment que l'enfant doit s'adapter au prénom qu'on lui donne. Parfois, des parents appellent leur bébé par son nom avant sa naissance.

Les prénoms ont une grande importance. Ils font partie de l'identité d'une personne et peuvent influer sur le développement d'une personnalité. En plus ou au lieu de leur prénom, les personnes reçoivent souvent un **surnom.** Il peut s'agir d'une variante ou d'un diminutif du prénom (Liz pour Élisabeth, Pierrot pour Pierre), ou se baser sur un trait de la personne (Balou pour une personne grassouillette, Rock pour une personne qui aime cette musique ou qui recherche l'action). Un surnom sera porteur d'affection ou cause d'embarras. Certaines personnes détestent leur surnom ; par contre, d'autres n'utilisent que leur surnom. Beaucoup de vedettes ont changé leur nom pour un autre plus attirant, plus facile à retenir.

❖ Liens

1. a) Quel est ton prénom complet ? Pourquoi te l'a-t-on donné ?
   b) Ton prénom a-t-il une signification particulière ?
   c) Qui, dans ta famille, ta classe ou ton entourage, porte le même prénom que toi ? Pourquoi les a-t-on nommés ainsi ?
2. Indique les trois prénoms de fille et les trois prénoms de garçon que tu préfères. Explique pourquoi tu aimes ces prénoms.
3. Pourquoi tes préférences quant aux prénoms de bébé peuvent-elles changer d'ici à la naissance de tes enfants ?

Des archives historiques indiquent que les prénoms étaient si importants dans certaines familles qu'on les donnait à plusieurs enfants. Le taux de mortalité infantile était élevé, alors un enfant recevait souvent le nom d'une sœur ou d'un frère décédés. Ainsi, les familles avaient plus de chances de pouvoir conserver un prénom dans la famille et de le transmettre aux générations suivantes.

Quelques facteurs à considérer lors du choix d'un prénom

Le sexe : Dans la plupart des cultures, il y a des prénoms de garçon et de fille. Il peut aussi y avoir des **prénoms androgynes** (qui conviennent aussi bien à un garçon qu'à une fille). Claude et Dominique sont deux exemples de prénoms androgynes. Certains prénoms, comme Stéphane et Stéphanie, sont les versions masculine et féminine l'un de l'autre. Autrefois, Marie et Georges pouvaient désigner des hommes ou des femmes. Aujourd'hui, Marie est presque exclusivement un prénom de femme et Georges, un prénom d'homme.

La religion : Dans toute religion, on trouve des noms ayant une signification particulière. On les choisit parfois pour des enfants. Dans la culture chrétienne, par exemple, des enfants peuvent porter le nom de saintes et de saints.

La tradition familiale : Dans beaucoup de cultures, on observe l'habitude de prénommer les enfants comme d'autres membres de la famille. Dans certains cas, on peut nommer un garçon comme son père et une fille, comme sa mère. Par exemple, dans les familles musulmanes, on donne aux enfants le prénom de leur grand-père ou de leur grand-mère.

La popularité : Les prénoms connaissent des cycles de popularité. On s'inspire souvent du prénom de célébrités du moment. Au cours des années 1950, beaucoup de parents canadiens ont nommé leur fille Marilyn, comme Marilyn Bell, la première femme à avoir traversé le lac Ontario à la nage. Des prénoms perdent également la faveur populaire. Elvira et Elmer ont été des prénoms courants au Canada, mais ils ont pratiquement disparu aujourd'hui.

Les associations : On fait souvent le lien entre un prénom et une personne connue. Il peut s'agir du prénom d'une personne qui inspire le respect, comme Terry Fox. Voilà une association positive. Par contre, l'association peut s'avérer négative. En Amérique du Nord, on a prénommé peu d'enfants Adolf depuis l'époque d'Adolf Hitler.

Les significations : Certains parents recherchent la signification d'un prénom avant de le donner à leur enfant. Par exemple, Brian et sa forme féminine, Brianna, signifient « fort » et « forte ».

Les initiales : Les parents se préoccupent parfois du mot que forment les initiales du nom de leur enfant. Les initiales d'« Alexandre Robert Turcotte » sont plus acceptables que celles de « Robert Alexandre Turcotte ».

Les cérémonies d'attribution d'un prénom varient selon les cultures. Dans certaines cultures, un enfant n'a pas de prénom officiel jusqu'à son enregistrement auprès de l'État. Dans d'autres, une cérémonie particulière marque l'adoption du prénom. On peut soit simplement communiquer le nom choisi pour l'enfant au reste de la famille, soit procéder à une cérémonie, religieuse ou culturelle, suivie d'une grande fête avec les personnes invitées.

Figure 4.11
Dans les cultures autochtones du Canada, on porte un grand respect aux personnes âgées.

Le respect des personnes âgées

De nombreuses cultures, notamment les cultures autochtones d'Amérique du Nord et les cultures asiatiques, encouragent et enseignent un profond respect des personnes âgées. On y reconnaît le rôle important que jouent les membres âgés de la famille dans la transmission de la culture et de l'histoire familiale. Par tradition, au sein de ces cultures, les membres de la famille et de la communauté recherchent les conseils des personnes âgées. Ils accordent de la valeur à la sagesse que ces personnes ont acquise en une vie de travail, d'expériences humaines et de transformations.

Le rôle des personnes âgées dans la culture autochtone

Les anciens ont toujours été le pivot de l'éducation autochtone, qui est essentiellement un processus intergénérationnel. Les anciens sont les gardiens de la tradition et de la culture, les sages, les maîtres à penser. Dans les sociétés autochtones, les anciens sont les dépositaires des connaissances qui constituent le patrimoine de la nation. Ils sont respectés et vénérés. Bien que la plupart des sages défenseurs des traditions soient âgés, toutes les personnes âgées ne sont pas des anciens et tous les anciens ne sont pas âgés.

Source : Affaires indiennes et du Nord Canada

D'autre part, on observe un élément culturel qui ne renforce pas le respect envers les personnes âgées dans de nombreuses familles canadiennes. Une approche plus égocentrique qu'intergénérationnelle peut entraîner le mépris de l'autorité et l'apparition de mauvais traitements envers les personnes âgées.

D'autres coutumes d'éducation

Voici quelques coutumes d'éducation de diverses parties du monde.

En Israël, le **kibboutz** est une forme de vie communautaire. Les familles vivent ensemble dans un kibboutz et se spécialisent dans un domaine de développement économique, surtout l'agriculture. Les hommes et les femmes travaillent ensemble tous les jours. Avant les années 1970, on regroupait les enfants à l'écart de leur famille pour les éduquer. Parfois, des enfants se rendaient secrètement passer la nuit aux habitations de leurs parents. Après 1970, la plupart des kibboutz ont permis aux enfants de rester avec leurs parents la nuit et le week-end. La communauté s'occupe d'eux pendant la journée.

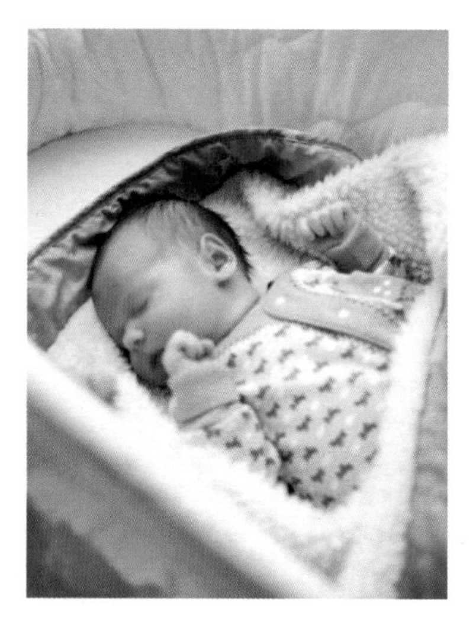

Figure 4.12
En Amérique du Nord, il est courant qu'un nouveau-né dorme seul dans son berceau.

En Angleterre, beaucoup d'enfants connaissent la vie de **pensionnat** dès l'âge de huit ans environ. Ils vivent à l'école. Là, leurs cours, leurs devoirs, le sport et d'autres activités éducatives occupent leurs journées et leurs soirées. Les écoles ne sont pas mixtes. Certains enfants rentrent chez eux le week-end alors que d'autres rentrent seulement pour les vacances. Bien qu'il y ait souvent des écoles près de la maison, il y a une tradition de longue date qui consiste à envoyer les enfants dans des écoles éloignées, surtout chez les classes aisées.

En Amérique du Nord, nous adoptons une pratique que d'autres cultures jugeraient inhabituelle. En effet, nos bébés dorment seuls dans des berceaux ou des lits d'enfant, et ce, dès le premier jour de leur vie. Cela peut sembler cruel aux gens des cultures qui permettent aux bébés de dormir avec leurs parents, souvent jusqu'à l'âge de deux ans. Au fil des découvertes sur les effets à long terme de ces habitudes, de plus en plus de parents des sociétés occidentales prennent l'habitude de dormir avec leur bébé.

Les familles canadiennes perpétuent souvent les pratiques issues d'autres cultures. Il y a autant de manières d'élever un enfant qu'il y a de cultures. Quelle que soit la méthode, la plupart des enfants deviennent des individus en bonne santé, contribuant à la bonne marche de la société. Les pratiques de certaines cultures peuvent sembler inhabituelles à d'autres, mais, en général, une famille ou un groupe culturel souhaite le meilleur pour ses enfants. Les superstitions, les croyances et les préférences sociales peuvent générer d'intéressantes différences, mais l'objectif de toute culture demeure de voir ses enfants bien grandir.

Tous les groupes culturels souhaitent que leurs enfants réussissent. Ils adoptent en général des pratiques culturelles favorisant la réussite.

Vérifie tes connaissances

1. Nomme certains des facteurs liés au choix du prénom d'un enfant.
2. Comment pourrait-on transmettre le respect envers les personnes âgées aux enfants canadiens d'aujourd'hui ?
3. Indique des pratiques éducatives appliquées dans l'histoire de ta famille.

Les droits universels des enfants

À Disney World, en Floride, une promenade en bateau fait faire le tour du monde aux touristes. Le long de la rivière, on aperçoit une multitude de superbes poupées de moins d'un mètre de haut, d'où s'élèvent des voix d'enfants chantant « Le monde n'est pas si grand après tout ». Les poupées portent le costume national du pays qu'elles représentent. Elles patinent, dansent, swinguent, font des pirouettes, montent à dos d'ânes, jouent de la musique, tourbillonnent et virevoltent. À part leurs yeux et la couleur de leur peau et de leurs cheveux, elles sont toutes identiques. Elles ont la même forme, la même taille, le même sourire. Entourées de fleurs, d'arcs-en-ciel, de couleurs et de lumière, elles présentent en effet un monde merveilleux et tout à fait irréel – un produit de l'imaginaire.

Tu as sans doute déjà vu des photos d'enfants du monde. Même s'ils ont des silhouettes, des yeux, une peau et des cheveux différents, ils se ressemblent sur plusieurs aspects. Malheureusement, leur vie n'est pas toujours agréable et ne donne pas envie de sourire. Dans certains pays, on considère les enfants comme des êtres précieux représentant l'avenir de la nation et on les traite avec égalité et respect. Cependant, tous les pays n'ont pas la même vision des enfants. À certains endroits, on estime que les garçons sont plus importants que les filles. L'infanticide féminin (le fait de tuer des petites filles) se pratique encore dans certaines parties du monde. Les enfants devraient jouir des mêmes droits partout, mais ils ne reçoivent pas tous la même attention et le même respect. Au Canada et dans le reste du monde, beaucoup d'enfants subissent des mauvais traitements, des privations, de la malnutrition, l'abandon et le travail.

De nos jours, on peut observer les enfants du monde grâce aux satellites, à Internet et à la télévision. Par conséquent, il est plus facile de se renseigner sur le bien-être universel des enfants. En 1979, pendant l'Année internationale de l'enfant, les Nations Unies ont commencé la rédaction d'une déclaration sur les droits des enfants. Le 20 novembre 1989, les Nations Unies ont adopté la *Convention relative aux droits de l'enfant*. Celle-ci comporte 54 articles qui résument les droits des enfants et les responsabilités qu'ont les nations de les protéger et de défendre le droit de chacun d'entre eux. Le 31 décembre 1995, 185 pays avaient ratifié cette Convention. Le Canada a été l'un des premiers pays à reconnaître que ces articles expriment les droits des enfants et les responsabilités des pays.

Points saillants de la *Convention relative aux droits de l'enfant*

La Convention définit un enfant comme une personne de moins de 18 ans, excepté si la majorité d'un enfant survient avant cet âge d'après les lois de son pays. Voici les points saillants de la Convention.

Les Nations Unies continuent de défendre les enfants dans le monde entier.

Tout enfant a le droit :

- à la vie, à la survie et au développement ;
- à un nom et à une identité dès sa naissance ;
- de ne pas être séparé de ses parents, sauf par des autorités compétentes, si cela assure son bien-être ;
- à des normes de santé les plus élevées possible ;
- à une éducation et à un traitement digne à l'école ;
- de se reposer, de jouer et de bénéficier d'occasions égales d'accès à des activités culturelles et artistiques ;
- de jouir pleinement de ses propres culture, religion et langue.

Les enfants handicapés ont droit à des traitements, à une éducation et à des soins adaptés.

Tous les pays sont responsables :

- de fournir aux parents une assistance appropriée et de développer des établissements de soins pour les enfants ;
- de protéger les enfants contre de mauvais traitements physiques et mentaux et la négligence, y compris les sévices sexuels et l'exploitation ;
- de fournir aux enfants orphelins des soins de remplacement adaptés ;
- de réglementer attentivement le processus d'adoption afin de fournir une protection et d'assurer la validité légale si et lorsque les parents adoptifs souhaitent emmener l'enfant hors de son pays d'origine ;
- de fournir des soins de santé à tous les enfants, en insistant sur les mesures préventives, l'éducation médicale et la réduction de la mortalité infantile ;
- de protéger les enfants de l'exploitation économique et des travaux pouvant interférer avec leur éducation ou être nuisibles à leur santé ou à leur bien-être ;
- de protéger les enfants d'une utilisation illégale de la drogue et d'une implication dans la production ou dans le trafic de narcotiques ;
- de s'efforcer d'éliminer les enlèvements et le trafic d'enfants ;
- de s'assurer que les enfants impliqués dans la transgression des lois sont traités d'une manière promouvant leur dignité et leur valeur et visant à les réinsérer dans la société ;
- de diffuser les droits définis dans cette Convention auprès des adultes et des enfants.

Info-carrière

Militant

Les tâches et les responsabilités

Les militants travaillent pour des organisations afin d'éduquer la population et d'amasser des fonds. La plupart font ce travail purement par amour et par dévouement. Ils diffusent de l'information dans le but d'influencer l'opinion publique et d'engendrer un changement. Bien sûr, des militants plus radicaux s'enchaînent parfois à des arbres pour éviter qu'on les coupe. Cependant, les militants en général font du travail de bureau et effectuent des appels téléphoniques visant à amasser de l'argent pour soutenir diverses causes, par exemple la construction de maisons d'hébergement pour femmes ou la protection des espèces menacées. Toute personne luttant pour un type de changement est une militante ou un militant. Il y a des militants bénévoles, d'autres reçoivent un salaire.

Il est important pour les militants de connaître et de comprendre les médias. Les militants salariés du domaine de l'enfance ont pour tâche de rédiger des discours, des résumés de politiques, des lettres et des communiqués de presse. Ils développent des relations avec la presse et donnent des entrevues afin de faire connaître leur cause.

L'environnement de travail

Que le militant se trouve sur le terrain ou dans un bureau, son travail demeure difficile. Faire du porte-à-porte ou effectuer des recherches dans des bases de données peut s'avérer fastidieux. Même les membres directeurs de grandes organisations militantes passent beaucoup de temps au téléphone avec les médias et les commanditaires. Si la cause défendue concerne une zone géographique étendue, ils peuvent devoir voyager.

Il n'y a pas d'emploi du temps précis dans le domaine du militantisme. Les militants font en général tout ce qui est en leur pouvoir pour atteindre leur objectif. Si la cause a besoin de plus d'argent pour réussir ou d'un plus grand soutien pour se développer, les militants poursuivent le travail jusqu'à ce qu'ils atteignent leur but. Ils ne reçoivent pas d'argent pour les heures supplémentaires. Les salaires, généralement bas, dépendent du budget de l'organisation.

La formation et les aptitudes

L'expérience et le talent définissent l'avenir des militants. Ces gens peuvent souvent obtenir des emplois mieux payés dans d'autres domaines grâce à leur expérience, mais n'en tirent pas toujours la même satisfaction.

Il n'y a pas de préalables précis pour devenir militant de métier. Des personnes ayant toutes sortes d'expériences et de formations deviennent militants. Les caractéristiques les plus importantes sont la passion et la persévérance. Un enseignement postsecondaire peut aider et de l'expérience en marketing, en droit, en relations avec les médias ou en développement communautaire est un atout au moment de la recherche d'un emploi de militant. Si on désire faire carrière dans ce domaine, un emploi au sein d'une organisation militantiste mènera à des rôles de plus grande responsabilité.

Les enfants aux prises avec la pauvreté et les conflits

Dans de nombreux pays, y compris le nôtre, les enfants sont souvent des victimes et ne bénéficient pas des droits dont ils devraient jouir. Des circonstances échappant au contrôle des familles, des communautés et de nations entières ont laissé des enfants dans des conditions déplorables dans le monde.

Figure 4.13
Beaucoup d'enfants perdent leurs parents à cause d'actes terroristes ou de guerres.

Beaucoup de familles vivant au Canada ont connu la guerre et se sont réfugiées chez nous. Dans certains cas, des membres de ces familles se sont battus lors d'un des nombreux conflits : la Première ou la Seconde Guerre mondiale, la guerre de Corée, la guerre du Vietnam, les conflits irlandais, la guerre entre l'Iran et l'Irak, les guerres civiles sur les territoires de l'ancienne Yougoslavie ou les guerres en Afghanistan. De nos jours, des guerres ou des conflits civils font encore rage dans le monde. Ces conflits continuent à toucher des familles et des enfants. Le Canada envoie des agentes et des agents de la paix dans de nombreux pays et ouvre ses portes aux réfugiés et aux enfants victimes des guerres. Des enfants du monde entier ont perdu leur foyer et leur famille à cause de la guerre, du terrorisme et des soulèvements civils. Les orphelinats de nombreux pays débordent d'enfants séparés de leurs parents ou dont les parents ont été tués.

La pauvreté est, de loin, un des pires fléaux de la planète, malgré les grands efforts faits en vue d'éradiquer la faim dans le monde. Les pays endettés utilisent leurs meilleures terres pour produire des cultures commerciales, qu'ils exportent vers d'autres pays. Ces cultures incluent le café, le sucre, le cacao, les bananes et les graines de soja. L'argent gagné disparaît au profit d'intérêts privés ou va au remboursement de la dette nationale. Pendant ce temps, les familles ordinaires cultivent les terres les plus pauvres ou travaillent où elles peuvent pour des salaires dérisoires. La famine et la pauvreté vont de pair avec le surpeuplement et la malnutrition. Beaucoup d'enfants ne reçoivent pas assez de nourriture pour survivre. En Amérique centrale et en Amérique du Sud, certains enfants vivent dans les décharges urbaines, où ils cherchent de la nourriture et se construisent des abris avec des déchets.

Le monde doit faire face au nombre grandissant d'enfants des rues. Les enfants perdent leurs parents, quittent leur famille ou vont vivre dans les villes pour subvenir à leurs propres besoins. Ils finissent souvent dans les rues, essayant de survivre comme ils peuvent. Dans certains pays, toujours plus d'enfants ainsi que d'adolescentes et d'adolescents ne peuvent échapper à la prostitution et au sida. On a parfois peu d'espoir que ces jeunes survivent à l'adolescence. Quand ces jeunes ont des enfants, ils deviennent vite orphelins et meurent tôt du sida qu'ils ont contracté de leurs mères infectées. Certains pays perdent toute une génération et se demandent comment leur nation survivra.

Le **travail des enfants** dans les pays en développement constitue un autre problème. Des enfants obtiennent un emploi, car ils acceptent des salaires plus bas que les adultes. Beaucoup d'entreprises du Canada et des États-Unis, surtout dans l'industrie du vêtement, ont des usines dans des pays en développement où les femmes et les enfants travaillent pour des salaires aussi bas que 27¢ l'heure. Les vêtements, les chaussures de sport, les sacs à main, les tapis, les broderies et les articles ménagers, entre autres, proviennent du travail des enfants. La plupart du temps, les normes des conditions de travail dans ces pays sont inférieures à celles de l'Amérique du Nord. Le mauvais éclairage, la ventilation déficiente et les longues journées de travail nuisent à la santé des enfants. Ces enfants ont peu de chances de mener une vie meilleure que leurs parents.

Étude de cas : Craig Kielburger

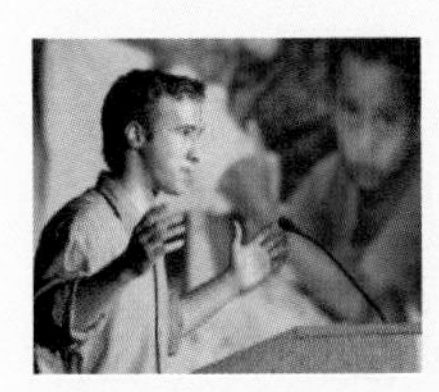

En avril 1995, Craig Kielburger a pris conscience du problème du travail et de l'exploitation des enfants grâce à un article publié en couverture du *Toronto Star*. L'article relatait la mort d'Iqbal Masih, un enfant ouvrier. Kielburger avait 12 ans à cette époque. La dure vie et la mort cruelle d'Iqbal l'ont bouleversé. Il a fait des recherches sur le thème du travail des enfants et a fondé avec ses camarades l'organisation Libérez les enfants ! Il a aussi organisé un voyage dans le Sud asiatique qui a retenu l'attention des médias.

Pendant ce voyage, Kielburger a accompagné des militants sociaux qui secouraient des enfants asservis par le travail. Les militants ramenaient les enfants mal nourris et maltraités à leurs familles. La campagne de Kielburger a obligé la population et les chefs de gouvernement à réagir à ce problème mondial. Il a toujours continué de lutter contre le travail et l'exploitation des enfants. Sa persévérance lui a mérité une nomination pour le prix Nobel de la paix de 2002.

Questions

1. Donne des raisons appuyant la nomination de Kielburger au prix Nobel de la paix.
2. Quelles raisons les personnes de l'âge de Kielburger peuvent-elles soulever pour expliquer leur désengagement quant aux problèmes des pays en développement ?

La pauvreté des enfants au Canada

Des enfants vivent dans la pauvreté au Canada. Leur milieu de vie est bien sûr différent de celui des enfants d'autres régions du monde, mais ils vivent des situations et éprouvent des difficultés similaires. Beaucoup de familles ont recours aux banques alimentaires et aux œuvres de bienfaisance pour nourrir et vêtir leurs enfants. Des familles ont perdu leur foyer et leurs biens et survivent dans les rues avec les sans-abri.

Une prise de conscience mondiale

À mesure que le monde entier prend conscience de ce problème, il devient de plus en plus important d'agir afin d'améliorer les vies des enfants au Canada et dans le monde. Que peux-tu faire ? Des élèves de partout font une différence. Voici des gestes que tu peux poser : soutenir un enfant dans le besoin par des dons directs, participer à des collectes de fonds afin de soulager la famine et boycotter les produits fabriqués par des entreprises employant des enfants.

Liens

1. Quels aspects des droits des enfants t'intéressent ? Dans quelle mesure connais-tu les droits des enfants ? Trouve des actions que tu peux poser pour agir en faveur des droits des enfants et aider des enfants dans le besoin au Canada et ailleurs.
2. Fais une recherche à la bibliothèque ou dans Internet au sujet des organisations pour la justice sociale qui œuvrent pour améliorer la vie des enfants du monde, par exemple Amnistie internationale. Cite des exemples de manières dont chaque organisation aide les enfants et présente-les à la classe.

Avis d'experts

PEDRO BARRATA

Pedro Barrata, directeur de Campagne 2000 en Ontario, répond à la question suivante :

Que pouvez-vous nous dire au sujet de la pauvreté des enfants au Canada ?

Les statistiques récentes indiquent que nous ne réussissons pas à régler le problème de la pauvreté des enfants et des familles au Canada. Entre 1989 et 1998, le nombre d'enfants pauvres a augmenté de 43 % dans tout le pays. Ce nombre a pratiquement doublé en Ontario dans la même période.

De plus en plus de familles vivent également bien en dessous du seuil de la pauvreté. En fait, une famille pauvre moyenne vit presque 9 500 $ en dessous du seuil de la pauvreté. Cela concerne beaucoup de familles, dont les familles dépendant de l'assistance sociale et de l'assurance-emploi, ainsi que les familles gagnant le salaire minimum et bénéficiant de peu de sécurité et de peu d'avantages sociaux. Les familles entrent et sortent fréquemment de la pauvreté et leur situation dépend de plusieurs facteurs, comme l'emploi, le logement, la disponibilité d'aide, comme dans les soins pour les enfants, les handicaps, etc. Pour éviter ce « cycle de la pauvreté », il faut s'assurer que ces familles obtiennent l'aide dont elles ont besoin dans les moments difficiles. Sans un système de soutien, les familles risquent bien plus facilement de tomber dans la pauvreté.

Être pauvre au Canada signifie qu'un enfant peut connaître la faim, mais également ne pas se sentir en sécurité, ne pas avoir un foyer ou des vêtements le préservant du froid et ne pas pouvoir vivre des événements sociaux, comme une fête d'anniversaire, la réception de cadeaux, des voyages éducatifs et des activités sportives. Un début sain dans la vie a une incidence durable sur le bien-être d'un enfant. Les enfants aux prises avec la pauvreté éprouvent plus de difficulté à bien se développer et risquent davantage de connaître des expériences néfastes pour leur santé et leur bien-être. Nous savons également que les enfants connaissant la pauvreté sont moins enclins à participer à des activités sportives et récréatives organisées et qu'ils sont prédisposés à vivre dans des quartiers dangereux, ce qui peut les exposer à des produits toxiques. Être pauvre, c'est ne pas avoir la chance de participer au développement d'une société prospère et d'en recueillir les bénéfices. La capacité d'un enfant de progresser à tous les stades de son développement dépend des ressources et des occasions que lui procurent sa famille, sa communauté et la société dans son intégralité. Un cadre propice à une meilleure intégration nécessite la création de bons emplois permettant aux chefs de famille de subvenir aux besoins de leur famille. Les familles et les enfants ont également droit à la sécurité économique que peuvent procurer les services d'aide à la petite enfance et de soins pour les enfants, à des logements sûrs et abordables ainsi qu'à une éducation postsecondaire à un coût raisonnable.

Résumé

Points marquants

- L'éducation d'un enfant est une expérience culturelle.
- Les parents transmettent leur culture à leurs enfants dès leur naissance.
- Les enfants absorbent leur culture par ce qu'ils entendent, voient, sentent et goûtent régulièrement et par la manière dont on les touche.
- Toute culture a ses coutumes associées à l'éducation des enfants, entre autres l'attribution d'un prénom et l'enseignement du respect des personnes âgées.
- Les pratiques éducatives peuvent varier à travers le monde.
- La *Convention relative aux droits de l'enfant* proclame que tous les enfants du monde ont les mêmes droits.
- Des enfants au Canada et dans le monde subissent des mauvais traitements, des privations, la malnutrition, l'abandon et le travail.
- En sensibilisant la communauté internationale, on peut agir afin de soutenir la justice sociale pour les enfants du monde.

Révision et approfondissement

1. Décris de quelles façons l'éducation d'un enfant est une pratique « culturelle ». C/C R/R
2. Consulte la figure 4.3 : Objectifs communs de l'éducation d'un enfant. Détermine pour quelles raisons toutes les cultures partagent ces objectifs. Essaie d'expliquer pourquoi certaines cultures mettent l'accent sur des objectifs particuliers plus que sur d'autres. R/R A
3. Explique en quoi l'éducation d'un enfant diffère en fonction du modèle d'autorité existant au sein de sa famille. C/C C
4. Dresse une liste de prénoms qui te sont familiers. Analyse les facteurs dont on a tenu compte, selon toi, au moment du choix de ces prénoms. R/R
5. Lis les droits des enfants décrits dans la *Convention relative aux droits de l'enfant*. Explique comment on peut respecter chaque droit et quelles personnes peuvent contribuer à l'application de ce droit. R/R A
6. Décris l'incidence de la pauvreté sur les enfants et sur les familles. Explique pourquoi on estime que la pauvreté des enfants est un des plus graves problèmes dans le monde aujourd'hui. C/C R/R
7. Effectue une enquête par questionnaire auprès de ta communauté afin de déterminer ce que les gens savent de la pauvreté infantile au Canada. Compare leurs réponses aux renseignements que donne Pedro Barrata. Présente tes résultats à la classe. R/R C
8. Fais une recherche dans Internet au sujet du travail des enfants. Présente tes découvertes dans un compte rendu. R/R C

Recherche

9. Pose les questions suivantes à une ou à un élève de ton école ou à une personne de ton entourage qui n'a pas vu le jour au Canada, ou dont les parents ou grands-parents ne sont pas nés au Canada.
   a) Quelles attentes votre culture a-t-elle envers les nouveau-nés ?
   b) Quels rituels religieux ou culturels accompagnent la naissance ou le baptême d'un enfant dans votre culture ?
   c) Comment votre famille prépare-t-elle le foyer pour la venue d'un nouveau-né ?

   Pose trois autres questions portant sur la transmission de la culture dans sa famille.

10. Afin de développer tes compétences en recherche phénoménologique, recueille des histoires de famille auprès de ta propre famille ou auprès d'une famille que tu connais. Ces histoires doivent illustrer une croyance ou une pratique culturelle éducative particulière observée dans cette culture. Rédige une description détaillée du phénomène. Indique pourquoi et comment on le pratique, où et quand il est apparu et ce qui le rend unique. Présente tes découvertes à la classe.

11. Fais une recherche afin de déterminer les pays qui n'ont pas ratifié la *Convention relative aux droits de l'enfant*. Quelles sont les implications juridiques pour les pays qui ne soutiennent pas les droits des enfants ? Une fois la recherche terminée, rédige un texte présentant ta réaction personnelle.

Analyse et solution

12. Analyse les problèmes et les avantages liés à l'éducation d'un enfant par des parents représentant deux cultures ou plus.

lodule 3 Les cycles de la vie

Ce module examine la place qu'occupent les enfants dans les familles et l'évolution des familles au fil des ans. Les familles façonnent l'identité des enfants et ont une influence déterminante sur leur bien-être, et ce, toute leur vie. Tu développeras des compétences et des stratégies qui favorisent de saines relations et des interactions positives avec les enfants.

THÈMES DÉVELOPPÉS :

- Il y a différents types de familles, mais elles jouent toutes un rôle dans le potentiel de développement des enfants.
- Les enfants dépendent de leur « vraie » famille et subissent son influence toute leur vie.
- Les défis liés aux familles et au rôle parental se transforment à mesure que les enfants grandissent et changent selon le cycle de la vie.
- Le développement optimal de l'enfant se fonde sur de saines relations avec les parents.
- Les parents, les personnes qui s'occupent des enfants et celles qui travaillent avec eux doivent absolument entretenir des relations solides et saines avec les enfants.
- Les aptitudes à communiquer améliorent les relations avec les enfants plus âgés, les adolescentes et les adolescents.
- Pour entretenir avec les enfants des relations harmonieuses qui contribuent à leur développement, les adultes doivent adopter des aptitudes et des stratégies de communication.

Aperçu du module

Chapitre

5

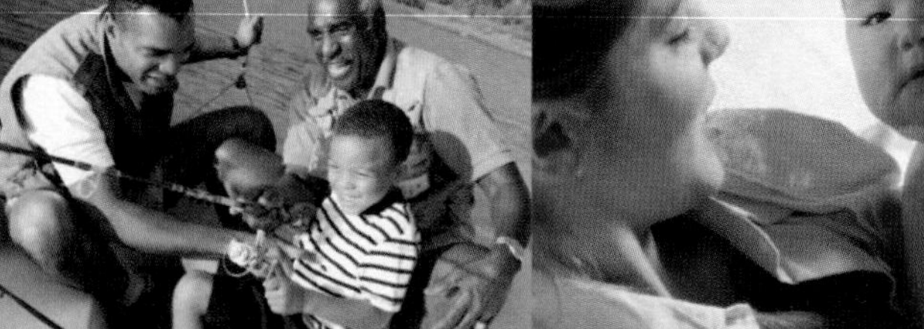

Les enfants et les familles

À la fin de ce chapitre, tu pourras :

- analyser les caractéristiques des familles et comparer l'évolution des besoins personnels et familiaux au cours d'une vie ;
- évaluer les stratégies de gestion de la famille qui favorisent l'autodiscipline pendant l'enfance et l'adolescence ;
- reconnaître les causes et les conséquences du mauvais traitement des enfants et de la violence familiale et évaluer leur incidence sur les familles, sur les personnes qui s'occupent des enfants et sur celles qui travaillent avec eux ;
- distinguer les variations culturelles et sociales dans la formation des familles ;
- mettre en évidence les stratégies qui assurent à tous les enfants un environnement sécuritaire et non violent ;
- reconnaître les étapes de l'évolution de la vie familiale.

Mots clés

autonomie
conseil de famille
cycle de la violence
décision d'intérêt majeur
décision d'intérêt mineur
développement de la famille
développement humain
évolution de la vie familiale
famille
famille de procréation
famille d'orientation
famille grandissante
famille rétrécie
jeune famille

Aperçu du chapitre

Quelle est la place des enfants dans les familles ?

Selon les statistiques du gouvernement fédéral, plus de 330 000 bébés viennent au monde chaque année au Canada. Chacun naît avec le soutien biologique, social et émotif d'au moins deux familles préexistantes. Un enfant peut aussi avoir plusieurs autres familles au cours de sa vie. Du point de vue biologique, chaque enfant hérite, à sa conception, d'un ensemble de chromosomes issu de la rencontre du spermatozoïde et de l'ovule. Cet ensemble détermine son patrimoine génétique. Sur le plan social, la famille de l'enfant a son propre statut social, sa culture, une ou plusieurs langues. Elle vit dans une communauté rurale ou urbaine, dans un lieu précis. Enfin, du point de vue affectif, les enfants pourront recevoir de l'amour, subir l'indifférence ou même vivre le rejet de membres de leur famille.

Figure 5.1
Un enfant peut avoir plusieurs types de familles au cours de sa vie.

Quelques définitions de la famille

L'Institut Vanier de la famille définit la **famille** comme suit:
« Toute association de deux personnes ou plus liées entre elles par les liens de consentement mutuel, de la naissance ou par l'adoption et qui, ensemble, assument la responsabilité de diverses combinaisons de certains des éléments suivants: entretien matériel et soins des membres du groupe; l'ajout de nouveaux membres par le biais de la procréation ou de l'adoption; la socialisation des enfants; le contrôle social des membres; la production, la consommation et la distribution de biens et de services; la satisfaction des besoins affectifs. »

Statistique Canada, pour sa part, donne la définition suivante:
«[...] couple actuellement marié (avec ou sans fils et/ou filles jamais mariés des deux conjoints ou de l'un d'eux), couple vivant en union libre (avec ou sans fils et/ou filles jamais mariés des deux partenaires ou de l'un d'eux) ou parent seul (peu importe son état matrimonial) demeurant avec au moins un fils ou une fille jamais marié. »

On représente souvent la famille par un cercle. Ta famille existait bien avant toi et elle continuera d'exister après ta mort. Elle n'a ni commencement ni fin. La famille dans laquelle tu as vu le jour, appelée **famille d'orientation**, prend soin de toi, te donne ce dont tu as besoin et t'éduque. Dans la famille que tu fonderas, soit la **famille de procréation**, tu prendras soin de tes enfants, tu leur donneras ce dont ils ont besoin et tu les éduqueras. Chaque famille est un cercle. Si on voulait te représenter graphiquement, on dessinerait deux cercles qui se chevauchent. Un cercle serait la famille de ta mère et l'autre, la famille de ton père. Au cours de ta vie, tu feras probablement partie de différents types de familles et tu subiras leur influence de bien des façons.

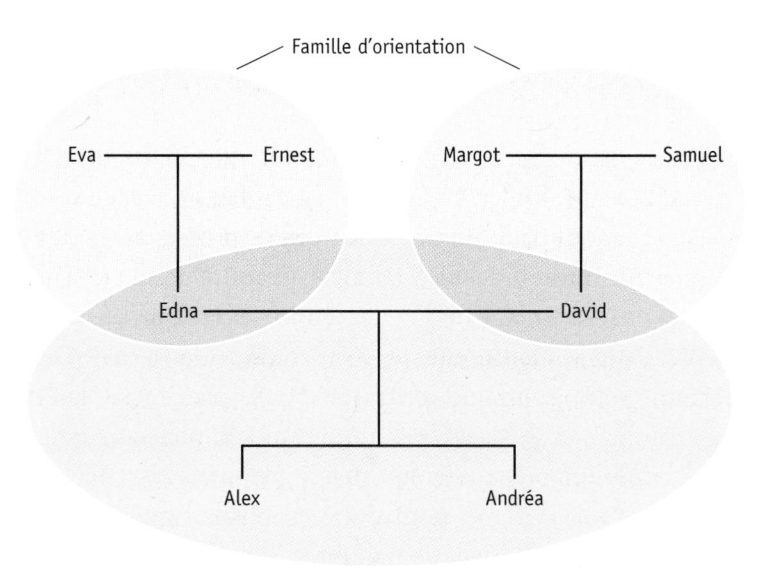

Figure 5.2
Un arbre généalogique permet de distinguer les familles de procréation et d'orientation.

La diversité des familles canadiennes

Il n'y a pas un modèle unique de la famille canadienne. Dans certains cas, une famille réunit une mère, un père, deux enfants et un chien. Dans d'autres, la famille inclut une mère, un père, des frères et sœurs dans un autre pays ainsi qu'une mère adoptive au Canada. C'est le cas de Thu Thuy (voir à la page 97). Comment définir les familles au Canada ? Certaines familles sont grandes, d'autres sont petites. Certaines familles ont des liens

Les types de familles et leur composition

Famille adoptive	Une famille qui accepte la responsabilité juridique d'élever un enfant ou des enfants nés d'autres parents.
Couple sans enfant	Un couple sans enfant vivant en ménage.
Famille étendue	Tous les parents, vivants ou morts.
Famille d'amies et d'amis	Un groupe d'amies et d'amis très unis qui se soutiennent comme une famille.
Famille nourricière	Une famille qui prend soin d'enfants en attendant le moment du retour dans leur propre famille ou de leur adoption.
Famille monoparentale	Un parent célibataire avec son enfant ou ses enfants.
Famille nucléaire	Deux parents avec un ou plusieurs enfants.
Famille recomposée	Quelquefois appelée « famille reconstituée ». Une famille dont la composition change en raison des nouvelles alliances des parents. Elle peut inclure les membres de la belle-famille ou les demi-sœurs et les demi-frères.

Figure 5.3
Dans quels types de familles y a-t-il des enfants ? Y a-t-il des types de familles plus courants dans certaines populations au Canada ? À ton avis, cette liste est-elle complète ?

de sang, d'autres, des liens de mariage et d'adoption, d'autres encore se forment par choix. Les couples de même sexe forment des familles sur les mêmes modèles que les couples hétérosexuels. Par exemple, une famille nucléaire peut se composer de deux mères ou d'une mère et d'un père. La figure 5.3 de la page 96 décrit plusieurs types de familles canadiennes.

On retrouve ces types de familles depuis longtemps dans la société canadienne. Durant les années 1950, on voyait surtout le modèle de la famille nucléaire. Les médias et la culture canadienne ont beaucoup idéalisé ce modèle, au point qu'on jugeait particulier qu'un ménage accueille des membres de la famille étendue. Pourtant, avant la découverte de la pénicilline et sa distribution mondiale vers la fin des années 1940, des pères et des mères mouraient souvent avant la fin de l'éducation de leurs enfants. Des parents seuls élevaient alors les enfants ; il y avait beaucoup de remariages qui formaient des belles-familles ; des parents éloignés ou des gens proches de la famille recueillaient les enfants orphelins.

Toutes les familles heureuses se ressemblent, alors que chaque famille malheureuse l'est à sa manière.
— Léon Tolstoï

Étude de cas : L'histoire de Thu Thuy

Thu Thuy est née au Vietnam. Là, elle vivait avec sa mère, son père et ses frères et sœurs. Sa famille était très pauvre. Trouver de quoi manger représentait un défi quotidien. Certaines familles abandonnaient leurs enfants. D'autres tentaient désespérément de leur rendre la vie plus facile. À l'âge de huit ans, Thu Thuy a eu la possibilité d'entreprendre une nouvelle vie : une Canadienne de la ville de Québec souhaitait l'adopter ! Thu Thuy a donc quitté sa famille du Vietnam et s'est installée avec sa nouvelle mère, une femme de carrière célibataire. Pour cette femme, il avait été plus facile d'adopter un enfant du Vietnam que du Canada.

Thu Thuy et sa nouvelle maman ont trouvé leur première année de vie ensemble difficile. Tout était nouveau pour Thu Thuy. Par exemple, elle n'avait pas l'habitude de porter des souliers. Elle ne connaissait pas le pyjama, car au Vietnam, elle dormait dans les mêmes vêtements qu'elle avait portés le jour. Elle a dû s'habituer au climat, en particulier à l'hiver.

Malgré tout, Thu Thuy s'est très bien adaptée à sa vie au Canada. Elle a vite appris le français, a beaucoup d'amies et d'amis et réussit bien à l'école. Elle s'entraîne 14 heures par semaine en gymnastique avec le soutien de sa mère, une professeure de gymnastique. Elle apprend l'anglais. À la fin de sa septième année, en juillet 2001, elle a participé à un programme d'échange culturel qui lui a permis de passer deux semaines en Ontario. Elle écrit encore à sa famille au Vietnam et envoie des cadeaux et de l'argent à l'occasion. Quand elle sera plus vieille, sa mère l'emmènera au Vietnam pour qu'elle rende visite à sa famille vietnamienne. Faire partie d'une nouvelle famille au Canada a transformé la vie de Thu Thuy.

Questions

1. Thu Thuy a deux familles. Dessine ses familles à l'aide de cercles qui se chevauchent et de pictogrammes. Place Thu Thuy au point de rencontre des cercles. Combien y a-t-il de cercles et quelles personnes voit-on à l'intérieur ?
2. Au cours de ta vie, tu auras probablement plus d'une famille et chacune t'influencera à sa façon. Pense à Thu Thuy et explique l'influence de sa nouvelle famille.

Les familles au XXe siècle

En 1901, environ sept familles sur dix étaient formées d'un couple marié avec enfants. Au début du siècle, près de 14 % des familles étaient dirigées par un parent seul et dans huit de ces cas sur dix, le parent seul était une veuve ou un veuf. Ainsi, les familles monoparentales étaient aussi fréquentes en 1901 qu'à la fin du siècle. La principale différence provient du fait qu'à cette date, plus de familles monoparentales résultaient du décès de l'un des parents.

— *Institut Vanier de la famille*

Vérifie tes connaissances

1. Énumère les différences et les ressemblances entre les définitions de la famille selon l'Institut Vanier de la famille et selon Statistique Canada. À ton avis, pourquoi y a-t-il des différences dans ces définitions ?
2. Compare les rôles de la famille d'orientation et de la famille de procréation.

Y a-t-il un type de famille idéal pour un enfant ? Des enfants ont une enfance heureuse ou subissent des mauvais traitements dans tous les types de familles. Au-delà du type de famille, c'est le dévouement et l'engagement envers les enfants qui déterminent le bien-être des enfants de la génération suivante.

Sur 100 familles (types de familles), 2001

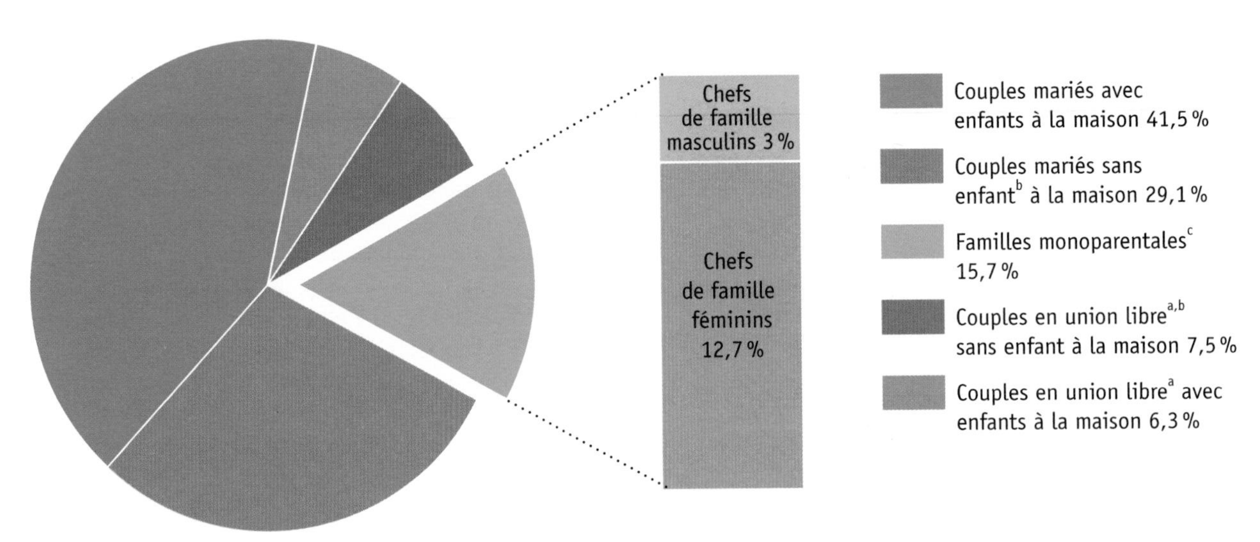

[a] Les couples vivant en union libre ne sont pas légalement mariés.

[b] Les couples mariés et en union libre sans enfant à la maison comprennent les couples qui n'ont jamais eu d'enfant ainsi que les couples ayant eu des enfants mais qui ne demeurent plus sous le toit familial.

[c] Une famille monoparentale est dirigée par un parent seul ayant un enfant ou plus jamais marié vivant à la maison.

Noter qu'en ce qui concerne les familles ayant des enfants à la maison, on compte seulement les enfants jamais mariés.

Adapté du site Web de Statistique Canada, *L'évolution de la famille canadienne, La structure familiale,* Recensement de 2001.

Figure 5.4
Compare les différences entre les types de familles de 1901 et ceux de 2001. Explique la nature de ces différences.

Questions minute

Associe chacune des situations suivantes à un type de famille.

1. Les Leduc attendent au moins 300 personnes à leur réunion de famille cette année.
2. Il est parfois difficile de dire au revoir à un enfant à qui on s'est attaché et qui doit retourner dans sa famille.
3. Kasha et Toni n'ont pas de lien de sang, pourtant, ils ont ressenti une grande joie à la naissance de leur demi-sœur.
4. Émilie et sa mère forment une famille de deux personnes depuis la naissance d'Émilie, il y a 17 ans.
5. Mario et Estelle ne peuvent pas avoir d'enfants. Pour compenser, ils donnent leur affection à leurs nièces et neveux ainsi qu'aux enfants du voisinage.

Réponses : 1. Famille étendue ; 2. Famille nourricière ; 3. Famille recomposée ; 4. Famille monoparentale ; 5. Couple sans enfant.

Info-carrière

PHOTOGRAPHE D'ENFANTS ET DE FAMILLES

Les tâches et les responsabilités

La photographie de bébés, d'enfants et de familles constitue une branche de la photographie professionnelle. Ces photographes travaillent directement pour les familles ou prennent des photos commerciales pour une entreprise. Pour réussir à capter l'essence d'un bambin dans une photo, il faut bien connaître la nature des enfants et leur comportement à différents âges.

Quelle que soit leur spécialisation, les photographes doivent maîtriser les différents aspects de la photographie : les appareils photo, les éclairages, les décors et le traitement photographique.

L'environnement de travail

Les photographes d'enfants travaillent en général dans un studio privé ou dans un grand magasin offrant un service de photographie. Bon nombre se rendent dans les centres commerciaux ou dans les écoles où ils s'installent pour une courte période. D'autres encore se rendent chez la clientèle ou travaillent « en extérieur » pour de grands studios où ils photographient des enfants pour de la publicité imprimée. Enfin, des photographes œuvrent au sein de grandes entreprises spécialisées dans la photographie d'élèves lors de la remise des diplômes ou pour l'album de fin d'études.

La formation et les aptitudes

Le métier de photographe d'enfants ne requiert pas d'études particulières. Cependant, un diplôme d'études collégiales en photographie ou un diplôme universitaire en beaux-arts avec une spécialité en photographie te prépareront adéquatement à ce métier. Si tu veux lancer ta propre entreprise, prévois de suivre des cours en marketing ou en gestion des affaires.

De façon générale, les photographes, en plus d'être sympathiques et sociables, doivent montrer des aptitudes à communiquer avec les gens. Il faut savoir détendre la clientèle afin de prendre la meilleure photo possible. Les photographes qui travaillent avec les enfants les aiment sincèrement et ont du plaisir en leur compagnie. De plus, ils devraient saisir l'importance du jeu et connaître les comportements types des enfants, de la naissance à l'adolescence.

Figure 5.5
La famille étendue comprend la famille d'orientation et la famille de procréation.

Les familles grandissent et se transforment

Une photo de famille montre rarement la vraie nature de la famille, car il y a toujours un certain côté artificiel. Les personnes sont figées, avec un sourire emprunté et une apparence soignée. On n'y voit rien de la dynamique des interactions entre ses membres. La caméra ne trahit pas ce qui vient de se passer : un enfant s'est fait disputer, un autre a fait une gaffe, un oncle a raconté une histoire vraiment drôle et une tante a montré son affection d'une manière toute spéciale. La photo fige la famille dans le temps et dans l'espace. Tout de suite après la photo, la famille continue d'évoluer. Les enfants grandissent et changent ; à l'adolescence, les jeunes ont presque fini de grandir mais se développent sur les plans intellectuel et moral ; les adultes commencent à montrer des signes de vieillissement. Ces étapes font partie de l'évolution de toutes les familles.

Ces changements définissent le **développement humain.** Ils se manifestent de façon plus évidente au début de la vie. Les transformations les plus rapides s'effectuent dans la courte période entre la conception et la fin de la première année de vie. D'un ovule fécondé, de la taille d'une tête d'épingle, émerge un être humain bientôt capable de marcher, de parler et de rendre des caresses.

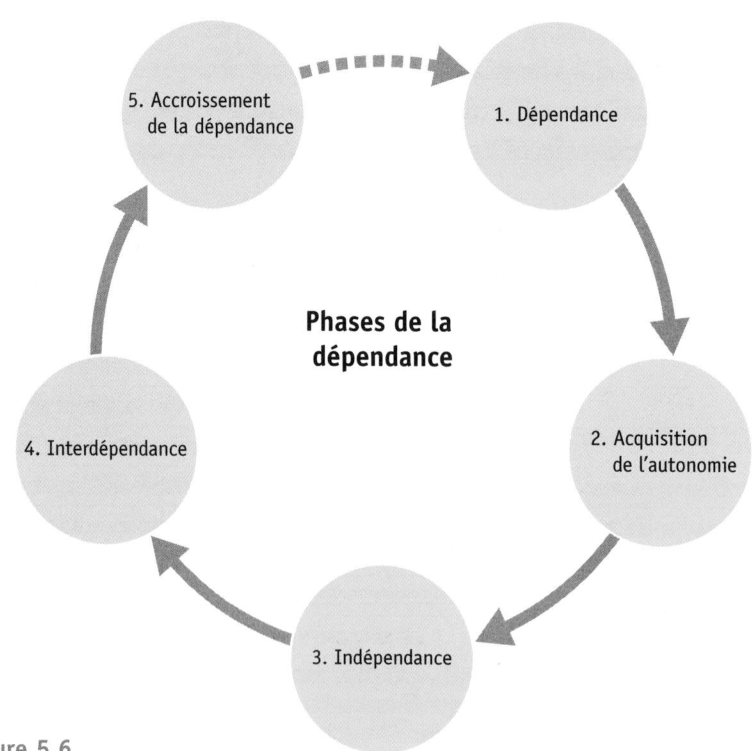

Figure 5.6
Le cycle de l'autonomie.

Chaque personne se développe à son propre rythme mais suit quand même des modèles communs de développement. À la naissance, les enfants dépendent entièrement des adultes pour combler leurs besoins. Par contre, vers 18 mois, la plupart des bébés commencent à montrer des signes d'**autonomie,** c'est-à-dire qu'ils veulent faire des choses par eux-mêmes. À mesure que les enfants se développent sur les plans physique, intellectuel, social et affectif, ils augmentent leur indépendance. L'interdépendance caractérise l'âge adulte. On y développe des relations durables avec les conjointes et les conjoints, les collègues de travail, les employeuses et les employeurs et les enfants. À certains moments, tu dépends de ces gens et à d'autres, ils dépendent de toi. Plus tard dans la vie, plusieurs personnes commencent à perdre leurs capacités physiques, intellectuelles, sociales et affectives. Elles deviennent alors plus dépendantes de leurs enfants ou d'autres personnes. Il arrive que certaines personnes régressent et agissent de façon infantile parfois.

Figure 5.7
Dans le développement humain, les changements les plus rapides surviennent entre le moment de la conception et l'âge de un an.

Les familles aussi ont leurs propres modèles de développement. Au Canada, on associe souvent familles et enfants, même s'il n'y a pas des enfants dans toutes les familles. C'est pourquoi le modèle classique du **développement de la famille** se base sur les enfants et se divise en trois phases : la jeune famille, la famille grandissante et la famille rétrécie. Un peu plus loin dans ce chapitre, tu découvriras les six stades de la théorie de l'évolution de la vie familiale.

Liens

1. Pense à ta famille étendue ou à celle d'une amie ou d'un ami. Indique le type de chacune des familles qui composent la famille étendue. Par exemple, tu as peut-être une cousine qui vit seule avec sa mère, ou une grand-tante et un grand-oncle qui n'ont jamais eu d'enfants.
2. Rencontre un de tes parents ou un parent d'une autre famille. Demande-lui d'expliquer comment sa famille d'orientation a influencé les valeurs, les croyances et les pratiques de sa famille de procréation. Demande-lui aussi de parler de la discipline, de l'éducation, des traditions familiales, etc.

La jeune famille

Au stade de la **jeune famille,** le couple se prépare à fonder une famille. La première étape consiste à choisir une ou un partenaire qui deviendra l'autre parent des enfants. Au Canada, et en Occident en général, le rituel des fréquentations a beaucoup d'importance et mène souvent à un engagement ; cet engagement soutiendra les deux partenaires au moment de prendre la responsabilité de faire des enfants et de les élever.

Figure 5.8
Comment puis-je savoir s'il sera un bon père ? Comment puis-je savoir si elle sera une bonne mère ?

Pour la plupart des Canadiennes et des Canadiens, la cérémonie du mariage consacre cet engagement à devenir des partenaires de vie ; le couple affirme publiquement son intention de s'engager. Le mariage peut prendre la forme d'une cérémonie religieuse devant un prêtre ou d'un mariage civil devant une ou un juge de paix. Peu importe ; il constitue l'institution reconnue en général, au Canada, comme cadre pour avoir et élever des enfants. Certaines personnes s'engagent de façon moins officielle, mais cela ne signifie pas qu'elles se dévouent moins envers leurs enfants.

L'étape suivante, pour le couple qui souhaite fonder une famille, consiste à planifier et à préparer la venue des enfants. Un couple peut attendre plusieurs années avant d'avoir un premier enfant ou il peut devoir s'ajuster à une grossesse non prévue. Dans tous les cas, les futurs parents ont neuf mois pour se préparer à l'arrivée du bébé. Une première grossesse permet souvent de réfléchir sur le rôle de parents. Il n'y a pas si longtemps, le père se sentait souvent exclu quand il était question d'enfants. Aujourd'hui, les futurs papas peuvent lire des livres écrits pour eux et rencontrer d'autres pères, novices ou expérimentés, lors de cours prénatals. S'il choisit la voie de l'adoption, le couple doit s'y prendre longtemps à l'avance, car les formalités et les temps d'attente sont très longs.

Le développement de la famille comporte trois phases :

- la jeune famille ;
- la famille grandissante ;
- la famille rétrécie.

La naissance ou l'adoption d'un enfant est un événement d'une grande importance. Du jour au lendemain, la vie des nouveaux parents et leur relation de couple changent pour toujours. Aujourd'hui, les pères participent à la naissance et s'attachent à leur nouveau-né dès son premier souffle. Ce petit être tout à fait dépendant devient désormais le centre d'attention de la jeune famille. Les parents se posent une foule de questions et doivent apprendre toutes sortes de choses sur les soins à l'enfant, en plus de vivre ensemble des moments parfois d'anxiété, parfois d'émerveillement.

La famille grandissante

Figure 5.9
Beaucoup de Canadiennes et de Canadiens ont plus de un enfant.

La prochaine étape, qu'on appelle la **famille grandissante**, commence à la naissance du deuxième enfant. Au Canada, beaucoup de gens ont plus de un enfant. Avoir un deuxième enfant a plusieurs conséquences : plus de couches à changer, moins de temps pour tout faire, plus de fatigue, mais surtout plus d'enfants pour partager les moments spéciaux en famille. Puisque les parents ont acquis de l'expérience à la naissance du premier enfant, ils sont plus à l'aise et cela allège la responsabilité supplémentaire d'un deuxième enfant. Il y a une grande différence entre avoir un seul enfant et en avoir deux ou plus. Trouver des services de garde pour un enfant représente un défi. Si les parents ont deux enfants, ils paieront deux fois plus pour ces services, avec le même salaire. Il arrive qu'ils doivent placer les enfants dans deux garderies différentes.

L'infanticide des filles

Écrit par Adam Jones.

Le phénomène de l'infanticide est aussi ancien que certaines cultures et est sûrement la source de millions de meurtres sexistes à travers l'histoire. Encore aujourd'hui, ce phénomène est un problème grave dans certains pays en développement, notamment dans les deux pays les plus peuplés: la Chine et l'Inde. L'infanticide des filles reflète le statut inférieur accordé aux femmes dans la plupart des pays. En effet, cette pratique est sans contredit la manifestation la plus brutale et destructrice des préjugés des sociétés « patriarcales » contre les femmes. L'infanticide des filles est lié de près à l'avortement sélectif en fonction du sexe du fœtus, qui vise presque exclusivement les fœtus féminins, ainsi qu'aux mauvais traitements dont les filles sont victimes.

La taille des familles

Au Canada, on tient pour acquise la liberté d'avoir plus de un enfant. Il n'y a aucune loi limitant le nombre d'enfants, comme dans certains pays, ni de préférence culturelle pour les garçons ou les filles. Cependant, certains facteurs auront une influence sur le moment de la naissance de ton premier bébé ou sur le nombre d'enfants que tu choisiras d'avoir.

La culture et la religion influencent souvent la composition des familles ainsi que leur taille. Dans certaines communautés ethniques ou religieuses, les familles nombreuses sont la norme. Certaines religions condamnent la contraception, ce qui entraîne la formation de familles nombreuses. Par contre, certains couples ne veulent pas avoir plus de deux enfants.

Les couples et les personnes à faible revenu choisiront peut-être d'attendre avant d'avoir des enfants ou en auront moins. Pour éviter de concevoir des enfants, les couples recourent à l'abstinence ou à des méthodes de contraception éprouvées. Les conditions économiques influencent souvent le taux de natalité : au Canada, durant la crise économique des années 1930, le taux de natalité a beaucoup diminué.

Les parents et les pairs ont aussi une influence sur la taille des familles. En effet, si tout le monde a des enfants dans ton entourage, tu auras peut-être envie de fonder une famille. Si tu as des frères et sœurs qui commencent à élever leur famille, tu voudras peut-être avoir des enfants sans tarder pour que les cousines et les cousins s'amusent ensemble. Par contre, si les nouveaux mariés autour de toi remettent à plus tard le projet d'avoir des enfants ou se limitent à un ou à deux enfants, tu suivras peut-être leur exemple.

Dans un article de presse intitulé « De plus en plus, les femmes reportent à plus tard la maternité », tu liras, à la page 104, que de récentes études montrent une tendance, chez les femmes canadiennes, à attendre d'avoir assuré leur carrière avant d'avoir des enfants. Avant de fonder une famille, plusieurs femmes voudront d'abord atteindre certains objectifs, comme acheter une propriété ou terminer leurs études. Plus la femme reporte le moment d'avoir des enfants, moins il lui reste d'années de procréation.

Figure 5.10
Un couple qui voit ses amies et ses amis fonder une famille pourrait vouloir faire la même chose.

En conséquence, si elle reporte la maternité jusqu'à l'âge de 30 ou 40 ans, elle aura probablement moins d'enfants. Comme la fertilité des femmes et des hommes diminue avec l'âge, les couples qui reportent la procréation des enfants éprouveront peut-être certaines difficultés à les concevoir.

Les obstacles que rencontrent les familles grandissantes

Alors que la famille s'élargit et que les enfants grandissent, la vie familiale se complique. Au stade de la famille grandissante, les enfants vieillissent, ont des camarades, vont à l'école et manifestent plus d'indépendance. Leur univers s'agrandit et rend la vie de famille plus complexe. Très souvent, à ce stade, les deux parents travaillent pour satisfaire aux besoins financiers croissants de la famille. Le stade de la famille grandissante est une source de stress, autant pour les parents que pour les enfants.

Les parents doivent savoir diriger, appliquer la discipline, communiquer efficacement et prendre des décisions s'ils veulent relever les défis qui se posent à la famille grandissante. Pour aider leur famille, les enfants de tous les âges peuvent s'occuper de certaines tâches et assumer plus de responsabilités. Les parents vivront moins de stress s'ils apprennent à leurs enfants à partager les corvées. Dès l'âge de 18 mois, les bambins cherchent déjà à donner un coup de main et exécutent des tâches simples comme ranger les jouets. Quand surgissent des problèmes de famille, les parents créent

De plus en plus, les femmes reportent à plus tard la maternité

par Marlene Habib, *Toronto Star*, 11 mai 2002

Penny Shore, une éducatrice en rôle parental de Toronto, affirme que les gens devraient tenir compte de plusieurs facteurs, comme leur situation financière, affective et sociale, au moment de fonder une famille, sans quoi ils risquent de « sauter dans la condition de parent sans parachute ». Cependant, Mme Shore convient que l'une des questions cruciales auxquelles doivent répondre les femmes est la suivante : « Est-ce que j'interromps ma carrière pour avoir un enfant ? »

« La question que se posent les femmes, à savoir si elles devraient avoir un bébé, est très sérieuse », dit Mme Shore, également auteure de livres et chef d'une commission consultative sur le rôle parental.

Les femmes sont plus que jamais portées à attendre avant de se lancer dans la maternité, habituellement pour des questions financières ou professionnelles. D'autant plus que, même si leur taux de fécondité diminue avec l'âge, les femmes peuvent maintenant compter sur les nouvelles technologies de reproduction quand vient le temps de fonder une famille, plus tard dans la vie.

Une étude de Statistique Canada montre que la moyenne d'âge des femmes donnant naissance pour une première fois est passée de 25,7 ans en 1986 à 27,1 ans. Cela n'a rien d'étonnant, car le pourcentage de femmes âgées entre 25 et 44 ans sur le marché du travail est passé de 49,7 % en 1976, à 78,2 % en 1998.

D'une part, l'augmentation du coût de la vie et le taux de divorce poussent plus de femmes à travailler. D'autre part, elles ont accès à plus de carrières et de postes bien rémunérés. De plus, les milieux de travail ont fait les changements nécessaires pour permettre aux femmes de prendre un congé de maternité avec l'assurance de retrouver leur emploi par la suite.

Cependant, seules les femmes et leur partenaire savent quelles sont les conditions idéales pour fonder une famille, selon Mme Shore.

[Karen] Wilson, pour sa part, pense qu'elle n'a pas aujourd'hui toute l'énergie qu'elle aurait eue si elle était devenue mère plus jeune.

« Après ma journée de travail, je suis stressée, mais il me faut encore préparer le repas, consacrer du temps de qualité aux enfants, leur donner le bain et les border pour la nuit. C'est épuisant », dit Mme Wilson.

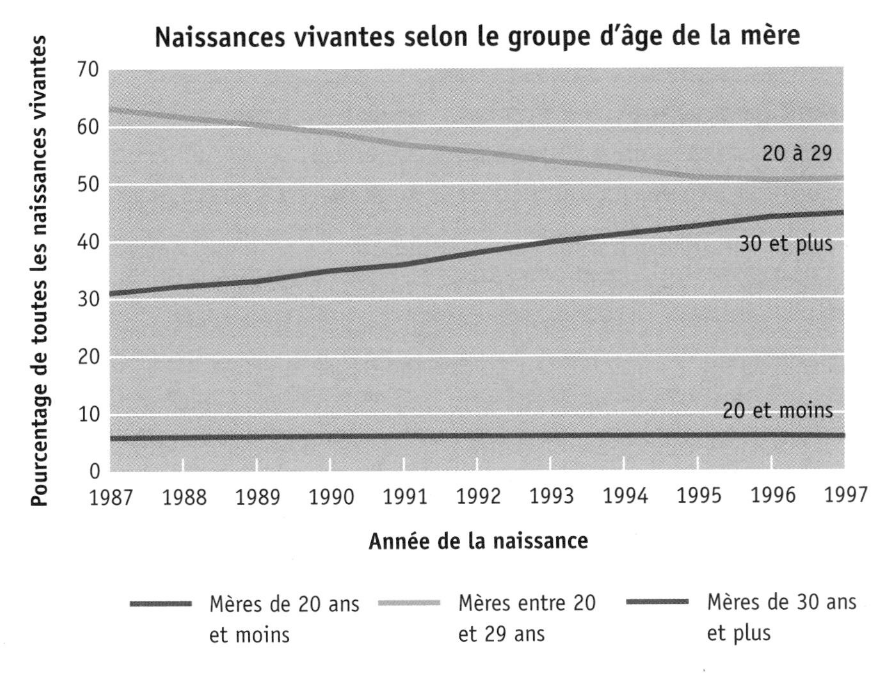

Adapté du site Web de Statistique Canada.

Figure 5.11
De plus en plus de femmes fondent une famille après 30 ans.

des stratégies de gestion de famille et perfectionnent leurs compétences de résolution de problème et de prise de décision.

Des bébés peuvent naître alors que l'aînée ou l'aîné arrive à l'adolescence. Les frères et les sœurs se disputent quelquefois l'attention des parents ; les plus jeunes envient la liberté accordée aux enfants plus vieux, et les enfants plus vieux prétendent que les plus jeunes ont la vie bien facile. Beaucoup d'eau a coulé sous les ponts depuis la naissance du premier bébé.

Les défis de la famille grandissante

Le stade de la famille grandissante représente la croissance et le développement, mais aussi de nouveaux défis à relever :

- concilier travail et vie de famille ;
- transporter les enfants ;
- trouver des gardes d'enfants fiables ;
- trouver des services de soins de qualité pour les enfants ;
- assumer des dépenses supplémentaires ;
- manquer d'argent, de temps ou d'énergie ;
- partager une pièce à plusieurs, manquer d'espace ;
- composer avec la jalousie ;
- composer avec la rivalité entre frères et sœurs ;
- superviser les devoirs ;
- se prémunir contre la violence à la télévision et dans les médias ;
- affronter les sautes d'humeur des jeunes à la préadolescence ;
- s'ajuster aux horaires de travail des adolescentes et des adolescents ;
- s'assurer que les enfants se lèvent à temps ;
- insister pour que les enfants s'occupent de leurs animaux ;
- conduire les enfants à leurs activités après l'école ;
- voir à la santé de la famille ;
- prendre soin des grands-parents ;
- composer avec les besoins d'autonomie des enfants ;
- trouver des solutions aux difficultés scolaires ;
- régler les problèmes d'intimidation ;
- agir contre la pression exercée par les pairs.

Figure 5.12
Les conseils de famille contribuent à l'harmonie de la vie de famille.

Astuces

Les conseils de famille

Quelquefois, les parents cherchent des moyens de rendre la vie de famille moins stressante et plus facile à gérer. Le docteur Thomas Gordon donne des cours sur l'efficacité parentale. Il recommande de tenir des **conseils de famille** hebdomadaires pour discuter des activités et des tâches de chaque membre de la famille. Idéalement, les conseils ont lieu chaque semaine à un moment déterminé ; on choisit une présidente ou un président, on établit un ordre du jour et on écoute les commentaires de tout le monde.

C'est le moment de noter toutes les activités de la semaine : le hockey, la natation, les cours de langue d'origine, la séance d'aérobique de maman, la séance du conseil scolaire de papa et le souper familial à la pizzeria. De plus, on attribue les tâches quotidiennes et hebdomadaires à tous les membres de la famille, comme promener le chien et faire la vaisselle. Le conseil de famille permet de discuter des problèmes d'horaire éprouvés la semaine précédente ainsi que des événements concernant toute la famille, par exemple la visite prochaine de grand-mère : qui lui cédera sa chambre ? La confusion qu'entraîne la vie de famille devient la préoccupation de tous les membres de la famille, et non d'une seule personne. Il est bon d'implanter le conseil de famille lorsque les enfants sont petits. La plupart des familles, cependant, organisent leurs activités en famille de façon moins officielle et moins structurée.

Figure 5.13
Au stade de la famille rétrécie, les enfants commencent à quitter leur famille.

La famille rétrécie

Dans la phase finale, celle de la **famille rétrécie**, la famille rapetisse, car les enfants, plus indépendants, commencent à quitter la maison. Pour certaines familles, cette période peut durer plusieurs années, si les jeunes adultes poursuivent des études postcollégiales. Les arrière-grands-parents arrivent à la fin de leur vie et les grands-parents commencent à compter sur l'aide de leurs enfants adultes. Cependant, le cycle de la vie continue grâce à la génération suivante d'enfants prêts à fonder leur propre famille. Chaque nouvelle famille traverse la phase de la famille grandissante, et les enfants devenus adultes, avec leur propre famille, contribuent à grossir la famille étendue.

Liens

1. Détermine la phase où se trouve ta famille. Les familles de tes camarades de classe se trouvent-elles dans la même phase ?

2. Combien y a-t-il d'enfants dans la famille la plus nombreuse que tu connais aujourd'hui ? Combien d'enfants tes arrière-grands-parents ont-ils eus ?
3. Quelles sont les sources de stress dans ta famille ? Pense à des moyens d'alléger le stress.

Figure 5.14
Choisir le lieu de vie de la famille est une décision d'intérêt majeur.

Astuces

La résolution de problème et la prise de décision

Les familles grandissantes sont confrontées à deux types de problèmes : ceux qui demandent une décision d'intérêt majeur et ceux qui requièrent une décision d'intérêt mineur. Par exemple, une **décision d'intérêt majeur** met en jeu une dépense considérable ou risque d'affecter un ou plusieurs membres d'une famille. Où devrions-nous vivre ? Quelles sont les activités idéales pour mon enfant : le hockey, la danse ou la natation ? Comment composer avec un enfant rebelle ? Que faire avec les jeunes qui veulent rester seuls à la maison ? À l'inverse, une **décision d'intérêt mineur** ne concerne pas de grandes dépenses et ne touche personne de façon significative. Prendrons-nous des céréales froides ou chaudes pour déjeuner ? Ferons-nous la lessive aujourd'hui ou demain ? Faut-il mettre ou non un manteau ? Les parents doivent consacrer peu d'énergie aux décisions d'intérêt mineur et garder leurs ressources pour adopter une approche réfléchie au moment de prendre des décisions d'intérêt majeur.

Il y a cinq étapes importantes à suivre pour prendre une décision d'intérêt majeur ou régler un problème :

La prise de décision : une méthode en cinq étapes

Étape 1	Définir le problème.
Étape 2	Dresser la liste des options possibles.
Étape 3	Évaluer les avantages et les inconvénients de chaque option ainsi que les conséquences possibles.
Étape 4	Retenir seulement la meilleure option et l'appliquer.
Étape 5	Revoir la décision si les circonstances changent. Si la solution retenue ne fonctionne pas, recommencer à partir de l'étape 1.

Cette méthode en cinq étapes permet aux parents de bien étudier tous les choix possibles et d'imaginer leurs effets et leurs conséquences. Avant d'agir, il faut penser aux besoins de toutes les personnes concernées, aux coûts et aux effets à long terme. Si tu procèdes ainsi pour prendre une décision, tu devrais obtenir des résultats concluants.

❖ Vérifie tes connaissances

1. Décris les transitions entre les trois phases du développement de la famille.
2. Analyse quelques-uns des facteurs qui influent sur la décision d'un couple d'avoir peu ou beaucoup d'enfants.
3. Montre la façon dont tu réglerais un problème de famille à l'aide du modèle de prise de décision.

La théorie de l'évolution de la vie familiale

La conviction que les personnes, les familles et même les sociétés suivent un modèle prévisible s'appelle la théorie du développement. En étude des familles, des gens ont examiné les traits communs à plusieurs familles. Ils ont reconnu un modèle de développement appelé « théorie de l'évolution de la vie familiale ».

Les spécialistes des sciences sociales Betty Carter et Monica McGoldrick ont conçu un modèle souvent utilisé en sciences sociales pour décrire l'évolution de la vie familiale. Elles mettent de côté les trois phases que tu as vues, soit la jeune famille, la famille grandissante et la famille rétrécie. Elles divisent plutôt l'**évolution de la vie familiale** en six étapes :

- entre deux familles (jeunes célibataires) ;
- le nouveau couple ;
- la famille avec de jeunes enfants ;
- la famille avec des adolescentes et des adolescents ;
- l'envol ;
- la famille plus tard dans la vie.

Les besoins des personnes et des familles changent d'une étape à l'autre. Une priorité à une étape ne semble plus aussi importante quand on arrive à l'étape suivante. Le défi de la famille est de combler les besoins de chaque membre à toutes les étapes. La figure 5.16 de la page 110 illustre l'évolution des besoins des personnes et des familles dans le cycle de vie.

Les enjeux de l'évolution de la vie familiale

La vie de famille a ses satisfactions et ses soucis. Chaque étape de l'évolution de la vie familiale entraîne des préoccupations.

1. Les jeunes célibataires s'inquiètent de leur avenir, de leur identité et de leur rôle dans ce monde.
2. Les nouveaux couples se préoccupent de leur belle-famille, de leurs finances et de la stabilité de leur relation.

Les étapes de l'évolution de la vie familiale

6. La famille plus tard dans la vie

1. Entre deux familles

5. L'envol

2. Le nouveau couple

4. La famille avec des adolescentes et des adolescents

3. La famille avec de jeunes enfants

Figure 5.15
Selon les spécialistes des sciences sociales Betty Carter et Monica McGoldrick, les familles traversent généralement six étapes dans l'évolution de la vie familiale. Cependant, des événements comme une grossesse à l'adolescence, une séparation, un divorce ou un décès peuvent se produire et modifier l'évolution de la vie familiale. Bien sûr, ce modèle en six étapes ne décrit pas toutes les familles, mais il fournit quand même un cadre pour comprendre les familles. Connais-tu des variantes ou des modèles de familles qui ne correspondent pas à ces six étapes ?

Les besoins particuliers à chaque étape de l'évolution de la vie familiale

Les étapes de l'évolution de la vie familiale	Les personnes ont besoin...	Les familles ont besoin...
Entre deux familles (jeunes célibataires)	D'affirmer leur indépendance ; de choisir et de préparer leur carrière ; de s'engager dans une relation durable (choix d'une ou d'un partenaire).	D'encourager et de soutenir les jeunes adultes ; de continuer à prendre soin des enfants qui n'ont pas encore quitté la maison.
Le nouveau couple	De conserver leur identité propre dans la relation de couple ; de planifier leur rôle de futurs parents.	D'apprendre à vivre à deux ; de planifier l'arrivée des enfants ; de ne plus dépendre de la famille d'orientation.
La famille avec de jeunes enfants	Les enfants : de recevoir des soins, du réconfort et une éducation. Les parents : d'apprendre à devenir parents ; de réserver du temps pour eux.	De donner les soins et l'affection aux enfants ; de consacrer du temps à la vie de couple ; de concilier travail et vie de famille.
La famille avec des adolescentes et des adolescents	Les adolescentes et les adolescents : d'affirmer leur identité. Les adultes : de reconnaître l'individualité des adolescentes et des adolescents ; de composer avec les problèmes liés à l'âge mûr.	De ne jamais rompre la communication ; de maintenir les liens entre les générations.
L'envol	Les jeunes adultes : de remplir différents rôles. Les adultes plus âgés : de se réaliser sans les enfants à la maison.	D'encourager les jeunes adultes à faire preuve d'indépendance ; de réapprendre à vivre sans les enfants ; d'entretenir la communication avec les jeunes adultes.
La famille plus tard dans la vie	Les personnes âgées : de rester en santé, d'assurer leur bien-être et leur autonomie ; de garder contact avec les membres de la famille ; de s'ajuster à la perte de leur partenaire.	Les membres de la famille : de soutenir et d'aider les personnes plus âgées de la famille ; de profiter de la sagesse des personnes âgées.

Figure 5.16
Chaque étape de la vie est unique et présente des défis particuliers.

3. Les familles avec de jeunes enfants ont bien des soucis : comment prendre soin des nourrissons, des bambins et des enfants d'âge préscolaire, comment lutter contre la dépression post-partum et instaurer la discipline ?
4. Les familles avec des adolescentes et des adolescents se préoccupent de l'influence des pairs, des résultats scolaires, de la belle-famille, de la discipline et de la sécurité.
5. Les parents au stade de l'envol se heurtent à la crise de la quarantaine, aux coûts des études postsecondaires ; ils sont coincés entre les besoins de leurs enfants et ceux de leurs parents.
6. Les familles, plus tard dans la vie, redoutent le vieillissement, le deuil, la maladie et la perte d'autonomie.

À chaque étape, les problèmes et les préoccupations sont source de crise. En situation de crise, il faut que les membres de la famille déterminent les enjeux. Ils ont la possibilité d'alléger les problèmes de leur famille, par exemple en se renseignant à l'avance sur les défis qui les attendent. Les livres, les magazines et les médias éducatifs constituent des sources de renseignements utiles. Des conversations avec des membres de la famille et de l'entourage ou avec des professionnelles ou des professionnels apporteront sans doute des réponses à bien des questions. Les familles ne peuvent prédire leur avenir, mais suivre des cours aidera à savoir comment vivre en famille et élever des enfants, avant que les crises n'éclatent.

Figure 5.17
Suivre un cours sur le rôle parental est une excellente décision.

Les cycles dans la famille

On peut représenter les familles par des cercles à l'intérieur d'autres cercles. Tu connais sans doute l'expression : « Plus ça change, plus c'est pareil. » En effet, une famille voit souvent les mêmes phénomènes se répéter. Il s'agit d'un nom qui revient à chaque génération ou d'un talent particulier qui se transmet d'une grand-mère à son petit-fils. On voit parfois un trait de caractère ou une tradition passer de père en fils, de mère en fille, de père en fille ou de mère en fils. Habituellement, des familles fortes et saines engendreront à leur tour des familles saines. Malheureusement, les cycles ne sont pas toujours positifs. Les sociologues reconnaissent que la violence et la pauvreté sont deux conditions transmissibles d'une génération à l'autre. Ces cercles vicieux détraquent le fonctionnement des familles et il est difficile d'y mettre fin.

Figure 5.18
Il y a des traits de caractère, des talents et des traditions qui se transmettent d'une génération à l'autre. Cette photo montre trois générations de fermiers.

Le cycle de la violence

Les personnes qui sont témoins ou victimes de mauvais traitements dans leur famille reproduisent souvent le même comportement dans leur famille de procréation. C'est le **cycle de la violence.** Comme la vie quotidienne des familles se déroule en privé, la violence familiale est souvent un secret bien gardé. Dans certaines religions et cultures, les gens croient que les parents ou les hommes représentent l'autorité et ont le droit de dominer les enfants. Dans la société canadienne, on estime que ces comportements constituent de mauvais traitements.

Le cycle de la violence envers les enfants ne s'arrête pas facilement. Les personnes qui travaillent avec les enfants reçoivent une formation afin de reconnaître les signes et les symptômes de cette violence. La loi canadienne exige qu'on signale à la police ou aux autorités chargées de la protection de l'enfance les mauvais traitements qu'on observe ou qu'on soupçonne. Les femmes et les enfants victimes de mauvais traitements peuvent trouver asile dans des refuges et bénéficier de programmes mis sur pied à leur intention. Cependant, le cycle de la violence ne prend vraiment fin que lorsque les personnes violentes reconnaissent leur problème et cherchent de l'aide afin de changer leur comportement. Les enfants qui sont témoins ou victimes de mauvais traitements doivent aussi recevoir de l'aide afin de ne pas reproduire ce comportement une fois adultes.

Voici un article sur la violence faite aux femmes publié par le *Peel Committee Against Woman Abuse*, en novembre 2000.

Comment réagissent les enfants exposés à la violence faite aux femmes ?

Les enfants dépendent de leurs parents pour combler leurs besoins physiques et affectifs ainsi que pour assurer leur sécurité et leur protection. Quand un parent est victime de mauvais traitements, l'environnement devient tendu, redoutable et malsain. Si les enfants voient leur mère subir la violence de son partenaire, ils peuvent conclure que :

- la violence est acceptable ;
- la violence est un moyen de résoudre des conflits ;
- la violence est un outil efficace pour affirmer son pouvoir sur les autres ;
- la violence est normale dans une relation.

La violence infligée à la mère peut affecter les enfants directement ou indirectement.

- Ils peuvent subir les mauvais traitements de la personne violente, verbalement, physiquement, émotionnellement ou sexuellement.
- Ils peuvent se faire agresser s'ils essaient d'intervenir pour protéger leur mère.
- L'un des adultes peut impliquer l'enfant dans le conflit, ce qui lui fera vivre beaucoup de confusion et de stress.
- Les enfants exposés à la violence, même s'ils ne sont pas directement touchés, subissent une forme de violence.

Les enfants exposés à la violence envers les femmes subissent des effets sur les plans :

- émotionnel (anxiété, colère, dépression, faible estime de soi) ;
- physique (insomnie, manque d'appétit ou les deux, problèmes de santé) ;
- social (peu d'aptitudes sociales, rejet par les pairs) ;
- cognitif (développement retardé, difficultés scolaires) ;
- comportemental (agressivité, crises, immaturité).

La gravité de l'incidence de la violence sur l'enfant dépend :

- de son âge ;
- de son stade de développement ;
- de la longueur de la période de violence ;
- de la gravité des mauvais traitements ;
- du soutien que reçoit l'enfant.

Le cycle de la violence

Un enfant exposé à la violence a plus de chances de devenir à son tour, une fois adulte, une victime, ou une personne violente, ou les deux. Les garçons dont les pères ont maltraité la mère sont 1 000 fois plus sujets à maltraiter leur partenaire que les fils de pères non violents (Strauss, Gelles, Steinmetz, 1980). Les enfants retiennent peut-être que la violence est une façon acceptable de résoudre les conflits dans la famille et dans les relations. Il faut reconnaître que ce ne sont pas tous les enfants exposés à la violence contre les femmes qui deviendront violents ou vivront une relation violente une fois adultes. Cependant, la probabilité est plus élevée. Il y a plusieurs moyens de briser le cycle de la violence, par exemple fournir un soutien aux victimes et faire des interventions professionnelles.

Le cycle de la pauvreté

Les familles vivant dans la pauvreté n'ont ni l'argent ni les ressources pour subvenir à leurs besoins. Dans certaines familles, la pauvreté représente un autre cycle dont il n'est pas facile de sortir. On entend quelquefois des récits d'enfants qui, une fois adultes, ont échappé à la pauvreté en grande partie grâce à leur détermination de poursuivre leurs études ou par un heureux hasard. Cependant, la réalité pour de nombreux enfants du Canada nés dans la pauvreté, c'est qu'ils recommenceront le cycle avec leurs propres enfants. En effet, les gens défavorisés dépourvus de connaissances, de compétences et ayant peu de chances de s'en sortir perpétuent le cycle de la pauvreté.

Campagne 2000

Campagne 2000 a vu le jour en 1991. Il s'agit d'une coalition pancanadienne constituée de plus de 80 organismes chargés de faire respecter la résolution, adoptée en 1989 par tous les partis de la Chambre des communes, d'enrayer la pauvreté chez les enfants au Canada. Cette coalition croit que la pauvreté est plus une responsabilité sociale qu'un simple constat des besoins de première nécessité des enfants et de leur famille. La coalition vise à créer une société résolue à garantir à chaque enfant un foyer sécuritaire, des politiques adéquates de sécurité du revenu, des services de soins aux enfants abordables et de grande qualité, l'accès à l'éducation, aux services de santé, aux loisirs et à la culture. La coalition affirme que des emplois décents sont essentiels pour permettre aux familles de subvenir à leurs besoins.

Campagne 2000 publie un rapport annuel faisant état de l'évolution de la pauvreté infantile. En 2001, dans son neuvième rapport, Campagne 2000 révélait que le taux de pauvreté infantile avait diminué pour la deuxième année consécutive, même s'il demeurait élevé, à 19 %. Il faut se rappeler qu'en 1989, un enfant sur sept vivait dans la pauvreté. Les plus récentes statistiques montrent qu'environ un enfant sur cinq vit dans des conditions pires que celles de la moyenne des familles.

L'importance des familles pour les enfants

La famille constitue la base de la vie d'un enfant. Les enfants viennent au monde avec un potentiel humain qui se développe en fonction de leur enfance et de leurs expériences de famille. Ce développement dépend surtout de la qualité de l'attention et des soins parentaux qu'ils reçoivent. Les familles encouragent le développement des enfants et contribuent à renforcer leur identité. Avant même de parler, les bébés reconnaissent les membres de leur famille et s'y attachent. Souvent, les moments les plus mémorables que vit une personne sont liés à sa famille. Les parents ainsi que les frères et sœurs représentent un modèle de comportement et enseignent des aptitudes importantes. Vivre dans une famille saine est le plus beau cadeau que puisse recevoir un enfant.

En suivant ce cours sur les parents et les enfants, tu franchis une étape importante pour fonder une famille forte. Tu développes les compétences qui contribuent à former une famille saine, soit la communication, l'écoute et la capacité de trouver de l'aide pour régler les problèmes particuliers des parents. Les familles fortes engendrent des familles fortes. Continue à observer les forces et les plaisirs des familles autour de toi, y compris la tienne.

Voici un résumé d'un article de Ben Schlesinger (1998) paru dans la revue *Transition* de l'Institut Vanier de la famille :

Les forces de la famille : renforcer les points positifs

par Ben Schlesinger

Bien que, par tradition, les romanciers et les spécialistes de la famille se soient penchés davantage sur les ennuis et les tourments des familles malheureuses, nous avons de bonnes chances d'apprendre beaucoup des familles heureuses et fortes. En reconnaissant les éléments communs qui les unissent, nous pourrons peut-être découvrir la clé permettant de renforcer toutes les familles avec qui nous sommes en contact.

La famille est bel et bien vivante en ce vingtième siècle malgré les rapports largement publiés voulant qu'il s'agisse d'une institution sociale obsolète. La majorité de nos familles s'en tirent bien la plupart du temps. Carlfred Broderick affirme que la famille est **la** plus solide structure évolutive de l'humanité. Elle survivra à toutes les autres organisations. Plus que toute autre structure sociale, la famille supporte sans contredit un plus grand fardeau dans la survie individuelle de l'humanité et la transmission de la civilisation et de la culture.

Bien entendu, dans la réalité, certaines familles n'ont pas la solidité inébranlable de cette institution que l'on appelle « la famille ». Qu'est-ce qui rend certaines familles plus fortes et plus saines que d'autres ? Pourquoi certaines fonctionnent-elles mieux que d'autres ? La documentation sur les forces de la famille apporte plusieurs réponses. Commençons d'abord par préciser ce que les spécialistes examinent quand ils tentent de définir les « forces de la famille ».

Les forces de la famille pourraient se définir comme ces structures relationnelles, ces aptitudes et compétences intra et interpersonnelles ainsi que ces caractéristiques sociales et psychologiques qui :

- créent un sentiment d'identité familiale positive ;
- encouragent une interaction satisfaisante parmi les membres de la famille ;
- stimulent le développement du potentiel du groupe familial et des membres individuels de la famille ;
- renforcent la capacité de la famille à gérer efficacement le stress et les crises ;
- agissent comme soutien/réseau pour les autres familles.

Les systèmes familiaux sains

Une étude novatrice menée par Westley et Epstein (1969) voici plus de trente ans a analysé la santé émotionnelle de familles à Montréal. Leur plus importante conclusion était que la santé affective des enfants est étroitement liée à la relation émotionnelle entre leurs parents. Lorsque ces relations sont chaleureuses et constructives, par exemple quand le mari et la femme se sentent aimés, admirés et encouragés d'agir de façon qu'ils admirent eux-mêmes, les enfants sont heureux et en santé. Les couples qui sont proches sur le plan émotionnel, qui répondent à leurs besoins réciproques et encouragent une image de soi mutuelle positive deviennent de bons parents.

Lewis *et al.* (1976) ajoutent que l'émulation du rôle parental constitue un facteur crucial dans le développement des qualités qui favorisent la santé psychologique et la croissance personnelle dans les familles. Ils ont aussi constaté que les familles en santé entretiennent une relation de confiance, partagent des pouvoirs et possèdent une bonne communication qui forment la base de la santé du système familial.

Lorsque Dolores Curran (1983) a interviewé 551 professionnelles et professionnels, elle leur a demandé de décrire les caractéristiques d'une famille saine. La famille :

- communique et écoute ;
- approuve et s'entraide ;
- enseigne le respect des autres ;
- développe un sens de la confiance ;
- possède un sens du jeu et de l'humour ;
- démontre un sens du partage des responsabilités ;
- enseigne la notion du bien et du mal ;
- possède un sens élevé de la famille où les rituels et les traditions abondent ;
- possède une interaction équilibrée entre ses membres ;
- partage la même croyance religieuse ;
- respecte l'intimité les uns des autres ;
- aime rendre service aux autres ;
- encourage les membres de la famille à manger ensemble et à discuter ;
- partage du temps de loisir ;
- reconnaît ses problèmes et recherche de l'aide si nécessaire.

Résumé

Points marquants

- Il n'y a pas de modèle unique de la famille. En effet, les familles prennent diverses formes en fonction des valeurs sociales et culturelles.
- Les familles sont dynamiques : elles grandissent et évoluent d'une façon prévisible.
- Le modèle en trois phases donne le portrait le plus simple du développement de la famille : la jeune famille, la famille grandissante et la famille rétrécie.
- Le stade de la famille grandissante est le plus complexe et le plus stressant.
- La théorie de l'évolution de la vie familiale propose une autre vision du développement de la famille. Le modèle Carter-McGoldrick reconnaît six étapes à l'évolution de la vie familiale : entre deux familles (jeunes célibataires), le nouveau couple, la famille avec de jeunes enfants, la famille avec des adolescentes et des adolescents, l'envol, la famille plus tard dans la vie.
- À chacune des étapes de l'évolution de la vie familiale, tous les membres de la famille ont des besoins à combler.
- Chaque étape amène des problèmes particuliers que les parents doivent résoudre.
- Les conseils de famille, les méthodes de résolution de problèmes et la consultation de ressources sur le rôle parental peuvent apprendre aux parents des façons de gérer la vie de famille.
- La violence faite aux enfants et la pauvreté sont des cycles négatifs qu'il faut tenter de briser dans les familles. De même, les familles fortes engendrent des familles fortes.

Révision et approfondissement

1. Trouve des photos, à la maison ou dans des magazines, qui illustrent les divers types de familles. Fais un montage et inclus des descriptions. C/C
2. En petits groupes, discutez des facteurs qui peuvent influer sur le moment où un couple décidera d'avoir des enfants. C
3. Explique comment il peut y avoir chevauchement : a) entre la famille d'orientation et la famille de procréation ; b) entre la famille grandissante et la famille rétrécie. C/C R/R
4. Explique pourquoi l'évolution de la vie familiale ne se déroule pas toujours selon le modèle en six étapes. Cite des exemples d'exceptions pour les six étapes. C/C C A
5. Quels changements sociaux arriveraient à briser les cycles négatifs dans les familles, comme ceux de la violence et de la pauvreté ? C/C R/R
6. Trouve à l'aide d'Internet les services sociaux mis à la disposition des enfants et de leurs familles, dans ta communauté. R/R
7. Fais une recherche au sujet des effets, sur les enfants, des différents types de familles (familles monoparentales, nucléaires ou recomposées). Aborde les plans de la santé émotionnelle et de la stabilité familiale. R/R
8. Fais un jeu de rôles simulant une interaction familiale dans une famille qui ne correspond pas à la plupart des 15 caractéristiques des familles fortes décrites dans l'article de Ben Schlesinger. C

Recherche

9. Plusieurs facteurs ont influé sur la taille des familles au Canada depuis les 100 dernières années. À partir de données statistiques tirées de sources fiables, comme Statistique Canada, détermine les tendances des taux de natalité au Canada pour les 10 dernières décennies. Pour approfondir ta recherche, détermine le facteur dominant ayant influencé le taux de natalité à chaque décennie. Demande à des gens que tu connais de quoi ils tiendraient compte pour décider de la taille de leur famille.

10. À la lumière de la coalition Campagne 2000 :
    a) consulte les plus récentes recherches sur le degré de pauvreté au Canada ;
    b) essaie d'expliquer pourquoi Campagne 2000 n'a pas atteint son but d'enrayer la pauvreté chez les enfants avant l'an 2000 ;
    c) décris quelques stratégies que tu proposerais pour mettre fin au cycle de la pauvreté.

Chapitre

6

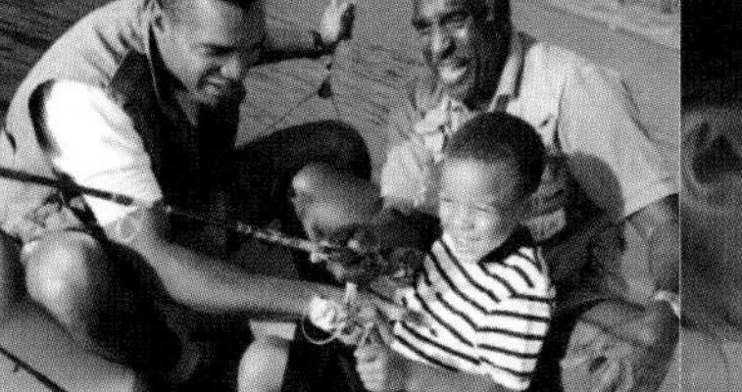
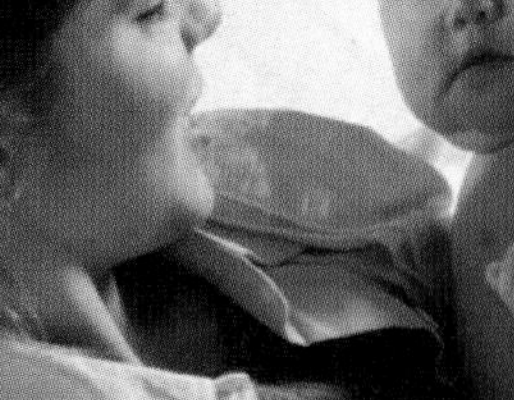

Les relations avec les enfants

À la fin de ce chapitre, tu pourras :

- nommer les différents types d'interactions des gens avec les enfants au cours de leur vie ;
- décrire l'influence des parents sur la manière dont les enfants établissent des liens à l'intérieur et à l'extérieur de la famille ;
- montrer les compétences et les stratégies nécessaires pour communiquer avec des enfants ou à leur sujet ;
- décrire la responsabilité des parents d'établir une communication de qualité au sein de la famille ;
- reconnaître l'incidence des mauvais traitements infligés aux enfants et de la violence familiale sur les familles, les gardes d'enfants et les personnes travaillant avec des enfants, et définir des stratégies qui garantissent un environnement sécuritaire et sans violence à tous les enfants ;
- expliquer en quoi la communication et les aptitudes de prise de décision et de résolution de problèmes sont essentielles au développement humain ;
- nommer des métiers où on travaille avec des enfants plus âgés et des familles aux différents stades de l'évolution de la vie familiale.

Mots clés

amorce de discussion
communication bidirectionnelle
communication non verbale
communication unidirectionnelle
communication verbale
compromis
conflit externe
conflit interne
écoute active
élaboration d'un consensus
langage corporel
mauvais traitements infligés aux enfants
médiation
message ambigu
métamessage
négociation
obstacle à la communication
tendance à l'acquiescement
transition
violence familiale
visage attentif

Aperçu du chapitre

Figure 6.1
La naissance d'un bébé modifie et améliore les relations familiales.

Comment les enfants influent-ils sur les relations ?

L'annonce d'une naissance ou d'une adoption place une famille dans un climat d'anticipation joyeuse. Est-ce que ce sera un garçon ou une fille ? Comment s'appellera le bébé ? À qui ressemblera-t-il ? Est-ce qu'on pourra le prendre ou jouer avec lui ? Avant l'arrivée de l'enfant, on pense déjà au lien qui s'établira et à la relation qu'on aura avec cette nouvelle petite personne. Un nouveau-né constitue un lien entre le passé et l'avenir et est un merveilleux symbole d'espoir.

Les bébés renforcent les relations

Des mots comme mère, père, frère, sœur, tante, oncle, cousin, grand-père, grand-mère, arrière-grand-mère, arrière-grand-père prennent un nouveau sens lorsqu'un enfant naît. Ils représentent une relation importante avec un enfant. Il est difficile de décrire ou même d'imaginer l'intensité de ses sentiments, l'amour et l'engagement total qu'on peut ressentir à l'occasion d'une naissance.

Un bébé peut enrichir et consolider des relations déjà établies. Les enfants renforcent parfois les liens dans un couple, avec les amies et les amis, entre les membres d'une famille et même entre les générations. Partager l'expérience d'une naissance avec la famille et les gens qui ont une réelle affection pour l'enfant s'avère très enrichissant sur le plan émotionnel.

Avant l'arrivée d'un premier bébé, les partenaires se concentrent souvent sur leur relation. Cependant, lors d'une première grossesse, la femme tend à se préoccuper davantage du bébé à venir que de son compagnon. Pourtant, comme le montre l'article suivant, les pères peuvent s'engager pleinement dans la grossesse.

Étude de cas : Devenir père est une expérience qui change une vie

par Bruce Alexander

Ma vie a changé il y a quatre mois. Elle ne sera plus jamais la même.

Ma femme a accouché d'une petite fille le 17 juillet : Tanis Lindsay Marion. Mais à vrai dire, ma vie a changé le 22 décembre de l'année précédente, lorsque nous avons appris que nous étions « enceints ». Je dis « nous » dans un sens très poétique. Je savais bien sûr que c'était ma femme, Sherry, qui portait le bébé, mais je souhaitais la soutenir autant que possible.

Je me suis vite rendu compte que, malgré mon métier d'enseignant et ma maîtrise en éducation, je savais très peu de choses sur les nouveau-nés, et encore moins sur les grossesses. Alors, j'ai étudié. J'ai lu et appris qu'une grossesse peut être une expérience tout à fait collective. Voici quelques conseils pour les pères en devenir.

- Faites des recherches avec votre partenaire sur les banques de sang de cordon ombilical. Ce nouveau domaine de recherche consiste à prélever du sang de cordon ombilical à la naissance. On le préserve en vue d'études sur les cellules souches afin de guérir d'éventuelles maladies sanguines. Il faut s'inscrire tôt pour participer à ce type de programme, alors soyez prévoyants.
- Devenez cuisinier. Préparez des repas équilibrés. Ils sont essentiels pour le développement du fœtus. Essayez également de consommer moins de caféine et de sucre.
- Faites partie de l'équipe d'accouchement. Si vous avez prévu l'intervention d'une sage-femme, d'une obstétricienne ou d'un obstétricien, participez à toutes les rencontres prénatales. Posez toutes les questions qui vous inquiètent vraiment, même si vous avez l'impression qu'elles sont stupides. Dites clairement le rôle que vous souhaitez jouer.
- Prenez de longues marches énergiques avec votre partenaire. L'exercice est vital pour sa santé tant qu'il ne s'agit pas d'une grossesse à risque. Parlez-en avec la sage-femme, l'obstétricienne ou l'obstétricien.
- Participez à des salons et à des cours prénatals. C'est une bonne façon de s'informer sur la manière dont votre municipalité peut aider, et c'est l'occasion de former un cercle de personnes partageant la même expérience.
- Transformez la maison. Installez la chambre d'enfant et effectuez les derniers travaux avant l'arrivée du bébé. Croyez-moi, vous n'aurez plus le temps après l'heureux événement.
- Essayez les poussettes. Vérifiez la qualité des roues et la position de vos bras par rapport aux poignées. (Il peut être très fatigant d'avoir à se pencher pour pousser la poussette.)
- Passez du bon temps avec votre partenaire. Faites des sorties en tête-à-tête pendant la grossesse. Allez au restaurant ou au cinéma. Prenez des photos du ventre à mesure que le bébé grandit. Mieux encore, achetez du plâtre et faites une empreinte du ventre ; ce sera un trésor éternel pour la famille.
- Parlez et chantez des chansons au bébé. Même dans l'utérus, il peut vous entendre si vous vous tenez assez près. Racontez-lui votre journée. Vous pouvez également acheter un appareil permettant de diriger la voix ou de la musique vers le fœtus. Vous voulez que votre bébé reconnaisse votre voix à sa naissance. Je parlais à mon bébé pendant les longs trajets en voiture grâce à cet appareil. Sherry lui faisait écouter Mozart au petit-déjeuner.
- Préparez des choses qui vous aideront à vous détendre le jour de l'accouchement. Vous n'aiderez pas votre partenaire si vous êtes trop stressé. Restez calme, concentré et bien hydraté. Vous ne voulez pas être un autre cas d'évanouissement sur le sol de la salle d'accouchement.
- Offrez à votre partenaire un cadeau spécial pour marquer le jour de l'accouchement. Ce qu'elle vient de vivre mérite bien que vous lui montriez combien cela compte pour vous.
- Préparez tout à l'avance. Avant l'accouchement, garnissez bien le réfrigérateur. Dressez une liste des personnes à contacter et assurez-vous que les bagages à emporter à l'hôpital sont prêts. Après la naissance, vous voudrez rester tranquilles à la maison pendant un moment. Limitez les visites jusqu'à la mise en place d'une routine quotidienne.
- Préparez-vous à appeler du renfort. Dans notre cas, les grands-parents sont venus passer les premières nuits avec nous. Ils nous ont aidés à nous occuper du bébé, ont fait les courses, ont préparé des repas et ont veillé sur notre petit trésor à 4 h 30 pour nous laisser dormir une ou deux heures de plus.
- Prenez quelques jours de congé, au moins une semaine si c'est possible. Votre partenaire a besoin de votre soutien et de pauses où vous vous occupez de l'enfant. Vous aurez plus de temps pour créer des liens avec le bébé. J'ai tellement aimé ça que je prévois prendre quelques mois pour être papa au foyer.

Il y a tant à faire et si peu de temps lorsque le bébé arrive. Mais cela a été la meilleure période de notre vie de couple, car la naissance de Tanis a renforcé notre amour en tant que couple et en tant que famille. Profitez des précieux premiers jours de la vie de bébé et essayez de prendre beaucoup de photos et de séquences vidéo. Ces trésors vous resteront longtemps.

Bruce Alexander est vice-recteur à l'école Empire Public à Waterloo et était conseiller municipal à Waterloo jusqu'en 2000.

Figure 6.2
La relation parent-enfant est la relation la plus importante dans une famille accueillant un nouveau-né.

❖ Vérifie tes connaissances

1. Qu'a fait Bruce pour jouer un rôle actif pendant la grossesse de sa femme ?
2. Énumère cinq conseils de sa liste pour père attendant un enfant qui ont aidé Bruce à établir une relation intime avec sa fille bien avant sa naissance.
3. Comment Bruce prouve-t-il qu'un bébé peut renforcer une relation ?

Les enfants modifient les relations

La relation parent-enfant est la relation la plus importante qui se crée lorsqu'un enfant naît. Le bébé devient le centre de l'attention. Cela modifie les relations existantes en changeant les priorités et les perspectives. Certaines personnes se rapprochent ; par contre, il arrive que la présence d'enfants mette fin à des amitiés, détruise des couples et cause d'énormes tensions familiales.

Les relations avec les membres de la famille changent lorsqu'on a des enfants. Un enfant demande beaucoup de temps et d'attention. Les frères et les sœurs de nouveaux parents éprouvent parfois de la jalousie et de la rivalité. Devenir grands-parents peut également être difficile. Des grands-parents sont parfois vexés s'ils ont l'impression que les autres participent plus qu'eux aux soins de l'enfant. Les choses peuvent se compliquer au sein d'une belle-famille, avec les demi-frères, les demi-sœurs, les beaux-frères, les belles-sœurs et les beaux-parents cherchant à se faire une place auprès du bébé. Une famille forte trouvera les moyens de satisfaire le désir de chacun d'entrer en relation avec le bébé.

Les parents adolescents qui ont accepté la responsabilité d'élever leur enfant voient des fois leurs amies et leurs amis s'éloigner. Les devoirs, les fêtes et les amitiés ne s'accordent pas bien avec les soins à apporter à un enfant, les tâches ménagères et le travail nécessaire pour gagner sa vie. Les parents adolescents ont rarement, dans leur groupe d'âge, des personnes qu'ils considèrent comme des modèles de rôle parental. Ils se retrouvent souvent pris entre le désir de bien s'occuper de leur enfant et celui de jouir de la vie sans souci comme les jeunes de leur âge. Souvent, les couples mariés passent plus de temps avec d'autres couples qui ont aussi des enfants et moins avec ceux qui n'en ont pas.

Avis d'experts

Linda Lanthier

Linda Lanthier est coordonnatrice en périnatalité au Bureau de santé de l'est de l'Ontario. Pendant dix-huit ans, son travail d'infirmière lui a permis de côtoyer les membres qui composent la famille : parents, enfants et adolescents. « Étant moi-même à cette époque la mère de deux jeunes enfants, je vivais à la maison les mêmes situations que celles rencontrées dans le cadre de mon travail », souligne-t-elle. Son travail actuel en périnatalité vise à prévenir et à promouvoir la santé. Il repose principalement sur trois aspects : avant la conception, pendant la grossesse et après la naissance. « C'est pourquoi je dois m'assurer que les gens reçoivent les outils indispensables à une bonne santé, et cela, tout au long de leur vie », explique Linda. Elle essaie donc de changer le plus possible les mentalités en démystifiant le processus de la grossesse. « Dès les premières semaines qui suivent la conception, j'incite les futurs parents à venir chercher de l'information prénatale » déclare la coordonnatrice. « Je leur offre également des cours axés sur une grossesse en santé. » Pour madame Lanthier, la nutrition est primordiale. « Il faut que les futurs parents sachent combien il est important d'être en bonne santé avant de concevoir » tient-elle à préciser. « La nutrition à l'adolescence a un impact sur la fertilité, au même titre que le tabac et la fumée secondaire », affirme-t-elle avec force. Linda Lanthier insiste aussi sur l'exercice physique et la prise de l'acide folique comme compléments à une grossesse en pleine forme. Depuis qu'elle travaille en périnatalité, elle a remarqué que la cellule familiale a beaucoup changé. « La famille élargie est bien moins présente au moment d'une naissance et le couple se retrouve souvent seul » constate-t-elle. « Il faut donc briser cet isolement et augmenter le soutien en répartissant des infirmières dans la communauté. » De plus, l'arrivée d'un premier enfant apporte de grands changements dans la vie d'un couple qui doit reconstruire petit à petit un nouvel équilibre et apprendre à négocier quotidiennement de façon différente. « C'est un choc et il faut prendre du recul ! Il est important de faire confiance à notre entourage, continuer de communiquer avec l'autre, réduire nos exigences, combler nos besoins essentiels (manger et dormir), et canaliser nos énergies si l'on veut retrouver rapidement la sérénité au sein de la nouvelle famille », conseille la spécialiste en périnatalité aux parents. Elle suggère aux couples la lecture du *Guide de la grossesse et de l'accouchement : Partir du bon pied,* rédigé par la Société des obstétriciens et des gynécologues du Canada. Madame Lanthier reconnaît que les cours de compétences parentales qui leur sont offerts encouragent la communication, insistent sur le rôle du père en plein ajustement, réfèrent pour des thérapies les couples qui en ont besoin. Bien entendu, tous ses services sont accessibles aux parents et futurs parents qui le désirent. Ils peuvent aussi consulter la populaire revue « *Petits pas* », à laquelle elle participe. « Ce bulletin de nouvelles aide les parents à créer le meilleur environnement pour le développement de l'enfant de sa naissance jusqu'à l'âge de cinq ans » résume-t-elle.

Protéger la relation de couple – Conseils pour les nouveaux parents

- Réservez-vous du temps sans les enfants.
- Partagez les tâches parentales.
- Comprenez ce que l'autre est en train de vivre.
- Reconnaissez vos différences en tant que parents et partenaires.
- Résolvez les problèmes ensemble.
- Communiquez.

Si un couple a une relation fragile, l'arrivée d'un bébé n'effacera pas leurs problèmes. Même des mariages et des relations solides ressentent les tensions liées à la naissance d'un bébé. La présence d'un enfant déplace le centre de la relation et peut affaiblir les liens au sein du couple. Pendant cette **transition** vers le rôle parental, un couple doit apprendre à devenir des parents. Les soins au bébé, la satisfaction de ses besoins, la fatigue de l'allaitement de nuit ou même l'ajustement à la présence d'une personne totalement dépendante imposent un stress qui peut nuire aux relations personnelles. Des couples comme Bruce et Sherry, à la page 118, réussissent à trouver un équilibre entre leur relation de couple et leurs relations à titre de parents et découvrent ainsi que devenir parents est une expérience merveilleuse.

Vérifie tes connaissances

1. Explique en quoi des nouveau-nés changent les relations entre les membres de la famille.
2. Comment avoir un bébé à l'adolescence modifie-t-il les relations d'une personne ?
3. D'après les résultats de l'étude de Belsky et de Kelly à la page 121, décris la façon dont la transition vers le statut de parent modifie les relations dans le couple.

Liens

Les médias d'Amérique du Nord explorent souvent les relations familiales et les défis qu'elles représentent. Les bandes dessinées des journaux et les comédies télévisuelles nous font rire et dépeignent les aspects les plus légers de la vie de famille.

1. Dresse la liste de cinq bandes dessinées ou comédies télévisuelles présentant différents types de familles, par exemple des familles monoparentales, des familles nucléaires ou des familles étendues.
2. Analyse et compare les principales relations abordées dans ces bandes dessinées ou ces comédies télévisuelles. À quel point sont-elles réalistes ? Explique ta réponse.

Le rôle de la communication dans les relations familiales

De leur premier souffle jusqu'au dernier, les êtres humains sont engagés dans des relations. Dès la naissance, les bébés sont en mesure d'établir leurs premières relations. En raison de leur dépendance et de leur impuissance, on a envie de les toucher, de les dorloter, de les nourrir et de s'en occuper. Les nouveau-nés répondent à un câlin en se blottissant contre la personne qui les caresse. Ils agrippent ton doigt avec une force étonnante pour leur taille. Avec ce geste, ils communiquent un lien physique et affectif. Ainsi, les bébés établissent la relation la plus importante de leur vie : le lien avec la personne qui prendra soin d'eux.

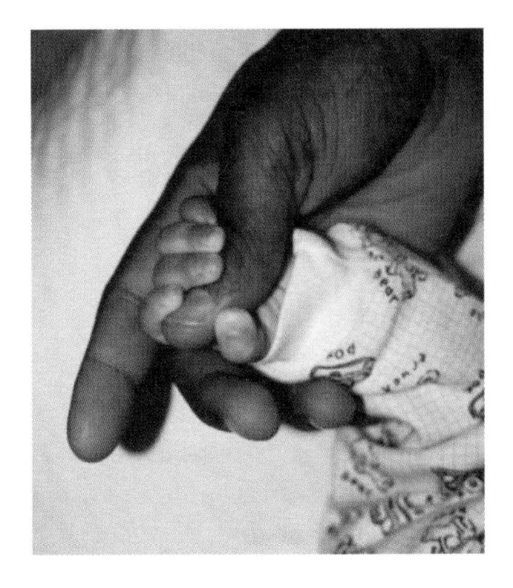

Figure 6.3
Un nouveau-né peut serrer fortement tes doigts.

Un contact physique vaut 10 000 mots.
— Harold Bloomfield

Toutes les relations humaines se basent sur la communication. Les nouveau-nés apprennent à communiquer bien avant de savoir parler. Les tout petits bébés émettent des signaux et des indices à la personne qui s'occupe d'eux pour exprimer leurs besoins, leurs désirs et leurs sentiments. Ils manifestent leur détresse en s'agitant et en criant. Ils montrent leur plaisir en souriant et en roucoulant. Un bébé émet un son et attend qu'un des parents répète ce son. Les parents communiquent avec un nouveau-né par le toucher, le ton de la voix, les expressions du visage ainsi que par des mots. On apprend le processus de communication très tôt dans la vie.

Communiquer de l'amour

On communique de l'amour de bien des façons : on peut caresser la tête ou faire un sourire, partager un bout de pain frais, faire des promenades dans la nature, lire des histoires, jouer à des jeux ou faire du sport. Les enfants ressentent également qu'on les aime lorsqu'ils découvrent l'histoire de leurs relations familiales – par exemple, lorsqu'on leur montre des photos de famille ou qu'on leur raconte des anecdotes concernant leur père lorsqu'il avait leur âge. Leur apprendre des choses permet également de communiquer de l'amour : leur montrer à fabriquer des objets, faire pousser des plantes ou mettre la table. En leur parlant, en répondant à leurs questions, en les écoutant, les parents communiquent leur amour et leur affection à leurs enfants. Une communication efficace est essentielle pour les familles, les relations et le bien-être de la société. On apprend d'abord à communiquer dans la famille.

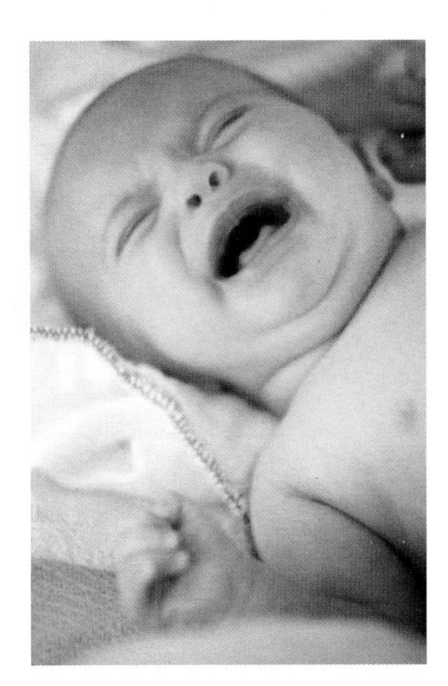

Figure 6.4
Un bébé qui pleure exprime peut-être qu'il a faim.

Qu'est-ce que la communication ?

Lorsque des personnes communiquent, elles échangent de l'information de manière verbale, non verbale ou à l'aide de symboles et de signes à la fois verbaux et non verbaux. On communique dans un seul sens (communication unidirectionnelle) ou dans les deux sens (communication bidirectionnelle).

Nous communiquons de trois manières :

- par les mots et les symboles que nous utilisons ;
- par le ton de notre voix ;
- par le langage corporel que nous affichons.

Le sarcasme est un exemple d'une situation où on prête à des mots un sens totalement différent selon le ton de la voix utilisé. On peut dire « J'aime ta robe » avec tellement de sarcasme que l'autre personne comprendra qu'on veut dire le contraire. Quelqu'un peut dire « J'écoute », mais son langage corporel peut indiquer qu'il n'écoute pas.

La communication unidirectionnelle

Une **communication unidirectionnelle** a lieu lorsqu'une personne parle ou envoie des messages sans recevoir de réponses. Voici quelques exemples : des cours magistraux, des émissions de radio, des notes laissées sur le comptoir de la cuisine ou des messages laissés sur un répondeur téléphonique. On émet de l'information, mais on ne reçoit pas de réponse immédiate. Comme les pleurs d'un bébé, la communication unidirectionnelle permet d'émettre de l'information rapidement. Le message du bébé qui pleure est souvent « J'ai faim ! ».

La communication bidirectionnelle

Une **communication bidirectionnelle** est une communication et sa réaction. Elle fait intervenir deux personnes. La personne qui amorce la communication obtient une réponse de la personne qui reçoit l'information. Le processus débute par la création et par l'envoi de messages et se termine par la réception et par l'interprétation de ces messages. Ce type de communication est la forme la plus courante entre les parents et les enfants. La qualité et le ton des interactions définissent les relations. Une écoute efficace est essentielle à une communication bidirectionnelle. Les parents doivent montrer de bonnes aptitudes d'écoute et de réponse pour que leurs enfants suivent leur exemple.

La communication verbale ou non verbale

La **communication** est **verbale** ou **non verbale.** La communication verbale utilise des mots. Pour transmettre un message, la communication non verbale s'appuie sur le langage corporel, ou les gestes, le regard, les expressions du visage et la position du corps, ainsi que sur le ton de la voix. En général, nous faisons les deux en même temps. Les parents peuvent sourire et hocher leur tête lorsqu'ils parlent à leur bébé afin de renforcer la nature aimante de leurs paroles. Un enfant reçoit des **messages ambigus** si les mots prononcés ne correspondent pas au langage corporel ou au ton de la voix qui les accompagne. Si un adulte essaie de communiquer un message positif à un enfant alors qu'il ressent du stress et de la colère, son visage ou sa voix peut laisser paraître ses sentiments négatifs. Lorsque tu parles à des enfants, assure-toi que ton visage reflète les mots utilisés.

Figure 6.5
La communication non verbale a recours au langage corporel et aux gestes.

Vérifie tes connaissances

1. Compare l'efficacité des communications unidirectionnelle et bidirectionnelle.
2. Observe un bébé en interaction avec son père, sa mère ou une ou un garde d'enfants. Prends en note et décris les moyens de communication verbaux et non verbaux qu'ils utilisent.

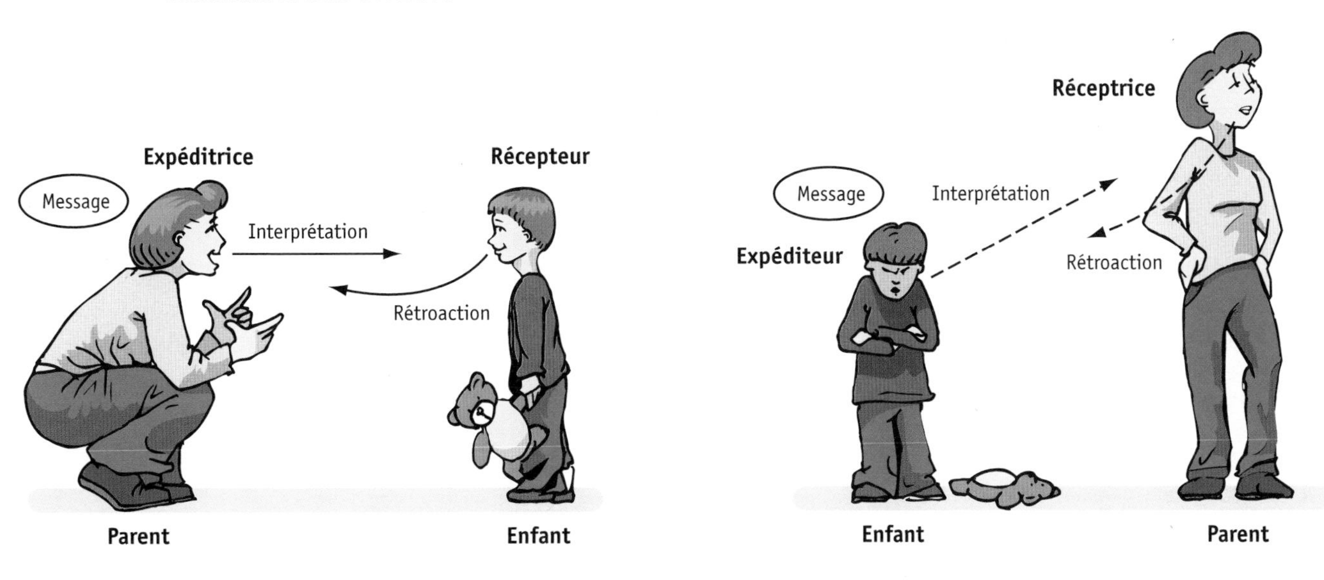

Figure 6.6
Voici deux types de conversations. En quoi le langage corporel contribue-t-il à la communication ?

Le besoin d'une communication adroite

Communiquer avec de jeunes enfants est un défi, car les enfants sont en train d'apprendre à la fois la langue et les aptitudes liées à la communication. L'objectif de toute communication est de parler et d'écouter de façon efficace, sans obstacles ni malentendus. Une communication adroite améliore les relations de couple, les relations parents-enfants et même les relations entre frères et sœurs. Savoir communiquer clairement est une aptitude essentielle au rôle parental et au soin des enfants.

Les différences entre la communication chez les hommes et chez les femmes

Dans son livre *Décidément tu ne me comprends pas ! Surmonter les malentendus entre hommes et femmes,* Deborah Tannen (1990) explore les styles différents « mais tout aussi valides » des hommes et des femmes en matière de conversations. Elle remarque que leurs objectifs diffèrent. Les femmes recherchent l'intimité ; les hommes visent l'indépendance. Cette différence devient un problème lorsqu'il s'agit de communiquer. Les conversations qui encouragent l'intimité et les liens sont très différentes de celles qui expriment l'indépendance. Une femme peut choisir de faire ce qu'on lui demande pour manifester l'importance de l'autre. À l'inverse, un homme évitera de faire ce qu'on lui demande dans le but d'affirmer son indépendance. Une attitude ou l'autre n'est ni bonne ni mauvaise. Cependant, reconnaître et accepter ces différences permet de mieux comprendre sa conjointe ou son conjoint, sa ou son partenaire ou ses collègues.

Si vous comprenez les différences entre les sexes dans ce que j'appelle le style conversationnel, vous ne pourrez peut-être pas éviter les désaccords, mais vous aurez plus de chances d'éviter qu'ils ne prennent des proportions imprévisibles. Lorsque des tentatives sincères de communication se soldent par un échec, et qu'une ou un partenaire bien-aimé semble irrationnel et obstiné, les différents langages que parlent les hommes et les femmes peuvent faire trembler les fondations de nos vies. Comprendre la manière de parler de l'autre, c'est faire un pas de géant pour combler l'écart de communication qui existe entre les hommes et les femmes, et un pas de géant vers l'ouverture des voies de communication.
— Tannen, 1990

Deborah Tannen examine aussi les différences entre hommes et femmes en regard des **métamessages.** Il s'agit du sens supplémentaire qu'on attribue à ce que nous entendons. Au-delà des mots, que révèle le message ? Pour une femme, demander son chemin peut servir à engager la conversation et à résoudre un problème. Pour un homme, demander son chemin peut représenter un aveu d'échec.

Les travaux de Mme Tannen ont généré de l'intérêt concernant les différences entre les sexes. Ils ont permis de dresser des listes de différences entre les hommes et les femmes. Par exemple, les femmes tendent à se faire face quand elles se parlent, alors que les hommes se tiennent côte à côte. Mme Tannen souhaite qu'on considère ces différences comme des différences de langage plutôt que des différences de personnalité.

Liens

1. **Pense aux objectifs différents des conversations des hommes et des femmes. En quoi ces différences peuvent-elles influer sur la communication dans les relations amoureuses ou amicales à l'adolescence ?**
2. **Écoute des conversations entre des hommes et des femmes à l'école, au cinéma ou à la télévision. Cite des exemples d'interprétation des « métamessages » (la signification derrière le message).**

La communication avec les jeunes pendant l'enfance et l'adolescence

Les parents parlent à leurs enfants avant même que ces derniers ne sachent parler. Jouer à Content-content-content et faire des rimes avec bébé sont des manières appropriées de communiquer avec lui. À mesure que les enfants grandissent, leurs aptitudes se développent. Le langage du bébé et les rimes font place à des questions sans fin, puis à des histoires sans fin. Parler, parler, parler est un élément essentiel de la journée d'un enfant.

Les enfants interprètent souvent les choses d'une manière très concrète et le sens qu'ils donnent aux mots ou aux expressions fait parfois rire les adultes. Pour un enfant, il semblera tout à fait normal d'avoir recours à une souris pour se débarrasser d'un chat dans la gorge. Les enfants inventent des mots qui ont plus de sens pour eux. Par exemple, un enfant transforme le mot « tituber » en « titomber », un autre dit qu'il a un « tout petit colis » plutôt qu'un « torticolis ». Les enfants se fient à ce qu'ils entendent pour apprendre à parler. Ils essaient de comprendre leur monde.

Figure 6.7
Les enfants essaient de répéter ce qu'ils entendent. Cela produit des résultats amusants pour l'enfant et la famille.

Certains parents prennent en note dans le livre de bébé les expressions personnelles de leurs enfants. Pour d'autres, des expressions enfantines deviennent des légendes familiales. Par exemple, une famille mange encore des « ham-gur-bers » même si fiston a maintenant 25 ans... Si on se moque des enfants lorsqu'ils font des erreurs, cela peut les vexer. Toutefois, s'ils comprennent qu'on apprécie leurs expressions, cela renforcera les relations.

Avis d'experts

JULIE LEMIRE

Julie Lemire est orthophoniste dans une clinique privée. Son rôle consiste à évaluer et à traiter les troubles de la communication chez les enfants d'âge préscolaire (2 à 6 ans).

« Mon travail est très important, dit-elle, car il permet de déceler les troubles langagiers pouvant nuire à une bonne intégration sociale et scolaire de l'enfant et d'y remédier efficacement. L'évaluation repose sur des tests standardisés ainsi que sur une observation ludique de l'enfant dans son milieu. »

La communication humaine fait partie de notre vie quotidienne. Elle regroupe plusieurs aspects dont le bon fonctionnement et l'interaction permettent une adaptation sociale aisée et facilitent les apprentissages scolaires. Le *langage oral* permet de bien comprendre et de bien s'exprimer. Vient ensuite le *langage écrit* avec la lecture et l'écriture. La *prononciation des sons* (articulation), la *fluidité de la parole* et la *voix* sont les compléments naturels aux instruments de la communication.

« Une évaluation de tous ces points me permet de bâtir le profil langagier de l'enfant, explique Julie, et m'aide à déterminer le niveau (plus ou moins sérieux) de ses habiletés langagières tout en mettant au point un plan d'intervention adéquat. » Ce plan peut prendre plusieurs formes et s'appuie principalement sur des stratégies et des moyens visant à améliorer la communication :

- l'orthophoniste peut travailler seul avec l'enfant en utilisant des jeux ou des exercices plus structurés selon son âge ;
- l'orthophoniste peut établir un plan d'entraînement avec les parents en indiquant les stratégies à suivre à la maison afin de stimuler le langage ;
- l'orthophoniste peut tout simplement opter pour une surveillance temporaire, avec réévaluation tous les six mois, du langage de l'enfant ;
- l'orthophoniste travaillant en clinique privée peut souhaiter consulter l'orthophoniste du conseil scolaire de l'enfant afin de connaître son histoire scolaire, le pédiatre ou le médecin de famille, l'audiologiste ou le spécialiste de l'oreille, de la gorge et du nez (médecin ORL) si cela est nécessaire. Ce travail d'équipe est indispensable à la préparation d'un bon plan de traitement.

Les troubles de la communication peuvent affecter la parole (articulation, bégaiement, etc.) ou le langage (retard, dysphasie, dyslexie, autisme, etc.). Ainsi, le bégaiement touche particulièrement les personnes prédisposées héréditairement. « C'est un trouble complexe dû à un système fragilisé de la parole et qui survient souvent entre l'âge de 2 et 5 ans », explique Julie Lemire. Par ailleurs, des difficultés pour l'enfant à suivre les consignes, l'apparition de légers problèmes de comportement, des infections aux oreilles à répétition, des malformations du crâne ou du visage (fissure de la voûte palatine, de la lèvre, etc.), le bégaiement, sont des signes avant-coureurs qui devraient amener automatiquement une évaluation langagière. « Plus une évaluation du langage est effectuée tôt, plus le plan d'intervention sera efficace, souligne l'orthophoniste. Bien souvent, on remarque que des problèmes langagiers sont à l'origine des troubles d'apprentissage. » C'est pourquoi il existe une liste décrivant les différentes phases du développement du langage et facilitant ainsi le dépistage rapide des troubles de la communication. Toute personne intéressée peut l'obtenir auprès des orthophonistes. Les orthophonistes travaillent dans différents secteurs tels que les conseils scolaires, les hôpitaux, les cliniques privées et les centres médicaux offrant des services spécialisés.

Liens

1. Demande à tes parents et à d'autres membres de ta famille des exemples d'expressions ou de mots que tu utilisais lorsque tu étais enfant.
2. Offre de surveiller bénévolement la cour de récréation de l'école élémentaire ou de la garderie de ton quartier. Écoute les enfants parler et rédige un compte rendu des expressions qu'ils utilisent.

À l'adolescence, la communication avec les camarades a une grande importance. Dans certains cas, les parents et leurs enfants adolescents se querellent plus souvent qu'ils ne parlent. À cet âge, les jeunes s'efforcent d'obtenir leur autonomie et leur indépendance, alors la communication peut devenir tendue. Les parents qui ont entretenu une bonne relation depuis l'enfance et qui se montrent disponibles aux adolescentes et aux adolescents lorsqu'ils désirent parler réussissent à garder les voies de communication ouvertes. L'aptitude à écouter prend une importance plus grande à cette époque. Beaucoup de parents disent que les liens se resserrent à nouveau une fois que l'enfant atteint l'âge adulte.

Les aptitudes et les stratégies de communication

Des aptitudes et des stratégies efficaces de communication sont nécessaires à la réussite du rôle parental, de la prestation des soins et des relations professionnelles auprès d'enfants. Après tout, un jour les enfants reproduiront les méthodes de communication que montrent les adultes. Les enfants qu'on a écoutés et qu'on a inclus dans les conversations ont une bonne image de soi. Parmi les stratégies efficaces pour communiquer avec des enfants de tous âges, mentionnons : regarder la personne dans les yeux, écouter activement, utiliser des messages au « je » et porter attention au langage corporel. La maîtrise de certaines de ces techniques demande de l'exercice et de la patience.

Les stratégies d'une communication efficace

1. Aie un **visage attentif.**

Barbara Coloroso, célèbre pour ses conférences sur les enfants, cite l'exemple d'un garçon de troisième année qui accuse son enseignante de ne pas l'aimer. Cette dernière proteste et dit qu'elle l'aime beaucoup. Alors l'enfant lui répond : « Eh bien, dis-le à ton visage ! »

Les enfants qui veulent qu'on les écoute placent souvent leurs mains sur le visage de leurs parents afin qu'ils les regardent lorsqu'ils parlent. Un visage attentif est un visage qui écoute, qui exprime de la chaleur et qui regarde dans les yeux. En regardant dans les yeux d'un enfant, tu entres en contact avec la personne qui se trouve derrière ces yeux et l'enfant peut alors entrer en contact avec toi.

Figure 6.8
Les regarder dans les yeux, hocher la tête et réagir sont des actions qui encouragent les enfants à parler librement et à s'engager dans le processus de communication.

2. Utilise l'**écoute active.**

Parfois, les enfants ne réussissent pas à trouver les mots pour exprimer leur tristesse, leur inquiétude ou leur malaise. Un père, une mère, une ou un garde d'enfants ou une professionnelle ou un professionnel travaillant avec des enfants peut avoir recours à l'écoute active afin de faire sortir l'enfant de sa coquille. En nommant le sentiment que l'enfant semble avoir, l'adulte l'engage dans une conversation sur ce sentiment. Par exemple, en disant : « Tu sembles en colère (triste, inquiète ou inquiet, enthousiaste)... » ou « Tu sembles avoir perdu ta meilleure amie... », on donne à l'enfant la possibilité de parler de ce qu'il ressent.

L'écoute active implique également de se concentrer sur ce que tu entends au lieu de réfléchir à la réponse que tu vas donner. Concentre-toi sur les paroles de l'autre et non pas sur tes propres réflexions. Réagis alors à ce que tu entends pour vérifier si tu as bien entendu. Hocher la tête, sourire, paraphraser ce que tu as entendu afin de vérifier si tu as bien compris et regarder dans les yeux permettent de montrer à l'autre personne que tu l'écoutes activement.

3. Utilise des **amorces de discussion.**

Après une écoute active, l'enfant a parfois besoin d'encouragement pour continuer. Voici des expressions qui aident à stimuler une conversation :

- Veux-tu dire que... ?
- Te sens-tu... ?
- Aide-moi à comprendre ce que tu veux dire, dis-m'en plus.
- Dis-moi si je me trompe, mais je crois que tu veux dire...

Ces amorces de discussion aident les enfants découragés ou apeurés à continuer à parler.

4. Prends conscience des **obstacles à la communication** et évite-les.

Les obstacles à la communication détruisent une conversation et affaiblissent les relations. Le tableau suivant contient des exemples.

Les obstacles à la communication

Obstacle	Exemple
Blâmer	C'est à cause de ta paresse que tu échoues.
Utiliser le sarcasme	Alors, Monsieur le Génie, qu'est-ce qui t'est arrivé cette fois-ci ?
Insulter	Seul un bébé oublierait son sac ainsi.
Injurier	Idiot !
Généraliser	Tu ne fais jamais ton lit.
Changer de sujet	Tu es si mignonne quand tu es en colère.
Ne pas reconnaître les sentiments	Calme-toi.
Éviter	Pas maintenant. Je prépare le dîner.

Figure 6.9
Les obstacles à la communication empêchent d'atteindre l'objectif d'une conversation.

Les stratégies pour une communication efficace :
- avoir un visage attentif ;
- regarder dans les yeux ;
- faire preuve d'écoute active ;
- utiliser des amorces de discussion ;
- éviter les obstacles à la communication ;
- encourager ;
- avoir une réaction positive ;
- utiliser des messages au « je » ;
- observer le langage corporel.

5. **Encourage** et **réagit positivement.**

Fais savoir à l'enfant que son effort de communication fonctionne. Par exemple, dis des choses comme les suivantes :

- Où as-tu appris ce mot compliqué ?
- Je comprends parfaitement ce que tu ressens !
- Grâce à toi, j'ai compris ça !
- Tu as vraiment bien écouté !
- Tu le décris si bien que je le vois dans ma tête !

6. Utilise des **messages au « je ».**

Les enfants ont également besoin de savoir ce que les adultes ressentent. Les messages à la première personne permettent à l'enfant de savoir ce que son père ou sa mère ressent sans pour autant se sentir rabaissé. Utilise des phrases communiquant ce que tu ressens par rapport aux événements à l'aide des formules suivantes :

- Je me sens (exprime ce que tu ressens concernant le comportement),
- lorsque tu (indique le comportement inapproprié),
- parce que (indique les conséquences).
- J'aimerais que tu (décris un comportement plus approprié).
- **Exemple** : Je me sens inquiète, lorsque tu joues près de la route, parce qu'une voiture pourrait perdre le contrôle et t'écraser. J'aimerais que tu joues plus près de la maison.

7. Observe le **langage corporel** de l'enfant.

Les enfants expriment souvent plus facilement leurs sentiments par leur langage corporel que par des mots. La frustration, l'ennui, le découragement, la peur et le dégoût se lisent sur le visage d'un enfant et à travers son attitude corporelle. Lorsqu'un enfant semble triste, il faut éviter de penser qu'on sait ce que l'enfant ressent. On peut aggraver le problème si l'enfant se sent incompris. Aider les enfants à « employer leurs propres mots » leur permet de nommer leurs sentiments plutôt que de les garder à l'intérieur. Exprimer sa colère ou sa frustration est préférable à casser quelque chose ou à faire mal à quelqu'un.

Une communication efficace et régulière nourrit le respect mutuel entre parents et enfants, car alors personne ne crie, ne gronde ni n'insulte. Cela permet également aux parents de conserver leur autorité, car ils ne tombent pas dans le piège des querelles. Parents et enfants peuvent résoudre des problèmes ensemble et prendre des décisions respectant tous les membres de la famille. Les conversations encourageant les enfants à parler et à écouter les aident à développer et à exercer leurs aptitudes de communication.

Vérifie tes connaissances

1. Énumère les stratégies permettant une communication efficace avec des enfants.
2. Rédige un message au «je» en réaction à chacun des comportements suivants:
   - pincer un frère ou une sœur;
   - répondre avec effronterie;
   - aider à mettre la table;
   - ranger sans qu'on l'ait demandé.

La gestion des conflits

Les situations de conflit font partie de presque toutes les relations, surtout celles entre les parents et les enfants. Les ruptures de communication sont souvent à l'origine de ces conflits. Les parents sont responsables de gérer le stress lié à l'atteinte des objectifs familiaux, de subvenir financièrement aux besoins de la famille, de s'occuper de la bonne santé de tous et, en résumé, de « réussir l'entreprise familiale ». Par conséquent, leurs opinions et leurs valeurs entrent souvent en conflit avec celles des autres membres de la famille. De leur côté, les enfants ont des opinions fermes et ressentent des frustrations qui peuvent engendrer des conflits.

Un conflit implique généralement une lutte entre deux personnes ou entre deux groupes ayant des points de vue différents sur une situation. Même si les conflits sont presque toujours désagréables et souvent douloureux, une famille ne doit pas les éviter. Les enfants ont besoin de ces occasions pour apprendre à faire face à un conflit dans « leurs propres mots ».

Figure 6.10
Les situations de conflit font partie de presque toutes les relations.

Les sources de conflits

Comprendre la source d'un conflit aide à le gérer et à le résoudre. Un **conflit interne** se manifeste chez quelqu'un lorsque cette personne doit faire face à deux demandes contradictoires. Par exemple, une mère veut amener son bébé au parc pour se détendre et jouer après une longue journée, mais elle est trop fatiguée et a besoin de repos. Ce conflit interne la tiraille dans deux directions différentes et elle doit le résoudre.

Un **conflit externe** commence lorsque les besoins, les désirs ou les valeurs d'une personne s'opposent à ceux d'une autre personne. Par exemple, un jeune adolescent souhaite rentrer à la maison à 2 h exceptionnellement le soir de sa remise de diplôme. À ses yeux, il n'y a pas de danger à rentrer à cette heure-là. Par contre, son père est inquiet et veut qu'il rentre immédiatement après la cérémonie. Dans une telle situation, il faut une communication efficace et une aptitude à résoudre les problèmes pour arriver à une stratégie créative de résolution de conflit.

Les stratégies de résolution de conflits

La résolution d'un conflit demande moins des actions que l'adoption d'un ensemble d'attitudes et de comportements. Pour résoudre un conflit familial, tous les membres de la famille doivent :

- aborder le conflit de manière positive avec l'intention d'atteindre un résultat satisfaisant ;
- faire preuve d'honnêteté et d'ouverture d'esprit et avoir recours à des stratégies de communication efficaces ;
- éviter les obstacles à la communication, par exemple insulter, se moquer, blâmer, deviner, etc. ;
- avoir recours à la règle de la majorité ou à un vote pour résoudre un conflit simple comme le choix d'un film (cela ne s'applique pas aux conflits de valeur où des sentiments ou l'amour-propre peuvent intervenir). Les parents doivent structurer leurs prises de décision de manière à réaliser de façon équitable dans le temps les souhaits des divers membres de la famille.

Figure 6.11
Permettre à un enfant de peindre sa chambre d'une couleur que tu n'aimes pas est un exemple de tendance à l'acquiescement.

Les stratégies d'élaboration d'un consensus

L'**élaboration d'un consensus** fait appel à des stratégies de résolution de problème afin de déboucher sur une solution où tout le monde gagne et qui satisfait assez bien les deux parties. L'élaboration d'un consensus fait intervenir plusieurs techniques utiles pour résoudre des conflits familiaux plus ardus.

- La **tendance à l'acquiescement** signifie de modifier ton comportement parce que quelqu'un te le demande. Cette tendance peut renforcer une relation et répondre aux besoins d'une autre personne sans pour autant aller à l'encontre de tes propres valeurs et besoins.

  Exemple : Des parents acceptent qu'un enfant peigne les murs de sa chambre d'une couleur qu'ils n'aiment pas, car l'enfant y tient. Ils repeindront les murs un jour. Ils montrent une tendance à l'acquiescement.

- Le **compromis** : si les deux personnes engagées dans un conflit sont sur le point de tomber d'accord, elles peuvent s'entendre sur un compromis ou abandonner une de leurs exigences afin de résoudre le problème. Les compromis protègent une relation et permettent de respecter l'estime de soi des deux personnes.

  Exemple : c'est le mois de décembre ; Stéphanie, qui a quatre ans, souhaite porter sa robe d'été préférée pour se rendre à un repas chez grand-mère. Maman sait qu'il fait trop froid ; de plus, elle redoute que ses sœurs ne la jugent d'avoir laissé Stéphanie s'habiller de manière inadéquate. Pourtant Stéphanie est déterminée. Maman et Stéphanie trouvent un compromis : Stéphanie peut porter sa robe si elle porte aussi des collants et un chandail chaud. Maman décide d'ignorer l'opinion de ses sœurs afin de laisser Stéphanie s'exprimer.

- La **négociation** : ce processus fait intervenir l'envoi et la réception de messages dans une discussion face à face, dans le but de trouver une solution. Pour qu'il fonctionne, les deux parties doivent exprimer clairement leur position et écouter attentivement celle de l'autre. La négociation agit comme un pendule allant d'une personne à l'autre ; elle vise à satisfaire les deux parties jusqu'à ce qu'elles tombent d'accord.

  Exemple : des parents jugeant qu'ils ne peuvent plus vivre ensemble ont souvent recours à la négociation. Peut-être que des tentatives passées de résolution du conflit ont déjà échoué. Malgré tout, ils ont des enfants et ils doivent décider qui en aura la garde, où les enfants vivront et quand auront lieu les visites, etc. Ils doivent d'abord et avant tout répondre aux besoins des enfants.

- La **médiation** : parfois, des personnes ne réussissent pas à résoudre un conflit. On parle d'échec lorsque les deux parties n'arrivent pas à se mettre d'accord sur une solution. Dans une médiation, on demande à un tiers impartial d'aider à trouver une solution acceptable pour les deux parties. Les médiatrices et les médiateurs posent des questions et écoutent attentivement les réponses. Ils doivent s'assurer que les deux parties restent calmes et axées sur la résolution du conflit. Bien souvent, ils trouvent une solution que les deux parties en désaccord ne concevaient pas du fait de leur engagement émotionnel.

  Exemple : Farid et Anna sont de jeunes parents. Leur bébé, Joseph, a six mois. Il souffre d'une grave maladie, mais une opération à risque peut le guérir. Anna a trop peur pour procéder à l'opération ; par contre, Farid souhaite qu'on opère Joseph le plus tôt possible. Farid et Anna n'arrivent pas à prendre une décision. Ils sont si bouleversés qu'ils ne se parlent plus. Un vieil ami du couple qui est médecin offre de servir de médiateur. Il aide Farid et Anna à analyser les risques médicaux et les chances de survie de Joseph selon qu'on l'opère ou non. Ensemble, ils prennent la décision de tenter l'opération.

Les stratégies d'élaboration d'un consensus :
- la tendance à l'acquiescement,
- le compromis,
- la négociation,
- la médiation.

❖ Vérifie tes connaissances

1. Décris les ressemblances et les différences entre un conflit interne et externe.
2. Cite des exemples de toutes les stratégies intervenant dans l'élaboration d'un consensus.
3. Explique la façon dont chaque stratégie d'élaboration d'un consensus peut mener à une situation où tout le monde gagne.
4. Décris en quoi une approche où tout le monde gagne renforce une relation alors qu'une approche qui ne bénéficie qu'à l'une des parties affaiblit une relation.

Les interactions avec des enfants

Avant l'avènement de l'automobile, du téléphone et de la télévision, dans le Canada rural, les enfants avaient peu d'interactions en dehors de leur famille ou de la communauté immédiate. Jusqu'aux années 1950, la plupart des gens grandissaient, se mariaient, élevaient leur propre famille et mouraient tout près de l'endroit où ils étaient nés. La communication se déroulait entre les parents, les enfants et les membres du voisinage. Nos vies ont beaucoup changé depuis.

Aujourd'hui, les enfants interagissent avec beaucoup de gens en dehors de leur famille proche. En plus de leurs parents, il y a la famille, le voisinage, une gardienne ou un gardien, des gardes d'enfants, des enseignantes et des enseignants. Ces gens les guident, les éduquent, les divertissent et s'occupent d'eux. Dans la société plus large, les enfants rencontrent des gens qui soignent leurs dents, leur coupent les cheveux, les aident à choisir un livre à la bibliothèque, s'occupent de leur santé et les aident même à traverser la rue. D'autres personnes les influencent même s'ils ne les rencontreront sans doute jamais. À leur façon, les gens qui travaillent en programmation télévisuelle, en design, en conception de jouets, de jeux et de vidéos, dans la production et l'emballage d'aliments et dans tout domaine touchant à la vie des enfants communiquent avec ceux-ci et ont une incidence sur eux.

Figure 6.12
Le gardiennage te permet de t'occuper d'enfants au sein de la communauté.

Établir des liens avec les enfants

Les jeunes à l'adolescence établissent des liens de diverses natures avec les enfants. Une adolescente ou un adolescent peut avoir un petit frère ou une petite sœur, être tante ou oncle ou encore faire du bénévolat auprès d'un organisme travaillant auprès des enfants. Certains jeunes entraînent des équipes de sport, animent des activités communautaires ou font du gardiennage. Ces rôles ont différents degrés de responsabilités, mais ils font tous intervenir des relations avec les enfants.

Les adolescentes et les adolescents apprennent par l'observation des parents et des gardes d'enfants ainsi que par l'expérience des compétences qui leur seront utiles dans leurs futures relations avec les enfants et, en particulier, dans leur rôle de parents. Il y a beaucoup d'endroits où on s'occupe d'enfants autres que des nièces et des neveux, des cousines et des cousins ou de jeunes frères et sœurs. On a besoin de bénévoles dans les bibliothèques, les églises, les écoles maternelles ainsi que dans les clubs et les centres communautaires. De nombreuses organisations ont besoin d'enseignantes et d'enseignants, d'assistantes et d'assistants, d'entraîneuses et d'entraîneurs ainsi que de responsables.

En plus de répondre aux besoins d'une communauté, s'occuper d'enfants permet aux jeunes d'appliquer les compétences qui les aideront à travailler avec des enfants à l'avenir. L'entraînement à la natation leur apprend à gérer la peur de l'eau des enfants et donne la satisfaction d'enseigner une compétence utile dans la vie. En entraînant une équipe sportive, en assistant une enseignante ou un enseignant ou en dirigeant un groupe d'intérêt particulier au sein de leur communauté, les adolescentes et les adolescents observeront directement le comportement des enfants à différents stades. Ils apprennent à reconnaître ce que les enfants savent faire tout seuls ou ce pour quoi ils ont besoin d'aide. S'amuser, jouer, communiquer et se mettre au même niveau que les enfants sont d'excellentes activités. Elles amènent les adolescentes et les adolescents à mieux comprendre les enfants, ce qui peut les aider à l'avenir et peut même guérir certaines blessures d'enfance.

Les rôles et les relations

Les parents, les gardes d'enfants et les personnes travaillant avec des enfants jouent différents rôles et ont donc différentes relations avec eux. Tous ces gens se préoccupent du bien-être des enfants et ils doivent avoir des aptitudes qui définissent et font progresser leurs relations.

Les parents

Le rôle parental est le rôle le plus important dans la vie des enfants. Les parents fournissent bien sûr les éléments essentiels à la vie, tels que la nourriture, les vêtements, le logement et la sécurité, mais ils jouent également un rôle éducatif qui répond aux besoins d'amour, d'appartenance, d'attachement, d'estime de soi et de réalisation de soi d'un enfant. Les parents sont les premiers et les plus importants enseignants de l'enfant. Ainsi, ils façonnent son identité en donnant l'exemple de différents comportements : l'interaction avec les adultes, la gestion du budget de la famille, la manière de communiquer, l'expression de l'amour et de l'affection, la résolution de problème et la gestion des situations de la vie quotidienne.

Le réconfort, le jeu et l'enseignement sont les trois éléments essentiels du rôle de parent ou de garde d'enfants.

La relation entre les enfants et les parents est complexe et durable. Beaucoup de théories soulignent l'importance des relations parents-enfants,

Figure 6.13
Les grands-parents peuvent prendre soin de l'enfant.

entre autres les théories de Sigmund Freud, d'Erik Erikson, d'Alfred Adler, de Jean Piaget, d'Albert Bandura, d'Andrew Meltzoff et de Carol Gilligan. Nous verrons les travaux de ces spécialistes dans les prochains chapitres. Des sociologues, des psychologues et des anthropologues ont étudié les relations parents-enfants, et autant des particuliers que des professionnelles et des professionnels poursuivent ces recherches.

Investir dans l'enfance est une organisation nationale vouée à s'assurer que les plus jeunes citoyennes et citoyens du Canada (entre un et cinq ans) grandissent pour atteindre leur potentiel optimal. Cette organisation aide les parents et les gardes d'enfants à créer des relations positives avec les enfants. Les recherches montrent qu'il n'y a pas une formule unique permettant de transformer à coup sûr les enfants en adultes vaillants et heureux. Par contre, elles indiquent que le réconfort, le jeu et l'enseignement sont trois éléments fondamentaux dans l'éducation d'un enfant qui lui donnent un bon départ dans la vie. Il s'agit d'activités de tous les jours à faire à la maison ou à la garderie. Presque tous les adultes sont capables de réaliser au moins une de ces activités fondamentales. Les parents qui comprennent la croissance et le développement des enfants seront en mesure de réconforter leur enfant, de jouer avec lui et de lui enseigner des choses à tous les stades de sa vie.

Les adultes autres que les parents ayant la charge d'un enfant

Les adultes autres que les parents ayant la charge d'un enfant s'occupent des enfants à la place des parents pour une période donnée. Les grands-parents, des membres de la famille ou du voisinage, des amies et des amis, des gardiennes ou des gardiens ainsi que des éducatrices et des éducateurs en garderie jouent tous ce rôle à un moment ou à un autre de la vie d'un enfant. Cela est un rôle difficile s'il exige de longues journées de travail. Il faut aussi beaucoup de patience et de compréhension. En raison du grand nombre de parents qui travaillent à temps plein ou à temps partiel, le rôle de garde d'enfants est aujourd'hui plus important que jamais.

Qu'attend-on d'une personne qui s'occupe d'un enfant ? On souhaite avant tout qu'elle surveille l'enfant, le nourrisse lorsque c'est nécessaire et l'occupe par des activités et des jeux dans un environnement sans risque. Elle doit suivre un emploi du temps défini par les parents ou une routine approuvée par les parents. Les gardes d'enfants reçoivent en général une rémunération en échange de soins d'une qualité que les parents jugent acceptable.

Il y a des gardes d'enfants qui n'ont pas de formation formelle en soins des enfants ou qui ont une formation minimale. Avoir soi-même des enfants ou aimer les enfants suffit parfois pour bien s'en occuper. Chaque province et chaque territoire a ses propres réglementations concernant le nombre d'enfants dont une personne peut s'occuper. Bien que ces données varient au Canada, toutes les provinces fournissent des directives. En Ontario, par exemple, la *Loi sur les garderies* réglemente le nombre d'enfants dont une

Rapport légal du nombre d'enfants dont une ou un garde d'enfants peut s'occuper

Nouveau-nés de moins de 18 mois	3 personnes pour 10 enfants
Bébés de 18 à 30 mois	1 personne pour 5 enfants
Enfants de 30 mois à 5 ans	1 personne pour 8 enfants
Enfants de 5 et 6 ans	1 personne pour 12 enfants
Enfants de 6 à 12 ans	1 personne pour 15 enfants

Figure 6.14
Il faut plus de personnes pour répondre aux besoins des plus jeunes enfants.

ou un garde d'enfants peut s'occuper. Une personne travaillant à domicile s'occupera de cinq enfants sans avoir à obtenir d'autorisation. La figure 6.14 montre le rapport légal du nombre d'enfants dont une ou un garde d'enfants peut s'occuper dans les centres de soins pour enfants sous licence.

Les gardes d'enfants ayant suivi une formation officielle en éducation de jeunes enfants s'occupent généralement de plusieurs enfants dans une garderie ou à domicile. Les nourrices, ayant parfois une formation collégiale communautaire, vivent avec la famille et s'occupent des enfants à leur domicile. Il s'agit d'une situation pratique mais coûteuse pour les parents.

Les réglementations qui existent dans toutes les provinces et dans tous les territoires s'appliquent aux centres, formels ou agréés, de soins pour les enfants. En réalité, la plupart des enfants canadiens reçoivent des soins dans un cadre non officiel, par exemple chez une voisine ou un membre de la famille. Les parents ne doivent pas s'attendre aux mêmes conditions dans un cadre non officiel que dans un cadre officiel.

La relation établie entre une ou un garde d'enfants et l'enfant autorise l'adulte à exercer de l'autorité, mais pas un contrôle absolu. Les gardes d'enfants efficaces sont bienveillants et affectueux, sans pour autant remplacer l'amour et l'attachement réservés aux parents. Ils agissent à la place des parents, mais ne les évincent pas. Une ou un garde d'enfants doit savoir s'occuper d'enfants de divers âges. Une relation non satisfaisante entre un enfant et une ou un garde d'enfants est pénible pour l'enfant et aussi pour les parents pour qui il est difficile de trouver de tels services. Pour que tous les enfants canadiens bénéficient de services de garde de qualité, il faut considérer divers points : le partage des mêmes valeurs, un prix abordable, la qualité, la disponibilité, l'accessibilité et la fiabilité.

À la lumière de ces caractéristiques, la Fédération canadienne des services de garde à l'enfance a publié les directives suivantes dans sa publication en ligne *Enfant & famille Canada*, en septembre 1996. Ces directives, développées au Forum national pour des services de garde de qualité, présentent les principes directeurs permettant d'assurer des services de garde de qualité.

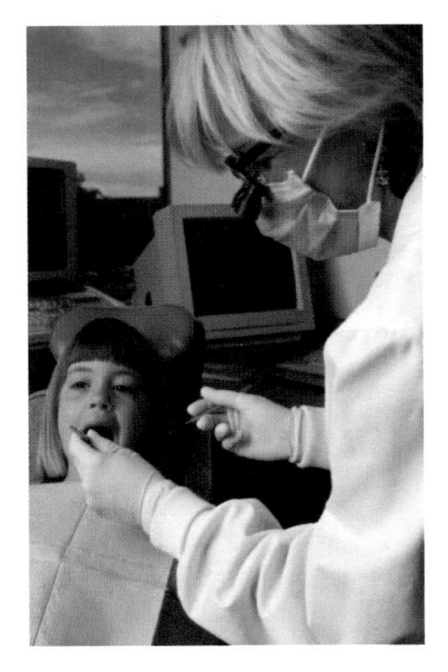

Figure 6.15
Une relation de confiance entre un enfant et son dentiste requiert de l'humour et de la compréhension.

Principes directeurs pour des services de garde de qualité au Canada

Valeurs partagées

- Les enfants ont priorité sur les ressources de la société.
- Les Canadiens et Canadiennes ont une responsabilité collective en matière de soins et de développement des enfants.
- Tout enfant a droit à des services de garde de qualité.
- Les services de garde de qualité profitent à tout le monde – enfants, familles et communautés. Il s'agit d'un investissement socio-économique pour le Canada.
- Les parents assument la responsabilité principale pour leurs enfants. Le système de garde à l'enfance a pour responsabilité de soutenir les parents.
- Les soins et l'éducation à la petite enfance constituent une contribution précieuse à la société.
- Le système de garde à l'enfance a la responsabilité de promouvoir l'égalité et la diversité.
- Un système de garde à l'enfance de qualité reflète les besoins, les intérêts et les cultures des communautés.
- Tous les paliers gouvernementaux ont la responsabilité d'assurer la prestation de services de garde de qualité dans le cadre d'une politique familiale globale et positive.

Accessibilité financière

Nous sommes engagés à mettre en place un système de garde à l'enfance **accessible financièrement** et dans le cadre duquel :

- tous les enfants ont accès à des services de garde à l'enfance de qualité, sans égard au revenu familial, au statut professionnel du parent ou au lieu de résidence ;
- des services et un financement appropriés sont disponibles afin que les frais de garde ne constituent pas une barrière à la participation ;
- les garderies sont financées par le gouvernement et les frais imposés aux parents sont basés sur une échelle mobile qui reflète le revenu familial de façon réaliste ;
- l'accessibilité financière ne se fait pas au détriment de la qualité.

Qualité

Nous sommes engagés envers un système de garde de **qualité** où :

- les milieux destinés aux enfants favorisent au maximum leur développement affectif, social, spirituel, intellectuel et physique ;
- les meilleures connaissances ponctuelles sur la théorie et la pratique en SÉPE* y sont reflétées ;
- l'inclusion et la diversité sont respectées ;
- la participation parentale est encouragée et respectée ;
- l'éducation et la formation spécialisées en développement de l'enfant sont essentielles ;
- la garde à l'enfance est reconnue comme profession ;
- les salaires, les avantages sociaux et les conditions de travail reflètent la responsabilité qui incombe à l'intervenante en services de garde à l'enfance ;
- la recherche continue fournit de l'information au système de garde à l'enfance.

Disponibilité et accessibilité

Nous sommes engagés envers un système de garde à l'enfance **disponible et accessible** où :

- il y a un accès équitable à une gamme complète de services de garde de grande qualité qui répondent aux besoins des enfants, des familles et des communautés dans chaque province et territoire ainsi qu'aux besoins des peuples autochtones ;
- une plus vaste gamme de politiques appuient les familles et permettent aux parents de faire des choix qui favorisent l'harmonisation des responsabilités professionnelles et familiales ;
- des principes nationaux garantissent un accès équitable à une variété de services de garde de qualité et à des mécanismes de frais partagés qui tiennent compte de la capacité des gouvernements provinciaux, territoriaux et locaux à contribuer ;
- un plus grand nombre de services de garde sont conçus en partenariat avec les parents, les gouvernements et la communauté ainsi qu'avec les services éducationnels, sociaux et de garde à l'enfance.

Reddition de compte

Nous sommes engagés envers un système de garde à l'enfance devant **rendre compte** et dans le cadre duquel :

- les parents, les familles, les communautés, les gouvernements, les établissements de formation, les employeurs, les syndicats, les associations de garde à l'enfance et les intervenantes en garderie partagent les responsabilités liées à un système de garde de qualité ;
- les gouvernements fédéral, provinciaux, territoriaux, autochtones et locaux doivent rendre compte au public de leur prise de décision et de leurs dépenses ainsi que des efforts déployés pour offrir des services de garde de qualité ;
- les gouvernements provinciaux, territoriaux et autochtones assurent la planification et la coordination d'un système de prestation de services qui comprend la réglementation, la surveillance et l'application en tenant compte des commentaires de la communauté ;
- un cadre législatif fédéral structuré fait en sorte que des services de grande qualité soient disponibles, accessibles et à prix raisonnable.

* Services éducatifs de la petite enfance.

Les professions liées à l'enfance

Beaucoup de personnes travaillent dans des domaines ayant un certain lien avec les enfants, comme les dentistes, les coiffeuses et les coiffeurs, les vendeuses et les vendeurs. Leur rôle est de donner l'exemple de ce que font les adultes dans le monde du travail. Leur relation avec les enfants n'est pas aussi intime que celle d'une ou d'un garde d'enfants, mais demande pourtant de respecter les besoins d'un enfant dans une situation donnée. Ces gens doivent faire preuve de gentillesse et d'humour, adopter une conduite adéquate et comprendre ce qu'ils peuvent attendre de l'enfant à différents âges et stades.

Les relations avec les enfants à l'échelle professionnelle, sans être intimes, peuvent néanmoins être chaleureuses. On s'attend que l'enfant fasse preuve de respect et suive les règles et les instructions appropriées à la situation. Les professions qui interviennent auprès des enfants exigent parfois une formation en développement des enfants. Lorsque les parents accompagnent leurs enfants pour des soins, ils peuvent surveiller leur comportement et celui de la professionnelle ou du professionnel et faire des suggestions de part et d'autre afin de renforcer la relation et la rendre efficace.

Le travail avec des enfants

Beaucoup de métiers permettent de travailler avec des enfants. On pense d'abord à l'enseignement et à la garde d'enfants, mais il y en a d'autres. Les personnes travaillant avec des enfants doivent avoir des connaissances et des aptitudes particulières. La connaissance du développement humain est très importante. Savoir comment les enfants se développent physiquement, socialement, émotionnellement et intellectuellement est essentiel pour comprendre le développement potentiel de leurs connaissances, de leur comportement et de leurs aptitudes. Être capable d'encourager, d'écouter, de résoudre des problèmes, de prendre des décisions et d'assumer des responsabilités est nécessaire pour travailler avec des enfants de tous âges. L'aptitude la plus importante demeure d'établir une relation avec les enfants ; elle améliorera toute relation de travail avec eux.

Tout au long de la vie d'un enfant, de nombreuses personnes s'inquiètent de son bien-être. C'est pourquoi il y a toutes sortes de métiers liés à l'enfance. Plusieurs de ces métiers requièrent une formation au collège communautaire ou à l'université. Grâce à l'observation en poste de travail ou ailleurs et à des entretiens, tu peux apprendre beaucoup de choses sur les conditions permettant d'exercer un métier donné. Effectuer des recherches ou poser des questions peut t'apprendre le type d'études et de formation nécessaires ainsi que le salaire que tu peux t'attendre à recevoir si tu fais carrière en ce domaine.

Quelques métiers en lien avec les enfants

Voici quelques métiers qui ont un lien avec les enfants. Consulte les rubriques « Info-carrière » dans le reste de ce manuel pour avoir d'autres idées.

Période prénatale et naissance

- Monitrice ou moniteur de cours prénatals
- Styliste de vêtements pour enfants
- Styliste de vêtements de grossesse
- Diététicienne ou diététicien
- Décoratrice ou décorateur de chambres d'enfants
- Fabricante ou fabricant de lait pour bébé ou de couches
- Sage-femme
- Obstétricienne ou obstétricien
- Instructrice ou instructeur d'exercices prénatals
- Radiologue, technicienne ou technicien en échographie

Bébés et jeunes enfants

- Réceptionniste de maternité
- Fabricante ou fabricant, installatrice ou installateur de sièges pour enfants
- Assistante ou assistant en services de soins pour enfants
- Coiffeuse ou coiffeur
- Instructrice ou instructeur de natation et de sport
- Enseignante ou enseignant en maternelle
- Bibliothécaire
- Fabricante ou fabricant, vendeuse ou vendeur de vêtements et de meubles
- Conceptrice ou concepteur de jouets
- Infirmière ou infirmier en pédiatrie
- Vendeuse ou vendeur dans des magasins pour enfants

Premières années d'école

- Styliste de chaussures de sports
- Audiologiste
- Conseillère ou conseiller en camps pour enfants
- Garde d'enfants à domicile
- Intervenante ou intervenant dans un centre d'appels pour enfants
- Optométriste
- Infirmière ou infirmier
- Responsable de parc à thème
- Conceptrice ou concepteur de jouets
- Travailleuse sociale ou travailleur social

Adolescence

- Entraîneuse ou entraîneur de baseball
- Organisatrice ou organisateur de club
- Monitrice ou moniteur de conduite automobile
- Propriétaire de restaurant rapide
- Physiothérapeute
- Arbitre
- Directrice ou directeur de commerce de détail
- Développeuse ou développeur de logiciels
- Éditrice ou éditeur de magazines pour adolescentes et adolescents
- Auteure ou auteur, productrice ou producteur de télévision

Le bénévolat

Les personnes qui travaillent avec des enfants ne reçoivent pas toutes un salaire. La plupart des communautés organisent des activités où on peut travailler bénévolement auprès des enfants. Les organismes communautaires et les centres de loisirs ont besoin de bénévoles pour agir à titre de responsables et d'entraîneurs. Les organisations de services, les clubs de jeunesse et les organisations religieuses et culturelles offrent des programmes aux enfants basés sur le bénévolat. Les bénévoles consacrent du temps aux enfants de toutes sortes de manières : ils peuvent leur lire des histoires, organiser des activités, démontrer des aptitudes et les surveiller. Certaines écoles secondaires demandent à leurs élèves de faire un certain nombre d'heures de bénévolat. Travailler avec des enfants est une expérience enrichissante en plus d'être utile.

Le travail avec des enfants plus âgés

Les possibilités de travail avec des enfants ne se limitent pas à la période préscolaire. Au contraire, beaucoup de métiers, d'occasions de bénévolat, de programmes d'insertion dans le milieu du travail et de programmes d'enseignement coopératif proposent un engagement enrichissant auprès d'enfants d'âge scolaire, d'adolescentes et d'adolescents, de familles et de personnes de tous âges.

Qu'est-ce que les parents attendent des gardes d'enfants ?

L'un des principaux soucis des parents est la sécurité de l'enfant lorsqu'ils le confient à une autre personne. Les parents souhaitent un environnement sécuritaire doté de procédures de sécurité et d'urgence. Ils veulent une surveillance efficace. Ils souhaitent qu'on s'intéresse au bien-être émotionnel de leur enfant. Il est inacceptable d'ignorer, de ridiculiser ou de dénigrer les sentiments d'un enfant.

Les gens qui travaillent avec des enfants doivent faire preuve d'autorité d'une manière appropriée et efficace. Dans leur vie, les enfants ont besoin de symboles d'autorité qu'ils puissent admirer, à qui ils puissent faire confiance et demander de l'aide, mais l'abus d'autorité les blesse. Il est important d'examiner toute situation où on soupçonne un abus d'autorité. La plupart des organisations travaillant avec des enfants, y compris le système d'enseignement, doivent désormais vérifier le casier judiciaire des personnes travaillant auprès d'enfants à des postes rémunérés ou bénévoles. Cette mesure ne vise pas à offenser les enseignantes et les enseignants ainsi que les bénévoles qui souhaitent sincèrement aider les enfants, mais à protéger les enfants vulnérables de certaines personnes qui pourraient leur nuire.

Les parents souhaitent qu'on les mette vite au courant de tout sujet d'inquiétude, qu'il s'agisse d'un problème de santé, de comportement ou d'attitude. Dans le cas de très jeunes enfants, il est important de communiquer les détails, par exemple ce que l'enfant a mangé, combien de temps il a dormi ou si l'enfant a été difficile, coléreux, craintif ou souffrant. Une bonne communication entre les parents et les personnes qui s'occupent des enfants est essentielle.

Pour travailler avec des enfants plus âgés, on doit avoir la capacité d'encourager, de comprendre et de se comporter en amie ou en ami. Entraîner, enseigner, former, superviser, assister et aider des enfants plus âgés ainsi que des adolescentes et des adolescents rapportera beaucoup sur le plan humain. Il faut avoir l'esprit vif, le sens de l'humour et surtout comprendre ce qu'on peut attendre des individus et des groupes à leur stade de développement. Les personnes qui font ce travail servent de modèles aux jeunes et doivent se comporter en conséquence. Les relations de travail qu'on établit avec ces jeunes préparent à l'exercice de tout métier en lien avec des personnes de tous âges.

Vérifie tes connaissances

1. Décris le rôle des parents et des gardes d'enfants dans leurs relations avec les enfants.
2. Quelles aptitudes permettent de travailler efficacement avec des enfants ?
3. Quelles attentes ont les parents envers les personnes qui travaillent avec des enfants et s'en occupent ?

Liens

1. Consulte les offres d'emploi publiées dans le journal de ta communauté. Dresse la liste des emplois qui demandent de travailler avec des enfants.
2. Dresse la liste de tes propres aptitudes. Comment peux-tu les utiliser dans des métiers en lien avec des enfants ?
3. Consulte les offres d'emploi d'un grand quotidien ou fais une recherche dans Internet pour connaître les emplois disponibles en lien avec chaque stade du cycle de vie. Résume tes découvertes par écrit.

4. Choisis un métier en lien avec les enfants. Fais une recherche sur des sites d'offres d'emploi, dans des documents de ton école ou à la bibliothèque locale. Conçois une affiche pour présenter l'information sur ce métier qui pourrait intéresser des élèves du secondaire.

Des relations saines et durables avec les enfants

Pour les adultes dont on a comblé les besoins pendant l'enfance et qui ont vécu des relations d'amour et de confiance, il est plus facile de communiquer de manière positive avec de jeunes enfants.

La façon dont les personnes s'entendent avec les enfants tout au long de leur vie dépend beaucoup de leur propre expérience d'enfant. Les personnes dont on a comblé les besoins pendant leur enfance et qui ont vécu des relations d'amour et de confiance au sein de leur famille n'auront probablement pas de difficulté à établir des liens positifs avec des enfants. Les interactions positives et attentives entre un enfant et ses parents, ses frères et sœurs, les enseignantes et les enseignants, les voisines et les voisins et les gardes d'enfants constituent des modèles solides qui seront utiles à l'enfant tout au long de sa vie.

Des relations durables et saines avec les parents dépendent de nombreux facteurs. L'engagement, l'affection et la communication sont essentiels. L'empathie et la souplesse permettent aux relations de se développer et de changer au fil du temps.

Au début de leur vie, les enfants dépendent entièrement de leurs parents. À environ 18 mois, ils commencent à affirmer leur indépendance, sans trop s'éloigner de la protection de leurs parents. L'enfance se caractérise souvent par un compagnonnage aisé entre les parents et les enfants, et même si les enfants commencent à développer des relations proches avec des camarades, ils se tournent toujours vers leurs parents pour obtenir des conseils et partager leurs expériences. À l'adolescence, les jeunes atteignent un stade de leur développement où ils commencent à s'éloigner de leurs parents pour devenir plus autonomes. Ensuite, bon nombre de parents redeviennent proches de leurs enfants adultes, partagent avec eux leurs expériences et leur offrent des conseils.

Les relations entre frères et sœurs

Les enfants ont également des relations intimes avec leurs frères, leurs sœurs, leurs cousines et leurs cousins. Ils imitent les enfants plus âgés et deviennent des modèles pour les plus jeunes. Ces relations dépendent grandement de la façon dont les adultes de la famille les encouragent. Des différences de sexe, d'âge et de personnalité peuvent également influer sur ces relations.

Les rivalités entre enfants d'une même famille sont fréquentes. Les parents limitent un peu ces frictions en renforçant l'estime de soi de leurs enfants, en passant du temps avec chacun des enfants, en reconnaissant et en appréciant les qualités individuelles de leurs enfants et en évitant de les comparer entre eux. Un rôle parental efficace peut tempérer les rivalités et développer des relations solides et durables.

Figure 6.16
Les adultes d'une famille peuvent encourager des relations proches entre frères et sœurs.

Les relations malsaines

Une relation saine stimule un développement sain, l'assurance et une bonne estime de soi. Des relations malsaines interfèrent avec le développement et l'assurance d'un enfant et diminuent son estime de soi. Les mauvais traitements infligés aux enfants, les cas de négligence et la violence familiale indiquent qu'une relation n'est pas saine.

Les mauvais traitements infligés aux enfants

Les **mauvais traitements infligés aux enfants** incluent des blessures physiques non accidentelles, de la violence psychologique, des abus sexuels et l'inceste faits par un père, une mère ou une ou un autre adulte.

Trois formes de mauvais traitements infligés aux enfants :
- l'abus sexuel,
- la violence psychologique,
- la violence physique.

L'abus sexuel signifie qu'une ou qu'un adulte utilise un enfant pour son plaisir sexuel. L'enfant comprend généralement mal ce type de mauvais traitement. Il a souvent besoin de soins thérapeutiques professionnels.

Il y a violence psychologique lorsqu'une ou un adulte exige qu'un enfant réussisse quelque chose qu'il ne peut pas accomplir à son stade de développement. Souvent, les adultes qui ont des attentes trop élevées ne comprennent pas ce que l'enfant peut faire selon son âge. Parfois, les enfants n'ont tout simplement pas les aptitudes requises pour développer les compétences souhaitées par leurs parents, que ce soit à l'école ou dans des activités sportives. Ces situations peuvent donner lieu à du harcèlement et à des moqueries qui minent l'estime de soi de l'enfant. Les enfants à qui on interdit de jouer avec des jeunes de leur âge ou de se lier d'amitié sont également victimes d'abus. De tels enfants ne reçoivent pas l'amour et l'affection nécessaires à leur développement émotif. Ce genre d'abus peut causer des troubles émotionnels permanents.

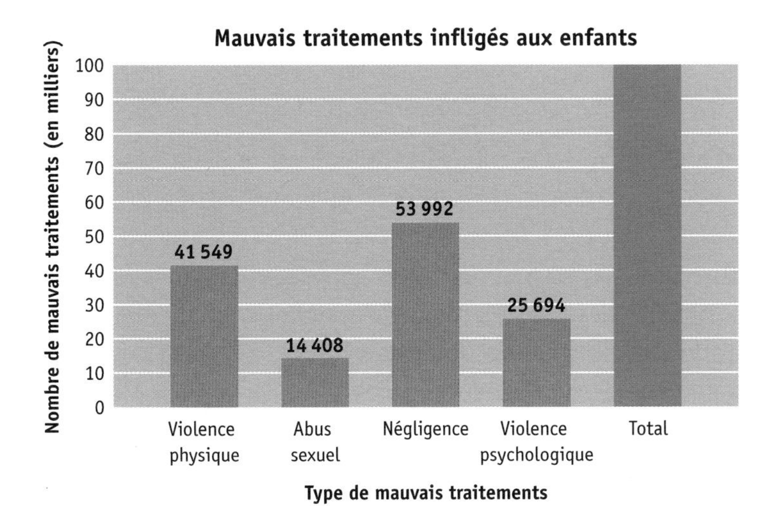

Adapté de Santé Canada (2001). « Étude canadienne sur l'incidence des signalements de cas de violence et de négligence envers les enfants. » Ottawa, Ont. © Ministère des Travaux publics et Services gouvernementaux Canada.

Figure 6.17
Des 135 643 cas de mauvais traitements d'enfants signalés, les plus nombreux sont des cas de négligence.

La violence physique se caractérise par des blessures physiques non accidentelles qui incluent des bleus causés par des fractures, des brûlures à l'eau ou au feu, des morsures et des coups. Les adultes qui maltraitent les enfants sont souvent en colère et s'emportent facilement. L'abus de drogues peut également jouer un rôle. On considère également frapper, gifler et donner une fessée comme des formes de violence physique.

La négligence d'enfants

La négligence d'enfants consiste à ne pas fournir les soins nécessaires à la vie d'un enfant. Par le passé, ces soins comprenaient seulement la nourriture, le logement, les vêtements et les soins de santé. Aujourd'hui, on inclut en outre le « manque de surveillance » comme une des formes les plus fréquentes de négligence. Ainsi, on estime désormais qu'il y a négligence lorsque les parents laissent leur jeune enfant seul à la maison ou se rendre seul à l'école à pied avant l'âge adéquat, ou laissent des adolescentes ou des adolescents seuls alors qu'ils risquent d'en profiter pour avoir des relations sexuelles ou consommer des drogues. La négligence est une forme de mauvais traitement envers les enfants, car on les laisse à eux-mêmes sans les conseils et la surveillance nécessaires à leur sécurité.

La violence familiale

Le plus souvent, la **violence familiale** se manifeste lorsqu'un homme est violent envers sa partenaire. Les comportements violents comprennent la violence physique, la violence psychologique, le chantage, les menaces, la manipulation et d'autres formes de contrôle. La violence entre conjoints peut aussi consister en un harcèlement de l'homme par une femme autoritaire, manipulatrice, ayant recours à une violence émotionnelle.

Les enfants témoins de violence familiale adoptent souvent les mêmes comportements que les enfants qui ont subi des mauvais traitements. De plus, il y a des chances qu'ils répètent ce schéma de comportements lorsqu'ils auront une famille. Ils y joueront alors peut-être le même rôle que leur père ou leur mère, soit pour infliger ou pour subir le mauvais traitement.

Une définition de la violence familiale
La violence familiale est un abus de pouvoir au sein de relations familiales, de relations de confiance et de dépendance. Elle peut inclure de nombreuses formes de comportements violents : la violence affective et psychologique, la négligence, l'exploitation financière, la destruction des biens, la violence envers des animaux de compagnie, l'agression physique, l'abus sexuel et l'homicide.
— Centre national d'information sur la violence dans la famille

L'intervention

Pour qu'un enfant survive à des mauvais traitements, à de la négligence ou à de la violence familiale, il faut généralement une intervention de l'extérieur. Les services sociaux doivent parfois agir. C'est la responsabilité de chaque citoyenne et de chaque citoyen et de toutes les personnes travaillant avec des enfants de signaler des cas potentiels de mauvais traitements. Les corps policiers reçoivent de la formation pour gérer les cas de violence familiale, de mauvais traitements et de négligence.

Il y a dans de nombreuses communautés des centres d'hébergement où les femmes et leurs enfants victimes de violence se réfugient et reçoivent de l'aide. Certaines communautés ont des équipes d'intervention qui se rendent à domicile, interviennent et fournissent une assistance dans le cas de situations liées à des problèmes de drogue, d'alcool ou de déséquilibres mentaux. Certaines provinces et certains territoires du Canada ont adopté des lois exigeant des adultes qui travaillent avec des enfants, tels que les enseignantes et les enseignants, de signaler tout cas potentiel de mauvais traitements envers un enfant à une autorité telle que la Société d'aide à l'enfance. Ne pas se conformer à ces mesures entraîne de lourdes sanctions.

Il importe de sensibiliser les gens aux mauvais traitements infligés aux enfants et de mettre en place des structures qui permettront de développer les compétences et les attitudes assurant à tous les enfants une famille sécuritaire et paisible. Des formations de maîtrise de la colère, des services téléphoniques d'assistance, la détection des parents à risque, des projets d'intervention, des réseaux d'assistance, des cours sur le rôle parental et des haltes-garderies communautaires sont diverses façons de prévenir les mauvais traitements, la négligence et la violence familiale. Plus les gens connaîtront les nombreuses options disponibles, plus il sera facile de fournir de l'aide aux parents et aux enfants.

Vérifie tes connaissances

1. **Explique les stratégies et le type d'aide nécessaires afin d'aider un enfant à survivre à des mauvais traitements, à de la négligence ou à de la violence familiale.**
2. **Décris un environnement qui fournit des possibilités d'éducation et d'intervention en vue d'assurer des conditions de vie sécuritaires aux enfants.**

Résumé

Points marquants

- Les enfants renforcent certaines relations et en changent d'autres en profondeur.
- La communication renforce toute relation.
- On apprend à communiquer efficacement en famille.
- Une communication bidirectionnelle est un échange constant entre deux personnes à l'aide de mots, de gestes et du ton de la voix.
- Les hommes et les femmes communiquent d'une façon différente. Ils doivent admettre et accepter ces différences pour que leurs relations s'épanouissent.
- La communication avec un enfant commence dès sa naissance par le toucher et par l'interaction face à face.
- Écouter et parler sont les bases de la communication avec les enfants. On peut utiliser d'autres techniques au cours de ces interactions, comme prendre un visage attentif, écouter activement en hochant la tête et en souriant, poser des questions et utiliser des messages au « je » afin d'indiquer avec respect à l'enfant ce que son comportement nous transmet.
- Des aptitudes de communication et de résolution de conflits permettent d'améliorer les relations.
- Les adolescentes et les adolescents ainsi que les adultes établissent des liens avec les enfants de différentes manières. Les adolescentes et les adolescents interagissent avec les enfants au sein de leur communauté et de leur famille, alors que les parents et les gardes

d'enfants jouent des rôles spécifiques et ont des relations particulières avec les enfants.

- Beaucoup de gens ont des relations importantes avec les enfants en raison de leur métier.
- Ce qu'on apprend sur les êtres humains en travaillant avec des enfants, des adolescentes et des adolescents améliore les relations de travail avec les familles à tous les stades du cycle de la vie.
- Des familles saines engendrent des relations saines et durables avec les parents et les frères et sœurs.
- Il y a des relations familiales malsaines. Il est important de régler les cas de mauvais traitements, de négligence et de violence familiale par l'intervention et l'éducation.

Révision et approfondissement

1. La naissance d'un enfant change de nombreuses relations. Décris des relations précises qui changeraient si une adolescente ou un adolescent avait un enfant. C/C A
2. Résume les manières dont les parents peuvent communiquer de l'amour à leurs enfants tout au long de leur enfance. C/C
3. Communiquer est un exercice difficile et on fait souvent des erreurs. Dresse une liste des types courants d'erreurs de communication. Avec une ou un partenaire, fais un remue-méninges pour citer le plus d'exemples possible d'erreurs de communication avec des enfants. Conçois une brochure ou une petite affiche pour expliquer la façon dont on peut éviter ces erreurs de communication. C/C R/R C A
4. Décris les styles de communication des hommes et des femmes. Explique en quoi ces différences influent sur les relations avec un parent, selon que c'est une femme ou un homme. C/C A
5. Choisis un conflit familial courant. Fais un jeu de rôle pour montrer les stratégies qu'on utilisera pour résoudre ce conflit. C/C C A
6. Repère cinq exemples d'obstacles à la communication dans le chapitre. Récris-les au « je » afin de communiquer l'information de façon plus positive à l'enfant. R/R C A
7. Compare la relation entre un enfant et ses parents à la relation entre un enfant et d'autres personnes qui s'occupent de lui. C/C
8. Dresse la liste des aptitudes et des compétences requises pour travailler efficacement avec des bébés, des enfants d'âge préscolaire, des enfants plus âgés ainsi que des adolescentes et des adolescents. C/C C
9. Nomme des métiers où on travaille avec des personnes de tous âges. C/C A
10. Trouve un article récent traitant de mauvais traitements infligés à un enfant. Décris le type de mauvais traitement dont il s'agit. Dresse une liste de stratégies qui aideraient à résoudre le problème. C/C R/R

Recherche

11. Enquête sur ce que signifie un service de garde d'enfants de qualité dans ta province ou dans ton territoire. Pour ce faire, fais une recherche dans Internet à partir des mots clés « service de garde d'enfants de qualité » plus ta municipalité, ta province ou ton territoire. Rédige un compte rendu qui donne la définition de services de garde d'enfants de qualité pour ta région et la façon dont on garantit cette qualité.

Module 4 Les enfants dans ton avenir

La décision de devenir parent ou de travailler avec les enfants a des incidences pour la vie. Dans ce module, tu verras les défis du rôle parental, des soins aux enfants ou du travail auprès d'enfants. Tu apprendras ce qu'il faut pour vivre une grossesse saine et comment donner à un enfant le meilleur départ possible dans la vie. Tu vas examiner les conséquences des choix des futurs parents sur le bien-être à long terme de leurs enfants.

THÈMES DÉVELOPPÉS :

- La décision de devenir parent a des incidences pour la vie.
- Au Canada, les personnes qui s'occupent des enfants ou qui travaillent avec eux relèvent les défis de l'éducation des enfants avec les parents.
- Les parents doivent être en mesure de prendre des décisions afin de pouvoir à la fois éduquer des enfants et avoir une carrière.
- La vision culturelle et religieuse du rôle et des responsabilités des parents influe sur la décision d'avoir des enfants ou non.
- La préparation au rôle parental contribue à la santé et au bien-être des enfants.
- La planification et la formation aident les gens à gérer le rôle parental, les soins aux enfants et le travail auprès des enfants.
- Plusieurs aspects du développement chez les enfants d'âge scolaire et les adolescents dépendent des conditions préalables à leur naissance.

Aperçu du module

Chapitre

7

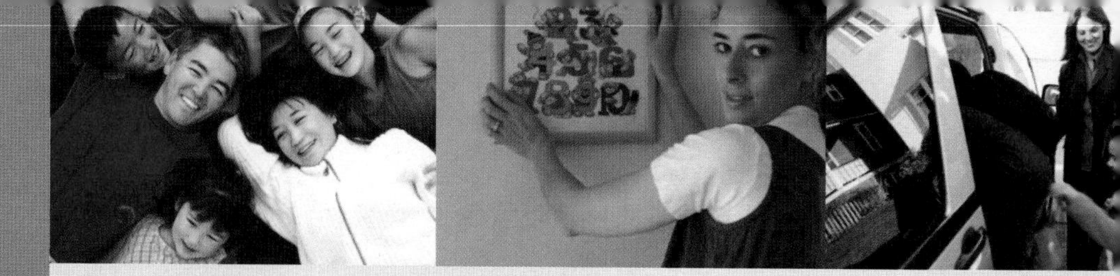

La décision de devenir parent

À la fin de ce chapitre, tu pourras :

- reconnaître l'importance de planifier et de se préparer en vue de devenir parent ;
- décrire les responsabilités liées au rôle parental ;
- définir les rôles essentiels d'éducation et de soins des parents et des personnes qui s'occupent des enfants ;
- évaluer les attentes de la société envers les parents et les personnes qui s'occupent des enfants et connaître les ressources offertes ;
- décrire les enjeux et les défis que doivent relever les parents et les personnes qui s'occupent des enfants dans leurs interactions avec les enfants.

Mots clés

abstinence
centres de la petite enfance
congé parental
contraception
enfants à la clé
horloge biologique
infertilité
prise de décision éclairée
responsabilités
services de garde en milieu familial
services de garde privés
style de vie

Aperçu du chapitre

L'importance de la condition de parent au Canada

Figure 7.1
Les aptitudes parentales sont importantes pour toutes les personnes en relation avec des enfants.

Au Canada, la plupart des gens vivent déjà le rôle de parent ou envisagent de le vivre. En général, la décision de prendre soin d'une nouvelle génération est un libre choix. Malgré les difficultés éprouvées, la majorité des parents ne regrettent jamais cette expérience. Les personnes sans enfants ont la possibilité aussi d'exercer leurs aptitudes parentales. Elles peuvent soutenir un enfant dans le besoin, devenir parents d'une famille d'accueil, s'occuper de l'entraînement d'une équipe sportive, travailler auprès de groupes de jeunes ou aider une personne à élever ses enfants.

Pourtant, des gens affirment que beaucoup de personnes au Canada n'accordent pas vraiment d'importance à la condition de parent. À titre d'exemple, ils signalent le nombre d'adultes qui ne deviennent jamais parents, par choix ou non. Ils ajoutent que les gens ont moins d'enfants et que les familles sont plus petites qu'il y a 50 ans. Ils prétendent que les parents se préoccupent peu de leur rôle, puisqu'ils confient leurs enfants à d'autres pendant qu'ils travaillent à l'extérieur.

Néanmoins, au Canada, la plupart des adultes choisissent de devenir parents, soit biologiquement, soit par l'adoption, ou les deux. Les enfants sont à la fois merveilleux et complexes. Ils coûtent cher et demandent une surveillance continue au début. Ils peuvent être très exigeants. Pourtant, malgré les difficultés possibles, les statistiques canadiennes montrent que la plupart des adultes deviennent parents un jour.

Le congé parental

Au Canada, avoir et élever des enfants compte beaucoup pour les hommes et les femmes. En 2001, le gouvernement fédéral a modifié sa politique sur le congé parental pour refléter l'engagement des deux parents dans les soins aux jeunes enfants. La nouvelle politique s'appuie aussi sur des recherches montrant l'importance des cinq premières années pour la réussite ultérieure dans la vie (par exemple, l'*Étude sur la petite enfance,* McCain & Mustard, 1999). Désormais, le père et la mère peuvent prendre un **congé parental** d'un an pour s'occuper de leur nouveau-né. Ils peuvent également se partager le congé. Bien entendu, ils doivent respecter les conditions établies pour recevoir les prestations d'assurance-emploi accordées aux parents.

Certaines entreprises et quelques employeuses et employeurs favorables à la famille bonifient le congé fédéral. Par exemple, il s'agit de permettre aux parents d'accumuler des jours de congé afin de prolonger leur congé parental, ou encore d'accorder une autorisation d'absence à la fin du congé parental de la conjointe ou du conjoint. Voilà deux façons d'allonger la période que les parents passent avec leur nouveau bébé et de reconnaître le rôle essentiel des parents.

Le nombre de familles au Canada

À des fins de recensement, Statistique Canada définit la famille comme un couple marié ou vivant en union libre (avec ou sans enfants jamais mariés vivant avec eux) ou un parent seul vivant avec au moins un enfant jamais marié. Un couple vivant en union libre peut réunir des conjoints de même sexe ou de sexe différent. Dans la définition de la famille de recensement, on inclut, dans les enfants, les petits-enfants qui vivent avec leurs grands-parents en l'absence des parents.

Nombre de familles au Canada par structure de famille, 2001

Structure de la famille	Nombre de familles
Nombre total de tous les types de familles	8 371 020
Sans enfants à la maison	3 059 225
Avec enfants à la maison	5 311 795
Familles formées de couples mariés	5 901 425
Sans enfants à la maison	2 431 725
Avec enfants à la maison	3 469 700
Couples en union libre	1 158 410
Sans enfants à la maison	627 505
Avec enfants à la maison	530 905
Familles monoparentales	1 311 190
Parent de sexe masculin	245 825
Parent de sexe féminin	1 065 360

Adapté du site Web de Statistique Canada, Recensement 2001, « Structure de la famille et chiffres selon les concepts de famille de recensement de 2001 et d'avant 2001 pour les familles de recensement dans les ménages privés, pour le Canada ».

Figure 7.2
D'après Statistique Canada, quelle est la structure de famille la plus courante ?

Dans notre société, on considère le rôle parental comme un engagement à vie, car les parents continuent à soutenir leurs enfants financièrement et émotionnellement même après leur départ de la maison. Les enfants, une fois adultes, comptent souvent sur le soutien financier de leurs parents pour les études, les frais d'établissement professionnels ou domestiques ou encore pour le règlement d'une dette. Au Canada, les enfants et leurs parents gardent un lien affectif toute leur vie. Quelquefois, les enfants adultes reviennent vivre avec leurs parents. Le chômage, la perte de revenu, le divorce, la maladie physique ou mentale et la désintoxication sont quelques raisons qui incitent les enfants à retourner chez leurs parents. Le rôle parental est une responsabilité qui évolue au fil du temps, mais qui ne s'arrête pas quand les enfants atteignent l'âge adulte.

Les relations entre les parents et les enfants évoluent au cours de la vie. En général, elles s'améliorent quand les enfants deviennent adultes, car la période de conflits courante à l'adolescence prend fin. Les enfants adultes qui ont leurs propres enfants peuvent se rapprocher de leurs parents. Les parents mettent leurs compétences au service de leurs enfants peu importe leur âge : ils les encouragent, les conseillent et les écoutent avec attention.

La maison, c'est l'endroit où on vous accueille quand vous arrivez.
— Robert Frost

La décision de devenir parent

La condition de parent ne tombe pas du ciel. Que tu deviennes parent à 14 ans ou à 40 ans, cela résulte des choix que tu as faits. Les partenaires ont peut-être prévu accueillir un enfant dans leur vie ; sinon, la naissance d'un enfant est tout de même la conséquence de certains choix. Par exemple, un couple a décidé d'avoir des relations sexuelles. Toutes les formes de **contraception**, sauf l'**abstinence**, c'est-à-dire ne pas avoir de relations sexuelles, ont un certain taux d'échec. Quand la femme a su qu'elle était enceinte, elle a décidé de garder le bébé plutôt que d'interrompre sa grossesse ou de le donner en adoption. Les gens qui deviennent parents parce qu'on leur confie la charge d'un enfant doivent aussi prendre des décisions sur leur futur rôle de parents. Certaines personnes prennent ces décisions facilement, alors que pour d'autres, ce n'est pas si simple.

Les enfants ont besoin des meilleurs parents possible, rien de moins. La décision de devenir parent ne doit pas se prendre à la légère. Il s'agit non seulement d'un engagement permanent des parents envers eux-mêmes et leurs futurs enfants, mais d'une décision qui affecte le tissu social et la qualité de la vie dans notre pays. Quand les personnes exercent bien leur rôle parental, les enfants atteignent l'âge adulte en bonne santé physique et mentale et contribuent ainsi de façon positive à la société.

La prise de décision éclairée

Prendre le temps de peser les avantages, les inconvénients et les conséquences de devenir parent signifie faire une **prise de décision éclairée.** Chaque cas est unique : une personne peut se sentir prête à devenir un parent tôt dans la vie, alors qu'une autre préfère attendre ou décide de ne pas avoir d'enfant. Si on fait une prise de décision éclairée, c'est généralement la bonne.

Des techniques de prise de décision arbitraire

Voici quelques façons de prendre des décisions arbitraires :

- jouer à pile ou face ;
- prendre la même décision que des camarades ou des membres de ta famille ;
- choisir de ne rien décider et de vivre avec les conséquences ;
- décider en fonction de son humeur du moment.

Figure 7.3
Qu'est-ce que je souhaite accomplir avant d'avoir des enfants ?

On prend parfois des décisions arbitraires quand les conséquences ont peu d'importance. Rappelle-toi que les décisions relatives au rôle parental auront des conséquences sur toi, sur ta ou ton partenaire et sur tes enfants. La décision de devenir parent ne se prend pas à la légère.

Beaucoup de facteurs influent sur ta décision d'avoir ou non des enfants. Tu veux peut-être réaliser certaines choses dans la vie avant d'avoir des enfants. Aimerais-tu voyager, étudier, t'adonner à un loisir cher qui ne convient pas au budget d'un parent ? Veux-tu apprendre des choses, bâtir des projets, mettre de l'argent de côté ou te sentir davantage adulte avant de devenir une mère ou un père ?

Le réseau de décision

Une façon de prendre une décision éclairée consiste à construire un réseau de décision. Au centre d'une feuille, écris le problème. Écris aussi tous les facteurs qui influent sur ta décision et relie-les au problème par une ligne. Réfléchis à tous ces facteurs et à leurs effets afin de prendre une décision éclairée.

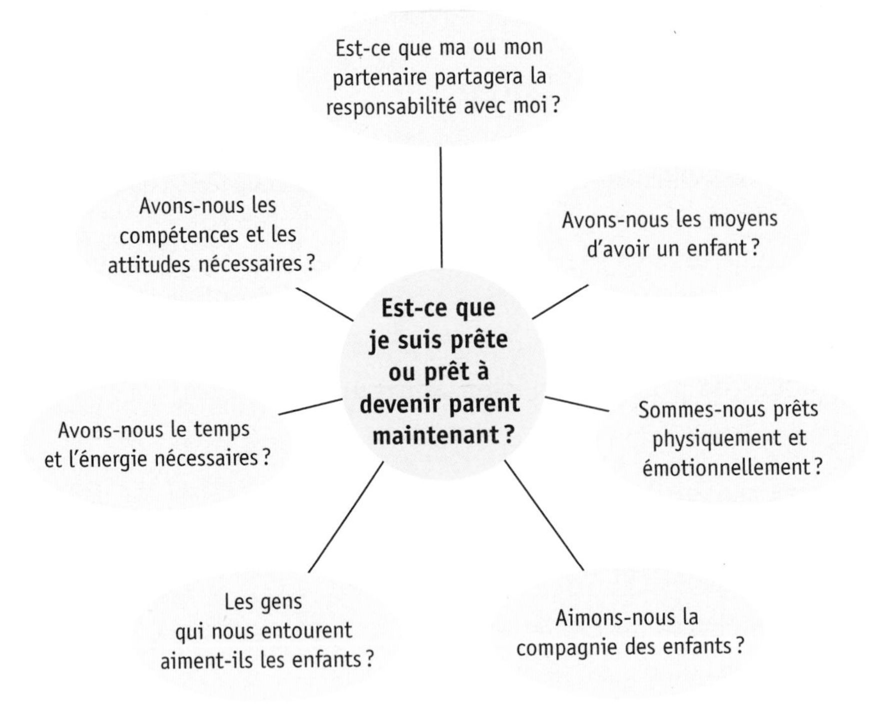

Figure 7.4
Utilise un réseau de décision pour prendre une décision cette semaine.

La méthode de prise de décision en cinq étapes

Cette méthode en cinq étapes te permet d'examiner plus d'une option et de prévoir les conséquences de chacune.

La prise de décision : une méthode en cinq étapes

Étape 1	Définir le problème. **Exemple :** Avons-nous des enfants maintenant ou lançons-nous d'abord notre entreprise ?
Étape 2	Dresser la liste des options possibles. **Exemple :** Avoir des enfants maintenant et travailler pour quelqu'un d'autre, ou lancer notre entreprise et avoir des enfants plus tard.
Étape 3	Pour chaque option, détermine : • les avantages, • les inconvénients, • les conséquences.
Étape 4	Retiens seulement la meilleure option pour toi et l'enfant à venir.
Étape 5	Revois ta décision si les circonstances changent avant la naissance des enfants.

Figure 7.5
Décris les différences entre le réseau de décision et la méthode de prise de décision en cinq étapes.

Étude de cas : la décision d'Astrid et d'Émile

Astrid, 24 ans, et Émile, 27 ans, ont eu des relations auparavant avec d'autres personnes, mais ils se fréquentent assez sérieusement. Ils sont ensemble depuis plus d'un an. Astrid a un diplôme d'études secondaires et travaille comme gérante adjointe dans un grand magasin. Émile travaille dans le domaine de la construction depuis la fin de ses études au collège communautaire. Ils parlent quelquefois de lancer leur propre entreprise de construction. Astrid s'occuperait des appels et de la comptabilité, alors qu'Émile effectuerait les contrats de construction.

Astrid et Émile s'entendent bien et ont beaucoup d'intérêts en commun. Ils aimeraient voyager davantage. Ils jouent à la balle lente dans une ligue étudiante et font du vélo. Ils raffolent du cinéma et reçoivent souvent leurs amies et amis. Ils prévoient se marier dans l'année et se demandent s'ils auront des enfants tout de suite. Les parents d'Astrid ont hâte de devenir grands-parents. Les parents d'Émile ont déjà plusieurs petits-enfants et sont donc neutres. Astrid s'inquiète d'être la dernière de leur cercle d'amis à avoir un enfant. Émile souhaite vraiment lancer sa propre entreprise.

Question

1. À ton avis, quelle est la meilleure solution au dilemme d'Astrid et d'Émile ? Utilise le réseau de décision ou la méthode de prise de décision en cinq étapes pour formuler ta réponse.

Les facteurs qui influent sur la décision de devenir parent

Plusieurs facteurs influent sur les décisions liées au rôle de parent et ont une incidence sur le déroulement de la grossesse, la santé de l'enfant,

Beaucoup de facteurs influent sur la décision de devenir parent :

- les perspectives sociales et culturelles,
- l'éducation,
- les finances,
- la relation de couple,
- la maturité,
- l'âge,
- la santé,
- l'expérience de vie.

la qualité des soins parentaux ou même le bien-être de ta future famille. La décision de devenir parent a des effets à long terme pour toi, ta ou ton partenaire et tes futurs enfants.

Les influences sociales et culturelles

De tous les facteurs, la culture est celui qui compte le plus dans la décision d'avoir des enfants. Par leur contact avec la famille, l'entourage, la communauté et les médias, les enfants acquièrent dès la naissance des croyances et des valeurs sur le rôle parental et sur le moment idéal pour devenir parent. Certaines de ces valeurs et croyances peuvent livrer des messages contradictoires. Par exemple, le cinéma et la télévision véhiculent l'image d'un monde de jeunes adultes libres et sans enfants, alors que tes antécédents ethniques encouragent les mariages précoces et les familles nombreuses. Les gens de l'entourage qui ont déjà des enfants ou des parents impatients d'avoir des petits-enfants exercent aussi de la pression sur les couples. En général, la société canadienne encourage les jeunes à poursuivre leurs études, à obtenir un revenu fiable et à établir une relation de couple durable avant de s'engager dans la condition de parent.

L'éducation

La plupart des jeunes souhaitent terminer leurs études secondaires avant d'avoir des enfants. Des jeunes ont réussi à concilier études et famille, alors que d'autres ont dû abandonner l'école à la naissance du bébé. L'instruction ne fait pas nécessairement de toi un meilleur parent, mais elle t'offre plus d'occasions d'apprendre dans divers domaines, dont celui du rôle parental.

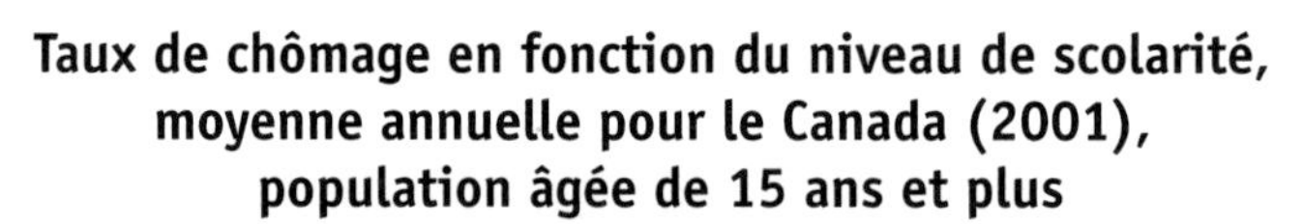

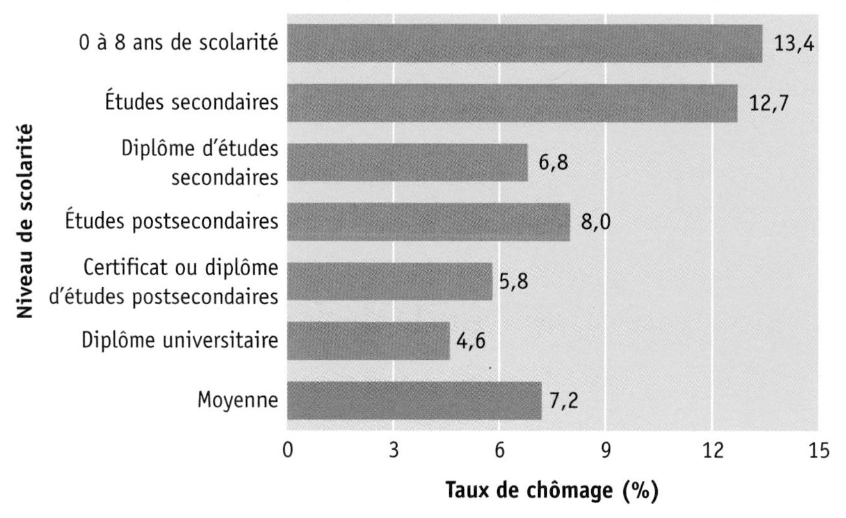

Adapté du site Web de Statistique Canada, « Révision historique de la population active », Catalogue n° 71F0004, 2001.

Figure 7.6
D'après ces statistiques, que peux-tu conclure au sujet du lien entre le niveau de scolarité et le taux de chômage ?

L'éducation supérieure donne accès à des postes plus intéressants et mieux rémunérés. De plus, les gens qui fréquentent l'école longtemps ont plus de chances de trouver un emploi. Le chômage et les problèmes financiers qui en découlent augmentent le stress des parents.

Figure 7.7
Les deux parents peuvent partager la responsabilité d'élever les enfants.

Les finances

Avoir de l'argent ne fait pas de toi un meilleur parent. Cependant, les problèmes financiers causent du stress chez le parent unique ou chez le couple, ce qui risque de nuire à la relation parent-enfant. Le rôle de parent entraîne des dépenses supplémentaires et réduit le temps de travail rémunéré ; il en résulte une baisse de revenu significative. Les couples et les parents uniques doivent bien prévoir les coûts liés à la naissance d'un enfant avant de prendre leur décision.

Des partenaires dans le rôle de parents

On voit beaucoup de familles monoparentales réussies. Toutefois, il y a des avantages à élever les enfants à deux et à partager les responsabilités. Quand l'un des parents est malade ou fatigué, l'autre peut prendre la relève. Les enfants élevés par deux parents ont la chance de connaître deux façons de faire. De plus, ils apprennent à communiquer et à négocier en observant la façon dont leurs parents arrivent à s'entendre. C'est pourquoi une relation durable et harmonieuse est un autre facteur à considérer avant de décider d'avoir des enfants.

La maturité

Les parents compétents montrent une certaine maturité émotionnelle et intellectuelle. Ce n'est pas l'âge qui détermine la maturité. En effet, les futurs parents capables de montrer de l'affection ainsi que du respect et de prendre des responsabilités sont matures sur les plans émotionnel et intellectuel. Grâce à ces qualités personnelles, les parents arrivent à créer un climat familial psychologiquement sain dont les enfants profitent grandement.

L'âge

On sait qu'une femme a les meilleures chances de mettre au monde un bébé en santé entre 20 et 35 ans. Avant 19 ans, elle est encore en croissance. Son propre corps et le fœtus se disputent les éléments nutritifs. Il y a plus de risques de complications de grossesse et d'anomalies congénitales chez les adolescentes et les femmes de plus de 35 ans. Chez les hommes, la quantité et la qualité des spermatozoïdes décroissent avec l'âge, ce qui risque de nuire au développement de l'enfant. Les hommes et les femmes voient leur fertilité diminuer avec le temps. Si tu attends trop longtemps avant de devenir parent, tu seras peut-être physiquement incapable d'avoir des enfants.

Figure 7.8
Le style de vie du couple change après la naissance des enfants. Entre autres, on a moins de temps libre qu'avant.

La santé

La santé physique et mentale des deux parents est cruciale pour survivre au stress de la grossesse et des soins du nouveau-né. Les deux parents devraient être en santé au moment de la conception. La consommation et l'abus de drogues avant la conception et pendant la grossesse nuisent au développement du bébé. De plus, les partenaires doivent tenir compte des maladies héréditaires et des anomalies congénitales possibles. Entre autres, mentionnons la fibrose kystique, le syndrome de Down et les autres problèmes liés au développement, la maladie de Huntington, la drépanocytose, la phénylcétonurie, la dystrophie musculaire, la thalassémie, la maladie de Tay-Sachs et le glaucome.

Les expériences de vie

Certaines personnes ont vécu des expériences très éprouvantes dans leur vie. Il est nécessaire de régler tout problème avant d'avoir des enfants. Dans certains cas, il faut traiter des blessures dues à de mauvais traitements, à de l'inceste et à de la colère refoulée. L'éducation que tu as reçue compte beaucoup dans la façon dont tu élèveras tes enfants parce que les gens ont tendance à imiter leurs parents. Quelle sorte de parent souhaites-tu être pour tes enfants ?

Le changement du style de vie

La décision de devenir parent dépend aussi du **style de vie** que tu as maintenant ou que tu souhaites avoir dans l'avenir. Qu'est-ce que le style de vie ? C'est l'ensemble de plusieurs facteurs : ton emploi, ton revenu, l'endroit où tu vis, tes amies et tes amis, tes loisirs ainsi que ta façon de vivre. Par exemple, on peut aimer dormir tard le matin, manger souvent au restaurant, pratiquer des loisirs, voyager, faire du camping, vivre des moments de solitude ou en compagnie des autres. Quand un bébé arrive, non seulement ta vie change du tout au tout, mais ton style de vie aussi. Dans certains cas, il faut consacrer tout le revenu disponible aux dépenses quotidiennes de la famille et aux besoins de l'enfant. En conséquence, le style de vie de la famille changera aussi. Les parents éventuels doivent se demander : « Comment ma vie changera-t-elle quand je serai parent ? »

La parole aux parents

Michel, 33 ans, est le père de Lara, 9 ans, de Tom, 6 ans, et de Tina, 5 ans. Il raconte comment sa vie a changé quand il est devenu parent.

J'avais 24 ans quand Lara est née. Jusque-là, j'avais travaillé quelques années comme dessinateur publicitaire. Après un an de mariage, ma femme Mila et moi avons appris qu'elle était enceinte. Une fois passé le choc de la nouvelle, nous étions ravis, car nous voulions avoir des enfants.

Rien ne m'avait préparé à devenir papa et principal gagne-pain de la famille. Mila et moi n'avions pas d'économies ; avant notre mariage, nous faisions ce qui nous plaisait. Presque tout notre revenu servait à nous faire plaisir. Du jour au lendemain, je me suis rendu compte que les maisons, même petites, coûtaient cher. Les bébés, encore plus. J'étais préoccupé. Je me disputais avec Mila. Nos sorties nous manquaient. Nous avons fini par déterminer ce que nous pouvions ou non nous permettre, mais nous avons fait bien des erreurs de jugement.

Mila a pris un congé de maternité du grand magasin où elle travaillait, mais ses prestations étaient inférieures à son salaire. Quand Lara a eu un an, Mila a dû reprendre son travail parce que nous avions du mal à joindre les deux bouts. Heureusement, nous avons trouvé d'excellents services de garde et toute la famille a fini par s'ajuster.

Avant Lara, je n'avais jamais pris soin d'un bébé. J'étais mal préparé aux nuits blanches. Mila a fait une dépression peu de temps après la naissance de Lara. Il nous a fallu un certain temps avant de comprendre ce qui n'allait pas. La sage-femme nous a beaucoup aidés et l'état de Mila s'est amélioré. Entre-temps, je m'occupais du bébé dès que je mettais le pied dans la maison. Il s'est alors produit quelque chose de tout à fait inattendu : Lara et moi ne pouvions plus nous passer l'un de l'autre. Je ne l'admettrais jamais aux autres, mais elle est toujours la « fille de son père ». Une fois Mila rétablie, nous avons tous deux pris soin du bébé et la vie a suivi son cours. Ça ne se passait pas comme nous l'avions prévu, mais c'était quand même satisfaisant.

À la naissance de Tom et de Tina, nous avions déjà une meilleure idée de la condition de parent. Nous tenons le coup, mais nos journées sont remplies et exigeantes. Nous donnons des conseils à nos amies et amis qui refont surface dans nos vies avec leurs enfants. Je ne crois pas que la condition de parent convienne à tout le monde mais, pour la plupart, c'est une heureuse décision.

Quelquefois, je me demande ce que serait notre vie sans les enfants... et... oui, si c'était à refaire, je recommencerais immédiatement.

Les bébés et les enfants règlent la vie de famille. Ils doivent manger quand ils ont faim. Bébés, ils se réveillent la nuit ; il faut les nourrir et les changer. Plus tard, ils gardent les parents éveillés, car ils percent leurs dents, mouillent leur lit, souffrent du rhume et de la fièvre ou font des cauchemars. Il y a des articles de bébé partout dans la maison et chaque pièce déborde de couches, de literie, de layette et d'autres objets.

Les gens qui disent dormir comme un bébé n'en ont généralement pas.
— Leo J. Burke

Pour le Meilleur et pour le Pire® **par Lynn Johnston**

For Better or For Worse © UFS. Reproduit avec l'autorisation de l'éditeur.

Figure 7.9
Explique ce que tu as appris jusqu'à maintenant sur la façon de se préparer à la condition de parent.

La première expérience comme parent peut s'avérer un défi, et même un moment décisif. La plupart des couples mariés considèrent que c'est l'un des plus grands bouleversements de leur vie. Il faut oublier les moments de solitude ou les loisirs personnels. Les parents doivent avoir le sens de l'humour et une bonne communication pour traverser cette période où le bébé interrompt toujours les moments à deux. Ils n'ont presque plus d'intimité. Par conséquent, ils doivent trouver les moyens d'entretenir leur relation tout en apprenant leurs nouveaux rôles de parents et de parents partenaires. Les couples qui ont réfléchi au rôle de parent et qui se sont préparés réussissent souvent mieux à traverser cette période stressante que ceux qui n'ont aucune préparation.

Figure 7.10
En plus d'être agréable, une promenade avec bébé constitue un bon exercice.

Les bonheurs de la condition de parent

Même si le rôle parental est exigeant, les parents peuvent s'attendre à vivre de nouvelles expériences inoubliables avec leurs enfants. Jouer à « Coucou » avec un enfant, l'entendre rire et le voir faire ses premiers pas représentent des moments magiques. Les longues promenades avec le bébé ou le bambin dans sa poussette sont saines et agréables pour tous les membres de la famille. Un arrêt au kiosque de crème glacée est une véritable fête pour les enfants. Une feuille qui tombe ou un chien qui passe présentent un grand intérêt. En général, il y a une éternité que les parents ont fait des pâtés de boue ou des châteaux de sable. Ils peuvent s'amuser à redécouvrir ces plaisirs de l'enfance. Lire une histoire à l'enfant après le bain et le sentir s'endormir dans ses bras a quelque chose de magique. Le rôle de parent impose de grands défis, mais il apporte aussi d'intenses bonheurs.

Revoir ses priorités : une mère révèle comment sa condition de parent a changé sa vie

Après avoir eu des enfants, j'ai remarqué que mes priorités avaient changé. Mes activités ne sont plus les mêmes et je fais des choses différentes, mais être parent, pour moi, ce n'est pas vraiment du travail. J'en arrive presque à penser que les parents ont davantage besoin des enfants que l'inverse. Mes enfants font de moi une meilleure personne. Par exemple, un soir, Daniel regardait par la fenêtre et m'a dit : « Regarde, maman, grosse lune, grand ciel ! » Il me montrait la pleine lune que j'aurais sans doute ratée avant sa naissance, car j'aurais été trop occupée à faire la vaisselle ou le ménage. Les enfants ont le don de nous montrer l'essentiel dans la vie : ils vivent toujours le moment présent. Ne demandez pas à un enfant ce qu'il a mangé au déjeuner ou ce qu'il va faire ce soir, car rien ne compte à part maintenant. Mes enfants m'ont appris à vivre l'instant présent.

Comme tu l'as vu, tu dois réfléchir à beaucoup de choses avant de décider de fonder un foyer. Si tu as des amies et des amis qui sont déjà parents, si ta famille t'apporte du soutien et que, dans ta culture, il est naturel d'avoir des enfants, cela peut faciliter ta décision. Si ta ou ton partenaire et toi avez assez de maturité et d'expérience de vie, si vous avez eu la chance de vivre en couple, si vous aimez et comprenez les enfants, votre rôle de parents se transformera alors en une aventure enrichissante.

Quand les partenaires prennent la peine de peser le pour et le contre avant de décider de devenir parents, ils font preuve d'amour et de compréhension envers les enfants, car ils placent l'intérêt des petits avant le leur. Planifier l'avenir et faire une place dans sa vie pour les enfants, voilà les premiers pas vers une saine relation parent-enfant. La tâche d'élever des enfants est si cruciale qu'il vaut mieux y réfléchir sérieusement plutôt que de se retrouver devant le fait accompli.

Tu ne peux tout de même pas penser avoir un enfant si tu ne vois pas dès le départ un peu de soleil au-dessus de son berceau.
— Henri Coulonges

Vérifie tes connaissances

1. Décris le changement de politique récent qui indique l'importance qu'accorde le gouvernement aux enfants et aux parents.
2. En quoi le rôle de parent est-il un engagement à vie ?
3. Dresse une liste des facteurs à prendre en considération avant de décider de devenir parent et explique-les.
4. Explique l'influence du milieu familial et des expériences passées sur le rôle parental.
5. À ton avis, les plaisirs de la condition de parent sont-ils plus grands que les effets d'un nouveau bébé sur la relation de couple et le style de vie ? Explique.

Liens

1. Décris trois buts que tu veux atteindre ou trois rêves que tu souhaites réaliser avant d'avoir un enfant. Décris aussi deux objectifs de vie que tu pourrais atteindre une fois que les enfants seront là.
2. Parle à quelques parents de ta connaissance. Demande-leur s'ils avaient des idées fausses sur le rôle parental avant d'avoir leurs propres enfants. Si oui, lesquelles ?

Reporter à plus tard le rôle de parent

Quel est le moment idéal pour avoir des enfants ? Dans le passé, au Canada, les jeunes femmes, surtout en milieu rural, se mariaient souvent au début de la vingtaine et les hommes, à 25 ans environ. Comme on ne connaissait pas de méthode de contraception fiable, les enfants naissaient tôt et en grand nombre. Le délai entre deux naissances était de deux ou trois ans, le temps d'allaiter et de sevrer le petit dernier.

Aujourd'hui, il y a plusieurs méthodes de contraception, naturelles ou non, fiables mais toutefois pas infaillibles. Dans certaines religions au Canada, les croyances et les valeurs interdisent l'usage de méthodes contraceptives artificielles, mais tolèrent qu'une femme ou un couple espace les naissances, parfois de plusieurs années.

Les personnes qui choisissent de reporter à plus tard le rôle parental subissent souvent de la pression de la part de leur milieu pour les faire changer d'idée. Dès que deux personnes se marient ou s'établissent, les amies et les amis, la famille et même des connaissances les encouragent à avoir des enfants. C'est un phénomène très courant. Si personne n'a d'enfants dans ton cercle d'amies et d'amis, tu pourrais te sentir comme une exception si tu en as. Par contre, si tu connais des couples qui commencent à fonder une famille, tu pourrais partager leur enthousiasme pour les bébés.

Le moment idéal pour avoir des enfants dépend beaucoup de ton identité culturelle. Il y a plusieurs cultures au Canada, donc le moment propice pour avoir des enfants diffère selon les gens. Certains groupes culturels font passer les études et l'accès à la propriété avant les enfants, alors que d'autres favorisent le mariage et les familles nombreuses. Si dans ta culture la tradition veut que les enfants arrivent tôt, tu ressentiras une pression de la part des autres si tu tardes trop.

Figure 7.11
Quelquefois, les familles exercent une pression sur les jeunes couples pour qu'ils aient des enfants. Nomme quelques bonnes raisons de fonder une famille.

Les avantages de reporter à plus tard le rôle de parent

Remettre à plus tard le rôle de parent donne aux personnes et aux couples le temps d'accroître leurs connaissances, leur compétence et de connaître d'autres ressources utiles pour fonder une famille. Cela permet de terminer les études, d'entreprendre une carrière et de donner un bon départ à une relation ou à un mariage, et favorise une vie stable.

Les personnes qui attendent avant d'avoir des enfants acquièrent de la maturité et de l'expérience tout en assurant leur stabilité financière. Aujourd'hui, beaucoup de couples reportent à plus tard le rôle de parent pour étudier, voyager, acheter une maison ou acquérir d'autres biens matériels.

Les inconvénients de reporter le rôle de parent

L'**horloge biologique** ainsi que l'inévitable processus du vieillissement viennent rappeler qu'il vaut mieux ne pas trop attendre avant d'avoir des enfants. Les femmes disposent d'un nombre d'années limité pour porter un enfant dans les meilleures conditions physiques possible. Les hommes peuvent concevoir des enfants tard dans la vie. Néanmoins, le taux de testostérone commence à décroître vers la fin de la quarantaine, ce qui réduit la production de spermatozoïdes. De plus, les soins aux enfants demandent temps et énergie, et les parents plus jeunes ont en général plus d'énergie et d'endurance.

L'**infertilité** survient souvent lorsqu'on attend trop avant d'avoir des enfants. Même si la médecine peut venir en aide aux couples qui ont de la difficulté à concevoir, les traitements contre l'infertilité sont stressants, coûteux et ont un taux d'échec très élevé. La combinaison de tous ces facteurs incitent souvent les hommes et les femmes à avoir leurs enfants tôt.

Le choix de ne pas avoir d'enfant

Certaines personnes choisissent librement de ne pas avoir d'enfant, alors que d'autres n'ont pas d'enfant pour diverses raisons. Parfois, il y a trop d'obstacles : le contexte économique ou social, l'infertilité, les problèmes de santé, les avortements spontanés, une enfance difficile. Certaines personnes sans enfants ont beaucoup de plaisir à s'occuper des enfants de leur entourage et enrichissent ainsi la vie des gens autour d'elles ; sinon, elles se consacrent à leur travail ou à d'autres intérêts.

Figure 7.12
Des Canadiennes et des Canadiens voyagent à l'étranger pour adopter un enfant. Jessica a adopté Simone en Chine.

L'adoption

L'adoption existe depuis des siècles. Aujourd'hui, des lois la régissent. Elle met en contact des enfants sans famille et des gens qui souhaitent devenir parents ou élargir leur famille actuelle. Avant, il était assez facile d'adopter des enfants. Beaucoup de bébés et d'enfants avaient besoin d'un foyer.

Aujourd'hui, il y a beaucoup moins d'enfants à adopter parce que plusieurs jeunes femmes gardent leur bébé ou mettent fin à leur grossesse. Ainsi, l'adoption d'un enfant canadien s'avère longue et difficile ; c'est pourquoi bien des familles canadiennes qui souhaitent avoir un bébé se tournent vers l'adoption internationale. Au Canada, il y a encore plusieurs bambins, enfants d'âge préscolaire et scolaire à adopter pour des parents prêts à relever le défi d'élever un enfant qui a déjà un certain vécu plus ou moins heureux.

Theresa Sansome décrit sa lutte contre l'infertilité et sa décision de recourir à l'adoption.

Étude de cas : L'aventure de l'adoption

par Theresa Sansome

L'an dernier, après cinq ans de traitements contre l'infertilité, mon mari et moi avons adopté une superbe petite fille russe de 10 mois. Le chemin qui nous a menés à la condition de parents a été long et parfois tortueux ; aujourd'hui, quand je regarde ma fille Julia, je me demande pourquoi nous n'avons pas omis les traitements contre l'infertilité et envisagé tout de suite l'adoption. J'en veux à la personne que j'étais d'avoir attendu si longtemps. Quelquefois, j'ai envie de lui crier : « Tu es vraiment stérile. Il est temps que tu l'admettes. »

Pourtant, il y a cinq ans, quand j'ai entrepris ma lutte contre l'infertilité, je me rappelle que toutes les suggestions relatives à l'adoption me mettaient hors de moi. Je menais une bataille personnelle : je voulais m'assurer que nos gènes contribueraient au grand cosmos. Si nous devions échouer, nous aurions eu l'impression de ne pas avoir droit à l'éternité. La quête était sans doute noble et donnait un sens à mon martyre. J'ai subi des traitements en chirurgie, en naturopathie et de nature spirituelle. On m'a auscultée, examinée, anesthésiée, ouverte, cousue, rouverte, recousue, nettoyée, raclée, piquée et saignée.

Le coup de grâce : la fécondation *in vitro*. Moi et 15 autres âmes en peine avions accepté de nous soumettre, deux fois par semaine, dès 6 h 30, à des prises de sang et à des injections pour favoriser la production d'ovules. Nous avions l'impression d'être du bétail. Pendant que nous attendions, une tristesse collective et un malaise silencieux nous enveloppaient comme un brouillard. De temps en temps, nous échangions des sourires de sympathie comme pour dire : « Ça va bien finir par fonctionner, pas vrai ? »

Les choses se sont améliorées quand on m'a injecté la crème des embryons devant mon mari. L'hôpital avait produit ces embryons en combinant, dans une boîte de Pétri, mes superovules gavés d'hormones et les spermatozoïdes de mon mari. C'était le moment de la conception.

Les ovules ont bien joué leur rôle puisque je suis devenue enceinte ; malheureusement, j'ai fait une fausse couche six semaines plus tard. Après une autre chirurgie d'un jour et quelques mois de convalescence, nous avons essayé une autre fois. Il restait encore quelques embryons mis de côté pour nous, juste assez pour un autre essai. Au moment d'injecter les derniers embryons, une infirmière, dans un geste touchant, a remis la boîte de Pétri à mon mari comme souvenir. Cependant, nous ne l'avons jamais mise au-dessus du foyer, car notre tentative a une fois de plus avorté, si l'on peut dire. Cette fois, c'était assez. Nous avons vite tiré la poignée de secours et sommes descendus du train à toute vitesse. Le temps était venu de parler d'adoption.

Une fois sortis de cet enfer, notre combat contre l'infertilité nous a semblé si démesuré. Pendant que nous errions dans un labyrinthe, notre petite fille nous attendait patiemment en Russie, notre ravissante et joyeuse poupée aux yeux bleus qui a une façon de dire « bulle » à vous faire fondre le cœur.

Pourquoi avons-nous compris si tard ? Comme tant d'autres, je voulais connaître le miracle d'un enfant venu au monde grâce à l'amour qui unit deux personnes. Je voulais avoir l'honneur d'apporter une nouvelle vie sur cette planète. À cette époque, il me semblait qu'il n'y avait pas d'autre voie. Inutile, donc, d'injurier la femme que j'étais. Je ne pouvais pas changer d'idée tant que je n'avais pas exploré à fond *toutes* les avenues – naturelles, chirurgicales, médicinales, homéopathiques et spirituelles – avec tout ce que j'avais de force physique et mentale. Bien des gens vont encore plus loin que moi dans leur quête de fertilité, mais une fois que j'ai eu atteint ma limite, j'étais enfin prête à envisager ce qui m'avait paru impensable jusque-là, c'est-à-dire l'adoption. Étrangement, une fois prise, la décision d'adopter m'a semblé parfaite. À cet instant, le désir d'être enceinte s'est envolé et j'ai pris conscience que mon seul désir, au fond, était celui d'être mère.

Maintenant, je *suis* une mère et quelle merveilleuse expérience pour apprendre enfin à cesser de vouloir tout contrôler ! Une nouvelle aventure vient de commencer et, une fois de plus, je m'ajuste en cours de route, et c'est très bien comme ça.

Vérifie tes connaissances

1. En quoi le fait de reporter le rôle parental affecte-t-il les parents ?
2. Pourquoi l'horloge biologique fait-elle parfois sentir aux gens qu'il est temps d'avoir des enfants ?
3. Quels sont les avantages et les inconvénients de reporter la condition de parent à plus tard ?

Les responsabilités des parents

Le rôle parental n'est pas une **responsabilité** qui s'arrête quand l'enfant s'endort le soir ou quand il entre à la maternelle. Les parents sont en service 24 heures par jour, 7 jours par semaine, 365 jours par année, surtout quand ils ont de jeunes enfants. Des parents qui ont une relation solide géreront plus facilement les tâches parentales. Les parents uniques envient quelquefois les parents en couple, car ils peuvent se partager la tâche.

La condition de parent est une responsabilité autant juridique que sociale. De par la loi, les parents ont l'obligation de fournir aux enfants de la nourriture, un abri, des soins et une éducation convenables. Malheureusement, beaucoup de familles canadiennes n'ont pas la nourriture ou l'abri nécessaires, éprouvent des difficultés à donner les soins ou à laisser l'enfant fréquenter régulièrement l'école. Prendre conscience des responsabilités parentales et faire en sorte de les assumer est une façon réfléchie d'aborder l'engagement permanent de la condition de parent.

Socialement, les parents sont responsables du comportement de leurs enfants. Ils doivent s'assurer qu'ils s'accordent avec les autres enfants et qu'ils les respectent, donc qu'ils méritent la confiance des adultes. On attend des parents qu'ils enseignent à leurs enfants les bonnes manières en société ainsi que la différence entre le bien et le mal. Les enfants apprennent ce qu'ils vivent. Quand les parents donnent l'exemple, expliquent les raisons pour bien se comporter et traitent leurs enfants avec respect et empathie, généralement, les enfants comprennent et se conforment aux attentes de la société.

Figure 7.13
C'est le rôle des parents d'enseigner à leurs enfants ce qui est acceptable en société.

Certaines responsabilités parentales restent alors que d'autres évoluent à mesure que les enfants grandissent. Alors que l'enfant croît, ses parents continuent à fournir la nourriture, les vêtements, les soins d'hygiène ainsi que l'amour, le réconfort et la communication ; ils répondent aussi aux besoins que l'enfant ne peut combler lui-même. En apprenant à leurs enfants à accomplir les tâches quotidiennes et en leur procurant amour et sécurité, les parents aident le bébé complètement dépendant à devenir une personne autonome et mature.

Figure 7.14
Grâce à des bébés factices, cette étudiante se sensibilise aux défis du rôle parental.

Liens

1. Explique ce que tes parents, des membres de ta famille ou des personnes qui se sont occupées de toi ont fait pour répondre à tes besoins aux différentes étapes de ton développement : bébé, bambin, enfant d'âge scolaire et adolescente ou adolescent. Des photos prises dans ta famille ou à la garderie peuvent t'aider à faire cet exercice.
2. Comment l'enseignement et le soutien que tu as reçus ont-ils changé au cours de ta croissance ? Explique les différences.

L'entraînement aux responsabilités parentales

Il y a plusieurs façons de s'exercer aux responsabilités parentales avant de devenir parent. Garder les plus jeunes chez soi ou chez des familles de l'entourage donne l'occasion de mettre en pratique les aptitudes parentales sans assumer la responsabilité des enfants à plein temps. Les couples qui pensent à fonder une famille devraient s'occuper ensemble d'enfants pour voir la façon dont ils se comportent avec eux, comme personnes et comme couples.

Dans beaucoup de cas, les gens qui se préparent à travailler dans un domaine particulier acquièrent leur compétence grâce à des simulateurs avant de se trouver en situation réelle. Les simulateurs de vol, de navette spatiale, d'auto de course et de camion de transport sont très efficaces comme outils de formation. Dans certaines écoles au Canada, les élèves en éducation parentale utilisent des bébés factices. Il s'agit de poupées grandeur nature qu'il faut nourrir et, quelquefois même, changer, faire roter et réconforter.

Apprendre avec un bébé factice : le témoignage d'une élève en éducation parentale

À dire vrai, l'idée d'avoir à prendre soin d'un adorable « bébé » pendant le week-end m'enchantait. Cependant, après une première nuit sans sommeil, j'ai changé d'idée. À la fin de cet interminable week-end, j'avais beaucoup plus de respect pour tous les parents de la planète. Malgré des années d'expérience à garder les enfants, j'ai découvert avec étonnement à quel point un « bébé » prend toute la place. Peu importe ce que je faisais ou ma fatigue, les besoins du « bébé » passaient avant tout et c'était épuisant. Avant de recevoir leur diplôme, les adolescentes et les adolescents devraient avoir à prendre soin d'un bébé factice pendant un week-end. Je pensais savoir ce qu'était être parent. Cela a été très profitable pour moi de voir à quel point je me trompais. Je n'oublierai jamais cette leçon.

— Une élève de 11e année en Ontario

La culture, la religion et les responsabilités parentales

Il est bon de connaître le rôle et les responsabilités des parents dans ta communauté culturelle et religieuse avant d'avoir des enfants. Voici quelques questions auxquelles tous les futurs parents devraient pouvoir répondre dans le contexte de leur culture ou de leur religion.

1. Qui a la responsabilité de prendre soin du nouveau-né ?
2. Est-ce acceptable pour les hommes de s'absenter du travail afin de prendre soin des enfants ?
3. Quel rôle les femmes jouent-elles dans l'éducation des enfants ? Est-ce acceptable pour les femmes de continuer à travailler quand les enfants sont petits ?
4. Qui détient l'autorité dans la famille ? Y a-t-il partage ou revient-elle presque exclusivement au père ou à la mère ?
5. Quelles formes de disciplines sont permises, recommandées ou attendues ?
6. Y a-t-il un des deux parents responsable de la discipline ou les parents partagent-ils ce rôle ?
7. Quel est le rôle des grands-parents et des autres membres de la famille dans l'éducation des enfants ?
8. Les parents choisissent-ils les conjoints de leurs enfants ? à la naissance ? plus tard dans la vie ?
9. Qui a la responsabilité de répondre aux besoins des enfants quand ils sont bébés, enfants d'âge scolaire ou adolescentes et adolescents ?
10. Les membres de la famille participent-ils tous aux tâches ménagères ?

Quand des partenaires de différentes religions ou cultures deviennent parents, ils doivent souvent concilier leurs traditions respectives. Pour résoudre les conflits causés par les écarts de croyances, de valeurs et de coutumes, il faut savoir communiquer et faire preuve de tolérance et de compréhension. Connaître les divergences entre les deux cultures avant la naissance des enfants aura l'avantage d'éviter des surprises désagréables. Puisque les parents n'arriveront probablement pas à s'entendre sur tous les sujets, il est essentiel qu'ils adoptent une méthode pour résoudre les conflits parentaux.

Liens

1. Deviens responsable d'un enfant que tu connais (ou d'un objet, d'une plante, d'une poupée électronique représentant un enfant) pendant au moins 24 heures. Note en détail les soins que tu donnes à cet « enfant ». Réfléchis à ce que signifie « être entièrement responsable d'un enfant » et fais part de tes réflexions aux autres élèves.
2. Fais une recherche sur le rôle parental et les responsabilités propres à une religion particulière ou à un groupe culturel au Canada. Rédige un compte rendu à partir de tes observations.

Les difficultés du rôle parental

Étant donné que le rôle des parents s'étend sur une longue période, il est normal qu'ils connaissent des hauts et des bas. Les personnes ou les couples ne vivront pas tous cette expérience de la même manière, mais il y aura sûrement quelques moments difficiles. Les parents ont à relever des défis dès la naissance de l'enfant : le manque de sommeil, le bébé qui ne cesse de pleurer ou qui souffre de coliques. Les difficultés du rôle parental changent à chaque stade de développement. Les parents rencontrent souvent des obstacles quand ils essaient de guider et de discipliner les jeunes enfants. D'autres problèmes, comme le divorce, la pauvreté ou l'éducation d'un enfant ayant des besoins particuliers, imposent un stress à la famille. Les parents doivent parfois composer avec l'influence de membres de leur communauté ou un emploi qui ne s'accorde pas avec la vie familiale.

Quand les parents éventuels se renseignent sur les défis du rôle parental, ils ont de bons outils en mains pour réfléchir de façon éclairée à ce que signifie être parent. Cette réflexion leur permet souvent de mieux comprendre leurs propres parents et d'entrevoir la façon dont, à leur tour, ils assumeront le rôle parental dans l'avenir.

Il n'y a pas de développement humain qui soit durable et que l'on puisse qualifier de réussite sans égalité entre les hommes et les femmes.
— Maria Minna

La conciliation du travail et de la famille

Atteindre un équilibre entre le travail et la famille est un défi que doivent relever la plupart des familles canadiennes d'aujourd'hui. Peu importe le type de famille – couple marié, conjoints de fait ou parent unique –, il est nécessaire de concilier l'occupation d'un emploi avec l'éducation des enfants.

À une certaine époque, au Canada, les femmes travaillaient du matin au soir tout en prenant soin de leurs enfants. Elles n'avaient pas d'emploi rémunéré à l'extérieur, mais elles contribuaient à l'entreprise familiale, qui était souvent une ferme. Si le mari devenait malade ou que la famille avait besoin d'un deuxième revenu pour joindre les deux bouts, la femme entrait sur le marché du travail afin de trouver un emploi rémunéré, malgré la désapprobation des autres femmes de sa communauté.

Figure 7.15
Le matin, les parents ont beaucoup de choses à faire avant de se rendre au travail.

Durant la Première Guerre mondiale, beaucoup de femmes canadiennes ont participé à l'effort de guerre en travaillant à salaire. Elles sont retournées à la maison après la guerre. Toutefois, lors de la Seconde Guerre mondiale, de nombreuses femmes ont travaillé durant le conflit et ont gardé leur place dans la population active par la suite. Ainsi, à la fin des années 1960, plusieurs d'entre elles avaient un emploi à temps plein à l'extérieur du foyer. Aujourd'hui, selon Statistique Canada, il est courant pour les femmes de faire partie de la population active, à plein temps ou à temps partiel.

La situation des femmes a beaucoup évolué, autant au sein de la famille que de la société. Malgré tout, il reste du travail à faire pour atteindre une véritable égalité des femmes et des hommes. Beaucoup de femmes assument encore l'essentiel des tâches ménagères et des soins aux enfants, ne gagnent pas le même salaire et n'ont pas des responsabilités du même ordre que les hommes.

Les femmes veulent des politiques qui améliorent leur position dans la famille et la société. Les intérêts des enfants sont liés à ceux des personnes qui s'en occupent, et ces personnes sont encore souvent des femmes. Par conséquent, on a tout à gagner socialement à réussir l'égalité des femmes et des hommes. La *Loi ontarienne sur l'équité salariale* est un exemple de mesure visant une plus grande égalité sociale. L'équité salariale peut se résumer comme suit : « un salaire égal pour un travail de valeur égale ».

Caractéristiques de la population active selon l'âge et le sexe, 2002

Hommes

Âge	Taux d'activité (%)	Taux de chômage (%)	Taux d'emploi (%)
15 à 24 ans	67,7	15,3	57,3
25 à 44 ans	92,4	7,3	85,7
45 à 64 ans	79,4	6,1	74,6
65 ans et plus	10,5	2,9	10,2

Femmes

Âge	Taux d'activité (%)	Taux de chômage (%)	Taux d'emploi (%)
15 à 24 ans	64,9	11,8	57,2
25 à 44 ans	81,2	6,7	75,8
45 à 64 ans	64,2	5,5	60,7
65 ans et plus	3,7	3,6	3,7

Source : Statistique Canada, Tableau 282-0002.

Le taux d'activité pour un groupe particulier de la population active est exprimé en pourcentage de la population pour ce groupe. Les gens en chômage dans un groupe particulier devraient être considérés comme voulant travailler ou ayant besoin de travailler.

Figure 7.16
Même s'il y a plus d'hommes que de femmes dans la population active, l'écart entre les deux sexes s'est nettement réduit depuis quelques décennies.

L'équilibre entre le travail rémunéré et les obligations familiales est un défi de taille qui se pose autant aux parents uniques qu'aux couples s'ils travaillent à plein temps alors que leurs enfants sont petits. Pour mieux comprendre la situation, observe la façon dont se déroule un jour de travail pour une famille avec des enfants d'âge scolaire et préscolaire.

Étude de cas : Une journée dans la vie de Nicolas, un parent qui travaille

Un autre jour de travail, il est 6 heures. Jeanne, ma femme, vient tout juste de partir pour sa journée de travail de 12 heures à l'hôpital. Je me lève, je prends une douche rapide et je m'habille. Je réveille les enfants avant de descendre. Je prépare en vitesse trois lunchs : un pour moi, un pour David en 1re année et un autre pour Emma en 3e année. Je n'oublie pas que David veut son cornichon à l'aneth tranché alors qu'Emma le préfère entier. David veut son sandwich coupé en quatre triangles. Je prépare trois bouteilles de préparation lactée (la seule chose que ne fournit pas la gardienne). Je les mets dans la glacière pour Jasmine, 14 mois. (J'espère qu'elle se lassera des biberons avant d'avoir cinq ans !) Je dépose tout ça près de la porte et je tends l'oreille dans l'espoir de déceler des signes d'activité dans les chambres des enfants.

Je mets des bols et les céréales sur la table. Les enfants aiment se servir eux-mêmes. Je sors aussi le lait et le jus et, pendant que les deux plus vieux déjeunent, je change la petite, je l'habille et je l'installe dans la chaise haute avec ses céréales. Je m'assois avec une tasse de café que Jeanne a préparé. J'attache les souliers de David. Je mange mes céréales tout en aidant Jasmine à avaler les siennes. Je coupe sa banane, j'en donne quelques morceaux à David qui pleurniche. Je verse du jus à Emma, car elle déteste les bananes.

Je demande aux aînés de mettre la vaisselle dans l'évier, de ranger le jus et le lait dans le frigo sans se disputer et d'aller chercher livres et manteaux. J'essuie les dégâts, je débarbouille le bébé et je lui mets son manteau. Je monte l'escalier avec elle parce qu'elle a oublié sa « doudou ». Je rappelle à David de tirer la chasse d'eau et je lui dis de m'attendre à l'auto. Ne pas oublier les lunchs et la préparation. Je mets le bébé dans son siège de sécurité et j'attache les enfants. Alors que je sors du garage, je me rends compte que c'est le jour du recyclage. Pendant que j'apporte les bacs à la rue, je me rappelle qu'il faut sortir du bifteck haché du congélateur pour le souper. Je vérifie si j'ai verrouillé les portes de la maison.

Je conduis jusque chez la gardienne et je réveille Jasmine qui a dormi durant le trajet. Je la calme afin de pouvoir la remettre à la gardienne, avec sa glacière et sa « doudou ». Je conduis encore 30 minutes en sens inverse afin de laisser les enfants au service de garde de leur école élémentaire. Encore 25 minutes dans la circulation de l'heure de pointe et j'arrive au travail, un « gros » 15 minutes à l'avance. J'attrape un café au vol et me concentre sur ma journée de courtier d'assurances.

Je quitte le travail juste à temps pour aller chercher le bébé chez la gardienne. Jasmine ne veut pas partir même si c'est l'heure et se met à pleurer. Je l'amadoue avec un morceau de sandwich qui reste de mon lunch. Une fois à la maison, je rentre les bacs à recyclage, je change le bébé, j'enlève mes vêtements de travail et je surveille l'autobus scolaire par la fenêtre, ce que Jasmine adore. Je sers des craquelins et du fromage pour la collation. Je joue par terre avec les enfants pendant une demi-heure. Ensuite, j'envoie tout le monde jouer dans la cour arrière en rappelant à Emma de s'assurer que Jasmine ne mange pas de terre. Je me dépêche de faire dorer le bifteck haché en même temps que je mets de l'eau à bouillir pour cuire les pâtes. Je vais chercher Jasmine à la porte. Je mouche son nez et j'enlève le sable sur ses lèvres. Je la dépose dans sa chaise haute avec un jouet. J'ajoute une boîte de sauce tomate à la viande. J'appelle les enfants, car il commence à faire noir. Je leur dis d'accrocher leur manteau, de laver leurs mains et de s'asseoir à table. Je supervise le repas de spaghettis, j'essuie les enfants et tout le reste.

Je réussis à donner le bain aux trois petits contre la promesse de les laisser regarder une vidéo pour enfants. Je les sèche et je dirige l'opération « pyjama ». J'ouvre le magnétoscope, je mets les assiettes dans le lave-vaisselle et je lis un peu le journal.

Je ferme la télé, je mets de la musique pour enfants. Jasmine s'amuse avec des jouets pendant que les deux autres font leurs devoirs. Je regarde David colorier des feuilles tout en aidant Emma avec son arithmétique et son épellation. J'entends l'auto de Jeanne. Je cours à la porte pour accueillir maman. Je m'assois à table avec elle pendant qu'elle mange des spaghettis réchauffés et que les enfants prennent leur collation avant de se coucher. Je mélange la préparation lactée pour le lendemain pendant que Jeanne s'assoit avec les enfants pour regarder des dessins animés ou lire une histoire. Je sors les vêtements pour demain. Ensuite, je surveille les enfants pendant qu'ils brossent leurs dents et je les borde. Je remplis la laveuse et passe un peu de temps avec Jeanne. Je mets les vêtements dans la sécheuse et, ensuite, je tombe sur mon lit, épuisé, afin de pouvoir recommencer tout ça demain.

Questions

1. L'histoire de Nicolas est-elle courante ?
2. Quels sont les effets sur les enfants et sur la vie de famille quand les parents travaillent à temps plein ? Si l'un des deux parents travaillait à temps partiel, quelles seraient les répercussions sur la vie de famille ?
3. Quels changements y aurait-il dans cette famille si l'un des parents restait à la maison pendant que l'autre travaille à l'extérieur ?

❖ Liens

1. Les parents font des choix pour concilier les exigences de leur emploi et la vie de famille. Un parent travaille à temps plein pendant que l'autre reste à la maison. Un parent travaille à temps plein et l'autre à temps partiel. Les deux parents peuvent aussi trouver des emplois dont l'horaire est flexible afin d'assurer une présence constante à la maison pour les jeunes enfants. Indique dans un tableau les avantages et les inconvénients de chaque modèle de travail.
2. Le concept du « milieu de travail favorable à la famille » commence à s'imposer dans notre société. Trouve des idées que les entreprises pourraient mettre en pratique afin d'aider les membres de leur personnel à mieux équilibrer les besoins de leur famille et leur emploi. Quels avantages une entreprise en retirerait-elle ?
3. La Loi ontarienne sur l'équité salariale est entrée en vigueur en 1998. Qu'est-ce que l'équité salariale ? Fais une recherche dans Internet ou à la bibliothèque au sujet de cette loi. Présente tes découvertes par écrit.

Les défis des parents qui travaillent

Les pères et les mères qui travaillent à l'extérieur tout en élevant une famille vivent tous les jours des situations qui compliquent leur rôle de parent.

La planification des repas

La plupart des parents se préoccupent d'avoir une bonne alimentation, mais il faut du temps pour faire les courses et préparer des repas santé. Quand le temps manque, les aliments traités et emballés dépannent, mais ils contiennent moins d'éléments nutritifs et plus de matières grasses et de calories. Les parents qui travaillent composent chaque jour avec la préparation et la planification des repas.

Figure 7.17
On réduit le temps de préparation des repas si on encourage les enfants à participer.

La gestion du temps

Les enfants aiment bien la routine. Si les parents travaillent à l'extérieur, ils tirent profit eux aussi de la routine. La routine aide à gérer le temps. Par exemple, on sait combien de temps va prendre la préparation du matin. On peut aussi planifier chaque semaine les activités des parents et des enfants après l'école ainsi que les moments en famille des week-ends.

Tous les parents ne travaillent pas de 9 h à 17 h. Dans les familles avec de jeunes enfants et à deux revenus, les parents peuvent choisir des quarts de travail ou des horaires différents. Par exemple, l'un des parents est à la maison le matin, pour préparer les enfants pour l'école, et l'autre arrive à temps l'après-midi, pour les accueillir à leur retour. De même, un parent peut rester à la maison le jour et travailler le soir, alors que l'autre travaille le jour. Avec de tels arrangements, il y a toujours quelqu'un à la maison pour s'occuper des enfants.

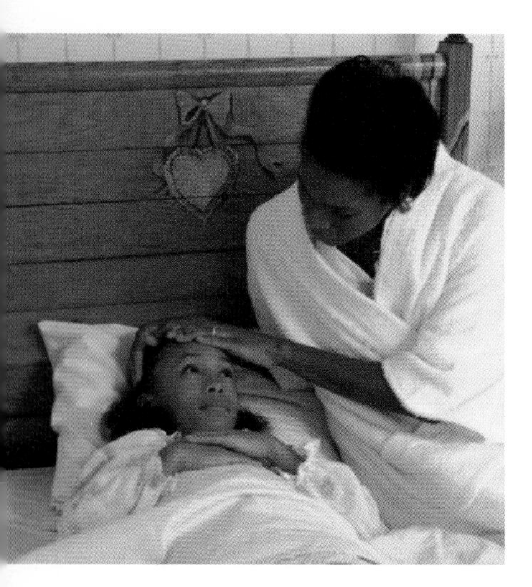

Figure 7.18
Les parents ont besoin d'un plan d'urgence au cas où un enfant serait malade un jour de travail.

Les soins d'un enfant malade

Les parents font face à une autre difficulté : trouver quelqu'un à qui confier un enfant malade. La plupart des services de garde qui accueillent plus d'un enfant refusent de les prendre quand ils sont malades. Si les parents ne peuvent s'absenter du travail, ils devront prendre d'autres arrangements. Comme on ne prévoit pas la maladie à l'avance, il vaut mieux avoir plus d'un plan d'urgence.

Les soins aux enfants avant et après l'école

Les parents ne sont pas tous à la maison avant le départ des enfants pour l'école ou à leur retour l'après-midi. Les parents doivent avoir quelqu'un qui s'occupe des enfants en leur absence, surtout s'ils ont moins de 12 ans. La plupart des parents prennent ces mesures pour leur propre tranquillité d'esprit, mais, dans certaines régions du Canada, des lois décrètent que les parents ne peuvent laisser un enfant seul s'il n'a pas atteint un âge déterminé et qu'ils doivent alors le faire garder. Les parents devraient s'informer des lois de leur province, de leur territoire ou de leur municipalité et s'assurer que leurs enfants sont entre de bonnes mains. Plusieurs communautés offrent des cours de gardiennage d'enfants pour donner une formation adéquate aux jeunes. Le texte suivant est tiré du *Rapport sur les services à l'enfance et à la famille* (2001), du gouvernement de l'Ontario.

La responsabilité parentale en Ontario

Toute personne ayant à charge un enfant âgé de moins de 16 ans doit prendre des mesures raisonnables pour assurer que l'enfant soit protégé et qu'il reçoive des soins, tout en veillant à ce qu'il ne soit pas victime d'abus physiques ou sexuels. La personne en charge est responsable de la protection et des soins qui conviennent à l'enfant, en fonction de son âge et de son développement. D'autres facteurs sont également à considérer, comme le nombre d'heures que l'enfant est laissé seul et la compétence de l'enfant ou de la personne pourvoyant aux soins et aux besoins essentiels (par exemple, manger, faire sa toilette et obtenir de l'aide en cas d'urgence).

Les personnes pourvoyant aux soins doivent aussi s'assurer que leurs remplaçantes ou leurs remplaçants (par exemple, les gardiennes ou les gardiens) soient capables de donner des soins adéquats à l'enfant.

Les services de garde

Les décisions relatives au gardiennage s'avèrent stressantes. En effet, les parents prennent à cœur plusieurs aspects des soins qu'ils choisiront pour leurs enfants. Ils voudront trouver réponse à bien des questions. Mon enfant sera-t-il heureux et en sécurité ? Mon enfant pourra-t-il exprimer librement sa personnalité ? Mon enfant aura-t-il la même routine qu'à la maison ?

Répondra-t-on avec attention à ses besoins ? Le choix de soins de qualité devient plus facile quand on connaît des gens qui recourent déjà à des services de garde pour leurs enfants. Dans certains cas, la communauté ou les groupes religieux et culturels sont d'excellentes ressources pour trouver une personne ou un service qui réponde aux besoins de gardiennage. Au Canada, la plupart des communautés offrent divers services de garde.

Les parents ont le choix entre les **centres de la petite enfance**, administrés par leur municipalité et accessibles à tous, ou les **services de garde privés**, sous la responsabilité d'une personne ou d'un organisme. Les deux types de services sont régis par la loi. D'une part, les centres de la petite enfance ont souvent de longues listes d'attente. D'autre part, les garderies privées offrent plus de services et coûtent plus cher. Si les parents recherchent un environnement familial, ils choisiront des **services de garde en milieu familial.** L'autre option, et de loin la plus coûteuse, est d'embaucher une ou un garde d'enfant à domicile.

Figure 7.19
Les parents ont quelquefois du mal à trouver des services de garde de qualité dans un endroit qui leur convient.

1. Les programmes communautaires

Certaines communautés utilisent l'école, l'église ou le centre communautaire pour offrir des services de garde après l'école, qui s'avèrent beaucoup plus économiques que les services à temps plein. Entre voisines et voisins, on peut se partager la garde des enfants, par exemple si quelqu'un est libre le matin et une autre personne, l'après-midi. Souvent, les parents engagent une personne pour garder les enfants ou s'organisent avec les grands-parents, ou d'autres membres de la famille vivant à proximité, pour qu'ils s'occupent des enfants d'âge scolaire trop jeunes pour rester seuls.

2. Les programmes de services de garde pour les enfants d'âge scolaire

Les centres de la petite enfance offrent également un service de garde, avant et après l'école, aux élèves qui peuvent s'y rendre en toute sécurité à partir de l'école. Certaines écoles élémentaires ont un centre de la petite enfance sur place ou à proximité. Ainsi, les parents qui ont des bambins au centre de la petite enfance et d'autres inscrits à l'école élémentaire n'ont qu'un trajet à faire le matin et le soir.

3. Les services de garde en milieu familial

La plupart des communautés offrent des services de garde en milieu familial. Souvent, il s'agit d'un parent qui reste à la maison pour prendre soin de ses propres enfants et qui s'occupe de quelques autres par la même occasion. Ces enfants sont souvent à peu près du même âge, ce qui a bien des avantages : la personne responsable s'ajuste plus facilement aux besoins des enfants, planifie des activités de groupe, et les enfants ont des camarades de jeu. Les lois provinciales ou territoriales sur les services de garde ne régissent habituellement pas ce type de service de garde.

Astuces

Il y a des enfants qui passent des moments seuls à la maison, avant ou après l'école. On les surnomme les **enfants à la clé** parce qu'ils portent la clé de leur domicile autour de leur cou ou dans leur poche. Munis de cette clé, ils rentrent à la maison en l'absence des parents. Ils font leur propre collation et commencent parfois à préparer le repas pour la famille. Les parents doivent imposer des règlements stricts : ne pas recevoir d'amies ou d'amis, ne pas répondre au téléphone, téléphoner au père ou à la mère ou à une personne de confiance pour confirmer qu'ils sont en sécurité à la maison. Les parents demandent souvent aux enfants de commencer leurs devoirs ou d'exécuter des tâches afin de les responsabiliser. Ces enfants ont franchi la première étape vers l'indépendance.

Info-carrière

GARDE D'ENFANT À DOMICILE

Les tâches et les responsabilités

Les gardes d'enfant à domicile prennent soin des jeunes enfants pendant que leurs parents travaillent ou font d'autres activités. Une ou un garde peut habiter avec la famille ou se rendre à leur domicile cinq jours par semaine. D'une façon générale, cette personne réveille les enfants, les lave et les nourrit ; elle les surveille, propose des jeux, les amène au parc ou à des événements locaux. En d'autres mots, elle joue le rôle des parents. Quelquefois, les gardes font aussi des tâches ménagères, des courses ou conduisent les enfants au groupe de jeu communautaire.

Une ou un garde à domicile doit maintenir la discipline avec calme et efficacité et a l'entière responsabilité du bien-être et de la sécurité des enfants en l'absence des parents. Comme cette personne occupe une grande place dans la vie d'un jeune enfant, il est courant que ce dernier s'y attache en raison de l'amour et de l'attention qu'il en reçoit.

L'environnement de travail

Le domicile de la famille constitue l'environnement de travail des gardes d'enfant. Ce métier est exigeant sur les plans physique et émotionnel, car les journées sont longues. Avec de jeunes enfants, on est debout la plupart du temps. Les gardes travaillent les soirs et les week-ends si les parents doivent sortir.

Comme leur tâche consiste à fournir les mêmes soins qu'un parent, les gardes se lient souvent aux enfants ce qui leur apporte une grande satisfaction.

La formation et les aptitudes

Les parents exigent en général que leur garde ait au moins un diplôme d'études secondaires. De plus, ils insistent pour qu'elle ou il comprenne bien le langage des enfants. Parmi les plus lointains souvenirs d'un enfant, on trouvera peut-être une histoire qu'aura lue une ou un garde. Un certificat en éducation de la petite enfance est une bonne préparation pour devenir garde d'enfant à domicile. Quelques gardes ont un diplôme collégial ou universitaire en éducation.

Liens

1. Fais une recherche, dans ta communauté, sur les types de services de garde pour enfants selon leur âge ainsi que selon leurs coûts. Travaille avec d'autres élèves et mettez vos informations en commun. Prépare une affiche que le centre communautaire pourrait utiliser pour informer les parents au sujet des services de garde disponibles.
2. Quelquefois, les parents ont l'impression de travailler pour presque rien quand ils retournent sur le marché du travail après leur congé parental. Étudie les avantages et les inconvénients, d'ordres financier et émotionnel, de retourner au travail après le congé parental ou de rester à la maison pour s'occuper des enfants.
3. Rédige un compte rendu des démarches faites au Canada pour obtenir des services de garde abordables ou subventionnés pour les enfants, à la grandeur du pays. Mentionne, entre autres, les groupes engagés dans cette démarche, les avantages des services de garde subventionnés pour tous les enfants, les arguments de ceux qui s'y opposent, les coûts et les perspectives d'avenir des services de garde subventionnés pour tous les enfants du Canada.

Les défis des personnes qui s'occupent des enfants et qui travaillent auprès d'eux

Les personnes qui s'occupent des enfants ou qui travaillent auprès d'eux vivent souvent les mêmes difficultés que les parents. Les enfants ont besoin d'une attention spéciale si leur vie familiale est source de problèmes et de stress. Quand les parents ont un emploi à temps plein, le soir est le seul moment en famille. L'irritabilité et la fatigue d'un enfant découlent peut-être du fait qu'il participe aux activités de la famille tard le soir. Si tu travailles avec les enfants, il te revient de rassurer les parents par ta compétence et par ton engagement envers leurs petits.

Il faut beaucoup de délicatesse pour s'occuper d'enfants qui vivent une crise familiale ou le divorce de leurs parents. Un enfant peut avoir peur qu'on le laisse à la garderie si l'un des parents vient de quitter la famille. Des crises de larmes, des colères inhabituelles et un comportement répréhensible signalent que l'enfant n'est pas heureux à la maison. Tu auras peut-être à recommander de l'aide psychologique pour un enfant sous tes soins et même à participer aux consultations pour apprendre à l'encourager pendant cet épisode de détresse.

Les personnes qui s'occupent des enfants et qui travaillent auprès d'eux jouent un rôle important. En effet, elles passent une grande partie de la journée avec les enfants. Elles doivent manifester du respect et de la compréhension aux enfants et les soutenir dans les moments difficiles vécus avec leurs parents. Ces personnes remplacent en quelque sorte les parents. Dans bien des cas, elles voient les enfants plus longtemps en une semaine que les parents. La patience et l'énergie sont des qualités indispensables pour interagir avec les enfants. Il faut de grandes réserves d'énergie et de compréhension pour prendre soin de plusieurs enfants à la fois.

Un défi à relever

Même si la condition de parent entraîne son lot de difficultés, ce n'est pas une raison pour y renoncer. Les parents apprennent à surmonter les épreuves au fur et à mesure qu'elles se présentent. Il arrive qu'un parent, un couple ou une famille ait besoin d'une aide professionnelle ou de soutien pour l'aider à résoudre ses problèmes. La plupart des communautés offrent différents types de ressources publiques et privées donnant des renseignements ainsi qu'un soutien aux parents qui ont du mal à prendre soin de leurs enfants.

On trouve sur le marché des guides et des manuels pratiques remplis de suggestions et de techniques. Des spécialistes ont écrit des livres sur tous les sujets. Les librairies réservent des sections à l'usage des parents. Les journaux, les articles de magazines, les rubriques de conseils pratiques et les sites Web sont des sources précieuses d'information. Les parents constatent parfois qu'il est plus difficile de cerner le problème que de trouver des solutions.

Plusieurs réseaux et groupes de soutien aident les parents et les personnes qui s'occupent des enfants à composer avec les difficultés qu'ils rencontrent. Que le problème ait un lien avec l'alimentation, la discipline ou la communication, ces groupes aident et soutiennent les parents et les personnes donnant les soins dans la résolution de leurs problèmes. Les services locaux, comme les centres communautaires, les hôpitaux et les lieux de culte, mettent souvent sur pied ces groupes de soutien. Les parents et les personnes responsables d'enfants ont beaucoup de ressources à leur disposition pour les aider à relever le défi que représentent les soins aux enfants dans notre société moderne.

Vérifie tes connaissances

1. Énumère les facteurs qui font de la conciliation du travail et de la famille un si grand défi pour la plupart des parents.
2. Pourquoi est-ce quelquefois difficile de trouver des services de garde appropriés ?
3. Décris les difficultés que les personnes qui s'occupent des enfants éprouvent chaque jour dans leur travail.

Liens

1. À la bibliothèque, trouve un guide ou un manuel pratique sur le rôle parental. Lis-le et fais-en la critique.
2. Consulte deux sortes de ressources qui conseillent les parents sur le rôle parental. Compare les approches et les conseils donnés. Il peut s'agir d'un article de journal ou de magazine, d'une rubrique de conseils, d'une brochure ou d'un site Web.

3. Si tu travaillais à t'occuper d'enfants, quelle sorte de renseignements chercherais-tu dans les manuels pratiques écrits à l'intention des parents ?

Résumé

Points marquants

- Le rôle parental est un engagement à vie qui demande mûre réflexion.
- Plusieurs facteurs influent sur la décision de devenir parent : l'âge, la maturité émotionnelle et intellectuelle, l'expérience de vie, la santé, l'éducation, la situation financière et la qualité de la relation entre les partenaires.
- Ces facteurs influencent aussi la santé et le bien-être des enfants et de la future famille.
- Les parents éventuels devraient penser à l'incidence qu'auront les enfants sur leur style de vie.
- Les couples ressentent souvent de la pression à avoir des enfants quand ils sont de jeunes adultes, mais le bien-être de l'enfant doit compter avant tout dans leur décision.
- Il faut bien réfléchir avant de recourir à l'adoption pour élargir sa famille.
- Les personnes qui choisissent d'avoir des enfants doivent reconnaître les responsabilités juridiques et sociales des parents, y compris la signification du rôle parental dans son contexte religieux et culturel.
- Devenir parent présente plusieurs défis, dont le plus grand est de trouver l'équilibre entre le travail et la famille.
- Les parents qui travaillent font face à des difficultés, comme la planification des repas, la gestion du temps et le choix de services de garde appropriés.
- Les personnes qui s'occupent des enfants et celles qui travaillent auprès d'eux vivent des problèmes semblables à ceux des parents. Il est bon de connaître des ressources qui aideront à les surmonter.

Révision et approfondissement

1. Décris trois scénarios possibles de la façon dont des nouveaux parents pourraient gérer leur situation financière après la naissance de leur premier enfant. C/C C
2. En quoi la maturité émotionnelle et intellectuelle peut-elle faciliter le rôle parental ? C/C
3. Raconte de trois à cinq expériences de ta vie qui affecteront la façon dont tu joueras ton rôle de parent. C A
4. Décris trois expériences de vie qui peuvent influer négativement sur l'aptitude d'une personne à devenir parent. C/C A
5. Fais un résumé des facteurs liés à la santé qui empêchent une personne de devenir un parent efficace. C/C
6. Quelle instruction devrait avoir un futur parent ? Explique ta réponse à une ou à un camarade de classe. C

7. Décris les manières dont un enfant peut changer le style de vie de ses parents. C/C
8. Explique la façon dont les responsabilités parentales évoluent avec les différents stades de développement des enfants. C/C
9. Pour quelles raisons un couple peut-il décider d'adopter un enfant ? R/R
10. Interroge des parents dont les enfants ont différents âges. Demande-leur de nommer les plus grands défis qu'ils doivent relever comme parents. Compare tes résultats avec ceux de tes camarades de classe. Dresse une liste des défis propres à chaque stade de l'évolution de la vie familiale. R/R C A

Recherche

11. Rencontre une mère ou un père avec plusieurs années d'expérience et pose-lui les questions suivantes.
    a) Quel âge ont vos enfants ?
    b) À votre avis, quels sont les avantages et les inconvénients d'être parent ?
    c) Si vous pouviez recommencer votre expérience de parent, que feriez-vous différemment ?
    d) Quelles sont les qualités personnelles, les aptitudes et l'expérience nécessaires pour être parent ?

    Assure-toi de ne pas révéler le nom des personnes que tu as interrogées. Compare tes réponses avec celles de tes camarades de classe. Fais une généralisation à partir des données que tu as analysées.
12. L'adoption est une question délicate qu'on peut examiner sous différents angles comme tu le verras ci-dessous. Répartis parmi les élèves de ta classe les sujets de recherche suivants. Fais ta recherche, puis combine tes résultats avec ceux de tes camarades de classe. En classe, prépare une présentation détaillée, sous forme de bande vidéo, de diaporama ou de pièce de théâtre.

    Voici des sujets de recherche liés à l'adoption :
    - le processus d'adoption et les adoptions fermées et ouvertes ;
    - l'adoption publique, privée et internationale ;
    - le rôle des antécédents médicaux dans l'adoption ;
    - les questions de patrimoine dans l'adoption interculturelle ;
    - le don d'un enfant à l'adoption ;
    - les expériences de personnes adoptées ;
    - les questions relatives à l'attachement entre les parents adoptifs et les enfants.
13. Fais une recherche sur un défi du rôle parental qui t'intéresse. Soumets d'abord ton sujet à ton enseignante ou à ton enseignant. Parmi les sujets possibles : le chômage, le divorce, la garde des enfants, la violence à la télévision, la pauvreté, la sécurité dans Internet ou le logement abordable. Présente les résultats de ta recherche sous la forme d'un rapport écrit ou d'une présentation visuelle devant la classe.

Chapitre 8

La préparation à l'accueil des enfants dans ta vie

À la fin de ce chapitre, tu pourras :

- décrire tes rôles actuels en lien avec les enfants et prédire les rôles que tu pourrais jouer à l'avenir ;
- décrire l'importance de se préparer à devenir parents ;
- expliquer pourquoi il faut se préparer à devenir parents ;
- décrire des stratégies favorisant une grossesse saine et un poids à la naissance optimal ;
- indiquer comment les nouveaux parents peuvent apprendre à faire des choix réfléchis dans l'intérêt de leur enfant avant et pendant la grossesse ainsi qu'au cours des premiers mois suivant la naissance ;
- décrire les possibilités de formation existantes pour se préparer à devenir parents et à travailler avec des enfants.

Mots clés

anomalies congénitales
chargement génétique
génitrice, géniteur
santé prénatale
spina-bifida
syndrome d'alcoolisation fœtale (SAF)
syndrome de mort subite du nourrisson (SMSN)
ventre d'empathie ou simulateur de grossesse

Aperçu du chapitre

Figure 8.1
Quel rôle jouerai-je auprès des enfants plus tard ?

Y a-t-il des enfants dans ton avenir ?

Dans la vie, tu as différentes relations avec des enfants. Tu peux être une tante ou un oncle, une sœur ou un frère, tu peux accueillir un enfant dans ta propre famille ou parrainer un enfant à l'étranger. Tu peux être une voisine ou un voisin, une amie ou un ami ; ou garder des enfants que tu connais plus ou moins, souvent ou de temps en temps. Certaines personnes offrent leur aide bénévole pour enseigner à des enfants ou les entraîner, à l'école ou dans d'autres services communautaires.

Dans tes relations avec un enfant, tu joues un rôle, comme dans une pièce de théâtre ou dans un film. Selon les circonstances, ce rôle demande des comportements précis. Dans ton rôle de tante ou d'oncle, tu n'agis pas comme dans ton rôle de bénévole d'un programme communautaire. Dans ta vie, tu continueras à côtoyer des enfants de bien des manières. Peut-être deviendras-tu mère ou père, entraîneuse ou entraîneur d'une équipe sportive, enseignante ou enseignant, professionnelle ou professionnel de la santé ou peut-être même un jour grand-mère ou grand-père. Imagine tous les rôles que tu pourrais jouer dans ta vie ! Des cours sur le rôle parental et le développement humain t'aident à comprendre comment te comporter avec des enfants, peu importe ton rôle, aujourd'hui ou demain.

On donne des cours de rôle parental et de développement humain dans les écoles élémentaires et secondaires, les collèges, les universités et de nombreux autres services communautaires. On peut suivre des formations en gardiennage, des cours crédités et des cours d'intérêt général. Des élèves veulent travailler avec des enfants et peut-être devenir parents. D'autres n'auront jamais d'enfants. Par contre, tout le monde aura des interactions avec des enfants à un moment ou à un autre de sa vie. Les cours ayant trait au rôle parental visent à répondre à toutes sortes de besoins. Dans bon nombre de collectivités, on offre aussi des cours aux personnes qui ont déjà des bébés, de très jeunes enfants, des enfants d'âge scolaire ou des adolescentes et des adolescents.

Liens

1. Évalue tes rôles actuels auprès d'enfants, selon leur importance pour toi, et ce que chaque rôle t'a appris. Comment ces interactions ont-elles façonné ton opinion quant au rôle parental ?
2. Quels rôles impliquant des enfants penses-tu jouer à court terme et à long terme ? Explique ta réponse.

L'importance de se préparer au rôle parental

Le succès de toute entreprise sérieuse ou de toute responsabilité dépend de sa préparation. Pour conduire prudemment une voiture, tu dois apprendre le code de la route et t'exercer à conduire. Il faut également se préparer pour suivre un enseignement supérieur ou une formation professionnelle. Les personnes non préparées aux exigences de la conduite, d'un enseignement supérieur ou d'une formation professionnelle n'ont pas la capacité d'aborder ces nouvelles étapes importantes. Devenir mère ou père est aussi une grande responsabilité qui demande de la préparation. Dans le cas du rôle parental, on observe directement la réussite dans les vies des enfants concernés.

Le dictionnaire donne une définition très limitée de la condition de parent. En résumé, un parent est une mère, un père, une **génitrice** ou un **géniteur**; autrement dit, une personne qui procrée. Sur le plan humain, une mère ou un père est une personne qui a l'entière responsabilité d'un enfant. Le rôle parental comprend tout ce que les parents doivent faire lorsqu'ils sont responsables d'un enfant.

Il s'agit d'élever un enfant, c'est-à-dire de satisfaire les besoins d'un enfant avant et après sa naissance. Cela inclut prendre soin de l'enfant, lui fournir un enseignement et le guider tout au long de sa vie. Il faut un engagement durable, beaucoup de compétences, des connaissances, de la patience, de la compréhension, un amour inconditionnel, le sens de l'humour. Enfin et surtout, il faut de l'argent, du temps et de l'énergie.

Devenir parent sans aucune préparation peut avoir des répercussions importantes sur la vie d'une personne et sur celle des autres membres de la famille. Cela repousse parfois la réalisation de projets et de rêves. On peut devoir remettre à plus tard une formation, une carrière, des voyages, ou revoir ses intentions. Les enfants qui naissent de parents non préparés à s'en occuper peuvent subir des conséquences physiques, émotionnelles et intellectuelles, par exemple dues à la négligence et aux mauvais traitements.

On cherche des parents à temps plein

On cherche des personnes bienveillantes, affectueuses et patientes, ayant de bonnes aptitudes d'écoute et de résolution de conflits, capables de cuisiner et de faire le ménage, disposant d'horaires souples et disponibles jour et nuit, jusqu'à 24 heures par jour.

Compétences et formation souhaitées

- connaissance du développement humain – physique, émotionnel, social, intellectuel
- connaissance de l'hygiène, des premiers soins et des mesures de sécurité
- connaissances et compétences en planification et préparation de repas nutritifs
- capacité de gérer efficacement le temps et l'argent
- connaissance de tous les services gouvernementaux et communautaires liés aux besoins familiaux
- capacité de lire et de relire les mêmes histoires avec enthousiasme
- patience afin de répondre à des questions du type: «Pourquoi le ciel est-il bleu?»

Savoir chanter, colorier, danser et jouer sont des atouts. Notre préférence ira aux candidates et aux candidats dont le ou la partenaire leur fournit un bon soutien et possède des compétences identiques ou similaires aux leurs, ainsi que d'un réseau de personnes pouvant les aider.

Figure 8.2
La tâche d'élever un enfant est exigeante.

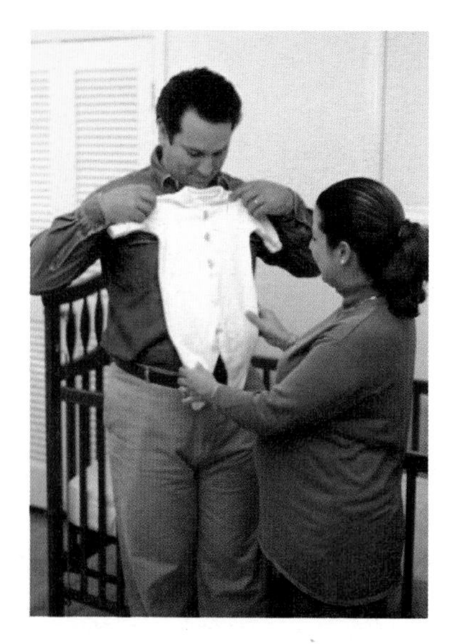

Figure 8.3
Un couple préparant la chambre et les vêtements de leur enfant.

Liens

1. L'offre d'emploi de la figure 8.2 demande-t-elle un «superpapa» ou une «supermaman» ou bien un père ou une mère «acceptable»? Quelles seraient les différences entre super et acceptable, selon toi?
2. Quelles qualités requises pour être parent à temps plein a-t-on omises dans l'offre d'emploi de la figure 8.2? Explique ta réponse.

La grossesse chez les êtres humains dure 40 semaines. En principe, cela donne le temps de se préparer à la naissance d'un enfant. Mais est-ce suffisant pour se préparer à devenir parents? Que signifie être prêts à devenir parents? Deux images distinctes viennent alors à l'esprit. D'un côté, on peut imaginer un couple heureux, ravi de cette première grossesse, peignant la chambre d'enfant et choisissant l'ameublement, complétant la garde-robe du bébé en achetant le nombre nécessaire de couches, de maillots de corps, de chaussures, de chaussons et d'accessoires pour le bain et les repas. De l'autre côté, on peut penser à une adolescente enceinte, sans revenu, sans éducation, sans soutien familial, qui n'a ni vêtements d'enfants, ni couvertures, ni couches pour un nouveau-né. Qui semble le mieux préparé? Si on étudie les cas de plus près, on peut s'apercevoir que le couple est prêt à accueillir le bébé sur le plan matériel, mais cela ne signifie pas qu'il soit mieux préparé que l'adolescente à accomplir les tâches parentales.

Des facteurs à considérer lorsqu'on se prépare à devenir parents

Dès qu'on décide de devenir parents, il faut se poser des questions sur la nature et le degré de la préparation nécessaire pour jouer ce rôle. La décision de devenir parents implique de s'engager à planifier et à se préparer.

Il faut alors se poser des questions comme les suivantes:

- Quelles connaissances, compétences et attitudes faut-il avoir pour être parents?
- Ai-je la maturité nécessaire pour devenir père ou mère?
- Quelles stratégies pouvons-nous utiliser pour nous assurer que nous avons l'argent, le temps et l'énergie nécessaires pour mener à bien les tâches parentales?
- Quels problèmes liés à la santé et à notre style de vie devons-nous résoudre avant de devenir parents?
- Comment faire pour obtenir le soutien de notre famille, de nos amies et amis et de la communauté?

Les parents potentiels qui prennent le temps de réfléchir à ces questions et s'en servent pour se préparer et ainsi mieux faire face à leurs responsabilités de parents seront davantage en mesure de faire des choix réfléchis dans l'intérêt de l'enfant.

Les connaissances, les compétences et les attitudes

Les parents doivent savoir beaucoup de choses sur les enfants afin de bien s'en occuper. Entre autres, il est bon de comprendre le développement des enfants dès leur conception et de savoir ce qui est néfaste et ce qui contribue à leur développement. Les parents doivent savoir faire face aux défis de la vie quotidienne avec des enfants, notamment avoir des notions de base liées à l'alimentation, à l'habillement, à l'hygiène et à la santé. Ils doivent également savoir satisfaire les besoins changeants de leur enfant sans négliger les leurs. Il y a tant à apprendre que les librairies et les bibliothèques consacrent des sections entières à l'enfance et au rôle parental.

Les parents devront acquérir des compétences multiples, depuis les techniques de base pour réconforter, tenir et baigner un bébé jusqu'aux aptitudes plus complexes de communication et de résolution de problèmes. On développe bon nombre de ces compétences en passant du temps avec des enfants, en observant d'autres parents et en posant des questions avant d'avoir un enfant. Les parents continuent ensuite à appliquer et à améliorer leurs connaissances « sur le tas », à mesure que leur enfant grandit et se développe.

Un comportement positif est essentiel à la tâche parentale. L'attitude d'une personne envers les enfants et le rôle parental dépend souvent de sa propre expérience de l'enfance. Tes parents avaient leur propre manière de te toucher, de t'enseigner des choses, de jouer avec toi et de t'élever ; cette expérience est à l'origine de tes propres sentiments envers les enfants et de ta façon de t'en occuper. Tes relations avec les enfants dépendront de ton opinion, de tes sentiments et de tes émotions à leur sujet.

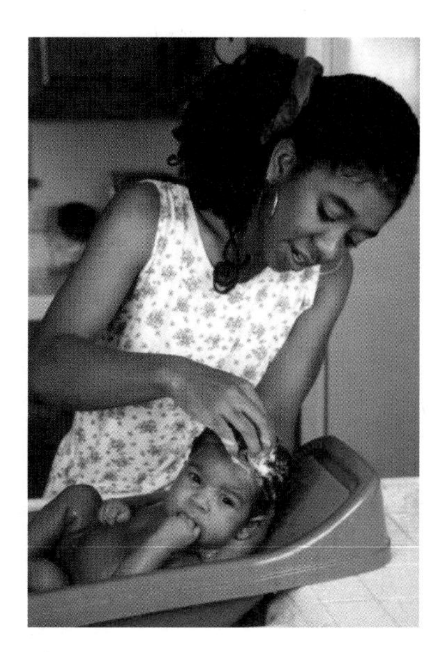

Figure 8.4
Entre autres choses, les parents devront apprendre à donner le bain au bébé.

Vérifie tes connaissances

1. Que signifie l'expression « condition de parent » ? En quoi consiste la condition de parent ?
2. Dresse une liste de connaissances et de compétences requises pour devenir parents et décris-les.

La maturité physique et émotionnelle

La maturité est nécessaire à tous les stades du développement humain. Il faut un certain niveau de maturité physique pour marcher, parler, grimper et courir. De même, il faut atteindre un certain développement pour concevoir un enfant, et un niveau de maturité émotionnelle encore plus élevé pour être parents.

Une personne doit être physiquement prête pour devenir une mère ou un père. Même si les filles et les garçons peuvent procréer dès la puberté, sur le plan biologique, ils continuent à grandir et à se développer tout au long de leur adolescence. Une adolescente devrait consacrer pleinement son énergie à sa croissance au lieu de l'utiliser pour produire un nouvel être. Les filles continuent à grandir pendant leur adolescence ; il y aurait donc concurrence avec le fœtus pour l'utilisation des ressources nutritionnelles. Pour les parents adolescents qui choisissent d'élever un enfant, il est physiquement difficile de finir leurs études secondaires, de gagner un revenu, de s'occuper de l'enfant et de satisfaire leurs propres besoins. S'assurer d'avoir atteint une maturité physique suffisante avant de devenir parents garantit la santé des jeunes et celle de l'enfant à naître.

La maturité émotionnelle s'avère aussi essentielle aux parents. Un psychiatre issu d'une famille de médecins, Dr William C. Menninger, a énuméré sept critères de maturité émotionnelle, qui incluent la capacité d'adaptation et la capacité d'aimer. La patience, la compréhension et la capacité de faire passer les besoins d'un enfant avant les siens indiquent un niveau de maturité qui contribue à la volonté et au désir d'être parents. Les personnes égocentriques, puériles et ne se souciant pas des autres ne font pas de bons parents, car elles ont un comportement immature, quel que soit leur âge.

Les critères de maturité émotionnelle

par William C. Menninger, M.D.

- La capacité de faire face à la réalité de façon constructive.
- La capacité de s'adapter aux changements.
- Une absence *relative* des symptômes attribuables aux tensions et aux inquiétudes.
- La capacité de trouver plus de satisfaction à donner qu'à recevoir.
- La capacité de se comporter avec autrui de manière cohérente de façon à atteindre une satisfaction et une envie d'aider mutuelles.
- La capacité de sublimer, de rediriger son énergie hostile instinctive vers des activités créatives et constructives.
- La capacité d'aimer.

L'immaturité émotionnelle peut avoir des conséquences graves sur la santé mentale d'une personne qui a un enfant avant d'être prête. Elle entraîne, dans certains cas, la négligence de l'enfant, des mauvais traitements physiques et psychologiques envers lui et des difficultés mentales et affectives durables. À long terme, l'immaturité physique et émotionnelle peut nuire à la santé de la mère, du père et de l'enfant.

Le temps, l'énergie et l'argent

Les enfants demandent d'énormes ressources personnelles et familiales en matière de temps, d'énergie et d'argent. Au Canada, on débourse des montants élevés pour un enfant, de sa naissance à ses 18 ans. Pour être parent, il faut avoir un revenu régulier, la capacité de surveiller l'enfant 24 heures sur 24, 7 jours sur 7 et de l'énergie pour participer aux activités de l'enfant. Il peut être ardu pour une mère seule ou un père seul de bien surveiller l'enfant et de gagner un revenu suffisant. Il s'avère difficile de conserver l'énergie physique nécessaire pour s'occuper de son enfant sans l'aide généreuse d'un membre de sa famille ou d'un service de garde d'enfants rémunéré. Des parents vivant en couple peuvent plus facilement subvenir aux besoins de l'enfant.

Figure 8.5
Les parents doivent se préparer à superviser les activités de leurs enfants.

Le temps

Les enfants demandent qu'on leur consacre du temps, tout le temps. Lorsqu'ils sont tout petits, il faut les surveiller 24 heures sur 24, ce qui donne souvent aux parents l'impression de ne plus avoir une minute à eux. À l'école maternelle puis à l'école primaire, ils ont encore besoin du temps et de l'attention des parents afin de trouver un équilibre dans leur vie. Les adolescentes et les adolescents passent moins de temps avec leur famille, mais continuent d'avoir des conversations et de faire des activités avec leurs parents. Tu dois accepter de consacrer du temps à ton enfant et planifier les périodes de surveillance et d'activités parent-enfant.

L'énergie

Les enfants exigent beaucoup de temps et d'énergie personnelle, car ce sont de véritables boules d'énergie. Ils sont naturellement actifs et curieux. Ils ont besoin de parents qui tiennent leur rythme. Un enfant actif est un enfant qui apprend. Pendant la plus grande partie de sa petite enfance, un enfant a besoin que ses parents participent à ses activités. Les parents qui ne sont pas prêts à investir l'énergie nécessaire pour suivre le rythme de leur jeune enfant peuvent finir par négliger certains des aspects les plus importants de son apprentissage et de son développement. Les enfants qu'on encourage à moins bouger, à regarder la télévision ou à rester sagement assis plutôt que de jouer activement réussissent parfois moins bien à l'école et développent des problèmes de santé durables comme l'obésité et le diabète.

Les insomnies : Une maladie contagieuse que les bébés transmettent souvent aux parents.
— Shannon Fife

L'argent

Des changements d'ordre financier interviennent souvent, non seulement après la naissance de l'enfant, mais aussi avant. Il arrive que des femmes enceintes passent les trois derniers mois de leur grossesse au lit. Cela influe sur le revenu familial et peut être un choc pour une femme ayant prévu travailler ou aller à l'école jusqu'à l'accouchement. Bien sûr, on peut réduire les dépenses. D'ailleurs, bien des enfants dans le monde ont survécu dans des conditions moins qu'idéales.

Coût estimé pour élever un enfant jusqu'à 18 ans au Canada en 2002

	Garçon ($)	Fille ($)
Service de garde d'enfants	54 397	54 397
Logement, ameublement, besoins domestiques	38 621	38 621
Nourriture	25 751	22 329
Habillement	14 783	15 819
Loisirs, livres, cadeaux, école	14 945	14 945
Soins de santé	4 655	4 655
Soins personnels	2 686	3 659
Transport	3 725	3 725
TOTAL	159 563	158 149

Adapté de « The Cost of Raising a Child » (2002), Agriculture et Alimentation Manitoba.

NOTE : Ce tableau a pour but de fournir une vue d'ensemble des coûts intervenant pour élever un enfant jusqu'à 18 ans. Ces coûts ne doivent pas être utilisés littéralement ou lors de poursuites judiciaires. Selon les revenus d'une famille, ses valeurs, ses objectifs et son style de vie, les besoins peuvent être différents. Ce qu'une famille considère comme essentiel peut ne pas être nécessaire pour une autre. Il faut ajuster les coûts de la vie d'une famille selon les situations personnelles.

Figure 8.6
Quel renseignement présent dans ce tableau as-tu trouvé étonnant ? Explique.

La décision de devenir parents inclut de planifier la responsabilité financière des parents. Les parents éventuels doivent s'assurer d'avoir une source fiable de revenus afin de pouvoir répondre aux besoins de leur enfant. Vivre dans la pauvreté ou devoir confier son enfant à une famille d'accueil jusqu'à ce que la situation s'améliore a des conséquences physiques et émotionnelles durables sur les enfants et les familles. Des études, telles que l'étude menée par le gouvernement du Québec en 1998, montrent que la pauvreté a des conséquences néfastes sur la santé du bébé.

La pauvreté a des répercussions sur la santé des enfants

Une étude publiée hier suggère que les bébés nés au sein de familles pauvres ont un risque plus élevé de développer des problèmes de santé que les enfants nés de familles à revenu plus élevé.

L'étude effectuée par une agence de statistiques du gouvernement du Québec indique qu'en 1998, 28 % des familles québécoises ayant des enfants de moins de cinq mois vivaient dans des conditions de pauvreté.

Parmi ces familles, les mères d'un enfant sur trois ont dit que leurs enfants étaient en mauvaise santé. Pour les familles à revenu suffisant, cette proportion passe à un sur cinq.

L'étude indique un lien entre le statut social et la santé et le développement des bébés.

D'autres facteurs intervenant sont les niveaux d'éducation des parents et si la famille présente ou non des signes de dysfonctionnement.

Source : The Record, 7 novembre 2001.

Un esprit, un corps et un style de vie sains

On entend souvent des parents attendant un enfant dire : « Ça m'est égal si c'est un garçon ou une fille, tant que le bébé est en bonne santé ! » La santé des parents a un lien direct avec la capacité d'être parents et la santé de l'enfant.

La santé mentale

Une bonne santé mentale est indispensable pour bien jouer le rôle parental. L'humour, la résistance et la capacité de s'adapter aux changements permettent aux parents de surmonter les défis et d'apprécier les plaisirs de leur vie de parents. D'ailleurs, les « Dix conseils pour la santé mentale » de l'Association canadienne pour la santé mentale, dans l'encadré ci-dessous, pourraient s'intituler « Dix conseils pour réussir le rôle de parent ».

Dix conseils pour la santé mentale

L'Association canadienne pour la santé mentale

Parmi les affirmations suivantes, distingue les faits des opinions.

1. **Ayez confiance en vous**
   Déterminez vos points forts et vos points faibles, acceptez-les, tirez-en parti et faites de votre mieux avec ce que vous avez.
2. **Mangez bien et restez actifs**
   Un régime alimentaire équilibré, de l'exercice et du repos peuvent aider à réduire le stress et à apprécier la vie.
3. **Réservez du temps pour les membres de la famille et les amis**
   Nous devons entretenir ces relations ; si nous manquons d'égard envers ces personnes, elles ne seront pas là pour partager nos joies et nos peines.
4. **Offrez votre aide et acceptez d'en recevoir**
   Les relations avec nos amis et les membres de notre famille sont renforcées lorsqu'elles sont mises à l'épreuve.
5. **Établissez un budget sensé**
   Les problèmes financiers sont une source de stress. Souvent, nous dépensons pour des choses souhaitées plutôt que pour des choses nécessaires.
6. **Faites du bénévolat**
   Participer à des activités communautaires donne souvent un but précis à notre vie, et nous en tirons une satisfaction que le travail rémunéré ne peut apporter.
7. **Gérez votre stress**
   Nous avons tous des éléments stressants dans notre vie, mais nous devons apprendre à les surmonter afin de conserver notre santé mentale.
8. **Trouvez la force dans le nombre**
   Le fait de partager un problème avec des personnes qui ont vécu des expériences semblables peut vous aider à trouver une solution et à vous sentir moins isolé.
9. **Identifiez vos humeurs et faites-leur face**
   Nous avons tous besoin de trouver des façons constructives et sécuritaires d'exprimer notre colère, notre peine, notre joie et notre peur.
10. **Soyez en paix avec vous-même**
    Apprenez à vous connaître, à savoir ce qui vous rend vraiment heureux, et trouvez un équilibre entre ce que vous pouvez changer en vous et ce que vous ne pouvez pas changer.

Lorsque les parents souffrent de troubles mentaux, l'enfant peut ressentir beaucoup d'inquiétude, de honte et de doute. Du fait de facteurs génétiques ou héréditaires, l'enfant peut avoir une prédisposition à développer ces troubles lui aussi. Certaines formes de dépression, de schizophrénie, de psychoses et d'autres types de maladies mentales compliquent parfois la tâche de s'occuper d'un enfant. Personne ne peut prédire la qualité de sa propre santé mentale à long terme, mais les futurs parents doivent reconnaître certains des symptômes indiquant des troubles mentaux et savoir quand chercher de l'aide, pour eux et pour leur enfant, si des problèmes surviennent.

La santé physique

L'expérience parentale commence bien mieux si les deux parents sont en bonne santé physique au moment de la conception. On connaît depuis longtemps l'importance de la santé de la mère, avant et pendant la grossesse, pour un développement sain du fœtus. Cependant, la santé et l'âge du père influent beaucoup sur la qualité du sperme. Si le sperme n'est pas sain ou provient d'un père plus âgé, cela peut entraîner des anomalies congénitales et de développement. Afin d'avoir les meilleures chances de mettre au monde un enfant en bonne santé, les deux parents doivent adopter un bon régime alimentaire, éviter les facteurs de risques environnementaux, être en bonne forme physique, être actifs et ne pas présenter de maladies transmissibles sexuellement (MTS).

Un style de vie sain

Un style de vie sain a des conséquences immédiates et durables sur les parents et l'enfant. En général, les parents espèrent vivre assez longtemps pour voir non seulement leurs enfants grandir, mais également leurs petits-enfants et peut-être même certains de leurs arrière-petits-enfants. Fumer, prendre des médicaments prescrits ou illégaux, s'exposer à des produits chimiques, prendre des risques exagérés, trop ou trop peu manger, faire trop d'exercice ou ne pas en faire assez sont des choix de styles de vie qui peuvent avoir des conséquences graves sur la santé et l'espérance de vie des parents et de leurs enfants à venir. Tous ces facteurs découlent des décisions qu'on prend et les futurs parents peuvent faire des choix qui contribueront à la bonne santé et au développement optimal de leurs enfants.

Figure 8.7
Un réseau de soutien constitué de membres de la famille, de l'entourage et de la communauté peut aider les parents à traverser les moments difficiles.

L'appui de la famille, des amis ainsi que de la communauté

Dans un pays où on considère que le rôle parental correspond au stade de la vie adulte, le fait que tes amies et tes amis, ta famille et les membres de ta communauté t'envisagent dans le rôle de parent t'indique que tu es adulte. Un réseau étendu de soutien constitué des personnes que tu connais t'aidera à faire face à de nombreux moments difficiles. Lorsque de jeunes parents ont à leur disposition des modèles à suivre qui les soutiennent, des parents de leur communauté ayant de l'expérience, ils peuvent obtenir des conseils et des idées qui rendront leur vie de parents plus facile. Sans ce genre de relations, les parents peuvent se sentir isolés et dépassés par certaines des difficultés de la vie de parents. Les enfants peuvent subir de la négligence ou se voir privés de riches relations avec leur famille étendue ou avec d'autres personnes de la communauté. De plus, on considère que l'isolation sociale des parents et des enfants est la cause principale de l'ignorance des mauvais traitements infligés à certains enfants.

Chaque personne naît dans un groupe culturel où des normes sociales ainsi que des valeurs personnelles et familiales guident les comportements. Le groupe culturel auquel une personne appartient influence nécessairement son opinion quant à la santé, à la grossesse et au rôle parental. De futurs parents peuvent avoir une vision semblable de la manière de se préparer à être parents. Ils viennent parfois de deux groupes culturels ayant des idées très différentes sur les rôles avant la naissance des enfants, la santé, les soins pendant la grossesse, l'alimentation et la consommation d'alcool au cours de la grossesse, les soins aux enfants pendant que les parents travaillent et les liens avec la famille étendue. Les futurs parents doivent discuter de ces sujets, si possible avant de concevoir un enfant, et décider de la façon de procéder au sein de la nouvelle famille qu'ils formeront.

Vérifie tes connaissances

1. Explique comment la maturité physique et émotionnelle, la santé physique et mentale et un style de vie sain influent durablement sur l'enfant.
2. Comment des parents éventuels peuvent-ils se préparer à l'avance pour disposer de l'argent, du temps et de l'énergie requis pour élever un enfant ?
3. Dans certains cas, de jeunes parents n'ont pas le soutien de leurs familles, par exemple dans le cas d'une immigration récente au Canada ou de la distance physique ou émotionnelle entre eux et leur famille. Comment peuvent-ils se constituer un nouveau réseau de soutien ?

Liens

1. Prédis l'effet à long terme de l'application des dix conseils pour la santé mentale de l'Association canadienne pour la santé mentale sur la capacité d'une personne d'être père ou mère.
2. Récolte des anecdotes auprès de ta famille illustrant des points de vue culturels particuliers concernant la santé prénatale, la grossesse et le statut de parent. Compare tes anecdotes avec celles de tes camarades. Trouve les ressemblances et les différences.

Figure 8.8
Selon toi, quels défis les parents adolescents doivent-ils relever ?

Les défis des parents adolescents

Les parents adolescents sont-ils bien préparés à la vie de parents ? Beaucoup d'adolescentes et d'adolescents ont acquis de l'expérience auprès des enfants parce qu'ils ont des frères et sœurs, qu'ils ont gardé des enfants et s'en sont occupés. Même en ayant les connaissances, les compétences et les attitudes nécessaires aux tâches parentales, il leur arrive de manquer de maturité, de soutien et de qualité dans leur style de vie.

Depuis toujours, des jeunes femmes deviennent enceintes avant le mariage. Par le passé, le géniteur ou le père n'assumait généralement pas la responsabilité de cette grossesse. En règle générale, la famille de la jeune fille s'occupait du bébé d'une manière ou d'une autre jusqu'à ce qu'on trouve à la marier. Parfois, les grands-parents élevaient l'enfant comme le leur, tout en traitant la mère comme une grande sœur de l'enfant. Parfois, la famille confiait l'enfant à une autre famille pour qu'elle élève l'enfant comme le sien. Aujourd'hui, les choses sont en train de changer.

Il a fallu attendre les années 1950-1960 pour que les foyers pour mères célibataires se répandent au Canada. Des institutions religieuses finançaient plusieurs de ces foyers conçus pour épargner aux familles l'embarras d'avoir une fille enceinte. On y envoyait la fille jusqu'à la naissance de l'enfant, qu'on donnait en adoption à une autre famille. La mère pouvait ensuite retourner dans sa famille, racontant à tout le monde qu'elle était allée « en visite chez une tante ».

Les structures sociales de l'époque étaient fondées sur la famille et la religion : à cet égard le Québec n'était pas différent de la plupart des pays occidentaux. Le mariage était érigé en norme sociale. La sexualité n'était permise que dans ce cadre. Les femmes célibataires qui enfantaient étaient perçues comme des déviantes ; l'enfant né hors du mariage était illégitime et marginalisé dès sa naissance. L'intolérance familiale et sociale faisait en sorte que ces mères subissaient des pressions, tant morales qu'économiques, pour abandonner leur enfant. La société considérait alors le placement en institution comme la voie normale de cet enfant.

Source : Le Protecteur du citoyen, publications, communiqués, discours.

Dans un article paru récemment, Lori Chambers soutient qu'en Ontario « l'État récompensait les gens qui se conformaient au lieu de punir explicitement la cohabitation non maritale. » Donc, en 1921, par exemple, l'Ontario a adopté la *Loi sur la légitimation* aux termes de laquelle l'enfant devenait automatiquement légitime au mariage de ses parents. Lorsque le mariage n'était pas possible, les agences de services sociaux encourageaient les femmes à donner leurs enfants en adoption, plutôt qu'à les élever toutes seules. Ces deux mécanismes étaient conçus pour encourager le mariage, la reproduction et la garde des enfants au sein de l'unité conjugale hétérosexuelle.

Source : Katherine Arnup, Rapports de nature personnelle entre adultes : 100 ans de mariage au Canada, le 21 mars 2001, Commission du droit du Canada.

Aujourd'hui, peu de parents adolescents laissent leur bébé aux services d'adoption. Les parents adolescents ou les futurs parents racontent souvent des expériences navrantes, telles qu'un manque de compréhension et de soutien, la discrimination, des critiques, des idées fausses et des attitudes négatives envers eux – même de la part du personnel des services d'aide. Ils ont également l'impression de ne pas avoir leur place dans la société. Le plus grand problème pour la plupart des parents adolescents est d'ordre économique. Les besoins financiers urgents pour subvenir à leurs besoins et à ceux de l'enfant ne leur laissent pas la possibilité de retourner à l'école ou de planifier leur avenir. Bien que la plupart souhaitent sortir du cycle de la pauvreté, ils ne disposent généralement pas des compétences, des connaissances et du réseau de soutien qui pourraient les y aider.

Les extraits suivants proviennent d'adolescentes et d'adolescents confrontés à la responsabilité parentale.

Des parents adolescents parlent des défis que représente leur vie de parents

«Je m'inquiète beaucoup pour nos finances. Nos deux familles sont pauvres et nous sommes d'accord de ne pas faire de même... mais maintenant comment?» (futur père)

«J'espère que je serai bientôt capable de payer le loyer et d'acheter à manger, et non pas l'un ou l'autre comme c'est le cas maintenant.» (mère de jumeaux)

«Lorsque tu tombes enceinte, tout ton monde s'écroule, tout ce sur quoi tu pensais pouvoir compter disparaît et soudain tu es vraiment dans l'embarras et toute seule.» (étudiante mère d'un petit enfant)

«Je voulais rester à l'école, mais ma fille est née trois semaines après le début du semestre et je ne savais pas comment faire avec tout le travail... mais j'y suis retournée le semestre suivant, car on pouvait m'emmener, j'ai trouvé un service de garde d'enfants et je savais à qui parler.» (mère d'un bébé de 6 mois)

«Si tu as besoin d'aide, celle-ci est généralement disponible. Il suffit de savoir à qui demander. Il m'a fallu deux ans pour comprendre ça! Certains ne le savent toujours pas.» (mère de 19 ans et de deux enfants)

Étude de cas: Jasmine, 16 ans

J'ai découvert que j'étais enceinte le jour de mes 15 ans! J'étais anéantie, choquée. Je n'aurais jamais cru que ça pouvait m'arriver. Clara a un an maintenant et c'est la lumière de ma vie, mais ça a été tellement dur. J'étais enceinte de trois mois quand j'ai vraiment compris. J'étais juste tellement fatiguée et quand j'ai commencé à vomir le matin, ma mère a eu des soupçons et m'a fait faire le test de grossesse. Et bien sûr, les deux lignes bleues sont apparues. Mon copain m'a laissée tomber tout de suite – lui, il voulait s'amuser, pas être père. Un avortement était inconcevable dans ma religion et une fois l'enfant au monde, il m'était impossible de la laisser à l'adoption. J'y ai beaucoup réfléchi, mais comment pouvais-je abandonner quelque chose qui avait fait partie de moi pendant tout ce temps?

L'école ne m'a plus considérée comme la bienvenue quand la grossesse est devenue visible, mais j'ai pu finir ma 10e année dans un foyer de maternité. Clara est née en juin. On m'a montré comment m'occuper d'elle et j'ai pris de nombreux cours de dynamique de la vie. On m'a aidée à faire la demande d'aide sociale pour étudiante et j'ai trouvé un appartement en sous-sol, mais ce n'est pas très bien. Lorsque Clara a eu trois mois, je suis retournée à l'école parce que je sais que je dois étudier. Je pouvais emmener Clara au service de garde d'enfants de l'école, mais c'était tellement dur de m'occuper du bébé et de tout le reste.

Mes parents travaillent tous les deux, mais ils prenaient Clara certains soirs pour que je puisse faire mes devoirs, ma lessive, aller faire les courses pour le bébé, etc. C'était mon enfant et j'essayais d'être indépendante. Je n'avais plus aucune vie sociale, mes notes ont baissé et j'ai dû abandonner des cours au deuxième semestre parce que j'étais trop fatiguée. J'ai dû abandonner mon emploi à temps partiel parce que je n'avais pas assez de temps. C'était difficile financièrement.

C'est l'été à nouveau. Je suis totalement responsable d'une enfant de un an. Je dépends toujours de l'aide sociale, mais je fais tout ce que je peux pour terminer mes études. J'ai parfois l'impression que nous n'y arriverons jamais. J'adore Clara. J'espère juste qu'un jour elle sera fière de mes efforts.

Questions

1. Quel genre de soutien Jasmine peut-elle obtenir pour elle-même et pour Clara?
2. Pourquoi les amies et les amis de Jasmine viennent-ils peu la voir et l'invitent peu à sortir?
3. Discute des options d'avortement et d'adoption dans les cas de grossesses chez les adolescentes. Pourquoi Jasmine ne pouvait-elle pas envisager ces options?
4. En quoi l'expérience d'un père adolescent serait-elle différente de celle de Jasmine sur les plans de l'acceptation par l'école et les camarades, de la capacité de terminer ses études et de son rôle de père?

La grossesse chez les adolescentes et ses conséquences sur le bébé

Outre les problèmes financiers évidents liés aux grossesses chez les adolescentes, il faut également penser à la santé du bébé. La grossesse chez une adolescente peut causer certains problèmes, tels que le spina-bifida, des bébés de faible poids de naissance et le **syndrome de mort subite du nourrisson (SMSN)**. Les adolescentes enceintes sont toujours en croissance. Être enceinte alors que la croissance se poursuit peut avoir des conséquences néfastes sur le poids du bébé et sur son développement physique. La plupart des femmes n'atteignent pas leur maturation physique totale avant la fin de leur adolescence. Bon nombre d'adolescentes n'ont pas un régime alimentaire nutritif. Leur régime alimentaire manque en général d'acide folique. Cet élément nutritif essentiel permet d'éviter l'anomalie congénitale appelée **spina-bifida.** Lors d'une grossesse précoce, la mère en croissance a besoin des mêmes éléments nutritifs que le fœtus. Sa croissance, combinée à celle du bébé, épuise ses réserves de calcium et de fer. Ce phénomène contribue à de faibles poids à la naissance pour les bébés. Il s'agit d'un facteur de certains retards physiques et intellectuels et de risques accrus de syndrome de mort subite du nourrisson.

Vérifie tes connaissances

1. En quoi est-il bon pour le bébé que la mère ait achevé sa croissance avant la grossesse ?
2. Explique comment les parents adolescents peuvent être des parents efficaces malgré les difficultés qu'ils éprouvent.

Liens

1. Relis les textes de la page 188. Quelles sont les différences entre les mères célibataires de l'époque et celles d'aujourd'hui ?
2. Les pères adolescents ont le droit d'élever leur enfant lorsqu'il est possible d'établir leur paternité. De plus, on peut les obliger à soutenir financièrement leur enfant. Dans quelle mesure les adolescents d'aujourd'hui sont-ils préparés au rôle de père ?
3. Consulte la partie « Des facteurs à considérer lorsqu'on se prépare à devenir parents » à la page 180. En quoi ces facteurs s'appliquent-ils à l'idée que tu te fais des mères et des pères adolescents « typiques » d'aujourd'hui au Canada ? Selon toi, ton opinion représente-t-elle la réalité ou s'agit-il d'un stéréotype ? Explique ton raisonnement.

4. Fais un sondage informel auprès des élèves de ton école au sujet des adolescentes enceintes. Essaie de déterminer s'ils connaissent des adolescentes enceintes et, si oui, combien de ces filles ont dû quitter le domicile parental au moment de leur grossesse, combien vivent avec des amies et des amis ou des membres de la famille, combien vivent seules, combien vivent avec leurs parents et combien ont le soutien du père adolescent. Dans quelle mesure ces résultats sont-ils représentatifs de la population d'adolescentes enceintes dans ta province ou dans ton territoire ? Il est important de respecter la confidentialité et la vie privée de ces personnes.

Les choix qui touchent l'avenir d'un enfant

L'objectif de toute grossesse, que les parents élèvent l'enfant seuls ou à deux, ou qu'ils le donnent à adopter, est de mettre au monde un bébé à terme, avec un poids à la naissance optimal, en santé et sans complications. Tout bébé devrait jouir des meilleures chances possibles de santé, de croissance et de développement.

Les choix de styles de vie

Les hommes et les femmes ont la possibilité d'assurer un avenir positif à leur enfant de bien des manières. Ils peuvent éviter de nombreux problèmes nuisant au développement du bébé avant, pendant et après sa naissance. Chez les hommes, une mauvaise alimentation et la consommation de drogues, d'alcool ou de tabac peuvent réduire la qualité du sperme. Chez les femmes, les mêmes facteurs affectent directement le développement du fœtus. La figure 8.10 indique les effets négatifs de divers styles de vie. Les recherches scientifiques continuent aussi à mieux expliquer la fragilité de la vie humaine.

Les hommes et les femmes doivent éviter de consommer toute substance nuisible au fœtus et au nouveau-né avant la conception ainsi que pendant la grossesse et l'allaitement. On a prouvé que des substances comme l'alcool, la fumée de tabac et l'Accutane (un médicament prescrit contre l'acné) nuisent au fœtus. Par conséquent, on devrait les éviter totalement. Cependant, les femmes enceintes doivent se méfier de beaucoup d'autres substances, telles que les médicaments en vente libre pour les problèmes d'estomac et le rhume, même si aucune étude n'a encore déterminé la nature et la portée potentielle de leur nocivité. Une femme enceinte devrait obtenir un avis médical ou consulter une pharmacienne ou un pharmacien avant de prendre quelque médicament que ce soit. Cet avis inclut les préparations à base de plantes, car on sait que certaines engendrent des effets secondaires nuisibles au fœtus.

Figure 8.9
Grâce à un style de vie sain, les parents peuvent éviter de nombreux problèmes contribuant à un mauvais développement de l'enfant, avant et pendant la grossesse et après la naissance.

Une pensée pour les enfants à venir

Choix de styles de vie malsains	Effets immédiats	Effets à long terme
• Mauvaises habitudes alimentaires. Les futures mères devraient suivre le *Guide alimentaire canadien* pour manger sainement. • Manque d'acide folique. Le régime alimentaire quotidien des femmes enceintes doit comporter au moins 0,4 mg d'acide folique avant la conception de l'enfant et pendant la grossesse. • Excès d'exercice. L'exercice fait augmenter la température du corps.	• Affectent le nombre de spermatozoïdes • Contribuent à de faibles poids à la naissance, à des naissances prématurées, à des fausses couches, à des morts fœtales tardives, à des anomalies du tube neural (ATN) touchant à la colonne vertébrale et au cerveau, au spina-bifida • Production plus faible de spermatozoïdes • Peuvent engendrer des fausses couches ou des naissances pré-maturées, des poids à la naissance plus faibles, des lésions au cerveau ou aux organes	• Retard de développement • Problèmes possibles de santé, mort pendant la petite enfance, handicaps à vie qui peuvent exiger une assistance permanente • Retard de développement
• Tabagisme	• Réduit la qualité des spermatozoïdes • Faibles poids à la naissance • Risque accru de division palatine • Problèmes pulmonaires • Grand risque de fausse couche • Risque accru de syndrome de mort subite du nourrisson (SMSN)	• Irritabilité • Trouble déficitaire de l'attention • Problèmes comportementaux • Retard en mathématiques et en lecture • Taille inférieure à la moyenne • Asthme et allergies • Plus d'infections des oreilles
• Consommation d'alcool	• Réduit la qualité des spermatozoïdes • Cause toutes sortes d'anomalies congénitales • Cause le syndrome d'alcoolisation fœtale (SAF) • Contribue à de faibles poids à la naissance et à des naissances prématurées, à des morts fœtales tardives et à des fausses couches, à des lésions aux organes et au squelette	• Lésions cérébrales irréversibles • Problèmes visuels et auditifs • Difficultés d'apprentissage durables • Difficultés à se concentrer, à suivre des instructions ou à terminer une tâche • Retard des développements physique, social, émotionnel et intellectuel • Maladies mentales permanentes • Chômage • Comportement criminel
• Consommation de drogues et de produits chimiques **Exemples :** médicaments prescrits, drogues illicites, caféine, aspartame, certains additifs alimentaires	• Spermatozoïdes et ovule défectueux • Morts fœtales tardives, fausses couches. • Naissances prématurées • Anomalies congénitales • Lésions cérébrales • Lésions cardiaques et aux organes • Dépendance du nouveau-né à la drogue	• Lésions cérébrales irréversibles • Soins durables nécessaires • Fonction immunitaire plus faible • Peut mener à des pertes visuelles et auditives • Peut ne pas avoir tous ses membres • Difficultés d'apprentissage et de comportement • Problèmes émotifs

Figure 8.10
Les choix du style de vie ont des conséquences immédiates et à long terme sur la santé des enfants à naître.

Le soutien d'un partenaire

Les femmes enceintes ont besoin du soutien de leur partenaire tout au long de la grossesse. Les partenaires doivent aider la femme en manifestant de l'intérêt pour sa grossesse. Ils peuvent l'encourager à manger des repas nourrissants et à éviter l'alcool, le tabac, les drogues, les produits chimiques et l'exercice excessif. Ils peuvent arrêter eux-mêmes de fumer et de boire de l'alcool. Ces changements du style de vie peuvent aider une femme enceinte à mettre au monde un bébé sain et à terme. Poursuivre ce style de vie sain après la naissance de l'enfant, surtout en éliminant le tabagisme et la fumée secondaire nocive, contribue à créer un meilleur environnement pour élever un enfant en santé.

Le choix des soins de santé prénatals

Des bilans réguliers de la **santé prénatale** permettent de s'assurer du bon déroulement d'une grossesse. Les médecins et les sages-femmes ont les connaissances requises pour détecter tout problème et donnent des conseils pour favoriser une grossesse saine et allant à terme. On surveille la régularité de la prise de poids. On analyse la tension artérielle et des prélèvements d'urine afin de déterminer s'il y a des complications. Être enceinte n'est pas une maladie, mais les femmes qui ne font pas un suivi de leur grossesse dès le début mettent en danger leur propre santé et celle du bébé. Des complications pendant les grossesses peuvent arriver à tout le monde. Des soins de santé prénatals continus fournissent un filet de sécurité dans l'éventualité de complications.

Le choix d'un milieu de travail sain

Des risques associés au milieu de travail influent parfois sur la capacité reproductive des hommes comme des femmes. Des substances toxiques peuvent nuire au développement du fœtus. Puisque les spermatozoïdes de l'homme ont besoin de trois mois pour se développer, des dangers affrontés sur le lieu de travail posent également un risque certain pour les hommes. Les dangers parfois difficiles à éviter incluent des produits chimiques toxiques, certaines substances biologiques et les radiations. Les peintures à base d'huile et la fumée de cigarette sont d'autres substances dangereuses présentes sur les lieux de travail.

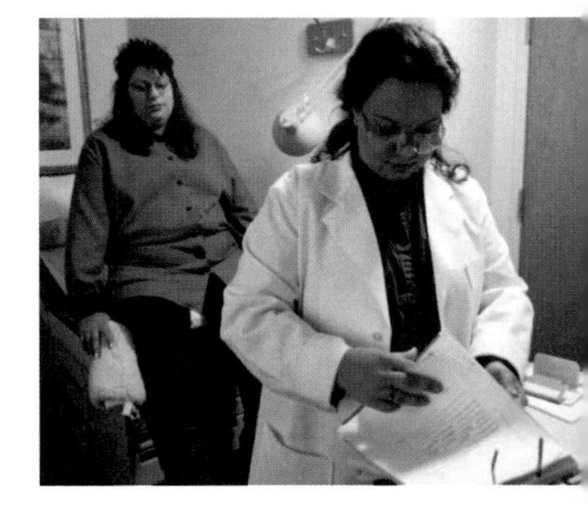

Figure 8.11
Le suivi continu de la mère et de l'enfant à naître fait partie des soins de santé prénatals.

Certains dangers en milieu de travail qui ont des conséquences néfastes chez les femmes sont plus faciles à éviter que d'autres : soulever des objets lourds, rester debout ou assises pendant de longues périodes, travailler plus de 40 heures par semaine et avoir trop chaud ou trop froid. Le lieu de travail est également une source de maladies contagieuses nuisibles. Des maladies telles que la rubéole, la varicelle et les oreillons peuvent avoir des effets dévastateurs sur le fœtus pour une femme n'ayant jamais eu ces maladies ou n'ayant jamais été vaccinée contre elles. Les futurs parents doivent avoir conscience des dangers potentiels que présentent leurs lieux de travail. Le fœtus peut être atteint avant même que la femme ne sache qu'elle est enceinte. Certains lieux de travail favorables à la famille disposent de directives qui permettent aux femmes enceintes de modifier leurs conditions de travail, mais souvent la seule solution est de trouver un autre emploi.

Vérifie tes connaissances

1. Élabore un plan en dix points présentant des choix importants à faire afin de promouvoir une grossesse sans risque.
2. Nomme des risques pour la santé du futur bébé liés à certains styles de vie et à certains lieux de travail. Pour chacun, propose une solution réaliste.
3. En quoi le suivi de la santé prénatale contribue-t-il à des poids sains à la naissance?

Les facteurs héréditaires et génétiques à considérer

Avant d'avoir un enfant, une personne devrait connaître les problèmes de santé qu'elle peut lui transmettre et faire des choix en conséquence. Les tests d'ADN et les recherches génétiques permettent de déceler de plus en plus de maladies héréditaires et d'**anomalies congénitales** génétiques. Certaines maladies sont strictement héréditaires et consistent souvent en des gènes récessifs déficients présents chez les deux parents. Mentionnons par exemple la fibrose kystique et la drépanocytose. Lorsque les deux parents transmettent un gène récessif, le **chargement génétique** se produit. Les deux parents sont porteurs de la maladie mais ne la manifestent pas eux-mêmes. Des caractéristiques non dangereuses, comme la couleur des yeux, se transmettent également de cette manière. Les anomalies congénitales chromosomiques diffèrent des anomalies génétiques. Dans ces cas, des copies supplémentaires de chromosomes ou le réarrangement de parties de chromosomes peuvent produire une anomalie. La trisomie 21 (ou syndrome de Down) est un exemple d'un chromosome supplémentaire produisant une grave anomalie congénitale.

Le rôle de l'hérédité

Les chromosomes contiennent toutes nos données héréditaires. Les êtres humains ont 23 paires de chromosomes (46 chromosomes en tout) dans chacune des cellules de leur corps, sauf les cellules des spermatozoïdes et d'ovule qui contiennent 23 chromosomes chacune. Chaque chromosome consiste en milliers de gènes.

Le gène est l'unité de base de l'hérédité. Les gènes portent toutes les caractéristiques qu'un père et une mère transmettent à leur enfant. Les gènes se présentent en paires et chaque être humain dispose d'environ 30 000 paires de gènes. Dans chaque paire, un gène provient de la mère et l'autre, du père.

Une personne adoptée a une connaissance limitée de son patrimoine génétique. Si c'est ton cas, toi et tes enfants, si tu en as, pourriez avoir des problèmes d'ordre médical imprévisibles. Si tu deviens le père ou la mère d'un enfant qu'une autre famille adoptera, tu pourrais contribuer à l'avenir de cet enfant en fournissant à la famille adoptive un historique médical et génétique détaillé. Il est important que les parents adoptifs sachent si les

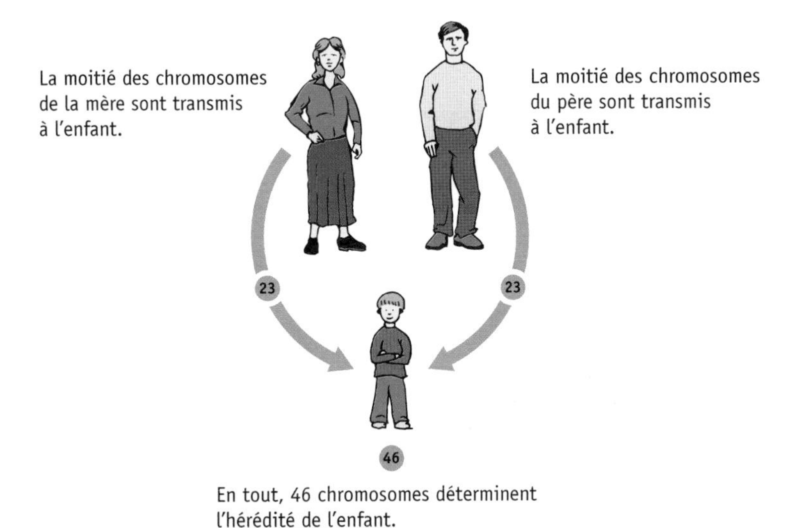

Figure 8.12
L'hérédité d'un enfant se base sur un nombre égal de chromosomes paternels et maternels.

Figure 8.13

parents biologiques ont fait usage de drogues, d'alcool et de nicotine, car les parents biologiques jouent un rôle dans la santé de l'enfant.

Des renseignements sur les anomalies congénitales

Il y a plusieurs sources de renseignements sur les anomalies congénitales. Les pharmacies, les cliniques et les cabinets médicaux proposent souvent des brochures et des bandes vidéo d'information. On peut trouver beaucoup d'information dans Internet et à la bibliothèque. Dans certains cas, les parents peuvent se renseigner sur des problèmes propres à une famille. La plupart des grandes villes canadiennes disposent d'au moins un hôpital offrant des services de conseil en génétique. Un médecin de famille peut recommander ces services aux futurs parents qui veulent savoir s'ils risquent de transmettre à leur enfant un gène spécifique ou une anomalie congénitale chromosomique.

Avis d'experts

HÉLÈNE PERRAS

Hélène Perras est conseillère en génétique depuis dix ans. Elle exerce son métier avec une équipe de sept conseillères en génétique, au sein du Programme régional de l'est de l'Ontario, au Centre hospitalier pour enfants, situé à Ottawa. Après avoir obtenu sa maîtrise en conseils génétiques, elle a d'abord travaillé en conseils génétiques généraux (incluant des conseils prénatals), puis dans un service oncologique. Mais depuis trois ans, elle offre ses conseils en génétique générale et prénatale. « Étant donné que l'assurance-maladie de l'Ontario couvre ce service, les médecins s'en remettent à notre expertise pour répondre aux inquiétudes d'un couple ou d'une femme enceinte, surtout lorsqu'un risque est connu », souligne la conseillère en génétique. « Une première discussion me permet de connaître les antécédents familiaux afin d'évaluer si le risque d'avoir un enfant atteint d'une maladie génétique est plus élevé que la moyenne », poursuit-elle. Une échographie anormale ou douteuse, la prise de certain(s) médicament(s) avant ou au cours de la grossesse, les antécédents familiaux du couple, des infections telle que la varicelle, sont des facteurs qui incitent madame Perras à offrir à la patiente de passer les tests disponibles. « On sait que les anticonvulseurs augmentent le risque d'avoir un bébé atteint de Spina-Bifida », nous informe Hélène (au Canada, on évalue ce risque à 1 pour 1000). C'est pourquoi, advenant cette possibilité, elle portera une attention particulière à la colonne vertébrale du fœtus en offrant à sa patiente de passer une échographie détaillée qui révélera ou non la présence d'une fissure dans la colonne vertébrale. De plus, à 16 semaines, des tests sanguins aideront à déterminer si le sang contient un niveau élevé de la protéine alpha fétoprotéine (AFP), ce qui pourrait indiquer un Spina-Bifida. Elle offre également la possibilité de passer une amniocentèse, qui est un test plus précis qui aidera la patiente à prendre une décision éclairée. L'amniocentèse, qui se fait à partir de 15 semaines de grossesse, et la biopsie choriale (biopsie du placenta), qui s'effectue vers la 11e ou 12e semaine, permettent de déceler une anomalie chromosomique, la plus commune étant celle à l'origine du syndrome de Down (trisomie 21). Par contre, ces tests augmentent le risque de fausse couche. En effet, il est important de savoir que les tests de dépistage n'ont pas seulement une valeur de diagnostic, mais qu'ils accroissent ou diminuent le risque de faire une fausse couche. Certains tests de dépistage ne présentant aucun risque de fausse couche sont également disponibles, mais leurs résultats sont souvent moins précis. « Renseigner les futurs parents et les soutenir de façon immédiate et continue : voilà comment je perçois mon rôle de conseillère en génétique » résume Hélène Perras. Dans le cas d'une maladie métabolique telle que la phénylcétonurie (plus connue sous l'appellation PKU), la conseillère, ou le personnel de santé, interviendra après la naissance de l'enfant. À cause de l'absence de l'enzyme digérant la phénylalanine, l'enfant pourrait souffrir d'un retard intellectuel s'il n'était pas traité. Une diététicienne ou un diététicien établira donc un régime à vie et suivra l'enfant régulièrement. « Parfois, malheureusement, reconnaît la conseillère, on n'a pas de tests prénatals disponibles. On effectue alors des recherches dans d'autres laboratoires, dans d'autres pays et il est parfois possible d'envoyer un échantillon de liquide amniotique à un laboratoire qui pratique un test particulier. »

Il ne faut pas oublier, malgré tout, que la majorité des bébés naissent en bonne santé.

Le syndrome d'alcoolisation fœtale (SAF)

Imagine-toi que tu mets au monde ou que tu adoptes un bébé que tu espérais parfait, puis que tu fais face à une liste de problèmes qui s'allonge toujours. Un faible poids à la naissance, une petite tête, des traits du visage inhabituels, de l'irritabilité, des difficultés à s'alimenter, un retard de développement, des problèmes cardiaques, visuels ou auditifs : voilà quelques exemples des problèmes et des comportements qui résultent de l'abus d'alcool pendant une grossesse. Ce sont les effets du **syndrome d'alcoolisation fœtale (SAF).**

Il n'y a pas de niveau de consommation d'alcool sans danger, que ce soit pendant la conception ou la grossesse.

Parfois, tout va bien pendant la petite enfance. Plus tard, tu t'aperçois que ton enfant ne parle pas clairement ou qu'il ne se développe pas comme les autres enfants de la prématernelle. Ton enfant commence l'école et il est clair qu'il a de grandes difficultés d'apprentissage. Il fait de plus en plus de colères et d'accès de rage et tu n'arrives pas à les maîtriser. Et pourtant, le pire reste à venir.

À l'adolescence, la vie de la plupart des parents ayant des enfants atteints du SAF se désintègre. Rien ne va plus. Les parents perdent le contrôle. Beaucoup de jeunes s'absentent de l'école, ont des rapports sexuels et consomment de l'alcool et des drogues. Les parents joignent des groupes d'entraide. Des mariages échouent. Les jeunes atteints du SAF fuguent souvent et bon nombre d'entre eux finissent en prison. La dépression chez ces adolescentes et ces adolescents est fréquente, de même que les grossesses. Il y a même des jeunes qui meurent des suites de ces comportements à hauts risques.

Figure 8.14
Cette petite fille de quatre ans souffre de troubles neurologiques du développement liés à l'alcool (TNDLA).

Il y a seulement 25 ans, personne ne comprenait pourquoi certains enfants présentaient ces anomalies congénitales très inhabituelles et pourtant similaires, ou pourquoi des enfants en apparence normaux adoptaient les comportements étranges décrits précédemment. Désormais, on sait que ces problèmes découlent de la consommation d'alcool par la femme pendant la grossesse. Des recherches visent maintenant à démontrer que la consommation d'alcool aux époques de la conception et de l'allaitement présente aussi des risques.

L'idée qu'il ne faut pas consommer d'alcool pendant une grossesse se répand de plus en plus. Des groupes de pression comme FASWorld Canada cherchent à éduquer le public et à aider les milliers de personnes actuellement aux prises avec le SAF.

Le syndrome d'alcoolisme fœtal : Ce que vous devriez savoir au sujet de la consommation d'alcool pendant la grossesse

Ce texte est reproduit avec l'aimable autorisation de la Société canadienne de pédiatrie.

Est-ce que la consommation d'alcool pendant la grossesse pose un danger ?

- Lorsqu'une femme consomme de l'alcool pendant qu'elle est enceinte, l'alcool est transmis directement au bébé par le circuit sanguin. La consommation d'alcool pendant la grossesse peut provoquer le syndrome d'alcoolisme fœtal (SAF), une maladie grave qui peut porter atteinte à l'enfant pendant toute sa vie.
- Les enfants atteints du SAF ont des troubles de développement, d'apprentissage, de comportement et d'aptitudes sociales.
- Peut-on consommer une certaine quantité d'alcool qui ne pose pas de danger pendant la grossesse ? On ne le sait pas. C'est pourquoi il est préférable de ne pas consommer d'alcool du tout.
- On sait que plus la femme enceinte consomme d'alcool, plus les dommages peuvent être importants pour le bébé.
- La consommation frénétique occasionnelle d'alcool, c'est-à-dire la consommation d'au moins cinq boissons alcooliques en une seule fois, est très dangereuse pour l'enfant à naître.

Comment puis-je prévenir le SAF ?

- Si vous songez à devenir enceinte, il est préférable que vous arrêtiez de boire dès maintenant. Vous serez alors certaine de prévenir le SAF chez votre bébé.

Les femmes qui éprouvent de la difficulté à arrêter de boire ou qui ont déjà un enfant atteint du SAF devraient obtenir de l'aide avant de devenir enceintes. Certaines collectivités disposent de programmes d'aide, dans lesquels des femmes en aident d'autres à arrêter de boire ou à réduire leur consommation d'alcool.

- Si vous êtes déjà enceinte, il est préférable que vous cessiez tout à fait de consommer de l'alcool.

Si vous trouvez qu'il est trop difficile d'arrêter, tentez de boire moins souvent ou de prendre moins de consommations en une seule fois. Chaque fois que vous décidez de ne pas boire, vous aidez votre bébé.

Si vous êtes enceinte et que vous ne parvenez pas à arrêter de boire, demandez de l'aide. Votre médecin, votre groupe d'entraide SAF local ou votre clinique locale peut vous aider à trouver un programme qui vous conviendra.

Les hommes peuvent aider leur partenaire en évitant de consommer de l'alcool ou en en buvant moins.

Qu'arrive-t-il aux bébés dont les mères consomment de l'alcool pendant leur grossesse ? Les bébés exposés à l'alcool avant leur naissance peuvent :

- être plus petits que les autres bébés ;
- présenter de légères différences dans le visage : des yeux petits ou étroits et une lèvre supérieure mince ou aplatie.

Les bébés exposés à de grandes quantités d'alcool avant la naissance peuvent vivre une période de sevrage pendant les quelques premières semaines de leur vie. Ce sevrage se manifeste souvent avant leur départ de l'hôpital. Les symptômes de sevrage incluent :

- une extrême irritabilité ou une humeur maussade,
- des tremblements,
- des troubles de l'alimentation,
- de la diarrhée.

Ils peuvent également présenter des troubles de rythme cardiaque, de respiration ou de digestion.

Bien des bébés exposés à l'alcool pendant la grossesse sont grincheux et éprouvent de la difficulté à se calmer. Ce trouble peut perdurer des années. Ces bébés peuvent aussi souffrir de troubles du sommeil.

Le SAF disparaît-il ?

Les symptômes du SAF durent toute la vie, mais peuvent changer à mesure que l'enfant grandit :

Les tout-petits atteints du SAF peuvent être :

- hyperactifs,
- incapables de respecter des directives simples,
- beaucoup trop amicaux, même face aux étrangers,
- en retard dans leur développement.

Le SAF chez les enfants d'âge scolaire peut causer :

- des troubles d'apprentissage, y compris des troubles de lecture,
- des troubles de l'attention,
- des troubles de comportement en classe,
- un retard scolaire.

En raison de ces problèmes, les enfants atteints du SAF ont souvent une mauvaise estime d'eux-mêmes. Ils réussissent mieux dans un programme d'éducation adapté à leurs besoins.

Que devrais-je faire si je pense que mon enfant est atteint du SAF ?

Les provinces et les territoires possèdent des ressources pour repérer les enfants atteints du SAF. Si vous pensez que votre enfant en souffre, demandez à votre médecin de procéder à une évaluation ou d'envoyer votre enfant en consultation.

Pour déterminer si votre enfant souffre du SAF, le médecin demandera :

- si vous avez consommé de l'alcool pendant votre grossesse, et la quantité que vous avez consommée ;
- comment votre enfant se comporte ;
- comment votre enfant réussit à l'école ;
- quels sont les troubles d'apprentissage de votre enfant.

Les enfants exposés à l'alcool avant leur naissance ne présentent pas tous un SAF « complet ». Ils peuvent toutefois avoir certains problèmes.

Les enfants atteints d'un SAF « partiel » ou d'autres troubles reliés à l'alcool auront également besoin de soutien à domicile et à l'école, tout comme les enfants atteints du SAF.

Les enfants atteints du SAF auront-ils toujours des problèmes ?

Le SAF dure toute la vie, mais si un enfant atteint du SAF est repéré rapidement et obtient de l'aide, il risquera moins d'avoir des problèmes plus tard.

Parmi les problèmes dont souffrent les adolescents ou les adultes atteints du SAF, soulignons :

- les troubles de santé mentale,
- un comportement sexuel inconvenant,
- de mauvaises expériences à l'école,
- des problèmes avec la loi,
- l'alcoolisme ou la toxicomanie.

Une intervention rapide s'impose pour réduire la possibilité qu'un enfant né avec le SAF présente des troubles graves lorsqu'il grandira.

Source : Société canadienne de pédiatrie.

La parole aux parents

Carol Ann et Will Allen, Sr. parlent de leurs enfants adoptifs souffrant de troubles liés au SAF.

Figure 8.15
Les cinq enfants des Allen souffrent de troubles liés au SAF.

Mon mari Will et moi voulions une grande famille. Nous nous sommes mariés, mais, malheureusement, nous n'avons jamais pu avoir d'enfants. Nous avons envisagé l'adoption, mais avons rejeté l'idée d'adopter un enfant atteint du SAF. Nous avions peur de ne pas vivre assez longtemps pour lui fournir le soutien nécessaire.

En septembre 1987, on nous a offert un enfant dans le cadre d'une adoption privée. On nous a dit qu'il s'agissait d'un cas ne faisant intervenir ni drogue ni alcool. Après sa naissance, Vincent a passé les six premières semaines de sa vie à l'unité des soins intensifs. Sa mère biologique nous a rencontrés le jour où nous sommes allés chercher Vincent. Elle nous a dit qu'il était prématuré et qu'il avait eu des convulsions, une méningite et une infection crânienne. Le médecin a répondu à nos questions prudemment, mais nous a avoué que Vincent était atteint du SAF et que, s'il survivait, il pourrait souffrir d'un retard important.

C'était trop tard ; nous l'aimions déjà et nous étions prêts à accepter son retard mental. J'avais été éducatrice spécialisée avant de devenir infirmière. Nous sommes donc rentrés chez nous et les années ont passé. Nous avons travaillé dur avec Vincent pour développer son intelligence. Il était adorable, charmant, intelligent, doué pour résoudre les problèmes et très indépendant. Des faits curieux qu'aucun médecin ne pouvait nous expliquer se manifestaient cependant. Par exemple, on nous a dit qu'il était atteint du syndrome du trouble d'hyperactivité avec déficit de l'attention (THADA), mais le traitement n'a eu aucun effet sur lui. Son comportement a empiré. Quand nous avons demandé si la consommation de drogue ou d'alcool avant sa naissance pouvait avoir causé des problèmes neurologiques, on nous a répondu que Vincent allait très bien ; il fallait juste que nous améliorions nos aptitudes à élever un enfant !

Vincent a su depuis le début que nous l'avions adopté. Ça ne le gênait pas, mais il voulait des frères et sœurs coûte que coûte. Nous avons réfléchi, prié et discuté pour devenir une famille d'accueil. On nous considérait comme trop vieux pour adopter d'autres enfants. Nous avons suivi des cours pour agir comme famille d'accueil et nous espérions trouver un petit garçon de huit ans, soit à peu près l'âge de Vincent.

Le jour où on nous a admis comme famille d'accueil, deux enfants, de cinq et trois ans, avaient besoin d'un placement d'urgence. Parce que cinq et trois font huit, nous les avons accueillis. Il s'agissait de deux enfants d'une famille de six enfants. Deux mois plus tard, un autre enfant de leur famille a eu besoin d'un placement d'urgence, puis une semaine plus tard, c'était le tour du plus jeune de la famille. Ainsi a commencé notre nouvelle vie.

Les parents d'enfants présentant le SAF doivent relever des défis bien différents de ceux des autres parents.

Nos cinq enfants subissent les effets de la consommation d'alcool et de drogue par leurs parents biologiques. Nous participons au FASlink. Il s'agit d'un babillard électronique destiné aux personnes touchées par le SAF. Nous avons contacté un généticien pour savoir à quoi nous avions affaire. Par coïncidence, c'était le médecin, que nous ne connaissions pas, qui avait diagnostiqué des « stigmates sans équivoque du SAF » chez Vincent lorsqu'il était bébé. Nous n'avions tout simplement jamais reçu l'information !

Le 4 septembre 1998, nous avons adopté Paul, 10 ans, Will Jr., 8 ans, Carol Ann Marie, 5 ans, et Anthony Paul, 4 ans. Chaque enfant a choisi son propre prénom. Vincent et Tony ont le SAF. Les autres enfants souffrent de TNDLA (autrefois appelé effets de l'alcool sur le fœtus [EAF]). Ce sont les enfants les plus adorables au monde et ils nous ont donné plus de joie qu'il est possible de s'imaginer.

Cela n'a pas été facile. Un des enfants est devenu tellement incontrôlable qu'on a dû nous le retirer pendant quelque temps. Nous avons lutté contre le système, contre les écoles, contre les gens qui ne peuvent pas ou ne veulent pas comprendre nos enfants. Nous avons un petit cercle d'amies et d'amis très fidèles, en ligne et hors ligne. Il est probable qu'aucun de nos enfants ne sera jamais totalement indépendant. Nous avons encore un long et difficile chemin à parcourir, mais nous sommes têtus, persévérants et déterminés.

Beaucoup de gens nous demandent « pourquoi » nous faisons cela à nos âges. C'est très simple : les vacances, les croisières et toutes ces activités qu'on fait à la retraite ne durent qu'un temps ; les enfants, en revanche, sont là pour toujours. Ils sont notre retraite. Nous avons une vie bien remplie et heureuse, la plus riche qui soit.

Liens

1. **Conçois un site Web, une affiche ou une brochure qui donne aux futurs parents les renseignements nécessaires pour avoir un enfant en bonne santé.**
2. **Élabore un projet pour faire prendre conscience au public de l'importance d'éviter la consommation d'alcool pendant la grossesse.**

La préparation en vue d'un avenir avec des enfants

Il y a beaucoup de points à considérer lorsqu'on envisage d'avoir des enfants. Si tu espères devenir mère ou père un jour, tu devras te préparer aux nombreux changements qui auront lieu. Les vies changent lorsque les enfants naissent, sur les plans physique, émotionnel et financier. Les parents qui adoptent des enfants doivent aussi se préparer à l'arrivée de l'enfant. En règle générale, les 18 premiers mois suivant la naissance ou l'adoption représentent la plus difficile période d'ajustement à la vie de parents.

Des cours prénatals aident les couples et les personnes seules à planifier les changements à venir et à se préparer pour l'accouchement. Dans certains cours, on fournit un **ventre d'empathie** ou un **simulateur de grossesse** aux futurs pères. Durant la grossesse, une femme a besoin d'aide pour faire de nombreuses choses, y compris lacer ses chaussures. Le ventre d'empathie sert à simuler la taille, le poids et l'inconfort d'une grossesse. On encourage les hommes à essayer de lacer leurs chaussures, de ramasser des jouets et de monter sur des chaises avec le simulateur qui appuie sur leurs poumons et leur vessie. Cette expérience leur permet en général de comprendre les inconforts qu'une femme enceinte doit supporter.

Une formation pour apprendre à travailler avec des enfants

Beaucoup de femmes proposent des services de garde d'enfants chez elles sans avoir de formation officielle. Il s'agit parfois de mères ou de personnes ayant suivi un cours de gardiennage ou de premiers soins. Certaines ont peut-être suivi des cours sur le rôle parental ou d'éducation coopérative à l'école secondaire ou fait du bénévolat au sein de leur communauté.

Cependant, si tu as l'intention de travailler avec des enfants à ton compte ou dans des services de garde d'enfants agréés, tu dois suivre une formation plus complète. Les collèges communautaires offrent des cours sur l'éducation de la petite enfance. Les universités proposent également des programmes de baccalauréat en développement de l'enfant, en études de la famille et en écologie humaine. Muni d'un tel diplôme, on peut poursuivre ses études pour devenir enseignante ou enseignant, travailleuse sociale ou travailleur social, professionnelle ou professionnel de la santé, thérapeute pour enfants et familles, avocate ou avocat en droit familial ou exercer d'autres professions en lien avec les enfants et les familles.

Info-carrière

ÉDUCATRICE OU ÉDUCATEUR DE LA PETITE ENFANCE

Les tâches et les responsabilités

Les tâches et les responsabilités d'une éducatrice ou d'un éducateur de la petite enfance consistent à répondre aux besoins de l'enfant dans les domaines de la surveillance, de la sécurité, de la nourriture et de l'hygiène, ainsi qu'à planifier et à organiser des activités encourageant le développement physique, social, émotionnel et intellectuel de l'enfant. Les enfants apprennent d'importantes habiletés sociales auprès d'un bon service de garde d'enfants. L'éducatrice ou l'éducateur de la petite enfance est en outre responsable d'assurer un environnement sécuritaire et enrichissant.

Une éducatrice ou un éducateur de la petite enfance fournit au jeune enfant des soins à la place des parents pendant la majeure partie de ses premières années. Il lui revient de développer de bonnes relations avec les parents de l'enfant afin de faciliter la transition entre la maison et la garderie.

L'environnement de travail

Les éducatrices et les éducateurs de la petite enfance trouvent des emplois dans des jardins d'enfants, divers établissements de garderie publics et privés, des centres communautaires et dans des programmes récréatifs proposés après l'école et pendant les vacances, des écoles spécialisées, des hôpitaux et des centres éducatifs. Il s'agit d'environnements bruyants et actifs qui fourmillent d'enfants en plein apprentissage et avides de jeux.

Les journées de travail durent généralement huit heures, à raison de cinq jours par semaine. Le travail par équipes est courant et la plupart des établissements de garderie ouvrent de 7 h à 18 h au moins. Certains proposent une garde de nuit. Les directrices et les directeurs ainsi que les superviseures et superviseurs d'établissements de garderie travaillent parfois plus longtemps, mais interviennent moins auprès des enfants et plus dans les tâches administratives.

La formation et les aptitudes

La capacité de respecter les enfants constitue la base du métier d'éducatrice ou d'éducateur de la petite enfance. Il faut aussi de la patience et de la compréhension, car tous les enfants ont besoin d'encouragement et de soutien. On doit faire preuve d'une grande énergie et aimer sincèrement les enfants et leurs jeux pour réussir dans ce domaine.

Une éducatrice ou un éducateur de la petite enfance possède idéalement un diplôme d'éducation de la petite enfance (EPE). On obtient généralement ce diplôme après deux ans d'études à temps plein dans un collège communautaire. On demande parfois aux superviseures et aux superviseurs d'avoir un diplôme universitaire dans un programme incluant des études sur les enfants.

Que tu te diriges vers une profession s'occupant spécifiquement d'enfants ou vers une tout autre profession, une bonne compréhension des enfants contribue aux connaissances globales bénéfiques à toute personne qui décide d'avoir des enfants.

Résumé

Points marquants

- Les expériences avec des enfants, dans la famille ou dans le milieu communautaire permettent de se préparer à l'importante tâche d'être parents.
- Se préparer au rôle parental est essentiel pour l'avenir des parents et des enfants. Il s'agit d'acquérir les connaissances, les compétences et les attitudes nécessaires aux tâches parentales ; de se préparer physiquement et émotionnellement ; de prévoir l'argent, le temps et l'énergie nécessaires ; de maintenir un esprit, un corps et un style de vie sains ; de savoir qu'on dispose du soutien de la famille, des amies et des amis ainsi que de la communauté.
- Le fait de fumer, de consommer de l'alcool et des drogues et de s'exposer à des produits chimiques a des effets nuisibles immédiats et durables sur la santé, le développement et l'avenir de l'enfant.
- Il est important de connaître ton historique médical et de savoir que tu peux transmettre des maladies ou des troubles génétiques à ton enfant.

- Il est possible d'éviter le syndrome d'alcoolisation fœtale (SAF) en ne consommant aucun alcool pendant la grossesse.
- Que tu prévoies avoir des enfants, travailler avec des enfants ou les deux, un cours sur le rôle parental et sur le développement humain contribue de manière importante à te préparer à accueillir des enfants dans ta vie.

Révision et approfondissement

1. Décris les différences entre une génitrice ou un géniteur et une mère ou un père. C/C
2. Suppose que tu es prête ou prêt à avoir des enfants. Dresse la liste de tes connaissances, de tes compétences et de tes attitudes qui peuvent faire de toi un parent bien préparé. C/C A
3. Décris en quoi un manque de ressources financières peut influer négativement sur les parents et les enfants. C/C R/R
4. Analyse les défis que représente le fait d'avoir des enfants à l'adolescence et décris la vie de parents adolescents lorsque l'enfant aura 10 ans. C/C R/R C
5. Étudie une anomalie congénitale précise. Décris ses causes, comment on peut la détecter et les options qui se présentent aux parents lorsqu'on détecte l'anomalie. R/R C
6. Consulte la figure 8.10 à la page 192. Planifie la semaine précédant la conception pour un couple qui choisit d'adopter un style de vie sain pendant la grossesse afin d'assurer un avenir sain au bébé. C/C A
7. Conçois un « ventre d'empathie » à l'aide d'un sac de litière pour chat ou de matériel semblable qui a le poids adéquat. Demande à des camarades de le porter et de lacer leurs chaussures ou de ramasser des jouets. Invite-les à s'imaginer porter ce poids pendant environ trois mois. Note leurs réactions et présente-les à la classe. C/C R/R C A
8. Beaucoup de métiers fournissent des connaissances et des compétences qui permettent à des hommes et à des femmes d'être de meilleurs parents. Choisis deux de ces métiers. Analyse les compétences requises dans ces métiers qui peuvent aider une personne à mieux jouer son rôle parental. R/R A
9. Lis les scénarios suivants. Pour chacun, décris le problème et propose des actions qui auraient des conséquences positives. C/C R/R C A
   a) L'enfant que tu as adopté il y a quatre ans est atteint du syndrome d'alcoolisation fœtale (SAF).
   b) Ton conseiller en génétique t'informe que tu portes le gène d'une anomalie congénitale.
   c) Toi et ta ou ton partenaire fumez et prévoyez d'avoir votre premier enfant.
   d) Ta partenaire est enceinte de deux mois ou tu l'es toi-même. Un ami avec qui tu avais l'habitude de consommer de l'alcool t'invite à une soirée.

Recherche

10. Travaillez en petits groupes pour ce projet de recherche. Faites un remue-méninges pour dresser la liste de tous les articles nécessaires pour un nouveau-né, y compris l'ameublement, l'équipement et les vêtements. Consultez des catalogues, des dépliants publicitaires et Internet ou allez au magasin pour déterminer le prix de chacun de ces articles neufs. Dans les petites annonces, les magasins d'occasion, les marchés aux puces ou les ventes de garage, trouvez le montant que vous pourriez payer pour les mêmes articles avec un budget limité.

Comparez les résultats de votre groupe avec ceux des autres groupes de la classe.

11. Fais une recherche dans Internet au sujet des formations et des programmes d'enseignement liés aux soins des enfants au Canada. Choisis trois programmes qui t'intéressent. Sur une grande fiche, écris une brève description du programme et quelques détails, par exemple les personnes admises à ce cours, l'établissement qui le propose, la province ou le territoire et le site où on donne le cours, le prix ou les frais occasionnés, sa durée, les conditions d'admission, le nom du certificat ou du diplôme qu'il permet d'obtenir. Avec les autres élèves, conçois une présentation visuelle en reliant à l'aide d'une ficelle, sur une grande carte du Canada, ta fiche au lieu où on peut suivre cette formation. Confectionne une bannière portant l'inscription « Éducation de la petite enfance au Canada ».

Analyse et solution

12. Se préparer à être parents contribue à une grossesse saine et à la bonne santé durable de l'enfant. Doit-on autoriser les personnes qui ne sont pas prêtes à être parents à avoir des enfants ? Prends position et examine les conséquences pour les parents et les enfants. Rédige un texte de cinq paragraphes visant à persuader les autres de ton opinion.

Module 5 La nature des enfants

Ce module te fera découvrir le développement humain et le rôle essentiel du développement du cerveau durant les premières années de vie. Tu verras comment favoriser le développement optimal de l'enfant, de la conception à l'adolescence.

THÈMES DÉVELOPPÉS :

- Les personnes qui vivent et travaillent avec les enfants contribuent à la croissance et au développement humains.
- Le développement cérébral précoce favorise le développement intellectuel des enfants d'âge scolaire ainsi que des adolescentes et des adolescents.
- Le développement cérébral précoce ainsi qu'un milieu favorable contribuent de façon globale à la croissance et au développement humains.
- Un développement sain commence avant la conception et se poursuit bien au-delà.
- La qualité du développement tout au long de la vie a un lien avec la grossesse et la petite enfance.
- L'établissement de liens et l'attachement dès la naissance sont déterminants pour la croissance et le développement.
- La première année de vie détermine le développement à venir d'une personne.
- L'attachement précoce influe sur le développement social et émotionnel des enfants d'âge scolaire ainsi que des adolescentes et des adolescents.
- La théorie de l'attachement et des liens révèle le rôle crucial des parents dans le développement humain global.
- Les expériences vécues durant les premières années sont déterminantes pour le développement humain.
- La stimulation et le développement du cerveau durant les premières années de vie préparent à l'apprentissage au cours de l'enfance et de l'adolescence.
- Les enfants apprennent rapidement pendant les cinq premières années de vie grâce au jeu et à l'interaction.
- Les parents d'enfants d'âge scolaire et d'adolescentes et d'adolescents doivent relever des défis uniques liés au stade de développement de leurs enfants.
- De l'enfance à l'âge adulte, le développement humain vise la maturité physique, intellectuelle, psychologique, sociale et émotionnelle.

Aperçu du module

Chapitre 9

La croissance et le développement humains : un survol

À la fin de ce chapitre, tu pourras :

- comprendre la nature multiple du développement de l'enfant et ce qui l'influence ;
- reconnaître les environnements qui offrent des conditions favorables au développement de l'enfant, que ce soient par les familles, les personnes qui s'occupent des enfants et d'autres personnes ;
- décrire différentes théories du développement de l'enfant et évaluer leur pertinence ;
- expliquer le rôle de la stimulation dans le développement intellectuel des nourrissons à partir des principes de base des sciences neurologiques ;
- évaluer les neurosciences et les théories du développement cérébral pendant les périodes critiques de la petite enfance ;
- analyser les changements liés au développement humain durant le cycle de vie.

Mots clés

axone
câblage du cerveau
conception
dendrites
émondage
enfant agressif
enfant placide
enfant sensible
études interdisciplinaires
motricité fine
motricité grossière
neurone
période critique
psychologue du développement
résilience
science cognitive
stimulation
stimulus
surstimulation
synapse

Aperçu du chapitre

La croissance et le développement humains

Figure 9.1
Nous avons des apparences et des tailles différentes ainsi que des aptitudes et des tempéraments différents.

Observe les gens que tu connais. Ils varient en apparence, en taille et en âge ; ils ont des compétences, des habiletés, des intérêts et des tempéraments différents. Des gens sont heureux, d'autres, tristes. Certaines personnes parlent beaucoup, d'autres sont plus réservées. Quelques-unes ont toujours besoin d'aide même pour les tâches toutes simples, alors que d'autres sont parfaitement autonomes, capables de se débrouiller et d'aider les autres.

Bien que chaque personne soit unique, les spécialistes en sciences sociales ont reconnu des modèles de développement, de la naissance à l'adolescence, chez les êtres humains de toutes les cultures. Quand les parents et les personnes qui s'occupent des enfants connaissent ces modèles, ils sont davantage en mesure de bien s'acquitter de leur rôle. L'étude de la croissance et du développement aide à comprendre les différences et les ressemblances entre les êtres humains.

L'étude de la croissance et du développement humains s'intéresse à la façon dont les personnes changent, de la conception jusqu'à la vieillesse. Les êtres humains se développent physiquement, socialement, émotionnellement, moralement et intellectuellement. La croissance se définit par un changement de taille, alors que le développement représente plutôt un changement dans les compétences. Cependant, dans l'étude de l'enfance et de l'adolescence, nous emploierons souvent ces deux termes ensemble ou d'une façon interchangeable.

Les êtres humains se développent :
- physiquement,
- socialement,
- émotionnellement,
- moralement,
- intellectuellement.

Pourquoi étudier le développement humain ?

Combien d'enfants rencontres-tu chaque jour ? As-tu déjà ressenti de la frustration dans tes interactions avec eux ? As-tu déjà eu l'impression que tu ne comprenais pas leur comportement ? As-tu déjà pensé que leurs parents s'y prenaient mal, ou qu'un enfant a simplement besoin de discipline ? Dès qu'on sait que les sautes d'humeur sont courantes chez un enfant d'environ 18 mois, on les accepte plus facilement. Si tu sais que les sautes d'humeur font partie du développement normal des enfants, tu les comprendras mieux. Ta compréhension du développement humain augmentera ton empathie et ta compétence à prendre soin des enfants. Cette connaissance permet d'éviter des cas de négligence ou de mauvais traitements. Tu en sauras davantage sur les stades du développement humain en observant les enfants autour de toi et en apprenant ce que d'autres ont découvert avant toi.

À l'adolescence, les jeunes en pleine croissance ne sont pas toujours aussi heureux qu'ils le souhaitent. Cela peut les rassurer de savoir que ce sentiment est normal et qu'il disparaît en général à l'âge adulte. Cependant, il y a des sentiments et des humeurs qui méritent qu'on s'y attarde. L'étude du développement humain t'aidera à distinguer les situations normales de celles qui demandent une aide professionnelle. Pendant ce cours, tu te souviendras ou on te racontera des événements marquants de ton développement. Tu auras l'occasion d'y réfléchir et, ce faisant, de mieux saisir ce qui a fait de toi la personne que tu es. Dans le rôle de parent, de garde d'enfants ou d'une personne qui travaille auprès de jeunes, de la naissance à l'adolescence, tu reconnaîtras les cas où un enfant a besoin d'aide professionnelle.

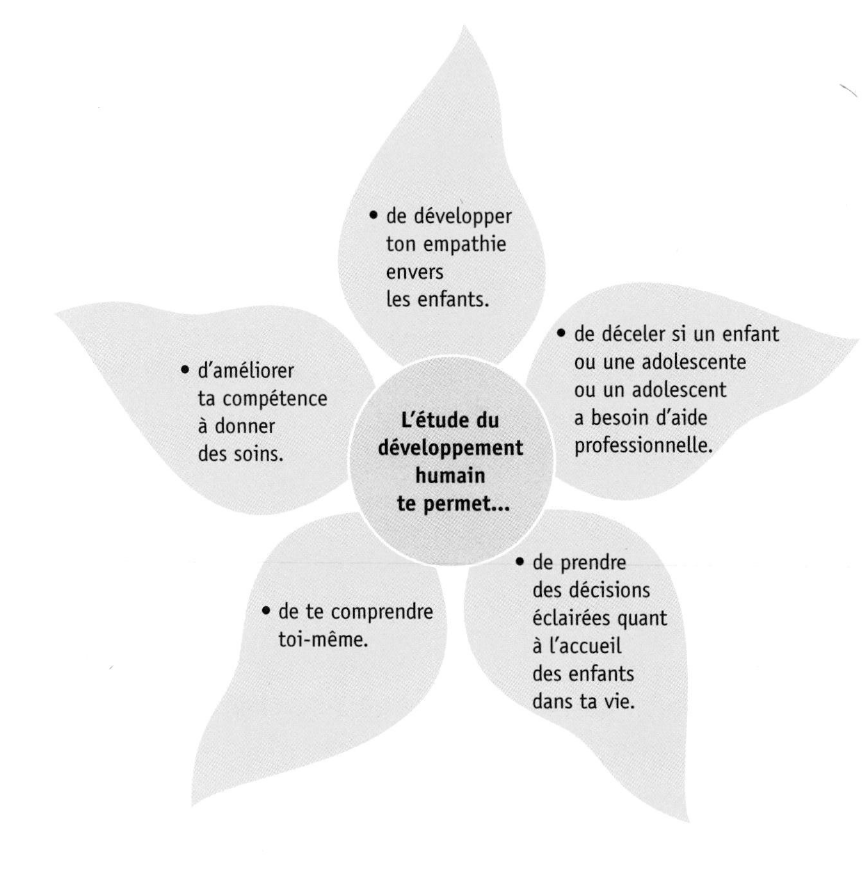

Figure 9.2
Même si tous les aspects du développement humain sont liés les uns aux autres, il est possible de les étudier séparément.

Si tu fais un parallèle entre l'étude du développement humain et tes souvenirs d'enfant, tu comprendras mieux pourquoi tu es la personne que tu es aujourd'hui, avec ta personnalité, ton intelligence et tes aptitudes uniques. Ce que tu es maintenant n'est pas le fruit du hasard.

L'étude du développement humain t'aidera à prendre des décisions éclairées en regard de ton avenir. Voudras-tu devenir parent quand tu sauras à quoi t'attendre des enfants à tous les âges et à tous les stades de leur développement ? Tes choix de carrière te permettent-ils de bien jouer le rôle parental, si important ? Te vois-tu dans un métier lié aux enfants, par exemple orthodontiste, artothérapeute, chauffeuse ou chauffeur d'autobus scolaire, enseignante ou enseignant ?

■ L'étude du développement humain t'aidera à faire des choix réfléchis concernant ton avenir.

Le développement humain, de la conception à l'adolescence

Le développement humain commence au moment de la **conception**, c'est-à-dire quand le spermatozoïde pénètre l'ovule et que la division cellulaire débute. L'union des deux cellules fournit l'ensemble des chromosomes – 23 du père et 23 de la mère – contenant tout le bagage génétique nécessaire au développement de l'embryon. La conception détermine le potentiel humain, mais le degré de réalisation de ce potentiel dépend de bien des facteurs. La qualité de la grossesse et de la naissance, la nurturance et les soins donnés à l'enfant ainsi que les expériences de vie continuent à influencer et à façonner son potentiel humain.

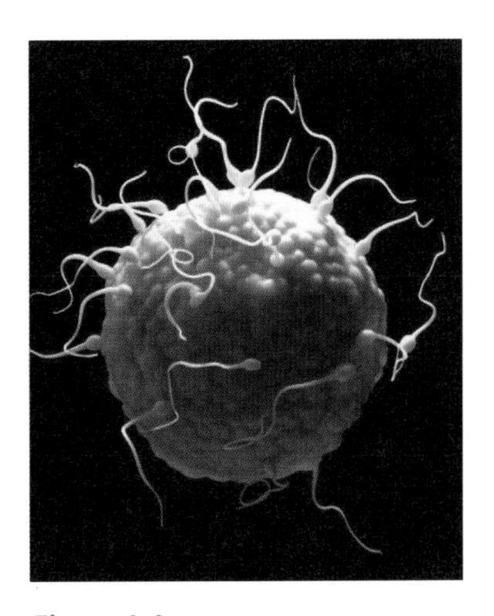

Figure 9.3
Le moment avant la conception. Un spermatozoïde réussira à pénétrer l'ovule.

Liens

1. Des parents conservent un livre de bébé avec des photos de l'enfant et des notes sur les moments marquants de son développement. Retrouve le tien ou regarde celui de quelqu'un d'autre. Observe le développement d'un enfant. Si possible, interroge la personne qui a réalisé le livre de bébé.
2. Réfléchis aux moments marquants inscrits dans le livre de bébé. Résume tes observations en une page. Si tu veux, tu peux commenter certains événements, comme les premiers pas ou les premières nuits complètes. Par exemple : « Mes parents étaient sans doute heureux que je les laisse dormir toute la nuit à l'âge de 11 mois. » Ou : « Quand j'ai commencé à marcher à neuf mois, j'ai contribué à garder mes parents en bonne forme physique parce qu'ils devaient me suivre partout. »

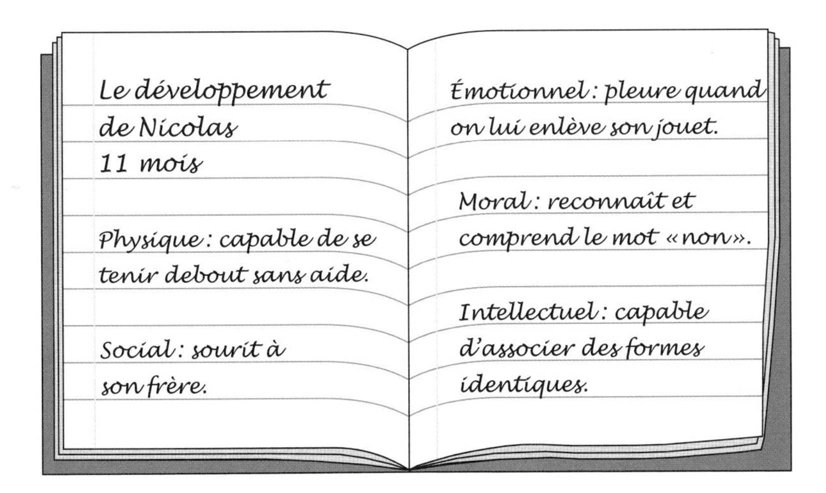

Figure 9.4
Les parents prennent parfois en note les stades du développement de leur enfant.

L'étude du développement humain durant la petite enfance, l'enfance et l'adolescence inclut cinq aspects distincts, interreliés et présents en même temps. En effet, le progrès dans un des aspects déclenche souvent le progrès dans un autre aspect. Les **psychologues du développement**, soit les spécialistes des sciences sociales qui étudient le développement humain, ont défini ces aspects comme suit : physique, social, émotionnel, moral et intellectuel (ou cognitif). Leurs recherches aident les parents et les personnes en relation avec les enfants à connaître les stades de développement associés à chaque âge ainsi que ce qu'on peut attendre des bébés, des tout-petits, des enfants d'âge préscolaire et scolaire de même que des jeunes à la préadolescence et à l'adolescence.

Les caractéristiques du développement humain

Le développement humain est :

- semblable chez tous les êtres humains,
- séquentiel,
- individualisé,
- interrelié,
- continu.

Chaque personne évolue à sa façon et à son rythme. Pourtant, on observe un modèle semblable de développement dans toutes les cultures. Le développement suit une séquence et chaque stade se construit sur la base du stade précédent. Il est propre à chaque personne et tous ses aspects sont interreliés. Enfin, le développement humain se poursuit tout au long de la vie.

Le développement des êtres humains est semblable partout dans le monde. Dans tous les pays, les bébés suivent le même modèle de développement. Par exemple, tous les bébés babillent et gazouillent de la même manière, quel que soit le langage parlé à la maison. Ensuite, à peu près au même âge, ils commencent à produire des sons imitant de près la langue qu'ils entendent, que ce soit le russe, le chinois, le français ou l'anglais.

Le développement suit une séquence et chaque stade se construit sur la base du stade précédent. Les bébés lèvent toujours la tête avant d'arriver à se retourner. Ils apprennent à se tenir debout seuls avant de faire leurs premiers pas. Les enfants doivent atteindre les premiers stades de développement et faire certains apprentissages afin de poursuivre leur développement. La croissance physique détermine l'ordre d'acquisition des nouvelles compétences. Par exemple, on ne peut entraîner un enfant à la propreté si les muscles contrôlant sa vessie ne sont pas prêts.

Le développement est individualisé. En général, on avise les parents de ne pas s'inquiéter outre mesure si le développement de leur enfant diffère quelque peu de celui des autres. Les enfants évoluent à leur rythme dans tous les aspects du développement, même si la progression suit un modèle semblable pour tous. Certains enfants marchent plus jeunes que d'autres, peut-être parce qu'ils sont plus grands et plus forts. D'autres parleront couramment avant de se décider à marcher.

Les étapes du développement physique d'Émilie

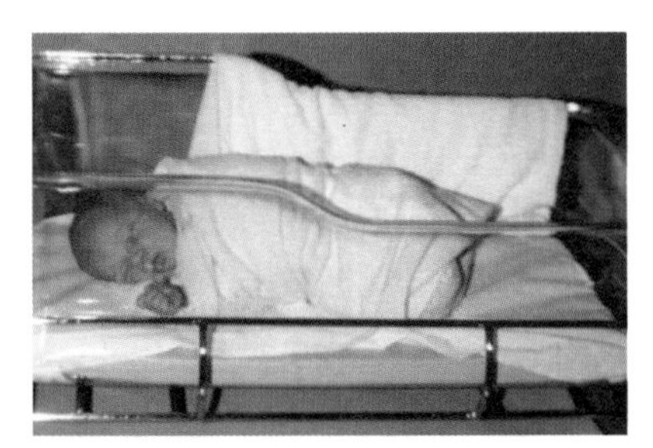

Les premiers jours.

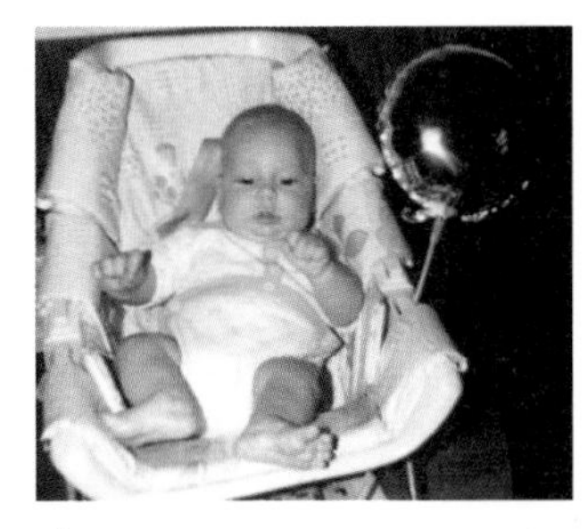

À deux mois, elle a besoin d'appui pour s'asseoir ; elle regarde ses mains.

À trois mois, elle lève la tête et la poitrine et tente d'atteindre des objets.

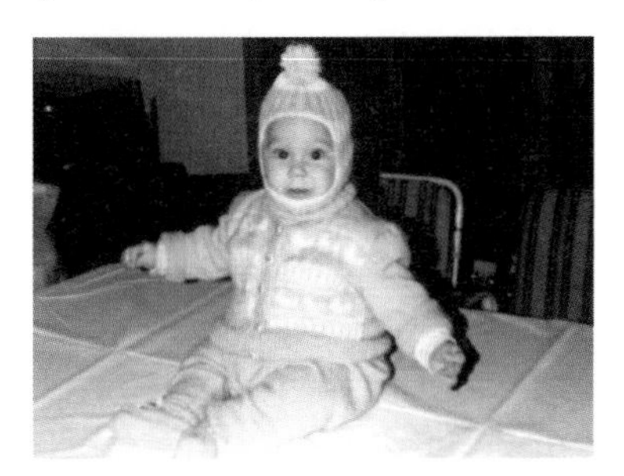

À six mois, elle s'assoit seule.

À neuf mois, elle rampe sur les mains et les genoux.

À dix mois, elle se lève avec un appui.

À onze mois, elle grimpe.

À un an, elle se tient debout toute seule.

Figure 9.5
Le développement est séquentiel. Avant de pouvoir courir, un bébé doit d'abord acquérir la maîtrise de son corps en passant par diverses étapes : lever la tête, ramper, se tenir debout et marcher.

Figure 9.6
L'enfant qui saisit les notions de bien et de mal lutte contre des sentiments de culpabilité.

Les cinq aspects du développement sont interreliés. Les aspects physique, social, émotionnel, moral et intellectuel sont liés les uns aux autres. Un enfant physiquement capable de grimper sur une chaise pour prendre un biscuit avant le repas est assez vieux pour comprendre qu'il agit mal. Il luttera peut-être contre son sentiment de culpabilité avant de décider s'il prend ou non le biscuit. Les cinq aspects du développement sont interdépendants et se renforcent les uns les autres.

Le développement se poursuit toute la vie. Le développement humain est plus rapide et spectaculaire de la conception à l'âge de trois ans, mais il se poursuit toute la vie. Les jeunes, à l'enfance comme à l'adolescence, n'ont pas la maîtrise de ces changements et peuvent ressentir de la confusion et de la frustration. On continue à grandir et à apprendre à l'âge adulte, mais le développement est plus lent et on peut le contrôler jusqu'à un certain point. La plupart des spécialistes du bien-être affirment qu'une personne doit continuer de croître, d'apprendre et de changer pour vivre en santé.

Les cinq aspects du développement humain

Le développement physique comprend la croissance des tissus cellulaires. C'est le seul aspect où la croissance physique et le développement se manifestent en même temps. Les quatre autres aspects du développement dépendent de la maturité physique que l'enfant acquiert au fil de sa croissance. Les os, les muscles et les organes prennent du volume et permettent de réaliser des fonctions complexes. Avec la croissance, deux types de motricité se développent : la **motricité fine**, qui utilise les petits muscles, et la **motricité grossière**, qui fait intervenir les grands muscles. Le contact humain, l'alimentation, l'hygiène, l'exercice et le repos contribuent à un développement sain.

Le développement social permet au bébé, totalement dépendant et tourné sur lui-même, d'évoluer et de devenir une ou un adulte autonome, capable de bien se comporter en société. Les aptitudes sociales d'un être mature comprennent les capacités d'établir des liens d'amitié et de les préserver, d'entretenir des relations intimes, de s'entendre avec les autres, de faire preuve de leadership et de fonctionner seul ou au sein d'une équipe. Ces aptitudes s'appuient sur la confiance en soi et dans les autres ainsi que sur la coopération, qui découlent d'une relation chaleureuse et rassurante entre le bébé et les personnes qui prennent soin de lui.

Les enfants possèdent différents caractères :

- sensible,
- placide,
- agressif.

Le développement émotionnel consiste dans la formation d'une image positive de soi, de sa famille, de ses amies et de ses amis, de l'entourage et du monde en général. Chaque enfant semble venir au monde avec son propre tempérament. Les **enfants sensibles** réagissent intensément à leur environnement et pleurent facilement. Les **enfants placides** sont plus faciles à vivre et à contenter. Les **enfants agressifs** répondent vivement à leur environnement. Il s'agit de bébés très éveillés. Lorsqu'on prend soin d'un enfant, il faut reconnaître son tempérament, l'accepter et l'appuyer avec chaleur plutôt que d'essayer de le changer. Les enfants ont besoin d'éprouver toutes sortes d'émotions afin d'apprendre à y réagir adéquatement. C'est ainsi qu'ils acquièrent la résistance nécessaire pour relever les défis de la vie.

On s'intéresse depuis peu au **développement moral**, car, dans le passé, on l'assimilait au développement social et émotionnel. On le définit comme l'acquisition de la notion du bien et du mal. Il s'agit en quelque sorte de la conscience, qui régit nos pensées, nos émotions et nos comportements. Les valeurs morales comprennent en général les concepts de justice et d'équité ainsi que les droits et les responsabilités des gens. Les parents et les personnes qui s'occupent des enfants influencent très tôt le développement moral. D'une part, ils donnent l'exemple et, d'autre part, ils expliquent si un comportement est acceptable ou non, et pourquoi. Par exemple, les enfants apprennent à dire la vérité s'ils sont certains que leurs parents le font aussi.

Figure 9.7
Pour qu'une personne devienne fonctionnelle, tous les aspects de son développement doivent progresser ensemble. La capacité d'un enfant de comprendre et d'exprimer ses émotions se développe en même temps que son aptitude à relever de nouveaux défis sur le plan physique.

Le **développement intellectuel** a suscité récemment un intérêt mondial dans le cadre de la **science cognitive**, c'est-à-dire l'étude de la façon dont nous apprenons. La capacité d'apprendre dépend de la croissance du cerveau et de la stimulation du cerveau et du système nerveux central au moyen des cinq sens. Nous apprenons à communiquer, à penser, à faire preuve de créativité, à nous concentrer, à résoudre des problèmes et à porter des jugements. La croissance du cerveau, durant les premières années de vie, joue un rôle crucial dans le développement cognitif et influence chaque aspect du développement humain. Afin que le cerveau et l'intellect des bébés et des enfants se développent normalement, il faut leur fournir de l'encouragement, de la chaleur, de la tendresse et de la compréhension dans leurs rapports avec les autres.

Vérifie tes connaissances

1. Qu'est-ce que le développement humain ?
2. Décris les cinq aspects du développement des êtres humains et cite des exemples.
3. Explique pourquoi les adultes ont avantage à connaître le développement humain.

Le rôle de la nurturance dans le développement humain

Un développement sain et positif dépend de la relation de nurturance. Selon les spécialistes de la petite enfance de l'organisme Investir dans l'enfance, cette relation comporte trois éléments clés : l'aptitude à réconforter les enfants, à jouer avec eux et à leur apprendre des choses. À mesure que l'enfant grandit, la nature du réconfort, du jeu et de l'enseignement évolue pour correspondre à ses besoins.

Figure 9.8
Les parents qui jouent avec leurs enfants contribuent à leur développement.

Le réconfort : Selon les stades de leur développement, les enfants peuvent ressentir de la frustration, de l'anxiété ou de l'accablement. Les parents doivent reconnaître le malaise de l'enfant et y répondre de façon appropriée. On peut bercer doucement et caresser un bébé, alors qu'un enfant plus vieux appréciera davantage quelques paroles apaisantes.

Le jeu : Le jeu exerce le corps et l'esprit en pleine croissance de l'enfant et lui permet d'exprimer ses émotions, de développer ses aptitudes sociales et de s'initier à la pensée morale. Les parents qui jouent avec leurs enfants contribuent à leur développement et renforcent le lien parent-enfant.

L'enseignement : L'enseignement donne aux enfants le savoir-faire nécessaire pour accomplir certaines tâches importantes à chaque stade de leur développement. Par exemple, un parent montre à son enfant comment monter et descendre l'escalier de façon sécuritaire ou explique à son adolescente ou à son adolescent comment redémarrer l'auto dont le moteur a calé. Les parents qui enseignent des habiletés, des connaissances et des attitudes favorisent le développement de leur enfant.

Quelquefois, une activité réunit ces trois éléments. Les parents amènent leur enfant d'âge préscolaire au zoo : ils lui enseignent le nom des animaux, jouent avec lui à imiter les oies étirant leur long cou et le réconfortent quand il a peur des chèvres qui cognent leur tête contre la clôture.

Des soins efficaces incluent les trois éléments de la nurturance et contribuent au développement sain des enfants ainsi que des adolescentes et des adolescents en route vers le prochain stade de leur développement.

De la conception jusqu'à l'adolescence, tous les aspects du développement évoluent ensemble afin de façonner une personne fonctionnelle qui poursuit sa progression à travers des stades reconnaissables. Les pédopsychiatres Dr Stanley Greenspan et Dr T. Berry Brazelton ont établi les événements importants qui marquent le développement, de la naissance à l'adolescence. Ils ont montré avec clarté les liens étroits entre les développements physique, social, émotionnel, moral et intellectuel à chaque stade. Tu trouveras à la page suivante un résumé de leurs découvertes.

Liens

1. À ton avis, y a-t-il un aspect du développement plus important que les autres ? Explique ta réponse.
2. Quel aspect du développement observe-t-on le plus facilement chez les enfants ? Explique ton raisonnement.
3. Décris une activité parent-enfant (détermine l'âge de l'enfant) dans laquelle un parent fournit le réconfort, le jeu et l'enseignement correspondant à l'âge de son enfant.

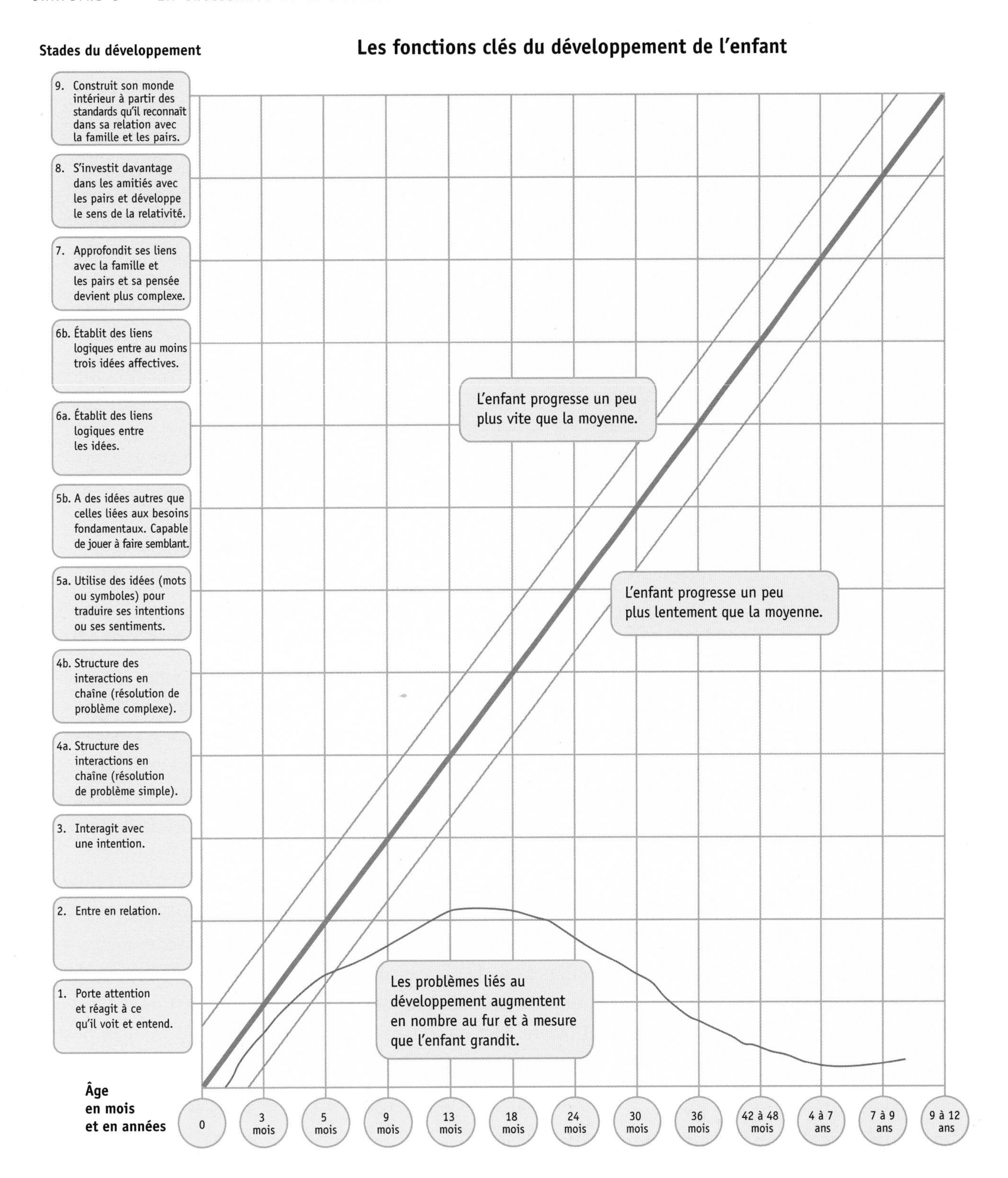

Figure 9.9
La droite du milieu représente l'âge auquel la plupart des enfants arrivent à maîtriser les fonctions clés.

L'importance du développement cérébral

Les performances des ordinateurs modernes ne cessent d'étonner chaque jour. Pourtant, le cerveau humain dépasse des centaines de fois la puissance d'un ordinateur. On est encore loin du jour où on réussira à concevoir un ordinateur qui fonctionne comme un cerveau humain. Cependant, grâce à l'informatique et aux neurosciences, nous comprenons mieux comment fonctionne notre cerveau et pourquoi il faut adopter de bonnes habitudes durant la grossesse.

Les neurosciences ont établi que le développement cérébral avant la naissance et durant les six premières années de vie détermine la capacité d'apprendre d'une personne pour le reste de sa vie, sa santé physique et mentale et son aptitude à composer avec le stress. Le développement du cerveau agit sur le développement physique, social, émotionnel, moral et cognitif. Durant les six premières années de vie, la croissance et le développement du cerveau de l'enfant sont très rapides. Plusieurs facteurs auront alors une incidence permanente sur son évolution future. Le rôle des parents et des personnes qui s'occupent des enfants est crucial durant cette période, même si des changements peuvent survenir plus tard.

Les effets des carences sur le développement cérébral

Que savons-nous des enfants victimes de carences, de négligence, de malnutrition et de mauvais traitements pendant les premières années de vie ? Les recherches montrent que les carences graves ou l'exposition à des environnements ou à des substances nuisibles peuvent avoir des conséquences négatives permanentes sur la capacité d'apprentissage, la santé, les relations, le comportement et l'autonomie. Les conséquences de l'inaptitude de certains parents et de personnes qui s'occupent des enfants durant les premières années de vie contribuent à de nombreux problèmes sociaux actuels qu'on ne peut plus ignorer. À la naissance, le cerveau humain possède déjà 100 milliards de cellules nerveuses, et pourtant son développement commence à peine. Les expériences de l'enfance contribuent au développement cérébral.

Dans leur rapport intitulé ***Étude sur la petite enfance,*** Dr Fraser Mustard et D^re Margaret Norrie McCain ont examiné l'importance d'un milieu positif sur le développement global de l'enfant. Voici un extrait de leur étude.

Les milieux négatifs ont des incidences négatives

Assis dans son lit, un bébé pleure à grands cris. Sa mère se sent, elle aussi, seule et déprimée. Elle craint de trop gâter l'enfant en le prenant dans ses bras et en le consolant, donc elle le laisse pleurer. Son mari arrive et gronde sa femme en l'accusant de ne pas s'occuper de l'enfant. Par ses canaux sensoriels visuels et auditifs, le cerveau de l'enfant enregistre cette situation très stressante. Cette expérience se répète de jour en jour. Dans le cerveau de l'enfant, le câblage du système de vigilance et de régulation affective fait en sorte qu'il réagira à ces stimuli. Cela pourra aboutir à une réaction anormale au stress qui persistera toute la vie et influera, entre autres, sur la santé mentale de l'enfant.

Il y a deux sources d'espoir. D'abord, les gens ont maintenant conscience de l'importance du rôle parental et cherchent à améliorer leurs compétences parentales. Ensuite, les recherches montrent que le contact même avec une seule personne adulte tendre et dévouée, pendant l'enfance ou l'adolescence, peut générer la **résilience**, c'est-à-dire la capacité de surmonter les problèmes de l'enfance et de mener une vie normale une fois adulte.

Le développement cérébral combiné à la nurturance pendant la petite enfance est la clé d'un développement équilibré au cours des années subséquentes.

Comment les bébés apprennent-ils ?

Au siècle dernier, les spécialistes avaient diverses opinions sur l'apprentissage chez les nouveau-nés. Des scientifiques ont affirmé que le comportement des bébés n'était pas appris ou raisonné, mais venait plutôt d'un réflexe spontané. Ils ne pensaient pas que les bébés absorbaient de l'information par leurs sens. En fait, jusqu'à récemment, on circoncisait souvent les bébés mâles sans analgésique, car on croyait qu'ils ne ressentaient pas la douleur.

Quand les psychologues du développement ont commencé à étudier les réactions des bébés à différents stimuli, ils ont constaté que les bébés interagissent avec les personnes qui s'occupent d'eux. Les sens les plus actifs, ou du moins les plus étudiés, sont la vue et l'ouïe. On sait toutefois que le bébé utilise tous ses sens. Toute personne ayant déjà donné de la purée de pois verts à un bébé sait que ses papilles gustatives sont bel et bien stimulées, car il réagit en recrachant les pois.

Pour le meilleur et pour le pire® **par Lynn Johnston**

Figure 9.10
On a longtemps pensé que les bébés recevaient peu d'information de leurs sens.

Les bébés commencent à apprendre dès le moment de leur naissance. Ils découvrent le monde grâce à leurs cinq sens : la vue, l'ouïe, le goût, l'odorat et le toucher. L'information, ou **stimulus**, de l'extérieur parvient au bébé à travers ses sens. Le cerveau agit comme le plus puissant des ordinateurs imaginables : il traite cette information et fait réagir le bébé. La personne qui s'occupe de l'enfant réagit aux comportements du bébé. Ces réactions constituent d'autres stimuli qui suscitent d'autres réactions en retour. Grâce à une série d'actions et de stimuli, le bébé et la personne qui en prend soin ajustent ou modifient la façon dont ils réagissent l'un envers l'autre.

L'apprentissage chez le bébé dépend de la réaction positive d'au moins une personne tendre et dévouée.

Quand il y a un changement dans le comportement, c'est qu'il y a eu apprentissage. Pour apprendre, le bébé doit interagir avec au moins une personne, tendre et dévouée, qui réagit positivement à ses comportements. Les recherches ont montré un développement cérébral accru chez les bébés chaque fois qu'une ou un adulte entre en contact avec eux par la parole ou le toucher. Afin de favoriser son développement cérébral, on peut parler à l'enfant, lui chanter des chansons, le toucher et lui apprendre des choses.

On a démontré que les connexions cérébrales se font très rapidement durant la petite enfance ; on l'observe concrètement dans les progrès marqués de l'enfant dans son apprentissage. Beaucoup de spécialistes appellent ce type de développement le «**câblage du cerveau**».

Le fonctionnement du cerveau humain

Le cerveau est l'organe le plus complexe du corps humain. Le système nerveux y relie toutes les parties du corps. Pour faire leur travail, les organes et les appendices dépendent des signaux du cerveau. De même, le cerveau agit à partir des impulsions qu'il reçoit de chaque partie du corps.

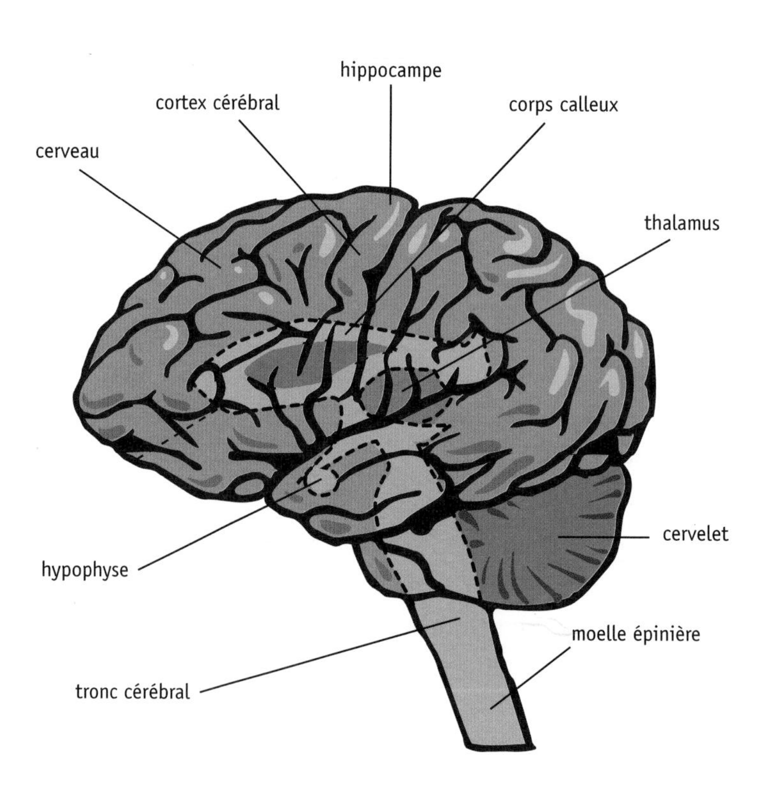

Figure 9.11
Les parties du cerveau humain.

Le câblage du cerveau

Les théories de l'apprentissage évoluent sans cesse. Les recherches sur le comportement des années 1970 sont devenues les recherches neurologiques des années 1990. Le câblage du cerveau a fait l'objet de nombreux livres, thèses, articles de journaux et de revues scientifiques ainsi que d'entrevues dans les médias. Les recherches récentes proposent un nouveau concept excitant sur la façon dont nous devrions prendre soin de nos enfants. C'est tout simple.

Figure 9.12
Cette activité sensorielle favorise la connexion des neurones.

- Comme le cerveau des nourrissons est plus gros, toutes proportions gardées, que celui de toutes les autres espèces animales, ils naissent plus tôt sur le plan du développement et restent plus longtemps dépendants des adultes.
- À la naissance, le cerveau humain est quatre fois plus petit qu'à l'âge adulte. De la naissance à l'âge de cinq ans, la taille du cerveau passe de 300 cm^3 à 1300 cm^3; c'est durant cette période que l'apprentissage se fait le plus naturellement et à un rythme très rapide.
- À la naissance, les êtres humains ont presque déjà tous leurs **neurones**, ou fibres nerveuses, mais la plupart ne sont pas encore connectés.
- Le tronc cérébral contrôle les fonctions vitales, comme la respiration et les battements du cœur. Il est déjà connecté ou câblé. Par contre, il faut apprendre ou « raccorder » presque tous les comportements ou toutes les réactions aux stimuli.
- Durant la petite enfance et les six premières années de vie, on peut comparer le cerveau à une maison où on installe les raccordements électriques. Une fois le câblage installé, il est difficile, mais pas impossible, de le changer. Il est important de faire un bon travail au départ, car l'aptitude à apprendre, la confiance en soi et la santé globale d'une personne en dépendront toute la vie.
- Les connexions câblées entre deux neurones s'appellent **synapses** et permettent au flux électrique de circuler. Ce flux électrique venant des terminaisons nerveuses déclenche l'activité du cerveau et indique le comportement ou la réaction qui devrait suivre un stimulus particulier.
- Plus on sollicite une voie neuronale, par exemple en parlant souvent avec un bébé et en réagissant à ses comportements, plus les connexions deviennent solides. Imagine qu'un bébé reçoit une réaction affective positive, comme le sourire et la voix enthousiaste de son père quand il fait « da-da-da ». Le bébé va essayer de le refaire encore et encore pour obtenir la même réaction. Cela produit le câblage du circuit. Dès lors, le bébé a appris un son de base du langage. À l'inverse, si personne ne s'occupe du bébé, l'absence de rétroaction enlève tout intérêt à continuer. Puisque personne ne renforce son comportement, le bébé ne le répétera sans doute pas.
- Les connexions non sollicitées s'affaiblissent. Ces connexions avec les neurones s'atrophient et finissent par s'effacer. Les scientifiques parlent alors d'**émondage**, car ce phénomène ressemble à celui d'un arbre qui devient plus fort quand on le débarrasse des branches faibles et inutiles. Ainsi, les connexions cérébrales existantes se renforcent lorsque les connexions non sollicitées disparaissent.

- Les réactions des personnes qui s'occupent des enfants constituent une **stimulation.** La stimulation motive le bébé à faire des liens avec le monde grâce à ses sens. Plus on stimule un enfant pendant ses périodes d'éveil, plus il se fait de connexions dans son cerveau. Parler à un bébé ou à un bambin, le toucher, lui sourire, lui chanter des chansons et le regarder dans les yeux sont les formes de stimulation les plus efficaces qu'une personne puisse employer.
- La **surstimulation** se produit quand les sens d'un bébé reçoivent trop d'information. Les enfants peuvent alors détourner la tête, faire des caprices, devenir irritables ou s'endormir. Pour atteindre un développement optimal, les bébés ont besoin de reposer leurs sens de temps en temps. Les jeux calmes, les moments de solitude et les siestes leur donnent le temps de penser, de repasser ce qu'ils ont appris et de récupérer.

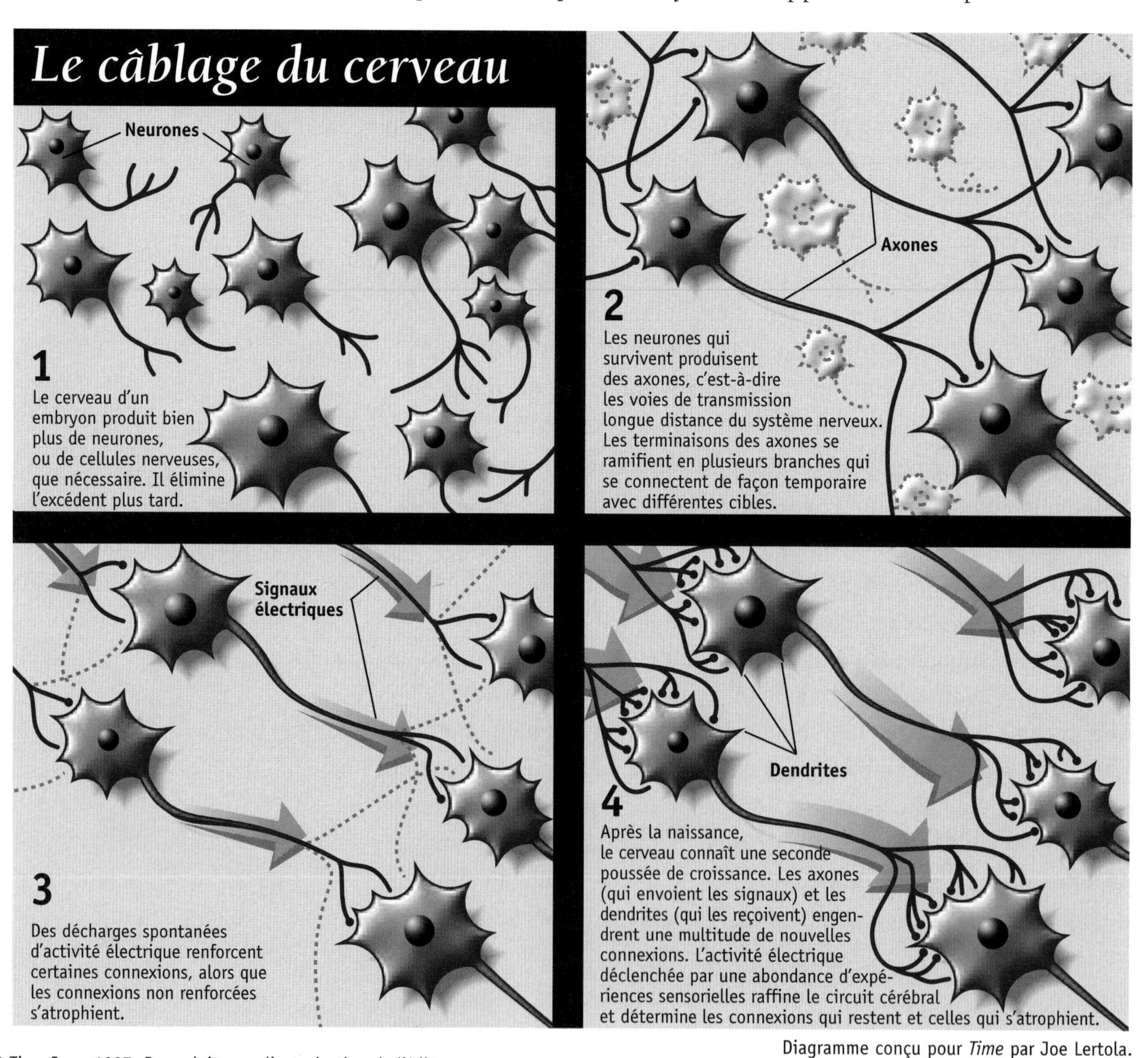

Figure 9.13
Au stade embryonnaire, les neurones et les axones se forment. Après la naissance, les expériences sensorielles déterminent les connexions qui restent et celles qui s'atrophient.

Diagramme conçu pour *Time* par Joe Lertola.

Quelques définitions

Les **neurones** sont les cellules nerveuses qui constituent le tissu du cerveau. Ils se composent d'un corps cellulaire, d'un axone et de dendrites. Les êtres humains naissent avec des milliards de neurones. Les neurones qui disparaissent dans le cours normal du développement cérébral ou plus tard dans la vie ne sont pas remplacés.

Les **dendrites** sont les bras d'un neurone. Elles ressemblent à des branches qui poussent à partir du corps cellulaire. Les dendrites reçoivent les messages des autres neurones et les transmettent au corps cellulaire pour traitement. Stimuler un bébé durant les premières années augmente considérablement le nombre de dendrites et « câble » le cerveau. En comparaison, un bébé a beaucoup moins de dendrites qu'une adolescente ou qu'un adolescent.

Les **axones** sont le prolongement du corps cellulaire et ressemblent à une queue fourchue. À la fin de chaque fourche, il y a une ramification plus simple qui transmet le message neural à un autre neurone en passant par la synapse.

La **synapse** est un espace très étroit entre les neurones. Les terminaisons des axones ne touchent pas au neurone voisin, mais elles libèrent un neurotransmetteur chimique appelé « éthylcholine » qui transmet le message aux dendrites du neurone.

Vérifie tes connaissances

1. Chaque partie du cerveau a une fonction particulière. Parmi les parties suivantes, indique celles qui serviraient à un enfant qui apprend à sauter sur un pied : le cervelet, le cortex, le corps calleux, la moelle épinière et l'hippocampe.
2. Fais un diagramme pour illustrer comment le jeu « Coucou » fait appel aux éléments suivants : les neurones, les axones, les dendrites et les synapses.
3. Résume le sens de l'expression « câblage du cerveau ». Explique son lien avec le développement.
4. Quand on parle de « câblage du cerveau », que signifie l'expression « ce qui ne sert pas se perd » ?

Favoriser le développement cérébral précoce

Le cerveau humain ne peut se développer dans l'isolement. Des choix de vie sains et une bonne alimentation durant la grossesse contribuent à la santé du cerveau à la naissance. Le bébé a besoin d'amour, de nurturance et d'interactions constantes et fiables avec au moins une personne tendre afin de stimuler positivement son développement cérébral.

L'allaitement est un des facteurs qui semblent favoriser le développement du cerveau. Des recherches ont établi un lien entre l'allaitement et une plus grande intelligence chez les enfants comme chez les adultes. Cependant, à ce jour, on n'a toujours pas déterminé si le facteur responsable de l'intelligence accrue est la nature du lait maternel, le contact étroit mère-enfant lors de l'allaitement ou le statut social et économique des femmes ayant participé à l'étude.

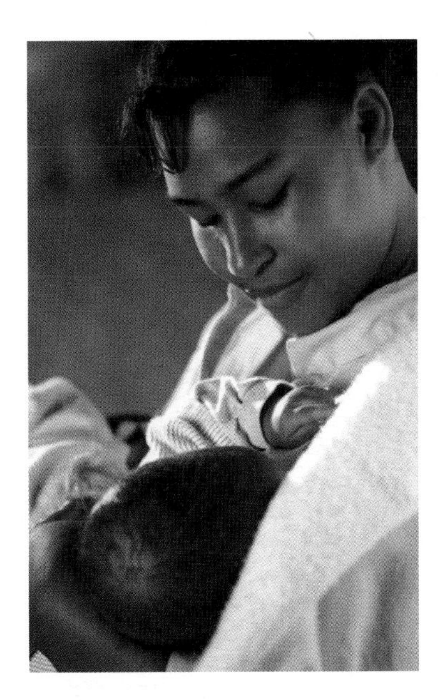

Figure 9.14
Il y a peut-être un lien entre l'allaitement maternel et une plus grande intelligence chez les enfants.

L'avenir de l'enfant se joue avant l'âge de cinq ans.
— Investir dans l'enfance

Les périodes critiques du développement cérébral

Les parties du cerveau se développent à différents moments pour éviter les surcharges. Par exemple, la vision fonctionne dès la naissance, mais l'acquisition du vocabulaire débute seulement vers l'âge de trois mois. Ces repères portent le nom de **périodes critiques** parce que si les circuits cérébraux correspondants ne sont pas stimulés ou sollicités pendant cette période, ils pourraient ne jamais se développer.

Dans leur rapport *Étude sur la petite enfance,* D^re^ Margaret Norrie McCain et Dr Fraser Mustard affirment que les périodes les plus critiques se situent au cours des cinq premières années (voir la figure 9.15). Après, il reste quelques occasions de développement, plus ou moins importantes, qui diminuent après l'âge de dix ans. La connaissance du développement humain permet aux parents et aux personnes qui s'occupent des enfants d'exploiter ces périodes critiques. Ces adultes peuvent enseigner à l'enfant, le réconforter et jouer avec lui afin de favoriser un développement optimal durant ces périodes stratégiques.

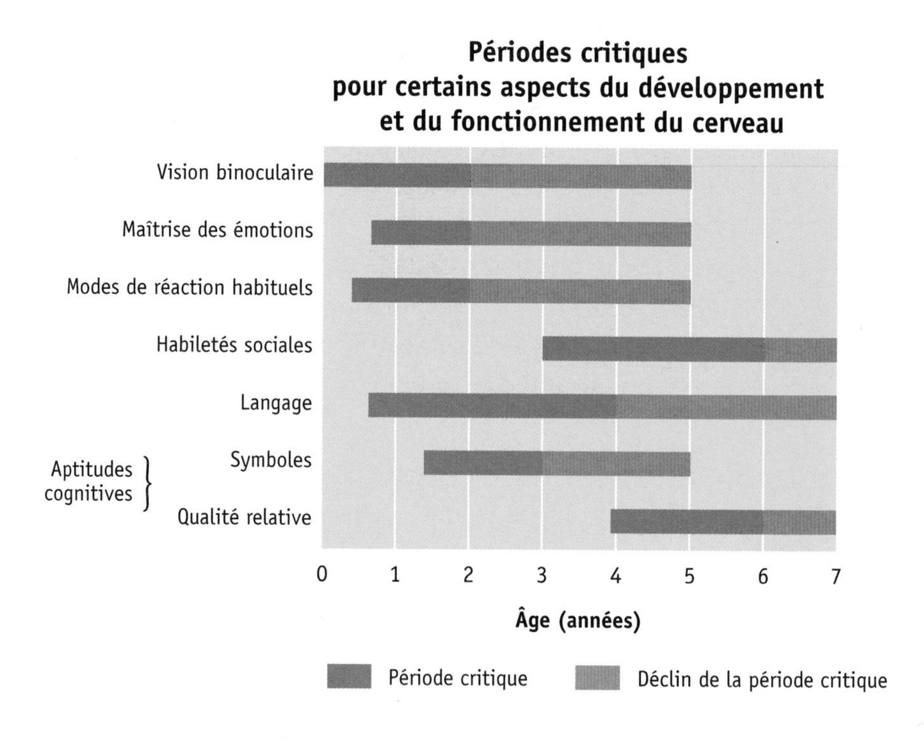

Figure 9.15
La recherche a montré qu'il semble y avoir des périodes critiques pour certains éléments de la fonction et du développement cérébraux.

Ce que deviendra un enfant dépend de vous et moi.
— Investir dans l'enfance

La stimulation et le développement cérébral

Il est possible d'offrir chaque jour au bébé, en jouant ou en s'en occupant, des expériences diversifiées. Des formes de stimulation variées développent différents types de voies neuronales. Faire entendre au bébé des mots et des sons, surtout en lui parlant et en répétant des paroles, favorise le développement des centres du langage dans le cerveau. Les centres des mathématiques, quant à eux, se construisent à partir d'activités comme compter, écouter de la musique et observer des suites de couleurs ou de sons. Le nourrisson peut associer les sens du goût, de l'odorat et du toucher avec la satisfaction que procure la nourriture. Cela génère des connexions de confort qui lui donnent la confiance et le contentement requis pour s'attacher à d'autres personnes.

Les recherches se poursuivent pour trouver un lien entre la stimulation et une fonction cognitive plus développée. L'une de ces études, effectuée par Frances Rauscher et Gordon Shaw (1995), conclut que faire entendre Mozart à des enfants d'âge préscolaire favorise le raisonnement spatiotemporel. Les médias ont répandu cette théorie selon laquelle le fait d'écouter la musique de Mozart, avant et après leur naissance, améliore le développement intellectuel des bébés. « L'effet Mozart-Musique pour enfants » a suscité autant de louanges que de controverses. Par exemple, Rebecca Green, dans un article publié en 1999, remarque que la faculté accrue de raisonnement observée dans cette étude était temporaire, c'est-à-dire d'environ dix minutes. Selon elle, faire appel à la musique pour améliorer les résultats scolaires est une idée trompeuse. Elle croit qu'il est bien plus sain de stimuler l'intérêt pour la musique chez les jeunes enfants pour le simple plaisir qu'elle procure.

❖ Vérifie tes connaissances

1. Quels rôles jouent la nutrition et la nurturance dans le développement cérébral précoce ?
2. Comment le jeu favorise-t-il le développement lorsque les périodes critiques pour des fonctions comme le langage, l'acquisition de la motricité fine et les habiletés sociales précoces se chevauchent ?
3. Explique pourquoi faire la lecture aux enfants est une excellente façon de stimuler le cerveau.

❖ Liens

1. Quand les médias ont publié les recherches sur le « câblage du cerveau », plusieurs parents voulaient savoir comment ils pouvaient prévenir l'atrophie des neurones, soit « l'émondage », chez leurs enfants. Quels conseils leur donnerais-tu ?
2. Joue avec des jouets qui attirent les enfants de différents âges. Pour chaque jouet, détermine lesquels de tes cinq sens il stimule. Mets-toi dans la peau d'un bébé ou d'un enfant et imite ce qu'il ferait avec ce jouet afin de déterminer les types d'apprentissages renforcés. Remplis un tableau présentant tes observations sur les sortes de jouets, l'âge des enfants qu'ils attirent, les sens qu'ils stimulent et les apprentissages que les enfants en font.
3. Demande à une ou à un élève qui parle une langue étrangère de t'apprendre à compter jusqu'à 10 dans cette langue. Qu'est-ce que tu as trouvé le plus difficile dans cet exercice ? À partir de la théorie du câblage du cerveau, explique pourquoi il est plus facile d'apprendre une langue quand on est jeune.

Figure 9.16
Un conseil aux parents : soyez chaleureux, affectueux et à l'écoute.

4. Fais une recherche auprès de camarades de classe, du personnel enseignant ou de membres de ta communauté qui utilisent couramment leur langue seconde. Y a-t-il un lien entre l'âge de l'apprentissage de cette langue et le degré de maîtrise ?

Astuces

Dix conseils pour favoriser le développement sain et les aptitudes scolaires de vos enfants

- Soyez chaleureux, affectueux et à l'écoute.
- Sachez déceler les signes et les indices que transmet votre enfant.
- Parlez à votre enfant, faites-lui la lecture et chantez-lui des chansons.
- Établissez des routines et des rituels.
- Encouragez les découvertes et le jeu dans un environnement sécuritaire.
- Filtrez les émissions de télévision.
- Utilisez la discipline comme un outil d'enseignement.
- Reconnaissez que chaque enfant est unique.
- Choisissez des services de garde de qualité pour l'enfant et participez.
- Prenez soin de vous.

Vérifie tes connaissances

1. Décris comment chacun de ces conseils contribue au développement sain de l'enfant et en particulier de son cerveau.

Les théories des sciences sociales sur le développement durant l'enfance et l'adolescence

Le concept de l'enfance est plutôt récent dans les sociétés occidentales. Il n'y a pas si longtemps, on considérait les enfants comme un « contenant vide » que les parents devaient remplir. Les enfants pouvaient se faire voir, mais non se faire entendre. Ils parlaient seulement quand on leur adressait la parole et ils subissaient une discipline sévère. Une fois à l'adolescence, on les considérait comme des adultes et ils prenaient alors leur place dans la société. Depuis peu, en Occident, on considère que la période entre l'enfance et l'âge adulte constitue un stade de développement à part entière, qu'on appelle l'adolescence.

Vers la fin des années 1800, Sigmund Freud avance une théorie selon laquelle la personnalité des adultes a un lien étroit avec les expériences vécues durant leurs premières années de vie. Ses théories ont soulevé un intérêt grandissant pour le développement humain. Elles ont amorcé des recherches sur les bébés, les enfants, les adolescentes et les adolescents. Elles ont permis d'élaborer des théories contemporaines sur les enfants et l'enfance.

Une théorie solide doit pouvoir expliquer la réalité de façon convaincante et répondre aux questions même les plus ardues. À bien des points de vue, la théorie inspire souvent la pratique. Par exemple, les parents élaborent souvent des théories pour comprendre un comportement particulier de leur enfant. En conséquence, ils prendront des mesures pour renforcer ou décourager ce comportement. Cependant, leur théorie peut évoluer selon les événements.

Les théories affectent la façon dont les gens font leur travail et jouent leur rôle dans la vie. La pratique de l'enseignement se base sur la théorie cognitive ; la pratique de la médecine s'appuie sur les théories scientifiques ; la pratique du rôle parental, des soins aux enfants ou du travail auprès d'eux repose souvent sur les théories relatives aux enfants.

Depuis 125 ans, on étudie l'enfance et l'adolescence. On dispose donc d'un grand nombre de recherches à ce sujet. Le tableau ci-dessous résume les observations de quelques théoriciennes et théoriciens spécialisés dans le développement des enfants. Personne n'a réussi à élaborer une théorie complète et incontestée sur le développement humain ou sur la manière d'élever un enfant. Cependant, la somme de toutes ces théories permet de faire la lumière sur le développement humain. Afin de pouvoir agir au mieux, les parents, les personnes qui s'occupent des enfants et celles qui travaillent auprès d'eux ainsi que les élèves d'un cours sur le rôle parental doivent apprendre à développer une pensée critique par rapport à diverses théories et stratégies. Ils doivent en discuter avec des spécialistes et décider ce qui leur convient le mieux dans leurs propres interactions avec les enfants.

Les théories des sciences sociales sur le développement durant l'enfance et l'adolescence

Théoricienne ou théoricien	Théorie	Importance pour le rôle parental
Sigmund Freud (1856-1939)	**La théorie du développement de la personnalité**	
• Psychiatre et psychanalyste autrichien • Il a étudié principalement les riches femmes autrichiennes qui le consultaient pour résoudre leurs problèmes psychologiques. • Fortement influencé par son époque imprégnée de moralité victorienne, étroite et rigide, et de sexualité puritaine.	• Le ça, le moi et le surmoi sont les trois instances de la personnalité humaine qui régissent notre comportement. • La personnalité, entre la petite enfance et l'adolescence, se développe en cinq stades : oral, anal, œdipien, latent et génital. • La personnalité se forme à partir des expériences affectives positives et négatives de l'enfant avec les personnes qui en prennent soin, durant les premières années et la petite enfance. • Les enfants oublient généralement ces expériences, mais si elles sont négatives, elles leur causeront des problèmes à l'âge adulte.	• On considère Freud comme le « père de la psychiatrie ». • Plusieurs théoriciens, dont Carl Jung, Alfred Adler et Erik Erikson, ont étudié avec Freud et remanié ses théories à leur façon. • Freud croyait que les personnes qui prennent soin des enfants, durant les premières années et la petite enfance, avaient une influence capitale. Cette idée refait surface aujourd'hui grâce aux découvertes récentes sur le câblage du cerveau. Par contre, on conteste plusieurs autres convictions de Freud.

(À suivre)

Théoricienne ou théoricien	Théorie	Importance pour le rôle parental
Jean Piaget (1896-1980)	**La théorie du développement intellectuel**	
• Biologiste suisse, psychologue et éducateur • A d'abord fait de la recherche en biologie, mais s'est intéressé aux études scientifiques sur l'intellect à la naissance de ses trois enfants. • Avec sa femme, a observé leurs trois enfants et pris beaucoup de notes scientifiques détaillées sur leur développement intellectuel.	• Au cours de leur développement intellectuel, les enfants passent à travers quatre stades : neuromoteur, préopératif, opératif concret et opératif formel. • Les stades commencent pendant la petite enfance et se terminent à l'adolescence. • À chacun des stades, l'enfant développe une forme de pensée qui lui fait percevoir le monde différemment. • Plus l'enfant grandit, plus sa pensée se complexifie.	• Cette théorie renforce l'idée selon laquelle la nurturance (le réconfort, l'enseignement et le jeu) devrait s'adapter aux stades de développement de l'enfant ou de l'adolescente et de l'adolescent. • A élaboré un guide illustrant clairement ce à quoi il faut s'attendre des enfants à chacun des stades. • A omis les stades de développement intellectuel des adultes.
Maria Montessori (1870-1952)	**La théorie de l'éducation et de l'apprentissage**	
• Médecin et éducatrice italienne • S'est intéressée aux enfants italiens de quartiers défavorisés et a surtout travaillé avec eux. • A découvert que ces enfants avaient besoin d'un meilleur départ dans la vie afin de réussir dans le système d'éducation et a entrepris de vérifier ses idées.	• S'est appuyée sur les théories de Piaget pour élaborer ses méthodes d'enseignement et sa théorie. • Croyait que les enfants devaient utiliser leurs sens pour apprendre et que développer les habiletés motrices (habiletés physiques) était essentiel à leur apprentissage. • Les enfants apprennent mieux quand ils s'adonnent à une activité qui les intéresse. • Si l'enfant dispose d'outils d'apprentissage adaptés à son âge, il découvrira son propre processus d'apprentissage.	• L'une des premières théoriciennes à défendre la valeur de l'apprentissage pratique, qu'elle a décrit comme une forme de travail. • Plus tard, d'autres ont interprété son concept du travail en tant que jeu. • Sa théorie de l'apprentissage explique pourquoi les élèves apprennent mieux quand ils sont motivés ou qu'ils maîtrisent leur apprentissage.
Arnold Gesell (1880-1961)	**La théorie du développement**	
• Psychologue américain • A fondé l'Institut Gesell pour le développement de l'enfant en 1911. • L'Institut est aujourd'hui un chef de file dans les études sur le développement de l'enfant.	• Pionnier des études structurées sur le développement de l'enfant • A mis sur pied le premier cadre de travail portant sur le développement de l'enfant. • A fourni les données de base sur l'ordre et le degré des stades du développement.	• Les parents et les personnes qui s'occupent des enfants utilisent l'information recueillie par Gesell pour prendre soin de leurs enfants avec efficacité à chacun des stades de leur développement. • Gesell a parrainé les travaux de plusieurs chercheuses et chercheurs célèbres, dont ceux de Louise Bates Ames, qui a continué son œuvre.
Lev Vygotsky (1898-1934)	**La théorie de l'apprentissage social**	
• Psychologue russe et conférencier • A entrepris des recherches en laboratoire dans la vingtaine. Est mort de tuberculose dans la trentaine. • Un an après sa mort, Staline a interdit les recherches sur la psychologie du développement et fait emprisonner la plupart des élèves de Vygotsky.	• Voyait les adultes comme un outil à la disposition des enfants pour régler leurs « problèmes de connaissance » afin d'apprendre comment fonctionne leur culture et comment s'y intégrer. • Le langage est une caractéristique unique, naturelle et biologique des êtres humains. • La capacité de raisonnement et les compétences linguistiques se renforcent l'une l'autre. • Le contact social est essentiel à l'apprentissage.	• Nous fait prendre conscience que le contact social est vital pour les enfants. • Si les personnes qui s'occupent des enfants peuvent leur fournir de nombreuses occasions de contacts sociaux, elles favoriseront leur capacité de raisonnement et leurs compétences linguistiques. • La recherche actuelle confirme certains des travaux de Vygotsky, mais en réfute d'autres.

Théoricienne ou théoricien	Théorie	Importance pour le rôle parental
Erik H. Erikson (1902-1994)	**La théorie du développement de la personnalité**	
• Psychologue allemand ; a migré aux États-Unis. • A été l'élève de Freud dont il a plus tard raffiné la théorie. • Le père d'Erikson a abandonné sa mère avant sa naissance. À cause de cet événement, Erikson a connu des problèmes d'identité qu'il a réussi à résoudre. • L'adolescence difficile d'Erikson lui a inspiré en partie sa théorie.	• En raffinant la théorie de Freud, Erikson a postulé que la personnalité se développait en huit stades, de la petite enfance jusqu'à la vieillesse. • Chaque stade comporte une crise psychologique unique dont l'issue dépend de la façon dont les personnes signifiantes ou celles qui prennent soin de l'enfant répondent aux besoins particuliers à ce stade. • Chaque stade peut avoir une issue positive ou négative ; une issue positive à un stade permet une solution plus facile de la crise du stade suivant.	• Toujours connu du public à plus de 90 ans, Erikson écrivait encore et poursuivait ses recherches. • Aujourd'hui, sa théorie est encore considérée comme valable. • Les personnes qui s'occupent des enfants peuvent s'appuyer sur cette théorie pour répondre efficacement aux besoins affectifs particuliers de chaque âge, de la petite enfance à l'adolescence. • Erikson a également étudié les adultes : le début de l'âge adulte, l'âge adulte moyen et l'âge adulte avancé. • Plusieurs parents peuvent ainsi observer leur propre développement et voir à quel stade ils sont rendus.
B. F. Skinner (1904-1990)	**Béhaviorisme**	
• Psychologue américain et éducateur • La plupart des travaux de laboratoire de Skinner mettent en jeu des petits rats dans des labyrinthes. • N'a effectué aucune recherche systématique sur les enfants. • A effectué ses recherches surtout pendant la première moitié du XXe siècle. • Ce béhaviorisme est devenu très en vogue. • La théorie cognitive n'était pas populaire à l'époque.	• Skinner affirmait que les enfants répéteront les comportements récompensés afin d'obtenir d'autres récompenses et qu'ils cesseront les « mauvais » comportements qui leur valent des punitions (c'était une sorte de conditionnement). • Il voyait les enfants comme des « contenants vides » que les adultes pouvaient remplir à leur guise en faisant appel aux récompenses et aux punitions. • Les milieux où vivent les enfants sont le facteur le plus déterminant de leur comportement.	• La théorie de Skinner reçoit peu d'appui aujourd'hui. Cependant, bien des parents utilisent encore la méthode des récompenses et des punitions pour obtenir de leurs enfants le comportement souhaité. • La plupart des spécialistes d'aujourd'hui pensent que de simples récompenses, par exemple une réaction positive à un comportement, répondent aux besoins affectifs de l'enfant. Aucun d'entre eux, cependant, n'approuve la punition.
Urie Bronfenbrenner (1917-)	**La théorie du développement humain**	
• Psychologue américain et conférencier • A étudié les enfants et leur famille à la lumière des changements sociaux survenus au XXe siècle.	• Ses théories ont pour sujet le bien-être des enfants dans les familles d'aujourd'hui en rapport avec les changements sociaux majeurs. • Deux exemples de ces changements : les familles à deux revenus ; les ruptures qui modifient la structure familiale : une famille sans père ou monoparentale.	• Grâce aux théories de Bronfenbrenner, les parents, les personnes qui s'occupent des enfants et les membres de la classe politique peuvent justifier leurs demandes pour plus d'argent et de soutien social à l'égard des familles en général. • Ses théories et son intérêt pour les enfants répondent aux défis de taille que rencontrent les parents du XXIe siècle.
Albert Bandura (1925-)	**La théorie de l'apprentissage social**	
• Psychologue canadien • A fait plusieurs expériences bien planifiées et hautement contrôlées sur le comportement des enfants et les milieux qui le façonnent.	• Influencé par Skinner même s'il a réfuté certains points de sa théorie. • Bandura affirmait que le milieu façonne le comportement des enfants et qu'en retour, leur comportement détermine et modifie le milieu.	• Son influence repose sur le fait qu'il confirme ce que la plupart des personnes qui s'occupent des enfants savent d'instinct : des modèles de rôles positifs sont essentiels pour obtenir le comportement souhaité.

(À suivre)

Théoricienne ou théoricien	Théorie	Importance pour le rôle parental
Albert Bandura (1925-)	**La théorie de l'apprentissage social**	
	• Bandura croit que les modèles de rôles des personnes qu'il côtoie, d'une part, et ses observations du comportement des autres, d'autre part, indiquent à l'enfant comment se comporter. • Les modèles de rôles positifs entraîneront un meilleur comportement que les modèles de rôles négatifs.	• Cette théorie encourage les parents et les personnes qui s'occupent des enfants à devenir les meilleurs modèles de rôles possible. • Les parents pourraient justifier par cette théorie leur refus de laisser leurs enfants fréquenter des personnes qui ont, selon eux, une mauvaise influence.
Lawrence Kohlberg (1927-1987)	**La théorie du raisonnement moral**	
• Psychologue américain, philosophe et éducateur • Influencé par les théories de Piaget sur le développement cognitif, il a effectué ses recherches à une époque où Skinner et les béhavioristes avaient la faveur populaire. • A choisi des enfants mâles comme sujets d'études dans le but de schématiser les modèles du développement moral des enfants.	• Chez les enfants, le développement moral se fait en trois stades composés de deux parties. • En améliorant leurs aptitudes sociales et intellectuelles, les enfants comprennent mieux la complexité de la notion de bien et de mal. • Pour la première fois, cette théorie a uni la science et le raisonnement moral. Elle fait toujours l'objet de recherches.	• Les parents, de garçons surtout, pourraient reconnaître dans cette théorie certains des comportements de leurs fils à différents âges. • L'absence de sujets d'études féminins dans les recherches de Kohlberg contrarient certains parents et des spécialistes.
Robert Coles (1929-)	**La théorie du développement moral**	
• Psychiatre américain et professeur de littérature et d'éthique sociale • A étudié le développement moral des enfants.	• Croit que le comportement des parents façonne le caractère moral de leurs enfants, et ce, dès leur naissance. • Les recherches de Coles révèlent aussi que si les parents essaient de protéger l'estime de soi de leur enfant, ils nuisent à son développement moral, car l'enfant aura du mal à distinguer clairement les concepts du bien et du mal.	• Pour permettre aux enfants d'atteindre l'âge adulte avec un sain développement moral, les parents et les personnes qui s'occupent des enfants doivent donner l'exemple d'un comportement moral.
Carol Gilligan (1936-)	**La théorie du développement moral**	
• Psychologue américaine et professeure • Durant les années 1970, Gilligan a signalé que la plupart des théories sur le développement moral se fondaient sur l'étude « d'hommes privilégiés de race blanche ». • A remis en question la croyance populaire selon laquelle on pouvait généraliser aux femmes les résultats de recherches effectuées sur les hommes. • Par ses recherches sur les hommes et sur les femmes, dont elle a publié les résultats dans son livre *In a Different Voice*, elle a révolutionné le courant de pensée sur le développement moral.	• Définit les trois stades du développement de la moralité : le stade égoïste, la croyance dans la moralité conventionnelle et la moralité post-conventionnelle. • Pour les hommes, la moralité adulte est une question de justice. Les personnes ont des droits qu'il faut respecter. Par conséquent, le comportement d'une personne ne peut dépasser certaines limites. • Pour les femmes, la moralité adulte est une question de responsabilité. Avoir le sens moral signifie prendre soin des autres.	• Donne une perspective du développement moral, des points de vue féminin et masculin, ce que personne n'avait fait avant. • On a critiqué certaines de ses recherches qu'on ne peut pas reproduire. • Dit que les hommes pensent en fonction de règles et de justice, alors que les femmes pensent davantage en fonction de relations aux autres. • Encourage les parents et les personnes qui s'occupent des enfants à adopter une approche différente pour la nurturance du développement moral selon que l'enfant est un garçon ou une fille.

Théoricienne ou théoricien	Théorie	Importance pour le rôle parental
Alison Gopnik (1955-) **Andrew Meltzoff (1950-)** **Patricia Kuhl (1946-)**	**La théorie de la science cognitive**	
• Psychologues américains, coauteurs de *The Scientist in the Crib* (1999) • Ont effectué de nombreuses recherches pour démontrer que les bébés utilisent très tôt leurs sens pour apprendre. • Ont révolutionné le domaine de la pédopsychologie et de l'acquisition du langage.	• Ces spécialistes de la psychologie du développement et de l'acquisition du langage ont émis la plupart des observations confirmant la théorie selon laquelle les bébés apprennent très tôt en utilisant leurs cinq sens. • Les résultats de leurs recherches appuient également les théories du « câblage du cerveau », c'est-à-dire qu'il y a apprentissage dès que les circuits cérébraux sont stimulés à plusieurs reprises. • En plus de s'adonner à la recherche, ces trois scientifiques ont un talent pour vulgariser les résultats de leurs travaux afin de les rendre accessibles au public.	• Ces trois scientifiques jouent un rôle majeur par leur contribution à la théorie du « câblage du cerveau » et à l'importance de la qualité des soins aux enfants, particulièrement à la naissance et pendant la petite enfance. • La carrière de ces scientifiques est en plein envol et ils réaliseront sans doute d'autres recherches de première classe.

Info-carrière

Psychologue

Les tâches et les responsabilités

Les psychologues étudient les comportements des personnes, leurs pensées et leurs sentiments. Ces personnes travaillent directement avec les gens qui les consultent afin de les aider à fonctionner plus efficacement dans leur quotidien. Les psychologues reçoivent les gens qui éprouvent des difficultés émotionnelles ou mentales ou qui vivent des problèmes conjugaux ou familiaux. Parfois, il s'agit de personnes ayant des problèmes psychologiques causés par la maladie ou qui ont du mal à s'adapter à l'école, au travail ou à d'autres situations de la vie. Des gens sans aucun de ces problèmes peuvent aussi consulter des psychologues parce qu'ils souhaitent simplement améliorer leur développement. Les psychologues adoptent généralement une spécialité.

Les psychologues cliniciennes ou cliniciens travaillent dans des établissements, comme des hôpitaux et des cliniques, afin d'aider les personnes aux prises avec des troubles mentaux, émotionnels ou médicaux. Les neuropsychologues, qui étudient le lien entre le cerveau et le comportement, font souvent de la recherche et enseignent aux niveaux supérieurs. Les psychologues en milieu scolaire travaillent dans les écoles primaires et secondaires. Leur intervention porte en particulier sur la façon dont les enfants apprennent et interagissent avec leurs camarades. Il leur arrive aussi d'examiner d'autres aspects du comportement d'une ou d'un élève, à l'école ou à la maison.

L'environnement de travail

Certains établissements communautaires, comme les hôpitaux et les écoles, embauchent des psychologues cliniciennes et cliniciens, des psychologues en milieu scolaire et des neuropsychologues. En général, leur travail se fait pendant les heures d'ouverture habituelles, mais il peut leur arriver de travailler le soir ou les week-ends ou de se tenir en disponibilité. Souvent, les psychologues travaillent au sein d'une équipe et consultent d'autres psychologues et des professionnelles ou des professionnels. Les psychologues peuvent aussi travailler en cabinet privé. Cela leur permet d'avoir leur propre bureau et de déterminer leur horaire de travail.

La formation et les aptitudes

Parce que leur travail consiste à intervenir auprès de gens éprouvant divers types de problèmes, soit comportementaux, émotionnels, physiques et mentaux, les psychologues doivent avoir la compétence nécessaire pour composer avec les interactions difficiles. Autrement dit, les psychologues doivent faire preuve de maturité et de stabilité affectives, démontrer de la patience et avoir le souci du détail. En effet, il s'agit de découvrir, dans les confidences des personnes, la clé de leur guérison.

Au Canada, les psychologues ont un permis provincial et les préalables pour l'obtenir varient selon la province. Des provinces ou des territoires exigent un doctorat (Ph. D.), alors que d'autres acceptent une maîtrise. Après avoir obtenu ton diplôme, tu devras faire les démarches nécessaires pour appartenir au collège ou à l'ordre qui régit la profession de psychologue dans ta province ou ton territoire. Une fois ta demande acceptée, tu devras passer un examen oral et écrit et travailler plusieurs mois ou années sous la supervision d'une psychologue licenciée ou d'un psychologue licencié.

Avis d'experts

ANDREW MELTZOFF

Andrew Meltzoff, Ph. D., est professeur de psychologie à l'Université de Washington à Seattle. Il est coauteur du best-seller The Scientist in the Crib: What Early Learning Tells Us About the Mind *(1999) [Le scientifique au berceau : Ce que l'apprentissage précoce nous apprend sur l'esprit]. Le docteur Meltzoff répond à la question suivante :*

En quoi votre travail comme psychologue du comportement contribue-t-il à la connaissance du développement humain ?

Ma responsabilité première comme psychologue du développement est d'effectuer des recherches sur le développement durant la petite enfance, d'écrire au sujet de mes travaux dans des revues scientifiques et d'enseigner. Mon travail exige une grande compréhension du développement de l'enfant et de la psychologie des adultes, une certaine compétence en statistiques et, de plus en plus, des connaissances en neurosciences.

Ma plus grande satisfaction, c'est quand je découvre quelque chose de nouveau sur la façon dont les enfants apprennent et se développent. Par exemple, j'ai découvert que les nouveau-nés d'à peine quelques heures sont capables d'imiter un adulte dont ils voient les expressions faciales ou qui lui tire la langue. Cette nouvelle donnée a changé l'opinion des scientifiques et d'autres personnes sur l'esprit des bébés et la façon dont les enfants apprennent. Je me suis aussi penché sur la façon dont les bébés se souviennent de certaines choses. Dans l'avenir, le résultat de ces recherches changera peut-être l'organisation des centres de la petite enfance et des maternelles et la façon dont nous enseignons aux bébés et aux jeunes enfants.

Le plus passionnant pour un scientifique, c'est d'être la première personne au monde à connaître un fait nouveau ou d'être à l'origine d'une découverte. Tous les scientifiques se délectent de l'étonnement des autres. Mais si, en plus, tes découvertes influencent d'autres gens et ont un effet positif et concret sur les enfants et le personnel enseignant, ta récompense est double.

Notre société ne rémunère pas à leur juste valeur les personnes qui donnent des soins aux enfants. Nous vouons un culte à la « physique » et avons plus de respect pour les spécialistes des sciences expérimentales que pour les scientifiques dont le travail est de découvrir la vérité sur l'esprit humain. Heureusement, les temps changent. Rien n'a autant d'importance que de comprendre comment fonctionne notre esprit. Un jour, notre savoir aidera tous les enfants à atteindre leur plein potentiel.

L'un des défis que nous avons à relever est de concevoir des méthodes de recherche qui « posent les vraies questions aux bébés ». Comme les bébés ne peuvent parler, on a omis, pendant des centaines d'années, de les considérer comme des sources d'information sur l'esprit. Mais il est possible de concevoir des études permettant de communiquer avec les bébés avant même qu'ils puissent parler. Nous avons découvert qu'un bébé ressemble à un ordinateur dont l'imprimante est fermée. Il possède un grand savoir qu'il n'extériorise pas. Notre rôle en tant que psychologue du développement est de scruter l'esprit du bébé avant même que son imprimante se mette en marche, c'est-à-dire avant ses premières paroles. De cette façon, nous pouvons découvrir des choses, non seulement au sujet des enfants, mais aussi sur nous-mêmes puisque, de toute manière, nous ne sommes que de grands enfants.

Je crois que la psychologie du développement, surtout si elle tient compte des neurosciences, peut entraîner une grande révolution intellectuelle ayant des retombées sur l'éducation et sur nos dirigeants. Découvrir les fondements de nos pensées et de nos émotions est le prochain défi de la science, et ces découvertes auront autant d'incidence que le projet génome humain ou la révolution informatique. Que peut-il y avoir de plus passionnant que de découvrir qui nous sommes et comment nous en sommes arrivés là, d'explorer le développement de la personnalité et de comprendre pourquoi une personne agit de telle façon qui n'est pas celle d'une autre ? Par l'étude des bébés et des enfants, nous apportons des réponses aux grandes questions des philosophes de l'Antiquité sur l'âme humaine.

Plusieurs élèves suivant des cours sur le rôle parental développent un intérêt pour des carrières liées au développement des enfants, des adolescentes et des adolescents. Après leurs études secondaires, ces élèves se tourneront vers les domaines de la psychologie, de la sociologie et de l'anthropologie. Souvent, ces disciplines alliées à d'autres permettent d'étudier l'enfance et l'adolescence dans le cadre d'**études interdisciplinaires**, par exemple la psychologie sociale (sociologie et psychologie), la biopsychologie (biologie et psychologie) ou la science cognitive, soit un complexe mélange de psychologie, d'informatique, de philosophie et de linguistique.

❖ Vérifie tes connaissances

1. Dresse une liste des théoriciennes et des théoriciens qui expliquent le développement de l'enfant par une série de stades successifs.
2. Établis un lien entre les théories de Freud et celles d'Erikson.
3. Nomme les théoriciennes ou les théoriciens qui sont allés à contre-courant des croyances populaires de leur époque et qui ont révolutionné la façon d'étudier le développement des enfants. Explique ta réponse.

❖ Liens

1. Cite trois exemples où des théoriciennes ou des théoriciens du développement de l'enfant ont subi l'influence de leur époque. Par exemple, le gouvernement a interdit les recherches de Vygotsky.
2. Tu es dans une librairie en compagnie d'un nouveau papa qui souhaite acheter un livre sur le rôle parental. Il est déconcerté face au grand choix de livres sur le sujet. Donne-lui quelques conseils.
3. Explique comment les recherches antérieures (avant les années 1970) semblent appuyer la nouvelle science cognitive sur le « câblage du cerveau » (de 1970 à aujourd'hui) et l'importance de la nurturance durant les premières années de vie.
4. Cherche les définitions des mots : conte ; fable et légende. Quelles sont les principales différences entre ces formes d'histoires ?
5. À partir du site **www.dlcmcgrawhill.ca,** lis une fable de La Fontaine ainsi qu'un conte africain de ton choix. Quelles ressemblances et quelles différences peux-tu constater entre les deux histoires ? Qu'est-ce qu'une « morale » ?

Se renseigner sur les théories du développement de l'enfant

Quand une ou un spécialiste des sciences sociales élabore, teste et raffine une théorie, cette théorie paraît dans une revue spécialisée, on en discute et on la vulgarise à l'intention des parents et des personnes qui s'occupent d'enfants qui, à leur tour, l'appliqueront aux enfants. Les spécialistes de l'enfance et de l'adolescence rédigent souvent ces types de travaux à l'intention du grand public. En fait, ils transposent les théories des scientifiques d'aujourd'hui à la pratique parentale. Ces spécialistes peuvent agir en recherche, en psychologie clinique, en pédiatrie, en enseignement du rôle parental et du développement humain. Il s'agit même parfois de gens « ordinaires » qui voient une occasion d'aider les parents et les personnes s'occupant des enfants. Tout le monde ne s'entend pas toujours sur la façon d'interpréter ou d'appliquer une théorie. Il faut juger de la valeur des opinions.

■ L'information sur le développement humain et ses théories est à la portée des parents, des élèves et du public. Tu as intérêt à bien étudier cette information afin de déterminer les théories et les applications pratiques que tu retiendras, dans l'avenir, comme parent ou pour t'occuper d'enfants. L'éducation parentale t'aidera à développer les connaissances, les aptitudes et les moyens de te tenir à jour.

Des livres sur le développement humain paraissent tous les jours. De nombreux magazines se consacrent au rôle parental. Une foule de sites Web s'intéressent au rôle parental et aux problèmes vécus par les parents et les enfants. On a touché à tous les sujets imaginables sur les enfants, les parents et les soins à donner. Certains ne sont que des modes passagères, alors que d'autres sont des travaux de valeur ayant passé l'épreuve du temps. Certaines idées conviennent à des parents mais pas à d'autres. Si tu fais tes lectures avec un esprit critique et que tu comprends bien le développement humain et celui des enfants, tu seras en mesure de déterminer quelles théories te conviendront le mieux quand tu seras parent ou quand tu t'occuperas d'enfants.

Résumé

Points marquants

- Tous les êtres humains se développent d'une façon semblable.
- Le développement humain commence à la conception et se poursuit toute la vie, mais la période la plus critique et la plus intense se situe entre la conception et l'âge de six ans.
- Les cinq aspects du développement humain les plus étudiés sont les développements physique, social, émotionnel, moral et intellectuel.
- Tous ces aspects sont interreliés pendant le développement fonctionnel de l'enfant et dépendent d'une solide relation de nurturance avec un parent ou une personne signifiante.
- Tout le développement humain, que ce soit physique, social, émotionnel, moral et intellectuel, repose sur le développement du cerveau.
- L'interaction des enfants avec les parents, les personnes qui s'occupent d'eux et le milieu crée des conduits entre les neurones du cerveau.
- La stimulation de tous les sens contribue à l'apprentissage du bébé et favorise le développement des centres très spécialisés du cerveau, comme celui du langage, des mathématiques et des relations humaines.
- Chaque jour, les scientifiques apprennent de nouveaux faits sur l'importance de la période entre la naissance et l'âge de six ans, pour la santé, le bien-être et la faculté d'apprendre tout au long de la vie.
- Les théoriciennes et les théoriciens du développement, dans la foulée de Sigmund Freud et d'autres avant lui, continuent à élaborer de nouvelles théories sur le développement humain qui aident les parents, les personnes qui s'occupent des enfants et celles qui travaillent auprès d'eux.

Révision et approfondissement

1. Explique comment ta connaissance et ta compréhension du développement humain t'aideront dans tes relations avec les enfants. C/C C
2. Décris comment tu ferais une étude en sciences sociales pour répondre à la question de recherche suivante : « Les parents ayant une formation en développement humain enseignent-ils à leurs enfants différemment de ceux qui ont peu ou qui n'ont pas de connaissance du sujet ? » C/C A
3. Quels liens y a-t-il entre les trois éléments de la nurturance (réconfort, jeu et enseignement) et les stades décrits par Stanley Greenspan dans le graphique des fonctions clés dans le développement de l'enfant ? C/C A
4. Choisis une théoricienne ou un théoricien dont il est question dans ce chapitre ou une ou un autre spécialiste du développement des enfants qui t'intéresse. Étudie sa théorie. Prépare un jeu de rôles qui illustre comment appliquer cette théorie dans une situation de la vie courante. D'après tes découvertes, indique si les autres théoriciennes ou théoriciens appuient ou non ce point de vue. C/C R/R C A
5. Comment la connaissance du « câblage du cerveau » améliore-t-elle la façon dont un parent ou une personne qui s'occupe des

enfants interagit avec un nouveau-né ou un tout-petit ? C/C

6. À partir des théories présentées dans ce chapitre, trouve trois moyens que les parents et les personnes qui s'occupent des enfants peuvent utiliser pour favoriser chacun des cinq aspects du développement humain. C/C A
7. Dans un magazine sur le rôle parental, trouve un article décrivant les plus récentes recherches sur le développement des enfants. Quels liens y a-t-il entre ces recherches et les théories que tu as étudiées ? Décris ces liens. R/R A
8. Fais une recherche sur le développement cérébral à l'adolescence. Compare le cerveau des adolescentes et des adolescents à celui des enfants et des adultes. R/R
9. Trouve des jouets ou des illustrations de jouets qui attirent les bébés et les jeunes enfants. Amuse-toi avec ce jouet ou imagine que tu le fais et essaie de déterminer comment il stimule le cerveau de l'enfant. Devant la classe, démontre comment ce jouet peut favoriser le développement cérébral. C/C R/R C A

Recherche

10. Fais une recherche sur le lien entre l'allaitement maternel et le développement intellectuel. Compare brièvement deux points de vue sur la question, l'un fondé sur la recherche et l'autre sur une opinion personnelle. Lequel trouves-tu le plus convaincant ? Pourquoi ?
11. Rédige la critique d'un livre sur l'enfance, le développement humain ou le rôle parental à un stade précis du développement de l'enfant à la façon de celles qu'on peut lire dans les magazines. Quelle approche ce livre prend-il ? Sur quelles théories s'appuie l'auteure ou l'auteur ? Décris ce que ce livre t'a appris au sujet du développement humain. Explique pourquoi tu en recommanderais, ou non, la lecture. Si tu préfères, tu peux faire la critique d'un site Web.
12. À partir du site **www.dlcmcgrawhill.ca**, lis *La légende du loup de Lafontaine : la genèse d'une communauté franco-ontarienne,* de Thomas Marchilon. Peux-tu nommer d'autres histoires dont le personnage principal est le loup ? Quelles sont, presque toujours, les caractéristiques de cet animal dans les histoires ? À ton avis, l'image du loup véhiculé dans ces textes est-elle réelle ? Que peux-tu en déduire ?
13. Connais-tu d'autres légendes canadiennes françaises ? Pour en savoir plus, tu peux lire l'ouvrage intitulé : *Légendes de chez-nous, récits fantastiques de l'Ontario français,* de Donald Deschênes et Michel Courchesne.

Analyse et solution

14. Il y a deux écoles de pensée quant aux bienfaits de lire à un fœtus ou de lui faire entendre de la musique. Trouve de l'information et des points de vue pour et contre cette pratique. À partir de ton analyse, rédige un texte où tu défends ton opinion.

Chapitre

10

Un bon départ dans la vie

À la fin de ce chapitre, tu pourras:

- décrire les facteurs qui contribuent au bon développement des enfants avant, pendant et après l'accouchement;
- reconnaître et décrire les environnements positifs pour le développement des enfants, pendant la grossesse et à la naissance, fournis par les familles, les personnes qui s'occupent des enfants et d'autres personnes;
- montrer ta compréhension du lien entre un bon développement avant et après la naissance, d'une part, et la croissance et le développement à long terme, d'autre part.

Mots clés

accouchement par césarienne
à terme
attachement
blastocyste
capillaires
cellules filles
chromosomes
cohabitation
conception
contractions de Braxton-Hicks
cordon ombilical
dégourdissement
différenciation cellulaire
dilatation
effacement
embryon
épisiotomie
filière pelvigénitale
fœtus
liquide amniotique
mitose
molécules
placenta
prématuré
premier travail
projet de naissance
sang fœtal
sang maternel
travail actif
travail de transition
trophoblaste

Aperçu du chapitre

Figure 10.1
Les nouveau-nés sont des êtres complets de bien des manières.

Pourquoi un bon départ est-il si important ?

Les bébés nés **à terme** et en bonne santé sont des êtres complets. Tous leurs organes internes, bien qu'immatures, sont formés et en opération. Les cinq sens, soit la vue, l'ouïe, l'odorat, le goût et le toucher, fonctionnent à divers degrés. Un bébé naît avec tous ses morceaux, jusqu'à ses minuscules ongles de doigts et d'orteils. Il ne manque que les cils et les dents, qui pousseront plus tard, et les canaux lacrymaux ne produisent pas encore de larmes.

La santé des parents et leur style de vie, avant et après la conception, influencent beaucoup la santé et la qualité de vie de l'enfant. L'état de santé avant la conception influe sur la qualité de l'ovule et du sperme. Le choix de styles de vie sains soutient la croissance et le développement du fœtus et permet à l'enfant d'atteindre son potentiel optimal.

Les neuf mois de développement prénatal préparent le bébé humain à vivre hors du corps de la mère. Cependant, pour survivre, le nouveau-né dépend totalement des autres en matière de nourriture et de soins personnels. Les premiers instants de la vie d'un enfant constituent la base de toutes les années qui vont suivre. Ce que les parents font pour un enfant avant, pendant et après la naissance aura des répercussions à vie sur l'enfant. Le potentiel humain d'un nouveau-né est une énorme responsabilité pour les parents.

Les parents, de la préconception à la naissance

En Chine, on considère qu'un nouveau-né a un an à sa naissance. Là-bas, la période prénatale inclut les trois mois précédant la grossesse, lorsque le corps de la mère se prépare pour la grossesse et que l'ovule mûrit. On ajoute les neuf mois du développement prénatal. Cela démontre le caractère essentiel de l'année précédant la naissance.

Les principes de base d'une exploitation optimale de l'année précédant la naissance

1. Agir comme si tu étais déjà enceinte :
   - évaluer la santé de la mère et du père avant la conception et prendre des dispositions pour l'assurer ;
   - suivre le *Guide alimentaire canadien* et ses conseils aux femmes enceintes et qui allaitent ;
   - arrêter de fumer et de prendre des médicaments non prescrits ou tout remède à base de plantes ;
   - se renseigner auprès d'une pharmacienne ou d'un pharmacien afin d'éviter les médicaments prescrits dangereux ;
   - arrêter de consommer de l'alcool et éviter la caféine ainsi que les édulcorants artificiels ;
   - prendre des vitamines de maternité contenant 400 microgrammes d'acide folique ;
   - voir une ou un dentiste pour effectuer un bilan de santé, car des problèmes de gencives non résolus peuvent mener à un accouchement prématuré ;
   - lire des publications relatives à la grossesse afin d'en savoir plus sur les recherches récentes concernant les grossesses sans risque.

2. Porter attention à son environnement :
   - cesser de travailler si le lieu de travail cause l'exposition à des produits chimiques ou à des éléments nuisibles au développement de l'enfant ;
   - évaluer la sécurité de ta communauté (par exemple, on a associé certaines anomalies congénitales à des utilisations importantes de pesticides) ;
   - vérifier si le domicile ne contient pas de peintures à base d'huile, d'émanations ou de produits chimiques qui pourraient poser des problèmes.
3. Se considérer comme une mère :
   - passer du temps avec les enfants d'autres personnes ;
   - porter attention à la manière dont les autres s'occupent de leurs enfants ;
   - discuter de la condition de parent avec d'autres parents.

Avis d'experts

LINDA SILVER

Linda Silver est responsable de projets pour le Programme d'action communautaire pour les enfants (PACE) – Better Beginnings, à Toronto en Ontario. Elle répond à la question suivante :

Que fait votre organisation pour promouvoir la santé et le développement des nouveau-nés ?

Le Programme d'action communautaire pour les enfants (PACE) concerne les enfants de 0 à 6 ans, leurs familles et les femmes enceintes vivant dans des conditions « à risques ». Le projet dont je suis responsable s'occupe des familles d'une zone de Toronto. Il fait partie d'un programme fédéral incluant des projets touchant à de nombreux domaines et visant à fournir aux enfants canadiens la possibilité de commencer leur vie en bonne santé. Les familles s'inscrivent d'elles-mêmes à notre programme ou sur la recommandation d'une travailleuse sociale ou d'un travailleur social, d'une infirmière ou d'un infirmier ou d'autres professionnels de la communauté.

Le Programme se fonde sur la conviction que les parents et les familles vivant dans des conditions « à risques » devraient avoir la possibilité d'encourager un développement sain et la réalisation du potentiel optimal de leurs enfants. De nombreuses recherches montrent désormais qu'une grossesse saine menant à une naissance saine ainsi que des soins de bonne qualité pendant les six premières années de la vie d'un enfant améliorent considérablement son bien-être à long terme.

Les femmes et les enfants du Canada ont le privilège de bénéficier de soins de santé universels qui contribuent à l'un des taux de natalité saine le plus élevé du monde. Cependant, les recherches indiquent que nous devons continuer à surveiller ces résultats. Le *Rapport sur la santé périnatale au Canada* (2000) indique qu'on doit se pencher sur plusieurs problèmes, dont les naissances prématurées et la consommation de tabac et d'alcool pendant la grossesse.

Les bébés **prématurés** (nés avant le terme de la grossesse) sont plus fragiles et ont davantage de problèmes de santé. Même si les femmes enceintes acceptent davantage d'arrêter de fumer ou de moins fumer que les femmes non enceintes, le tabagisme reste un important problème de santé publique. La consommation d'alcool avant une naissance peut causer des anomalies congénitales plus ou moins graves, allant d'avortements spontanés aux divers syndromes d'alcoolisation fœtale (SAF). Puisque aucun niveau d'alcool ne s'avère sans risque, Santé Canada recommande aux femmes de s'abstenir totalement de consommer de l'alcool pendant leur grossesse ou lorsqu'elles se préparent à concevoir un enfant.

Les parents ont plusieurs moyens d'assurer à leurs enfants un bon départ dans la vie. Pendant la grossesse, il est important de maintenir un style de vie sain et de s'informer le plus possible sur la grossesse. Cela signifie prendre soin de soi et avoir un régime alimentaire nourrissant et sain qui suive le *Guide alimentaire canadien,* en plus de consulter une ou un médecin ou une sage-femme. Cela signifie également ne pas fumer, ne pas boire d'alcool et ne pas consommer de drogues ni de médicaments.

Après la naissance, les parents sont les premiers responsables de l'éducation et de la protection de leur bébé. Les nouveau-nés dépendent de leurs parents en matière de confort, de nourriture et de sécurité. Si on s'occupe d'eux rapidement lorsqu'ils crient ou qu'ils ont faim, les bébés apprennent que le monde est un endroit sûr où grandir et apprendre. On encourage les mères à allaiter, car le lait maternel est la nourriture parfaite pour l'enfant et lui fournit une immunité initiale contre de nombreuses maladies. Des actions comme parler à un enfant et lui chanter des chansons stimulent ses aptitudes à la communication. Elles établissent un lien bénéfique avec la personne qui s'occupe de lui.

En aidant les parents à comprendre comment vivre une grossesse saine et l'importance d'une nurturance adaptée au développement de leur enfant, notre organisme contribue à assurer un meilleur avenir à tous les enfants du Canada.

La conception

Vers le milieu du cycle menstruel de la femme, un ovule mature quitte l'ovaire et commence à descendre le long des trompes de Fallope, jusqu'à l'utérus. Si la fécondation n'a pas lieu pendant ce trajet, il n'y a pas de grossesse. L'ovule sera éliminé en même temps que la paroi de l'utérus lors des prochaines règles de la femme. Cependant, s'il y a fécondation de l'ovule, il y a **conception** (le début du développement humain).

La conception humaine est un processus élaboré. Un ovule et un spermatozoïde se rencontrent et forment une nouvelle vie. Il faut des millions de spermatozoïdes pour assurer la fécondation d'un ovule. La plupart des spermatozoïdes n'arrivent jamais jusqu'à l'ovule, mais ceux qui l'atteignent l'entourent et le font pivoter par la force de leur mouvement. On a d'abord cru que le premier spermatozoïde arrivé fécondait l'ovule. Grâce à des caméras perfectionnées, les scientifiques ont découvert que ce n'est pas toujours le cas. On ne sait pas pourquoi un spermatozoïde en particulier réussit à féconder un ovule. Cependant, un seul peut le faire. Les substances chimiques recouvrant le spermatozoïde lui permettent de traverser la paroi. L'ovule développe immédiatement une autre paroi extérieure qui empêche les autres spermatozoïdes d'entrer. Le flagelle du spermatozoïde, qui lui permet de nager, se détache. L'ovule absorbe la tête du spermatozoïde qui contient le noyau et tout le matériel génétique nécessaire à la création d'un nouvel être humain. À ce moment, la **mitose** (la division cellulaire) commence. Les **chromosomes** du noyau du spermatozoïde et de l'ovule portent le bagage génétique du père et de la mère. Ce bagage déterminera les caractéristiques génétiques du bébé.

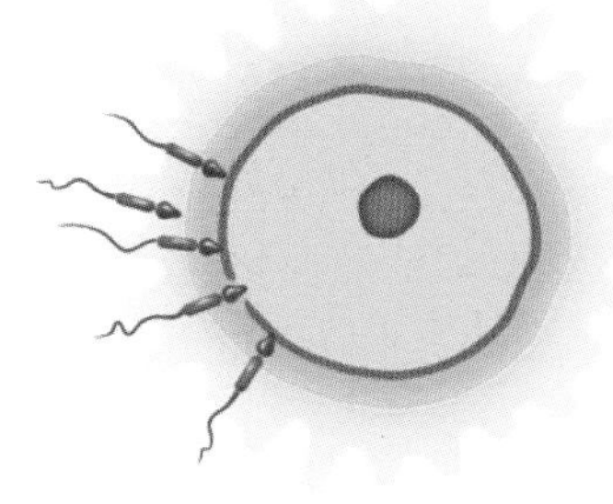

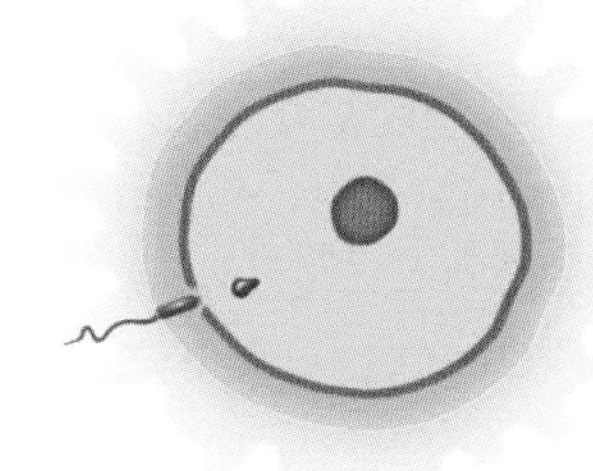

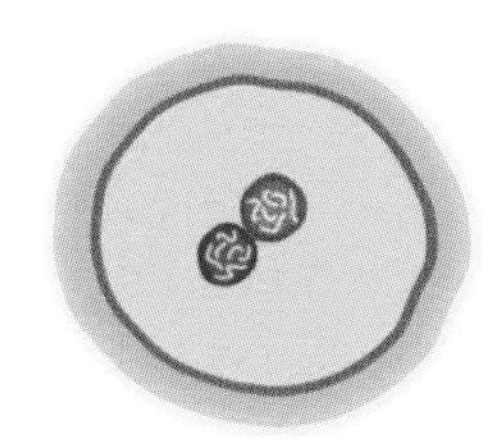

a Les spermatozoïdes essaient d'entrer dans l'ovule. Un seul spermatozoïde pourra traverser la membrane de la cellule.

b La membrane cellulaire de l'ovule rejette le corps et la queue du spermatozoïde.

c Le noyau du spermatozoïde rencontre le noyau de l'ovule. Ses 23 chromosomes se combinent aux 23 chromosomes de l'ovule.

Figure 10.2
Il y a fertilisation de l'ovule lorsqu'un spermatozoïde pénètre dans l'ovule.

Lorsque la mitose commence, les chromosomes du noyau de l'ovule se combinent aux chromosomes du noyau du spermatozoïde. Il se produit une duplication exacte des chromosomes et leur distribution dans les noyaux de **cellules filles.** Ces deux cellules identiques tout à fait nouvelles contiennent 46 chromosomes, 23 provenant du spermatozoïde et 23, de l'ovule. La création d'une cellule fille est l'un des phénomènes biologiques les plus étudiés, mais les moins compris.

La phase du zygote

Il faut environ une semaine aux cellules qui continuent à se diviser pour descendre dans les trompes de Fallope et atteindre l'utérus. Il s'agit de la phase du zygote. Une fois de plus, il y a copie des chromosomes et division en deux nouvelles cellules. Puis ces quatre cellules se divisent en huit cellules, etc. À la fin, la division mitotique produit assez de cellules (6×10^{13}) pour créer un être humain.

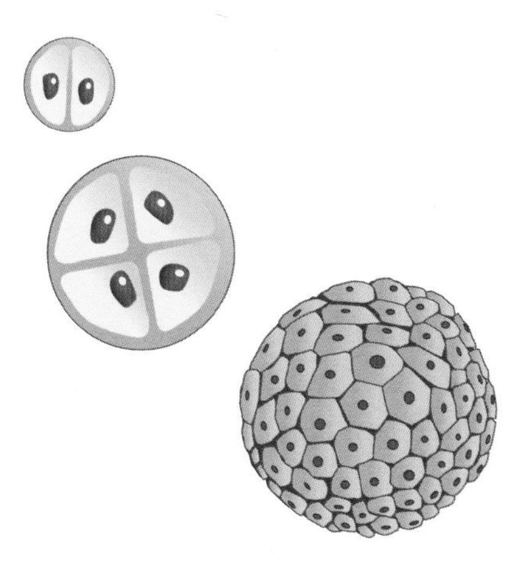

Figure 10.3
Les chromosomes sont copiés et se divisent en deux nouvelles cellules. La division cellulaire continue jusqu'à ce qu'il y ait suffisamment de cellules pour créer un être humain complet.

La grossesse extra-utérine est une grossesse qui se déroule dans les trompes de Fallope. Parfois, le groupe de cellules cesse de descendre dans les trompes de Fallope. Les cellules continuent pourtant leur processus de division et vont causer l'éclatement des trompes de Fallope. Des douleurs intenses et des pertes de sang s'ensuivent. Sans intervention immédiate, une femme peut mourir. Le tabagisme, les grossesses tardives et l'utilisation prolongée de certains contraceptifs peuvent accroître le risque d'une grossesse ectopique ou extra-utérine.

Pour les biologistes de la reproduction, la **différenciation cellulaire** représente l'un des phénomènes les plus mystérieux. Elle permet la création d'environ 100 types différents de cellules humaines. On commence à peine à comprendre ce qui pousse une cellule particulière à devenir une cellule du cerveau plutôt qu'une cellule d'ongle d'orteil. Même si toutes les cellules contiennent les mêmes chromosomes, chacune se prépare à remplir une fonction spécialisée.

Au moment où la boule d'environ 100 cellules atteint l'utérus, elle a déjà développé deux couches de cellules. On appelle la couche intérieure un **blastocyste** et la couche extérieure, un **trophoblaste.** L'utérus libère des hormones qui permettent au trophoblaste de se fixer sur la paroi utérine. La différenciation cellulaire programme chaque cellule des deux couches, contenant toutes le même bagage génétique, à assurer une fonction particulière. La couche extérieure devient le **placenta.** La couche intérieure devient l'embryon contenant les cellules qui deviendront plus tard le fœtus.

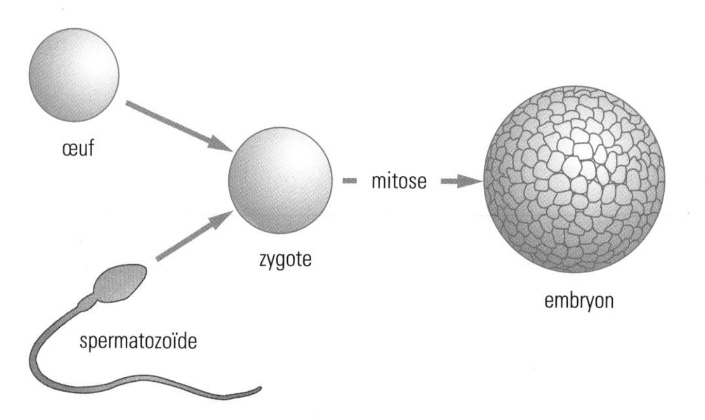

Figure 10.4
Lors de la mitose, le zygote devient un embryon.

La phase embryonnaire

L'organisme en développement s'appelle un **embryon,** de son implantation dans l'utérus jusqu'à ce qu'il prenne la forme humaine de base du **fœtus.** Le fœtus a des bourgeons de bras et de jambes, un tronc, une tête distincte et des organes formés. Il faut environ huit semaines à l'embryon pour devenir un fœtus. Au même moment, le placenta évolue afin de pouvoir favoriser le développement fœtal.

La phase embryonnaire est l'étape la plus importante du développement prénatal, car le cerveau, le système nerveux, le cœur et d'autres organes majeurs se forment et commencent à fonctionner. Beaucoup de femmes ne savent même pas qu'elles sont enceintes alors que cette phase touche à sa fin. Malgré tout, leur santé, leur alimentation et leur style de vie ont déjà eu une grande influence, favorable ou défavorable, sur le développement de l'embryon.

La période du fœtus

La période fœtale a lieu de huit semaines environ jusqu'à la naissance. Le **liquide amniotique** entoure le fœtus, le protège et lui permet de bouger librement à l'intérieur de l'utérus. Le fœtus est relié au placenta, qui le fait vivre.

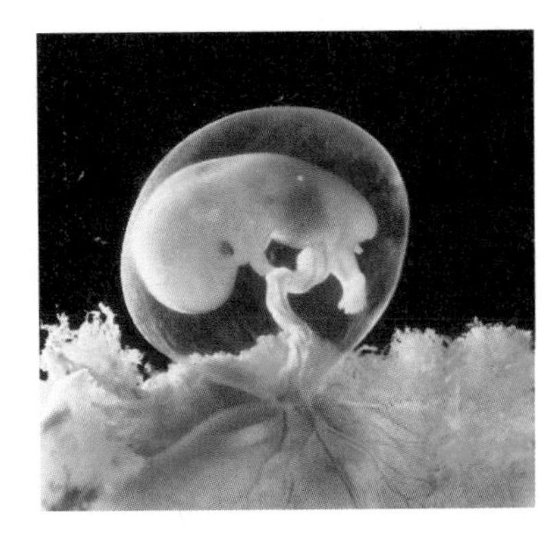

Figure 10.5
Le cordon ombilical transporte de l'oxygène et des nutriments de la mère au fœtus, et renvoie les déchets du fœtus vers le placenta.

Le placenta est un organe qui se développe dans l'utérus pendant une grossesse seulement. Sa fonction consiste à assurer la vie du fœtus, comme le cœur, le foie et les reins assurent la vie humaine. Le placenta est riche en vaisseaux sanguins qui absorbent la nourriture du sang de la mère pour la transférer au fœtus. Il transfère également des déchets, tels que le dioxyde de carbone, de l'enfant vers le flux sanguin de la mère. Le **cordon ombilical**, qui mesure de 50 à 60 cm de long, transporte le **sang fœtal** du fœtus vers le placenta. Une veine du cordon ombilical transporte l'oxygène et les nutriments de la mère au fœtus, alors que deux grosses artères rejettent les déchets du fœtus vers le placenta. C'est le système circulatoire fœtal.

Dans le placenta, les vaisseaux sanguins du fœtus s'affinent pour devenir des **capillaires.** Ces derniers s'étalent près des capillaires renfermant le **sang maternel.** Le sang maternel et celui du fœtus ne se mélangent pas ; cependant, beaucoup de **molécules** passent du sang maternel au sang fœtal, et vice versa, par les membranes des parois capillaires.

Les molécules comme l'oxygène, les vitamines, les minéraux, les glucides, les protéines et les graisses sont essentielles à la croissance et au développement du fœtus. Cependant, d'autres molécules traversent le placenta. L'alcool, la caféine, la nicotine, les produits chimiques environnementaux, les drogues et les médicaments, les bactéries et les virus passent aussi dans le flux sanguin du fœtus où ils peuvent causer des anomalies congénitales, ralentir la croissance prénatale et endommager des fonctions essentielles du fœtus.

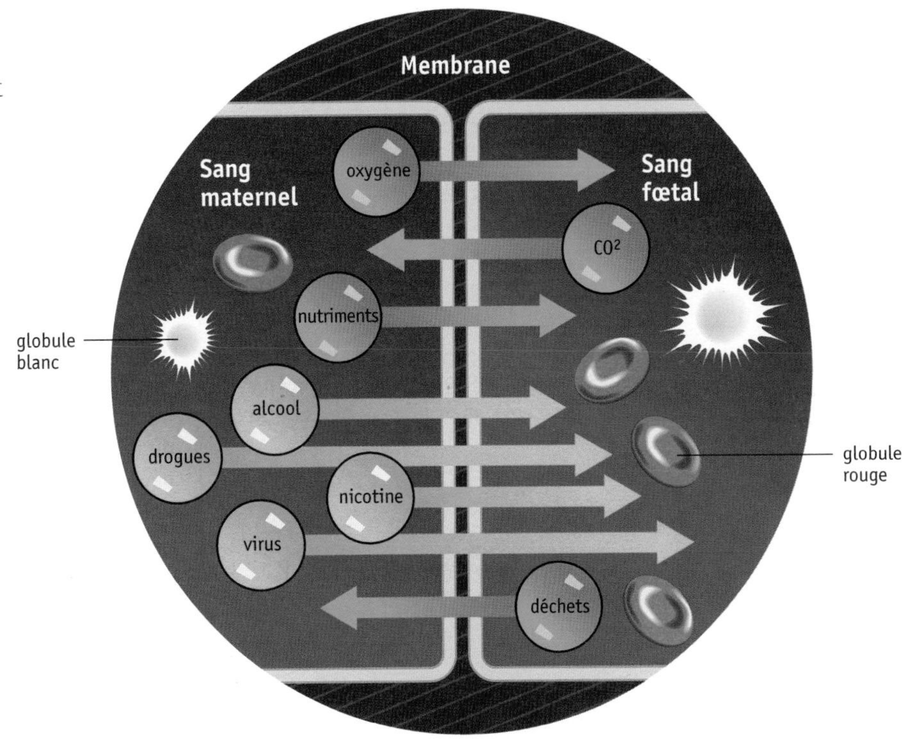

Figure 10.6
L'oxygène, les nutriments ainsi que l'alcool, les drogues, les médicaments, la nicotine et les virus ont une taille qui leur permet de traverser la membrane séparant le sang fœtal du sang maternel. Par contre, les cellules sanguines (globules blancs et rouges) sont trop grosses pour y arriver.

Le développement fœtal

Les trois premiers mois

0 semaine	1 semaine	2 semaines	3 semaines	4 semaines	5 semaines
Premier jour des dernières règles		Fécondation de l'ovule	L'ovule se fixe sur la paroi de l'utérus	Absence de règles	L'embryon est tout juste visible

6 semaines

Début de la formation de la colonne vertébrale et du cerveau. Le cœur commence à battre. Un test de grossesse montre que la femme est enceinte.

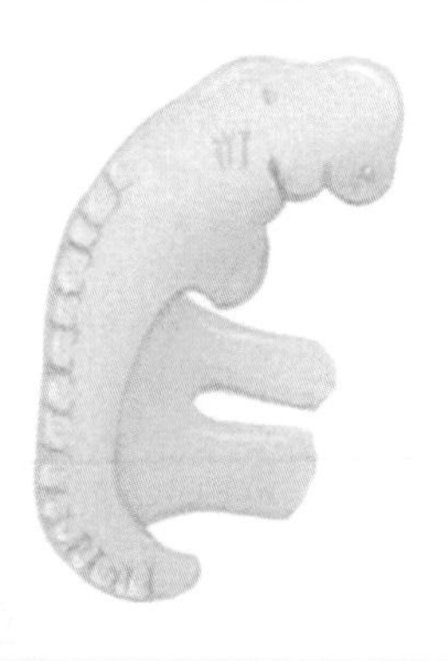

7 semaines

Quatre minuscules renflements se développent. Il s'agit du début des mains et des pieds.

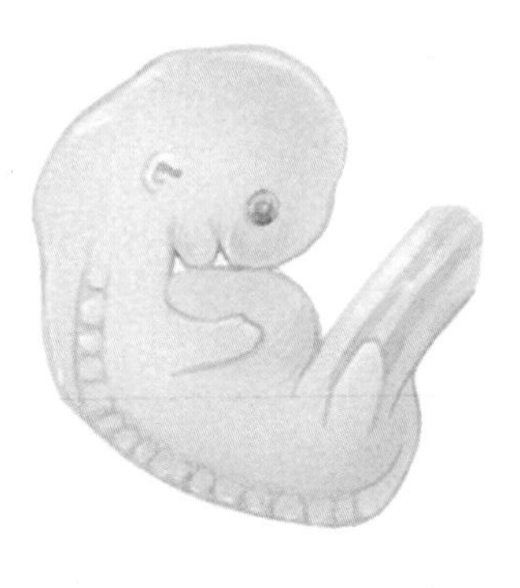

8 semaines

L'embryon a des yeux, mais pas de paupières. Il commence à faire ses premiers mouvements, mais la mère ne peut pas encore les sentir.

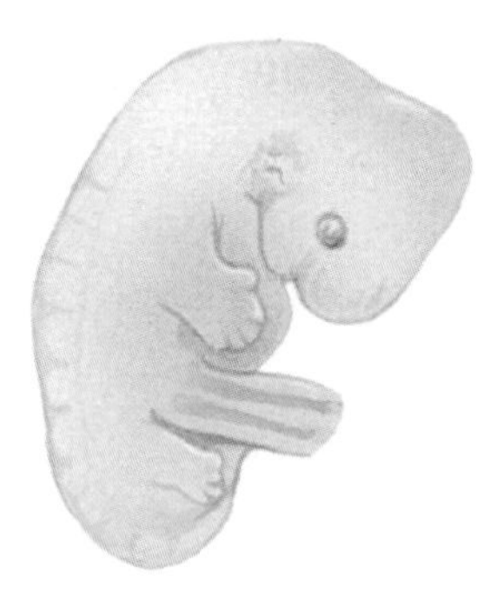

12 semaines

Les traits humains commencent à apparaître chez le fœtus, même si la tête est encore très grosse par rapport au reste du corps. Les filles et les garçons commencent à se développer différemment.

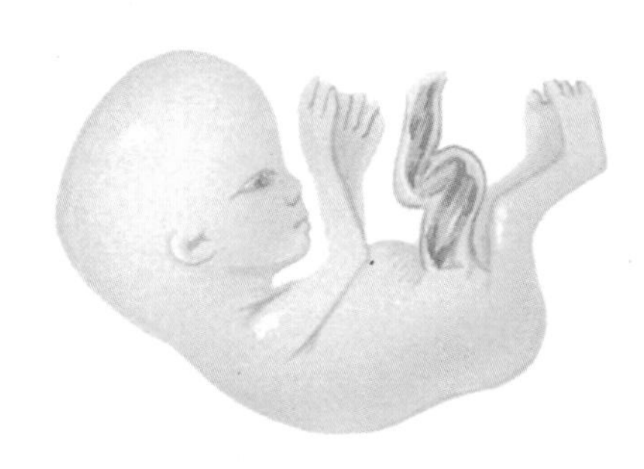

16 semaines (4 mois)*

Le fœtus, le placenta et le liquide amniotique remplissent complètement l'utérus. Ce dernier va s'étirer à mesure que le fœtus grandit. Le fœtus commence à avaler et à uriner. Il a des doigts et des ongles. Sa peau est rouge vif et transparente.

Longueur réelle = environ 13 cm

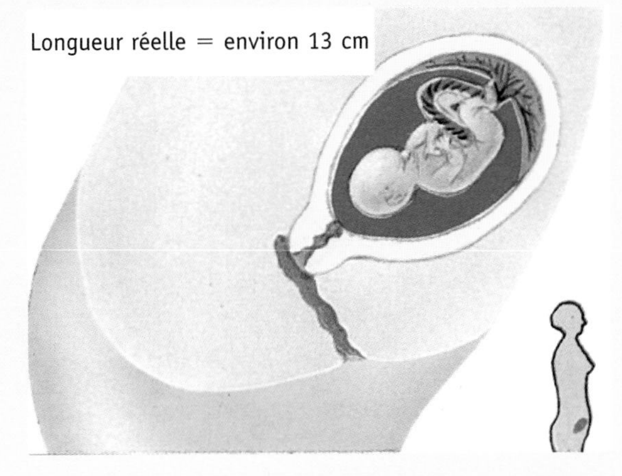

Le ventre de la mère commence à s'arrondir et ses vêtements commencent à la serrer. En général, les nausées cessent à cette étape.

20 semaines (5 mois)

Les cheveux commencent à apparaître et le fœtus a désormais des sourcils et des cils. Ses yeux sont toujours bien fermés et un fin duvet appelé lanugo recouvre toute la surface de son corps. Sa peau est maintenant moins transparente, mais très ridée.

Longueur réelle = environ 20 cm

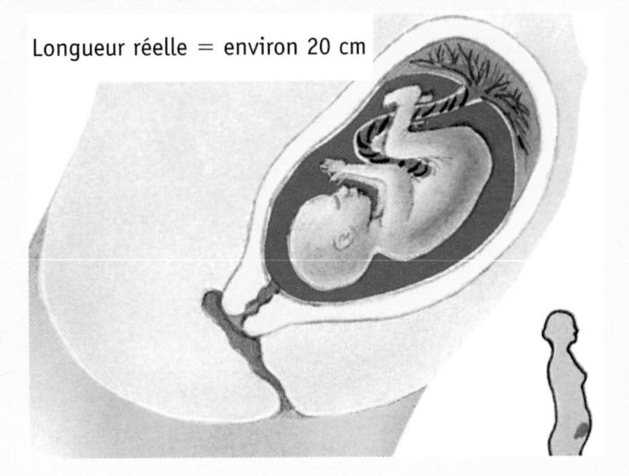

Parfois, entre 18 et 22 semaines, la mère commence à sentir les mouvements du fœtus lorsqu'il s'agite et bouge ses bras et ses jambes.

24 semaines (6 mois)

Le fœtus a désormais des périodes distinctes de sommeil et d'éveil. Il entend probablement des voix, de la musique et d'autres sons de l'extérieur du ventre de la mère par-delà le bruit de fond des battements de cœur et de la circulation sanguine. Il est très mince et ridé.

Longueur réelle = environ 28 cm

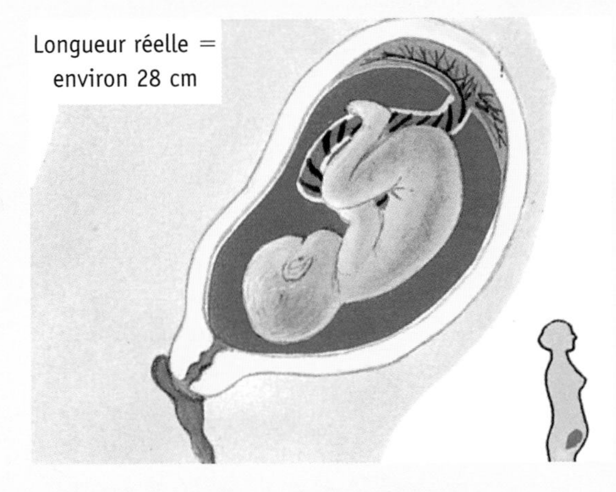

La grossesse est alors vraiment visible. On peut entendre les battements du cœur du bébé grâce à un appareil spécial appelé un stéthoscope fœtal.

28 semaines (7 mois)

S'il naissait maintenant, le fœtus aurait de grandes chances de survivre, mais il faudrait le placer dans un incubateur, car ses poumons n'ont pas fini leur développement. Une épaisse couche de graisse blanche, appelée vernix caseosa, le recouvre et empêche sa peau de se saturer d'eau.

Longueur réelle = environ 33 cm

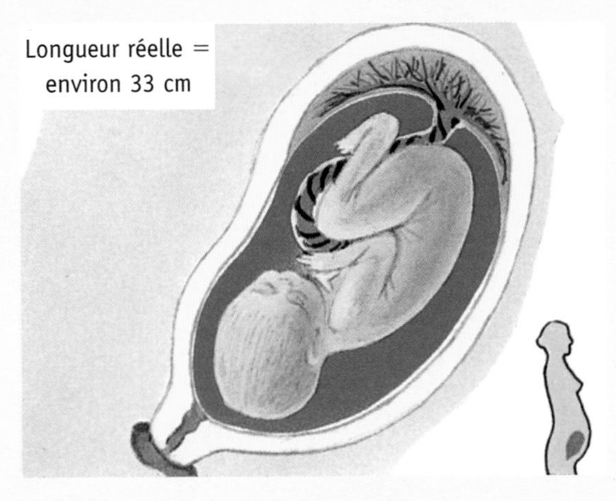

Le bébé donne des coups de pied assez forts et on peut les sentir en mettant la main sur l'abdomen de la mère. Parfois, la mère peut sentir le hoquet de l'enfant.

* Par rapport au premier jour des dernières règles de la mère

(À suivre)

32 semaines (8 mois)

Le fœtus commence à développer de la graisse et à perdre ses rides. Ses poumons approchent de la maturité et se préparent à prendre leur première respiration. Il peut avoir commencé à sucer – certains bébés sucent leur pouce avant de naître.

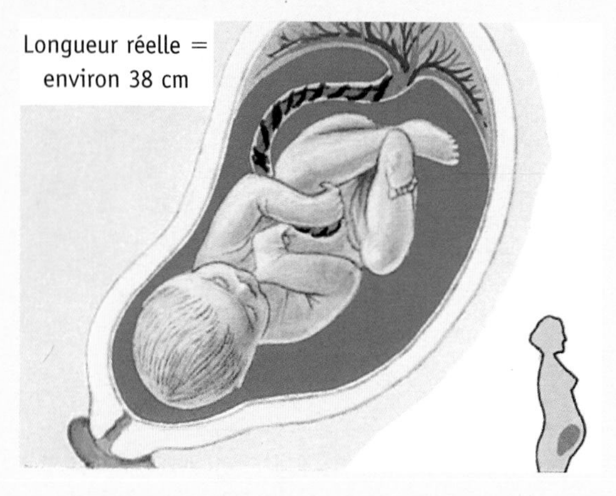

La mère peut se tenir penchée vers l'arrière afin de compenser le poids du bébé et marcher les jambes légèrement écartées pour un meilleur équilibre.

36 semaines (9 mois)

En général, à cette époque le fœtus a pris sa position finale dans l'utérus, soit la tête en bas. Il n'a plus de place pour bouger, car il remplit complètement l'utérus, qui ne peut plus s'étirer. Le fœtus continue à développer de la graisse.

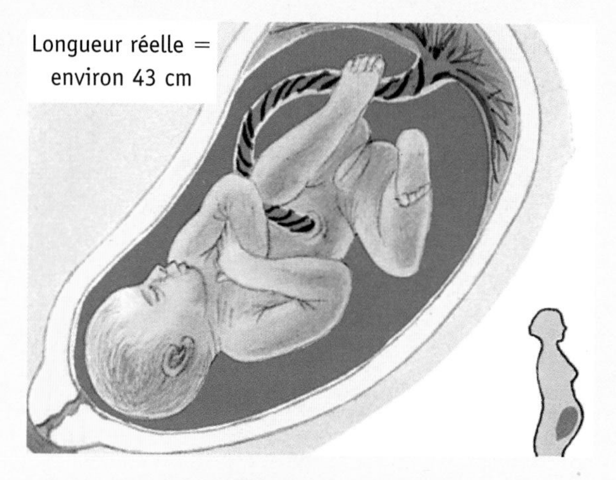

On peut parfois voir l'abdomen de la mère onduler lorsque le bébé bouge ses membres. On peut souvent deviner si la bosse est un pied ou une main.

40 semaines (10 mois)

À partir de 36 semaines, la tête du bébé glisse dans le pelvis de la mère (elle s'engage). Le bébé est prêt à naître.

On appelle le « terme » le moment où le bébé est vraiment prêt à naître. Une durée de 40 semaines pour une grossesse est une moyenne. Il est normal qu'un bébé naisse entre 38 et 42 semaines de grossesse.

Longueur réelle = environ 50 cm

Pelvis

Habituellement, le corps du bébé a perdu son lanugo, sauf parfois sur les épaules, mais a toujours son vernix caseosa.

Lorsque la tête du bébé s'engage, la mère peut ressentir une légère sensation de soulagement, car ses organes auparavant comprimés retrouvent un peu d'espace.

Tout au long de la phase fœtale, la croissance physique globale du bébé continue, les traits de son visage se forment et s'affinent et le développement des organes s'achève. La croissance et le développement du fœtus correspondent aux changements ayant lieu dans le corps de la femme enceinte.

Vérifie tes connaissances

1. Dresse une liste des choses que les parents peuvent faire avant la conception de l'enfant afin d'assurer une grossesse saine et un bébé en bonne santé dès la naissance. Décris-les.
2. Pourquoi la phase embryonnaire est-elle la plus importante phase du développement prénatal ?
3. Quel rôle le placenta joue-t-il dans le processus prénatal ?

Les trois trimestres de la grossesse

On peut diviser les neuf mois d'une grossesse en trois périodes distinctes qu'on appelle des trimestres. Chaque trimestre dure trois mois. Au moment où une femme s'aperçoit qu'elle est enceinte, il arrive souvent que le premier trimestre de grossesse soit assez avancé. On établit la date de l'accouchement 40 semaines après le début des dernières règles avant la fécondation. On procède ainsi, car les médecins ne peuvent pas déterminer exactement le moment de la conception. Des femmes continuent parfois à avoir un flux menstruel après le début de leur grossesse. Dans ce cas, une échographie peut fournir une meilleure indication de la date prévue de l'accouchement.

La durée du dernier trimestre varie en fonction de la date de la naissance du bébé :

- **Naissance prématurée :** naissance six semaines ou plus avant la date prévue ou un bébé pesant moins de 2,2 kg.
- **Naissance avancée :** naissance une semaine ou plus avant la date prévue, mais un bébé pesant plus de 2,2 kg.
- **Naissance à terme :** naissance le jour prévu ou presque.
- **Naissance tardive :** naissance une semaine ou plus après la date prévue.

Savais-tu que...

Parce que le sang du cordon ombilical est très riche en cellules souches (des cellules qui produisent des globules rouges et des lymphocytes), certains parents décident de le conserver dans des banques de sang de cordon ombilical. Cela permet de l'utiliser à la place de la moelle osseuse si jamais une transplantation s'avère nécessaire. Des études ont montré que même si une personne n'est pas de la même famille que la donneuse ou le donneur (différents patrimoines génétiques), elle peut bénéficier de transplantations de sang de cordon ombilical pour combattre les leucémies et d'autres cancers.

Pour l'instant, au Canada, peu d'installations permettent d'entreposer du sang de cordon ombilical. Si un couple projette de conserver le sang du cordon ombilical, il doit prendre ses dispositions dès le début de la grossesse.

Le premier trimestre

Changements chez la mère	Changements chez le fœtus
• Elle se sent fatiguée. • Elle commence à ressentir des signes et des symptômes d'une grossesse, comme la fatigue, des mictions fréquentes, des règles en retard, le gonflement des seins et des douleurs aux mamelons. • Elle peut vomir le matin ou avoir des nausées durant la journée et être de plus en plus sensible aux odeurs. • Elle prend un peu de poids et remarque qu'il devient difficile d'attacher ses vêtements. • Elle peut vivre des hauts et des bas sur le plan émotionnel.	• L'embryon prend une forme humaine. • Les organes principaux (le cerveau, le système nerveux central, le cœur, le foie et les reins) se forment et commencent à fonctionner. • À huit semaines, le développement fœtal commence. • Le visage prend une forme humaine et les traits s'affinent. • Les ongles et les os se forment. • On peut déterminer le sexe du fœtus.

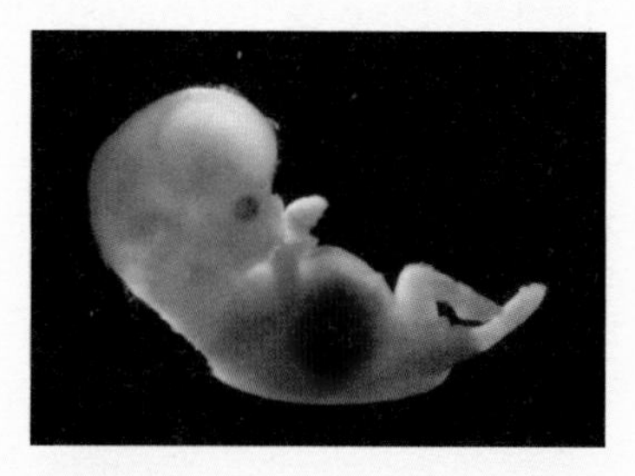

Figure 10.7
Un fœtus au début du premier trimestre.

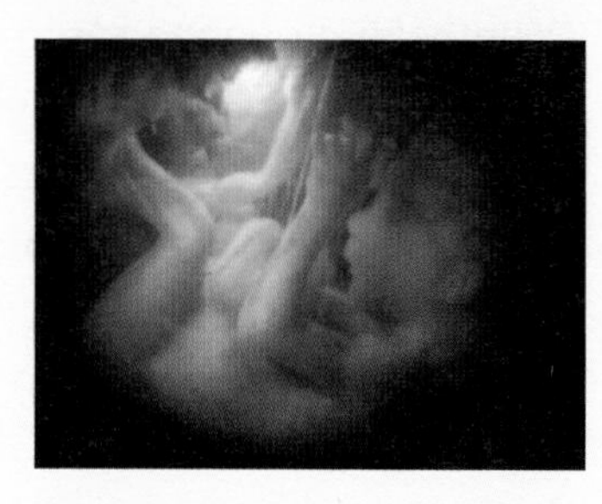

Figure 10.8
Un fœtus plus tard dans le premier trimestre. Décris les différences entre cette photographie et celle de la figure 10.7.

Le deuxième trimestre

Changements chez la mère	Changements chez le fœtus
• Les nausées du matin prennent fin et l'appétit revient, car le corps s'est ajusté aux changements hormonaux. • Des vergetures et une ligne de pigmentation sombre et verticale peuvent apparaître sur son abdomen (ligne noire). • Elle a le teint radieux des femmes enceintes. • La grossesse paraît légèrement et la mère peut commencer à porter des vêtements de maternité au milieu de ce trimestre. • Autour du cinquième mois, elle ressent le mouvement fœtal, appelé **dégourdissement.** • On peut entendre les battements de cœur du fœtus grâce à un stéthoscope. • La mère continue à prendre du poids.	• Le fœtus se développe rapidement. • Des traits particuliers du visage se développent et les yeux peuvent s'ouvrir et se fermer. • Le fœtus peut sucer son pouce et avaler du liquide amniotique. • Il se déplace librement dans le liquide amniotique et prend une position tête en bas. • Son cœur bat intensément et sa circulation sanguine est bien développée. • Le lanugo (un doux duvet) pousse sur tout son corps. • Son corps grandit et le coccyx en forme de queue disparaît graduellement. • Il connaît des périodes de sommeil et des périodes actives. • Il grandit jusqu'à atteindre 32 cm de longueur et pèse de 500 g à 1 kg. • Il réagit aux sons et aux pressions.

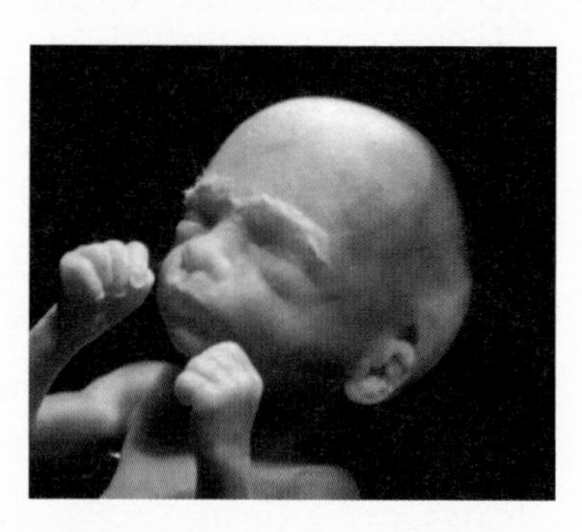

Figure 10.9
Un fœtus au second trimestre.

Le troisième trimestre

Changements chez la mère	Changements chez le fœtus
• Elle se sent malhabile, mal à l'aise et peut faire de la rétention d'eau dans les mains, les pieds et le visage. • Son utérus distendu l'empêche de se pencher. • Des élancements résultent des mouvements du fœtus. • Elle s'essouffle plus rapidement à mesure que l'utérus grossit et comprime ses poumons. • Des brûlures d'estomac, des crampes aux jambes, des douleurs dans le dos, des mictions plus fréquentes, des hémorroïdes et des varices sont courantes. • Elle a un sommeil agité et sans confort. • L'« allégement » est la sensation d'espace en haut de l'utérus ressentie à mesure que le fœtus descend dans le pelvis, appuyant contre le col de l'utérus. • L'utérus se contracte de temps en temps. Il s'agit de **contractions de Braxton-Hicks.** • Le gain de poids tout au long de la grossesse peut atteindre 13,6 kg ou plus.	• Le fœtus peut survivre s'il naît au cours du troisième trimestre, mais un accouchement à terme est toujours préférable. • Le fœtus reste généralement en position tête en bas. • Il a moins d'espace dans l'utérus pour bouger, puisqu'il remplit l'utérus. • Le fœtus grandit rapidement, développant une couche essentielle de graisse au cours du dernier mois. • Le lanugo disparaît et son corps se recouvre de vernix caseosa (une graisse jaunâtre semblable à de la cire). • Le cerveau se développe rapidement. • Le fœtus peut détecter la lumière et les sons (par exemple, de la musique). • On remarque des simulations de respiration préparant le fœtus à la vie hors de l'utérus. • En moyenne, le bébé né à terme mesure jusqu'à 50 cm et pèse 3,4 kg.

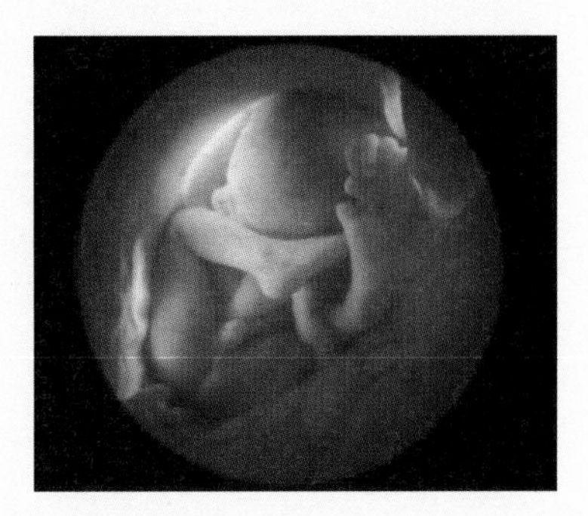

Figure 10.10
Un fœtus au troisième trimestre.

Il y a des livres entièrement consacrés aux neuf mois de la grossesse. On en trouve dans les bibliothèques des écoles, dans les locaux des cours sur le rôle parental, les bibliothèques locales, les librairies et les centres communautaires pour parents. Les sages-femmes, les infirmières et les infirmiers publics, les médecins et d'autres spécialistes de la maternité peuvent répondre à tes questions et te fournir des documents sur la grossesse.

Ce que les pères et les partenaires peuvent faire pendant la grossesse

Il arrive que des hommes se sentent délaissés lorsque leur partenaire est enceinte. Les mères se tournent naturellement vers elles-mêmes et se concentrent sur la vie qui se développe en elles. Elles peuvent s'intéresser moins à leur relation de couple. Pourtant, il y a beaucoup de choses à faire pour que les deux partenaires participent à la grossesse. Les femmes enceintes ont besoin que leur partenaire s'engage dans le processus qui changera leur famille pour toujours. Pendant la grossesse, le futur père peut :

- s'intéresser à la grossesse en lisant, en allant aux rendez-vous médicaux ou en parlant à d'autres nouveaux pères ;
- comprendre que, même si sa partenaire porte son attention sur tous les changements physiques et émotionnels qui se manifestent chez elle presque chaque jour, elle ne souhaite pas le tenir à l'écart pour autant ;

(À suivre)

- discuter du délaissement qu'il ressent ou de ses préoccupations quant à la grossesse, comme la peur de perdre le bébé, la crainte de voir du sang au moment de l'accouchement et l'incertitude de son aptitude à être père ;
- adopter un style de vie sain et encourager sa partenaire à cesser de fumer, à ne pas boire d'alcool, à ne pas prendre de médicaments non prescrits, à bien manger, à prendre des vitamines prénatales, à boire du lait ou à prendre des compléments de calcium et à boire beaucoup d'eau ;
- arrêter de consommer de l'alcool et de fumer lui-même afin de soutenir sa partenaire et de se préparer à l'arrivée du bébé ;
- accompagner sa partenaire lors de promenades régulières ;
- l'accompagner autant que possible aux examens médicaux prénatals ;
- l'aider autant que possible à préparer les repas et à s'occuper des tâches ménagères ;
- l'encourager à se reposer ;
- lui masser le dos, les jambes et les pieds ;
- surveiller l'environnement et éliminer tout ce qui peut être néfaste, comme les émanations, les produits chimiques, les pulvérisations de produits dans le jardin et sur la pelouse, les peintures ou les nettoyants toxiques ;
- changer la litière du chat afin d'éviter toute exposition de sa partenaire à la **toxoplasmose,** soit un parasite souvent présent dans les excréments des chats et qui cause d'importantes anomalies congénitales chez les bébés ;
- participer à des cours prénatals et à l'apprentissage des techniques et des exercices de réconfort et de respiration.

Figure 10.11
Selon toi, de quelles autres façons les pères peuvent-ils aider leur partenaire pendant la grossesse ?

❖ Vérifie tes connaissances

1. Que signifient les expressions naissance prématurée, naissance avancée, naissance à terme et naissance tardive ? Quelle est leur relation avec la durée du troisième trimestre de grossesse ?
2. Quels sont les changements significatifs chez le fœtus au cours de chaque trimestre ?
3. Indique les changements chez la mère au cours de chaque trimestre de grossesse.

Liens

1. Pense à un couple de futurs parents que tu as vu à la télévision ou que tu connais personnellement. En quoi la description du rôle du père, quant au soutien qu'il peut apporter à sa partenaire enceinte présenté à la page 247, correspond-elle à ce que tu observes dans la réalité ? Parle à un père ou à une mère afin de déterminer comment cette description correspond à son expérience de la grossesse.

Figure 10.12
Un projet de naissance est un aperçu des préférences des parents et des médecins relativement à la naissance.

Les quatre phases de l'accouchement

Il est très rassurant de savoir que mettre un enfant au monde est une fonction normale du processus de reproduction humaine. Pourtant, les nouveaux parents et les parents expérimentés doivent considérer de nombreuses options en vue de la naissance d'un enfant. Un **projet de naissance** donne aux parents un certain contrôle sur la naissance.

Réfléchir à l'avance aux options possibles permet de s'assurer que les parents comme les médecins connaissent les souhaits et les préférences de chacun. Voici les points à envisager :

- Naissance à domicile ou à l'hôpital ?
- Sage-femme, obstétricienne ou obstétricien ?
- Siège ou lit d'accouchement ?
- Travail provoqué ou travail naturel ?
- Médication contre la douleur ?
- Épisiotomie de routine ?
- Extraction avec des forceps ou à vide ?
- Présence de membres de la famille ?
- Photographies ou enregistrement vidéo ?
- Mesures d'urgence ?
- Accouchement par césarienne : sous anesthésie générale ou péridurale (épidurale) ?
- Assistante ou assistant d'accouchement ?
- Assistante ou assistant d'allaitement ?
- Circoncision ou non ?

Même si chaque naissance est unique, l'accouchement suit un processus général de travail, de délivrance, d'arrière-faix et de rétablissement. Il s'agit des quatre étapes de l'accouchement. La longueur et l'intensité du travail, la vitesse de la délivrance et la durée de l'arrière-faix varient pour chaque grossesse.

Étude de cas : La fausse couche – Marie et Adam

Marie et Adam enseignaient à l'école secondaire. Tous deux enfants uniques, ils voulaient que leur bébé, Jules, ait au moins un frère ou une sœur. Marie surtout souhaitait avoir un autre enfant, car elle avait souffert de ne pas avoir un frère ou une sœur et avait grandi entourée d'adultes. D'un côté, c'était bien puisqu'il y avait toujours quelqu'un pour lui faire la lecture ou s'occuper d'elle. D'un autre côté, elle aurait souhaité avoir des frères plus âgés, comme dans les histoires qu'elle lisait. Ainsi, après une grossesse facile et sans complications pour Jules, elle est devenue enceinte. Jules n'avait que 15 mois. Marie et Adam, ravis, ont annoncé la nouvelle à tout le monde.

À trois mois de grossesse, Marie a fait une fausse couche. On l'a bien soignée, lui faisant subir une dilatation et un curetage afin de s'assurer de bien vider l'utérus. « Attendez trois mois et essayez à nouveau. Une grossesse sur cinq se termine par une fausse couche. Ce sont des choses qui arrivent », lui dit-on. Par la suite, Marie se sentit coupable et réfléchit à tout ce qu'elle avait fait qui aurait pu causer cette fausse couche.

Le couple avait annoncé la nouvelle de la grossesse à tout l'entourage. Il avait maintenant la terrible tâche d'annoncer la mauvaise nouvelle à tout le monde. « C'est la nature et c'est comme ça », ont dit les gens. Cependant, Marie ne ressentait pas du tout les choses ainsi et avait beaucoup de chagrin. Personne ne la comprenait ; ni Jules, qui ne comprenait pas pourquoi maman était si triste, ni Adam qui n'avait pas eu le bébé à l'intérieur de lui. Seule Marie se sentait très mal et remarquait toutes les femmes enceintes dans la rue. Elles étaient toutes enceintes, pensait-elle, toutes sauf elle. « Qu'est-ce qui ne va pas chez moi ? »

Après quelques semaines, Marie sentait qu'elle perdait l'appui de ses amies et de ses amis. En peu de temps, elle s'est retrouvée avec peu de soutien, voire plus du tout, et pourtant elle souffrait encore de son deuil. Marie n'a pas pensé, à cette époque, à avoir recours à un groupe de soutien. Elle a fini par se remettre et la vie a repris son cours.

Malheureusement, une condition physique chez Marie a rendu toute grossesse dangereuse. Déterminés à avoir au moins deux enfants, Marie et Adam ont entrepris des démarches d'adoption. Ils ont eu de la chance. Lorsque Jules a eu environ quatre ans, ils ont eu le bonheur de pouvoir adopter une petite fille. Tout le monde leur disait qu'ils avaient désormais la famille idéale, un garçon et une fille. Ce n'était pas le plus important pour eux ; ils étaient juste heureux d'avoir enfin la famille dont ils avaient toujours rêvé.

Bien des années plus tard, Marie a aidé ses élèves dans leurs recherches et a pu lire plusieurs études sur les fausses couches. Elle s'est aperçue que l'expérience qu'elle avait vécue était typique. Beaucoup de femmes ressentaient ces intenses émotions. Le manque de soutien de la famille et de l'entourage était aussi un phénomène fréquent. Aujourd'hui, Marie se montre particulièrement disponible pour toute femme ayant vécu une fausse couche.

Questions

1. Quelles sont les conséquences émotionnelles d'une fausse couche dans une famille ?
2. Étudie les causes d'une fausse couche. Peut-on éviter les fausses couches ? Explique.

Le travail : la première étape de l'accouchement

Le travail prépare l'**effacement** et la **dilatation**, c'est-à-dire qu'il fait amincir et ouvrir le col de l'utérus. Il commence avec les premières vraies contractions. Il se termine lorsque le col de l'utérus permet le passage de la tête du bébé dans la filière pelvigénitale. Le travail comporte trois phases et dure en moyenne 12 heures.

Les signes indiquant que le travail a commencé

- **Des pertes sanguines:** des pertes contenant du sang signalent que le bouchon muqueux se détache du col de l'utérus.
- **Des crampes:** la femme ressent des douleurs dans le bas du dos ou semblables aux douleurs menstruelles, s'accompagnant parfois de diarrhée et d'indigestion.
- **La rupture des membranes:** le liquide amniotique s'écoule lors de la rupture de la poche amniotique. Lorsqu'une femme « perd ses eaux », on est sûr que le travail a commencé.
- **Des contractions régulières:** l'utérus se contracte et durcit brièvement à intervalles réguliers.

Les phases du travail

On appelle la première phase le **premier travail.** Elle commence par de légères contractions et continue jusqu'à ce que la dilatation du col de l'utérus atteigne trois centimètres. Certaines femmes poursuivent leurs activités habituelles pendant ce temps. Parfois, elles apprennent que le col de leur utérus est déjà dilaté à leur rendez-vous médical hebdomadaire. À mesure que les contractions deviennent plus distinctes, elles se rapprochent. Si on a des contractions toutes les cinq minutes, il est temps de se rendre à l'hôpital ou à la salle d'accouchement pour la fin du travail et la délivrance. Si une sage-femme doit assister à l'accouchement, il est temps de l'aviser.

On passe ensuite au **travail actif.** Il se caractérise par des contractions assez fortes qui durent une minute entière et reviennent toutes les deux ou trois minutes. Cette phase peut durer de trois à quatre heures en moyenne, jusqu'à ce que la dilatation atteigne sept centimètres. Le travail devient plus intense et exigeant. Il faut avoir recours aux techniques de respiration, de relaxation et de confort.

Le **travail de transition** est la phase finale où le col de l'utérus se dilate jusqu'à dix centimètres. Les contractions durent plus longtemps, sont plus intenses et se suivent sans interruption. La femme ressent parfois l'envie de pousser le bébé avant que le col de l'utérus ne soit complètement ouvert; des exercices d'halètement peuvent l'aider à patienter. Le travail de transition dure au maximum une heure, mais il est épuisant et fait vivre toutes sortes d'émotions. On peut utiliser pendant cette phase une médication contre la douleur.

Les trois phases du travail:
- le premier travail,
- le travail actif,
- le travail de transition.

La délivrance: la deuxième étape de l'accouchement

Lorsque le col de l'utérus s'est dilaté de dix centimètres, il est temps de pousser le bébé le long du vagin ou de la **filière pelvigénitale.** Les contractions sont toujours intenses, mais moins rapprochées, ce qui permet à la mère de se reposer entre les poussées. Le vagin est très élastique et s'étire pour recevoir la tête du bébé. La tête prépare la voie pour le reste du corps. Dans certains cas, on effectue une incision appelée **épisiotomie** pour permettre à la tête du bébé de sortir du corps de la mère sans déchirer le périnée. La délivrance dure généralement entre une heure et demie et deux heures, ou moins, selon la taille du bébé et l'énergie de la mère.

Les quatre étapes de l'accouchement :
1) le travail,
2) la délivrance,
3) l'arrière-faix,
4) le rétablissement.

Lors d'un accouchement normal sans complications, la tête se présente en premier et on aspire le mucus du nez et de la bouche du bébé. On évite ainsi qu'il respire du liquide à son premier souffle. Ensuite, une épaule sort, puis la seconde, et le reste du bébé suit facilement. On pince le cordon ombilical afin de couper l'influx d'oxygène provenant de la mère, et le bébé prend sa première respiration. Certains bébés crient vigoureusement alors que d'autres émettent peu de son.

Une fois l'enfant né, on note l'heure de la naissance. On dépose en général le bébé sur l'abdomen de la mère pendant qu'on coupe le cordon et qu'on examine rapidement le bébé. S'il n'y a pas de problèmes, on enveloppe le bébé dans une couverture préchauffée et on le place sur la poitrine de la mère. Les parents font alors la rencontre de cette nouvelle petite personne à qui ils viennent de donner la vie.

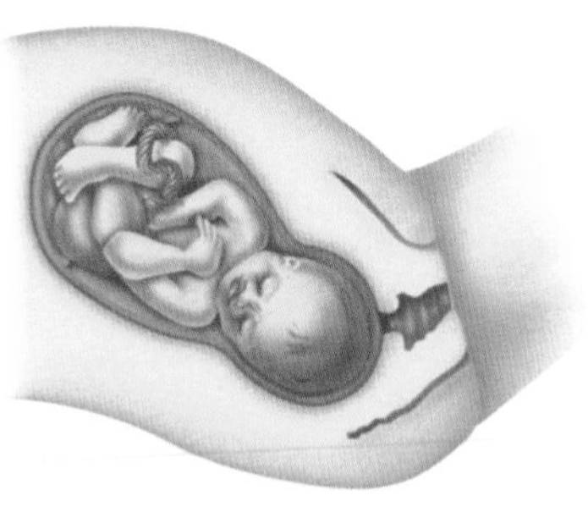

a L'ouverture du col de l'utérus commence à s'élargir.

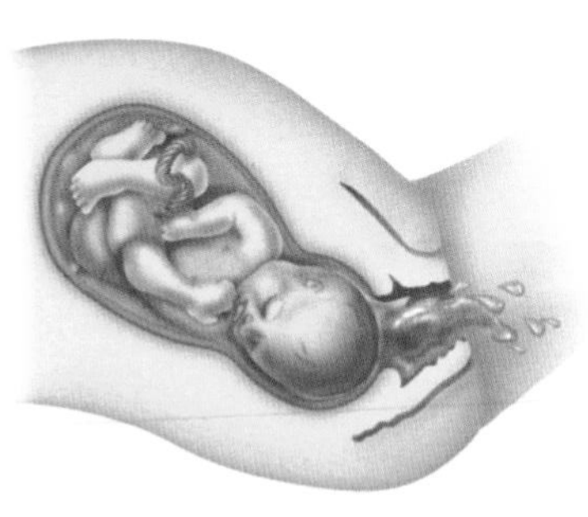

b La poche amniotique se rompt et le liquide s'échappe.

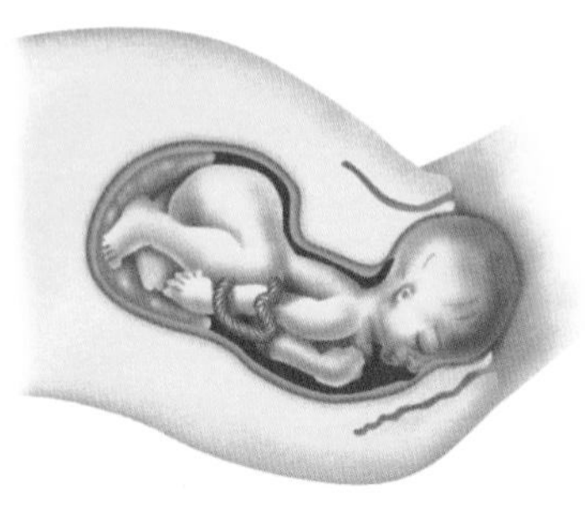

c Les muscles utérins se contractent pour expulser le bébé.

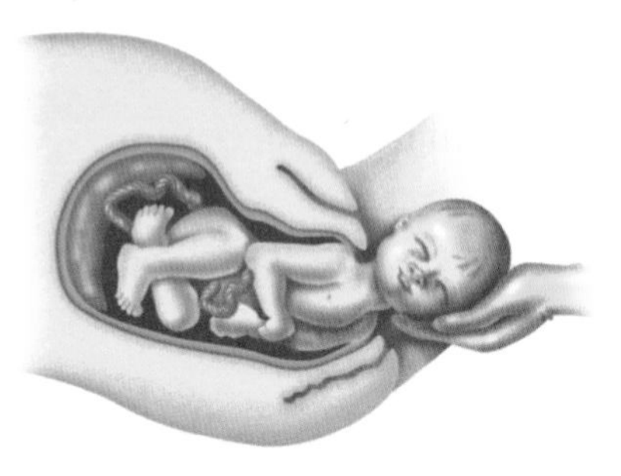

d Le bébé sort de la filière pelvigénitale.

Figure 10.13
Les étapes de l'accouchement.

L'arrière-faix : la troisième étape de l'accouchement

Pendant que les parents examinent le nouveau-né, il reste du travail à faire. La mère doit expulser le placenta par une ou deux poussées. Cette étape de l'accouchement peut durer de cinq minutes à une demi-heure.

Un point de vue culturel

Beaucoup d'aspects de la grossesse et de l'accouchement sont au cœur des cultures et des traditions. Linda Tuhiwai Smith a écrit ce témoignage en 2000 dans son livre *Decolonizing Methodologies: Research and Indigenous Peoples,* paru chez University of Otago Press, Dunedin, Nouvelle-Zélande :

> La plupart des peuples indigènes considèrent le sang, le placenta et l'arrière-faix comme quelque chose de « spécial ». Le peuple maori les considère comme « toujours actifs » et hautement *tapu.* Autrefois, on enterrait l'arrière-faix dans le sol. Le terme maori pour sol et arrière-faix est le même, *whenua.* Jusqu'à très récemment, les hôpitaux refusaient les demandes des Maoris d'emporter l'arrière-faix et de l'enterrer. Maintenant qu'on sait que le sang de cordon ombilical et l'arrière-faix sont utiles pour traiter certaines maladies, des professionnels de la santé néo-zélandais ont demandé l'autorisation de « cultiver » (leur mot) le sang de cordon ombilical de fœtus avortés. Cela peut s'avérer difficile pour les non-indigènes, mais il est probable qu'ils acceptent ; le sang de cordon ombilical est en effet utile et le « cultiver » ne nuit à personne tant que la mère y consent. Ils n'ont pas d'autres raisons culturelles de refuser. En revanche, les Maoris ne sont pas d'accord d'un point de vue culturel.
>
> [Traduction libre]

Liens

1. Étudie des pratiques liées à la grossesse et à l'accouchement de différentes cultures. Présente tes résultats sous forme d'un scénarimage.
2. Décris certains principes traditionnels qu'on admet encore aujourd'hui au sujet de la grossesse et de l'accouchement. Quelle est l'origine de ces principes ?

Le rétablissement : la quatrième étape de l'accouchement

On appelle parfois les deux ou trois premières heures suivant la naissance « la quatrième étape de l'accouchement ». Pendant cette phase, la mère et l'enfant font l'objet d'attention et de soins, car tous deux se remettent du travail et de la délivrance. La mère peut avoir un peu froid et avoir du mal à uriner. On lui fournit souvent une couverture préchauffée une fois sa toilette terminée. On procède à des points de suture s'il y a eu une épisiotomie ou une déchirure. On encourage la mère à boire de l'eau et à manger un peu si elle a faim.

On lave le bébé, on le pèse, on le mesure, on lui donne une injection de vitamine K pour la coagulation du sang du cordon ombilical et on lui met sa première couche. Les bébés naissants peuvent se refroidir rapidement. On leur met un petit bonnet pour les aider à conserver leur chaleur. On leur fait subir un examen de santé appelé le test d'APGAR. On effectue les interventions médicales nécessaires si le bébé présente des problèmes. On fait des tests d'évaluation de nouveau-nés afin de détecter d'éventuelles maladies héréditaires. Ces maladies peuvent avoir des conséquences graves et durables, comme des retards intellectuels, si on ne les détecte pas à la naissance. Après ces procédures, on rend le bébé à sa mère et elle peut l'allaiter. À ce moment, la nouvelle famille peut se reposer de son aventure. La mère a souvent besoin de dormir lors du rétablissement.

Astuces

Ce que les pères peuvent faire au cours du travail et de la délivrance

Les pères ou les partenaires peuvent :

- être dans la salle d'accouchement ;
- faire le suivi de la durée des contractions ;
- appliquer les techniques de réconfort et de respiration apprises dans les cours prénatals ;
- donner de l'eau ou de la glace à leur partenaire si elle peut en prendre ;
- ajuster le lit, la literie, la lumière, la musique ;
- emmener leur partenaire marcher si elle le peut ;
- dorloter, détendre leur partenaire et lui donner des massages ;
- l'encourager et lui donner de l'énergie positive ;
- couper le cordon ombilical lorsque l'enfant est né ;
- prendre l'enfant tôt et souvent.

Questions minute : Vrai ou faux ?

1. Un test de grossesse ne sera pas « positif » avant la fin de la phase embryonnaire.
2. Boire un peu d'alcool en société pendant la phase embryonnaire ne présente pas de risque.
3. Toutes les femmes en âge d'avoir des enfants devraient prendre un complément d'acide folique.
4. Les femmes enceintes ne devraient pas boire de sodas diète ou consommer des produits édulcorants artificiels.
5. Il n'y a pas de danger à prendre des toniques à base d'herbes pour la perte de poids durant la phase embryonnaire.
6. Avant d'entreprendre un programme d'activité physique, une femme enceinte devrait obtenir un avis médical.
7. Les femmes devraient arrêter de fumer avant de devenir enceintes.
8. Les médicaments prescrits peuvent nuire au développement de l'embryon et du fœtus.
9. Certaines femmes continuent à avoir leurs règles au début de leur grossesse.
10. Les femmes devraient commencer à manger pour deux dès qu'elles apprennent qu'elles sont enceintes.

Réponses : 1. (F) ; 2. (F) ; 3. (V) ; 4. (V) ; 5. (F) ; 6. (V) ; 7. (V) ; 8. (V) ; 9. (V) ; 10. (F).

L'importance de l'attachement lors de la naissance

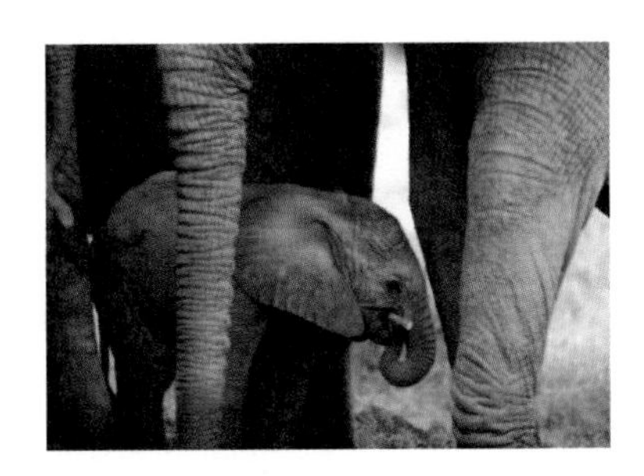

Figure 10.14
Un lien solide entre une mère et son bébé est aussi une réalité du monde animal.

Le début de la vie dans le règne animal s'articule autour de la mère et du nouveau-né. Le lien d'**attachement** est un phénomène naturel. Il constitue un lien solide entre les parents et l'enfant. Les femelles des animaux nourrissent et protègent instinctivement leurs petits. On doit fournir aux mères humaines et aux bébés la même possibilité. Toutefois, selon Michele Landsbert, l'intervention médicale stérilisée au moment de l'accouchement interfère parfois avec la création de ce lien fondamental qui lie la mère à l'enfant. Voici un extrait de *Women and Children First* (1985).

La naissance et une nouvelle vie

Vous souvenez-vous d'un des principes les plus sacrés de la sagesse des enfants ? Ne jamais toucher les oisillons qu'on trouve dans un nid, sinon la mère les abandonnera. En fait, instinctivement, un enfant qui rencontrait un animal nouveau-né avait cette réaction : ne touche pas parce que tu pourrais interférer avec quelque chose de délicat et de mystérieux qui se passe entre la mère et l'enfant.

Et nous avions raison. Les scientifiques savent depuis longtemps que tous les mammifères connaissent une « période sensible » immédiatement après avoir mis un bébé au monde, lorsqu'un lien profond s'établit entre la mère et le bébé. Violez ce moment et les choses pourraient mal se passer : la mère peut rejeter le bébé, le laisser mourir ou même l'attaquer. Pourquoi a-t-il fallu tant de temps pour appliquer cette même sagesse simple et évidente aux mères et aux bébés humains ?

Peut-être avons-nous tous été tellement impressionnés par la sorcellerie médicale que nous n'avons jamais osé nous y opposer... ni poser des questions. Quelle toute nouvelle mère oserait s'insurger sur le lit d'accouchement et demander : « Eh ! Où allez-vous avec mon bébé ? » Cependant, des scientifiques d'Angleterre et des États-Unis ont prouvé, ces dernières décennies, que le principe de l'« oisillon » s'applique de près aux êtres humains. Si vous ne séparez pas une mère de son enfant pendant cette heure incroyable suivant la naissance – cette heure tremblante, exténuante, triomphante, incroyablement émouvante – quelque chose de grandiose se passe. Des mois et même des années plus tard, ces bébés bénéficient encore de cette heure cruciale de « création du lien mère-enfant ». Ils pleurent moins, ils sourient davantage et émettent plus de sons, sont en meilleure santé, réussissent mieux aux tests de QI et sont allaités plus longtemps et avec de meilleurs résultats. Ces enfants subissent rarement des mauvais traitements ou de la négligence. Pendant la petite enfance, on leur accorde plus de câlins et d'attention maternelle qu'aux autres bébés.
[Traduction libre]

Les résultats des recherches sur le lien qui s'établit entre la mère et l'enfant ont permis d'améliorer les pratiques d'accouchement dans les hôpitaux. Jadis, le travail s'effectuait dans une salle et l'accouchement, dans une autre. Aujourd'hui, la plupart des hôpitaux aménagent des chambres de naissance gaies et accueillantes. Le travail et l'accouchement peuvent s'y dérouler. On présente le bébé à sa mère dès la fin de la délivrance chaque fois que c'est possible. S'il s'agit d'un **accouchement par césarienne** (le retrait chirurgical du bébé par une incision dans l'abdomen de la mère), une mère peut choisir de rester éveillée pendant l'opération. On lui fait une péridurale qui anesthésie la partie inférieure de son corps. De cette façon, elle peut voir et toucher le nouveau-né tout de suite, plutôt que de se réveiller plusieurs heures plus tard auprès d'un bébé étranger.

Info-carrière

LES SAGES-FEMMES

Les tâches et les responsabilités

Le rôle de sage-femme existe depuis des siècles puisque les femmes se sont toujours entraidées lors des accouchements. Les sages-femmes sont des professionnelles qui assistent les femmes pendant la grossesse, le travail et l'accouchement dans les cas normaux et sans complications. Les sages-femmes considèrent la grossesse et l'accouchement comme un processus naturel. Leur formation leur permet de détecter les complications qui nécessitent une intervention médicale. Elles peuvent orienter la future mère vers d'autres ressources médicales pendant la grossesse et l'accouchement en cas de complications.

Les sages-femmes s'occupent de tous les aspects de la grossesse et de l'accouchement. Elles examinent la femme enceinte, effectuent des tests de laboratoire et donnent des conseils en matière d'alimentation, d'exercices et de style de vie afin d'assurer une grossesse aussi saine que possible pour la mère et l'enfant. Après l'accouchement, les sages-femmes évaluent la santé du bébé et ses besoins alimentaires. Elles conseillent la mère en matière de soins pour elle-même et pour l'enfant. De nos jours, beaucoup de femmes considèrent que les premiers soins administrés par une sage-femme sont sans danger, naturels, pratiques et personnalisés.

L'environnement de travail

Les sages-femmes pratiquent dans des cabinets privés, dans des cliniques communautaires, des hôpitaux et des centres éducatifs. Beaucoup d'entre elles travaillent en équipe. D'autres sages-femmes œuvrent auprès des mères, donnent des cours prénatals dans des hôpitaux ou font des recherches. L'obstétrique (la profession d'une sage-femme) implique de longues journées de travail et des emplois du temps irréguliers – les bébés ne prennent pas rendez-vous pour naître ! Une sage-femme doit souvent se rendre chez une personne ou à l'hôpital au milieu de la nuit pour mettre un enfant au monde. Cependant, les sages-femmes fournissent également des soins prénatals et postnatals sur rendez-vous.

Il y a peu de temps que le Canada a reconnu la profession de sage-femme. Toutes les provinces reconnaissent l'appellation sage-femme et plusieurs ont pris des mesures pour réglementer la profession. Toute réglementation implique une reconnaissance professionnelle et une obligation de fiabilité. Cela élève le statut de la profession.

La formation et les aptitudes

Pour être sage-femme, il faut avoir un intérêt sincère pour le bien-être individuel d'autrui. Les sages-femmes doivent avoir une personnalité calme et rassurante. Elles ont besoin de bonnes aptitudes à la communication pour réussir. Puisque les sages-femmes pratiquent depuis des siècles dans le monde entier, il est utile de connaître et de respecter les valeurs et les traditions d'autres cultures.

La plupart des provinces canadiennes exigent un diplôme universitaire de quatre ans pour accorder le statut de sage-femme agréée. Un baccalauréat en sciences de la santé spécialisé en obstétrique ou un diplôme équivalent prépare une diplômée à devenir sage-femme. Il s'agit d'un programme interdisciplinaire qui comprend des cours en santé, en sciences sociales et en études des femmes. À l'heure actuelle, il y a une grande demande pour s'inscrire à ces programmes.

Beaucoup d'autres changements favorisent l'attachement. Par le passé, on gardait les pères dans la salle d'attente pendant l'accouchement. Après la naissance, on allait leur dire s'ils avaient eu un garçon ou une fille. Aujourd'hui, les pères restent en général avec la mère tout au long du travail et de l'accouchement. De même, on retirait rapidement les enfants de la chambre de la mère et on les gardait dans une infirmerie stérilisée, séparés de leur mère par une vitre. Désormais, la **cohabitation** (la mère et le bébé occupant la même chambre en tout temps) est la norme. On observe davantage de naissances à domicile et de naissances assistées par une sage-femme au Canada. Ces pratiques favorisent l'attachement. Après la première heure passée en tête-à-tête avec le bébé juste après la naissance, le facteur le plus important est l'allaitement.

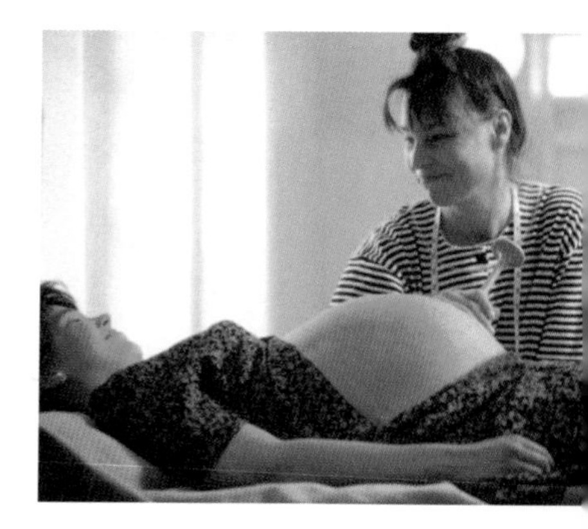

Figure 10.15
Il faut se préparer à allaiter bien avant la naissance du bébé.

L'allaitement favorise l'attachement

L'allaitement offre des avantages pour la mère et pour l'enfant. Les professionnelles et les professionnels de la santé l'encouragent largement. Il faut se préparer à allaiter bien avant la naissance du bébé. Physiquement, la mère doit endurcir ses mamelons en les frottant avec une serviette. Sur le plan émotionnel, elle peut discuter de ses craintes et de ses sentiments avec son médecin. Prendre la décision d'allaiter avant la naissance du bébé permet au père et aux autres membres de la famille de soutenir la mère dès le début.

L'allaitement demande un apprentissage pour la mère et l'enfant. Ensemble, ils forment une équipe. La mère doit apprendre à tenir l'enfant et à le diriger vers le mamelon. Elle doit savoir comment insérer le mamelon dans la bouche du bébé. Le bébé doit apprendre comment le tenir correctement. La confiance en matière d'allaitement augmente si on allaite le bébé juste après sa naissance. Certains hôpitaux et certaines sages-femmes soutiennent les mères qui allaitent et font un suivi pour éviter les échecs. Comme tout nouvel apprentissage, il faut y mettre du temps, mais après seulement trois semaines, allaiter devient très naturel. Les mères qui ne peuvent pas allaiter ne doivent pas se sentir coupables ni incompétentes. Les préparations lactées conviennent très bien dans ces cas.

Au Canada et en Amérique du Nord en général, l'allaitement n'a pas toujours été le premier choix des mères. Les années 1930 ont apporté le lait en conserve, les préparations lactées et les céréales pour bébés. On considérait à l'époque ces produits comme plus nourrissants et plus sains que le lait maternel, donc beaucoup de femmes les choisissaient. Divers facteurs ont inversé la tendance, entre autres le mouvement de retour à la nature de la fin des années 1960 et du début des années 1970 ainsi que les recherches sur les avantages à long terme de l'allaitement. Récemment, le nombre de mères allaitant leurs enfants a dépassé celui des mères ne le faisant pas.

Sept femmes ont fondé la Ligue La Leche en 1956. Il y a maintenant des chapitres de cette organisation dans le Canada et dans le monde. La Ligue La Leche fournit de la documentation aux hôpitaux et aux bibliothèques afin de promouvoir l'allaitement. Elle répond également aux questions des nouveaux parents sur l'allaitement.

❖ Vérifie tes connaissances

1. Quels sont les signes indiquant que le travail a commencé ?
2. Que peut faire le père pendant chaque phase du travail et de l'accouchement ?
3. Quel est le rapport entre l'allaitement et l'attachement ?
4. Les professionnelles et les professionnels de la santé encouragent maintenant l'allaitement. Pourquoi ?

L'attachement au père

De nos jours, on voit partout des pères avec leurs bébés et leurs enfants. Les pères jouent un rôle clé dans la grossesse et l'accouchement, ce qui leur permet d'établir un lien plus intime avec leurs enfants. Lorsque les deux parents sont présents lors de la grossesse et de la naissance de leur enfant, cette expérience partagée cimente leur relation parentale avec le nouveau-né. Cela favorise l'attachement nécessaire pour développer entre les parents et l'enfant un amour qui durera toute la vie. La naissance d'un enfant est un miracle rare auquel on assiste peu de fois dans une vie.

La parole aux parents

La parole à Anil, 30 ans (père pour la première fois)

Ma femme, Mansa, et moi sommes mariés depuis deux ans. Nous avons un petit garçon de six mois nommé Philippe. Mansa et moi étions à l'université ensemble et nous nous sommes mariés juste après la remise de nos diplômes. Elle est enseignante et je m'occupe du droit des sociétés. Nous travaillons très dur et nous considérons avoir réussi, mais rien ne nous avait préparés au rôle de parents. Il faut l'avoir vécu pour le comprendre. Je ne le comprends pas encore tout à fait, mais je commence à m'habituer aux responsabilités grandissantes du statut de père : je dois partager ma femme avec un fils très exigeant et accepter d'avoir moins d'argent, de moins dormir et de ne plus pouvoir agir comme bon me semble.

La vie a vraiment changé dans la maison depuis que nous avons appris que nous allions être parents. Il se passait des choses bizarres pendant la grossesse de Mansa. Par exemple, elle éclatait en sanglots sans raison apparente, semblait-il. Puis elle s'inquiétait au sujet du bébé et je la calmais, mais je restais éveillé avec la même inquiétude. Une nuit, alors que nous nous endormions, Philippe a bougé à l'intérieur de Mansa et m'a donné un coup de pied dans le dos. Je n'ai pas beaucoup dormi cette nuit-là : je pensais à ce tout premier contact avec mon futur bébé.

Après que nous avons ramené Philippe à la maison, la vie a changé pour de bon. Les affaires de bébé remplissent la maison. Tout tourne désormais autour de ses besoins : les siestes, les repas, les couches, la lessive, les rots. Quand il ne fait rien de ce qui précède, il faut juste être avec lui. Enfin, je suis au moins utile à quelque chose, car je peux tout faire, sauf l'allaiter. Je ne suis plus inquiet d'être père, je suis désormais juste fatigué et comblé.

Heureusement, Mansa a pu prendre congé et rester à la maison avec le bébé pendant un an. J'ai profité de la nouvelle loi concernant les congés parentaux pour les pères et j'ai passé les deux premières semaines à la maison avec Mansa et le bébé. Je n'ai pas pu m'absenter de mon travail plus longtemps.

Je viens d'une culture où les hommes ne s'occupent pas vraiment des soins aux enfants, alors mon attitude a étonné mes parents, mais ils se sont habitués. Maintenant, ils viennent souvent nous voir pour gâter leur premier petit-enfant. Mon père n'a jamais agi ainsi avec moi. En fait, des gardes à domicile s'occupaient de nous la plupart du temps. Lorsque j'étais enfant, je voyais rarement mes parents, le jour ou le soir, et je me suis beaucoup attaché à ma nourrice. Même si m'occuper de mon enfant me demande beaucoup d'énergie, je ressens envers mon fils un attachement si spécial, si merveilleux, que je ne voudrais le partager avec personne d'autre que Mansa. Je ne peux pas expliquer cet attachement, je le ressens, c'est tout. C'est comme être amoureux à nouveau, mais d'un type d'amour différent.

L'attachement aux bébés prématurés

Même quand on fait tout pour vivre une grossesse et un accouchement sans risques, certains bébés naissent prématurément. Un bébé prématuré demande des soins médicaux particuliers pour assurer que son développement se poursuive dans un environnement qui rappelle le plus possible l'utérus. Les bébés prématurés peuvent passer plusieurs semaines dans une couveuse. On répond ainsi à leurs besoins de chaleur, d'oxygène et d'alimentation, au moyen de sondes.

Ces bébés ont l'air fragile, car ils sont nés avant d'avoir pu développer la couche de graisse leur accordant cette apparence qui donne envie de les caresser. Une naissance prématurée peut être une expérience intimidante pour les parents. Pourtant, la meilleure chose à faire pour eux et l'enfant est de créer le lien d'attachement avec le bébé aussitôt que possible. Le toucher humain est très important pour la survie de l'enfant. Caresser l'enfant dans la couveuse par des ouvertures, lui parler, chanter et le regarder dormir, voilà des gestes qui aident les parents à établir une relation qui se renforcera le jour où ils pourront l'emmener à la maison avec eux.

Résumé

Points marquants

- Les premiers instants de la vie constituent le fondement du reste de la vie.
- Ce que les parents font pour un enfant avant, pendant et après la naissance aura une influence permanente sur l'enfant.
- Le potentiel humain que représente tout enfant qui naît est une énorme responsabilité pour les parents.
- Les deux parents doivent contribuer à une grossesse saine pour le bien de leur enfant à naître.
- De la conception à la naissance, le développement prénatal ressemble à un miracle. Un embryon devient un fœtus qui continue à grandir jusqu'à ce qu'il soit complètement formé et prêt à naître.
- Le processus d'accouchement comprend quatre phases : le travail, la délivrance, l'arrière-faix et le rétablissement.
- Les pères et les partenaires peuvent jouer un rôle important tout au long de la grossesse ainsi que pendant l'accouchement.
- La présence des deux parents lors de la naissance d'un enfant favorise l'attachement, soit la création d'un lien d'amour éternel.

Révision et approfondissement

1. Indique pourquoi la période précédant la conception et la naissance est si importante pour l'enfant. C/C
2. Sachant que la phase embryonnaire est la phase la plus importante de la grossesse, dresse une liste des choses qu'une femme doit faire et ne pas faire durant cette phase. C/C A
3. Décris une journée dans la vie d'une femme :
   - enceinte de 8 semaines ;
   - enceinte de 24 semaines ;
   - enceinte de 39 semaines. C/C C
4. Visite la salle d'accouchement ou la chambre de naissance d'un hôpital. Renseigne-toi sur les options disponibles pour les parents ainsi que les professionnelles et les professionnels de l'accouchement. R/R
5. Découvre et évalue les programmes de soutien et de soins prénatals et postnatals disponibles dans ta communauté (par exemple, les cours prénatals, les cliniques d'allaitement, les programmes Bébés en santé, Enfants en santé). Conçois une brochure à l'intention des couples attendant un enfant pour présenter les programmes et services offerts. R/R C A
6. Pose des questions à trois mères disposées à parler de leur accouchement. Combien de temps l'accouchement a-t-il duré ? Quels défis ont-elles relevés ? Quels moments demeurent inoubliables ? Compare ces expériences, fais ressortir les différences et rédige un compte rendu de tes découvertes. R/R A
7. Analyse pourquoi la création d'un lien d'attachement précoce entre une mère et son enfant est si important dans la vie d'un enfant. C/C R/R
8. Évalue l'importance de la relation père-enfant dans le processus de la naissance pour le père et pour l'enfant. C/C R/R C A

Recherche

9. Fais le résumé d'un livre ou d'une bande vidéo sur la grossesse et l'accouchement que tu trouveras à la bibliothèque de ton quartier, dans une librairie, dans une unité de soins ou dans un centre parental. Conçois une brochure présentant ces renseignements à l'intention des futurs parents qu'on pourrait imprimer et distribuer dans les cabinets médicaux ou chez les sages-femmes.

10. Parmi les options à envisager lorsqu'on élabore un projet de naissance (voir à la page 249), choisis trois termes difficiles à saisir. Cherche la définition de ces termes et utilise-la pour décrire l'option que tu choisirais si toi et ta ou ton partenaire prépariez un projet de naissance.

11. Choisis l'une des maladies congénitales qu'on dépiste à la naissance d'un enfant, par exemple l'hypothyroïdisme congénital, la drépanocytose, la phénylcétonurie ou la galactosémie. Décris le test effectué. Note la fréquence de la maladie, ses symptômes et ses conséquences à long terme pour l'enfant qui présente cette condition à la naissance.

12. Relis le texte de la rubrique Avis d'experts, des pages 237 et 238. Existe-t-il, dans ta communauté, un organisme qui joue un rôle de prévention auprès de femmes enceintes « à risque » ? Cet organisme assure-t-il un suivi auprès des enfants de zéro à six ans ? Vérifie si cet organisme offre ses services en français, ou s'il existe un équivalent francophone.

Analyse et solution

13. Fais des entrevues ou une recherche dans Internet afin de déterminer les avantages et les inconvénients des accouchements à domicile et à l'hôpital. À partir de tes découvertes, indique l'option que tu choisirais pour la naissance de ton enfant et pourquoi.

14. Les mères adolescentes canadiennes choisissent moins souvent d'allaiter leur enfant que les mères plus âgées.
    a) Explore les raisons expliquant pourquoi peu de mères adolescentes allaitent leur enfant.
    b) Comment pourrait-on utiliser les médias afin d'encourager toutes les mères à allaiter, et surtout les mères adolescentes ?

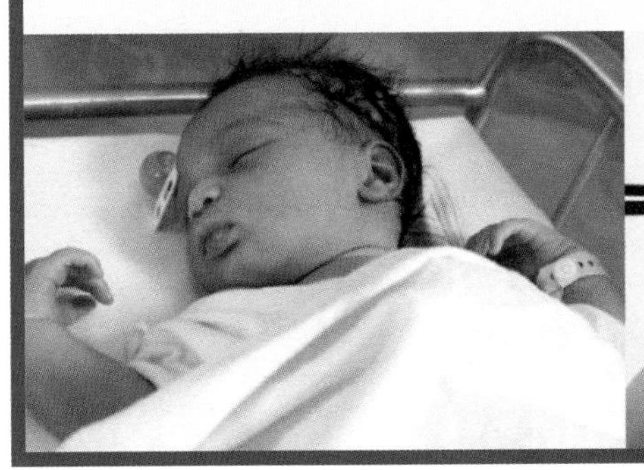

Chapitre 11

L'importance de la première année

À la fin de ce chapitre, tu pourras :

- établir le lien entre le développement au stade du nourrisson et le développement à long terme ;
- décrire les facteurs qui contribuent au développement sain des enfants durant les mois qui suivent la naissance ;
- reconnaître et décrire les environnements positifs pour le développement de l'enfant durant la petite enfance, fournis par les familles, les personnes qui s'occupent des enfants et d'autres personnes ;
- comprendre les théories de l'attachement et décrire leurs effets sur le développement social et émotionnel à l'enfance et à l'adolescence ;
- montrer une compréhension des conséquences de l'absence d'un milieu favorable pendant la petite enfance ;
- expliquer le rôle de la stimulation dans le développement intellectuel du nourrisson, à partir des principes de base des neurosciences.

Mots clés

à l'épreuve des enfants
anxiété face aux étrangers
attachement
attachement ambivalent-résistant
attachement évitant
attachement sécurisé
comportement de séparation
développement moteur
fontanelles
néonate
réflexes du nouveau-né
régression
retard staturo-pondéral
sentiment de confiance
test d'Apgar

Aperçu du chapitre

L'influence de la petite enfance sur le reste de la vie

Au cours de l'année qui suit la naissance, nous grandissons le plus vite, nous dormons le plus longtemps et nous apprenons le plus de toute notre vie. Les bébés naissent totalement dépendants, mais après un an, ils peuvent se tenir debout, utiliser une cuillère et se faire comprendre. Durant cette période, ils deviennent des personnes à part entière et toutes les occasions de développement vont les préparer à la vie.

La plupart des gens ont peu ou n'ont pas de souvenirs de leurs premières années. C'est pourquoi ils n'en saisissent pas toujours toute l'importance. Cependant, les recherches indiquent que cette étape influe sur tous les aspects du développement humain à venir. Les recherches sur le développement du nourrisson confirment chaque jour davantage que le début de la vie est critique pour la santé, la croissance et le développement à long terme. Des spécialistes font référence à plusieurs études indiquant que la santé et une saine évolution tout au long de la vie ont un lien étroit avec le milieu et les expériences du nourrisson pendant la grossesse et la petite enfance, entre autres Dr R. A. Casl, dans *Global Forum for Health Research,* ainsi que Dr Fraser Mustard et Dre Margaret Norrie McCain, dans *Étude sur la petite enfance.*

Figure 11.1
Les nourrissons deviennent des personnes à part entière pendant la première année de leur développement.

Le bien-être du nourrisson et son incidence sur le reste de sa vie selon les études

- La santé du fœtus et du nourrisson a une incidence sur sa santé à long terme.
- L'apport d'éléments nutritifs durant la petite enfance influe sur la pression artérielle et le taux de cholestérol plus tard dans la vie.
- La qualité des soins que reçoit un nourrisson influence sa gestion du stress et sa production d'un taux normal de cortisol (hormone de stress) à l'âge adulte.
- Une bonne stimulation des sens du nourrisson, tôt dans la vie, influe sur la capacité de son cerveau à penser et à régler les fonctions corporelles.
- Les enfants nourris au sein auraient un développement intellectuel supérieur et une meilleure santé plus tard dans la vie.
- Un milieu où le langage est très présent durant la petite enfance du bébé favorisera son intelligence, sa maîtrise du langage et son alphabétisation.
- Un sentiment de confiance établi dès le jeune âge contribue à l'estime de soi.
- L'absence d'attachement avec une personne signifiante est un facteur qui peut mener à certains comportements criminels.

Les nourrissons dépendent totalement de nos soins pour poursuivre leur développement. La qualité de ces soins va toucher tous les aspects de leur croissance, de leur santé et de leur aptitude à créer et à maintenir des liens avec les autres. Elle va aussi affecter leur intelligence ainsi que leur réussite à l'école et au travail. Le rôle des parents, en particulier de la personne qui s'occupe le plus de l'enfant, est un facteur déterminant de ce qu'il deviendra.

Le nouveau-né en santé

As-tu déjà vu des nouveau-nés, en personne ou en photo? Ils sont loin de ressembler aux bébés qu'on nous montre à la télévision ou au cinéma. Dans les médias, on choisit des bébés qui ont déjà quelques semaines et qui ont perdu l'apparence qui suit la naissance. Quand on veut représenter une naissance, on prend un bébé plus vieux et on le maquille en nouveau-né pour la caméra. Cependant, si tu as déjà vu un nouveau-né, tu sais que seuls ses parents peuvent le trouver beau.

L'apparence du nouveau-né

Si tu n'as jamais vu de bébés **néonates**, un mot savant pour nouveau-nés, leur apparence pourrait t'étonner.

- Leur peau est douce, mais sèche et ridée.
- Ils pèsent en général entre 2,7 kg et 4 kg.
- Ils mesurent en moyenne 50 cm.
- Leur tête représente un quart de la longueur de leur corps et semble énorme.
- Le front est haut, le nez est plat et le menton, fuyant.
- Souvent, ils ne ressemblent à aucun membre de la famille, ce qui déçoit un peu.
- Leurs yeux sont bleu acier, même s'ils prendront plus tard d'autres couleurs : brun foncé, noisette, vert, bleu clair ou gris.

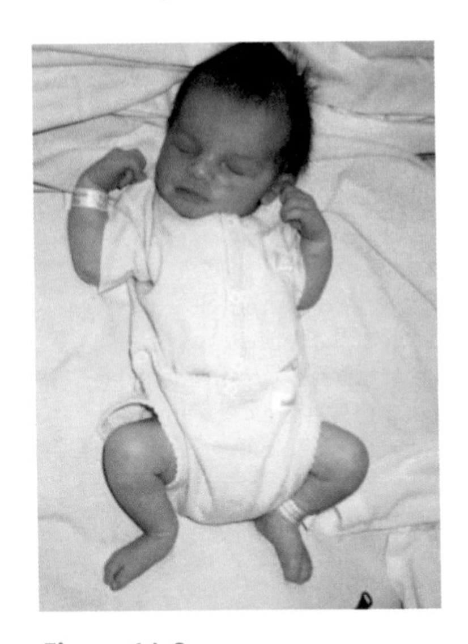

Figure 11.2
Ce bébé a trois jours. Sa tête est encore conique et on voit des marques causées par l'effort de la naissance.

Étant donné que l'accouchement est un processus plutôt difficile, la tête d'un nouveau-né semble souvent mal alignée, conique ou déformée. On peut aussi voir sur son corps des ecchymoses ou des marques causées par l'effort de la naissance. Les nouveau-nés ressemblent peu aux bébés du petit écran et pourtant, ils sont, pour leurs parents, les plus beaux enfants du monde.

Le test d'Apgar

Lors d'une naissance, à l'hôpital ou à la maison, les sages-femmes, les médecins ou les infirmières déterminent rapidement la condition du bébé en observant plusieurs éléments.

En 1952, Virginia Apgar a mis au point le **test d'Apgar** pour évaluer l'état de santé d'un nouveau-né. On s'en sert encore aujourd'hui. Il consiste à attribuer des points pour les réactions et l'apparence, une minute après la naissance, puis cinq minutes après la naissance. Un indice entre 7 et 10 est normal ; si le nourrisson obtient entre 4 et 7, il faudra peut-être le réanimer. Le bébé qui a moins de trois points reçoit tout de suite des mesures de ressuscitation.

Le test d'Apgar

Points à surveiller	0 point	1 point	2 points
Activité (tonicité musculaire)	Aucune	Bras et jambes flexibles	Mouvements vigoureux
Pouls (battements par minute)	Aucun	Moins de 100 battements par minute	Plus de 100 battements par minute
Grimace (réflexe d'irritabilité quand on stimule le nez)	Aucune	Grimace	Éternue, tousse et essaie d'éviter
Apparence (couleur de la peau)	Peau bleu-gris, pâleur généralisée	Normale, sauf aux extrémités	Normale sur tout le corps
Respiration	Aucune	Lente, irrégulière	Bonne, pleurs

Figure 11.3
Le test d'Apgar évalue la condition du nourrisson. Un bébé en santé obtiendra entre 7 et 10 points.

Généralement, les bébés prématurés ou de faible poids à la naissance ont un faible indice d'Apgar. Un résultat peu élevé peut aussi indiquer des complications non détectées durant la grossesse et qui exigent une intervention immédiate.

La prématurité

Selon l'encyclopédie Hachette Multimédia, la prématurité se définit comme :

> L'accouchement prématuré se définit par une naissance avant la fin du 8e mois de grossesse, soit 37 semaines d'aménorrhée. Les grands progrès de la réanimation néonatale permettent une excellente prise en charge des enfants nés avant terme.
>
> Toutefois, le pronostic neurologique et pulmonaire fœtal est fonction du terme de l'accouchement. Avant 32 semaines d'aménorrhée, soit 7 mois de grossesse, les séquelles neurologiques et pulmonaires peuvent être lourdes, avec un handicap psychomoteur et/ou une insuffisance respiratoire marquée. Après 32 semaines d'aménorrhée, pour un poids fœtal normal, le pronostic fonctionnel est meilleur.
>
> Au cours de la première année de vie, l'enfant prématuré, même en bonne santé et sans séquelles, peut avoir une croissance différente, moins rapide, que les enfants nés à terme. Ce n'est qu'à partir de 1 an que les écarts s'estompent progressivement.

❖ Vérifie tes connaissances

1. Cite cinq exemples montrant que le bien-être du nourrisson influence son bien-être à l'âge adulte.
2. Décris les caractéristiques d'un nouveau-né en santé.
3. Quand un bébé a un faible indice d'Apgar, il arrive qu'on ne le dépose pas sur l'abdomen de la mère à la naissance. Pourquoi ?
4. Quels risques un bébé prématuré ou de faible poids à la naissance court-il ?

L'extraordinaire nouveau-né

Dès la naissance, les bébés commencent à apprendre, à grandir et à créer des liens solides. Ils paraissent sans défense, mais ils ont plusieurs réactions et capacités innées qui assurent leur survie.

Les réflexes du nouveau-né

Les nourrissons ont six besoins fondamentaux :
- la nourriture,
- la sécurité,
- la chaleur,
- le sommeil,
- l'exercice,
- la propreté.

Le cerveau du nouveau-né humain est beaucoup plus gros que chez les animaux. Le nourrisson vient donc au monde avant « l'éveil » de son cortex cérébral. Le pelvis de la plupart des femmes n'a pas la largeur nécessaire pour laisser passer un bébé dont le cerveau serait complètement développé. Ainsi, le cerveau met trois mois après la naissance pour se développer de façon à répondre adéquatement aux besoins du bébé. Avant cette période, le tronc cérébral recourt aux **réflexes du nouveau-né,** c'est-à-dire à des réactions automatiques et instinctives aux stimuli qui permettent au nourrisson de satisfaire ses besoins physiques. Tous les nourrissons en santé montrent jusqu'à 11 réflexes néonatals.

Les réflexes permettent au bébé de satisfaire ses besoins fondamentaux.

La plupart de ces réflexes disparaissent après les trois premiers mois. Cependant, certains restent toute la vie : cligner des yeux, tousser, éternuer et bâiller. Les réflexes sont indispensables pour que l'enfant sans défense arrive à satisfaire ses six besoins fondamentaux, soit la nourriture, la sécurité, la chaleur, le sommeil, l'exercice et la propreté. Les réflexes du nouveau-né semblent avoir un lien plus étroit avec les trois premiers besoins fondamentaux. Les cinq réflexes qui assurent la survie du bébé au cours des trois premiers mois sont les réflexes des points cardinaux, de succion, de préhension, de sursaut et de rage.

Les réflexes des points cardinaux et de succion. Si on touche la joue ou la lèvre d'un nourrisson, il se tourne dans la direction du contact et ouvre la bouche. Il commence à téter dès que sa langue touche le mamelon, ou même un doigt. Ce réflexe assure que les nouveau-nés cherchent le mamelon, ouvrent la bouche et commencent à téter afin de se nourrir. Quand ils commencent à repérer le mamelon avec leurs yeux, à l'âge d'environ quatre mois, ce réflexe disparaît. Ces deux réflexes vont de pair.

Le réflexe de préhension. Les nourrissons saisissent tout de suite tout ce qui effleure la paume de leur main. Si on a les cheveux longs, on apprend vite à se méfier des bébés. On observe quelquefois ce réflexe même en période de sommeil. La préhension est souvent si solide qu'on peut soulever les nourrissons dans les airs. Cependant, il faut éviter de le faire, car les bébés peuvent lâcher prise à tout moment. Vers l'âge de trois mois, les bébés commencent à vouloir atteindre des objets. À ce moment, le réflexe commence à faiblir et finit par disparaître.

Le réflexe de sursaut. Les nourrissons réagissent en général à un bruit fort ou à un changement soudain de position par un réflexe de sursaut. Ils allongent et étendent les bras et les doigts. Ils projettent les jambes en l'air, les bras reviennent le long du corps et les doigts agrippent l'air. Certains bébés pleurent quand on les surprend de cette façon. La réaction immédiate des parents est de prendre l'enfant et de le réconforter. Également appelé réflexe de Moro, ce réflexe disparaît vers l'âge de six mois.

Le réflexe de rage. Si on empêche un bébé de tourner la tête ou si on lui couvre la bouche pendant 10 secondes, il va pleurer et lutter pour se libérer. Le bébé se protège ainsi contre l'étouffement. Ce réflexe disparaît entre l'âge de deux et quatre mois.

Figure 11.4
Le réflexe de préhension permet aux nourrissons de s'accrocher solidement.

Les réflexes du nouveau-né encouragent la formation de liens

On a demandé à la mère de jumeaux si elle trouvait difficile de se lier avec son bébé garçon. Il devait rester à l'hôpital plusieurs jours, alors que le bébé fille était déjà à la maison. La mère a dit que cela la préoccupait. Pendant le trajet de l'hôpital à la maison, le bébé garçon a réussi à sortir sa main de la mitaine et s'est accroché solidement au doigt de sa mère. Ce geste a ému la mère et depuis ce temps, il y a un lien solide entre elle et son garçon.

Les aptitudes sensorielles

Les nouveau-nés se servent de leurs cinq sens dès la naissance. Des études sur des nouveau-nés ont montré qu'ils préfèrent les saveurs un peu sucrées aux saveurs très sucrées, salées ou amères. De plus, ils reconnaissent la voix de leur mère, car ils se tournent vers elle plus souvent que vers la voix de personnes étrangères. Lors d'une étude, on a déposé de part et d'autre des enfants une compresse imbibée du lait maternel et une compresse imbibée du lait d'une étrangère : les nourrissons se tournent plus souvent vers le lait de la mère, ce qui montre que leur sens de l'odorat est très développé. Même si la vision n'atteindra pas son plein potentiel avant plusieurs semaines, les nourrissons semblent mieux voir à une distance équivalente à celle entre le visage et le sein de leur mère. Ils fixent plus longtemps les visages humains que des motifs irréguliers ou des mots imprimés.

Avec leurs sens et leurs réflexes, les nouveau-nés sont prêts à recevoir tout l'amour et les soins nécessaires à la création de liens et à l'attachement qui vont façonner leur développement. Jusqu'aux années 1970, les spécialistes du développement estimaient que les bébés n'apprenaient pas grand-chose avant plusieurs mois. Ils les considéraient plutôt comme des « déficients ». On sait aujourd'hui qu'ils faisaient erreur. En effet, le cerveau humain ressemble à un ordinateur qu'on ouvre à la naissance et qui commence dès cet instant à traiter les données.

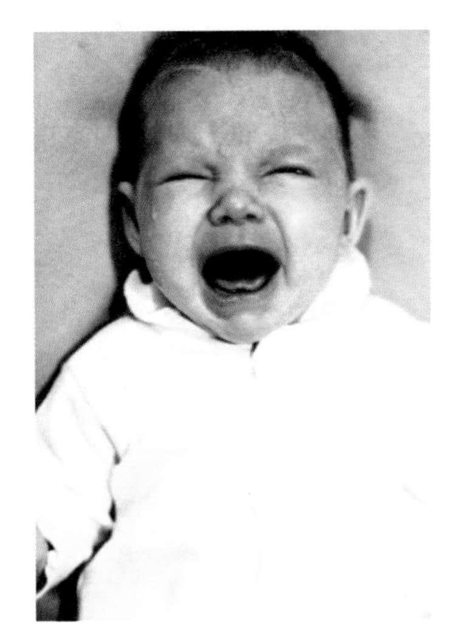

Figure 11.5
Le réflexe de rage protège l'enfant contre l'étouffement.

« Le principe fondamental de la science cognitive, c'est que nous pensons, raisonnons et savons parce que notre cerveau possède de très puissants programmes. En d'autres mots, notre cerveau est un superordinateur équipé de logiciels dépassant de loin ceux créés à ce jour. » (Gopnick, Kuhl et Meltzoff, 2000) Les adultes encouragent les tendances naturelles des enfants à vouloir apprendre. « Ce dont nous sommes certains, pour autant que la science nous permette d'être certains, c'est que les bébés sont des apprenants doués d'une brillante intelligence et que les adultes se consacrent spontanément à les aider. » [Traduction libre]

Selon Alison Gopnik, Andrew Meltzoff et Patricia Kuhl, on peut comparer le cerveau à un très puissant ordinateur programmé pour fonctionner dès la naissance. Leurs recherches prouvent que les enfants ont une grande capacité d'apprentissage et que les parents et les autres adultes répondent presque instinctivement à cette tendance naturelle des nourrissons et des enfants à vouloir apprendre.

La théorie de l'attachement

L'aptitude du nouveau-né à se lier à un autre être humain contribue aussi à sa survie. L'**attachement** est un lien très étroit et affectueux entre un nourrisson et la personne qui en prend soin. Pour plusieurs raisons, cette personne est souvent la mère. En général, le nourrisson va créer un lien d'attachement aussi solide, mais différent, avec son père si ce dernier s'en occupe beaucoup. Les nourrissons ont besoin d'établir une relation profonde avec au moins une autre personne, tôt dans la vie, pour garantir leur survie, leur croissance et leur développement émotionnel et social.

On étudie depuis quelque temps l'importance de l'attachement du nourrisson. Durant la Seconde Guerre mondiale, les bébés orphelins gardés à l'hôpital tournaient leur visage vers le mur et mouraient, même si on les nourrissait et les changeait. Quand une infirmière ou une autre personne prenait les enfants, même pour de courtes périodes, les nourrissons allaient mieux. Ce phénomène a reçu le nom de **retard staturo-pondéral.** On s'est aperçu que le fait d'accorder un peu d'attention aux bébés et de les tenir contre soi améliore grandement leur condition : ils prennent du poids et finissent par atteindre les stades importants de leur développement.

Selon la théorie de l'attachement, tous les êtres humains ont besoin d'établir des liens étroits d'affection et ils ne peuvent se développer normalement sans une relation réciproque tôt dans la vie. Trois personnes ont participé à l'élaboration de la théorie de l'attachement : Harry Harlow, John Bowlby et Mary Ainsworth.

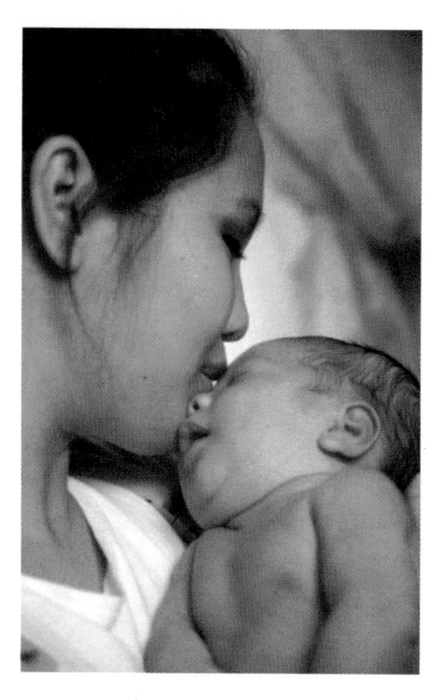

Figure 11.6
Les nourrissons ont besoin de former un lien solide avec au moins une personne.

Les recherches de Harry Harlow sur les singes

En 1966, Harry Harlow a effectué des recherches sur des singes rhésus pour voir ce qui arriverait si on les séparait de leur mère en bas âge. Il a mis à la disposition des jeunes singes deux formes de métal représentant la mère, l'une tenant un biberon et l'autre vêtue de tissu mais sans biberon. Il s'est rendu compte que les jeunes singes allaient vers le biberon quand ils avaient faim, mais se blottissaient contre la forme vêtue pour chercher du réconfort ou s'accrochaient à elle quand ils avaient peur. Les singes privés d'une « mère » vêtue n'ont pas grandi même s'ils avaient de la nourriture. Les études de Harlow ont montré l'importance du toucher et des contacts physiques pour la survie et la croissance des enfants.

John Bowlby

Au cours des années 1960 et 1970, John Bowlby a étudié les nourrissons et découvert qu'ils ont des « comportements d'attachement ». Ces comportements déclenchent des réactions chez les adultes qui, en retour, encouragent ces comportements chez le bébé. C'est ce qu'on appelle un « circuit à rétroaction ». Par exemple, un bébé qui cherche la proximité, sourit ou se blottit va déclencher des réactions chez l'adulte qui touchera le nourrisson, le prendra ou le calmera. Cet attachement mutuel donne au nourrisson la sécurité nécessaire pour poursuivre son développement.

Figure 11.7
Les nourrissons adoptent des comportements d'attachement pour faire réagir les adultes. Un nourrisson peut sourire pour inciter l'adulte à le prendre. S'il le prend, l'adulte encourage le nourrisson à continuer de sourire.

Bowlby a aussi étudié le phénomène de la séparation, en particulier dans les hôpitaux. Il a découvert que les enfants vivant une séparation entre les âges de huit mois et trois ans ont un **comportement de séparation** en trois phases :

1. **La protestation :** l'enfant pleure, proteste et cherche sa mère ;
2. **Le désespoir :** il devient très tranquille ;
3. **Le détachement :** il se referme sur lui-même comme s'il était coupé du monde.

Les enfants dont l'attachement est solide peuvent dépasser la phase du détachement et devenir plus actifs et interactifs. Les enfants vivant plus d'insécurité iront, par contre, jusqu'à se réfugier sous une table.

Les enfants qui reviennent à la maison après une séparation peuvent être en colère et résister aux parents ou devenir pleurnicheurs et dépendants. Ils ont besoin de reconstruire leur sens de la sécurité à travers leur attachement envers les parents. La **régression** (le retour à un comportement plus commun à un stade antérieur de développement) est un autre moyen de reformer leur attachement. Des actions comme mouiller leur lit, sucer leur pouce ou réclamer un biberon leur permettent de retourner à un stade où ils se sentaient davantage en sécurité. La régression leur donne l'occasion de refaire le plein avant de reprendre leur développement. Si on punit ou on repousse des enfants qui agissent ainsi, on renforce leurs comportements d'attachement. La guérison sera plus rapide si, après la séparation, l'adulte touche l'enfant, le tient et le garde contre lui.

Liens

1. Suggère des moyens aux parents pour rétablir le contact avec leurs enfants après la garderie, le jardin d'enfants, la maternelle ou même un week-end passé chez un membre de la famille.
2. On a critiqué les travaux de Bowlby. Fais une recherche dans Internet pour découvrir qui a critiqué ses travaux et pourquoi.

Mary Ainsworth

Mary Ainsworth, diplômée de l'Université de Toronto, est connue pour ses études sur l'attachement mère-enfant menées en Ouganda, au cours des années 1940. Après son retour à l'Université de Toronto, elle a poursuivi ses recherches sur des enfants canadiens à l'Institute of Child Study. Plus tard, elle a travaillé avec John Bowlby à la théorie de l'attachement. Ses recherches ont montré que les nourrissons ont besoin d'une « base de sécurité » avant d'entreprendre leur exploration, surtout quand ils commencent à se traîner. Elle a remarqué que les enfants lancent un signal comme un pleur, un gémissement, un regard ou un autre type de comportement à la personne qui s'occupe d'eux. Cette personne donnera à un enfant une base de sécurité si elle peut :

- détecter le signal du nourrisson ;
- interpréter correctement le signal ;
- apporter une réponse appropriée, et ce, au bon moment.

Les personnes qui s'occupent des enfants et qui ont un attachement fort réagissent davantage aux signaux que les personnes plutôt détachées.

Figure 11.8
Un attachement sécurisé déclenche une réaction positive chez le nourrisson.

Mary Ainsworth a aussi noté différents types d'attachement chez les enfants. Tous les enfants n'agissent pas de la même manière quand leur parent revient après une séparation. Dans le cas d'un **attachement sécurisé**, les enfants se sentent bien en présence du parent et cherchent quelquefois son contact, ils se tiennent près de lui ou lui sourient de loin. On reconnaît l'**attachement évitant** lorsque les enfants se détournent du parent et refusent qu'on les touche. Les enfants qui montrent de la résistance, de la colère ou de l'hostilité quand le parent revient manifestent un **attachement ambivalent-résistant.** Un attachement sécurisé est essentiel au développement sain du bébé.

Afin d'établir le meilleur attachement possible avec leurs nourrissons, les parents doivent répondre en tout temps à leurs besoins. Les tout-petits communiquent principalement par les pleurs. Quand un nouveau-né pleure et qu'on s'occupe bien de lui, il apprend que le monde est un endroit agréable et qu'une personne de confiance va répondre à ses besoins. Par la suite, il développe ce qu'Erik Erikson a appelé un **sentiment de confiance.** Un fort sentiment de confiance naît d'un attachement établi tôt et constitue la base du développement social et émotionnel tout au long de la vie.

Vérifie tes connaissances

1. Explique à quoi servent les réflexes du nourrisson. Qu'arriverait-il si les bébés n'avaient pas ces réflexes?
2. Quelle est la cause du retard staturo-pondéral?
3. Décris des comportements de parents qui peuvent inspirer la méfiance plutôt que la confiance chez les nourrissons.

Liens

1. Observe des enfants qui n'ont pas encore développé leurs habiletés langagières dans une situation de la vie courante (ou sur bande vidéo). Quels signaux servent à faire comprendre à l'adulte ce dont ils ont besoin ou ce qu'ils souhaitent? Comment ces enfants se comportent-ils si on ignore ou si on comprend mal leurs signaux?
2. Observe des enfants de moins de trois ans que les parents laissent à la garderie ou au jardin d'enfants. Quels «comportements de séparation» reconnais-tu?

L'importance d'un attachement parent-enfant sécurisé

Quand l'attachement parent-enfant est fort:

- les nourrissons se développent plus vite à tous les points de vue, mais surtout dans l'acquisition du langage et l'apprentissage;
- les enfants ont moins de troubles du sommeil et de l'appétit;
- les enfants maîtrisent mieux leurs émotions;
- les parents maltraitent rarement les enfants envers qui ils ont un attachement fort;
- il sert de guide ou de modèle pour les autres relations intimes de la vie;
- il constitue la base d'une bonne santé mentale.

La parole aux parents

L'article de magazine suivant explique l'attachement père-enfant.

Craquer pour quelqu'un: le lien père-bébé

par John Hoffman, *Transition*

Je me souviens très bien avoir craqué pour mon premier bébé. Chaque fois que j'allais voir ma femme et mon nouveau bébé à l'hôpital, je prenais Riley et je le gardais dans mes bras pendant toute la visite. En le caressant, j'avais l'impression que ce petit paquet tout chaud était en train de se tailler une place dans mon cœur. Je savais qu'il était mon enfant et que je l'aimais.

Bien entendu, les mères ont une longueur d'avance dans le processus de l'attachement à cause de la grossesse, de l'accouchement et de l'allaitement. Si les hommes sont incapables de toutes ces choses, ils peuvent quand même créer un attachement très fort avec leurs enfants. Cela ne se produit pas nécessairement dans la chambre de naissance. Souvent, l'amour paternel s'installe graduellement à force d'apprendre à connaître ce nouveau petit être.

Mais la clé de l'attachement semble être de créer le lien tôt. Plusieurs études des vingt dernières années ont montré que les hommes ayant des contacts très tôt avec leur nouveau-né passeront plus de temps avec eux quand ils auront entre trois et six mois.

Figure 11.9
Les pères peuvent s'attacher à leur nouveau-né en s'en occupant.

Quand le deuxième bébé de Chris Risley est né, ce papa à plein temps savait, par expérience, comment se créerait le lien entre eux. « Pour moi, la nature du lien est directement reliée au nombre d'heures que je passe à avoir la responsabilité du bébé. Être « responsable » du bébé veut dire le prendre, le bercer, le calmer et changer ses couches. Le message dans tout ça, c'est qu'il faut connaître quelqu'un pour l'aimer. Et la meilleure façon de connaître un bébé, c'est d'en prendre soin.

Les besoins des nourrissons

Les nouveau-nés ont une façon bien à eux d'envahir le foyer. Ils demandent beaucoup puisqu'ils dépendent des adultes pour satisfaire tous leurs besoins. Le premier enfant préoccupe le plus les parents, car ils ignorent encore ce que représente prendre soin d'un bébé. La première année, il y a plusieurs obstacles. Le premier souci des parents est de répondre aux besoins physiologiques du bébé, en plus de satisfaire son besoin de sécurité. De plus, un bébé a besoin d'amour et d'affection dès sa naissance. En répondant de manière affectueuse et constante à tous les besoins du nourrisson, les parents contribuent à son développement optimal.

Les parents doivent tenir compte de tous les besoins physiologiques des enfants, comme la nourriture, les vêtements, l'abri, la sécurité physique et le sommeil. La plupart des parents canadiens ont déjà un endroit où vivre avant la naissance du bébé. Les personnes sans foyer doivent trouver refuge chez des membres de leur famille ou se tourner vers les services sociaux pour les aider à trouver un abri.

Figure 11.10
Les enfants ont besoin de vêtements adaptés à leur environnement.

Les vêtements

Les nourrissons ont besoin de vêtements confortables qui les tiennent au chaud. La quantité et la variété ont peu d'importance. Il faut juste prévoir des vêtements d'intérieur, d'extérieur, de jour et de nuit. Les nourrissons grandissent à vue d'œil. Pour cette raison, bien des parents utilisent des vêtements déjà portés par les bébés de couples amis ou de la famille, même s'ils ne sont pas neufs. D'autres parents ont préparé, bien avant la naissance du bébé, une layette complète avec le nombre prescrit de chemisettes, de pyjamas, de chaussettes, de bavoirs et de couches. On n'échappe pas aux couches : il en faut tous les jours pendant trois ans. On peut choisir des couches de coton ou jetables, ou bien une combinaison des deux.

La nourriture

On peut nourrir les bébés au sein ou au biberon. Le lait maternel et la préparation lactée peuvent se donner au biberon. En tant que mammifères, les êtres humains sont faits pour allaiter leurs petits qui profitent pleinement de ce lait conçu spécialement pour eux. Les recherches ont prouvé que l'allaitement a plusieurs avantages.

Le lait maternel satisfait bien les besoins nutritionnels de la plupart des bébés pendant les quatre à six premiers mois de vie. Il suffit à lui seul à nourrir l'enfant. Certains spécialistes recommandent maintenant d'allaiter pendant les 12 premiers mois. Entre le sixième et le douzième mois, on peut introduire les céréales, les légumes en purée, les fruits et, plus tard, les viandes en plus du lait maternel. Les parents et les personnes qui s'occupent des enfants doivent savoir que les habitudes alimentaires durables se prennent durant la petite enfance.

Les avantages de l'allaitement pour le bébé

L'allaitement maternel a plusieurs avantages immédiats : le lait est toujours propre et prêt à consommer. Le lait contient des anticorps de la mère qui protègent le nourrisson contre les allergies et les maladies et contribuent même à réduire l'incidence des otites. Les bébés digèrent facilement le lait maternel. Ils souffrent moins de gaz intestinaux et de constipation. Les selles sentent moins mauvais. Les enfants nourris à la préparation lactée ou au lait de vache, dans la première année, peuvent faire des diarrhées, contrairement à la plupart des bébés nourris au sein. L'allaitement contribue au développement de la vision, car le nourrisson, nourri d'un côté d'abord, de l'autre côté ensuite, doit ajuster le foyer. De plus, il y a peu de risque de suralimentation parce que le nourrisson arrête de téter quand il est satisfait.

Il y a aussi des avantages à long terme. Les bébés nourris au sein ont une meilleure santé, ont moins tendance à faire de l'embonpoint plus tard dans la vie et semblent mieux réussir aux tests d'intelligence.

Les avantages de l'allaitement pour la mère

L'allaitement crée des liens forts entre la mère et son enfant et tous deux y gagnent sur le plan psychologique. L'allaitement accélère la rétraction de l'utérus et la mère retrouve plus rapidement son poids d'avant la grossesse. Le lait maternel ne requiert ni préparation, ni stérilisation, ni réfrigération. Il est toujours prêt à consommer, à la maison comme à l'extérieur. Pendant cette période, les mères doivent éviter l'alcool et la caféine et vérifier avec leur généraliste si des médicaments ou des additifs alimentaires risquent de s'accumuler dans le lait. L'allaitement fournit au bébé confort et nurturance à toute heure du jour ou de la nuit. Les mères aussi profitent de ses effets à long terme. Des études montrent la corrélation entre l'allaitement maternel et une plus faible incidence du cancer du sein. Quand un couple choisit l'allaitement maternel, le père aussi a son rôle à jouer : quand le bébé a fini de boire, papa lui fait faire son rot ou il lui donne un biberon de lait maternel tiré et congelé au préalable.

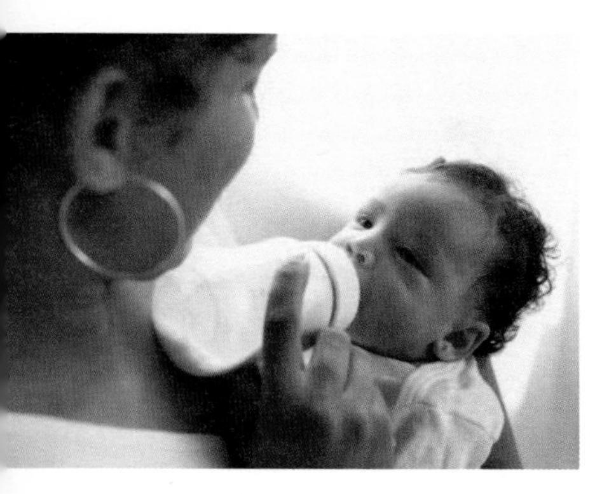

Figure 11.11
Pour bien nourrir un bébé au biberon, il faut le tenir tout contre soi.

Les préparations lactées

Toutes les mères ne peuvent pas allaiter, entre autres les femmes atteintes du sida (syndrome d'immuno-déficience acquise), celles qui fument ou qui prennent des médicaments d'ordonnance pouvant contaminer le lait. Les mères adoptives et les femmes qui retournent sur le marché du travail utilisent les préparations lactées. Ces préparations se digèrent moins bien que le lait maternel et ne contiennent pas d'éléments nutritifs de grande qualité ou d'anticorps comme le lait maternel. Cependant, on les conçoit pour qu'elles lui ressemblent le plus possible. Afin de créer un lien très fort avec le nourrisson, il faut tenir le bébé tout près de soi quand on le nourrit au biberon, jusqu'à la fin du repas, comme le ferait une mère qui allaite.

La confection de la préparation lactée

Il y a trois types de préparations lactées. Il faut mélanger la préparation en poudre à de l'eau bouillie refroidie. Le mélangeur convient bien à cette tâche. On ajoute aussi de l'eau bouillie refroidie à la préparation concentrée liquide. La préparation prête à consommer fait gagner du temps mais coûte beaucoup plus cher. On peut la verser directement dans les biberons propres et stériles, la réchauffer et nourrir immédiatement le bébé.

Recommandations :

1. Stériliser les biberons et tous les articles servant à mélanger la préparation pendant les six premiers mois, le temps que se développe le système immunitaire du nourrisson.
2. Respecter les mesures exactes pour assurer que les proportions de préparation et d'eau sont adéquates.
3. Préparer seulement la quantité nécessaire pour une période de 24 heures et la réfrigérer, car la préparation se gâte rapidement.
4. Pour réchauffer la préparation, placer le biberon dans l'eau chaude jusqu'à ce qu'il soit à la température de la pièce. Agiter le biberon doucement pour répartir la chaleur également. Ne pas trop réchauffer.
5. Ne jamais réchauffer une deuxième fois. Toujours jeter ce qui reste d'un biberon.
6. Ne jamais insister pour que le nourrisson termine son biberon. Les enfants savent montrer qu'ils n'ont plus faim.

Le rot

Les bébés, nourris au sein ou au biberon, doivent faire un rot après avoir bu. En effet, l'air emprisonné dans leur estomac peut leur causer de la douleur. Même si le nourrisson s'est endormi durant son repas, il doit faire un rot. Pour ce faire, tu tapes gentiment son dos ou tu le frottes une minute ou deux. Quelquefois, il suffit de lever l'enfant à la hauteur de tes épaules. Pour protéger tes vêtements contre les régurgitations, mets une petite couverture sur ton épaule.

Les besoins de sécurité du nourrisson

Les bébés ont besoin de soins et de supervision en tout temps. Bien sûr, il faudra encore quelques mois avant qu'ils puissent entreprendre des activités. Cependant, les nouveau-nés agitent déjà les bras et les jambes. Ces mouvements peuvent les emmêler dans leurs draps ou les faire tomber de la table à langer. Les bébés saisissent et tirent des objets qui risquent de les blesser. Il ne faut jamais laisser des nourrissons sans surveillance. Si un parent relâche sa vigilance, même pendant quelques secondes, une tragédie peut se produire.

Figure 11.12
Quand les enfants commencent à se déplacer, il faut prendre les mesures nécessaires pour écarter tout danger dans la maison.

Une maison à l'épreuve des enfants

Les nourrissons sont capables de se déplacer bien avant de pouvoir marcher. Il faut donc tenir compte de leur sécurité. Dès que les bébés peuvent rouler, ramper ou atteindre des objets, il faut non seulement les surveiller, mais aussi prendre des mesures pour leur fournir un milieu à l'épreuve des enfants. Un milieu **à l'épreuve des enfants** est essentiel pour assurer la sécurité des bambins, curieux par nature. Les articles pour enfants respectent des normes de sécurité très strictes et il faut suivre leur mode d'emploi. Les parents doivent s'assurer que les vêtements de nuit sont ininflammables et qu'il n'y a pas de rubans ou de cordons dans lesquels le nourrisson pourrait se prendre ou s'étouffer. On recommande de choisir les lits d'enfants et les parcs conformes aux plus récentes normes de sécurité. Les parents placent parfois les enfants dans des endroits qui semblent sans danger. Par exemple, les berceaux ou petits lits anciens sont ravissants, mais ils exposent les nourrissons à des risques toxiques, ou à d'autres dangers, à cause de leur peinture à base de plomb ou de pièces mal fixées. Un enfant qui rampe pourrait avaler une plante toxique ou une substance chimique dangereuse. Un appel au centre antipoison pourrait sauver la vie d'un nourrisson ou, tout au moins, rassurer ses parents.

Ottawa émet un avertissement contre les risques associés aux parcs d'enfants

Toronto Star, 5 décembre 1998

Plus d'une semaine après que les Américains ont rappelé 9,6 millions de parcs, Santé Canada a émis un avertissement selon lequel certains modèles de parcs menacent la sécurité des enfants au pays.

L'agence fédérale a déclaré hier avoir constaté que, parmi les parcs rappelés le 24 novembre aux États-Unis, certains pouvaient avoir été vendus ici.

Dans sa déclaration, l'agence fédérale dit que la plupart des parcs sont d'anciens modèles qu'on ne trouve plus sur le marché. Elle demande aux consommateurs d'examiner le rebord supérieur de leur parc afin de vérifier la présence de saillies, comme des rivets métalliques, des boutons de plastique, des boulons ou de petits composants dépassant 0,6 cm. Si les consommateurs trouvent de telles saillies, ils ne devraient pas utiliser le parc.

Contrairement aux États-Unis, il n'y a pas de loi au Canada qui force les fabricants à rappeler leurs produits. Cependant, les mises en garde de Santé Canada peuvent déclencher des rappels volontaires.

Les États-Unis ont décidé ce rappel parce que des enfants dont le cordon de la sucette ou une partie de leur vêtement s'était accrochée à ces saillies sont morts par strangulation ou ont failli mourir ainsi. Depuis 1982, aux États-Unis, huit enfants sont morts accrochés aux rivets de leur parc. Au Canada, aucun décès n'est attribuable aux parcs d'enfants.

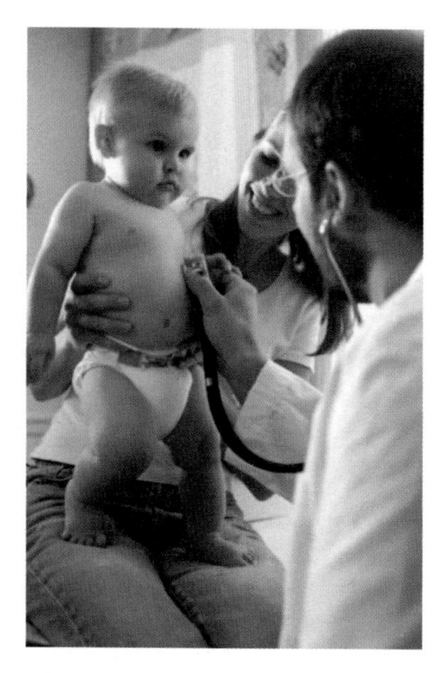

Figure 11.13
Il faut prévoir des examens médicaux réguliers pour les enfants et veiller à leur vaccination.

La santé et l'hygiène

L'hygiène et la santé sont d'autres facettes de la sécurité. Dès la naissance, il faut laver les petits, les garder propres et secs et les tenir au chaud. Jusqu'au « démarrage » de leur système immunitaire, on doit stériliser ou aseptiser les objets que les bébés portent à leur bouche. Les parents ou les personnes qui s'occupent des enfants doivent prévoir des examens médicaux réguliers et veiller à la vaccination. La petite enfance apporte son lot de maladies. Le croup, les otites, la diarrhée, l'impétigo et le muguet constituent quelques exemples d'affections pouvant nécessiter des soins médicaux. Certains signes avertissent les parents que leur enfant est malade : une augmentation de la température corporelle, une perte d'appétit, un nez qui coule, un manque d'énergie, des pleurs ou autres signes de malaises. Les parents ressentent parfois de l'angoisse la première fois que leur enfant est malade, mais certaines maladies font partie de la petite enfance.

Tous les enfants ont besoin de sommeil, de repos et d'exercice pour être en bonne santé. Établir une routine pour la nuit ou pour les siestes donne aux enfants un sentiment de sécurité. Les enfants font de l'exercice en jouant. Les parents devraient chaque jour consacrer du temps à jouer avec leur bébé. Masser en douceur le bébé, manipuler ses bras et ses jambes et communiquer avec lui sont des gestes qui lui donneront un bon départ dans la vie. Les nourrissons en plein développement sont naturellement vigoureux. Leurs activités quotidiennes consistent à agiter les bras et les jambes, à tenter d'atteindre des objets, à s'étirer et à bouger. Plus tard, ils devraient pouvoir grimper, danser, pousser, tirer, faire la culbute et se rouler par terre dans un environnement sécuritaire.

Les besoins d'amour et d'affection du nourrisson

On sait maintenant qu'il est impossible de trop gâter un nouveau-né. Il exprime ses besoins en pleurant et c'est le devoir des parents de satisfaire ces besoins.

Les nourrissons ont une façon de répondre aux caresses, au sourire et à la voix des personnes qui suscite une réaction chez celles-ci. Les bébés ont tous besoin d'amour et d'affection. Les études sur l'attachement tôt dans la vie ont montré que les nourrissons privés de contacts humains se développaient moins vite et que certains allaient même jusqu'à tourner leur visage contre le mur et mourir. Des études convaincantes menées par le Dr Berry Brazelton prouvent que les nouveau-nés ont une capacité innée d'attachement à leurs parents.

À une certaine époque, on déconseillait aux parents de prendre trop vite ou trop souvent leurs enfants quand ils pleuraient, pour éviter de les gâter. On sait maintenant qu'il est impossible de trop gâter un nouveau-né. Il exprime ses besoins en pleurant et les parents ont le devoir de satisfaire ces besoins. On sait aussi que les nourrissons sont incapables de se réconforter eux-mêmes. Ils apprennent à se calmer si on leur répond positivement quand ils pleurent. En fait, les recherches confirment que les pleurs des enfants dont on satisfait les besoins rapidement durent moins longtemps.

Info-carrière

INFIRMIÈRE OU INFIRMIER DE SANTÉ PUBLIQUE

Les tâches et les responsabilités

Les infirmières et les infirmiers de santé publique travaillent auprès du public afin d'améliorer la santé de la population. Leurs tâches consistent à partager leurs connaissances sur les maladies et sur la prévention des blessures et à informer les gens sur les saines habitudes relatives à la grossesse, aux maladies contagieuses, à l'inoculation et à la santé sexuelle. Leur clientèle regroupe entre autres les tout-petits, les personnes âgées, les enfants victimes de négligence et de mauvais traitements, les toxicomanes et les prestataires de l'assistance sociale qui n'ont souvent pas d'assurance-maladie personnelle.

Dans leur travail, les infirmières et les infirmiers de santé publique instruisent et conseillent les gens sur la prévention des maladies, donnent des cours prénatals, œuvrent auprès des nouvelles mamans et de leurs bébés, distribuent des médicaments, font de l'observation de cas et évaluent la réhabilitation ainsi que la convalescence. C'est la nature du travail qui distingue le personnel infirmier de santé publique de celui travaillant dans les hôpitaux et les cliniques. Les infirmières et les infirmiers de santé publique se concentrent davantage sur les facteurs sociaux et économiques qui affectent la santé de la population plutôt que sur des individus cherchant à se rétablir.

L'environnement de travail

Le personnel infirmier de santé publique intervient dans les écoles, les foyers pour personnes âgées, les centres communautaires et les résidences privées. Ces gens se déplacent souvent d'un endroit à l'autre pour faire leur travail. Il arrive qu'ils travaillent des heures supplémentaires ou les week-ends.

La formation et les aptitudes

Puisque ce métier s'exerce auprès du public, il faut avoir de la facilité à communiquer et des aptitudes interpersonnelles. Il faut aussi avoir beaucoup d'énergie et être en bonne forme physique. D'autres qualités essentielles incluent l'empathie, la compassion et un grand plaisir à aider les autres. Dans un pays multiculturel comme le Canada, il importe de connaître et de comprendre une grande variété de traditions ethniques et culturelles. De l'expérience dans les soins aux enfants est également un atout.

Au Canada, on exigera bientôt de tout le personnel infirmier de faire quatre années d'études universitaires avant d'accorder le droit d'exercer. On préfère maintenant ce diplôme à celui plus court décerné par les collèges communautaires. À la fin de ses études, la candidate ou le candidat doit passer un examen de sciences infirmières pour obtenir son permis d'exercice et réussir les épreuves provinciales conférant le titre d'infirmière autorisée ou d'infirmier autorisé.

Quand une personne réconforte un nourrisson sans tarder, elle investit dans sa stabilité affective.

Les enfants aimés vont créer un lien solide et développer un sentiment de confiance essentiel. Ils sont bébés pour une très courte période de leur existence. Tous les gestes qu'on fait alors, comme les prendre, les embrasser, les bercer, leur sourire et leur parler, favorisent leur développement.

Le texte suivant, tiré de *Préparer l'avenir : les cinq premières années de votre enfant*, se penche sur la façon de déchiffrer les signaux des bébés et des enfants et d'y répondre.

Bébé vous parle

Bien avant de pouvoir parler, les enfants essaient de communiquer au moyen de signaux ou d'indices pour faire connaître leurs besoins, leurs désirs et leurs sentiments. Ils apprennent sur eux-mêmes à partir des réactions des autres à leurs « messages ».

Selon des spécialistes, les bébés commencent, dès les premiers jours, à développer leur aptitude à réagir au ton de la voix et aux expressions faciales. À deux mois, ils commencent à utiliser les sons et à les associer à la façon dont leurs parents y réagissent.

Au départ, les nourrissons dépendent totalement des adultes ou des personnes qui s'occupent d'eux pour combler leurs besoins essentiels et pour assurer leur protection. Ils envoient des signaux pour obtenir satisfaction à leurs besoins et ils s'attendent à ce qu'on leur réponde favorablement et avec constance. Dès lors, ils commencent à saisir que s'ils ont faim, on les nourrira ; s'ils sont frustrés, on les réconfortera ; s'ils sont contents, les adultes et leur entourage partageront leur joie.

Certains enfants envoient des signaux plutôt subtils. Les parents ou les personnes qui s'occupent des enfants doivent donc y porter une attention particulière. On en vient à comprendre assez vite ce que le bébé veut communiquer quand il regarde dans les yeux ou détourne la tête, bouge les bras et les jambes, arque le dos vers l'arrière, pousse un cri ou un son type dans une situation donnée et agit d'une certaine manière en présence d'étrangers ou dans un nouvel environnement.

Apprendre à déchiffrer les signaux d'un bébé est souvent amusant et peut sembler facile. On sourit, il sourit. Il tend la main, on la saisit. Les choses sont quelquefois plus complexes : si le bébé détourne la tête quand on lui parle, on peut se sentir frustré. On peut avoir le réflexe de parler plus fort pour qu'il écoute. Cependant, un bébé épuisé ou trop stimulé, ou encore très sensible au bruit, essaie peut-être seulement de dire qu'il souhaite entendre une voix plus douce ou qu'il veut être seul pour le moment.

Quand on répond bien aux besoins de l'enfant et qu'on prend soin de lui, il forme un « attachement sécurisé ». Selon la Dre Freda Martin, directrice de l'Institut Hincks-Dellcrest de Toronto, la forme de cet attachement devient partie intégrante du câblage du cerveau et sert de modèle pour les relations intimes futures. Cet attachement influence également l'aptitude de l'enfant à explorer activement le monde et à apprendre. Fondamentalement, les enfants ont besoin de trois choses de la part de leurs parents ou des personnes qui s'occupent d'eux :

1. **De l'amour et du dévouement.** Le bébé découvre les relations grâce à ses sens. Ainsi, de chaleureux comportements parentaux, comme le serrer contre soi ou le regarder dans les yeux, servent à lui témoigner de l'amour. On ne peut pas toujours être là au moment précis où il souhaite une caresse, mais on peut porter attention à ses « demandes » et faire de son mieux pour le satisfaire.
2. **La sécurité et la protection.** Bien entendu, on veut assurer la santé de son enfant et le protéger contre le danger. En même temps, on souhaite qu'il puisse explorer en toute sécurité, bouger à sa guise, faire des expériences et apprendre comment fonctionne son univers. Toutes ses découvertes ne se feront pas sans quelques bosses ou quelques bleus, mais quand un enfant se sent aimé et en sécurité, la douleur s'envole bien plus vite.
3. **L'attachement et la sécurisation.** L'enfant apprend qu'il peut se fier à une personne pour satisfaire ses besoins. Cela lui donne assez de confiance pour commencer à explorer le monde autour de lui, ce qui l'amènera à vivre de nouvelles expériences et branchera des connexions supplémentaires dans son cerveau affairé. Bébé sait que la personne sera là quand il viendra montrer un trésor ou qu'il réclamera une caresse avant de partir vers d'autres aventures. Il sait que si cette personne part travailler, elle reviendra. Il sait qu'il peut tenter de nouveaux exploits parce qu'on va reconnaître le progrès qu'il fait, si modeste soit-il. Quand il réussit une entreprise, il ressent de la fierté. Et ses connexions cérébrales vont vraiment s'enraciner si les réactions d'une personne de confiance, des parents, des grands-parents, de l'éducatrice ou de l'éducateur ou d'une ou d'un autre adulte dans sa vie lui renvoient l'image de la fierté.

Conseils de lecture : NEUMAN, Alice et Isabelle THOMAS. *Bébé rentre à la maison,* collection La cause des bébés, Paris, Albin Michel.
HOGG, Tracy. *Les secrets d'une charmeuse de bébé,* collection Réponses, Paris, Robert Laffont.

❖ Vérifie tes connaissances

1. Compare trois aspects de l'allaitement maternel et de l'alimentation à la préparation lactée : le côté pratique, les avantages pour la mère et l'enfant et les bienfaits à long terme.
2. Dresse une liste des points à vérifier pour transformer une cuisine, un salon et une chambre à coucher en pièces à l'épreuve des enfants.

La croissance et le développement du nourrisson

Le *Petit Robert* définit la petite enfance comme « les toutes premières années ». Les traits distinctifs de la petite enfance sont la croissance physique et le développement moteur, verbal, cognitif et social.

La croissance physique

La croissance physique est très rapide la première année. Le poids à la naissance double en six mois et triple en un an. Pendant ce temps, les organes (le cerveau, le cœur et les poumons) continuent à se développer. Les os durcissent et les **fontanelles** (les parties tendres du crâne du bébé) se ferment. La masse cérébrale augmente vite durant la petite enfance. À la fin de la deuxième année, le cerveau a déjà atteint 75 % de sa masse à l'âge adulte.

Le nouveau-né dort presque en permanence et s'éveille seulement quand il a faim. Le nombre et la durée des périodes de veille augmentent graduellement. À trois mois, certains nourrissons ont déjà un horaire assez régulier de sommeil, de nourriture et de selles. À la fin de la première année, les périodes de sommeil et d'éveil sont à peu près égales.

Les quatre à six premiers mois, le lait maternel ou la préparation lactée est la seule nourriture nécessaire aux bébés. Une fois les enfants capables de digérer les aliments solides, on peut leur donner des céréales. Les parents commencent en général par les céréales de riz parce qu'elles se digèrent plus facilement et déclenchent moins de réactions allergiques. Les légumes, les fruits et la viande en purée suivent. À la fin de la première année, les enfants mangent avec leurs doigts et se servent d'une cuillère pour prendre les aliments solides. Jusqu'à deux ans, le lait maternel, la préparation lactée ou le lait de vache représentent une grande part de l'alimentation quotidienne. Les calories vides n'ont pas leur place dans le menu d'un nourrisson.

Le **développement moteur** dépend de la croissance musculaire et progresse de la tête aux pieds, et des grands muscles aux petits muscles. Généralement, le bébé réussit dans l'ordre plusieurs étapes : il lève la tête, roule sur le côté, découvre ses mains, suit ses mouvements des yeux, s'assoit, rampe, se tient debout et marche. Au début de la deuxième année, le développement moteur s'effectue plus rapidement que la croissance physique.

Afin de développer leurs gros muscles, les enfants ont besoin d'espace pour bouger. Les parents devraient leur proposer des activités qui sollicitent leurs bras, leurs jambes et leur torse. Des grimpeurs, des tunnels et des jouets qu'on chevauche s'avèrent utiles. Pour le développement des petits muscles, les nourrissons doivent manipuler des objets, par exemple des jouets où il faut placer une forme au bon endroit.

Des enfants normaux et sains peuvent prendre du retard dans des activités propres à leur stade de développement et même donner l'impression d'avoir sauté une étape. Les nourrissons se concentrent souvent sur un aspect particulier de leur évolution.

Le contrôle de l'urine et des selles dépend de la maturité physique et devient possible entre 18 et 24 mois.

Figure 11.14
La croissance physique est rapide durant la première année. Au début, les nourrissons dorment presque tout le temps, puis ils passent de longs moments éveillés où ils commencent à contrôler les mouvements de leur corps et apprennent à travers le jeu.

La croissance et le développement des nourrissons

De la tête aux pieds. Ils maîtrisent d'abord leur tête et leurs épaules avant d'apprendre à marcher.

De l'intérieur vers l'extérieur. Leurs organes s'éveillent et fonctionnent avant qu'ils ne contrôlent leurs bras et leurs jambes.

Des grands muscles aux petits muscles. Ils courent et sautent avant de pouvoir colorier ou utiliser des ciseaux.

Figure 11.15
Graduellement, on peut ajouter des céréales et d'autres aliments solides au menu du nourrisson.

Figure 11.16
Les jouets garnis de boutons et de cadrans favorisent le développement de la motricité fine.

Le développement cognitif et l'acquisition du langage

Durant la petite enfance, le développement du langage fait des pas de géant. Les nourrissons acquièrent le sens du langage et de la grammaire bien avant de faire des phrases complètes. Leurs premières tentatives langagières consistent en des pleurs auxquels s'ajoutent, vers l'âge de trois mois, des voyelles frontales, c'est-à-dire des sons comme « da da » ou « ba ba ». C'est ce qu'on appelle le « stade du babillage ». Entre 12 et 18 mois, les bébés reprennent ces premiers sons, ou phonèmes, afin de reproduire les mots qu'ils entendent.

Les autres voyelles et consonnes s'ajoutent par la suite. Les bébés babillent puis ils répètent les sons. Entre 12 et 18 mois, ils prononcent les premiers mots reconnaissables qui se rapprochent de leur langue maternelle. À la fin de la deuxième année, le vocabulaire actif peut atteindre 250 mots. Des recherches fascinantes indiquent que, si un nourrisson n'entend pas un son parlé, il ne pourra pas le reproduire adulte. Par exemple, des langues comme le chinois, le coréen et le japonais ne connaissent pas le son « r » comme dans « riz ». Les adultes de ces pays ont donc du mal à prononcer « riz ».

Le Russe Lev Vygotsky a étudié le développement cognitif des enfants et l'acquisition du langage. Il a déterminé que les adultes jouent un grand rôle dans ce que savent les enfants. Il a suggéré que les enfants, surtout pour le développement du langage, se servent de leurs parents et des autres adultes comme outils d'apprentissage. Par l'interaction sociale, les parents encouragent naturellement l'évolution du langage en répétant les sons, en jouant à des jeux de mots et de rimes, en redisant correctement un mot, en faisant des activités comme pointer un objet que le bébé doit nommer, en chantant et en lisant à haute voix.

En Ontario, les familles francophones font face à un défi particulier puisqu'elles parlent une langue minoritaire. La vie courante se déroule généralement en anglais, mais des parents choisissent d'élever leurs enfants en français pour leur transmettre leur culture. Les francophones de l'Ontario ne vivent pas forcément regroupés sur le plan géographique. Diverses structures soutiennent l'apprentissage du français : des services de garde d'enfants et des établissements d'enseignement, des médias, des associations et des regroupements francophones. Voici des exemples :

Services de garde et établissements d'enseignement francophones :

- des garderies francophones (Le Petit Chaperon rouge, à Toronto) ;
- des écoles françaises, du primaire au collégial, où les jeunes peuvent étudier dans leur langue ;
- des écoles d'immersion française.

Médias :

- des journaux francophones, par exemple *Le Métropolitain* (Toronto), *Le Droit* (Ottawa), *Le Régional* (région de l'Ontario du Sud) ;
- la télévision et la radio en français, notamment TVO, Radio-Canada, TV5 ;
- Internet, par exemple le site Web du Centre francophone de Toronto.

Les sciences cognitives étudient notre façon d'apprendre. On commence tout juste à comprendre comment les bébés développent la parole et la cognition. L'échographie à balayage électronique, comme la TDM, l'IRM et la TEP, permet aux scientifiques d'observer le cerveau au travail et a grandement contribué à nos connaissances actuelles sur l'apprentissage. Cependant, cette science est encore toute jeune et il faudra peut-être des années avant de découvrir précisément ce que savent les nourrissons.

Associations et regroupements divers touchant les dimensions humaine, économique, culturelle et communautaire de la francophonie ontarienne (entre autres, le Centre francophone de Toronto, le Centre des jeunes francophones de Toronto, l'Association des femmes d'affaires francophones)

Il y a des avantages à parler plus d'une langue. Un communiqué de presse de l'American Psychological Association a indiqué que, pour un enfant, le fait de connaître une deuxième langue peut l'aider à comprendre plus rapidement les langages écrits, donc à apprendre à lire plus facilement. Des études effectuées en Louisiane montrent que les élèves en immersion française obtiennent de meilleurs résultats scolaires, en comparaison d'enfants unilingues.

Mem Fox, un spécialiste australien de l'alphabétisation reconnu internationalement, avance l'hypothèse selon laquelle les enfants à qui on lit trois histoires par jour apprendront à lire plus vite et plus facilement que les enfants à qui on ne lit pas.

Liens

1. **Observe comment des éducatrices ou des éducateurs, le personnel enseignant à la maternelle ou des parents encouragent les enfants à utiliser et à développer leurs compétences langagières. Démontre leurs techniques à la classe.**
2. **Apporte en classe une de tes petites histoires d'enfants préférées ou choisis-en une à la bibliothèque. Lis-la à tes camarades de classe.**

Le développement émotionnel

Les nourrissons révèlent leurs émotions surtout par les pleurs. Ils ont au moins trois pleurs différents. Les personnes qui s'occupent des enfants doivent les reconnaître. Le pleur le plus fréquent est celui qui indique la faim ; les deux autres expriment la colère et la douleur. Les nourrissons peuvent aussi exprimer de la détresse, du dégoût et de la surprise. Bientôt, ils commencent à ressentir toutes sortes d'émotions : les gazouillements, les roucoulements, les gémissements et les cris révèlent leur plaisir, leur bonheur, leur peur et leur frustration. Les nourrissons dévoilent aussi ces émotions en donnant des coups de pied, en agitant les bras, en se balançant et en souriant.

Quelquefois, entre 8 et 10 mois, les nourrissons deviennent timides ou craintifs en présence de personnes inconnues. C'est le phénomène de l'**anxiété face aux étrangers.** À cet âge, les nourrissons s'accrocheront à leur mère ou à leur père et refuseront qu'une personne inconnue les prenne ou les touche. L'anxiété face aux étrangers peut se prolonger jusqu'aux premiers pas, mais disparaît habituellement avant l'âge de deux ans. Cette forme d'anxiété est très répandue et signifie que l'enfant a formé un attachement fort.

À 18 mois, les nourrissons développent une conscience de soi, reconnaissent leur image dans le miroir et commencent à devenir indépendants de leurs parents et des personnes qui s'occupent d'eux. À cet âge, ils éprouvent diverses émotions. Une minute, ils sont heureux et s'amusent ; la minute suivante, ils sont en larmes. Ils ont plus que jamais besoin de l'amour et de l'appui de leurs parents pendant ces mois difficiles.

Le développement social

Tous les aspects du développement des enfants sont interreliés. La maturité physique contribue de façon significative au développement social. Vers l'âge de trois mois, les réflexes commencent à disparaître et le cortex cérébral s'éveille. La capacité de l'enfant de sourire intentionnellement ou de répéter un geste ou un son le montre. À mesure que le nourrisson prend conscience des gens et des objets qui l'entourent, il interagit davantage avec le monde. L'interaction avec des personnes aimantes, un meilleur contrôle musculaire et le développement du langage sont trois facteurs qui aident le nourrisson à former des concepts et à comprendre le monde.

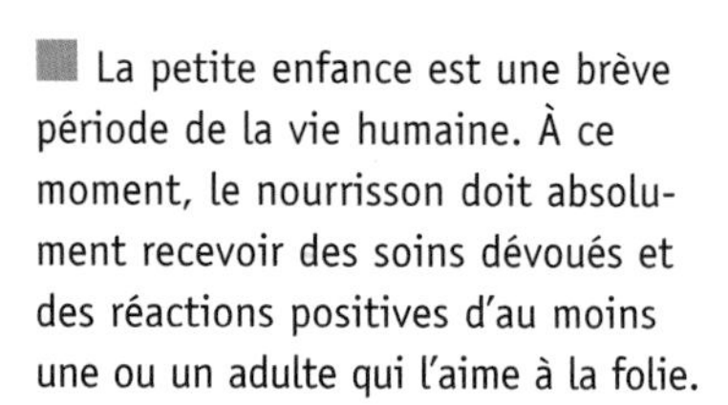

La petite enfance est une brève période de la vie humaine. À ce moment, le nourrisson doit absolument recevoir des soins dévoués et des réactions positives d'au moins une ou un adulte qui l'aime à la folie.

Les deux premières années de vie constituent un merveilleux point de départ au développement humain. Que tu sois parent pour la première fois ou que tu aies plusieurs enfants, le développement du nourrisson demeure fascinant. La petite enfance est une brève période de la vie humaine. À ce moment, le nourrisson doit absolument recevoir des soins dévoués et des réactions positives d'au moins une ou un adulte qui l'aime à la folie. Ces réactions et ces interactions chaleureuses préparent le nourrisson à entretenir des relations positives avec les autres toute sa vie.

On sait qu'un attachement sain à un parent aimant et dévoué a une grande incidence sur le développement. De même, des relations parent-enfant malsaines ont des conséquences à long terme. Sigmund Freud, appelé le « père de la psychologie », a le premier proposé que notre personnalité dépend largement de nos toutes premières relations avec nos parents. Dans son travail de psychanalyse, il a observé des adultes ayant des problèmes et il a réussi à trouver la cause de ces problèmes dans les comportements des parents durant les premières années de vie de ces adultes. Les travaux de Freud, faits à la fin du XIXe siècle et au début du XXe siècle, ont influencé les recherches de plusieurs psychologues et sociologues. Tout le monde n'adhère pas complètement à ses théories, mais on s'entend sur un thème central : les enfants victimes de négligence, de mauvais traitements ou d'indifférence éprouvent souvent, plus tard dans la vie, des problèmes liés à la colère et aux relations interpersonnelles. Les relations malsaines tôt dans la vie entraînent souvent de l'alcoolisme, de la toxicomanie et même le suicide. La plupart des recherches sur les comportements déviants et pathologiques dans notre société, comme les troubles de la personnalité, ont montré que plusieurs personnes atteintes ont connu, tôt dans leur vie, une relation malsaine avec une personne signifiante.

Figure 11.17
Un attachement sain à un parent aimant et dévoué a une influence profonde sur le développement tout au long de la vie.

Certains enfants arrivent à surmonter ces difficultés si les circonstances de leur vie changent pour le mieux ou avec l'aide de spécialistes, mais bon nombre n'arrivent pas à s'intégrer à la société. Cela démontre l'importance fondamentale pour les parents de pouvoir établir et maintenir des interactions aimantes et saines avec leurs enfants dès les premiers instants de vie.

Vérifie tes connaissances

1. Décris trois façons dont les enfants grandissent et se développent physiquement.
2. Quelles sortes d'activités parent-enfant contribuent au développement des petits muscles et des grands muscles ?
3. Comment la personne qui s'occupe d'un nourrisson peut-elle reconnaître ce que signifient ses différents pleurs ?

Résumé

Points marquants

- La qualité de vie durant la petite enfance a des répercussions à long terme sur l'avenir d'une personne. Il est primordial de comprendre la nature critique de la première année de vie.
- Même en santé, les nouveau-nés peuvent avoir l'air sans défense, ridés et déformés. Cependant, ils possèdent des réflexes et des capacités sensorielles assurant leur survie.
- La création de liens et l'attachement avec au moins une personne signifiante et aimante assurent la survie et favorisent le développement.
- Les parents jouent un rôle important dans la création d'un lien avec le nourrisson et les comportements de séparation.
- Des spécialistes de l'attachement comme Harry Harlow, John Bowlby et Mary Ainsworth affirment que l'attachement constitue la base de l'évolution d'une personne tout au long de sa vie.
- Un attachement fort encourage les parents à réagir positivement aux besoins des nourrissons dès le début de leur vie et favorise ainsi la croissance et tous les aspects du développement : moteur, cognitif, verbal, émotionnel et social.
- De saines relations parent-enfant tôt dans la vie sont indispensables à un développement durable et permanent.
- Le rôle parental, pendant la première année de vie du nourrisson, consiste principalement à satisfaire ses besoins fondamentaux, comme la nourriture, la sécurité, la chaleur, le sommeil, l'exercice et la propreté.
- La croissance physique et le développement intellectuel, social et émotionnel durant la première année traversent des stades bien définis.

Révision et approfondissement

1. À partir d'exemples, explique le lien entre le développement des premières années de vie et l'avenir du nourrisson. C/C
2. À ton avis, pourquoi les réflexes du nourrisson disparaissent-ils tôt ? C/C
3. Compare entre elles les théories de l'attachement de Harlow, de Bowlby et d'Ainsworth. Fais ressortir les différences. C/C R/R
4. Certains nourrissons vivent une « régression » après avoir été séparés de leurs parents. Quel est le rôle de la régression dans ce cas ? Quelles autres expériences pendant l'enfance pourraient déclencher un comportement régressif ?

5. Dresse une liste des besoins physiques fondamentaux des nourrissons. Décris la façon dont un parent peut satisfaire efficacement ces besoins. C/C A
6. Écris un court article donnant quelques conseils aux mères qui ne peuvent ou ne veulent pas allaiter. C A
7. Analyse le processus de l'acquisition du langage chez le nourrisson. Suggère des façons de stimuler cet apprentissage. C/C R/R
8. L'alcoolisme, la toxicomanie et même le suicide découlent souvent de relations malsaines tôt dans la vie. Fais une recherche sur l'un de ces comportements. Détermine en quoi il peut être lié avec les expériences de la petite enfance. R/R

Recherche

9. Dans Internet, dans des revues spécialisées ou d'autres sources, trouve une étude montrant le lien entre certains aspects du « développement tôt dans la vie » et la « vie à l'âge adulte ». Rédige une bibliographie analytique de l'étude que tu as retenue et ajoute les éléments suivants :
   - la référence complète de la source (auteur, date, titre de l'ouvrage, lieu de publication, maison d'édition ou adresse du site Web et nombre de pages) ;
   - un bref résumé de l'article ou de l'étude, où tu mentionnes l'auteur, la date et le lieu. Combien de personnes a-t-on observées ? Quels sont les résultats ?
   - un survol des conséquences de cette étude pour les parents et les personnes qui s'occupent des enfants.
10. Le débat sur les couches porte sur le type de couche qui convient le mieux à l'environnement et au bébé. Mène des entrevues et fais des recherches à la bibliothèque. Distingue les faits des opinions. Compte tenu de tes découvertes, quel genre de couches choisirais-tu ?
11. Consulte la documentation sur l'entraînement à la propreté et détermine les techniques qu'on recommande ou qu'on déconseille. Interroge un de tes grands-parents ou une personne âgée de ta communauté pour comparer les méthodes d'entraînement à la propreté de son époque avec celles d'aujourd'hui.

Analyse et solution

12. Les travaux de John Bowlby sur la théorie de l'attachement ont soulevé des inquiétudes quant au moment opportun pour les femmes de retourner sur le marché du travail après la naissance de leur enfant. Trouve des arguments pour et contre le retour au travail de la mère avant le premier anniversaire du bébé.

Chapitre 12

La croissance et le développement au cours de la petite enfance

À la fin de ce chapitre, tu pourras :

- saisir les multiples facettes du développement des enfants et les nombreux facteurs qui l'influencent ;
- reconnaître le rôle des parents dans la manière dont les enfants établissent des relations, au sein et en dehors de la famille ;
- décrire les environnements positifs pour le développement des enfants fournis par les familles, les personnes qui s'occupent des enfants et d'autres personnes ;
- expliquer les tendances du développement social, émotionnel, intellectuel, moral et physique des enfants ;
- évaluer tes propres expériences pratiques auprès d'enfants ;
- reconnaître et décrire les défis auxquels font face les parents pendant la période de la petite enfance ;
- évaluer l'apport des neurosciences et des théories du développement cérébral au cours des phases critiques de la petite enfance.

Mots clés

adapté à l'âge
cerveau droit dominant
cerveau gauche dominant
compétence en calcul
empathie
environnement d'apprentissage
intelligence émotionnelle
manipulation
nurturance
poussée de croissance
privation d'environnement d'apprentissage
résolution de problèmes
sens de l'autonomie

Aperçu du chapitre

Figure 12.1
À quel point ces enfants ont-ils changé depuis leur naissance ?

Qu'est-ce qui caractérise les premières années ?

Réfléchis aux changements que vivent les enfants de zéro à cinq ans. Ils passent de bébés à tout-petits, puis à enfants d'âge préscolaire. Le nouveau-né totalement dépendant, en position fœtale, grandit et devient un enfant bien développé. Il peut se tenir debout, marcher, parler, courir, grimper, lire quelques mots, couper avec des ciseaux, tracer des lettres, manger, prendre son bain et s'habiller seul, et même faire son lit, nourrir le chat, soutenir une conversation et parfois faire de la bicyclette. Quelle incroyable transformation ! Tout ce que l'enfant a appris, maîtrisé et vécu au cours de ses cinq premières années a déjà contribué à faire de lui une personne unique.

Si on suppose une période prénatale saine à tous égards, le déroulement des cinq premières années d'une vie détermine largement la façon dont une personne aborde le monde, s'entend avec autrui et continue à apprendre et à grandir. La petite enfance se caractérise par la croissance et le développement rapides du cerveau humain. De spectaculaires bonds d'apprentissage résultent de ce développement cérébral. Le rôle parental pendant les premières années est plus important qu'à tout autre moment de la vie d'un enfant. « L'avenir de l'enfant se joue avant l'âge de cinq ans. » (Investir dans l'enfance, 2001)

Au cours des cinq premières années de la vie d'un enfant, les parents influencent à long terme son bien-être émotionnel et physique. Ils lui fournissent la base de sa croissance intellectuelle et de sa capacité d'apprentissage. Ils encadrent l'évolution de son identité. Les parents façonnent la personne que l'enfant va devenir. En fait, une citation de l'Institut canadien de la santé infantile fait écho à celle de la fondation Investir dans l'enfance : « Les premières années durent toute la vie ! »

Avis d'experts

Dr Carol Crill Russell

Dr Carol Crill Russell est vice-présidente de la division Recherche et programmes de la fondation Investir dans l'enfance. Elle répond à la question suivante :

Pourquoi dit-on que « l'avenir de l'enfant se joue avant l'âge de cinq ans » ?

Des recherches, par exemple l'Enquête longitudinale nationale sur les enfants et les jeunes (ELNEJ) effectuée au Canada, montrent que les cinq premières années d'une vie jouent un rôle essentiel dans la capacité des enfants d'apprendre et de créer, d'aimer, de faire confiance et de développer une image solide et positive d'eux-mêmes. La raison en est que la majeure partie du développement cérébral humain a lieu après la naissance et surtout au cours des cinq premières années de la vie. Si on saisit cette occasion, les conséquences positives peuvent durer toute une vie. À l'inverse, si on utilise mal ou pas du tout cette chance, les effets négatifs sont durables.

La manière dont nous nous occupons de nos jeunes enfants pendant leurs premières années a une grande incidence sur la productivité, l'adaptabilité, la compassion et la confiance dont ils feront preuve une fois adultes.

L'ELNEJ montre l'importance d'un rôle parental efficace. Par exemple, les enfants d'une mère ou d'un père célibataire, mais efficace, ont cinq fois moins de chances de manifester des problèmes comportementaux que ceux de deux parents hostiles ou inefficaces. On qualifie parfois de positif un rôle parental efficace. En bref, un rôle parental positif consiste à réconforter un enfant, à jouer avec lui et à lui enseigner des choses en respectant son stade de développement et son tempérament. On a montré qu'un rôle parental positif réduit de 25 % les risques qu'un enfant développe des troubles du comportement, de 40 % les risques de troubles émotionnels et de 50 % les risques d'un redoublement de classe. Ces résultats valent bien l'effort de travailler dur.

La croyance selon laquelle les êtres humains savent d'instinct bien s'occuper d'un enfant est un mythe. Le rôle parental demande un ensemble de compétences. Ces compétences ne sont pas difficiles à acquérir. D'abord, les parents doivent découvrir le tempérament de leur enfant et la manière dont il s'accorde avec leur propre style relationnel. Ils doivent ensuite connaître le stade du développement correspondant à l'âge de leur enfant. Ainsi, les parents ou les personnes qui s'occupent des enfants savent les techniques de réconfort, de jeu et d'apprentissage qui fonctionnent le mieux à ce stade, et ce, afin d'aider l'enfant à atteindre les jalons importants de son développement.

Les recherches de la fondation Investir dans l'enfance ont montré que 92 % des Canadiennes et des Canadiens ayant des enfants de moins de six ans pensent qu'être parent est leur plus importante activité. C'est une bonne nouvelle. En revanche, il est très inquiétant de constater que la plupart des parents ont une connaissance limitée de la manière dont leur enfant grandit et se développe. Ils s'inquiètent du fait que leurs compétences ne sont peut-être pas à la hauteur.

L'efficacité du rôle des parents et des personnes qui s'occupent des enfants a une grande importance. Néanmoins, il faut garder à l'esprit que les jeunes enfants sont, à la base, des êtres adorables et que la plupart des interactions parent-enfant peuvent être amusantes. En fait, elles devraient toujours l'être ! Les enfants ne sont petits qu'une fois. Tout parent expérimenté vous le dira : les miraculeuses cinq premières années passent à la vitesse de l'éclair. Appréciez-les pendant que vous le pouvez.

Liens

1. La fondation Investir dans l'enfance et l'Institut canadien de la santé infantile sont deux organismes veillant à la promotion du développement, de la santé et du bien-être des enfants. Consulte leurs sites Web. Dans chaque cas, rédige un résumé décrivant la mission de l'organisme, ses convictions de base et la documentation mise à la disposition des professionnelles et des professionnels ainsi que des parents.

Les avantages à long terme

Selon Clyde Hertzman, M.D., de l'Université de Colombie-Britannique, on peut considérer la période de la préconception à l'âge de cinq ans comme la « phase d'investissement » du développement infantile. Selon des études, cette période est beaucoup plus importante qu'on ne le pensait auparavant. Si on ne fournit pas les conditions optimales de développement à un enfant pendant cette période, son cerveau présentera des différences physiques sensibles par rapport au cerveau d'un enfant qui a eu un environnement positif. Ces différences peuvent avoir des effets durables.

Les stades du développement de l'enfant en fonction de l'âge

Pendant les premières années, le rôle parental et le développement de l'enfant vont de pair. Les parents et les personnes qui s'occupent des enfants doivent savoir ce qu'on peut raisonnablement attendre des enfants selon l'âge et le stade de développement. L'adulte doit comprendre ce qu'un enfant peut et ne peut pas faire, reconnaître les réalisations significatives et savoir contribuer à l'apprentissage de l'enfant à chaque stade. Même le type de réconfort qu'on offre à un enfant triste encourage l'apprentissage et renforce l'attachement nécessaire à la poursuite du développement. L'activité principale auprès des enfants de zéro à cinq ans est la **nurturance.**

Tu as vu déjà que bien s'occuper de jeunes enfants signifie leur enseigner des choses, les réconforter et jouer avec eux d'une façon qui respecte leur niveau de développement. Dans la rubrique « Avis d'experts », à la page 286, Dr Crill Russell souligne que les parents et les personnes qui s'occupent des enfants doivent connaître les jalons typiques de développement liés aux divers âges et prendre soin des enfants en conséquence. Une personne ne doit pas forcément exceller dans les trois aspects de la nurturance. Cependant, elle peut veiller à ce que l'enfant trouve, parmi les personnes signifiantes de son entourage (parents, grands-parents, gardes d'enfants, voisines, voisins ou adulte attentionné), quelqu'un qui va lui apprendre des choses, le réconforter ou jouer avec lui en fonction des stades de développement à atteindre.

Les trois aspects de la nurturance sont :

- l'enseignement,
- le réconfort,
- le jeu.

Les activités liées à chaque aspect de la nurturance doivent correspondre au stade de développement de l'enfant.

Le développement est continu sous tous ses aspects, y compris les aspects social, cognitif, langagier, émotionnel et les motricités grossière et fine. Cependant, à certains moments, on observe qu'un enfant fait plus de progrès dans certains domaines que dans d'autres. Parfois, les enfants consacrent plus d'efforts à un aspect du développement et, une fois qu'ils le maîtrisent, ils peuvent se concentrer sur autre chose. Des enfants préfèrent parfois apprendre des mots ou empiler des blocs, alors que d'autres du même âge sont toujours en train de courir et de grimper. Tant qu'on voit une progression générale, il n'y a pas matière à s'inquiéter.

À peu près tous les parents se demandent si leur enfant se développe normalement. Les généralistes et les pédiatres peuvent répondre à toute inquiétude parentale. À travers les examens médicaux réguliers, les professionnelles et les professionnels de la santé déterminent si le jeune enfant se développe normalement. La plupart du temps, les inquiétudes ne sont pas fondées. Un enfant qui prend du retard dans certains domaines rattrape ses pairs avec le temps.

La fondation Investir dans l'enfance fournit un aperçu du développement infantile de la naissance jusqu'à l'âge de six ans. Elle décrit les étapes de développement et guide les parents, les gardes d'enfants ainsi que les éducatrices et les éducateurs de la petite enfance afin qu'ils contribuent positivement au développement de l'enfant. Tu trouveras plusieurs pages du document *L'avenir de votre enfant dépend de vous et de tous : un guide-ressources pour les cinq premières années* à l'annexe de la page 463. Cette annexe résume les renseignements relatifs au développement pour les catégories d'âges suivantes :

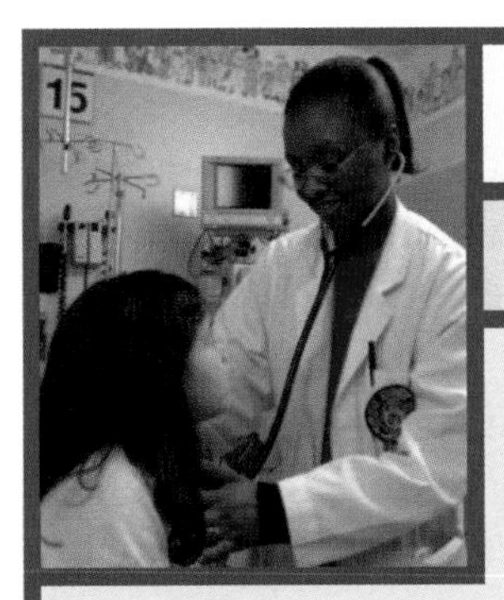

Info-carrière

PÉDIATRE

Les tâches et les responsabilités

Les pédiatres sont des médecins spécialisés dans les soins aux enfants de tous âges. Leurs tâches comportent le diagnostic et le traitement des blessures, des infections et des maladies. Les pédiatres peuvent conseiller leurs patientes ou leurs patients qui vivent des problèmes familiaux ou liés à la puberté.

Les pédiatres procèdent à des examens physiques, utilisent des renseignements tirés des antécédents médicaux d'une personne et examinent les résultats de tests particuliers, par exemple des radiographies et des analyses sanguines. Après le diagnostic, les traitements peuvent requérir une médication, une opération, une réhabilitation ou des conseils. Pour effectuer le diagnostic et décider d'un traitement, les pédiatres communiquent souvent avec des travailleuses sociales et des travailleurs sociaux, des membres de la famille et d'autres personnels de la santé (des infirmières ou des infirmiers et des spécialistes). Le rôle des pédiatres gagne en importance à mesure que les conditions psychologiques et sociales de nombreux enfants se détériorent.

L'environnement de travail

Les pédiatres traitent des enfants de la naissance jusqu'à l'adolescence et travaillent souvent dans des centres communautaires ou des cliniques. Certains enseignent, font de la recherche ou œuvrent au sein de la communauté afin de promouvoir les intérêts des enfants (par exemple, dans des organisations dénonçant les mauvais traitements infligés aux enfants).

Comme les autres médecins, les pédiatres ont de très longues journées de travail, surtout au début de leur carrière. La plupart travaillent en moyenne de 9 à 12 heures par jour, soit de 45 à 65 heures par semaine. Ils peuvent avoir des horaires très irréguliers et travailler en soirée et le samedi par commodité pour les patientes et les patients.

La formation et les aptitudes

Pour être pédiatre, il faut avoir de la compassion, de la patience et l'amour des enfants. Travailler comme bénévole auprès d'enfants te permet de savoir si tu aimes vraiment t'occuper des enfants.

La plupart des écoles de médecine exigent d'avoir fait un minimum de deux ou trois ans d'études universitaires et d'avoir réussi certains cours de sciences. Obtenir un diplôme médical requiert quatre années d'études suivies de trois ou quatre années de résidence en pédiatrie. Il faut réussir les examens de diplômes médicaux afin d'obtenir l'agrément du Collège royal des médecins et chirurgiens du Canada.

- de la naissance à 6 mois ;
- de 6 mois à 18 mois ;
- de 1 ½ an à 2 ½ ans ;
- de 2 ½ ans à 3 ½ ans ;
- de 3 ½ ans à 4 ½ ans ;
- de 4 ½ ans à 5 ½ ans.

Pour chaque catégorie, tu trouveras des exemples de jeux et d'activités stimulant le développement de l'enfant sous les aspects social, cognitif, langagier, émotionnel ainsi que des motricités grossière et fine.

❖ Vérifie tes connaissances

1. À l'aide des renseignements d'Investir dans l'enfance, en annexe, résume dans tes mots où se situent des enfants de 18 mois, de 3 ans et de 5 ans dans leur développement émotionnel, social et cognitif.
2. Comment le comportement des parents et des personnes qui s'occupent des enfants doit-il changer en matière de réconfort, de jeu et d'enseignement au cours des six premières années d'un enfant ?
3. Indique les cinq plus grandes étapes du développement du langage chez un enfant, de zéro à cinq ans, selon toi. Utilise les documents reproduits en annexe pour appuyer ton point de vue.

❖ Liens

D'après la description du développement que fait la fondation Investir dans l'enfance, dresse une grille d'observation des réalisations liées au développement d'un enfant pour une année donnée entre zéro et six ans. Compare ta grille avec celles d'autres élèves ayant choisi d'autres stades et corrige-la au besoin.

1. Utilise ta grille pour observer des enfants de l'âge que tu as choisi dans une classe ou dans ton entourage.
2. Compare tes observations avec celles d'autres élèves qui ont observé des enfants d'un autre groupe d'âge et relève les différences de développement.

La croissance pendant les cinq premières années

As-tu déjà remarqué comme les enfants grandissent vite pendant la petite enfance ? Par exemple, au cours des six premiers mois, il arrive que des enfants ne puissent plus mettre un chausson ou un maillot après une semaine ou deux. Cependant, il n'y a pas deux enfants pareils. La croissance dépend à la fois de la qualité de l'alimentation et du type corporel de l'enfant. Certains enfants sont délicats et d'autres plus robustes. Des repas nourrissants, de l'exercice lors de jeux actifs, de promenades dans la nature ou d'activités à l'extérieur et du repos en conséquence sont importants pour un enfant en pleine croissance.

Figure 12.2
Il n'y a pas deux enfants pareils en matière de développement physique.

Les enfants grandissent plus vite au printemps et plus lentement en hiver. Les parents savent que leur enfant a une **poussée de croissance** lorsque son appétit augmente. De la même manière, la croissance ralentit de temps en temps, surtout après le premier anniversaire. L'enfant peut alors tout à coup manger moins. Seuls les enfants savent quand ils ont faim. Si on les force à manger lorsque leur croissance ralentit, on peut encourager un excès de poids en plus de gronder inutilement.

Les repas

Les repas réunissent plusieurs aspects du développement des jeunes enfants. La nourriture est essentielle à la croissance physique et à la croissance cérébrale en plus de jouer un rôle dans l'apprentissage efficace. Un repas en famille favorise le développement social, car les frères, les sœurs et les membres de la famille étendue interagissent avec l'enfant et lui apprennent les bonnes manières. On développe le langage en nommant les aliments et les ustensiles. En outre, les repas contribuent au développement émotionnel, puisque la nourriture représente une « marque d'attention » ainsi que l'amour et l'appartenance dans beaucoup de familles. Enfin, c'est une bonne occasion de développer la motricité fine puisque les enfants apprennent à mâcher, à tenir un verre ou une cuillère, à prendre de petits bouts de nourriture avec leurs doigts et à manger seuls.

Figure 12.3
La plupart des enfants veulent manger eux-mêmes et apprennent de cette expérience.

Les enfants du Canada n'ont pas tous une alimentation adéquate ni le privilège de participer à un repas de famille. Lorsqu'un enfant connaît la faim, cela peut signifier qu'il vit dans des conditions de pauvreté, mais aussi qu'on ne prend pas bien soin de lui. La dépression, l'alcoolisme ou la dépendance à la drogue des parents peuvent contribuer à leur négligence. Cette négligence a des effets négatifs, à court et à long terme, sur la croissance et le développement de l'enfant ainsi que sur sa capacité d'apprentissage.

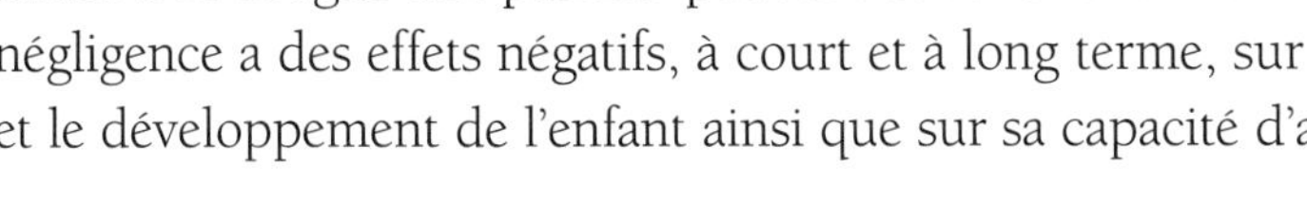

Liens

1. Il est facile de donner trop de nourriture aux enfants de moins de quatre ans. Il leur faut des aliments nourrissants qui ne leur apportent pas de calories inutiles. Une portion adaptée à un enfant correspond à la taille de sa main. Fais preuve de créativité et prépare une collation ou un repas attirant pour un enfant de moins de quatre ans. Utilise des aliments sains et des portions adéquates.
2. Fais une recherche sur un problème lié à l'alimentation qu'éprouvent les parents de jeunes enfants. Rédige un rapport. Tu dois définir le problème, résumer les symptômes et les aspects à résoudre et faire des recommandations à l'intention des parents et d'autres intervenantes et intervenants. Voici des sujets possibles : les intolérances au lactose, aux arachides, au gluten ou autres allergies alimentaires ; les maladies cœliaques ; les enfants difficiles ; la phénylcétonurie (problème d'absorption d'une vitamine ou d'un minéral particulier) ; le diabète juvénile.

Les bonds d'apprentissage

Si on demande à des personnes, adolescentes ou adultes, d'apprendre les choses que les enfants apprennent au cours de leurs cinq premières années (par exemple, après un accident ayant engendré des lésions cérébrales ou après un accident vasculaire cérébral), elles éprouvent des difficultés à le faire. Durant la petite enfance, les enfants apprennent une langue, y compris son vocabulaire et sa structure grammaticale. Ils apprennent le nom et la fonction de tous les objets qui les entourent, des jouets aux toilettes en passant par tout ce qu'il y a entre les deux. De plus, ils apprennent à utiliser et à manipuler la plupart de ces objets. Les enfants d'âge préscolaire intègrent des concepts tels que le chaud et le froid, l'avant et l'après, le présent et l'avenir, les garçons et les filles. En fait, ils absorbent tellement de choses qu'on étudie de plus en plus le fonctionnement du cerveau des enfants.

Les spécialistes du cerveau savent depuis longtemps que différentes zones du cerveau contrôlent différentes aptitudes. Il y a un centre cérébral où se développe le langage. Il y en a un autre spécialisé dans les mathématiques ou la **compétence en calcul**, comme la reconnaissance des nombres et des concepts numériques.

On sait que l'hémisphère droit est le centre de la créativité et du langage, alors que l'hémisphère gauche est le centre de la logique et des mathématiques. On dit que les femmes ont le **cerveau droit dominant** et que les hommes ont le **cerveau gauche dominant.** Bien entendu, les hommes et les femmes utilisent les deux hémisphères de leur cerveau malgré cette dominance d'un hémisphère liée au sexe. Une personne qui apprend va percevoir et traiter l'information différemment selon l'hémisphère qui domine ce processus. Une autre caractéristique importante du cerveau est qu'on peut le former à nouveau s'il a subi des dommages.

Les spécialistes des sciences cognitives qui étudient le cerveau ont appris que différentes voies nerveuses se forment dans le cerveau, très tôt dans la vie. En se servant des mêmes voies à répétition, une personne peut optimiser l'utilisation des données conservées dans son cerveau. Ces voies se développent chez les jeunes enfants lorsqu'ils font des choses qu'ils aiment. Les répétitions, les rimes, les chansons et les jeux permettent de créer ces voies. La parole et l'écoute, quand elles sont réciproques, jouent un rôle essentiel dès la naissance.

Figure 12.4
Faire la lecture à un enfant régulièrement permet de bien le préparer pour l'école.

Faire la lecture à un enfant est une activité très importante pour renforcer les liaisons nerveuses qui stimulent l'apprentissage de la lecture et de l'écriture. Mem Fox (2000) encourage les parents et les personnes qui s'occupent des enfants à lire trois histoires par jour à tout jeune enfant dès la petite enfance. Les enfants aiment entendre les mêmes histoires plusieurs fois. Ces répétitions les aident à saisir le fonctionnement du langage, en plus de consolider leurs liens avec la lectrice ou le lecteur du fait de sa proximité. Ces facteurs contribuent à rendre l'enfant « disposé à apprendre » lorsqu'il entrera dans le système scolaire formel. Fox insiste sur le fait que les parents n'ont pas besoin de talents particuliers pour faire la lecture à leur enfant. Ils ne doivent pas essayer de lui enseigner à lire. L'important est d'avoir du plaisir à lire ensemble.

Info-carrière

AUTEURE OU AUTEUR POUR ENFANTS

Les tâches et les responsabilités

Les auteures et les auteurs pour enfants écrivent des histoires qui donneront à ces derniers envie de lire et de développer leur capacité à lire et à écrire. Ces personnes possèdent la clé qui permet de pénétrer dans un monde particulier : celui de la lecture pour le plaisir. Elles conçoivent des histoires qui stimulent l'imagination des enfants et les engagent sur la voie de la lecture.

Les auteures et les auteurs doivent connaître les âges et les stades du développement des enfants afin de traiter des problèmes et des inquiétudes qu'ils vivent à différents âges. Par exemple, les tyrans à l'école ou la camaraderie sont des sujets qui touchent les enfants d'âge scolaire. Par contre, aller à l'hôpital ou avoir un petit frère ou une petite sœur concerne davantage les plus jeunes. En fiction, il faut pouvoir créer des personnages et des situations qui s'intègrent aux univers des enfants et les aident à comprendre ces univers, et découvrir des lieux réels ou imaginaires inaccessibles autrement. Dans tous les cas, il faut connaître et respecter le public cible.

L'environnement de travail

La plupart des auteurs pour enfants travaillent de manière autonome (à contrat). Le travail peut se faire à la maison et selon un horaire personnalisé. Dans certains cas, les auteures et les auteurs ont un autre métier et écrivent pendant leur temps libre. S'ils ont du succès, ce passe-temps peut devenir une profession. C'est un rêve très répandu chez les gens qui pratiquent l'écriture.

La littérature pour enfants comporte beaucoup d'illustrations. Pour de nombreux enfants, l'élément visuel est presque plus important que les mots. Les auteures et les auteurs pour enfants ainsi que leurs maisons d'édition travaillent en proche collaboration avec des artistes qui illustrent les textes. Il faut s'assurer d'une bonne communication afin que les illustrations expriment la pensée de l'auteure ou de l'auteur.

La formation et les aptitudes

Quand on écrit pour les enfants, il faut avoir une grande culture littéraire, des compétences en rédaction et une imagination fertile. Il est avantageux de maîtriser l'informatique et la publication assistée par ordinateur. Il faut savoir faire preuve de discipline et respecter des échéances. Les maisons d'édition fixent des délais de production stricts.

Il n'y a pas d'études postsecondaires formelles à réussir pour devenir auteure ou auteur pour enfants. Écrire vient naturellement à la plupart des écrivaines et des écrivains qui ont du succès. Cependant, il est toujours bon de poursuivre sa formation au-delà du secondaire afin de développer ses talents. Entre autres, on peut obtenir un diplôme en littérature, en création littéraire ou en journalisme. Dans le cas de postes salariés, par exemple pour des magazines pour enfants, on exige probablement un diplôme.

Les enfants ont besoin d'activités, de jeux et de jouets qui stimulent leurs sens. Dès leur naissance, ils regardent avec attention le visage de leurs parents et fixent les gens, les animaux, les objets et les images. Ils écoutent avec joie les chansons, les rimes et les bruits et suivent les mouvements de leurs parents qui tapent des mains. Ils veulent attraper et toucher les choses pour découvrir les textures, de la douceur du pelage d'un chiot à la dureté de clés de voiture. Ils apprécient les odeurs, mais il n'y en a pas de plus agréable que celle de leur mère ou de leur père. Ils reconnaissent ce qui

Figure 12.5
Un enfant apprend grâce à des actions répétées et à la stimulation sensorielle.

a bon goût et font une grimace lorsqu'un aliment a mauvais goût. Chaque nouvelle expérience avec un de leurs cinq sens leur apprend quelque chose de nouveau.

Vérifie tes connaissances

1. Quelles sont les caractéristiques d'une poussée de croissance chez un enfant ?
2. Qu'est-ce qui différencie le fonctionnement de l'hémisphère droit de celui de l'hémisphère gauche ?
3. Décris les avantages qu'il y a à faire la lecture à un enfant.

Les environnements d'apprentissage

Un **environnement d'apprentissage** positif permet aux bébés, aux tout-petits et aux enfants d'âge préscolaire d'explorer leur entourage en toute sécurité à l'aide de leurs cinq sens. La sécurité physique a une grande importance. Il faut se mettre à la hauteur d'un enfant, dans son aire de jeu, pour repérer les dangers d'étouffement, les coins pointus, les objets qui peuvent se casser et d'autres objets courants, mais dangereux, pour éviter les accidents. Une aire de jeu efficace ne coûte pas forcément cher, car les enfants apprennent grâce aux objets de la vie de tous les jours. Ils ont besoin de stimulation visuelle, d'entendre une langue et de la musique et surtout d'avoir des contacts physiques. Le jeu préféré d'un enfant est d'être en tête à tête avec ses parents, de les fixer et d'échanger avec eux des sons et des grimaces.

Aux yeux des adultes, jouer est un jeu. Pour un enfant, c'est une forme d'apprentissage sérieuse. Si tu observes un enfant en train de jouer, tu verras qu'il préfère différents jeux, activités et jouets selon son âge. Si une activité n'est pas **adaptée à son âge** – soit trop difficile, soit trop facile pour lui –, l'enfant vivra de la frustration ou s'ennuiera. Il y a apprentissage lorsque l'enfant s'investit entièrement dans une occupation pendant un moment. L'ennui et la frustration ne contribuent pas à l'apprentissage.

Les enfants apprennent aussi en résolvant des problèmes eux-mêmes. Même très jeunes, les enfants découvrent déjà le fonctionnement des choses. Ils vont procéder à tâtons avant de trouver la bonne façon. Les jouets et les objets qui exercent la **manipulation** favorisent l'aptitude à résoudre des problèmes. En effet, l'enfant fait un progrès chaque fois qu'il comprend comment tourner, pousser, glisser, ouvrir ou fermer quelque chose. Le cerveau enregistre chaque succès et chaque échec. La **résolution de problèmes** encourage les capacités à réfléchir et à raisonner et permet aux enfants d'emmagasiner et d'extraire de l'information. Une fois à l'âge scolaire, les enfants ont besoin d'activités et de défis stimulants afin de poursuivre leur processus d'apprentissage.

Liens

1. Planifie et évalue une activité pour occuper un enfant d'âge préscolaire sur les plans social, intellectuel et émotionnel, et stimuler ses compétences langagières et motrices. Que devrais-tu changer pour adapter cette activité au développement d'un tout-petit?
2. Conçois un centre d'apprentissage intérieur qui favorise l'apprentissage des enfants de deux à quatre ans. Explique ce qu'un enfant de deux, de trois et de quatre ans apprendrait s'il jouait dans ton centre.

La privation d'environnements d'apprentissage

Des études ont montré que les enfants qui ne sont pas exposés au langage tôt dans leur vie, mais qui apprenent à parler plus tard, ne maîtriseront jamais tout à fait la parole. Si les enfants n'émettent pas certains sons parce qu'ils n'existent pas dans la structure du langage qu'ils entendent, ils éprouveront des difficultés à reproduire ces sons plus tard. Pour que les voies nerveuses se développent intégralement, elles doivent être utilisées. D'autres parties du cerveau peuvent dominer quand certaines fonctions ne servent pas, mais elles ne seront jamais aussi performantes que dans le cas d'un apprentissage précoce. Sans pratique, les aptitudes se perdent. Cela s'applique parfaitement aux cinq premières années de la vie.

C'est vrai pour tous les aspects de l'apprentissage. Suppose qu'un de tes sens t'a manqué au cours de ton enfance. Tu trouverais très difficile de l'utiliser plus tard dans ta vie. Certains enfants n'ont pas les mêmes chances que d'autres à cause de la **privation d'environnements d'apprentissage.** En fait, on a proposé une théorie selon laquelle il y aurait des « fenêtres d'opportunité » au cours des cinq premières années. Il s'agit de périodes cruciales ou sensibles pendant lesquelles le cerveau a besoin de certains types de stimulations afin de créer la structure cérébrale qui durera tout le reste de la vie. L'encadré « Fenêtres d'opportunité » de la page 296 décrit en détail ces périodes cruciales. Les parents doivent prendre conscience de ces recherches afin de fournir des expériences appropriées à leurs enfants tout au long de leur développement cérébral. Dans un environnement où il manque de stimulation visuelle, où il y a peu d'exposition au langage et aux livres ou même où les contacts physiques sont réduits, un enfant se trouve grandement désavantagé. Cette privation découle de la pauvreté, de l'indifférence ou d'un manque de compréhension des parents. Ce qu'un enfant n'apprend pas au cours des cinq premières années de sa vie, il aura beaucoup de difficulté à l'apprendre plus tard.

Figure 12.6
Quels sens ces enfants développent-ils en faisant cette activité ?

Fenêtres d'opportunité

La connexion de la vision

CE QUI SE PASSE Les bébés voient dès la naissance, mais pas en détail. Ils n'ont pas encore la capacité de fixer leurs deux yeux sur un seul objet ou acquis des aptitudes visuelles plus sophistiquées, comme la perception de la profondeur. Ils n'ont pas de coordination main-œil.

CE QUE LES PARENTS PEUVENT FAIRE Il n'est pas nécessaire d'acheter des jouets à grand contraste noir et blanc pour stimuler la vision des bébés. Des examens de la vue réguliers, dès l'âge de deux semaines, détectent des problèmes qui, sans correction, provoqueront la faiblesse d'un œil ou son manque d'utilisation et ainsi entraîneront la perte de la connexion fonctionnelle de l'œil avec le cerveau.

FENÊTRE D'APPRENTISSAGE Si on ne l'exerce pas tôt, le système visuel ne se développera pas.

Âge (en années)

Naissance 1 2 3 4 5 6 7 8 9 10

Acuité visuelle

Vision binoculaire

La connexion des émotions

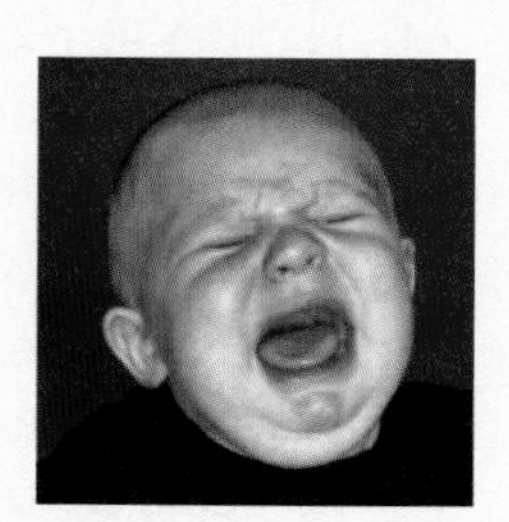

CE QUI SE PASSE Parmi les premiers circuits que le cerveau construit, on trouve ceux qui gouvernent les émotions. Dès l'âge de deux mois environ, la détresse et le bien-être que ressentent les nouveau-nés commencent à évoluer vers des sentiments plus complexes : la joie et la tristesse, la jalousie et l'empathie, la fierté et la honte.

CE QUE LES PARENTS PEUVENT FAIRE Des soins aimants fournissent au cerveau d'un bébé le type de soutien émotionnel requis. La négligence envers un bébé peut créer une structure cérébrale étouffant les sentiments heureux. Les mauvais traitements sont source d'anxiété élevée et de stress anormal.

FENÊTRE D'APPRENTISSAGE Les émotions se développent en couches superposées, chacune plus complexe que la précédente.

Âge (en années)

Naissance 1 2 3 4 5 6 7 8 9 10

Réaction au stress

Empathie, jalousie

La connexion du langage

CE QUI SE PASSE Même avant de naître, un bébé entend la mélodie de la voix de sa mère. Au cours des six années suivantes, son cerveau crée les connexions nécessaires pour déchiffrer – et reproduire – la parole. Un enfant de six mois reconnaît les sons des voyelles, qui sont les éléments de base de la parole.

CE QUE LES PARENTS PEUVENT FAIRE Selon les études, parler beaucoup à un bébé accélère de manière importante le processus d'apprentissage de nouveaux mots. Le style de parole sur le ton de comptines aiguës, appelé le langage parental, aide les bébés à associer des objets à des mots.

FENÊTRE D'APPRENTISSAGE Les aptitudes langagières sont présentes tôt, mais elles se développent tout au long de la vie.

Âge (en années)

Naissance 1 2 3 4 5 6 7 8 9 10

Reconnaissance de la parole

Vocabulaire

La connexion du mouvement

CE QUI SE PASSE À la naissance, les bébés peuvent bouger leurs membres, mais d'une manière saccadée, incontrôlée. Au cours des quatre années suivantes, le cerveau raffine peu à peu les circuits permettant d'atteindre, d'attraper, de s'asseoir, de ramper, de marcher et de courir.

CE QUE LES PARENTS PEUVENT FAIRE Il faut laisser aux bébés autant de liberté que leur sécurité le permet. Déjà, essayer d'atteindre un objet aide le cerveau à développer la coordination main-œil. Dès que les enfants sont prêts, les activités telles que dessiner et jouer du violon ou du piano encouragent le développement des capacités motrices fines.

FENÊTRE D'APPRENTISSAGE Le développement des capacités motrices commence par la motricité grossière et évolue vers une motricité de plus en plus fine.

Âge (en années)

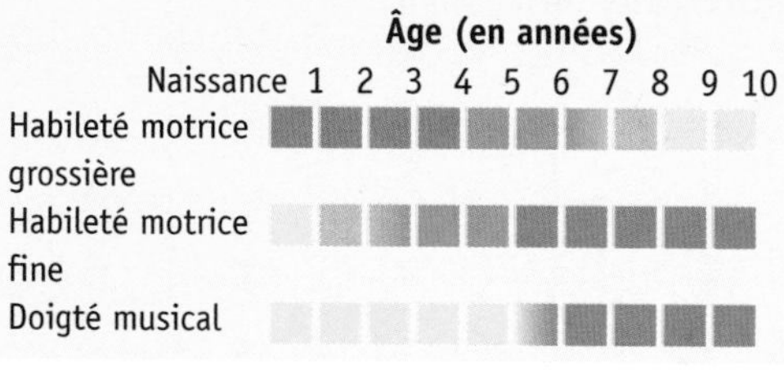

Devenir une personne

Au cours de la transition de bébé à tout-petit, puis à enfant d'âge préscolaire, la personnalité de l'enfant prend forme. Les bébés ne distinguent pas leur propre personne de l'adulte qui s'occupe d'eux pendant leurs premières semaines de vie. Cependant, à mesure qu'ils prennent conscience de leur environnement, ils adoptent des comportements qui manifestent une disposition à l'interaction.

La première interaction sociale qui émerveille les parents est le sourire du bébé, à environ six semaines. Plus tard, le bébé émet des sons et des cris qui amènent une réponse. Cette interaction sociale précoce entre les parents et les bébés forge un lien d'attachement profond. Si on répond de manière appropriée et cohérente au comportement d'attachement d'un enfant, qui peut inclure pleurer, se serrer ou vouloir être près des parents, on fournit la sécurité dont l'enfant a besoin afin d'interagir avec le monde. Les parents communiquent leur amour et leur réconfort de manière verbale et non verbale.

Il est parfois difficile de décoder les signaux d'un enfant. Les parents sont parfois incapables de donner une réponse appropriée. Il arrive qu'on s'attende chez un deuxième enfant au même comportement que chez le premier. On peut donc mal interpréter les signaux du bébé, car il s'agit d'un individu tout à fait différent. Si le bébé ne satisfait pas ses besoins, il pourrait éprouver des problèmes plus tard. Des pédopsychologues ont attribué l'origine de troubles du sommeil, de l'alimentation et du comportement chez certains enfants à un attachement non sécurisé envers la personne qui s'en occupait. Avec de l'assistance sociopsychologique, les parents apprennent à reconnaître les signaux de l'enfant qui réclame des câlins, de la proximité, de la conversation et de l'interaction, et à y répondre. Souvent, lorsqu'un enfant se sent de nouveau en sécurité, les problèmes de comportement se règlent.

Figure 12.7
À 18 mois, les enfants commencent à imiter et à admirer les enfants plus âgés.

Devenir sociable

À 18 mois environ, les enfants commencent à développer ce qu'Erik Erikson a appelé le **sens de l'autonomie.** Pendant cette période, leur conscience de soi se forme. Les mots comme « moi » et « mon » deviennent importants. Les enfants insistent pour faire des choses eux-mêmes et imitent les actions des autres. Souvent, ils imitent et admirent les enfants plus âgés qu'ils côtoient à la maison ou au terrain de jeu. Les enfants ayant un attachement sécurisé envers leurs parents ou la personne qui s'occupe d'eux s'éloignent pour exercer leurs nouvelles aptitudes, mais ils reviennent pour un câlin ou cherchent à être rassurés par un regard.

La théorie du développement d'Erikson

Le psychologue Erik H. Erikson (1902-1994) a proposé une théorie sur les aspects sociaux du développement psychologique. Sa théorie montre une progression en huit étapes, de la petite enfance à la vieillesse. Ainsi, les êtres humains feraient face à un conflit psychologique fondamental à chaque stade de leur vie, et ils doivent résoudre ce conflit avant de pouvoir accéder de manière positive au stade suivant. Selon Erikson, le fait de ne pas réussir à résoudre le conflit conduit à un développement malsain. Les parents jouent un rôle actif dans le développement de leur enfant au cours de la plupart de ces stades. Ils peuvent donc l'aider à réussir chaque tâche de développement.

Stade	Âge	Conflit de développement et tâche
Petite enfance	0 à 1 an	**Confiance ou méfiance** Les enfants apprennent à faire confiance aux autres et à se sentir en sécurité dans le monde si les parents maintiennent un environnement fournissant soutien, attention et amour.
Deuxième enfance	1 an à 3 ans	**Autonomie ou doute** Les enfants apprennent à développer une attitude saine quant à l'indépendance et à l'autosuffisance partielle. Si on fait sentir à un enfant qu'il a tort de chercher à devenir autonome, il pourrait ressentir de la honte et du doute.
Âge préscolaire	3 ans à 5 1/2 ans	**Initiative ou culpabilité** Les enfants apprennent à agir dans le but d'atteindre un objectif et à prendre l'initiative d'actions. Si ces initiatives réussissent assez souvent, cela évitera un sentiment de culpabilité.
Âge scolaire	5 1/2 ans à 12 ans	**Travail ou infériorité** Les enfants apprennent à travailler dur pour développer leurs aptitudes et leurs talents. Ils en tirent un sentiment de compétence, surtout par rapport à leurs pairs. L'échec amène souvent un sentiment d'infériorité.
Adolescence		**Identité ou confusion des rôles** Les adolescentes et les adolescents développent une conscience de soi, de leurs possibilités et de leur avenir. Le choix d'un domaine professionel est un jalon important de cette période.
Début de la maturité		**Intimité ou isolement** Les jeunes adultes apprennent à intégrer leur vie à celle des autres. La formation d'amitiés intimes et de relations sexuelles adultes est vitale pour un développement sain.
Maturité moyenne		**Générativité ou stagnation** Les adultes rendent leur vie utile à ce stade en aidant et en guidant les autres. Une personne à ce stade constitue un exemple pour la génération suivante. Les adultes sans enfant peuvent développer leur générativité en ayant des relations proches avec d'autres enfants.
Maturité avancée		**Intégrité personnelle ou désespoir** Les adultes passent leur vie en revue. Il leur faut l'accepter, avec toutes ses joies et ses déceptions. Une vie bien vécue procure un sentiment de bien-être et d'intégrité.

Le lien d'attachement, si important pour le développement des bébés, fournit également une base solide pour les enfants de trois et de quatre ans qui commencent à créer des liens avec d'autres enfants et des adultes en dehors de la famille. Les enfants reviennent parfois auprès de leurs parents après avoir passé du temps avec d'autres personnes, et cela leur donne un sentiment de sécurité. À mesure qu'un enfant grandit, les parents peuvent entretenir leur relation chaleureuse en lui parlant, en lui lisant des histoires, en lui chantant des chansons et en lui portant une attention particulière.

La communication est la base du développement social. Avant de parler couramment, les enfants communiquent leurs émotions et leurs désirs par des signaux que les parents interprètent. Certains parents enseignent le langage des signes à leurs enfants avant même qu'ils ne parlent. À mesure que le langage évolue, les enfants interagissent avec des enfants de leur âge et avec d'autres adultes. Les enfants qui ont appris à communiquer avec leurs parents et qui savent parler et écouter établissent à leur tour plus facilement des relations avec les autres.

Des émotions changeantes

Le tableau d'Investir dans l'enfance, « Les aspects essentiels du développement de l'enfant », en annexe, indique que les bébés expriment diverses émotions de zéro à six mois, dont la tristesse, la colère, la joie et l'enthousiasme. Les parents aident les enfants à exprimer et à contrôler leurs émotions. Toucher un bébé en pleurs et lui parler d'une voix apaisante aide à le calmer. Le réconfort enseigne aux enfants la façon de se calmer jusqu'à ce qu'ils arrivent à le faire eux-mêmes. Parfois, les enfants se calment plus facilement avec le père ou avec la mère. Par exemple, un enfant peut réagir davantage au ton grave et profond d'une voix masculine. S'il y a plus d'une personne dans la famille ou s'ils ont du soutien de la communauté, les parents feront plus facilement face aux émotions trop intenses des enfants. Il faut savoir que les enfants peuvent avoir peur lorsqu'ils ressentent de fortes émotions qu'ils ne comprennent pas. Ils ont alors besoin de réconfort.

Le cerveau produit différentes substances chimiques lorsque les émotions surviennent. Alors que les enfants réagissent à leurs émotions, le cerveau crée une structure de réponse. Il suffit parfois à un enfant de pleurer à chaudes larmes pour exprimer ses émotions, reprendre le contrôle et aller de l'avant.

Les enfants qui apprennent à exprimer leurs émotions de manière appropriée, à avoir recours à des mots plutôt qu'à des colères et qu'on autorise à exprimer des émotions négatives dans le contexte sécuritaire de la cellule familiale, seront capables de faire face à des situations stressantes d'une manière plus saine. Pouvoir dire « C'est frustrant ! » peut aider un enfant de cinq ans à persister dans une tâche difficile comme faire du vélo à deux roues ou attacher ses lacets. Autrement, il peut se décourager et perdre l'envie de tenter d'apprendre autre chose. Les enfants doivent réussir à ressentir et à exprimer

Figure 12.8
Parfois, les enfants se calment plus facilement avec un des deux parents.

L'intelligence émotionnelle

John Mayer et Peter Salovey, deux professeurs universitaires des États-Unis, ont publié des articles en 1990 au sujet de l'intelligence émotionnelle. De plus, ils ont mis au point un test permettant de mesurer l'**intelligence émotionnelle** à partir de facteurs tels que la capacité d'un individu :

- de reconnaître et de nommer ses propres émotions ;
- de reconnaître et de nommer les émotions des autres ;
- de résoudre des problèmes émotionnels.

On appelle l'**empathie** le fait de ressentir les émotions d'autrui comme siennes. Les enfants apprennent l'empathie si les parents ont eux-mêmes de l'empathie envers leurs enfants.

En 1995, Daniel Goleman a repris cette notion dans son livre *L'intelligence émotionnelle*, qui a fait connaître le concept. Selon sa théorie, certaines personnes disposent d'une grande intelligence émotionnelle, c'est-à-dire qu'elles sont capables de gérer leurs émotions efficacement, de ressentir de l'empathie pour autrui et de faire face mieux que d'autres à des situations émotionnelles. Le monde des affaires a vite adopté cette théorie et a fait de l'intelligence émotionnelle un facteur de réussite des gens d'affaires et de l'industrie.

leurs émotions avant de les contrôler. Punir un enfant parce qu'il ressent une émotion entraînera une plus faible estime de soi et des problèmes comportementaux.

La culture influence la manière dont les enfants expriment leurs émotions. On considère certaines cultures comme plus émotives que d'autres. D'une famille à une autre, on accepte ou non différentes expressions de la colère, du plaisir, de la peur ou de l'enthousiasme. Dans certains cas, on s'attend à ce que les garçons et les filles gèrent leurs émotions différemment. Dans les sociétés occidentales, on n'encourage pas les hommes et les garçons à pleurer, alors qu'on le permet aux femmes et aux filles. Le fait de cacher ses émotions engendre parfois des problèmes sociaux, émotifs et mentaux plus tard dans la vie.

Figure 12.9
La culture influence la manière dont les enfants expriment leurs émotions.

Vérifie tes connaissances

1. Que se passe-t-il lorsque les parents interprètent toujours mal les signaux de leurs enfants ?
2. Quel rôle la communication joue-t-elle dans le développement social ?
3. Comment les parents peuvent-ils favoriser les qualités d'intelligence émotionnelle de leurs très jeunes enfants ?
4. Comment les parents peuvent-ils utiliser la théorie d'Erikson afin de bien s'occuper de leurs enfants ?

Un développement sain et une bonne disposition pour l'école

Le rôle parental pendant la petite enfance est une énorme responsabilité et demande de l'engagement et du dévouement. Les cinq premières années de la vie constituent la base du développement, de la réussite scolaire, de la création d'amitiés en dehors de la famille et de la formation de citoyennes et de citoyens responsables. Les parents trouvent de l'aide et des conseils auprès d'autres parents, dans des guides pratiques, des magazines spécialisés et auprès de programmes d'aide aux parents.

La plupart des sociétés s'intéressent à l'éducation de leurs jeunes. Si la réussite scolaire favorise l'obtention d'un emploi, alors elle contribue aussi à la prospérité économique du pays. La réussite d'un enfant à l'école dépend de nombreux facteurs, dont son aisance à manier la langue d'instruction, son quotient intellectuel et sa disposition à apprendre. Un rôle parental efficace au cours des cinq premières années influe directement sur la réussite scolaire de l'enfant, car ce dernier est alors prêt à apprendre. Dans *Étude sur la petite enfance* (1999), Megan Gunner rapporte que « les enfants du premier âge et du second âge qui ont reçu de l'attention et des soins réceptifs dans un environnement affectif sûr avec des parents ont tendance à devenir des enfants d'âge préscolaire socialement aptes » (McCain et Mustard, 1999). Elle remarque que cette aptitude sociale a un lien étroit avec la disposition à apprendre.

Les enfants doivent avoir un bagage de connaissances, d'aptitudes et d'attitudes pour apprendre dans un cadre éducatif formel. Les parents doivent stimuler leur potentiel intellectuel afin de poser les bases leur permettant d'acquérir les compétences en lecture, en écriture et en calcul. Les parents doivent soutenir leur développement émotionnel afin de les rendre aptes à se comporter et à réagir de manière appropriée dans leurs relations avec d'autres enfants, le personnel enseignant et d'autres membres de la communauté. Les parents ont pour rôle de procurer aux enfants une alimentation saine, de l'exercice et du repos afin d'encourager leur développement physique optimal. Enfin, plus que tout, les parents doivent stimuler leur conscience de soi et les aider à avoir une estime de soi positive. Les enfants qui se voient comme des personnes compétentes, capables et méritantes possèdent l'outil le plus important pour réussir leur processus d'apprentissage.

Astuces

La Promesse de l'Ontario nous réunit pour faire cinq promesses de base aux enfants et aux jeunes et les respecter. Dans l'ensemble, ces cinq promesses englobent les éléments essentiels à la réussite du développement de tous les jeunes.

En route pour l'école

L'enfant prêt pour l'apprentissage :

- est en bonne santé, mange bien et prend assez de repos ;
- ne souffre d'aucun dommage neurologique ou de développement lié à la consommation d'alcool, de drogues ou de médicaments par un de ses parents ;
- a d'excellentes connexions cérébrales et un développement neurologique adapté à son âge ;
- a écouté des histoires, a été exposé au langage et est prêt à apprendre à lire ;
- montre un bon développement social, c'est-à-dire est capable de s'entendre et de coopérer avec le personnel enseignant et des camarades ;
- est capable de contrôler ses pulsions, de faire ce qu'on lui demande et ce qu'on attend de lui.

Figure 12.10
Le début de la vie de l'enfant constitue un moment crucial de son développement.

Les cinq promesses

1. **Un bon départ.** Le début de la vie de l'enfant constitue un moment crucial de son développement. Tous les enfants doivent être bien nourris, en bonne forme physique et être stimulés intellectuellement. Le fondement du développement précoce de l'enfant repose sur le travail préparatoire social et affectif en vue de l'apprentissage, à vie, du bon comportement et de la bonne santé.
2. **Un adulte compatissant.** L'influence qu'a un adulte compatissant sur l'enfant est inestimable. Un parent, un enseignant, un entraîneur, un voisin ou un mentor bénévole peut avoir un effet bénéfique important sur l'enfant. Les enfants apprennent en s'inspirant de modèles et ceux qui entretiennent une relation avec un adulte compatissant et encourageant deviendront plus tard eux-mêmes des adultes compatissants. Un enfant a besoin d'avoir son propre meneur de claque qui le soutient, l'encourage, lui enseigne et l'oriente.
3. **Des lieux sûrs pour apprendre et croître.** La sécurité physique et affective constitue un droit acquis de l'enfant à sa naissance. Il lui faut un lieu sûr où apprendre et croître. Il doit être suivi et avoir des occasions de participer à des activités de groupe qui lui offrent le contact social et des valeurs positives telles que l'esprit d'équipe.
4. **Les outils de la réussite.** Pour s'ouvrir à toutes les possibilités qui leur seront offertes et se préparer à réussir, les enfants ont besoin des possibilités et des conseils que peuvent leur dispenser les adultes. Il faut qu'ils apprennent à aimer travailler avec les autres en équipe et le plaisir de découvrir d'eux-mêmes les choses. On enseigne une large gamme de connaissances pratiques en vue de faciliter la résolution de problèmes, la réflexion créative et la communication. Les enfants ont également besoin de se familiariser avec certains aspects du monde du travail pour qu'ils puissent décider d'un cheminement de carrière.
5. **L'occasion de faire toute la différence.** Lorsque les enfants aident d'autres enfants et qu'on leur en est reconnaissant, ils acquièrent de nouvelles aptitudes et une plus grande estime d'eux-mêmes. En s'occupant des autres, ils apprennent à assumer leurs responsabilités. Tous les enfants, mais plus particulièrement les adolescents et les jeunes adultes, ont besoin d'avoir l'occasion de vivre ce sentiment de fierté et de satisfaction qui découle du fait d'avoir apporté quelque chose à une autre personne. C'est à nous qu'il revient de leur offrir l'occasion de le faire.

Aidez la Promesse de l'Ontario à offrir à nos jeunes les occasions et conseils qu'ils méritent. Beaucoup d'entreprises, d'organismes sans but lucratif, d'associations, de particuliers et de groupes ont promis un soutien conséquent et sont emballés à l'idée de faire partie de cet important mouvement.

Nous espérons que vous partagez notre passion, celle d'aider les enfants et les jeunes, et que vous vous joindrez à l'équipe grandissante des Partenaires de la Promesse de l'Ontario.

Source : La Promesse de l'Ontario – Partenariat pour l'enfance et la jeunesse.

Vérifie tes connaissances

1. Que peut-il se passer si les jouets d'un enfant ne sont pas adaptés à son âge ?
2. Décris les conséquences de la privation d'environnements d'apprentissage.
3. De quelles manières les enfants peuvent-ils exprimer leur « sens de l'autonomie » ?

Résumé

Points marquants

- Les cinq premières années durent toute la vie.
- La croissance physique, le développement cérébral, le développement du langage, la maturation sociale et émotionnelle et le développement des motricités grossière et fine permettent d'atteindre des stades précis à des âges particuliers.
- Des tableaux combinant les âges et les stades de développement aident les parents à reconnaître ce qu'ils peuvent ou non attendre de leurs enfants, à stimuler leur apprentissage et leur développement cérébral ainsi qu'à encourager et à maintenir l'attachement par le réconfort.
- La croissance physique rapide des cinq premières années requiert une alimentation saine, de l'exercice et du repos.
- À mesure que le cerveau grandit et se développe, les enfants apprennent rapidement. Les parents doivent fournir un environnement sain et stimulant afin d'encourager les aptitudes de résolution de problèmes et l'apprentissage de leur enfant. Les erreurs font partie du processus de croissance.
- L'enfant devient également une personne pendant les cinq premières années de sa vie et a besoin d'un solide sentiment d'attachement pour s'aventurer vers de nouveaux apprentissages et de nouvelles relations.
- Les enfants vivent beaucoup de hauts et de bas émotionnels au cours des premières années, à mesure qu'ils apprennent à reconnaître et à gérer leurs émotions.
- Même s'il semble difficile d'être parents pendant ces premières années si importantes, avoir des connaissances, être à l'écoute, montrer de l'amour et du respect permettent de mettre en place les conditions optimales pour le développement d'un enfant.

Révision et approfondissement

1. On t'invite à t'adresser aux membres d'un cours sur le rôle parental. Rédige un bref discours au sujet des comportements, des conditions et des environnements qui conduisent à un développement positif et négatif au cours des cinq premières années de la vie. C/C C

2. Confectionne une affiche pour présenter des exemples concrets de techniques de réconfort, d'enseignement et de jeu pour des bébés de moins de 18 mois, pour des enfants de 2 à 4 ans ou pour des enfants de 4 à 5 ans. C/C C
3. Fais une recherche au sujet de la lecture aux jeunes enfants. Fabrique une brochure où tu expliques les avantages qu'il y a à faire la lecture aux enfants pendant la petite enfance. Propose des façons amusantes et agréables de leur faire la lecture. Lis plusieurs livres afin de dresser une liste de titres qui conviennent à chaque année (ou demi-année), de zéro à cinq ans. Distribue cette brochure à tes camarades de classe. C/C R/R C A
4. Exerce-toi à faire des rimes, des jeux et des chansons pour enfants, adaptés à chaque stade. Pratiques-en quelques-uns devant la classe. Essaie-les auprès d'enfants plus jeunes ou d'enfants de ta communauté. C
5. Conçois deux activités de jeu qui demandent une résolution de problèmes : une pour un tout-petit et une pour un enfant d'âge préscolaire. Vérifie leur efficacité auprès d'enfants dans un centre de la petite enfance ou d'enfants que tu gardes. Quelles sont les réactions à ces activités qui suggèrent qu'elles facilitent le développement cérébral des enfants ? C/C R/R C A
6. Étudie les recherches récentes relatives aux cerveaux dominants. Trouve les effets de la dominance d'un hémisphère ou de l'autre sur l'apprentissage. Présente tes découvertes à la classe. R/R C
7. Analyse un jouet. Détermine sa fonction et le domaine de développement qu'il encourage. Selon toi, l'âge d'utilisation suggéré est-il approprié ? Rédige une brève publicité sur les avantages du jouet en regard du développement. C/C R/R C A
8. Décris en détail des stratégies que les parents peuvent appliquer pour aider leurs enfants à exprimer leurs émotions et à y faire face. C/C
9. Conçois un dépliant à l'intention des parents où tu décris ce qu'ils peuvent faire pour aider leurs enfants à se préparer à l'apprentissage en milieu scolaire. C/C C A
10. Évalue dans quelle mesure ton interaction avec des enfants de moins de six ans dans ta communauté ou dans ta famille étendue a changé depuis que tu as découvert des techniques de jeu, de réconfort et d'enseignement adaptées à différents âges. R/R

Analyse et solution

11. Les enfants se remettront-ils un jour d'occasions manquées tôt dans leur vie ? Fais une recherche à ce sujet. Rédige un texte sur les effets à long terme d'une nurturance inadéquate ou de la privation d'environnements d'apprentissage au cours des premières années de la vie d'un enfant (zéro à cinq ans).

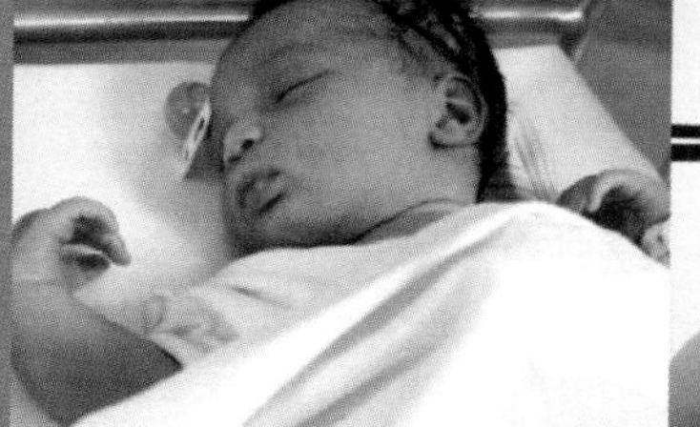

Chapitre

13

L'enfance et l'adolescence

À la fin de ce chapitre, tu pourras :

- décrire la meilleure façon pour les parents d'assurer une bonne alimentation à leurs enfants pendant l'enfance et l'adolescence ;
- décrire les effets de l'attachement sur le développement social et émotionnel des enfants pendant l'enfance et l'adolescence ;
- nommer et décrire les stades du développement moral ;
- analyser les caractéristiques de la famille grandissante ;
- expliquer la nature essentielle de la communication et des aptitudes de résolution de problème pour le développement humain ;
- analyser les changements liés au développement humain, tout au long du cycle de vie, y compris durant la petite enfance et l'adolescence.

Mots clés

adolescence
dilemme moral
intelligence cognitive
intelligence émotionnelle
intelligences multiples
intériorisation
maturité émotionnelle
pairs
pairs aidants
puberté
rivalité fraternelle
stade des opérations concrètes
stade des opérations formelles
stade préopératoire
stade sensorimoteur
syndrome du bébé secoué

Aperçu du chapitre

Figure 13.1
En vieillissant, les enfants gagnent en indépendance et en autonomie.

À la puberté

Te souviens-tu de tes premières années ? Qu'est-ce que tu aimais le plus durant ton enfance ? Que faisais-tu de ton temps ? Où allais-tu ? Avec qui jouais-tu ? Quel genre de relation avais-tu avec ta famille ? Quelles activités préférais-tu ? Comment t'entendais-tu avec les membres de ta famille ? On décrit souvent l'enfance comme une période heureuse faite de journées insouciantes où les enfants rient, jouent, apprennent et découvrent. Pour beaucoup de familles, c'est une période paisible, un répit entre les journées épuisantes de la petite enfance et le tumulte de l'adolescence. Pour d'autres, l'enfance est une phase difficile. En effet, les parents aux prises avec des soucis personnels et des problèmes relationnels doivent penser aux conséquences de leurs actes sur la qualité de leur rôle parental.

Que veut dire être parent d'enfants au stade de la puberté ? Cela signifie avoir de l'aide pour tenir la maison ou pouvoir confier la garde des plus jeunes à l'un des enfants. L'école, les devoirs et les activités après l'école règlent la routine quotidienne. À ce stade, la vie est prévisible et plus facile à gérer parceque les enfants gagnent de l'indépendance et de l'autonomie.

Cependant, quand la famille grandit et que les enfants vieillissent, de nouveaux défis surgissent. À leur période scolaire, les enfants trouvent soudain la maison trop petite : ils ont besoin de beaucoup d'espace et veulent leur propre chambre. S'il faut déménager pour cela, l'expérience peut s'avérer excitante mais stressante. Le ministère de l'Agriculture du Manitoba a révélé, en 2001, qu'il en coûte 155 000 $ au Canada pour prendre soin d'un enfant jusqu'à l'âge de 18 ans. Les coûts pour se loger, se nourrir et prendre soin d'une famille grandissante prennent une grande part du budget familial, même si les deux parents travaillent.

Une famille peut aussi connaître des hauts et des bas. Vivre avec d'autres personnes suppose des ajustements. Partager l'espace, concilier les activités et répartir les tâches ménagères apporte autant de plaisir que de frictions. Dans la plupart des familles ayant plus d'un enfant, les frères et les sœurs se disputent souvent. La **rivalité fraternelle** est une réalité avec laquelle les parents composent. Connaître le développement des enfants aide les parents à relever les défis d'une famille grandissante.

La croissance et le développement pendant et après la puberté

Souviens-toi comme tu aimais vérifier si tu avais grandi. La croissance physique occupe une grande place pendant l'enfance et l'adolescence. Elle continue tout le long de l'enfance, mais augmente de façon significative à la puberté. La **puberté** est la période où des caractères sexuels secondaires se manifestent chez l'être humain. Les filles ont leurs premières menstruations. La production de spermatozoïdes commence chez les garçons. En général, les filles atteignent la puberté avant les garçons. Ainsi, elles ont une poussée de croissance avant le début des études secondaires. Leurs seins et leurs hanches se développent. La puberté des garçons se manifeste plus tard, vers la fin de la première année du secondaire. On observe une poussée de croissance et des changements dans l'apparence physique. Les garçons continuent à grandir jusqu'au début de la vingtaine, alors que la croissance des filles s'arrête vers 18 ans.

Il est normal que les filles arrivent à la puberté avant les garçons. Les garçons finissent de grandir plus tard que les filles.

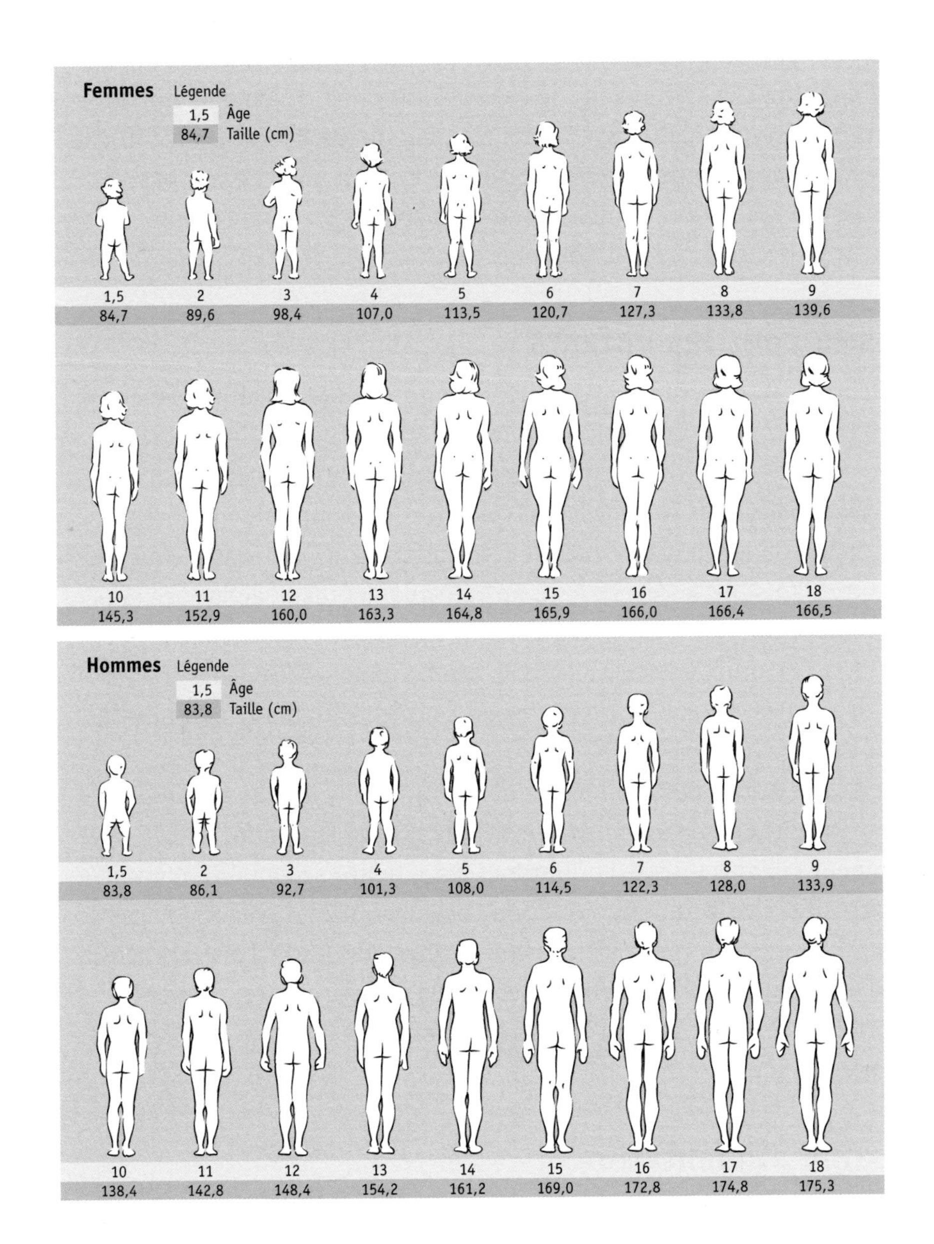

Figure 13.2
Observe les différences de croissance des garçons et des filles.

Figure 13.3
Pendant l'enfance et l'adolescence, les jeunes ont besoin d'une alimentation variée et nutritive.

La nutrition et la croissance physique

Les enfants doivent bien manger pour se développer. Dans les films et les émissions de télévision qui montrent les familles des années 1950, tout le monde prend trois repas nourrissants par jour, préparés par des mères à la maison à plein temps. Les repas se composaient de viande, de pommes de terre et de légumes parfois tout juste cueillis dans le potager familial. Compare cette scène avec la réalité des repas d'aujourd'hui. Tu peux facilement saisir que la nourriture et la nutrition préoccupent grandement les familles grandissantes.

Aujourd'hui, les familles ont souvent des horaires bien remplis qui laissent peu de temps à la préparation des repas. On trouve sur le marché beaucoup de mets préparés, en conserve ou préemballés. La publicité des aliments attirants, qui comportent beaucoup de calories mais peu d'éléments nutritifs, vise directement les enfants. En raison du manque de temps, il est difficile de résister aux repas minute déjà préparés et prêts à manger. Les parents ont parfois du mal à donner une bonne alimentation à leurs enfants, même s'ils ont de la nourriture en abondance.

L'obésité chez les enfants

Les recherches indiquent que l'obésité chez les enfants s'accroît beaucoup au Canada. Une étude de Mark S. Tremblay et J. Douglas Willms (2000), effectuée à l'Université du Nouveau-Brunswick et parue dans le *Journal de l'Association médicale canadienne,* révèle que l'embonpoint et l'obésité ont augmenté de façon alarmante chez les enfants de 7 à 13 ans. Ainsi, le nombre d'enfants obèses de 10 à 12 ans a triplé depuis le début des années 1980. Aujourd'hui, 61 % des enfants entre 5 et 17 ans font très peu d'activité physique, ce qui les destine à faire de l'embonpoint. Ces enfants présentent de grands risques de diabète ou de maladies cardiovasculaires graves, dès le début de l'âge adulte.

Selon le Dr Lance Levy, directeur de la *Nutritional and Eating Disorders Clinic* de Toronto, plusieurs raisons expliquent cette situation. Le Dr Levy mentionne les changements d'humeur et les activités sédentaires comme les premières causes de l'embonpoint et de l'obésité chez les enfants. Pense aux jeux informatiques qui remplacent l'activité physique. Le Dr Levy a remarqué que la dynamique familiale a changé et que la nourriture sert souvent à réconforter les enfants, surtout quand les parents ne sont pas disponibles pour parler avec eux.

Une saine alimentation

De quels éléments nutritifs a-t-on besoin pendant l'enfance et l'adolescence ? Comment les parents choisissent-ils des aliments bons pour la santé et les portions adéquates pour maintenir un poids idéal ? Les parents peuvent consulter des ouvrages comme le *Guide alimentaire canadien*, qui donne de judicieux conseils pour combler les besoins nutritionnels de tous les groupes d'âge. Si les enfants ou les adolescentes et les adolescents mangent le nombre de portions recommandé de chaque groupe d'aliments, ils satisfont leurs besoins nutritionnels. Dès lors, les parents n'ont pas à dresser la liste de tout ce qu'ils consomment chaque jour. Bien entendu, les parents d'enfants souffrant d'allergies alimentaires et de problèmes d'indigestion devront trouver des substituts intéressants aux aliments non tolérés.

Figure 13.4
L'obésité chez les enfants augmente beaucoup au Canada.

Les portions recommandées dans un guide alimentaire procurent l'énergie et les éléments nutritifs nécessaires à la croissance et à la santé. On entend par portion une quantité raisonnable de nourriture. Les enfants plus jeunes et moins actifs ont besoin de portions plus petites. Les enfants plus vieux et plus actifs ainsi que les adolescentes et les adolescents, surtout les garçons, mangent plus. Étant donné qu'ils sont en pleine croissance, les adolescentes et les adolescents devraient consommer des aliments riches en calcium.

Dans leur planification, les parents doivent s'assurer de respecter les recommandations du guide alimentaire avant de tolérer les calories vides. Les desserts composés de fruits ou les poudings à base de lait valent mieux que les aliments riches en gras et en sucre. Un bol de céréales constitue sans contredit une meilleure collation que des croustilles. Lorsque les enfants consomment des aliments minute, ils devraient inclure un verre de lait à leur repas. Les enfants allergiques au lait boiront du jus avec ajout de calcium ou du lait de soya. Si on suit chaque jour le guide alimentaire, on favorise une alimentation équilibrée pour les enfants, les adolescentes et les adolescents.

Manger des aliments sains en quantité raisonnable ne garantit pas une bonne santé. Le *Guide alimentaire canadien* tient pour acquis que les adultes et les enfants mènent des vies actives. L'exercice et une bonne alimentation vont de pair. Si les parents sont actifs, il y a de bonnes chances que leurs enfants le soient aussi.

L'activité physique durant l'enfance et l'adolescence est indispensable à une bonne santé.

Trouve les plus récentes versions en ligne du *Guide alimentaire canadien* et du *Northwest Territories Food Guide*.

1. Compare les deux guides et dresse une liste des différences.
2. Explique pourquoi les types d'aliments recommandés varient selon le guide.
3. Selon l'endroit où tu vis au Canada, indique le guide qui convient le mieux à une famille composée d'un adulte, d'une adolescente et de deux préadolescents.

Étude de cas : Marcher et parler avec les enfants

L'article suivant de M. Hewko a paru dans la revue *Prevention* de mars 2002.

J'ai 39 ans et je suis la mère d'une fille de 11 ans et d'un garçon de 10 ans. Mon mari et moi travaillons tous deux à plein temps et j'étudie à temps partiel pour obtenir mon M.B.A. Ma fille a commencé sa puberté à l'âge de 10 ans et nous prenons ses sautes d'humeur avec un grain de sel. Cependant, après une dure journée au travail, nous tolérons mal les caractères difficiles.

Nous avons trouvé une solution à ce problème : chaque soir, mes enfants et moi faisons une marche de 5 km. Bien sûr, il faut souvent les obliger, mais au bout de quelques minutes, ils se mettent à raconter leur journée à l'école, ce qu'un élève a dit à un autre et comment ils se sentent dans certaines situations. Après 5 km, nous avons fait le tour des événements de notre journée et nous pouvons tourner la page en paix.

La plupart des parents ne trouvent pas le temps de parler avec leurs enfants. Une marche peut les obliger à ignorer les distractions et à se concentrer sur les problèmes. Un autre avantage de nos promenades : ma fille a perdu 12 kg, a l'air plus en forme que jamais et a retrouvé confiance en elle.

Questions

1. Quels sont les bienfaits pour la santé et les relations interpersonnelles de prendre une marche avec ses enfants ?
2. À part la marche, quelles activités seraient à la fois bonnes pour la santé et pour la communication avec les enfants à la fin d'une journée bien remplie ?

Les caprices à table

Quelquefois, des enfants qui aimaient toutes sortes d'aliments quand ils étaient tout-petits en refusent certains en vieillissant. Les enfants capricieux se privent peut-être d'un ou de plusieurs groupes alimentaires, c'est-à-dire qu'il leur manque des éléments nutritifs nécessaires à leur croissance et à leur santé. Il ne faut pas forcer les enfants à manger. Les confrontations au sujet de la nourriture deviennent parfois des luttes de pouvoir dont personne ne sort gagnant. Elles n'ont souvent rien à voir avec la nourriture. Ces luttes perturbent les enfants et entraînent des troubles alimentaires.

Des stratégies pour bien nourrir les enfants capricieux

- Remplacer les aliments que les enfants n'aiment pas par des équivalents : des craquelins au lieu du pain ; des pâtes au lieu des pommes de terre ; des pêches au lieu des carottes ; du fromage ou du yaourt au lieu du lait.
- Laisser les enfants, les adolescentes et les adolescents exprimer leur créativité en essayant de nouvelles combinaisons d'aliments ou en créant des présentations intéressantes.
- Leur confier des tâches signifiantes, comme préparer eux-mêmes leur lunch, couper les légumes ou brasser la soupe.
- « Cacher » des aliments nutritifs, comme des légumes râpés ou du lait en poudre, dans les soupes ou les plats préparés.
- Permettre aux enfants ou aux adolescentes et aux adolescents de remplacer les petits déjeuners traditionnels par autre chose qui leur plaît, par exemple les restes de la veille.
- Tenir des conseils de famille et inviter les enfants à donner leurs idées quant à la planification des repas.

La nutrition et l'apprentissage

Des études ont montré que les enfants qui vont à l'école sans manger le matin ne réussissent pas aussi bien que leurs pairs. La nourriture est le carburant dont ils ont besoin pour penser, travailler et se concentrer. As-tu déjà entendu ton estomac gronder en plein cours ? C'est difficile de penser à autre chose. S'il manque de nourriture, ton corps essaie de conserver son énergie en ralentissant son activité. Tu ressens alors de la fatigue. Tu auras du mal à apprendre si tu sens la fatigue et la faim.

Les enfants vont à l'école sans manger pour plusieurs raisons. Une raison a trait à l'argent. Certaines familles n'ont pas les moyens de procurer trois repas par jour, tous les jours, à leurs enfants. Plusieurs communautés ont mis sur pied des programmes où les élèves mangent à l'école, ou tout près, avant le début des cours. Dans les familles où la nourriture ne manque pas, les enfants omettent le petit déjeuner pour d'autres raisons, comme le manque d'appétit ou de temps. Il y a différentes solutions à ce problème.

Les jeunes qui travaillent auprès des enfants ou des adolescentes et des adolescents, par exemple ceux qui entraînent des équipes sportives ou dirigent des activités communautaires, encouragent souvent les enfants à bien manger, et ce, mieux que les parents. Ils donnent l'exemple et prévoient des activités où les enfants apprennent la valeur nutritive des aliments. À la maison, les enfants aident parfois à faire l'épicerie, lisent les étiquettes, planifient les repas et les préparent. Les enfants ou les adolescentes et les adolescents deviennent aussi des modèles en faisant chaque jour des choix alimentaires judicieux.

Pour des petits déjeuners rapides et faciles

- Préparer le petit déjeuner la veille.
- Manger les restes du repas de la veille, froids ou chauds.
- Fouetter des fruits congelés avec du lait dans le mélangeur.
- Emporter du fromage et un muffin faible en gras.
- Demander à quelqu'un de mettre son bagel à griller pendant qu'on prend sa douche.
- Manger des produits de céréales entières pour se sentir rassasié plus longtemps.
- Inclure dans le petit déjeuner des protéines, un fruit ou un légume et une céréale.

Vérifie tes connaissances

1. Quels sont les avantages et les inconvénients de la vie avec des enfants ?
2. Décris quelques causes de rivalité fraternelle.
3. Explique la façon dont les parents s'assurent que leurs enfants mangent bien.
4. Explique les effets d'une alimentation déficiente sur l'apprentissage, la croissance et le développement des élèves.

Figure 13.5
Les enfants peuvent encourager leurs pairs à faire des choix alimentaires judicieux.

Le développement durant l'enfance

Le développement fait de grands bonds entre 6 et 12 ans. Cette période transitoire entre la petite enfance et l'adolescence comporte des jalons importants sur les plans physique, intellectuel, émotionnel et social. Tous les aspects du développement sont liés. Des changements simultanés dans les compétences intellectuelles et la croissance modifient le réseau social de l'enfant et son évolution émotionnelle. Le tableau ci-après, « Les enfants de 6 à 12 ans », décrit chacun des aspects du développement. De plus, il contient des suggestions aux parents pour optimiser le développement de leurs enfants à chaque âge.

Les enfants de 6 à 12 ans

Âge	Développement physique	Développement intellectuel	Développement émotionnel et social	Ce que les parents peuvent faire
6 ans	• Amincit et perd la graisse de bébé. • Les dents de bébé tombent pour céder la place aux dents d'adulte. • Préfère bouger que de s'asseoir bien tranquille ; les jeux actifs sont très populaires surtout chez les garçons.	• Pose beaucoup de questions ; c'est le stade préopératoire. • S'intéresse à la sexualité. • Capable d'une attention soutenue. • Commence à lire. • Aime la fantaisie. • Se divertit soi-même.	• Les relations avec les pairs à l'école prennent de l'importance et varient souvent. • La rivalité fraternelle s'accroît. • Commence à apprendre à attendre son tour et à travailler en groupe. • Commence à distinguer le bien du mal et aime rapporter.	• Encourager les jeux actifs et les jeux de société. • Rester de bonne humeur. • Répondre simplement et honnêtement. • Avoir des attentes réalistes. • Offrir des choix. • Faire la lecture à l'enfant.
7 et 8 ans	• Grandit et devient plus mince. • L'équilibre et la coordination s'améliorent avec le développement des petits muscles et des grands muscles. • Peut pratiquer des sports d'équipe, le ski, la natation, la bicyclette et les jeux de raquette ; aime la compétition.	• Comprend les notions de temps et d'argent ; c'est le stade des opérations concrètes. • Capacité d'attention plus longue. • Se souvient d'événements et raffole des blagues. • L'autocritique peut émerger. • Aime lire. • Acquiert des aptitudes scolaires. • A besoin de compliments.	• Plus calme mais a des sautes d'humeur. • Développe un sens des valeurs. • La justice est importante. • Préfère les camarades de même sexe et du même âge. • Idolâtre une enseignante ou un enseignant, ou une entraîneuse ou un entraîneur, mais pas ses parents. • Cherche à s'intégrer. • Cherche à plaire. • Est davantage capable de s'entendre avec les autres, d'attendre son tour et de partager.	• Prendre chaque jour le temps de lui parler et de l'écouter. • Faire des compliments sincères. • Encourager les aptitudes et attribuer des responsabilités. • Encourager les relations avec les pairs. • Discuter les idées et les événements. • Se méfier de l'intimidation par les pairs.
9 et 10 ans	• La coordination, le sens du synchronisme et l'équilibre s'améliorent. • Les talents physiques et intellectuels font surface. • Aime les jeux et les sports organisés. • Peut démontrer du talent pour le dessin. • Une meilleure motricité fine lui permet de construire des modèles, d'utiliser des outils et de faire de l'artisanat. • Les clubs, les sports et les activités de groupe sont de mise.	• Aime souvent l'école et le personnel enseignant. • Peut consacrer des heures à une tâche. • Fait des liens et résout les problèmes. • Comprend les notions de vérité et d'honnêteté. • Aime les secrets, les mystères et les jeux d'esprit. • Aime parler aux adultes et impressionner ses parents par ses connaissances.	• A une grande motivation et se prend au sérieux. • Veut que tout soit « juste ». • Acquiert plus d'indépendance vers 9 ans. • Les garçons montrent du mépris pour les filles. • Accepte mieux les reproches. • S'intéresse davantage aux amies et aux amis qu'à la famille. • Apprécie davantage la vie vers 10 ans. • Les filles sont des amies loyales.	• Accepter l'indépendance tout en assurant la sécurité ; proposer des activités en famille. • Respecter le besoin d'intimité de l'enfant. • Prévenir les enfants que vos attentes quant à certaines tâches vont bientôt changer, par exemple l'heure d'aller au lit. • Éviter de réglementer quand ce n'est pas nécessaire. • Essayer de ne pas interrompre les activités plaisantes.

Âge	Développement physique	Développement intellectuel	Développement émotionnel et social	Ce que les parents peuvent faire
11 et 12 ans	• La croissance ralentit chez les garçons. • Les filles ont une poussée de croissance. • Les menstruations commencent chez certaines filles. • Certains garçons commencent à montrer leur force dans des activités audacieuses. • Les filles surtout commencent à accorder de l'importance à leur apparence. • Les activités avec des pairs du même sexe et les sports d'équipe sont encore ce qui compte le plus.	• Peut résoudre les problèmes de la vie de tous les jours. • Aime lire à haute voix et réaliser des projets en collaboration. • S'intéresse aux projets de sciences. • Les lectures préférées : mystère, aventure et biographies. • Comprend et applique les concepts mathématiques. • Début du stade des opérations formelles.	• Devient moins égocentrique. • Améliore ses aptitudes sociales. • Montre plus de patience et d'amitié envers les jeunes enfants. • Aime planifier les activités de groupe. • Subit fortement l'influence des pairs. • Autant les garçons que les filles vivent des variations d'humeur à cause des hormones. • Commence à préférer les amitiés à la famille.	• Profiter des journées agréables avec les enfants et oublier les plus difficiles. • Appuyer les enfants dans leur prise de décision et leur faire accepter les conséquences. • Prendre conscience que les enfants de cet âge ont encore besoin d'encadrement et de règles ; trop de liberté entraîne de la confusion. • Comprendre les besoins d'indépendance à la préadolescence.

Le lien entre l'instruction et le développement

Quand on parle d'enfants d'âge scolaire ou d'élèves du secondaire, on a une idée en tête de leur apparence et de leur comportement. L'école est au cœur de leur vie quotidienne. Durant les premières années et la petite enfance, un attachement fort permet aux enfants de gagner en autonomie en sachant qu'ils peuvent toujours revenir auprès des parents s'ils ont besoin de réconfort. L'école les amène à faire leurs premiers pas dans le monde des règles, des routines et des activités scolaires. Le lien avec les parents leur procure un appui précieux. Les parents offrent le soutien émotionnel dont les enfants ont besoin dans leurs interactions toujours plus nombreuses avec le monde extérieur.

L'école est un cadre culturel qui place les enfants ou les adolescentes et les adolescents en contexte de relations sociales et de nouvelles émotions. Plus ils se développent intellectuellement, plus ils doivent relever de nouveaux défis. Quand le personnel enseignant planifie des activités d'apprentissage, il doit tenir compte du stade de développement des élèves. Une ou un élève peut avoir des troubles de comportement et perdre sa confiance en soi si les attentes à la maison et à l'école dépassent son degré de développement intellectuel, social, émotionnel ou physique.

Figure 13.6
L'école est le cadre culturel du développement social, émotionnel, intellectuel et moral.

Info-carrière

ÉDUCATRICE SPÉCIALISÉE OU ÉDUCATEUR SPÉCIALISÉ

Les tâches et les responsabilités

Certains élèves apprennent plus lentement que la moyenne et d'une manière différente. D'autres apprennent vraiment plus vite et ont besoin de défis pour garder de l'intérêt à l'école. D'autres encore ont du mal à suivre, mais laissent entrevoir des talents extraordinaires. Le personnel en éducation spécialisée reçoit une formation pour travailler avec les élèves ayant des besoins spéciaux et pour élaborer des programmes qui aident chaque enfant à réussir au mieux de ses possibilités.

On entend par éducation spécialisée les catégories suivantes : difficultés d'apprentissage, troubles de l'audition, de la vue, du langage et du comportement, les difficultés physiques et multiples ainsi que la douance. Il faut évaluer chaque élève, concevoir un plan d'apprentissage personnalisé à son intention et appliquer ce plan avec l'élève.

Dans certains cas, l'éducatrice spécialisée ou l'éducateur spécialisé se concentre surtout sur les aptitudes scolaires. Dans d'autres, il faut donner à l'élève des moyens de gérer sa vie personnelle. En plus d'enseigner, l'éducatrice spécialisée ou l'éducateur spécialisé doit observer les élèves, les évaluer, rédiger un rapport sur leurs progrès et collaborer avec les autres professionnelles et professionnels et les parents qui font partie de la vie de l'élève.

L'environnement de travail

Les interventions du personnel en éducation spécialisée se font souvent auprès d'un seul enfant ou auprès de petits groupes d'élèves qu'on a retirés des classes ordinaires pour leur donner un enseignement spécialisé. Il y a donc moins d'élèves par classe. Ainsi, tout le monde profite de plus longues périodes d'enseignement personnalisé. Parfois, l'éducatrice spécialisée ou l'éducateur spécialisé recourt aux services d'une assistante ou d'un assistant. Il faut une étroite collaboration avec la direction de l'école, les parents, les travailleuses sociales et les travailleurs sociaux, les psychologues, les physiothérapeutes et les autres enseignantes et enseignants des élèves pour concevoir et mettre en application des programmes personnalisés.

La formation et les aptitudes

Pour travailler en éducation spécialisée, il faut avoir beaucoup de patience et un réel désir d'aider les élèves. Même si les classes sont généralement plus petites, le travail est très exigeant. Pour réussir dans ce domaine, il est essentiel de posséder de grandes réserves d'énergie physique, émotionnelle et mentale. On doit aussi faire preuve d'ouverture d'esprit et d'empathie.

Chaque province et chaque territoire établissent leurs propres règles en matière de compétences requises pour occuper un poste en éducation spécialisée. Il faut généralement quatre ans pour obtenir un diplôme universitaire de premier cycle avant d'entreprendre une formation en enseignement. La plupart des facultés d'éducation reconnaissent tout diplôme de premier cycle obtenu dans une matière enseignée au primaire ou au secondaire.

Une théorie sur le développement intellectuel

Quand l'enfant termine la maternelle vers l'âge de six ans, son cerveau a déjà atteint 75 % de son potentiel. Les connexions neurales et les différents centres du cerveau sont déjà bien développés. Le développement intellectuel se poursuit pendant l'enfance et l'adolescence.

Jean Piaget est un biologiste suisse qui a étudié les nourrissons et les enfants il y a plusieurs années. Il a élaboré une théorie sur le développement intellectuel. Piaget a divisé le développement intellectuel en quatre périodes : le **stade sensorimoteur,** le **stade préopératoire,** les opérations concrètes et les opérations formelles. Sa théorie est encore valable aujourd'hui.

Pour Piaget, la période allant de 7 à 12 ans correspond au **stade des opérations concrètes.** Les enfants de cet âge commencent à faire des liens. Par exemple, ils savent qu'un long verre étroit contient la même quantité d'eau qu'un verre large et court, même si le niveau paraît plus élevé. Ils comprennent que 10 pièces de 1 ¢ équivalent à une pièce de 10 ¢. Ils peuvent résoudre des problèmes mathématiques demandant de comparer divers éléments. Par contre, ils voient encore le monde de façon très terre à terre. S'ils entendent l'expression « il a eu ce chapeau pour une chanson », par exemple, ils penseront que la personne a vraiment chanté pour avoir le chapeau.

Figure 13.7
Durant le stade des opérations concrètes, les enfants commencent à observer et à comprendre les nuances du langage, les relations et les différents aspects des sciences et de la nature.

Piaget affirme aussi qu'une personne de 12 à 14 ans arrive au **stade des opérations formelles** et devient capable de logique, de raisonnement déductif et de pensée abstraite. Les enfants à ce stade commencent à intégrer les théorèmes mathématiques. Ils s'intéressent aux raisonnements compliqués sur le monde et sur la vie. Ils posent beaucoup de questions de nature abstraite. Ils aiment débattre de questions comme « Si un arbre tombe dans la forêt et qu'il n'y a personne pour l'entendre tomber, est-ce qu'il y a quand même du bruit ? » ou « Qu'est-ce que l'éternité ? ». Ce genre de réflexion ouvre la porte à une pensée plus sophistiquée qu'ils développeront dans des matières scolaires plus avancées.

Il y a des spécialistes en désaccord avec la théorie de Piaget, car le développement intellectuel s'avère bien plus complexe que les quatre stades nets qu'il décrit. En effet, ces stades ne tiennent pas compte des enfants capables de pensée abstraite avant de pouvoir réaliser des opérations formelles ou des adultes qui ne dépasseront jamais le stade des opérations concrètes. Cependant, sa théorie a le mérite de fournir un cadre de référence très utile pour aider le personnel enseignant, les personnes qui s'occupent des enfants et les parents à reconnaître ce qu'ils peuvent attendre de la plupart des enfants aux différents stades de leur développement.

Les stades du développement intellectuel selon Piaget :
- sensorimoteur : de la naissance à 2 ans ;
- préopératoire : de 2 à 7 ans ;
- opérations concrètes : de 7 à 12 ans ;
- opérations formelles : de 12 ans à l'âge adulte.

Une théorie sur les intelligences multiples

Pour bien des parents, des enfants qui réussissent en mathématiques et dans les langues à l'école sont intelligents et n'ont pas de problème. Cependant, le psychologue Howard Gardner ainsi que d'autres personnes ont répandu l'idée selon laquelle l'intelligence inclut en fait des **intelligences multiples.** Selon Gardner, chaque être humain possède neuf intelligences, chacune à différents degrés. Ainsi, les enfants excellent dans certaines tâches, et les parents et le personnel enseignant doivent reconnaître ces tâches. Si un enfant apprend très facilement dans un domaine, cela peut l'aider dans un autre domaine. Par exemple, les enfants qui apprennent mieux en faisant quelque chose ont une intelligence kinesthésique. Ces enfants réussiront mieux en mathématiques s'ils manipulent des objets au lieu d'écrire des nombres.

Les intelligences multiples selon Gardner

Howard Gardner ainsi que d'autres scientifiques ont remarqué neuf types d'intelligences communes à tous les êtres humains, à divers degrés :

L'approche des intelligences multiples favorise grandement la confiance en soi. Il importe que les parents et les personnes qui s'occupent des enfants reconnaissent que chaque personne peut « briller » de plus d'une façon. Quand les enfants arrivent à l'adolescence, ils éprouvent parfois des difficultés en langues et en mathématiques. Cependant, si on les a encouragés à développer leurs forces dans de nombreux domaines, ils seront davantage en mesure de prendre des décisions quant à leur avenir. Tout le monde excelle dans quelque chose. Il faut éviter de vouloir changer la nature d'un enfant, d'une adolescente ou d'un adolescent. Cela réduit sa confiance en lui et a des conséquences négatives à long terme.

Figure 13.8
Pendant l'enfance, les enfants commencent à agir selon leurs intérêts et leurs forces. Cela les prépare en vue de l'avenir. Si on laisse les enfants poursuivre leurs intérêts, on favorise leur estime de soi.

Liens

L'intelligence se cristallise à l'âge adulte. Les personnes raffinent souvent leurs points forts après avoir terminé leurs études. Interroge une ou un adulte. Indique les types d'intelligences de cette personne, selon Gardner. Fais une présentation orale devant la classe sur les points suivants :

1. Dans quels types d'intelligences excelle la personne que tu as interrogée ?
2. Comment cette personne montre-t-elle aux autres ses habiletés dans ce domaine ?

3. Quand cette personne a-t-elle découvert qu'elle avait des aptitudes dans ce domaine ?
4. Selon cette personne, quel type d'intelligence est le moins développé chez elle ? Pourquoi ?
5. Quel conseil cette personne veut-elle donner sur l'importance d'exploiter ses forces et de continuer à les développer ?

Le développement social

Durant l'enfance et l'adolescence, les amitiés prennent beaucoup d'importance. Les jeunes vivent la plupart de leurs interactions sociales à l'école. Les **pairs,** soit les enfants du même âge, influencent les amitiés des jeunes, leur comportement et plusieurs de leurs choix. Si des enfants créent un attachement fort à un parent tôt dans la vie, cette relation sera pour eux un repère dans la façon de se lier d'amitié et de résister à la pression exercée par les pairs.

Se lier d'amitié est une tâche sociale très importante. À l'école primaire, les amitiés se font et se défont régulièrement. De plus, elles varient selon les sexes. Les garçons ont tendance à se lier et à former des groupes dans le contexte d'un sport ou d'une activité ; ils règlent leurs conflits par la bagarre ou une démonstration de leur force. Les filles forment souvent des groupes ou des amitiés en fonction de conversations et d'intérêts communs ; elles peuvent se sentir blessées si la discussion ne suffit pas à régler les différends. À ce stade, les garçons et les filles développent les aptitudes indispensables pour s'entendre avec les autres.

En plus des parents, le personnel enseignant, les entraîneuses et les entraîneurs ainsi que les personnes qui travaillent auprès des jeunes constituent des modèles très influents qui leur montrent comment s'entendre avec les autres et résoudre les conflits de façon appropriée. Leur exemple peut aider les enfants à se lier d'amitié, à contrôler et à gérer les comportements interpersonnels et à améliorer les aptitudes sociales et la confiance des jeunes. Cependant, pour un enfant blessé dans ses sentiments, le parent demeure la meilleure personne pour l'écouter et le comprendre. Maîtriser l'écoute active est essentiel pour tout parent ou toute personne qui s'occupe des enfants.

Figure 13.9
Les activités des pairs peuvent avoir une grande influence sur le développement social. Des milieux positifs qui proposent des modèles de bons comportements permettent d'apprendre et de mettre en pratique les aptitudes interpersonnelles et sociales.

Vérifie tes connaissances

1. Quel est le rôle culturel de l'école dans le développement pendant l'enfance et l'adolescence ?
2. Décris la façon dont un parent d'enfants de 7 ans et de 12 ans peut encourager le développement de chacun d'eux.
3. Décris en quoi la pensée concrète diffère de la pensée abstraite.
4. Explique l'influence du personnel enseignant, des entraîneuses et des entraîneurs ainsi que des personnes qui travaillent auprès des jeunes sur le développement social pendant l'enfance et l'adolescence.

Le développement émotionnel

Les enfants éprouvent toutes sortes d'émotions, comme le bonheur, la tristesse, la colère, la frustration, l'anxiété et le ravissement, entre autres. En vieillissant, ils apprennent à les gérer. En général, ils jugent plus prudent de montrer leurs émotions seulement dans un milieu sûr comme la famille. Une crise de larmes est moins embarrassante à la maison qu'à l'école. De plus, à la maison, les enfants appréhendent la différence entre ce que la société canadienne attend d'eux et ce que leur propre culture accepte quant à la façon de gérer leurs émotions.

Les écoles influent sur le développement émotionnel en raison de leurs règlements relatifs au comportement. Les responsables des écoles s'attendent à ce que les élèves expriment leurs émotions, positives ou négatives, avec modération. Traditionnellement, les garçons et les filles apprenaient à manifester leurs émotions différemment. On empêchait les garçons de pleurer et on empêchait les filles de manifester de la colère. Ces traditions évoluent, mais les enfants continuent à recevoir des messages leur indiquant les émotions qui sont ou non acceptables.

L'adolescence est une période d'émotions intenses. Les relations avec les autres se brisent aussi vite qu'elles se créent. Les liens d'amitié demeurent importants, mais les jeunes cherchent davantage les émotions liées à la sexualité, à la passion et au besoin de l'autre. Cela provoque une grande confusion. De plus, les variations d'humeur causées par les changements hormonaux éveillent toutes sortes de sentiments. Il arrive que les jeunes déversent leur frustration sur les membres de leur famille. Lorsqu'ils ressentent de fortes émotions, ils trouvent souvent utile de les analyser et d'apprendre à les exprimer de manière acceptable. À mesure qu'ils vieillissent, leurs humeurs se stabilisent et ils contrôlent mieux leurs émotions.

Figure 13.10
Les parents et leurs adolescentes et adolescents ont souvent du mal à communiquer.

Astuces

À l'époque de la puberté, les changements hormonaux annonçant l'apparition des caractères sexuels secondaires déclenchent aussi des variations d'humeur et des émotions intenses. Il arrive que ces nouveaux sentiments suscitent des conflits avec les membres de la famille. Il est difficile d'ignorer un enfant en colère. Par contre, on peut adapter les techniques qui fonctionnaient avec les tout-petits et les appliquer aux enfants ou aux adolescentes et aux adolescents.

- Autorise-les à exprimer leurs émotions.
- Compte jusqu'à 10 ou éloigne-toi pour ne pas commencer une dispute.
- Fais de l'écoute active pour les aider à préciser et à reconnaître leurs émotions.
- Sois disponible quand ils veulent parler.
- Pendant un moment calme, explique-leur par des messages au « je » comment leur comportement affecte les autres et toi-même.
- Reconnais le moindre signe d'amélioration de leur capacité de contrôler leurs émotions.
- Recours à de l'aide professionnelle si tu détectes des signes de dépression ou des comportements autodestructeurs.

La maturité émotionnelle

Si des parents ont traité leurs enfants ou leurs adolescentes et leurs adolescents avec empathie, ils donnent à leurs jeunes de bons modèles pour apprendre à respecter les autres et à tenir compte de leurs sentiments. Des élèves qui ont de la facilité à aider les autres à maîtriser leurs émotions deviennent des **pairs aidants.** Parfois, il est plus facile de parler d'un problème à quelqu'un de son âge qu'à une ou un adulte.

Pendant l'enfance et l'adolescence, les jeunes continuent à développer leur **intelligence cognitive,** c'est-à-dire l'ensemble de leurs connaissances. De même, des études récentes ont montré qu'ils peuvent poursuivre le développement de l'**intelligence émotionnelle,** soit la capacité de maîtriser leurs sentiments et de réagir à ceux des autres. Les personnes qui ont une plus grande intelligence émotionnelle réussissent mieux à se lier d'amitié, à s'entendre avec les autres, à conserver un emploi et elles seront probablement de meilleurs parents. Des projets comme *Roots of Empathy* visent à donner aux enfants des outils pour prendre soin des autres. Ce projet les aide à développer une **maturité émotionnelle,** c'est-à-dire une facilité à reconnaître et à exprimer ses sentiments et la capacité d'en parler.

Figure 13.11
Des élèves ayant atteint une maturité émotionnelle deviennent des pairs aidants.

Un programme qui prépare les élèves au rôle parental

par John Earle

Stephenville a été choisie pour devenir le premier centre de formation à Terre-Neuve-et-Labrador pour le projet *Roots of Empathy*, un programme sur le rôle parental destiné aux enfants.

L'empathie se définit comme la faculté de ressentir les sentiments d'une autre personne. Mary Gordon, fondatrice et directrice du programme, a déclaré, dans son allocution sur la mission du groupe, que la capacité de voir et de ressentir comme les autres est capital pour réussir le rôle parental ainsi que pour entretenir des relations sociales enrichissantes, à toutes les étapes de la vie.

Partant de ce principe, si les enfants sont capables de comprendre le point de vue d'une autre personne et de respecter ses sentiments, ils auront moins tendance à se comporter de façon agressive.

Récemment, 13 personnes ont participé à la première session de formation donnée par madame Gordon au complexe L.-S.-Eddy. Le programme pilote avait déjà pris son envol dans des écoles torontoises, en 1996. En 1999 et en 2000, plus de 50 classes à Toronto, du jardin d'enfants jusqu'à la première année du secondaire, participaient au programme *Roots of Empathy*.

La Colombie-Britannique, l'Île-du-Prince-Édouard et certaines villes ontariennes offrent actuellement le programme, et d'autres provinces, comme Terre-Neuve-et-Labrador, se familiarisent maintenant avec cette idée innovatrice.

Cette initiative consiste en un cours sur le rôle parental où l'on enseigne le développement du nourrisson, la maturité émotionnelle ainsi que l'inclusion et qui met l'accent sur la pratique de l'empathie.

Les objectifs particuliers de ce programme sont de développer l'empathie, de préparer les élèves à devenir des parents responsables et à l'écoute, de réduire l'intimidation, l'agressivité et la violence dans la vie des enfants, de donner naissance à une société pacifique et d'accroître la connaissance du développement humain et de l'apprentissage ainsi que la sécurité du nourrisson.

Chaque mois, les enfants vont rencontrer un parent, un nourrisson et un formateur de *Roots of Empathy*. L'année scolaire comprend 27 cours dont 9 sont des visites dans les familles.

Les personnes participantes sont le reflet de la diversité culturelle et ethnique de leur quartier. Guidés par les formateurs de *Roots of Empathy*, les parents deviennent non seulement des experts du développement des nourrissons, mais aussi des parents efficaces servant de modèles influents pour leurs enfants.

Comme le programme enseigne la maturité émotionnelle, plusieurs cours sont consacrés à l'art de se mettre dans la peau des autres. Quand les enfants apprennent comment se sentent les autres, ils sont moins portés à les rendre victimes d'intimidation. Grâce aux messages de respect et de considération véhiculés par *Roots of Empathy*, les enfants connaissent les conséquences de leurs actions sur les autres. Selon madame Gordon, cette initiative peut avoir, dans l'avenir, une incidence considérable dans la prévention de la violence familiale.

Roots of Empathy espère réduire les abus à l'égard des enfants dès la prochaine génération en enseignant aux élèves le développement des nourrissons et la sécurité tout en améliorant leur faculté d'empathie. Le programme renseigne aussi sur le **syndrome du bébé secoué** afin d'aider les enfants à comprendre la vulnérabilité des nourrissons et l'importance de les manipuler en douceur et avec prudence. En définitive, les enfants qui apprennent grâce à l'exemple d'un parent compétent seront moins portés à négliger leurs petits quand, à leur tour, ils assumeront le rôle parental.

Donner à un enfant une maturité émotionnelle, c'est lui offrir non seulement les mots pour exprimer ce qu'il ressent et pense, mais aussi la liberté de le faire. C'est ouvrir la porte aux enfants pour qu'ils parlent de leurs sentiments tout en sachant qu'ils sont respectés. C'est faire en sorte qu'ils se sentent reconnus comme personne unique. Mais la maturité émotionnelle exige, qu'à leur tour, les enfants reconnaissent les autres comme personnes uniques en s'identifiant à elles par les sentiments et la pensée.
— Mary Gordon

Vérifie tes connaissances

1. Quelles sont les conséquences possibles d'empêcher un enfant d'exprimer ses émotions ?
2. Quel lien y a-t-il entre les émotions des adolescentes et des adolescents et les conflits familiaux ?
3. Le programme *Roots of Empathy* a pour objectif d'enseigner l'empathie. Quels aspects du programme visent cet objectif ?

La formation du caractère chez les enfants

L'enfance et l'adolescence comptent beaucoup dans la formation du caractère. Durant cette période, on commence à acquérir des qualités, comme l'honnêteté, l'intégrité, le courage, le souci des autres, la force morale et un système de valeurs, qu'on admire chez les adultes. Les enfants ainsi que les adolescentes et les adolescents doivent apprendre ces qualités et développer un caractère fort en prévision de l'âge adulte.

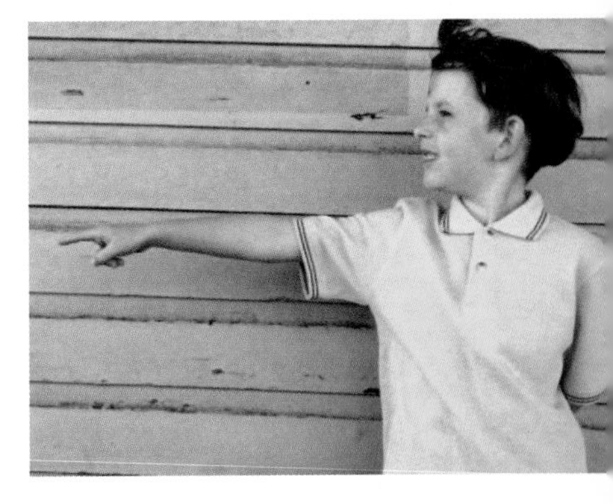

Figure 13.12
Au début du primaire, les enfants rapportent les actions des uns et des autres parce qu'ils commencent à comprendre la notion de bien et de mal.

Distinguer le bien du mal

L'âge scolaire ou l'enfance est une période où les enfants montrent un sens prononcé du bien et du mal. Vers l'âge de sept ans, les règles prennent beaucoup d'importance. Si les enfants jouent à des jeux où il n'y a pas de règles, ils établiront leurs propres règles. Les règles aident les enfants à raffiner leur sens du bien et du mal. Les enfants rapportent souvent à l'école primaire (ils avisent un parent ou une ou un adulte qu'un enfant n'a pas respecté une règle). Ils retirent beaucoup de satisfaction quand ils pointent du doigt une personne qui a tort.

Les premières pensées relatives au bien et au mal viennent surtout du fait qu'on veut respecter les règles afin d'éviter des punitions. Dans les jeux, une erreur peut faire perdre son tour. Dans la vie, avoir tort peut constituer une certaine forme de punition et bien agir, une forme de récompense. Les parents et le personnel enseignant offrent parfois des autocollants ou des étoiles pour souligner un bon comportement. Cependant, cette façon de faire a ses limites parce que la motivation est externe : à un moment donné, chaque personne doit choisir pour soi. Le but à viser pour l'âge adulte est l'**intériorisation**, c'est-à-dire le fait de choisir le bien plutôt que le mal, pas pour obtenir une récompense, mais pour ressentir une satisfaction intérieure.

Les dilemmes moraux

L'expression « **dilemme moral** » réfère d'abord aux situations de la vie où une personne est confrontée à un problème d'ordre moral, problème face auquel elle se sent tiraillée parce que la solution n'apparaît pas évidente. Par exemple, nous allons dire : « J'ai un dilemme moral » lorsque, face à un problème, nous éprouvons de la difficulté à adopter une solution plutôt qu'une autre, les possibilités comportant chacune des avantages mais aussi des inconvénients qui compromettent la qualité morale de la réponse.

Prenons un exemple bien simple. Vous êtes non-fumeur et avez banni la cigarette de votre environnement personnel. Vous vivez des tensions à ce sujet avec vos grands enfants à qui vous avez interdit de fumer dans la maison. Voilà qu'un ami très proche annonce sa visite. Vous le savez fumeur et très chatouilleux sur la question de sa liberté à jouir en paix de sa fumée. Vos enfants vous font remarquer que les fumeurs n'ayant pas de droits dans votre maison, le sort de l'invité devrait être le même que celui qui leur est personnellement réservé. Vous avez peur de froisser votre ami. En même temps, vous êtes bien conscient que vos enfants s'attendent à une certaine cohérence dans vos comportements. Que devriez-vous faire ?

Source : Gouvernement du Québec, *Le développement moral, fiche pédagogique*, avril 1994.

À l'adolescence, les jeunes ne perçoivent peut-être pas le bien et le mal d'une façon aussi tranchée qu'à l'âge scolaire. C'est un bon exemple du stade des opérations formelles de Piaget. En deuxième année du secondaire, la moitié des élèves qui croyaient que c'était mal de fumer en 5e ou en 6e année pourraient commencer à fumer. Ce qui semblait carrément mal à une époque peut, à un autre moment, paraître bien moins condamnable. Les adolescentes et les adolescents pensent parfois qu'un choix qui leur apporte l'approbation des pairs est moins mauvais qu'un choix qui la leur ferait perdre. Les adultes, dont le sens du bien et du mal est très prononcé, voient de l'immoralité dans cette façon de faire ses choix. Néanmoins, beaucoup de jeunes sont capables de montrer une grande empathie, de reconnaître une injustice et de faire preuve de tolérance.

Les théories sur le développement moral

Par leurs recherches, Lawrence Kohlberg et Carol Gilligan ont contribué à définir le développement de la pensée morale. Lawrence Kohlberg était psychologue du développement et professeur à Harvard. Au cours des années 1970, il a élaboré la théorie des « stades du développement moral de Kohlberg ». Une étudiante de Kohlberg, Carol Gilligan, s'est demandé pourquoi sa recherche s'était limitée aux sujets mâles. Elle a donc entrepris d'étudier le développement moral chez les filles et a publié une critique de la théorie de Kohlberg en 1982. Ces deux théories nous aident à comprendre les différences dans le développement moral chez les hommes et les femmes ainsi que chez les enfants et les adultes.

La théorie de Kohlberg sur le développement moral

Selon Kohlberg, les gens passent à travers divers stades de raisonnement moral, chacun plus sophistiqué que le précédent. Une fois un stade achevé, ils ne reviennent jamais à ce type de raisonnement. Les stades 1 et 2 de sa théorie s'appliquent aux enfants du primaire. Les stades 3 et 4 sont fréquents à l'adolescence et chez la plupart des adultes, alors que les stades 5 et 6 correspondent surtout aux adultes qui ont un sens aigu du raisonnement moral.

Les stades du raisonnement moral de Kohlberg

Stade 1 : L'obéissance et la punition
Tu agis parce qu'une autorité te l'ordonne, comme un parent ou une enseignante ou un enseignant, ou pour éviter une punition. Par exemple : « Je n'ai pas le droit de manger un biscuit juste avant le dîner. »

Stade 2 : L'individualisme
Tu agis correctement parce que c'est dans ton intérêt. Par exemple : « Je vais faire toutes mes corvées maintenant, comme ça, j'aurai plus de temps pour jouer dehors. »

Stade 3 : L'approbation
À ce stade, tu choisis une manière d'agir qui t'attire l'approbation des autres. Par exemple : « Les membres du club seront contents si je donne un coup de main pour la collecte de vivres annuelle. »

Stade 4 : L'ordre public
Tu choisis de te conformer à la loi et de faire ton devoir. Par exemple : « Je dois dénoncer mon voisin qui reçoit des objets volés parce qu'il agit contre la loi. »

Stade 5 : Le contrat social
Tu choisis en fonction de l'intérêt commun parce que tu as à cœur le bien-être des autres. Par exemple : « Je recycle parce que je dois faire ma part pour que la planète soit plus propre pour tout le monde. »

Stade 6 : La conscience sur la base de principes
Ton choix s'appuie sur tes principes et sur les exigences de ta conscience. Par exemple : « Je ne pourrais pas me pardonner s'il m'arrivait de blesser un enfant. »

La théorie du raisonnement moral de Gilligan

Carol Gilligan pensait que la théorie de Kohlberg ne reflétait pas le développement moral des femmes. Elle a remarqué que les hommes et les femmes n'ont pas la même conception du bien et du mal. Pour les femmes, la moralité est une « question éthique de soins aux autres » plutôt qu'une « perspective de justice ». Face à un dilemme moral, les femmes se préoccupent davantage de prendre soin d'autrui que de faire justice ou d'appliquer la loi. Elles règlent un problème moral en fonction de l'intérêt des personnes concernées plutôt que du respect d'un code de conduite préétabli.

Le tableau suivant compare les réactions des hommes et des femmes face à un dilemme moral, selon les recherches de Gilligan.

Comparaison : Comment les hommes et les femmes conçoivent-ils un dilemme moral ?

Le dilemme moral vu par les hommes	Le dilemme moral vu par les femmes
Il faut être juste.	Il faut prendre soin des autres.
Tout le monde a des droits.	Tout le monde est responsable des autres.
Tout le monde a droit à un traitement équitable.	Il faut aider toutes les personnes qui souffrent.
Il faut suivre les règles.	Il faut tenir compte des sentiments.
Nous avons la responsabilité de respecter le code de conduite.	Nous sommes responsables des autres personnes.

Pour Gilligan, ces perspectives sont à la fois distinctes et liées. Ni les hommes ni les femmes ne traiteraient quelqu'un injustement, pas plus qu'ils ne refuseraient d'aider une personne dans le besoin. Même si les personnes des deux sexes peuvent raisonner en fonction de l'équité et du soin aux autres, leur tendance première peut les faire pencher d'un côté plutôt que de l'autre. Il n'y a pas de « meilleure » perspective ; chacune illustre une différence de raisonnement.

Bien qu'on ait étudié des adultes pour faire ces comparaisons, on peut observer quelques aspects semblables chez les enfants. Sur un terrain de jeu, les filles cherchent à établir des liens (soins) tandis que les garçons se préoccupent davantage d'équité (justice). Cependant, les garçons et les filles agissent de manière à obtenir l'approbation des autres. Peut-être la société récompense-t-elle plus les garçons s'ils sont justes, et les filles, si elles établissent des relations.

Le passage à l'âge adulte

L'**adolescence**, ce passage entre l'enfance et l'âge adulte, s'est prolongée avec les années. Au temps de la colonisation, il arrivait souvent que des femmes se marient dès l'âge de 16 ans, même si la plupart attendaient la vingtaine ; les hommes, pour leur part, se mariaient dès qu'ils avaient 18 ans. Aujourd'hui, les jeunes font de longues études et peuvent dépendre de leurs parents jusqu'à environ 25 ans. On n'atteint pas l'âge adulte du jour au lendemain : il s'agit plutôt d'une transition, car la croissance et le développement se poursuivent de façons différentes à l'âge adulte. Observe le tableau de la page 324.

Une comparaison entre l'adolescence et l'âge adulte

Adolescence	Début de l'âge adulte à l'âge adulte moyen	Âge adulte avancé
Développement physique • Caractérisé par une croissance rapide en taille et en poids. • Les organes sexuels de reproduction prennent de la maturité. • Les hormones sexuelles mâles et femelles sont en évolution continuelle.	• Atteint sa taille adulte définitive. • La densité osseuse et la masse musculaire optimales sont atteintes. • Le poids peut varier. • La reproduction caractérise cette période.	• La taille commence à diminuer. • Le poids diminue à cause de la perte de densité osseuse et de masse musculaire. • La fonction de reproduction prend fin. • La forme physique se détériore.
Développement intellectuel • La pensée abstraite se développe. • L'apprentissage s'accroît. • Les connexions neurales s'enracinent. • Les types d'intelligences émergent. • La capacité d'attention se prolonge.	• La pensée plus complexe se cristallise. • Il peut être plus difficile d'apprendre une langue et de faire de nouveaux apprentissages. • L'apprentissage continue tout au long de la vie.	• Il se produit une certaine perte de cellules nerveuses. • La mémoire se maintient si elle est stimulée. • Certaines personnes peuvent souffrir de démence. • La mémoire à long terme dure plus longtemps que la mémoire à court terme.
Développement social • Développe son identité par le contact avec les autres. • Commence à créer des liens durables. • Établit des relations de travail.	• Développe des relations/associations durables. • Développe un sens de la générativité soit grâce au rôle parental, au travail d'entraîneuse et d'entraîneur ou à l'enseignement. • Accroît ses interactions communautaires et sociales.	• Peut perdre son partenaire de vie. • Devient grand-mère ou grand-père et crée des liens intergénérationnels. • Forme des relations sociales. • S'adapte au vieillissement.
Développement émotionnel • Les émotions et les humeurs sont instables. • La maîtrise de soi s'améliore avec le temps. • La conscience des besoins et des sentiments des autres s'accentue.	• S'attache à sa conjointe ou à son conjoint et à ses enfants. • A le souci des autres et veut entretenir ses liens. • Peut connaître la dépression.	• Fait le deuil d'amies ou d'amis et de parents. • Ressent les émotions plus vivement et prend conscience du vieillissement.
Développement de la personnalité • En constante évolution.	• Fait preuve de cohérence.	• Subit les conséquences des événements de la vie.

Tu peux voir dans le tableau qu'à la fin de l'adolescence ou au début de l'âge adulte, les gens ont déjà vécu les moments clés de leur développement. Les parents joueront toujours un rôle important auprès de leurs enfants. Cependant, une fois jeunes adultes, les enfants sont en général en mesure de mener leur propre vie. Certains deviennent même parents à ce stade. Dans ce cas, leurs parents auront un nouveau rôle à jouer pour soutenir la nouvelle famille en tant que grands-parents.

Vérifie tes connaissances

1. Pourquoi les jeunes à l'adolescence ne perçoivent-ils pas le bien et le mal aussi clairement que les enfants d'âge scolaire ?
2. Décris, dans tes mots, la théorie des stades du développement moral de Kohlberg.
3. À quel moment se termine l'adolescence ? Explique ta réponse.

Le défi du rôle parental pendant l'adolescence

Être parent d'adolescentes et d'adolescents comporte certains défis. À cette époque, les parents ont souvent leurs propres problèmes. Les jeunes et leurs parents doivent affirmer leur identité, résoudre les problèmes liés à l'emploi et se préoccuper de l'avenir. Les parents ont parfois l'impression qu'ils perdent le contrôle dans plusieurs aspects de leur vie. Les adolescentes et les adolescents, pour leur part, cherchent à affirmer leur indépendance alors que les parents ne sont pas encore prêts à accepter cette réalité. Pour régler les conflits potentiels, les parents devront exploiter leurs aptitudes en résolution de problème et en communication. Voici un article de Santé Canada qui donne quelques conseils aux parents d'adolescentes et d'adolescents.

La parole aux parents

Être parents d'adolescents : les hauts et les bas

Santé Canada publie un magazine en ligne, *Santé ! Canada*. L'article «Être parents d'adolescents : les hauts et les bas» y a paru en février 2001.

« Si tu penses que c'est difficile maintenant, attends à l'adolescence ! »

Combien de parents ont entendu cette phrase à l'approche de l'adolescence de leurs enfants ? Élever des adolescents relève souvent du défi, mais la plupart des parents croient que cela en vaut vraiment la peine.

L'adolescence est une période où les enfants doivent vivre les changements de leur corps (la puberté) et les changements dans leur identité sexuelle, émotive, intellectuelle et sociale. À cause de tous ces changements simultanés, les parents doivent interagir avec une personne assez différente de l'enfant qu'ils connaissaient.

Les adolescents se cherchent une identité et une personnalité, qu'ils se construiront de nombreuses façons : en éprouvant des idées « radicales », en se motivant à exceller dans les sports ou les arts, en portant des vêtements « différents », en accordant plus d'attention à l'avis de leurs amis plutôt que de leurs parents. Dans la plupart des cas, il n'y a pas à s'inquiéter : ils traverseront l'adolescence haut la main.

Comprendre votre adolescent

- Tester les limites fait partie du processus de croissance des adolescents. Bien qu'ils puissent se plaindre des règles et des limites, ils ont besoin de savoir ce qui est acceptable et ce qui est inacceptable pour leurs parents. La meilleure chose à faire est d'établir des règles avec eux, y compris une entente mutuelle sur les conséquences d'une infraction.

Figure 13.13
À l'adolescence, on accorde plus d'attention aux conseils de ses pairs qu'à ceux de ses parents.

- Rappelez-vous que les règles peuvent changer au fur et à mesure que vos adolescents mûrissent et assument une plus grande responsabilité personnelle.
- Lorsqu'une tendance comportementale persiste ou s'aggrave, cela peut signaler un problème plus grave, telle la dépression. Maintenir la communication vous aidera à régler de nombreux problèmes, mais n'hésitez pas à obtenir plus d'information ou de l'aide professionnelle.
- Faites savoir à vos adolescents que vous les respectez en tant qu'individus ayant leur propre conception de la vie. Tenter d'en faire le prolongement de soi est risqué.
- Le développement intellectuel des adolescents peut être rapide, et ils voudront éprouver leurs idées, leurs valeurs et leurs convictions. Même si vous croyez que leurs idées sont immatures ou bizarres, il est important d'écouter ce qu'ils ont à dire.
- Soyez aussi constant que possible dans votre propre comportement. Un excellent professeur constitue un bon exemple.

Besoin d'aide ?

Si vous avez l'impression que votre vie familiale est constamment bouleversée ou vous vous inquiétez au sujet de vos adolescents, voici ce que vous pouvez faire :

Figure 13.14
Beaucoup de parents d'adolescentes et d'adolescents cherchent de l'aide professionnelle. Plusieurs communautés offrent des services pour aider les parents ainsi que les adolescentes et les adolescents à résoudre les conflits et les problèmes.

- Communiquez avec d'autres parents pour obtenir idées et soutien.
- Joignez-vous à un groupe d'aide à la famille.
- Consultez du matériel éducatif sur la vie familiale. La bibliothèque de votre localité devrait disposer de ressources audio, vidéo et imprimées.
- Parlez à un conseiller scolaire ou spirituel, un médecin ou une infirmière en santé publique.
- Communiquez avec des agences où vous pouvez obtenir des conseils professionnels sur le rôle parental, dont les coordonnées se trouvent dans les pages jaunes.
- Pour les problèmes graves – consommation de drogue, fugue, menaces de suicide, grossesse non désirée, infraction à la loi –, communiquez avec l'agence d'aide à l'enfance, le ministère des Services sociaux provincial ou territorial, ou le service de police de votre localité.

Résumé

Points marquants

- Les familles où il y a des enfants d'âge scolaire, des adolescentes et des adolescents ont plusieurs défis à relever.
- Les enfants continuent de grandir tout au long de l'enfance et de l'adolescence, il est donc important de leur assurer une bonne alimentation.
- Le guide alimentaire le plus récent de ta région et des aliments de remplacement pour les enfants souffrant d'allergies et d'intolérances alimentaires permettent de combler les besoins nutritionnels des enfants.
- La nutrition affecte la croissance et le développement intellectuel.
- Prendre un petit déjeuner le matin favorise l'apprentissage.
- L'école fournit le cadre culturel nécessaire au développement intellectuel, social et émotionnel des enfants pendant l'enfance et l'adolescence.
- Les éléments clés du développement à ce stade consistent à apprendre, à se lier d'amitié et à gérer ses émotions. La formation du caractère va de pair avec le développement moral.
- Les théories sur le développement moral montrent que la pensée morale varie selon le sexe et qu'elle évolue en fonction de l'âge.
- Lorsque les enfants passent de l'adolescence à l'âge adulte, leurs parents ont réalisé l'essentiel du rôle parental.

Révision et approfondissement

1. Conçois une collation nutritive pour chaque personne :
   - un enfant inactif de 6 ans ;
   - un enfant de 8 ans qui fait de la gymnastique chaque jour après l'école ;
   - un enfant de 10 ans qui distribue le journal ;
   - une adolescente de 14 ans, joueuse étoile de basket-ball ;
   - un « petit génie » de l'informatique de 16 ans, allergique aux produits laitiers.

   C/C A
2. Détermine combien de fois par jour tu vois, tu entends ou tu lis des publicités d'aliments riches en calories et peu nutritifs. Conçois un plan pour aider les jeunes à résister à la tentation. R/R A
3. Conçois une brochure à l'intention de parents d'enfants de 9 et 10 ans. Propose des stratégies pour favoriser le développement global de leurs jeunes. C/C R/R C A
4. Les garçons et les filles diffèrent sur plusieurs plans. Décris comment les enfants de chaque sexe forment et entretiennent des amitiés. Parle à des enfants de 10 ans pour vérifier si tu peux reconnaître ces différences. C/C R/R
5. Définis la maturité émotionnelle. Indique comment elle peut améliorer l'intelligence émotionnelle d'un enfant. C/C A

6. Explique pourquoi on souhaite que les enfants arrivent à l'intériorisation pour reconnaître la différence entre le bien et le mal. C/C
7. Décris un dilemme moral courant à l'adolescence. Explique comment un garçon et une fille pourraient aborder le problème à leur manière. C/C R/R
8. À partir des caractéristiques physiques, émotionnelles et sociales d'une personne adulte, énumère celles qu'il te reste à développer ou à acquérir avant de te considérer comme adulte. C/C A
9. Énumère les satisfactions et les défis associés au fait d'élever une adolescente ou un adolescent. C/C

Recherche

10. À part tes parents, qui influence tes choix alimentaires ? Observe et interroge une personne occupant l'un des emplois ci-après ; tu peux aussi lire à ce sujet. Rédige un rapport sur l'influence de cette personne sur les habitudes alimentaires des enfants à l'âge scolaire et à l'adolescence.
    - Travailleuses et travailleurs dans une cafétéria scolaire ;
    - Serveuses et serveurs dans un restaurant ;
    - Entraîneuses personnelles ou entraîneurs personnels ;
    - Publicitaires dans le domaine de l'alimentation ;
    - Enseignantes et enseignants en études de la famille, en éducation physique ou autres matières ;
    - Athlètes professionnels ;
    - Personnel d'une épicerie ;
    - Jeunes actrices et acteurs, vedettes et mannequins ;
    - Travailleuses et travailleurs de la santé, comme des dentistes et des médecins.
11. Dresse un questionnaire visant à tester la théorie du développement moral de Gilligan chez tes pairs. Imagine deux ou trois scénarios et demande aux filles et aux garçons comment elles et ils agiraient dans ces situations.

Analyse et solution

12. Avec une ou un partenaire, choisis l'un des thèmes suivants. Présente tes découvertes du point de vue d'un parent et du point de vue d'une adolescente ou d'un adolescent.
    - La pression exercée par les pairs ;
    - Le besoin d'indépendance ;
    - L'établissement de règles et de limites par les parents ;
    - Les emplois à temps partiel.

Module 6 La nurturance

Ce module explore la façon dont les enfants apprennent ce qu'on attend d'eux en matière de comportement. Tu examineras des techniques pour bien donner l'exemple et enseigner des comportements acceptables, et ce, au cours de la petite enfance, de l'enfance et de l'adolescence. Tu apprendras quelques théories sur l'éducation des enfants, des compétences parentales positives et des techniques de discipline. Ces notions s'avèrent utiles autant pour les parents que pour les personnes qui travaillent auprès des enfants de tous âges.

Thèmes développés :

- Les enfants de tous âges apprennent les comportements socialement acceptables auprès d'une communauté de parents, de personnes qui s'occupent d'eux et de professionnelles et de professionnels.
- Les expériences positives et négatives de socialisation à l'extérieur de la maison façonnent le développement humain pendant l'enfance et l'adolescence. Certaines pratiques éducatives sont plus efficaces que d'autres.
- Les parents, les personnes qui s'occupent des enfants et celles qui travaillent auprès d'eux ont besoin d'un répertoire de stratégies gagnantes afin d'encourager des comportements positifs et l'estime de soi chez l'enfant.
- L'objectif de l'éducation pendant l'enfance et l'adolescence est d'aider les jeunes à développer l'autodiscipline et l'autonomie.
- La nurturance, l'enseignement et des pratiques parentales positives à tous les stades du rôle parental sont essentiels pour élever des enfants en santé ayant une grande confiance en soi et un sentiment de sécurité.

Aperçu du module

Chapitre 14

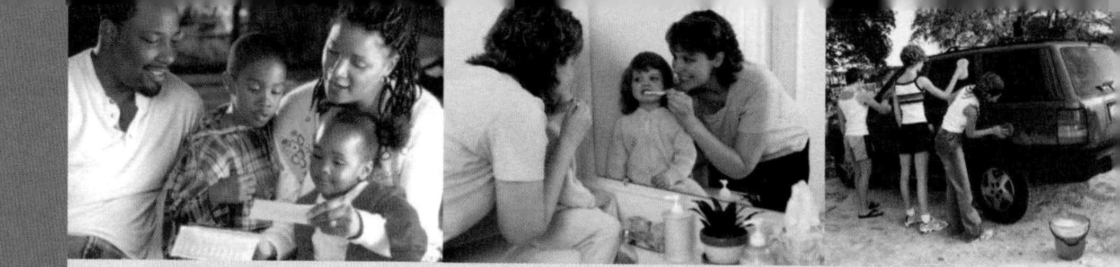

La socialisation des enfants

À la fin de ce chapitre, tu pourras :

- reconnaître les différences sociales et culturelles dans les comportements des enfants ;
- reconnaître le rôle fondamental de la famille dans la socialisation de ses membres ;
- décrire l'importance de la nurturance et de l'enseignement donnés par les parents et par les personnes qui s'occupent des enfants ;
- indiquer des stratégies pour encourager des comportements appropriés aux divers âges ;
- analyser les différences sociales et culturelles existant dans les comportements des enfants ;
- donner une définition des mauvais traitements infligés aux enfants et de la violence familiale, et décrire des stratégies visant à garantir un environnement sécuritaire et sans violence pour tous les enfants.

Mots clés

abus sexuel
agent de socialisation
anarchie
bafouer l'autorité
comportement criminel
comportement socialement acceptable
empathie
encouragement
expérience d'apprentissage positive
malnutrition
mauvais traitement
modèle
négligence
norme
philosophie parentale
renforcement
rétroaction positive
socialisation
structure de socialisation négative
violence familiale
violence physique
violence psychologique

Aperçu du chapitre

Qu'est-ce qu'un comportement socialement acceptable ?

Il y a de nombreuses règles non écrites régissant le comportement dans notre société. On ne doit pas s'immiscer dans une file d'attente, mettre les doigts dans son nez en public, cracher, ni parler trop fort. On doit faire preuve de politesse, surtout envers les personnes âgées, attendre son tour et surveiller son langage. Ce sont des **comportements socialement acceptables** que tous les enfants doivent apprendre. On les appelle des bonnes manières, de la courtoisie ou du respect envers autrui. Les enfants et les adultes continuent d'apprendre les comportements acceptables ou non selon les circonstances. Ce processus se nomme la **socialisation.** La socialisation enseigne aux enfants la façon de s'intégrer au monde qui les entoure.

Le dictionnaire définit la socialisation comme l'intégration de l'individu à un groupe, s'accompagnant d'une modification de son comportement.

Les enfants ont souvent de la difficulté à comprendre le processus de socialisation, car une action acceptable dans une situation peut être inacceptable dans une autre. Le ton de voix qu'on utilise au terrain de jeu peut ne pas convenir dans un lieu fermé, comme une bibliothèque. Certains comportements acceptables à la maison ne sont pas appropriés en public. Parfois, on permet aux jeunes enfants d'adopter des comportements régressifs à la maison, comme se coller à un des parents ou sucer leur pouce, mais pas à l'épicerie. Tu peux peut-être boire la dernière goutte de soupe à même ton bol quand tu manges en famille, mais pas en présence de convives ou au restaurant.

Figure 14.1
Quels types de comportements étaient inacceptables lorsque tu étais enfant ?

Les réactions et les signaux des gens font vite savoir si on ne se comporte pas correctement. Un froncement de sourcils, un regard ou un toussotement peuvent signaler discrètement qu'on a fait une erreur. Un regard désapprobateur, un silence soudain, un « pardon ? » ou un cri de protestation indique qu'un comportement est inapproprié. En général, le sentiment d'embarras ou d'inconfort qu'on ressent suffit à faire comprendre qu'on a mal agi.

Liens

1. Pense à une action socialement inacceptable mais pas illégale. Par exemple, on ne devrait pas faire face aux gens dans un ascenseur, se moucher bruyamment en classe ou apporter sa nappe et son couvert dans un restaurant rapide. Fais cette action. Dans une présentation à la classe, raconte : a) ce que tu as fait ; b) comment tu te sentais en le faisant ; c) la réaction des gens.

Encourager un comportement socialement acceptable

Les enfants naissent sans savoir se comporter. Ils doivent apprendre à distinguer les comportements acceptables de ceux qui sont inacceptables. Quand les enfants font de nouvelles expériences, les parents et les personnes qui s'occupent des enfants peuvent encourager les bons comportements. L'**encouragement**, c'est-à-dire des commentaires favorables au comportement, donne à l'enfant le *courage* d'agir d'une manière acceptable pour la société. On fait du **renforcement** lorsqu'on reconnaît un comportement positif chez l'enfant et qu'on l'encourage à répétition jusqu'à ce qu'il devienne naturel. L'encouragement et le renforcement font partie des interactions de tous les jours entre les parents et les enfants.

Des stratégies parentales pour enseigner des comportements socialement acceptables

Voici trois stratégies d'enseignement efficaces : montrer aux enfants comment faire, leur dire comment faire et reconnaître les bonnes actions.

Donner l'exemple Les parents, les personnes qui s'occupent d'enfants et les autres adultes donnent l'exemple de comportements attendus en suivant les pratiques sociales acceptées. Cela permet à l'enfant d'imiter un bon comportement. Un attachement efficace amène l'enfant à s'identifier à ses parents, ce qui l'encourage à imiter leurs comportements.

Exprimer les attentes Il faut dire clairement à l'enfant ce qu'on attend de lui dans diverses situations sociales, par exemple si on va à la bibliothèque, en visite chez quelqu'un, à un mariage ou à un enterrement. Si un enfant n'a jamais vécu ces situations sociales, il faut lui donner des directives claires afin qu'il sache se comporter. Il doit avoir assez d'assurance dans de nouvelles situations pour observer et imiter les comportements et les attitudes des adultes.

Faire une rétroaction positive La politesse, le sens du service, le respect envers les autres et le respect du comportement social accepté méritent une récompense. Un sourire, un compliment, une petite surprise ou un petit privilège et, surtout, un « merci » renforcent les comportements appropriés.

Figure 14.2
On laisse les enfants de deux ou trois ans jouer dans les armoires de cuisine, mais ce n'est plus acceptable pour des enfants de huit ou dix ans.

Liens

1. Fais un jeu de rôles pour montrer une stratégie que les parents utilisent pour encourager et renforcer un comportement approprié.

Un comportement adapté à l'âge

On attend des comportements différents des enfants selon leur âge. On peut admettre qu'un enfant de quatre ans mange avec ses doigts, mais on n'accepte généralement pas qu'un enfant de huit ans ou qu'une adolescente ou qu'un adolescent en fasse autant. Les adultes peuvent sourire lorsqu'un enfant fixe une personne qu'il ne connaît pas. Chez les adultes, on considère le même comportement comme une impolitesse qui va jusqu'à provoquer de la colère dans certains cas. On veut que les enfants fassent preuve de politesse et de serviabilité, et que les adolescentes et les adolescents prennent plus de responsabilités à la maison et au sein de la collectivité. On s'oppose au travail des enfants ; par contre, les adolescentes et les adolescents peuvent travailler à temps partiel, à moins de consacrer tout leur temps à leurs études et à du bénévolat.

Les comportements auxquels on peut s'attendre de personnes de différents âges dépendent de leur stade de développement. Plus les enfants sont jeunes, moins ils ont de choses à se rappeler. Voici une liste des nombreux comportements acceptables que les enfants doivent apprendre aux différents stades de développement.

Des comportements adaptés à l'âge

Nourrissons
- ne mets pas ça dans ta bouche, c'est sale
- ne fais pas mal au chat/au chien
- ne mords pas, n'empoigne pas, ne tire pas les cheveux

Tout-petits
- ne frappe pas, ne mords pas, ne pince pas
- sois douce ou doux avec le bébé
- ne lance pas les objets
- dis « s'il vous plaît » et « merci »
- parle dans tes mots
- partage tes jouets
- garde tes vêtements en public

Enfants d'âge préscolaire
- ne donne pas de coups de pied et ne hurle pas en public
- ne pince pas et ne frappe pas
- dis « s'il vous plaît », « merci » et « pardon »
- ne hausse pas le ton à l'intérieur
- mange proprement
- ne te bats pas avec ton frère ou ta sœur
- tire la chasse d'eau

Enfants d'âge scolaire
- suis les règles
- sois polie ou poli et serviable
- n'utilise pas de langage grossier
- ne te vante pas
- attends ton tour
- applique les bonnes manières

Adolescentes et adolescents
- comporte-toi avec maturité
- contrôle ta colère
- prends des responsabilités
- aide à la maison
- réfléchis à ce que tu fais
- mets en pratique les bonnes manières, fais les choses dans les règles
- fais attention aux autres et respecte-les

La réaction des parents, des frères et sœurs ou des adultes à un comportement inacceptable d'un enfant peut changer cette situation en une **expérience d'apprentissage positive.** Ridiculiser, gifler, menacer et crier sont des réactions négatives qui font honte à l'enfant et qui diminuent son estime de soi. Il vaut mieux faire des rappels discrets, rediriger l'enfant vers un comportement plus acceptable et prendre le temps de lui montrer la façon de se comporter. De telles réponses proactives encouragent des expériences d'apprentissage positives. Les enfants apprennent également de leurs erreurs et des réactions provoquées par leurs comportements. Par exemple, lorsqu'ils s'immiscent dans une file d'attente au cinéma ou à la cafétéria de l'école, ils découvrent rapidement si leur comportement est acceptable ou non.

Les erreurs sont peut-être les plus importantes expériences d'apprentissage de la vie.
— Anonyme

Vérifie tes connaissances

1. Parmi les trois stratégies parentales pour l'enseignement des comportements socialement acceptables, laquelle utilise-t-on pour encourager ou décourager les comportements figurant dans la liste des comportements adaptés à l'âge?

2. Dans la liste des comportements adaptés à l'âge, indique ceux que l'on considère comme une mauvaise conduite :
   a) en famille ;
   b) dans un service de garderie ou à l'école ;
   c) en public ou dans une situation au sein de la collectivité.
3. Dresse une liste de comportements socialement inacceptables chez des enfants d'un groupe d'âge en particulier. Pour chaque comportement, suggère une stratégie pour encourager un comportement plus acceptable sans heurter l'estime de soi de l'enfant.

Le rôle de la famille et des proches dans la socialisation des enfants

Les parents sont les premiers et les plus importants entraîneurs et instructeurs des enfants. Ils sont là entre l'enfant et le monde et montrent la voie à suivre. Un parent devient le **modèle** qui indique à l'enfant la façon d'agir. Les enfants apprennent les compétences nécessaires pour réussir dans la vie bien avant d'avoir à s'en servir hors de la maison. La famille fait vivre aux enfants leurs premières relations interpersonnelles. Les enfants aînés ou uniques comptent sur leurs parents pour leur enseigner les comportements appropriés. Par contre, les enfants apprennent souvent comment agir auprès de frères et de sœurs plus âgés.

Les enfants intègrent plus facilement les comportements acceptables avec le soutien social de leur famille. Les membres de la famille jouent un rôle actif dans tous les domaines du développement de l'enfant. Le jeu fait sourire et réagir le bébé. En même temps, il encourage les échanges. Jouer à « Coucou » est amusant, mais ce jeu enseigne aussi à l'enfant que ses parents seront toujours là pour lui. Les bras tendus des parents encouragent l'enfant à faire ses premiers pas, mais lui révèlent également que quelqu'un a confiance en lui. Parler, sourire, câliner ou encourager sont des attitudes naturelles pour des parents, des frères, des sœurs lorsqu'il y a un bébé dans la maison. La famille est le facteur le plus déterminant de l'apprentissage et du développement durant la petite enfance. Elle joue un rôle très important quand il s'agit d'aider l'enfant à apprendre les comportements propres à la société.

Qu'est-ce que l'interaction familiale apprend aux enfants ?

Les enfants apprennent :

- à aimer et à être aimés ;
- à interagir avec les autres ;
- à partager les ressources familiales, telles que l'espace, l'ameublement, le temps et l'attention parentale ;
- à coopérer avec leurs frères et sœurs, et à s'y opposer ;
- à régler leurs propres comportements suivant le modèle des membres de la famille ;
- à établir des liens avec des personnes à l'extérieur de la famille.

Le pouvoir de la lecture

La lecture d'histoires et de livres aux enfants est une des meilleures façons pour les membres de la famille de contribuer au développement social d'un enfant. Les livres sont une ressource efficace. On peut s'en servir pour décrire aux enfants le monde et les comportements des gens. Les représentations d'objets et d'interactions humaines préparent les enfants à réagir lorsqu'ils se retrouveront dans des circonstances semblables. Les livres permettent de présenter beaucoup de routines, de façons d'agir et de situations nouvelles, comme un premier examen dentaire.

Faire la lecture aux enfants prend du temps. Cependant, les parents qui prennent le temps de le faire montrent à leur enfant à quel point c'est important. En plus, ce rituel stimule un apprentissage précoce. Lire le même livre maintes et maintes fois peut sembler ennuyeux à des adultes, mais les enfants adorent la répétition. Cela leur permet d'anticiper un mot particulier et de reconnaître la manière dont il s'écrit. Ils peuvent prédire l'issue de la situation. En plus, cela réduit leur inquiétude quant à la fin de l'histoire.

Quand on lit pour un enfant, on lui donne bien plus que l'occasion d'entendre des mots et de voir des images. On lui procure un cadre chaleureux dans lequel il apprend la langue et établit des liens entre la langue et les comportements, ainsi qu'entre la langue et les objets. À mesure que l'enfant apprend des concepts et se familiarise avec la manière d'agir et d'interagir des personnages des histoires, il développe la confiance dont il a besoin pour affronter le monde. Les enfants à qui on lit des histoires fonctionnent bien comme apprenantes et apprenants et en société.

Puisqu'on sait que la lecture répétée d'un livre est un facteur important du développement de la capacité à lire et à écrire d'un enfant, il faut se féliciter de l'entendre toujours réclamer la même histoire. Et il la demandera s'il en aime les personnages, s'il les comprend ou s'il s'identifie à eux.
— Mem Fox

Le jeu et la socialisation

Les enfants exercent aussi leurs aptitudes sociales par le jeu. Les jeux où l'enfant fait semblant ou fait appel à l'imaginaire lui permettent d'imiter un rôle observé dans la société. Les jeux comme jouer au papa et à la maman, à l'école, au restaurant, au roi et à la reine, au chef de bande, etc., font intervenir les règles sociales telles que les enfants les perçoivent. Le jeu fournit aux enfants un cadre sans risque où ils peuvent pratiquer des comportements acceptables et inacceptables et en concevoir les conséquences. Ils ont la possibilité de s'imaginer cambriolant une banque, embêtant le personnel du magasin ou désobéissant aux ordres des parents, et se faire une idée des réactions appropriées.

Figure 14.3
Par les jeux où ils font semblant ou faisant appel à l'imaginaire, les enfants imitent des rôles et des comportements acceptables. Le jeu leur fournit un environnement sans risque pour s'exercer.

Liens

1. Lis plusieurs livres pour enfants. Reconnais les valeurs et les morales véhiculées par les histoires. Énumère des comportements socialement acceptables de l'histoire.
2. Rédige et illustre un livre destiné à des enfants de quatre ans. L'histoire devrait leur apprendre la façon d'agir dans une situation nouvelle pour eux.
3. Observe des enfants en train de jouer. Comment adoptent-ils et renforcent-ils des comportements socialement acceptables ? Comment réagissent-ils à des comportements inacceptables ?

■ Les agents de socialisation :
- la famille ;
- les personnes qui s'occupent des enfants ;
- les pairs ;
- l'école ;
- la religion ;
- la culture ;
- la collectivité ;
- les médias.

Les agents de socialisation

On appelle **agents de socialisation** les personnes et les groupes de personnes qui enseignent aux enfants les **normes** d'une société, soit les pratiques acceptées. Les êtres humains ont beaucoup d'agents de socialisation au cours de leur vie. Voici les principaux agents de socialisation des enfants : la famille, les personnes qui s'occupent des enfants, les pairs, l'école, la religion, la culture, la collectivité et les médias. Cependant, ces agents ont parfois des opinions différentes sur ce qui constitue un comportement acceptable. Par exemple, la norme dans un groupe est de porter un chapeau en tout temps, alors que la norme de l'école ou du tribunal local impose de ne pas porter de chapeau, sauf pour des raisons religieuses.

Figure 14.4
Les agents de socialisation.

❖ Liens

1. Fais un diagramme en toile d'araignée. Dessine-toi au centre et trace des lignes qui vont de toi vers l'extérieur. Au bout de chaque ligne, décris la façon dont chacun des agents de socialisation influence ton comportement ou ta façon de penser. Par exemple, au lieu d'écrire le mot « famille », nomme chaque membre de ta famille et décris son influence.

Les rôles intervenant dans la socialisation

Bien sûr, les parents sont les premiers et principaux agents de socialisation, mais d'autres personnes qui s'occupent des enfants et d'autres membres de la collectivité ont aussi de l'influence. Pense au personnel enseignant, aux entraîneuses et aux entraîneurs, aux gens du voisinage, aux membres d'organismes communautaires ainsi qu'aux professionnelles et aux professionnels travaillant auprès d'enfants.

Voyez tout. Ignorez beaucoup. Corrigez un peu.
— Pape Jean XXIII

Le rôle des parents est de fournir aux enfants une base solide pour leur socialisation. Ils le font par l'amour et l'attention qu'ils leur donnent dès leur naissance. Beaucoup de parents ont besoin d'autres personnes pour s'occuper des enfants lorsqu'ils travaillent ou qu'ils s'absentent. Ces personnes doivent refléter les valeurs et les attitudes des parents en matière de socialisation. Les parents font savoir clairement à ces personnes ce qu'ils acceptent ou non de la part de leurs enfants et la façon dont ils souhaitent qu'elles renforcent leurs préférences en leur absence.

Une **philosophie parentale** définit précisément l'approche que les parents préconisent avec leurs enfants. Les parents en couple doivent parler avec franchise de ce qu'ils attendent de leurs enfants afin de s'assurer qu'ils exigent tous les deux la même chose et qu'ils ne déstabilisent pas l'enfant. Les parents se mettent d'accord à l'avance sur la façon dont ils réagiront en cas de mauvaise conduite afin d'être prêts à agir au cours de situations tendues. Ils doivent faire part de leur philosophie à la personne qui s'occupe de leurs enfants. La plupart des services de garde d'enfants agréés font connaître leurs attentes en matière de comportement et les conséquences en cas de mauvaise conduite. Les parents doivent choisir un service de garde qui applique une politique proche de la leur. Cependant, les parents n'ont pas toujours la possibilité de choisir. Il arrive qu'ils acceptent des services de garde dont la philosophie diffère de la leur. Dans ce cas, ils expliquent avec soin à l'enfant les règles, les comportements et les pratiques à appliquer « à la maison ».

À mesure que les enfants apprennent ce qui est acceptable en société, ils ressentent toutes sortes d'émotions. Grandir peut s'avérer très difficile pour de jeunes enfants et être la source de pleurs, de colère et de frustration. Après une crise, un enfant est souvent troublé et peut avoir peur de sa propre réaction. Les parents et les personnes qui s'occupent des enfants doivent faire preuve d'**empathie.** Ils doivent comprendre ce que l'enfant ressent et le réconforter afin de l'aider à composer avec les hauts et les bas de son développement. Si les adultes prennent le temps de voir le monde à travers les yeux de l'enfant, ils pourront réagir d'une manière qui aidera l'enfant à surmonter un obstacle tout en respectant sa dignité.

Si elles ont une attitude positive envers l'apprentissage et le développement, les personnes qui s'occupent des enfants vont les aider à apprendre les comportements acceptés dans d'autres familles ou dans un service de garde. Ces adultes doivent aussi donner l'exemple de comportements acceptables, exprimer clairement leurs attentes et faire de la **rétroaction positive.**

Sagesse parentale : Un enfant qui perd le contrôle à l'épicerie bénéficiera davantage d'un câlin et d'une réaction compréhensive que d'une réaction impatiente et irritée.

Figure 14.5
Plusieurs membres de la collectivité jouent un rôle dans l'apprentissage des comportements acceptables par les enfants.

La collectivité joue aussi un rôle dans l'apprentissage des comportements acceptables par les enfants. Les enfants s'intègrent progressivement à la collectivité, d'abord de manière non officielle, dans des groupes de jeu ou avec les enfants du voisinage, puis de manière plus formelle, dans des activités et des clubs organisés, des organisations religieuses et l'école. Ce faisant, ils apprennent comment s'entendre avec les autres dans des groupes plus étendus. Généralement, les écoles, les clubs et les groupes sociaux reflètent les valeurs de la société. Cependant, il arrive que des parents aient l'impression de ne plus contrôler le comportement de leur enfant. Dans son texte « Une discipline efficace : Une démarche saine », la Société canadienne de pédiatrie propose une approche simple pour aider les parents à surmonter les problèmes de discipline qu'ils éprouvent avec leurs enfants. La démarche proposée repose sur quatre piliers : le respect, la constance, l'impartialité et les parents.

Astuces

Une discipline efficace : Une démarche saine

Ce texte est reproduit avec l'aimable autorisation de la Société canadienne de pédiatrie.

Discipliner l'enfant représente l'un des rôles les plus importants du parent, et peut-être l'un des plus difficiles. Cependant, une discipline efficace rend le milieu familial réconfortant. Une discipline efficace à la maison établit les bases de la maîtrise de soi tout au long de la vie. Elle aide votre enfant à grandir heureux et bien dans sa peau. Une discipline positive et efficace éduque et oriente l'enfant. Elle ne se limite pas à l'obliger à obéir.

La façon dont on discipline l'enfant dépend de son âge, de la phase de son développement, de sa personnalité et de nombreux autres facteurs. Voici cependant quelques principes fondamentaux pour orienter les parents.

Quels sont les objectifs de la discipline ?

- La discipline protège votre enfant contre les dangers.
- La discipline aide votre enfant à acquérir le contrôle et la maîtrise de soi.
- La discipline aide votre enfant à développer le sens de ses responsabilités.
- La discipline aide à établir les valeurs.

La vie serait simple si les enfants faisaient tout ce qu'on leur demande, mais ce n'est pas le cas. Être parent est souvent une tâche ardue.

Qu'est-ce qui rend la discipline « efficace » ?

1. **Le respect.** Les enfants devraient pouvoir respecter l'autorité de leurs parents et les droits des autres. Si la discipline est trop dure, qu'elle s'accompagne d'injures, de cris et d'humiliations, l'enfant aura de la difficulté à respecter sa mère ou son père ou à lui faire confiance.
2. **La constance.** Une discipline qui n'est pas constante déroute l'enfant, quel que soit son âge. Si les parents ne font pas preuve de constance dans la manière dont ils disciplinent leur enfant, celui-ci aura de la difficulté à les respecter.
3. **L'impartialité.** L'enfant doit trouver la discipline juste. Les conséquences de ses gestes doivent être reliées à son comportement. Si votre enfant lance de la nourriture sur le sol, faites-lui ramasser son dégât. Assurez-vous que tout est nettoyé avant que l'enfant ne passe à autre chose. Une fois le dégât ramassé, les conséquences sont terminées.
4. **Vous.** À titre de parent, vous possédez un lien unique avec votre enfant. Si vous apprenez à votre enfant une discipline teintée de respect, de constance et d'impartialité, vous remarquerez des effets positifs prolongés sur votre enfant.

Comment les parents peuvent-ils prévenir les troubles de comportement ?

Donnez à votre enfant beaucoup d'occasions de faire des activités physiques et des exercices. Certains enfants ont besoin d'évacuer une partie de leur énergie.

Au lieu de lui dire « NON », faites-lui faire quelque chose de plus intéressant. C'est ce qu'on appelle la distraction ou la réorientation. Par exemple, si votre enfant escalade une clôture, vous pouvez lui dire : « Viens donc te balancer. »

Assurez-vous que votre enfant a des jouets adaptés à son âge. Les jouets des jeunes enfants doivent être simples. Ne lui en donnez pas trop à la fois.

Les enfants de deux ans et moins éprouvent de la difficulté à se rappeler et à comprendre les règlements. Conservez les médicaments et les articles dangereux hors de leur portée.

Si votre enfant est fatigué et de mauvaise humeur, faites preuve de compréhension et de calme pour l'aider à s'apaiser. Cette attitude est particulièrement importante avant la sieste ou le coucher. Une courte période de calme (sans activité) peut prévenir un comportement fâcheux et irritant.

Ne prêtez pas attention aux détails. Avant d'élever la voix, demandez-vous : « Est-ce que c'est important ? »

Figure 14.6
On ne peut attendre d'un enfant que ce qu'il est capable de faire à son stade de développement.

Que peuvent faire les parents pour promouvoir les comportements positifs ?

1. Passez du temps seul avec votre enfant tous les jours.
2. Soyez réconfortant. Faites des caresses, des câlins à votre enfant, tapotez-lui affectueusement le dos.
3. Si l'enfant est triste ou en colère, respectez ses sentiments. Essayez de comprendre les causes de sa tristesse ou de sa mauvaise humeur.
4. Faites des activités amusantes. Riez ensemble.
5. Si vous faites une promesse, faites de votre mieux pour la tenir. La confiance entre l'enfant et ses parents s'impose. L'enfant veut avoir confiance en vous.
6. Cherchez toujours l'occasion de féliciter l'enfant de son comportement positif.

Source : Société canadienne de pédiatrie, « Une discipline efficace, une démarche saine », *Soins de nos enfants.cps.ca*

Liens

1. **Lorsque tu étais enfant, as-tu appris des comportements à l'extérieur de la maison qui s'opposaient aux valeurs familiales ? Où as-tu fait ces expériences ? Qu'ont fait tes parents ?**

Les aspects sociaux et culturels de la socialisation

Puisque les sociétés évoluent avec le temps, des comportements autrefois inacceptables sont désormais acceptables. Par exemple, au temps de la colonisation, les enfants ne devaient pas s'exprimer en public. Aujourd'hui, on encourage les enfants à parler et à ne pas être timides. Certaines règles ou manières d'agir de la société sont même devenues des lois. Autrefois, au Canada, les enfants travaillaient pour un maigre salaire dans des mines, des usines et des fermes. Aujourd'hui, la loi interdit le travail des enfants. Les attentes relatives aux rôles des hommes et des femmes ont changé au cours du temps : les pères participent plus à l'éducation des enfants et aux tâches ménagères, alors que les femmes occupent tous les domaines du marché du travail. Les changements de la société font partie du processus de socialisation. Les enfants, surtout les plus jeunes, imitent les comportements des adultes qu'ils prennent comme modèles dans la famille et au sein de la collectivité.

Lorsqu'un comportement acceptable à l'extérieur ne respecte pas les règles établies à la maison, les parents doivent insister sur les règles, les comportements et les pratiques à appliquer « à la maison ».

Au Canada, il y a beaucoup de cultures. Chaque famille transmet à ses enfants sa culture propre et unique. La manière dont les adultes vivent, travaillent, communiquent et se comportent dans une famille peut varier légèrement d'une famille à une autre. Des manières à table normales dans une famille sont parfois inacceptables dans une autre. Dans une famille, on peut exiger la politesse, le respect et une certaine distance envers les personnes âgées. Dans une autre, on encouragera les manifestations d'affection et l'intimité avec les personnes âgées. Toutes ces différences contribuent à rendre le monde intéressant.

FOR BETTER OR FOR WORSE© UFS. Reproduit avec l'autorisation de l'éditeur.

Figure 14.7
La capacité de Lynn Johnston de capter la réalité de la vie l'a fait connaître partout dans le monde.

L'éducation à la citoyenneté

Le fait d'apprendre des comportements acceptables permet avant tout aux personnes de fonctionner en société. L'objectif de la socialisation n'est pas seulement d'apprendre les bonnes manières aux enfants, mais également d'en faire de bonnes citoyennes et de bons citoyens. De telles personnes renforcent le tissu social d'un pays et en font un lieu de vie plus agréable pour tout le monde.

Les comportements socialement inacceptables concernent la société tout entière, car ils menacent son existence. La société a besoin des parents et des personnes qui représentent l'autorité pour décourager, par leurs réactions, les comportements inacceptables. Il faut toutefois y réagir avec un certain équilibre. Les enfants doivent connaître leurs droits afin d'éviter leur exploitation par l'autorité. En revanche, si on les laisse **bafouer l'autorité** ou malmener les gens au pouvoir, ils deviennent parfois une menace pour l'ordre social que représentent le gouvernement et les personnes chargées d'appliquer les lois. Bien sûr, on comprend les effets dévastateurs de **comportements criminels** sur les victimes et sur la société en général. Toutefois, la *Loi sur le système de justice pénale pour les adolescents* du gouvernement fédéral (2002) se base sur le principe selon lequel les jeunes font des erreurs et qu'ils peuvent se réhabiliter dans le cas d'une première offense. Les enfants et les jeunes gens remettent naturellement les règles en question, mais cela ne doit pas mener à l'**anarchie** ou à des comportements tout à fait illégaux. Puisque la famille est la base du comportement des personnes dans la société, les parents ont une responsabilité majeure à la fois envers leurs enfants et envers la société.

Vérifie tes connaissances

1. Décris en quoi faire la lecture aux enfants contribue au développement social.
2. Quels sont les agents de socialisation qui influencent le plus les nourrissons ? les tout-petits ? les enfants d'âge préscolaire ? les adolescentes et les adolescents ? Explique les différences.
3. Explique le rôle des parents et des personnes qui s'occupent des enfants dans l'éducation d'enfants en santé, ayant une grande confiance en soi et un sentiment de sécurité.
4. À l'aide d'exemples, décris les effets sur la société, à court et à long terme, de comportements criminels, du non-respect de l'autorité et de l'anarchie.

Les enjeux et les défis de la socialisation

Les enfants ont besoin d'un parent attentif ou d'un modèle qui leur enseigne les façons de vivre d'une société. Dans certains cas, les enfants ne vivent pas une expérience positive. Il y a beaucoup de situations où une **structure de socialisation négative** prévaut. Au lieu d'apprendre des comportements acceptables par des techniques positives, les enfants vivent des situations donnant l'exemple de comportements inacceptables et attendant d'eux qu'ils les reproduisent. De plus, ils peuvent recevoir une rétroaction négative. Dans ces cas, le processus de socialisation est compromis. Dans un poème, Dorothy Law Nolte a exprimé la façon dont on peut compromettre la croissance et le développement d'un enfant. Voici une adaptation de ce poème.

Chaque enfant apprend par l'exemple

S'il vit entouré de critiques,
il apprend à blâmer.

S'il vit entouré d'hostilité,
il apprend à être agressif.

S'il vit entouré de peur,
il apprend à être inquiet.

S'il vit entouré de pitié,
il apprend à se plaindre.

S'il vit entouré de moqueries,
il apprend à être timide.

S'il vit entouré de jalousie,
il apprend à envier.

S'il vit entouré de honte,
il apprend à se sentir coupable.

S'il vit entouré d'encouragements,
il apprend à agir.

S'il vit entouré de tolérance,
il apprend à être patient.

S'il vit entouré d'éloges,
il apprend à complimenter.

S'il vit entouré de compréhension,
il apprend à aimer.

S'il vit entouré d'approbation,
il apprend à s'accepter.

S'il vit entouré de reconnaissance,
il apprend à comprendre
l'importance des objectifs.

S'il vit entouré de partage,
il apprend à être généreux.

S'il vit entouré d'honnêteté,
il apprend à être sincère.

S'il vit entouré de probité,
il apprend à être juste.

S'il vit entouré de gentillesse et de
considération, il apprend à respecter.

S'il vit entouré de sécurité,
il apprend à faire confiance.

S'il vit entouré d'amitié,
il apprend à aimer la vie.

Dorothy Law Nolte

Figure 14.8
Ce poème, écrit en 1954, a été publié dans de nombreux journaux, livres et magazines.

De nombreuses situations familiales ont une incidence négative sur la socialisation de leurs membres. Différentes sources de stress influent sur la manière dont les enfants vivent la socialisation au sein de leur famille. Mentionnons le divorce, la toxicomanie, les maladies mentales, le chômage, la pauvreté et la difficulté des parents à affronter la vie. Les mauvais traitements infligés aux enfants, la négligence et la violence familiale ont des effets très négatifs sur la croissance, le développement et la socialisation des enfants.

Les mauvais traitements infligés aux enfants, la négligence et la violence familiale

Tous les enfants ont des besoins physiques et émotionnels qu'on doit satisfaire afin d'assurer leur parfait développement.

Tous les enfants ont des besoins physiques et émotionnels qu'on doit satisfaire afin d'assurer leur sain développement. Une attention aimante continuelle permet de répondre à ces besoins. À l'inverse, des mauvais traitements, de la négligence et de la violence familiale entraînent des problèmes qui durent parfois toute la vie. Ils représentent une mauvaise utilisation du pouvoir. Ils violent le sentiment fondamental de confiance de l'enfant envers la personne qui doit s'occuper de lui. On ne voit pas toujours les signes de mauvais traitements. Cependant, en connaître les indices permet aux gens du voisinage, aux personnes qui s'occupent des enfants et aux personnes qui travaillent auprès d'eux de les déceler.

Les mauvais traitements infligés aux enfants

Un **mauvais traitement** implique que l'enfant subit une violence physique, psychologique ou sexuelle. La **violence physique** est la plus facile à détecter, car on voit chez l'enfant des traces de coups, des bleus, des brûlures, des fractures et des coupures, de manière fréquente et inexpliquée. Les **abus sexuels** sont plus difficiles à repérer. Des indices incluent des douleurs abdominales, de la difficulté à s'asseoir, un intérêt inhabituel envers les comportements sexuels ou une anxiété inhabituelle. La **violence psychologique** consiste à ne pas répondre aux besoins émotionnels d'amour et d'appartenance d'un enfant. Elle peut prendre la forme d'insultes, d'humiliations, d'un manque de réconfort lorsque l'enfant en a besoin, de mépris ou d'un environnement constant de peur et d'anxiété dû à des cruautés mentales, à une violence physique ou à des abus sexuels. Il est plus dur de détecter la violence psychologique et il est donc plus laborieux de la combattre.

La négligence

La **négligence** correspond au fait de ne pas satisfaire les besoins de base de l'enfant, soit l'amour et l'affection, la nourriture, le logement, les vêtements, les soins médicaux et le repos. L'un des signes les plus évidents de négligence est la **malnutrition** (une quantité insuffisante d'aliments nutritifs pour assurer la croissance et l'épanouissement). Les signes de malnutrition incluent la perte de poids, la pâleur, la fatigue ou les maladies liées à une déficience nutritionnelle. La négligence peut également impliquer de ne pas superviser l'enfant d'une manière correspondant à son stade de développement. Ne pas fournir les soins médicaux nécessaires ou ne pas s'occuper de la dentition de l'enfant ou de ses blessures sont d'autres signes de négligence. Une mauvaise santé et une mauvaise hygiène indiquent aussi parfois qu'il y a négligence.

Avis d'experts

NICO TROCME

Nico Trocme est professeur en travail social à l'Université de Toronto. Il répond à la question suivante :

Qu'a révélé votre analyse, conduite pour Santé Canada, comparant les études ontariennes de 1993 et 1998 relatives aux signalements de mauvais traitements envers les enfants ?

L'Ontario Incidence Study of Reported Child Abuse and Neglect de 1993 (OIS 1993) (Étude ontarienne sur les signalements de mauvais traitements envers les enfants) a été la première étude au Canada à examiner les caractéristiques des enfants et des familles soumis à l'enquête des services de protection de l'enfance. L'OIS 1993 a recueilli des données à partir d'un échantillon de 2 447 enquêtes sur les traitements envers les enfants, menées par 15 bureaux de la Société d'aide à l'enfance en Ontario. L'OIS 1998 est une étude semblable menée dans le cadre d'une enquête nationale intitulée l'Étude canadienne sur l'incidence des signalements de cas de violence et de négligence envers les enfants (ÉCI). L'OIS 1998 est basée sur un échantillon de 3 053 enquêtes sur la maltraitance d'enfants effectuées en 1998. La comparaison des deux études révèle que le taux de mauvais traitements corroborés a doublé en cinq ans. Les expositions à la violence conjugale ont été multipliées par neuf, le nombre de cas de négligence a plus que doublé, alors que les cas d'abus sexuels ont diminué.

Trois facteurs ont généralement contribué à l'augmentation globale des cas corroborés de mauvais traitements envers les enfants et des ouvertures de cas par les services de protection de l'enfance. Il s'agit des lois rendant les signalements obligatoires, de l'intérêt public croissant et de la formation des personnes intervenant auprès des enfants. Le nombre de signalements par des membres de la famille, des voisins et connaissances n'a pas particulièrement changé ; en revanche, les personnes travaillant avec des enfants ont signalé bien plus de cas aux services de protection de l'enfance depuis que le signalement de mauvais traitements envers les enfants est devenu obligatoire en vertu de la *Loi sur les services à l'enfance et à la famille* de 1998. Désormais, toutes les personnes travaillant avec des enfants doivent signaler tout cas soupçonné de mauvais traitements envers les enfants ou faire face à des conséquences pénales.

L'augmentation des cas signalés par les professionnelles et les professionnels correspond surtout à des enquêtes concernant des négligences ou à une exposition à de la violence conjugale, deux types de mauvais traitements qui ont attiré l'attention générale dans la seconde moitié de la décennie. Comme pour la reconnaissance de l'existence d'abus sexuels durant les années 1980, le public est de plus en plus conscient des effets dévastateurs sur les enfants d'une exposition à de la violence domestique. Même si la *Loi sur les services à l'enfance et à la famille* ne traite pas précisément de cette forme de mauvais traitements, plusieurs organisations ont adopté des politiques imposant le signalement systématique de ces cas à la Société d'aide à l'enfance. Il est important de noter que presque toutes les enquêtes qui incluent de la violence familiale mentionnées dans l'OIS 1998 ont été signalées par des professionnelles et des professionnels.

Outre la plus grande sensibilisation du public, plusieurs autres facteurs permettent d'attribuer une partie de cette augmentation au nombre croissant d'enfants subissant des mauvais traitements, en particulier des cas de négligence. Un revenu faible, des mauvaises conditions de logement et un manque de soutien social sont trois des facteurs clés que l'on a associés à ce taux plus élevé de négligence. Les changements intervenus dans les programmes de soutien au revenu et la diminution des logements sociaux disponibles en Ontario entre 1993 et 1998 renforcent également l'opinion que les familles pauvres subissent maintenant une pression plus grande que jamais et peuvent ainsi connaître de plus grandes difficultés parentales.

Étude des cas signalés de mauvais traitements infligés aux enfants et de négligence en Ontario

Type de mauvais traitements	1993	1998
Négligence	4 400	8 900
Violence psychologique	1 000	8 700
Violence physique	4 200	8 000
Abus sexuel	3 400	1 900

La violence familiale

La **violence familiale** se caractérise par des mauvais traitements infligés à l'un des parents. Il peut s'agir de violence physique, de violence psychologique, de violence sexuelle, de menaces ou simplement d'une humiliation ou d'une forme de contrôle qui maintient la victime dans un climat de peur. La plupart du temps, la violence familiale atteint la femme. Les enfants témoins de violence familiale ou engagés d'une manière ou d'une autre dans la dynamique du pouvoir manifestent diverses réactions. Ils peuvent manquer de confiance envers les adultes, manifester de l'insécurité ou encore gérer leur colère de manière inappropriée. Ils développent parfois des troubles alimentaires, pleurent sans raison apparente ou ne veulent pas rentrer chez eux après l'école.

Survivre à des mauvais traitements, à la négligence et à la violence familiale

Pour qu'un enfant survive à des mauvais traitements, il faut d'abord les faire cesser. Beaucoup de gens ne peuvent y parvenir sans aide. Comment un enfant peut-il faire cesser la négligence qu'il subit ? Comment un enfant peut-il changer les comportements de ses parents ? Comment une femme échappe-t-elle à une relation violente ?

Autrefois, on considérait le traitement des femmes et des enfants au sein d'une famille comme une affaire privée. Peu à peu, la société a adopté des directives et des lois traitant du bien-être de toute personne. Aujourd'hui, la société prend conscience que les mauvais traitements infligés aux enfants découlent souvent du stress, de l'isolement des parents et de l'ignorance du processus normal du développement humain. Les programmes communautaires et les centres d'aide aux parents tentent de fournir un soutien et une éducation afin d'améliorer la vie des enfants à risque.

Aujourd'hui, la société prend conscience que les mauvais traitements infligés aux enfants découlent souvent du stress, de l'isolement des parents et de l'ignorance du processus normal du développement humain.

L'éducation et le signalement des mauvais traitements

Au cours des dernières années, l'éducation a aidé de nombreuses personnes, car elle a sensibilisé le public et enseigné que les mauvais traitements et la violence concernent tout le monde. Les victimes de mauvais traitements éprouvent un sentiment d'impuissance. Souvent, elles n'ont pas le courage de dénoncer les personnes violentes. De nombreux cas de mauvais traitements continuent pendant des années sans être signalés. L'éducation dans les écoles et dans les collectivités permet aux enfants d'apprendre à reconnaître des cas de mauvais traitements, de négligence et de violence familiale et leur fournit des renseignements quant aux façons d'obtenir de l'aide. L'éducation des personnes qui travaillent auprès des enfants est encore plus importante. C'est souvent une personne extérieure à la famille, comme une professionnelle ou un professionnel, qui signale un cas possible de mauvais traitements et initie le processus d'aide.

Selon les lois sur les signalements de mauvais traitements, ne pas signaler un cas soupçonné de mauvais traitements est désormais un délit. Les mauvais traitements infligés aux enfants, la négligence et la violence familiale sont la responsabilité de la collectivité entière.

Le signalement de mauvais traitements, de négligence et de violence familiale est la responsabilité de la collectivité entière.

Les lois sur le bien-être des enfants

Toute personne ayant connaissance, ayant été témoin, soupçonnant un cas de mauvais traitements envers un enfant ou à qui l'on a parlé d'un tel cas, confidentiellement ou non, doit le signaler immédiatement à la Société d'aide à l'enfance ou à un service communautaire équivalent.

C'est la responsabilité sociale de tout le monde d'assurer autant que possible la protection des enfants. Les lois sur les signalements de mauvais traitements infligés aux enfants peuvent varier légèrement d'une province canadienne à l'autre. En Ontario, par exemple, beaucoup de professionnelles et de professionnels occupant des postes de responsabilité, comme des membres de la police, du personnel enseignant et des directions d'écoles, doivent, en vertu de la loi, signaler à la Société d'aide à l'enfance tout cas de mauvais traitements dont ils ont été témoins ou qu'ils soupçonnent, infligés à un enfant de moins de 16 ans. S'ils ne le font pas, ils sont passibles des peines maximales prévues par la loi.

Les mauvais traitements infligés aux enfants, la négligence et la violence familiale sont des infractions criminelles. Une intervention légale porte ces problèmes devant les tribunaux. On retire généralement la garde des enfants à la famille. On place les enfants dans une famille d'accueil ou sous la garde d'une tutrice ou d'un tuteur jusqu'à ce qu'ils puissent retourner dans leur famille sans courir de risques. Des services de conseil individuels et familiaux et des thérapies peuvent aider la famille à revenir à une situation stable.

Les mauvais traitements infligés aux enfants, la négligence et la violence familiale sont des infractions criminelles.

Le soutien communautaire

Beaucoup de programmes et d'agences communautaires ont vu le jour afin de répondre aux besoins de sensibilisation croissante au problème des mauvais traitements, de la négligence et de la violence familiale. On offre des cours de rôle parental et de maîtrise de la colère ainsi qu'une formation continue aux parents qui reconnaissent avoir besoin d'aide relativement à leurs comportements et à leurs aptitudes parentales. On met à la portée des enfants des services d'aide par téléphone, comme « Jeunesse J'écoute », qui leur permettent de trouver de l'aide ou de parler de leurs problèmes. Le service « Échec au crime » permet de signaler des cas de mauvais traitements tout en gardant

Figure 14.9
Cette affiche fait prendre conscience au public de l'existence de mauvais traitements infligés aux femmes.

l'anonymat. Il y a également des groupes de soutien pour parents, des centres d'hébergement pour parents et enfants, des programmes réservés aux mères ou aux pères ainsi que des programmes destinés aux couples, qui explorent en groupe les problèmes et les frustrations des parents et fournissent des solutions réalistes à des situations de mauvais traitements et de violence.

Des obstacles à l'accès aux programmes

Le problème de certains programmes est la difficulté d'accès pour les personnes qui ont besoin de ces services. La langue peut être un obstacle à l'accès au programme. Dans certaines cultures présentes au Canada, on n'accepte pas que quelqu'un remette en question le traitement fait aux femmes et aux enfants. Demander de l'aide peut s'avérer contraire aux valeurs culturelles. Quand on obtient de l'aide, il y a d'autres défis à relever. Il faut remplir des formulaires, aller au tribunal, consulter une avocate ou un avocat et rencontrer une travailleuse sociale ou un travailleur social. Ces étapes peuvent sembler insurmontables à des personnes ayant peu d'instruction, analphabètes ou parlant peu l'anglais ou le français. Les mauvais traitements infligés aux enfants, la négligence et la violence familiale sont des problèmes concernant la société entière. Il faut s'assurer que tout le monde reçoit de l'aide ou du soutien.

Éviter les mauvais traitements, la négligence et la violence familiale

Les mauvais traitements infligés aux enfants, la négligence et la violence familiale sont parfois des symptômes de problèmes familiaux plus graves. Les gens s'occupent souvent de leurs enfants comme leurs parents se sont occupés d'eux. S'ils ont connu la fessée dans leur famille d'orientation, il est possible qu'ils donnent la fessée à leurs propres enfants. D'autres facteurs contribuent aux problèmes et les perpétuent, par exemple le stress, l'alcoolisme, la toxicomanie, une faible estime de soi, la dépression et la frustration. Tout enfant a le droit de vivre dans une famille, une collectivité et un environnement social sécuritaires et paisibles. Les citoyennes et les citoyens doivent reconnaître les situations malsaines, s'opposer aux mauvais traitements et à la violence et prendre des mesures pour éviter que ces situations surviennent.

Les mauvais traitements proviennent aussi de parents mal préparés au rôle parental. Parfois, on attend trop d'un bébé ou d'un enfant. Des parents ressentent une grande frustration d'entendre un bébé pleurer et de ne pas savoir quoi faire, de ne pas savoir à quoi ils seront confrontés et de ne pas connaître de stratégies de discipline. La présence d'amies et d'amis, de membres de la famille ou de partenaires pour partager la lourde tâche du rôle parental contribue souvent à réduire les risques de mauvais traitements.

Si une personne peut reconnaître qu'elle va faire preuve de violence auprès d'un enfant, elle est capable de s'arrêter avant d'agir. Entre autres stratégies, elle peut prévoir un moyen de s'éloigner d'une situation potentiellement explosive et apprendre quoi faire plutôt que de frapper un enfant. Certaines personnes, cependant, ont des problèmes plus graves liés au pouvoir et au contrôle à exercer sur les enfants. Ces personnes ont besoin d'une intervention médicale, psychiatrique ou psychologique pour parvenir à cesser leur comportement négatif. Parfois, il est nécessaire de les séparer physiquement des enfants. Malheureusement, il s'agit souvent là de personnes qui ne chercheront pas d'aide avant qu'un incident grave ne se produise.

La négligence survient pour de nombreuses raisons, entre autres, les maladies mentales, la dépression, la toxicomanie, l'alcoolisme et des problèmes psychologiques plus graves. Une attitude positive, un lien fort et un attachement profond envers un enfant sont des caractéristiques, qui, réunies, permettent souvent d'éviter la négligence. Le rôle parental implique qu'on accorde la priorité aux besoins d'un enfant. Cependant, les parents ne pourront pas s'occuper d'un enfant s'ils ne savent pas prendre soin d'eux-mêmes. Il s'agit d'un concept très difficile à saisir pour les parents vivant des situations parentales stressantes. Une bonne santé physique ainsi qu'une bonne santé mentale sont nécessaires pour prévenir les cas de négligence d'enfants.

Figure 14.10
Une dépression grave chez une personne qui s'occupe d'un enfant peut entraîner la négligence de ce dernier. Une intervention médicale et un soutien familial sont nécessaires pour contribuer à alléger la situation.

Vérifie tes connaissances

1. Conçois une brochure qui définit la violence physique, la violence sexuelle et la violence psychologique. Explique la façon dont les parents peuvent obtenir de l'aide en cas de problèmes.
2. Décris ce qu'est la négligence et cite cinq exemples d'un comportement parental négligent.
3. Confectionne une affiche à placarder dans ta collectivité et intitulée « Comment prévenir les mauvais traitements infligés aux enfants ainsi que la négligence ».

Info-carrière

LES TRAVAILLEUSES SOCIALES ET LES TRAVAILLEURS SOCIAUX

Les tâches et les responsabilités

Le travail social est un domaine où l'on tente de comprendre pourquoi une personne éprouve des difficultés à bien fonctionner en société. L'objectif est de guider cette personne vers les changements qui l'aideront à résoudre ses problèmes. Il faut donc interagir avec des personnes, des familles et des groupes de gens de la collectivité afin de s'assurer que la personne réussit à s'intégrer et à bien fonctionner dans la société.

Les travailleuses sociales et les travailleurs sociaux aident les personnes ayant des problèmes, par exemple la toxicomanie, le chômage, la pauvreté, la négligence et les mauvais traitements envers les enfants, la violence familiale, des comportements criminels et des maladies mentales. Ces problèmes peuvent avoir des causes physiques, psychologiques, sociales, légales et économiques complexes. Une travailleuse sociale ou un travailleur social peut aider la personne ou la famille à découvrir ces causes et à obtenir du soutien ou de l'aide dans sa collectivité. Sa tâche consiste souvent à remettre les personnes et les familles sur la bonne voie afin qu'elles puissent résoudre elles-mêmes le reste de leurs problèmes. Dans ces cas, l'estime de soi des personnes et leur intégration sociale s'améliorent. Au lieu de survivre au crochet de la société, elles en deviennent des membres actifs et fonctionnels.

L'environnement de travail

Le gouvernement et les agences communautaires emploient la plupart des travailleuses sociales et des travailleurs sociaux. Les tâches administratives et l'archivage de cette profession s'effectuent dans des bureaux. Cependant, une grande partie de la journée se passe à aller rencontrer les gens, à participer à des réunions et à interagir avec des organismes œuvrant auprès de la collectivité. Puisque les problèmes dont traite le travail social sont souvent complexes et font intervenir des souffrances humaines, on y observe un taux élevé d'épuisement professionnel. Le manque de personnel et la quantité de dossiers à traiter peuvent aggraver cet épuisement émotionnel.

La formation et les aptitudes

La nature du travail social consiste à aider des gens à régler leurs problèmes. Il faut donc absolument avoir de la maturité et une grande force émotionnelle pour travailler dans ce domaine. Pour bien réussir dans ce métier, il faut comprendre que des relations solides et des rôles communautaires à l'extérieur du travail sont essentiels au maintien de sa santé et de son bien-être. La maîtrise d'une autre langue que celle parlée dans la province ou dans la collectivité est un atout, si une grande partie de la population provient de diverses cultures.

Un baccalauréat de quatre ans en travail social est la condition requise minimale, mais on demande souvent une maîtrise en travail social. Un diplôme de maîtrise permet en outre d'obtenir des postes à l'université ou de thérapeutes, alors que les postes de recherche en université nécessitent des doctorats en travail social. Certaines provinces exigent que la travailleuse sociale ou le travailleur social fasse partie d'un ordre professionnel.

Il est important d'agir contre les mauvais traitements, la négligence et la violence. Les hommes et les femmes d'une société doivent reconnaître ce qui constitue un mauvais traitement et le dénoncer. Des élèves du secondaire, garçons et filles, ont participé à la grande marche contre la violence infligée par les hommes. Des hommes ainsi que des femmes offrent un soutien aux familles, aux voisins, aux voisines, aux amies et amis ayant subi des mauvais traitements. Chaque personne peut faire une différence en agissant pour prévenir les mauvais traitements, la négligence et la violence familiale par la sensibilisation, l'éducation et le signalement.

Des mesures contre les mauvais traitements, la négligence et la violence envers les enfants

- Attends d'être prête ou prêt à devenir parent avant d'avoir un enfant.
- Étudie le développement de l'enfant avant de devenir père ou mère.
- Apprends des techniques pour encourager un enfant au lieu de manifester de la violence ou de l'agressivité.
- Assure-toi de pouvoir compter sur tes amies et tes amis ainsi que sur ta famille.
- Donne la priorité à ta sécurité personnelle et à celle de ta famille.
- Sache où tu peux obtenir de l'aide.
- Accorde la priorité à ta sécurité personnelle et à celle de ton enfant.
- Signale tout cas soupçonné de mauvais traitements ou de violence familiale.
- Soutiens les programmes communautaires qui protégent les familles et leur viennent en aide.
- Dénonce la violence véhiculée par les médias.

Résumé

Points marquants

- La socialisation est un processus qui enseigne aux personnes des comportements socialement acceptables ou les attentes de la société en matière de comportement.
- La socialisation commence dès la naissance.
- Donner l'exemple de comportements adéquats, énoncer clairement les comportements souhaités et fournir une rétroaction positive lorsqu'on observe le comportement accepté encouragent les comportements socialement acceptables.
- Les comportements acceptables diffèrent selon l'âge de l'enfant.
- Les enfants commencent par apprendre des choses simples, comme ne pas tirer les cheveux et ne pas mordre.
- À mesure que l'enfant mûrit, les règles de comportement deviennent plus complexes.
- Les parents et les personnes qui s'occupent des enfants au sein de la société contribuent à enseigner les comportements appropriés.
- Faire la lecture aux enfants est une manière efficace de leur faire connaître le monde avant qu'ils ne doivent l'affronter eux-mêmes.
- Les enfants s'entraînent aux comportements appropriés par le jeu, lorsqu'ils imitent les adultes ou inventent des situations imaginaires.
- Les familles ont leurs propres valeurs et leurs façons de se comporter. Il y a donc des différences culturelles et sociales quant aux comportements jugés acceptables.
- Certaines familles font face à des difficultés et à des défis assez graves, par exemple la toxicomanie, la dépression, l'alcoolisme et d'autres facteurs qui nuisent à la capacité de donner l'exemple ou d'enseigner des comportements appropriés.
- Les mauvais traitements infligés aux enfants, la négligence et la violence familiale perturbent également la socialisation et peuvent avoir des conséquences négatives durables sur les enfants.

Révision et approfondissement

1. Définis la « socialisation ». Décris pourquoi il s'agit d'un aspect important du processus d'éducation des enfants. C/C
2. Décris comment une mauvaise conduite peut devenir une expérience d'apprentissage positive. Appuie tes réponses à l'aide d'exemples précis. C/C A
3. En quoi est-ce important que les personnes qui s'occupent des enfants connaissent et acceptent la philosophie éducative des parents? Explique ta réponse à l'aide d'exemples. C/C R/R C A
4. Comment peux-tu savoir si un enfant subit de mauvais traitements? Rédige un dépliant à distribuer dans ta communauté où tu énumères les indices de mauvais traitements. C/C C
5. Pourquoi la plupart des cas de violence familiale prennent-ils la forme de violence contre les femmes? Fais une recherche et propose des stratégies pour combattre cette forme de mauvais traitements. C/C R/R C
6. Étudie les ressources d'aide et de soutien de ta collectivité. Dresse la liste des agences ou des services communautaires, précise le type de soutien offert et indique comment les personnes et les familles peuvent y avoir accès. C/C R/R C A

7. Effectue une recherche sur la relation entre une faible estime de soi et la violence familiale. Rédige des recommandations sur la manière dont les familles peuvent résoudre ce problème. R/R

8. Par un jeu de rôles, décris une situation qui montre les problèmes de certaines personnes et de certaines familles qui veulent avoir accès à des services de soutien communautaire ou social. Propose des solutions pour surmonter ces obstacles. C/C C A

9. Effectue une recherche sur le lien entre le besoin d'aide psychologique pour la vie et l'expérience de la violence familiale pendant l'enfance. R/R C

Recherche

10. Choisis un roman, une biographie ou une autobiographie qui raconte un cas de renforcement parental négatif, comme l'utilisation excessive de la force ou des fessées, survenant pendant la petite enfance du personnage principal. Fais un compte rendu du livre et analyse les effets de ce renforcement négatif sur la vie du personnage.

11. Effectue une recherche pour trouver des pratiques nord-américaines que d'autres sociétés peuvent considérer comme étranges ou impolies. Présente tes découvertes à la classe.

12. Indique ce que stipule la loi de ta province ou de ton territoire au sujet du signalement des cas de mauvais traitements. En groupe, utilisez Internet pour trouver ce que stipulent les lois équivalentes dans les autres provinces et territoires du Canada. Réunissez ces renseignements sur une grande feuille de papier afin d'effectuer une comparaison nationale.

13. Choisis l'un des enjeux sociaux suivants :
    - le divorce
    - l'alcoolisme
    - la toxicomanie
    - le chômage
    - la pauvreté
    - les ménages à un revenu/à deux revenus
    - le stress
    - le manque de soutien du rôle parental parmi les amies et les amis ou la famille
    - la dépression
    - les maladies mentales

    Fais une enquête afin de répondre à la question : « Comment ce problème influe-t-il sur l'enfant à long terme ? » Rédige un rapport qui présente tes découvertes.

Analyse et solution

14. Les familles considèrent souvent que les maladies mentales constituent le problème le plus difficile à résoudre.
    a) Dans ta collectivité, à qui les familles peuvent-elles s'adresser pour obtenir de l'aide lorsqu'un membre de la famille souffre de maladie mentale ?
    b) Les besoins en personnel de soutien dans le domaine de la santé mentale augmentent plus rapidement que le nombre de personnes qui commencent dans la profession. Analyse le pour et le contre d'une carrière dans le domaine de la santé mentale.

15. Choisis l'une des questions suivantes et propose des arguments pour et contre :
    - Le tabagisme de l'un des parents est-il une forme de mauvais traitements envers un enfant ?
    - Le fait de ne pas définir des limites de comportement est-il une forme de mauvais traitements envers un enfant ?

Chapitre

15

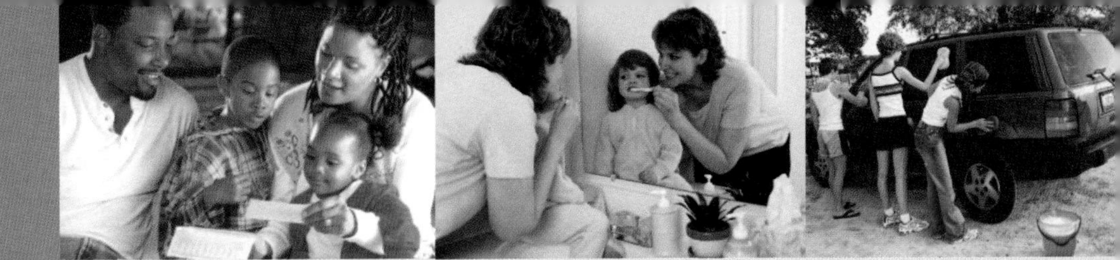

Les pratiques parentales

À la fin de ce chapitre, tu pourras :

- décrire des pratiques et des croyances relatives à l'éducation des enfants ainsi que certaines techniques parentales ;
- analyser plusieurs pratiques et techniques que les parents ou les personnes qui s'occupent des enfants utilisent pour guider le comportement des enfants ;
- définir et décrire le rôle fondamental de nurturance et d'enseignement des parents et des personnes qui s'occupent des enfants selon les étapes du rôle parental ;
- décrire le rôle du tempérament dans les relations parent-enfant ;
- reconnaître les techniques de gestion familiale qui favorisent l'autodiscipline à l'enfance et à l'adolescence.

Mots clés

autodiscipline
conséquences logiques
conséquences naturelles
discipline
échelle de Brazelton
enfant actif
enfant passif
enfant sensible
famille charpente
famille méduse
famille mur de briques
humour
limites personnelles
maîtrise de soi
mise au point
monologue interne
négociation
punition
responsabilités
style autoritaire
style directif
style permissif
styles de pratiques parentales
temps de réflexion

Aperçu du chapitre

Les différences dans les pratiques d'éducation des enfants

Les gens élèvent leurs enfants de différentes façons, à différents endroits et à différents moments de leur vie. Le stéréotype de l'éducation des enfants en Amérique du Nord est la famille nucléaire, soit deux parents qui partagent la responsabilité d'élever des enfants. Les familles modernes prennent dorénavant d'autres formes. Par exemple, les parents ne vivent pas toujours avec leurs propres enfants. Après un divorce et une séparation, ou dans les familles monoparentales ou reconstituées, les enfants n'habitent pas toujours avec leurs deux parents, ce qui peut influer sur leur éducation.

Au Canada, l'éducation des enfants diffère d'une famille à l'autre, car il n'y a pas deux familles identiques. Chaque famille a sa propre composition, son histoire et sa culture. La culture influe beaucoup sur l'éducation des enfants et les pratiques parentales. Les croyances et les traditions jouent un rôle dans les soins aux enfants, la nurturance, l'interaction parent-enfant, l'enseignement et la discipline. Vicki Ritts, dans une publication en ligne écrit ce qui suit :

> Les systèmes de croyances culturelles (ethnothéories) des parents et les émotions servent de toile de fond aux coutumes d'éducation des enfants et valident l'organisation des facteurs physiques et sociaux de la vie des enfants. Par exemple, les ethnothéories les plus importantes concernent les convictions qu'ont les gens de la nature et des besoins des enfants, les buts que visent les parents et la collectivité dans l'éducation des enfants et les opinions des personnes donnant les soins sur les pratiques parentales efficaces. Ces trois facteurs s'influencent les uns les autres et ne peuvent être examinés séparément.

Il arrive que les deux parents d'une même famille aient des méthodes d'éducation différentes ; les pratiques varient selon l'enfant, le moment ou les circonstances. Chaque parent a son propre style. La façon dont on est élevé influence fortement la manière dont on élèvera des enfants plus tard. Certaines personnes se jurent de ne jamais faire « comme leurs parents » et s'aperçoivent un jour qu'elles utilisent leurs techniques et reprennent leurs paroles. Le rôle parental est un défi constant. Les parents essaient de donner ce qu'il y a de mieux à leurs enfants sans avoir recours aux expressions ou aux comportements qu'ils jugeaient négatifs chez leurs propres parents.

Figure 15.1
Les familles canadiennes modernes prennent différentes formes.

Les stades du rôle parental

Les pratiques parentales évoluent au fur et à mesure que les enfants passent par la petite enfance, l'enfance, la préadolescence et l'adolescence. Il est bien différent d'être parent d'un nourrisson ou d'un tout-petit et d'être parent d'une adolescente ou d'un adolescent. Le rôle parental change au fil de la croissance et du développement des enfants. On ne peut agir avec un enfant de 12 ans comme avec un bambin de 2 ans. Ce que les parents souhaitent pour eux-mêmes change aussi. La psychologue Ellen Galinsky a décrit les différences dans les stades du rôle parental à partir d'entrevues réalisées avec plus de 200 parents. L'encadré suivant résume le cadre de son étude.

Les stades de développement du rôle parental

Ellen Galinsky décrit la façon dont les adultes évoluent à travers leurs interactions avec leurs enfants.

Stade de l'image parentale L'homme et la femme deviennent père et mère à la naissance de leur premier bébé. C'est le premier stade. Ils forment une image d'eux-mêmes comme parents. Ils désirent être parfaits mais se heurtent à des exigences inattendues.

Stade de la nurturance Ce stade se manifeste pendant la petite enfance du bébé. Le lien d'attachement se forme et les relations entre les conjoints, le nourrisson et les autres connaissent certains ajustements et se précisent. Durant ce stade où les parents affirment leur rôle, ils se mesurent souvent à de grandes exigences de la part des enfants.

Stade de la fermeté Durant ce stade, c'est-à-dire quand l'enfant a entre deux et quatre ans, les adultes remettent en question leur efficacité comme parents. Le jeune enfant manifeste plus d'indépendance et les parents doivent lui consacrer plus de temps. Souvent, un deuxième enfant naît, ce qui ajoute au stress de la famille.

Stade intégratif Ce stade couvre l'âge préscolaire jusqu'à la mi-enfance. À mesure que les enfants acquièrent de l'autonomie et des aptitudes sociales, les parents doivent leur fixer des buts réalistes, les motiver, leur apprendre à communiquer et affirmer leur autorité.

Stade de l'indépendance de l'adolescence Ce cinquième stade correspond à la période où les jeunes luttent pour établir leur identité et acquérir la maturité ainsi que le sens des responsabilités. Le rôle des parents est d'appuyer leurs adolescentes et leurs adolescents, toujours avec autorité et responsabilité.

Stade du départ Ce stade coïncide avec le moment où les enfants quittent la maison. À cette période, les parents font un retour sur leur rôle parental et se préparent à leur relation avec leurs enfants devenus adultes.

Ellen Galinsky insiste sur un point essentiel de sa théorie : le rôle parental évolue au rythme de la croissance des enfants et le concept de soi des adultes prend forme, à chaque stade, à travers leurs interactions avec les enfants. Quand les parents ont clairement défini leurs objectifs et qu'ils les atteignent, ils sont satisfaits et heureux. Sinon, ils sont frustrés, stressés et déprimés. En conséquence, il importe que les gens connaissent et comprennent l'existence des stades de développement du rôle parental.

Les théories sur le rôle parental

Au début des années 1900, on conseillait aux parents de ne pas gâter leurs enfants. John B. Watson, une autorité en la matière aux États-Unis à cette époque, préconisait de ne pas embrasser, caresser et bercer les enfants et d'adopter des horaires stricts pour les repas, le sommeil et même l'entraînement à la propreté. On acceptait les punitions corporelles données par les parents et le personnel enseignant. Les enfants qui se conduisaient mal à l'école recevaient des coups de ceinture. On considérait les enfants comme des êtres impulsifs à qui il fallait imposer une stricte discipline et des punitions corporelles pour les préparer à la citoyenneté et à l'emploi.

Les travaux de Sigmund Freud sur le lien entre les expériences des premières années de vie et la santé mentale à l'âge adulte ont ravivé l'intérêt pour le développement humain et les effets du rôle parental chez les enfants. On a proposé beaucoup de théories sur les meilleures pratiques parentales. Toutefois, on a prouvé récemment que certaines techniques engendrent de meilleurs résultats que d'autres.

Pour saisir les différences dans les théories sur le style parental, il faut faire la distinction entre **discipline** et **punition.** Le mot « discipline » vient du latin *discere,* qui signifie « apprendre ». La discipline sous-entend donner des exemples, guider, encourager et établir des règles pour amener les enfants à apprendre les comportements acceptables et les bonnes manières en société. On associe la discipline à un rôle parental directif.

Par contre, la punition est réactive, parce qu'il s'agit d'imposer une pénalité pour une faute commise. Quand les parents imposent leur volonté à leurs enfants, ils exercent un type de punition. On associe très souvent ce comportement au rôle parental autoritaire.

Dr Benjamin Spock

En 1946, les méthodes d'éducation des enfants ont connu un bouleversement avec la parution de *Comment soigner et éduquer son enfant,* du Dr Benjamin Spock. Depuis, les théories de Spock sur les soins des enfants, appuyées sur le bon sens, guident des parents de partout. Il commençait son livre ainsi : « Faites-vous confiance. » Spock était persuadé que les parents en savaient plus sur leur rôle qu'ils ne le croyaient. Il a consciemment appuyé les parents et a contredit les traditions rigides qui voulaient imposer un horaire d'alimentation strict et empêcher les parents de gâter les enfants. Ses réflexions ont amorcé le mouvement visant à abolir les punitions corporelles.

Avec les années, les théories de Spock ont perdu de leur popularité. Des gens trouvaient ses idées trop permissives. Spock a quand même continué à publier des guides pour les parents en apportant des modifications à chaque édition. Dans les dernières éditions, il a ajouté de l'information sur les parents seuls, les conjoints des parents et le divorce. À la demande des féministes, il a cessé de désigner l'enfant par « il » et le parent par « elle ». De plus, il a insisté pour que les parents enseignent la morale et les valeurs à leurs enfants et qu'ils exigent le respect.

Non seulement le Dr Spock a-t-il guidé d'innombrables parents qui souhaitaient élever des enfants heureux et en santé selon leurs habitudes quotidiennes, mais il a aussi incité les spécialistes à poursuivre les recherches et à développer d'autres théories sur le rôle parental. Il croyait profondément que des parents attentifs et affectueux, capables de faire preuve de fermeté, peuvent obtenir de bons résultats sans être trop stricts ni trop permissifs. Cette idée se reflète encore aujourd'hui dans les conseils les plus actuels donnés aux parents.

Selon la théorie du bon sens du Dr Spock :

- chaque enfant est une personne ;
- les parents doivent faire preuve de souplesse ;
- les bébés doivent manger quand ils ont faim, pas selon un horaire prédéterminé ;
- les enfants ont droit au respect en tant qu'êtres humains ;
- les parents doivent guider les enfants avec fermeté.

Rudolph Dreikurs

Rudolph Dreikurs et Vicki Soltz ont écrit le livre *Le défi de l'enfant*. Ce livre propose une méthode par étapes pour régler les problèmes qui surgissent durant l'enfance. Dreikurs a trouvé quatre raisons à la mauvaise conduite des enfants :

- attirer l'attention ;
- détenir le pouvoir ;
- se venger ;
- montrer leur incompétence.

Figure 15.2
Les parents doivent comprendre les raisons de la mauvaise conduite d'un enfant avant de décider comment agir.

Dreikurs encourage les parents et les personnes qui s'occupent des enfants à changer leurs réactions habituelles face à ces comportements. Il recommande de porter davantage attention aux moments où l'enfant agit bien, de lui proposer des choix, d'observer et de renforcer ses comportements positifs, d'éviter les luttes de pouvoir et d'offrir de l'encouragement.

Sa théorie a eu un grand succès. Elle a influencé les travaux de spécialistes comme Don Dinkmeyer Sr., Gary D. McKay et Don Dinkmeyer Jr. Ces derniers ont publié le livre *Le manuel de la parentalité* (2002) à l'intention des parents. Barbara Coloroso, dans son livre *Winning at Parenting... Without Beating Your Kids* (1989)[1], décrit à l'aide de la théorie de Dreikurs la façon dont les enfants manipulent leurs parents pour qu'ils fassent les tâches à leur place (ils veulent montrer leur incompétence), cherchent à recevoir plus d'attention (ils veulent attirer l'attention) et refusent de coopérer (ils veulent détenir le pouvoir).

Le tableau suivant est une adaptation du livre de Dreikurs et Soltz, *Le défi de l'enfant*.

La théorie de Dreikurs sur la mauvaise conduite

Raison de la mauvaise conduite	Le parent se sent...	Les réactions du parent	Comment réagir ?
Attirer l'attention L'enfant veut de l'attention ou un service (par exemple, il agit mal ou fait des folies).	• irrité ; • fâché.	• Élever la voix. • Donner de l'attention négative. • Frapper, taper, regarder furieusement. • Répéter à l'enfant d'arrêter et le cajoler.	• Ignorer le comportement. • Insister sur le bon comportement. • Mettre en pratique l'écoute efficace.
Détenir le pouvoir L'enfant veut diriger (par exemple, il refuse de faire une tâche).	• provoqué ; • porté à imposer son autorité.	• Commencer une lutte de pouvoir. • S'engager dans une situation sans issue.	• Ne rien dire ! • Compter jusqu'à 10. • S'éloigner. • Si possible, offrir à l'enfant des choix qui lui donnent un certain contrôle.

(À suivre)

[1] Cet ouvrage n'existe qu'en anglais.

Raison de la mauvaise conduite	Le parent se sent...	Les réactions du parent	Comment réagir ?
Se venger L'enfant veut blesser le parent (par exemple, il boude, claque la porte, dit « Je te déteste ! »).	• blessé ; • insulté.	• Vouloir se venger à son tour. • Chercher à humilier l'enfant. • Faire des menaces.	• Laisser l'enfant se calmer et lui parler ensuite. • Rester calme. • Utiliser des messages au « je ».
Montrer son incompétence L'enfant se referme, abandonne l'effort (par exemple, il dit « Je ne suis pas capable »).	• découragé ; • perdu.	• Cajoler l'enfant. • Céder et faire la tâche à la place de l'enfant.	• Enseigner la résolution de problèmes. • Encourager les progrès, même modestes. • Mettre en pratique l'écoute efficace.

Figure 15.3
La théorie de Dreikurs a influencé plusieurs spécialistes en comportement de l'enfant.

On dirait que les enfants ont un talent pour « pousser les parents à bout » afin de les faire réagir. Le parent ou la personne qui s'occupe des enfants, s'ils peuvent prévoir l'intention d'un enfant et éviter le conflit, le traitent avec dignité et respect. Dreikurs suggère aux parents de trouver des stratégies qui encouragent un comportement positif au lieu de seulement réprimander en cas de mauvaise conduite.

Figure 15.4
Les parents doivent savoir quand intervenir dans un conflit.

❖ Liens

1. Décris une situation correspondant à chaque raison expliquant la mauvaise conduite d'un enfant selon Dreikurs. Pour chaque situation, indique au moins deux actions que les parents peuvent faire pour amener l'enfant à adopter un comportement plus acceptable tout en le traitant avec dignité et respect.

Diane Baumrind

Diane Baumrind (1971) a reconnu et décrit différents styles de pratiques parentales. Dans une étude sur les modèles d'autorité parentale, elle examine la manière dont les parents de classe moyenne interagissent avec leurs enfants. Diane Baumrind a observé les réactions des enfants à différents styles de pratiques parentales. Elle a reconnu trois **styles de pratiques parentales**, c'est-à-dire trois façons dont les parents agissent envers leurs enfants : autoritaire, permissif et directif. Elle a aussi déterminé que le style de pratiques parentales a des effets à long terme sur les enfants, entre autres que les styles autoritaire et permissif ont rarement des résultats positifs.

La théorie de Baumrind sur les styles de pratiques parentales

Style de pratiques parentales	Comportement du parent	Effets sur les enfants
Autoritaire	• Donner des ordres et se montrer autoritaire. • Imposer une discipline par la force ou les punitions corporelles, ou les deux.	• Faible estime de soi • Raisonnement moral peu développé • Niveau d'agressivité élevé
Permissif	• Ne pas relever la mauvaise conduite. • Avoir peu de contrôle. • Laisser l'enfant prendre ses propres décisions.	• Maîtrise de soi réduite • Intérêt réduit pour la réussite • Tristesse fréquente
Directif	• Fixer des limites. • Donner des raisons. • S'attendre à un comportement mature et encourager le dialogue. • Recourir à l'encouragement plutôt qu'à la punition.	• Grande confiance en soi et autonomie • Goût pour la coopération • Intérêt pour la réussite • Comportements sociaux et psychologiques positifs à l'adolescence

Figure 15.5
Les recherches de Baumrind ont contribué à l'essor d'un mouvement en expansion qui préconise les pratiques parentales démocratiques ou directives plutôt que les fessées, les punitions corporelles ou le style permissif.

Figure 15.6
Maintenir la communication avec les enfants leur permet d'exprimer leurs sentiments et les incite à collaborer.

❖ Vérifie tes connaissances

1. Pour quelles raisons les gens ont-ils différents styles de pratiques parentales ?
2. Interroge un parent d'enfants maintenant adultes. Cherche à savoir la façon dont son rôle a évolué alors que ses enfants grandissaient. Dans quelle mesure l'évolution du rôle du parent se rapproche-t-elle des six stades du rôle parental de Galinsky ?
3. Pourquoi les pratiques parentales ont-elles changé depuis 1900 ? Quels changements a-t-on observés dans la société ? dans les familles ?

L'importance de pratiques parentales directives

Quand les deux parents s'occupent des enfants, ils en prennent soin et les guident, mais chacun a son propre style. Dans les familles reconstituées, d'autres styles de pratiques parentales viennent s'ajouter. Un parent permissif et un parent autoritaire peuvent vivre un conflit. Il est alors difficile pour les parents de faire front commun devant les enfants si leurs styles s'opposent. Les parents doivent s'appuyer l'un l'autre et admettre que leurs approches diffèrent. Pour résoudre les conflits, ils peuvent discuter de leur philosophie et de leur style de pratiques parentales et essayer d'adopter un style directif.

Le **style directif** se caractérise généralement par une attitude confiante et détendue, mais ferme. Les parents fixent de façon cohérente les limites à respecter et précisent leurs attentes. En fait, ils croient que les enfants sont des membres responsables d'un groupe social et qu'ils ont besoin de directives claires. Les enfants comprennent les limites et acceptent les conséquences de leurs actions si on les leur explique avec clarté. Grâce à ces interactions marquées par le respect mutuel, les enfants prennent conscience de leur valeur et apprennent à développer la maîtrise de soi. Le style directif demande réflexion et énergie, mais il respecte la dignité des parents autant que celle des enfants.

Le rôle de la communication dans le style directif

Maintenir la communication avec les enfants leur permet d'exprimer leurs sentiments et de comprendre leurs émotions. Les stratégies de communication efficace incluent l'écoute active et l'utilisation de messages au « je ». Un franc dialogue favorise la collaboration au lieu de la confrontation. Si on enseigne à un enfant les techniques de résolution de problèmes et de conflits, il pourra régler lui-même ses difficultés et ses discordes interpersonnelles et accroître sa confiance en soi. Les enfants qui se sentent comme des membres à part entière de la famille, responsables de leurs propres actions, ont confiance en eux. Avec une image de soi positive, ils auront tendance à se comporter correctement.

Figure 15.7
Barbara Coloroso, bien connue pour ses conférences sur les compétences parentales.

Barbara Coloroso

Barbara Coloroso est une conférencière bien connue et une spécialiste des questions liées au rôle parental, à l'enseignement, à la discipline scolaire, à la résolution de conflits et à la justice. Elle a rédigé plusieurs ouvrages, dont *Les enfants, ils en valent la peine,* qui apportent des réponses aux nombreux défis des parents.

Dans *Winning at Parenting* (1989), Barbara Coloroso cherche à rendre la théorie parentale compréhensible pour tous les parents. Au lieu d'employer les mots *autoritaire, permissif* et *directif* pour décrire les styles de pratiques parentales, elle parle plutôt de *mur de briques,* de *méduse* et de *charpente.* La **famille mur de briques** est inflexible et dominatrice ; on y recourt à la punition. Dans la **famille méduse,** il n'y a pas de structure et les limites du comportement acceptable sont floues. Cependant, dans la **famille charpente,** la souplesse côtoie les restrictions. Au sein d'une telle famille, l'enfant développe une structure, ou charpente, qui devient sa conception morale du bien et du mal et qui lui permet de s'apprécier, de penser par lui-même et de comprendre que tout problème a une solution.

Coloroso préconise la famille charpente, où les parents définissent des limites, rendent les enfants responsables de leurs actions et leur proposent des options pour régler les problèmes. Un enfant qui se fait manipuler ou dominer par un parent ou une autre personne « plus forte » que lui peut réagir de trois façons : par la peur, c'est-à-dire qu'il obéit par crainte ; par la lutte, c'est-à-dire qu'il attaque l'adulte ou se défoule sur les autres ; par la fuite, autrement dit, il s'éloigne mentalement ou physiquement. Les punitions corporelles, en plus d'atteindre l'enfant dans sa dignité, lui apprennent que si quelqu'un est plus fort, il peut frapper.

Au lieu de frapper un enfant, elle recommande de faire appel à des conséquences raisonnables ou RSVP, c'est-à-dire à des outils d'apprentissage raisonnables, simples, valables et pratiques. Si la conséquence n'est pas proportionnelle au problème, elle est déraisonnable. Supposons qu'un enfant brise un carreau en claquant la porte. Si on empêche un enfant de sortir pendant deux semaines pour cette raison, ce n'est ni raisonnable ni pratique, et l'enfant n'apprend rien. Par contre, s'il doit ramasser les éclats de verre et remplacer le carreau, il saura qu'il ne doit jamais claquer la porte par colère.

Éléments de la théorie parentale de Barbara Coloroso

Voici une liste adaptée du livre de Barbara Coloroso, *Les enfants, ils en valent la peine* :

- Les enfants font des erreurs.
- Les erreurs servent à apprendre.
- Les enfants sont capables très tôt de faire des choix responsables.
- Laissez l'enfant faire des choix à moins que les conséquences menacent sa vie ou la moralité ou qu'elles soient malsaines.
- Enseignez à un enfant comment penser et non pas ce qu'il doit penser.
- Traitez toujours un enfant comme vous souhaiteriez qu'on vous traite.
- La discipline ne devrait jamais atteindre la dignité d'un parent ou d'un enfant.
- Nous devons trouver des occasions de fêter avec les enfants.
- L'essence du rôle parental : le temps, l'affection et l'optimisme. Élever des enfants n'est pas une vocation éclair. Il faut y mettre le **temps** ; les enfants ont tous les jours besoin d'**affection** : une caresse, un sourire, une plaisanterie ; l'**optimisme** aide les familles à traverser les hauts et les bas quotidiens.

Selon Barbara Coloroso, le rôle des parents est de donner du pouvoir aux enfants et de les influencer, mais sans les contrôler. Apprendre aux enfants à prendre leurs propres décisions les prépare à une citoyenneté responsable. Cela les rend capables de mener leur vie tout en respectant les droits des autres. Mme Coloroso encourage les parents à revoir leur style de pratiques parentales et, s'ils ne sont pas heureux, à explorer d'autres stratégies la prochaine fois qu'ils se retrouveront dans une situation particulière parce que « les enfants en valent la peine ».

En 1998, le gouvernement de l'Ontario a demandé une étude sur l'importance d'aider les enfants à réaliser leur plein potentiel. L'honorable Margaret Norrie McCain et Dr Fraser Mustard, coprésidents de l'étude, ont déposé leur rapport *Étude sur la petite enfance* en 1999. Ce rapport, publié par le Secrétariat à l'enfance de l'Ontario, passe en revue plusieurs aspects du rôle parental, y compris le style de pratiques parentales. Le tableau ci-dessous illustre leurs observations sur le lien entre les styles de pratiques parentales et la prévalence des enfants aux prises avec des difficultés.

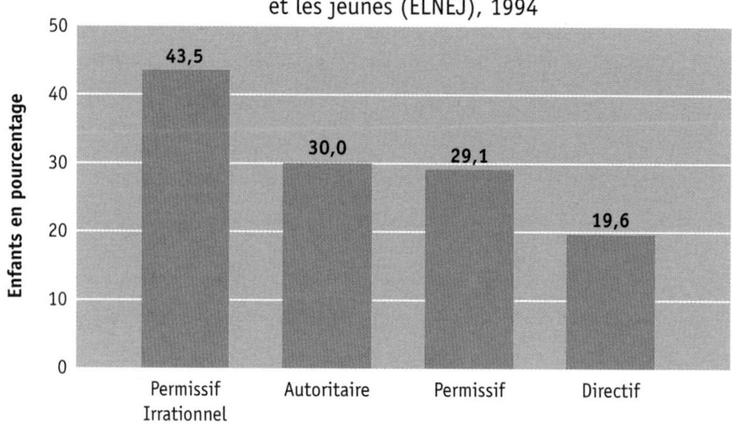

Figure 15.8
Ce tableau indique que les enfants ontariens encadrés par un style directif ont moins de difficultés que les enfants exposés à un style moins équilibré (permissif-irrationnel).

❖ Vérifie tes connaissances

1. Quelles sont les caractéristiques des parents directifs ?
2. Compare les familles « mur de briques », « méduse » et « charpente ».
3. Décris dans tes mots pourquoi les enfants peuvent adopter une mauvaise conduite.

T. Berry Brazelton

T. Berry Brazelton, médecin et expert renommé du développement de l'enfant, a conçu l'**échelle de Brazelton.** On utilise cette échelle de façon universelle pour mesurer le potentiel des nourrissons à la naissance et comparer leurs différences individuelles. L'échelle mesure des facteurs comme la sensibilité au son et à la lumière, le temps de réaction à différents stimuli et les degrés d'activité. Brazelton fait le lien entre ces résultats et le tempérament d'un enfant et il soutient que les parents ont avantage à connaître tôt le type de tempérament de leur enfant afin de réagir en conséquence et de l'accepter tel qu'il est.

Les tempéraments de base selon Brazelton

L'enfant passif

L'**enfant passif**, ou l'enfant satisfait, n'est pas aussi exigeant ou facile à stimuler que les autres et il aime bien les caresses. Un enfant passif dort bien et ne pleure pas pour rien.

L'enfant actif

L'**enfant actif** ne dort pas longtemps et aime le mouvement, le bruit, l'action et le jeu. Il aime mieux sauter que recevoir des caresses.

L'enfant sensible

L'**enfant sensible** pleure facilement, peut mal réagir aux sons, à la lumière ou aux mouvements brusques, est sensible à tout changement dans son environnement et peut refuser les contacts et les caresses.

Un parent qui s'attend à un enfant calme, tranquille, enjoué et câlin peut se retrouver démuni ou sans ressources devant un bébé capricieux, éveillé, impossible à calmer quand il est bouleversé et résistant aux caresses. Dans son livre *Trois bébés dans leur famille : Laura, Daniel et Louis,* Brazelton décrit le bébé actif, le bébé tranquille et le bébé moyen et observe leur développement tout au long de la première année. Il conseille aux parents de porter attention aux signaux de l'enfant et de chercher ce qui le réconforte et l'intéresse le plus. La musique, le mouvement, les voix douces, une certaine caresse, un rituel ou un objet peuvent suffire à rendre la vie des parents et des enfants plus facile ; de plus, exploiter les préférences du bébé favorisera le caractère unique de son développement.

Les objectifs d'un rôle parental positif

Un rôle parental positif s'inspire de plusieurs théories et combine différentes pratiques parentales, mais le plus efficace est celui qui respecte la nature unique des enfants. Il permet aux parents et aux enfants d'être bien ensemble et de développer une relation basée sur le plaisir et le respect mutuel. Le rôle parental positif se fonde sur l'amour et l'affection, favorise la confiance en soi et en l'autre, et inspire un sentiment d'appartenance.

Un rôle parental efficace ne laisse pas de place au harcèlement, aux réprimandes, aux sermons ou aux punitions démesurées. Il ne se fait pas sur le dos des enfants, mais avec eux. Les parents ont la noble mission de guider l'enfant et de l'instruire afin qu'il exploite ce qu'il a de meilleur en lui. Le rôle des parents se base sur la nurturance, c'est-à-dire le réconfort, l'enseignement et le jeu. Si un parent exerce dès le début son rôle de façon positive avec le nourrisson ou le bébé, il aura plus de facilité à continuer sur la même voie tout au long du développement de l'enfant.

Les relations parent-enfant positives et inadaptées

Les recherches sur le rôle parental indiquent clairement que l'attachement précoce et un rôle parental adéquat, respectant l'enfant et favorisant son apprentissage, contribuent à des relations parent-enfant positives. Le tempérament de l'enfant influence également la relation parent-enfant. Cependant, les parents vite conscients du caractère unique de l'enfant créent avec lui un lien étroit, ajusté à son tempérament. L'enfant ayant la chance de vivre une relation parent-enfant positive aura une image de soi authentique, une bonne résistance au stress et la capacité de réussir à l'école.

Figure 15.9
Un attachement précoce et un rôle parental efficace contribuent à des relations parent-enfant positives.

Des études récentes, comme celle de Statistique Canada (1998) rapportée à la page suivante, révèlent que des pratiques parentales déficientes sont souvent à l'origine des relations parent-enfant inadaptées. Des parents qui manquent de cohérence, qui déprécient l'enfant et qui reconnaissent peu ses efforts ont une influence négative sur son développement et augmentent les risques de problèmes de comportement. L'étude de Statistique Canada reconnaît qu'un rôle parental positif est le plus grand cadeau qui soit. En fait, on y affirme même que le rôle parental positif l'emporte sur les circonstances négatives, comme la pauvreté, les difficultés éprouvées par les parents seuls ou les parents adolescents et même le divorce. L'espoir pour l'avenir réside dans un rôle parental positif et efficace.

Le rôle parental positif : le plus beau cadeau qui soit

Voici une traduction d'un article paru dans la page d'accueil du fournisseur de services Internet iStar.

Une étude récente de Statistique Canada révèle que le bien-être des enfants dépend davantage d'un rôle parental positif que de la sécurité financière. Selon ce rapport, le style de pratiques parentales est le facteur le plus déterminant pour le comportement des enfants. Un revenu familial faible et une position sociale désavantageuse ont peu d'incidences dans une famille biparentale ou monoparentale, si le rôle parental est positif. L'étude, réalisée conjointement par Statistique Canada et Développement des ressources humaines Canada, a porté sur le développement des enfants et mesuré les facteurs positifs et négatifs qui l'influencent. L'enquête entreprise en 1994 consiste en une étude approfondie de 23 000 enfants canadiens âgés de moins de 12 ans, illustrant les aspects physique, émotif et scolaire de leur vie sur plusieurs années. Le rapport a révélé que les pratiques parentales négatives, comme punir de manière inconstante ou arbitraire (changeante ou erratique), défouler sa colère sur les enfants ou ne pas les féliciter pour leurs réalisations sont des signes précurseurs de problèmes comportementaux bien plus graves que des milieux comme les familles monoparentales, composées de parents adolescents ou à faible revenu. Les données montrent que la majorité des enfants canadiens sont en santé, bien adaptés et progressent bien à l'école. Cependant, elles indiquent aussi un nombre significatif d'enfants vivant dans des conditions difficiles, comme des familles défavorisées ou brisées ou un rôle parental négatif. Environ 20 % de ces enfants éprouvent des problèmes comportementaux, comme de l'agressivité physique ou verbale ou des difficultés émotionnelles comme la dépression.

De l'aide pour les enfants en difficulté

Les enfants en difficulté et leur famille ont besoin d'une aide adaptée. Si on n'a pas eu la chance de connaître un rôle parental positif durant son enfance, il est probable qu'on éprouvera des difficultés au moment d'être parent. Les personnes dans cette situation ont grand besoin d'une aide professionnelle. Les consultations familiales et les cours sur le rôle parental aident les familles à retrouver l'équilibre. Dans les cas très graves qui menacent la sécurité de l'enfant, les services sociaux peuvent le retirer de sa famille. Les enfants en difficulté ont parfois besoin d'une thérapie qui leur donnera des outils et un soutien pour surmonter les pratiques parentales négatives qu'ils ont connues. Quelquefois, la thérapie se poursuit même à l'âge adulte.

Figure 15.10
L'art-thérapie est une façon d'aider les enfants en difficulté.

Info-carrière

L'artothérapeute et la ou le musicothérapeute

Les tâches et les responsabilités

L'art-thérapie et la musicothérapie font appel à des processus de création pour permettre aux enfants d'exprimer leurs sentiments sur des sujets en général trop difficiles à verbaliser. Cela aide les enfants à reconnaître leurs émotions et à développer assez de confiance en soi pour arriver à en parler. Ces émotions découlent souvent de situations pénibles, comme des problèmes de comportement ou des mauvais traitements de la part des proches. Les artothérapeutes et les musicothérapeutes ont une formation en psychologie de l'enfant et en thérapies psychologiques ; il leur arrive souvent de collaborer avec d'autres spécialistes pour le traitement des enfants. Leur objectif est d'abaisser le degré de stress chez l'enfant en le plaçant dans une atmosphère calme, rassurante et adaptée à son âge.

L'art-thérapie et la musicothérapie exploitent souvent la spontanéité. Les thérapeutes provoquent des situations qui amènent les enfants à donner libre cours à leurs émotions à travers l'art et la musique. Leur formation leur permet de soumettre les enfants à des thérapies adaptées à leur stade de développement. Le traitement exige souvent une évaluation initiale et la conception d'un plan de traitement adapté aux besoins de l'enfant. Il inclut aussi un rapport aux parents, aux professionnelles et aux professionnels de la santé qui s'occupent de l'enfant.

L'environnement de travail

Les artothérapeutes et les musicothérapeutes travaillent généralement dans des cliniques ou des bureaux auprès d'une clientèle privée. Le traitement d'un enfant les met parfois en contact avec d'autres thérapeutes des domaines de la psychologie et du travail social. On les voit également dans des hôpitaux, en cabinet privé, dans des refuges, des écoles et des établissements correctionnels pour adolescentes et adolescents.

Il y a des thérapeutes qui trouvent plus pratique de fixer des rendez-vous en dehors des heures d'école, donc qui travaillent souvent les soirs et les week-ends. Ce travail, comme bien des emplois liés aux soins de santé, demande beaucoup sur le plan émotionnel.

La formation et les aptitudes

Pour réussir dans cette carrière, il faut avoir des compétences en communication et des aptitudes en relations interpersonnelles. La patience, la compassion et un réel désir d'aider les enfants sont aussi indispensables. Les personnes qui s'engagent dans l'art-thérapie et la musicothérapie ont également un grand intérêt pour l'art ou la musique ainsi qu'un amour sincère des enfants. Cette carrière interpelle grandement les émotions. Par conséquent, une bonne connaissance de soi ainsi qu'une grande confiance en soi aident à réussir.

Pour devenir une ou un thérapeute, on doit posséder un diplôme universitaire de premier cycle avec une spécialité en travail social ou en psychologie ainsi qu'avoir une formation et des aptitudes en art, en musique, en théâtre ou d'autres domaines connexes. À la fin de ses études, il faut effectuer un internat d'au moins 1000 heures avant de pouvoir faire une demande d'adhésion aux associations professionnelles.

Des techniques pour les parents et les personnes qui s'occupent des enfants

Il y a longtemps que les parents se fiaient avant tout aux conseils du Dr Spock. Depuis, les spécialistes en rôle parental se suivent les uns les autres. Les bibliothèques et les librairies réservent des rayons complets aux ouvrages sur le rôle parental, l'éducation et le développement des enfants. On s'entend aujourd'hui sur le fait qu'il ne faut pas donner la fessée aux enfants et on recommande d'autres solutions. Toutes les techniques proposées ne conviennent pas à toutes les familles ou à toutes les situations. Par conséquent, les parents et les personnes qui s'occupent des enfants doivent déterminer les techniques qui s'accordent avec leur philosophie parentale. Leur bon jugement leur permettra de choisir les techniques avec lesquelles ils se sentent à l'aise et qui seront les plus profitables à l'enfant.

Des techniques efficaces pour les parents et les personnes qui s'occupent des enfants

Si on connaît plusieurs méthodes de soins et pratiques parentales, on peut constituer son propre répertoire de stratégies. Les jeunes peuvent appliquer certaines de ces techniques quand ils gardent ou surveillent des enfants ou qu'ils sont à la tête de groupes. Quand les parents et les personnes qui s'occupent des enfants disposent de diverses approches respectant la dignité de l'enfant, ils ont la possibilité d'en expérimenter quelques-unes ou de choisir les plus appropriées dans des situations difficiles.

Détourner l'attention et proposer un substitut Distraire l'enfant, dès son tout jeune âge, en lui offrant un substitut est un moyen d'éviter les conflits. Si un enfant agrippe les cheveux d'une personne, ouvre doucement sa main et remplace la mèche de cheveux par un jouet. Si un enfant se dispute avec son frère, détourne l'attention des deux enfants en disant, par exemple: « Regardez, il y a un camion de pompiers dans la rue. Venez voir ! »

Avoir une maison à l'épreuve des enfants Mets tous les objets cassants hors de la portée des enfants, installe des boîtiers de sécurité sur les prises électriques et cache tous les produits dangereux. Les enfants naissent sans savoir ce qu'ils ont le droit de toucher ou non. Rendre sa maison sécuritaire réduit le nombre de fois où il faut dire « non » ainsi que la frustration des parents et des enfants. Dans une maison à l'épreuve des enfants, il y a des endroits sûrs pour jouer, de la vaisselle incassable, des surfaces lavables et beaucoup d'occasions d'explorer pour les enfants actifs.

Fixer des limites Explique clairement les limites ou les attentes et vérifie constamment si l'enfant les respecte. Assure-toi d'imposer des limites logiques, raisonnables et claires. Par exemple, « Tu dois t'asseoir dans ton siège de sécurité et boucler ta ceinture chaque fois » ou « Je veux que tu restes toujours assis dans le chariot d'épicerie ». Rappelle-toi que les limites doivent évoluer à mesure que les enfants acquièrent de nouvelles habiletés. « Porte ton casque quand tu roules à bicyclette. » Quand les enfants pensent d'eux-mêmes à suivre les directives, fais-leur savoir que tu as remarqué : « Tu t'es rappelé de porter ton casque. C'est formidable ! »

Ne pas discuter des règles et des limites Pour être efficaces, les parents et les personnes qui s'occupent des enfants établissent peu de règles. En effet, plus les règles sont nombreuses, plus il y en a à faire respecter. Les règles importantes ne devraient jamais faire l'objet de négociations, surtout quand il s'agit de sécurité. Un parent peut déclarer avec fermeté : « Je n'ai pas l'intention de discuter de cette règle. »

Établir des routines La régularité de la routine réconforte les enfants. Les enfants aiment les rituels agréables entourant l'heure du coucher, par exemple lire une histoire ou se faire frotter le dos. « D'abord, tu prends un bain, ensuite, tu mets ton pyjama et tu brosses tes dents. Nous lisons

Voici quelques techniques efficaces pour les parents et les personnes qui s'occupent des enfants :
- détourner l'attention et proposer un substitut ;
- avoir une maison à l'épreuve des enfants ;
- fixer des limites ;
- ne pas discuter des règles et des limites ;
- établir des routines ;
- accorder du temps de transition ;
- enseigner et former ;
- encourager ;
- offrir des choix.

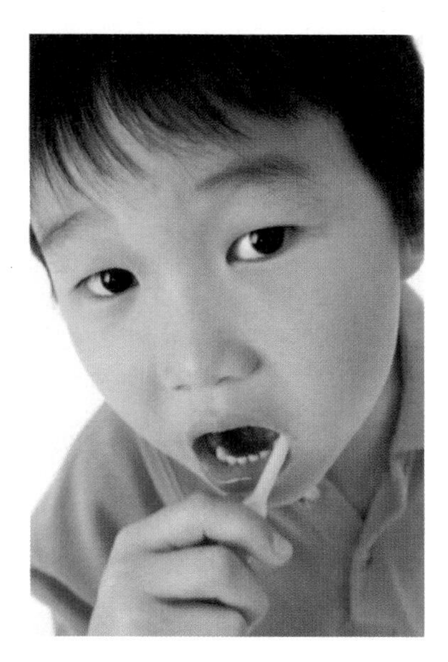

Figure 15.11
Les enfants gardent toute leur vie les habitudes qu'on leur inculque.

une histoire et après, tu fais un beau dodo. » La routine peut se transposer ailleurs quand la famille est à l'extérieur de la maison. Comme ces gestes sont familiers et prévisibles, les enfants acceptent plus facilement le changement.

Accorder du temps de transition Les adultes s'accordent automatiquement du temps de transition entre deux tâches. Cela leur donne le temps de penser à la tâche à entreprendre quand ils auront fini la première. L'enfant aussi a besoin d'une transition. Une phrase comme « Allez ! Dans ton lit, tout de suite » ne devrait pas être le premier indice que c'est l'heure d'aller dormir. Il vaut mieux aviser les enfants d'être prêts pour le dodo dans dix minutes afin qu'ils aient le temps de s'ajuster mentalement.

Enseigner et former Les enfants doivent apprendre les gestes et les habitudes essentiels, comme se brosser les dents, se servir de papier de toilette, s'adresser poliment à grand-père ainsi que dire « merci » et « s'il vous plaît ». Cet enseignement requiert du temps et le parent doit donner l'exemple tant que l'enfant n'a pas pris l'habitude. L'entraînement devrait commencer avant que la compétence soit nécessaire, mais pas avant que l'enfant soit capable de la réaliser. En fin de compte, il est plus long de corriger les mauvaises habitudes d'un enfant que de lui enseigner correctement dès le début.

Encourager Un enfant apprend à réussir pas à pas : il se relève après une chute et ne ressent pas de honte ou de gêne s'il a fait une erreur. Encourager un enfant lui donne la force de continuer à s'améliorer. Des paroles comme « J'apprécie que tu aies essayé de mettre tes souliers par toi-même » ou « C'est une bonne idée d'avoir mis tes jouets à cet endroit » donnent à l'enfant la confiance nécessaire pour continuer sur la même voie.

Offrir des choix Laisser un enfant, même très jeune, faire des choix à sa mesure a plus d'un avantage. Non seulement il a le sentiment de contrôler une situation, mais il apprend aussi à assumer les conséquences de ses choix. Il apprend de plus à reconnaître ses mauvais choix. « Veux-tu ton lait dans la tasse éléphant ou la tasse alligator ? » est une façon de distraire l'enfant de l'obligation de boire son lait, tout en lui laissant une part de contrôle sur la situation.

Les **conséquences naturelles** sont le résultat direct du comportement de l'enfant. Par exemple, si l'enfant sort sans ses mitaines une journée froide, la conséquence naturelle est qu'il aura les mains glacées. Inutile de le réprimander, il fera probablement le bon choix la prochaine fois. Cependant, si la sécurité de l'enfant est en jeu, le parent ne devrait pas lui laisser expérimenter les conséquences naturelles. Aider un enfant à trouver une solution à un problème lui permet d'imaginer les conséquences sans avoir à les vivre.

Les parents établissent les **conséquences logiques** en relation logique avec le comportement de l'enfant. Par exemple, si un enfant a marché dans la boue, il devra nettoyer ses souliers. Ou si les enfants n'arrivent pas à temps pour le repas, ils devront se faire à manger. Il est important de prévoir des conséquences logiques non punitives et qui représentent une solution à un problème plutôt qu'une punition pour mauvaise conduite.

La **mise au point** est un geste d'intégration plutôt que d'exclusion. Par exemple, quand un enfant se conduit mal, le parent s'assoit avec lui, le laisse exprimer ses sentiments et lui montre la façon de régler le problème. Cette approche aide l'enfant à surmonter sa contrariété et lui confirme que ses parents l'aiment toujours.

■ La mise au point est un geste d'intégration plutôt que d'exclusion.

Le **temps de réflexion** met de la distance entre l'enfant et le problème, lui donnant le temps de se calmer et d'examiner son comportement. La durée recommandée pour cette réflexion est d'une minute par année de vie jusqu'à un maximum de cinq minutes. Les enfants familiarisés avec cette technique se donneront souvent eux-mêmes un temps de réflexion quand ils ont besoin de se calmer et de se reprendre.

L'**humour** est un bon outil pour désamorcer la colère, détourner l'attention d'un enfant et dédramatiser une situation tendue. Si un enfant casse une assiette, les parents peuvent briser le silence tendu qui s'ensuit en reportant la faute sur un personnage fictif.

Après la mauvaise conduite, donner amour et réconfort. Les parents et les personnes qui s'occupent des enfants doivent indiquer clairement qu'un comportement est inacceptable, mais ils ne doivent jamais dire à un enfant qu'il est mauvais. Les enfants sont souvent malheureux de leur mauvaise conduite et ils ont besoin de savoir qu'on les aime encore. Un parent qui refuse les contacts, montre sa colère ou impose le traitement du silence témoigne sa désapprobation de l'enfant lui-même et non de son comportement.

Figure 15.12
Pourquoi cet enfant a-t-il besoin de réconfort?

Aujourd'hui, les parents et les personnes qui s'occupent des enfants s'intéressent aux recherches sur le développement de l'enfant. Les livres et les magazines sur le rôle parental se vendent très bien en librairie et il y a beaucoup de sites Web populaires à ce sujet. Il est important d'avoir accès à plusieurs sources d'information sérieuses. Les parents ont la tâche de consulter des spécialistes de leur communauté et d'autres parents afin de déterminer l'information qu'ils retiendront pour l'éducation de leurs enfants. De plus, ils doivent se sentir à l'aise avec les techniques parentales qu'ils utilisent. Ce qui fonctionne bien pour un parent peut ne pas fonctionner pour un autre ; de même, ce qui convient à un enfant ne convient pas toujours à un autre. Il arrive qu'un parent doive essayer différentes approches afin de découvrir ce qui fonctionne le mieux selon la situation ou le tempérament de l'enfant.

Vérifie tes connaissances

1. Énumère les types de tempéraments que tu trouves dans ta famille.
2. Quels sont les objectifs d'un rôle parental positif ?
3. Quels avantages y a-t-il à rendre un environnement à l'épreuve des enfants ?
4. À ton avis, quelles techniques de rôle parental efficace conviendraient le mieux dans les situations suivantes ? Explique.
   - Un bébé de six mois agrippe la boucle d'oreille de sa mère.
   - Un enfant de deux ans mord son camarade de jeu.
   - Un enfant de cinq ans utilise un langage inapproprié.
   - Un enfant de dix ans vole un objet dans un magasin.

Y a-t-il des cas où les punitions corporelles sont appropriées pour discipliner un enfant ? La plupart des spécialistes dans le bien-être des enfants répondent « non ». Ils ajoutent même que les punitions corporelles ne fonctionnent pas à long terme et peuvent compromettre le développement affectif de l'enfant... Certains parents diront qu'elles (les punitions corporelles) ne leur ont pas nui. Mais souvent, ils ne se rendent pas compte des cicatrices qu'elles leur ont laissées et de la façon qu'ils ont d'imposer leur pouvoir aux autres.
— La Fondation Hope for Children

La discipline : de la petite enfance à l'adolescence

Par le passé, la discipline semblait simple : les parents établissaient les règles et punissaient les enfants qui ne les respectaient pas. Des parents se disaient qu'un enfant avait besoin d'une « bonne fessée » pour bien se tenir. Beaucoup d'enfants se comportaient le mieux possible pour éviter les punitions. On acceptait ce style de rôle parental autoritaire à une époque où tout le monde fonctionnait sur le même modèle. Au temps de la colonisation, le parent enseignait à l'enfant les tâches quotidiennes et l'enfant les apprenait. Une fois grands, les enfants répétaient le même modèle avec leurs propres enfants. Depuis, les styles de pratiques parentales ont changé pour plusieurs raisons. La recherche, l'éducation, les nouvelles législations, les mouvements contre l'autoritarisme et les punitions corporelles, l'évolution des rôles sexuels et une conscience grandissante de l'incidence du rôle parental sur les enfants sont quelques facteurs ayant contribué à transformer les pratiques parentales. Notre société ne tolère plus qu'on utilise les punitions corporelles pour discipliner un enfant.

Les enfants ont besoin de discipline afin qu'à l'adolescence ils développent une **autodiscipline** et assument la responsabilité de leurs actions. Cependant, le sens de la responsabilité peut s'acquérir tôt, par de petites tâches qui deviennent plus importantes à mesure que l'enfant grandit. Le but de la discipline, c'est de guider les enfants jusqu'à ce qu'ils puissent s'appuyer sur leur discipline intérieure.

Pour être efficace, la discipline doit être :

- inculquée par un adulte ayant un lien affectif avec l'enfant ;
- cohérente, reliée de près au comportement à changer ;
- perçue comme « juste » par l'enfant ;
- en accord avec le développement et le tempérament de l'enfant ;
- stimulante, c'est-à-dire qu'elle suscite l'autodiscipline.

— Société canadienne de pédiatrie (2002)

Une discipline appropriée à l'âge de l'enfant

La discipline et les conseils à l'enfant doivent prendre place dès la petite enfance pour l'amener à développer une autodiscipline et le sens des responsabilités. Le rôle des parents à cet égard évolue selon les stades de développement (voir le tableau ci-après). Selon les circonstances, un enfant atteindra ou non les objectifs énumérés dans la colonne « Autodiscipline ».

Une discipline appropriée à l'âge de l'enfant

Stade	Intervention ou enseignement du parent	Autodiscipline
Nourrisson (0 à 6 mois)	• Répondre régulièrement aux besoins de l'enfant. • Calmer ses pleurs par le réconfort. • Établir des rituels prévisibles pour le bain, le boire et le sommeil.	• Se calme et cesse de pleurer. • S'endort quand il est fatigué. • Prévoit l'ordre des événements grâce à la routine.
Bébé (6 à 18 mois)	• Suivre une routine. • Jouer avec le bébé. • Parler au bébé et lui apprendre des mots. • Encourager une exploration sécuritaire. • Rendre la maison à l'épreuve des enfants. • Fixer des limites (par exemple, l'emploi du siège de bébé chaque fois). • Enseigner les tâches essentielles, comme monter l'escalier, moucher son nez, laver les mains, caresser un animal, dire « merci » et « s'il vous plaît ». • Offrir des choix (pyjama rouge ou bleu).	• Est à l'aise avec la routine. • Passe plus de temps à s'amuser sans adulte. • Communique ses désirs ou ses besoins par des gestes ou des mots détachés. • Commence à prononcer des mots. • Commence à comprendre les limites.
Tout-petit (18 mois à 3 ans)	• Distraire le bébé et détourner son impulsivité. • Lui montrer comment accomplir des tâches simples. • Demander sa collaboration. • L'encourager, étape par étape, à soigner son hygiène, à manger par lui-même, à s'habiller, à aller à la toilette. • Donner l'exemple pour la politesse, la gentillesse et le partage.	• Commence à maîtriser ses impulsions. • Est capable de demander de l'aide. • Contrôle sa frustration. • Accomplit de lui-même certaines tâches quotidiennes, comme s'habiller ou ramasser ses jouets. • Tient compte des sentiments des autres enfants ou du confort des animaux.

(À suivre)

Stade	Intervention et enseignement du parent	Autodiscipline
Âge préscolaire et maternelle (3 à 6 ans)	• Renforcer les règles de sécurité et les limites. • Prévoir des « mises au point » et des discussions sur les comportements à changer. • Ignorer les comportements désagréables, donner l'exemple de comportements appropriés et reconnaître les bons comportements de l'enfant. • Assigner des tâches réalisables. • Laisser l'enfant tirer lui-même une leçon de ses petites erreurs.	• S'arrête et réagit adéquatement quand il y a du danger. • Remarque le comportement approprié et l'imite. • S'acquitte sans rappel des petites tâches dont il est responsable. • Commence à prévoir les conséquences de ses comportements.
Âge scolaire (6 à 10 ans)	• Reconnaître sa contribution à la famille. • Discuter et s'entendre avec lui au sujet des tâches domestiques. • Discuter et s'entendre avec lui sur le temps consacré à la télévision, à Internet, aux devoirs ou aux amitiés. • Exiger politesse et respect. • Utiliser les conséquences naturelles et logiques. • L'inciter à appliquer la résolution de problèmes.	• Éprouve de la fierté d'aider à la maison. • A envie d'accomplir des tâches et de faire ses devoirs. • Développe des intérêts et des passe-temps. • Prévoit et assume les conséquences de ses actions. • Démontre de la maîtrise de soi.
Préadolescence (10 à 13 ans)	• Discuter et s'entendre avec lui sur l'accroissement de ses responsabilités. • Lui laisser plus de liberté dans le choix de ses vêtements et de son apparence. • Discuter des changements de nature sexuelle et de ses responsabilités à cet égard. • Souligner l'avènement de sa puberté. • Lui laisser résoudre ses conflits interpersonnels. • Être là quand il a besoin de parler, de se défouler ou de pleurer.	• Prend la responsabilité de donner un coup de main à la maison. • Développe une conscience de soi. • Recourt au monologue interne pour développer sa confiance. • Résiste à la pression exercée par les pairs. • Accepte les changements physiques de son corps et assume les responsabilités qui en découlent. • Comprend et contrôle ses variations d'humeur.
Adolescence	• Maintenir la communication. • Discuter et s'entendre sur les comportements acceptables et son engagement à la maison et dans la communauté. • Le laisser résoudre des problèmes et assumer ses responsabilités dans les démarches qu'il entreprend pour acquérir son indépendance (trouver un emploi à temps partiel, obtenir son permis de conduire et poursuivre des études). • Encourager les qualités que tu admires comme la maturité, le sens de l'humour, l'aptitude à bien s'entendre avec les autres.	• Assume la responsabilité de ses actions à la maison comme à l'extérieur. • Discute de ses préoccupations avec les autres. • Entreprend des démarches pour acquérir son indépendance. • Se fixe des limites personnelles. • Ressent de la sympathie pour les autres et contribue à leur bien-être. • Fait appel à ses compétences en résolution de problèmes. • Devient responsable de lui-même.

Figure 15.13
Les parents peuvent aider leur enfant à développer l'autodiscipline.

Le texte suivant est adapté d'un article paru sur le site Web d'Enfant et famille Canada.

Qu'y a-t-il de mal à donner une fessée? Beaucoup de choses!

1. Cela donne le mauvais exemple: «Lorsqu'ils sont fâchés, ils frappent.» Les parents doivent montrer aux enfants comment exprimer leur colère et résoudre le conflit d'une manière pacifique.
2. Donner la fessée et frapper sont des formes de violence. Le mot «fessée» a un petit air d'innocence. Il est plus agréable de dire «Veux-tu la fessée?» que de dire «Veux-tu être frappé ou blessé?» Des adultes qui frappent et blessent des enfants, ce n'est pas beau du tout – ça blesse.
3. Ça peut devenir une habitude: vous commencez à le faire sans même y penser. La plupart des adultes ont appris à ne pas frapper d'adultes même lorsqu'ils sont fâchés. On peut également faire preuve de maîtrise de soi lorsqu'on se fâche contre les enfants.
4. Donner la fessée et frapper perpétuent le deux poids, deux mesures. La loi protège les adultes de toutes sortes d'assauts. Les enfants sont des personnes aussi!
5. Cela engendre une image de soi médiocre. Les gens (les enfants) ne sentent pas qu'ils en valent la peine si leur corps n'est pas respecté (c'est-à-dire s'ils sont frappés).
6. Cela engendre un climat de peur. Les enfants n'apprennent pas bien lorsqu'ils craignent d'être frappés pour avoir fait une erreur.
7. Cela n'aide pas l'enfant à acquérir de la discipline personnelle. L'élément le plus important de la discipline est l'amour qu'un enfant éprouve pour le parent. Lorsque le parent recourt à des méthodes très strictes pour enseigner aux enfants à distinguer le bien du mal, l'enfant développe des sentiments de ressentiment et de haine mélangés au sentiment d'amour qu'il éprouve pour son père ou sa mère. Cela ajoute à la confusion et si l'enfant se comporte mal, c'est qu'il veut dissiper la confusion. L'enfant ne demande pas à être frappé, il demande qu'on lui impose des limites claires et uniformes.
8. En montrant aux enfants qu'il est correct de frapper et de blesser les plus petits (y compris leurs frères et sœurs), on perpétue un cercle vicieux.
9. Les parents doivent se mettre dans la peau de leurs enfants. Comment se sentiraient les adultes si un patron ou un conjoint les frappait pour les corriger?
10. On ne doit pas frapper les gens! Les adultes sont là pour aider les enfants, pas pour les blesser.

La discipline consiste à montrer des choses aux enfants, pas à les blesser.

L'autodiscipline comme objectif

La méthode des punitions et des récompenses n'aide pas les enfants à développer l'autodiscipline. Il s'agit de deux motivations extérieures qui rendent les enfants dépendants. En peu de temps, ils s'attendent à recevoir une récompense à tout propos. D'autre part, les punitions peuvent les inciter à se venger en adoptant des comportements encore plus répréhensibles. La discipline personnelle vient de l'intérieur. C'est une question de maîtrise de soi et de confiance en soi. Une personne autodisciplinée n'a pas besoin de l'approbation ou des règles des autres.

L'autodiscipline peut prendre racine dès la petite enfance. Si les parents et les personnes qui s'occupent des enfants surprotègent l'enfant et le suivent pas à pas, ils l'empêchent de trouver et d'utiliser les ressources intérieures dont il a besoin pour développer la **maîtrise de soi.** À mesure qu'ils grandissent, les enfants doivent avoir l'occasion de prendre des **responsabilités**, même modestes. On commence par leur laisser la possibilité de faire des choix simples et d'accomplir de petites tâches. Jouer un rôle dans la vie courante de la famille donne à l'enfant un sentiment d'importance et d'identité. Cela lui permet d'apporter une contribution supervisée à sa famille jusqu'à ce qu'il soit capable d'assumer lui-même des responsabilités.

Figure 15.14
Les enfants commencent à intégrer la maîtrise de soi en devenant responsables de certaines tâches ménagères.

Avis d'experts

OTTO WEININGER

Otto Weininger est auteur. Il répond aux questions suivantes :

Qu'est-ce qu'une punition ? De quelle manière contribue-t-elle à enseigner l'autodiscipline aux enfants ?

La punition est une conséquence négative imposée à un enfant pour avoir, délibérément ou non, enfreint les règles – parfois même sans les connaître. La discipline ne devrait jamais comprendre de punitions, car elle perd toute son efficacité.

- Frapper, c'est punir.
- Crier, c'est punir.
- Le « temps de réflexion » ou l'isolement peut devenir une punition.
- Certaines « conséquences logiques » peuvent devenir une punition.
- Certaines pratiques parentales en vogue peuvent être une punition.

La seule leçon que tirent les enfants des punitions, c'est comment les éviter à l'avenir. Même si des parents et des personnes qui s'occupent des enfants ont l'impression que les punitions sont indispensables, elles n'ont qu'un effet négatif sur le développement de l'autodiscipline.

Comment les parents, les éducatrices et les éducateurs peuvent-ils aider les enfants à développer l'autodiscipline au sein de la famille et à l'école ?

D'abord et avant tout, la discipline s'applique dans un milieu sain, affectueux, encourageant et favorable au développement. Les parents et le personnel enseignant doivent faire des « mises au point » avec les enfants pour régler les problèmes de discipline. Quand les besoins émotionnels de l'enfant sont comblés et qu'un lien fort l'unit à ses parents, il développe la motivation nécessaire pour apprendre et adopter les règles qui définissent un comportement acceptable.

L'autodiscipline se développe dans les conditions suivantes :

- Les parents énoncent clairement les règles et les attentes, et les enfants les comprennent ; les règles conviennent à l'âge et au stade de développement des enfants.
- Les parents appliquent les règles avec cohérence, mais acceptent de les contourner dans des circonstances particulières ou au cours d'occasions spéciales.
- Les attentes sont raisonnables, c'est-à-dire qu'elles ont pour but d'assurer l'harmonie familiale ; les adultes ne les imposent pas arbitrairement.
- Les règles ont pour objectif le bien-être de l'enfant.
- Autant que possible, toutes les personnes concernées, y compris les enfants, acceptent les attentes exprimées.
- Les adultes n'adoptent jamais un comportement contraire à leurs attentes.
- Les règles et les politiques sont en accord avec de saines valeurs propres à la culture et ne représentent pas des idéaux irréalisables.

La sagesse parentale

L'un des aspects les plus frustrants dans l'éducation des enfants, c'est la rivalité fraternelle. Les spécialistes conseillent aux parents de ne pas se mêler des disputes et des différends entre frères et sœurs. Souvent, quand il y a une dispute, les enfants essaient de convaincre le parent de prendre pour eux ou de forcer leur frère ou sœur à cesser son comportement. Séparer les enfants ou prendre parti encourage ce comportement et ne fait qu'envenimer la dispute. Ressentir de la colère envers un frère, une sœur ou même un parent est tout à fait normal. Les parents devraient reconnaître les sentiments des enfants, mais leur dire qu'il leur revient de trouver ensemble une solution à leur différend. Dans certains cas, les parents pourront faire une mise au point avec les deux enfants pour leur suggérer des façons de s'entendre. Les frères et les sœurs devront faire appel à leurs compétences en **négociation** pour se parler jusqu'à ce qu'ils trouvent un terrain d'entente. Les aptitudes qu'ils développent ainsi leur serviront dans les relations qu'ils créeront tout au long de leur vie.

Les enfants font des erreurs et ils ont besoin des parents pour les encourager à régler eux-mêmes leurs problèmes et à en tirer une leçon. Les parents peuvent enseigner à leurs enfants le **monologue interne**, c'est-à-dire le fait de s'encourager mentalement soi-même, pour les aider à développer leur confiance en soi.

Les parents doivent avoir confiance en leurs enfants. Souvent, le plus difficile quand on forme des enfants à l'autodiscipline, c'est de les laisser faire des choses à leur manière. À mesure que les enfants acquièrent des compétences, les parents réduisent le nombre de limites de façon à leur permettre d'établir leurs propres **limites personnelles.** Les enfants en viendront eux-mêmes à décider comment ils occupent leur temps et ce qu'ils ont à faire. Les enfants ne réussiront jamais à prévoir et à assumer les conséquences de leur comportement si les parents leur rappellent constamment ce qu'ils doivent faire ou interviennent pour les sortir d'un mauvais pas. S'ils sont capables d'assumer les conséquences de leurs agissements, ils apprendront à faire de meilleurs choix dans l'avenir, à réfléchir et à se donner la véritable autodiscipline, celle qui vient de soi.

Figure 15.15
Même si les frères et sœurs sont quelquefois rivaux, ils peuvent s'entraider et avoir du plaisir ensemble.

Vérifie tes connaissances

1. Qu'est-ce que l'autodiscipline ? Comment les parents peuvent-ils aider les enfants à l'atteindre ?
2. Quels sont les avantages des mises au point pour les parents et pour les enfants ?
3. Explique les bienfaits du monologue interne et cite un exemple.

Résumé

Points marquants

- Les pratiques parentales varient d'une famille à l'autre, d'un enfant à l'autre et d'un stade de la vie à l'autre.
- Les théories sur le rôle parental ont évolué avec le temps. Plusieurs théoriciennes et théoriciens notoires ont contribué à l'élaboration des pratiques parentales préconisées aujourd'hui.
- Dr Spock a été le premier à défendre une méthode de gestion de la mauvaise conduite plutôt que les punitions corporelles.
- Diane Baumrind a défini des styles de pratiques parentales et a montré l'avantage du style directif sur les styles autoritaire (strict) et permissif.
- Rudolf Dreikurs a développé une théorie sur la mauvaise conduite pour montrer aux parents comment encourager les comportements positifs plutôt que négatifs.
- Barbara Coloroso a combiné les théories de Baumrind et de Dreikurs pour dresser une liste de conseils pratiques à l'intention des parents.
- T. Berry Brazelton, aussi en faveur d'un rôle parental positif, affirme que les parents doivent tenir compte du tempérament de leur enfant dans son éducation.
- Un rôle parental efficace ou positif est le facteur le plus déterminant de ce que deviendra un enfant.
- Les théories sur le rôle parental ont permis de développer diverses techniques sans tapes, sans recours à la force et sans punitions corporelles qu'on peut utiliser avec les enfants.
- La discipline ne recourt pas aux punitions corporelles mais vise plutôt à guider l'enfant.
- À mesure que les enfants passent de la petite enfance à l'adolescence, il faut ajuster la discipline pour atteindre le but ultime : l'autodiscipline.
- Le rôle parental est un état de perpétuel apprentissage...

Révision et approfondissement

1. Interroge les parents d'un enfant d'âge scolaire. Demande-leur si leur style de pratiques parentales a changé à mesure que l'enfant a grandi. Compare les résultats de ton entrevue avec les descriptions de l'encadré à la page 355. C/C R/R
2. Observe quelques parents afin de déterminer leur style de pratiques parentales. À partir de tes observations, compare l'incidence des différents styles (permissif, autoritaire et directif) sur le comportement des jeunes enfants. R/R
3. Pour chaque point de la théorie de Barbara Coloroso, cite un exemple concret. C A
4. Écris une dissertation à propos de la théorie de Dreikurs sur la mauvaise conduite. Selon toi, cette théorie peut-elle aider les parents à éviter les disputes avec les enfants ? R/R C

5. Il y a, dans ce chapitre, quinze techniques parentales efficaces. Choisis-en huit et décris l'utilité de chacune pour les parents. C/C
6. Imagine que tu es parent. À partir du tableau « Une discipline appropriée à l'âge de l'enfant », décris cinq situations courantes dans l'éducation des enfants. Indique comment tu t'y prendrais pour aider ton enfant à développer l'autodiscipline. A
7. Lorsque tu gardes des enfants ou que tu joues avec eux au terrain de jeu, mets en pratique quelques-unes des techniques recommandées pour bien s'acquitter du rôle parental et discipliner les jeunes enfants. Essaie de proposer des choix, d'utiliser les mises au point, de fixer des limites ou d'encourager l'indépendance. Fais un rapport sur l'efficacité de tes interventions. C/C R/R C A
8. Décris des techniques qui donnent du pouvoir et du contrôle aux enfants, aux adolescentes et aux adolescents par le développement de l'autodiscipline. Analyse la façon dont ces techniques contribuent au développement de l'autodiscipline. C/C R/R

Recherche

9. Effectue une recherche à la bibliothèque ou dans Internet pour mieux connaître les travaux d'une théoricienne ou d'un théoricien du rôle parental de ton choix (Dreikurs, Baumrind ou Coloroso, par exemple). Conçois une page Web ou un document au traitement de texte pour résumer ce que tu as appris. Ta présentation doit exposer clairement et simplement la théorie. Utilise des titres concis, conçois une mise en page agréable et inclus des dessins ou des images appropriés.
10. Lis ou visionne la biographie ou l'autobiographie d'une personne intéressante (célèbre ou non). Rédige un rapport sur le style de pratiques parentales qu'elle a connues pendant son enfance. Indique si le rôle parental a été positif ou inadéquat, et cite des exemples tirés de la biographie ou de l'autobiographie pour appuyer ton opinion.
11. Dans des magazines spécialisés, des guides pour les parents ou dans Internet, cherche des techniques parentales en vogue actuellement. Trouve des techniques qui n'apparaissent pas dans ce chapitre et qui se révèlent efficaces pour guider le comportement des enfants tout en respectant leur dignité.

Analyse et solution

David et Anna ont attendu plusieurs années avant d'élever une famille. Ils ont donc eu du temps pour voyager, établir leur carrière et organiser leur milieu de vie. Ils ont appris à accepter les forces et les faiblesses de l'autre. Quand leurs enfants sont nés, à moins de deux ans d'intervalle, le rôle parental a accaparé leur vie. Ils ne s'attendaient pas à avoir des styles de pratiques parentales si différents. Anna trouve David trop permissif, car il laisse les enfants agir à leur guise. Selon elle, les enfants ont besoin de règles strictes et de routines rigides. Anna n'aime pas que David cède aux désirs des enfants. Pour sa part, David estime qu'Anna contrôle trop les enfants et ne leur laisse pas assez de liberté pour qu'ils apprennent à juger par eux-mêmes. Bref, les deux parents ont l'impression que l'autre l'empêche d'être un bon parent.

1. Les styles de pratiques parentales opposés deviennent une source de conflits pour bien des parents et peuvent affecter leur relation en tant que couple et que parents. Que devraient faire Anna et David pour résoudre leur différend et faire front commun devant les enfants ?
2. Quels sont les avantages et les inconvénients, pour un enfant, d'avoir deux parents aux styles très différents ?

Module 7 Les enfants dans le monde

Ce module traite du défi d'élever des enfants de nos jours et des pressions qu'exercent la société, l'école et les médias sur la vie des enfants et des familles. Tu verras les responsabilités sociales et légales relatives à la sécurité et au bien-être de tous les enfants. En outre, tu analyseras l'importance d'un engagement global envers les enfants du Canada et du monde pour le bien-être à venir de tous les enfants.

Thèmes développés :

- Les parents font face à beaucoup d'enjeux et de défis dans la société d'aujourd'hui.
- Les personnes qui s'occupent des enfants et qui travaillent auprès d'eux appuient les parents en protégeant les enfants de la violence et du danger.
- Les parents doivent reconnaître les influences positives et négatives de l'école et des médias sur les jeunes pendant l'enfance et l'adolescence.
- L'engagement des parents peut influer sur le rôle que les écoles et les médias jouent dans la croissance et le développement humains.
- Les parents et la société partagent la responsabilité de nos enfants.
- Les services sociaux partagent les responsabilités sociales et légales relatives aux enfants avec les parents et les autres personnes jouant un rôle dans la vie des enfants.
- Parfois, les familles ont besoin de l'aide des services sociaux durant l'enfance et l'adolescence.
- Des initiatives favorisant le partage des responsabilités envers les enfants entre les parents et la société contribuent au bien-être à venir des enfants et à la santé globale d'un pays.

Aperçu du module

Chapitre

16

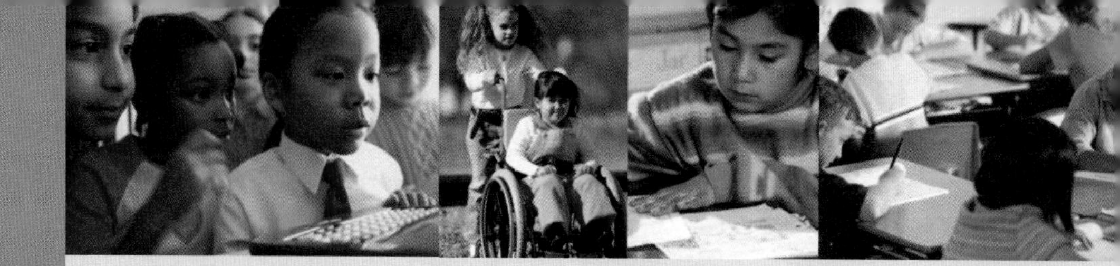

Le rôle de la société dans la vie des enfants

À la fin de ce chapitre, tu pourras :

- décrire le rôle de la société dans la vie des enfants et des familles ;
- reconnaître et décrire les enjeux et les défis qui préoccupent les parents, les personnes qui s'occupent des enfants et qui travaillent auprès d'eux au sein de la société ;
- évaluer les attentes de la société envers les parents et les personnes qui s'occupent des enfants et celles qui travaillent auprès d'eux ainsi que l'appui qu'elle fournit ;
- analyser les causes et les conséquences de la violence envers les enfants et évaluer son incidence sur les familles, sur les personnes qui s'occupent des enfants et sur celles qui travaillent auprès d'eux ;
- analyser les défis de la conciliation du travail et de la famille.

Mots clés

cycle de la violence
droits de l'enfant
famille sans abri
garde conjointe
harcèlement sexuel
indépendance
intimidation
Journée canadienne du multiculturalisme
Journée nationale des Autochtones
mises en garde des enfants contre les dangers de la rue
pension alimentaire obligatoire
politique sociale
programmes destinés aux enfants d'âge scolaire
Saint-Jean-Baptiste
scénario de violence
sécurité personnelle
travailleuses et travailleurs pauvres

Aperçu du chapitre

À quels enjeux sociaux les parents font-ils face ?

Autrefois, les enfants restaient à la maison, avec leur famille, jusqu'à ce qu'ils aient cinq ou six ans et qu'ils commencent l'école. Dans leur famille, ils découvraient leur institution religieuse et leur quartier. Cependant, le jour de la rentrée, ils partaient seuls pour l'école. Cette étape marquait la transition entre la vie en famille et le contact avec la société. Aller à l'école pour la toute première fois constituait un moment important de la vie des jeunes enfants. C'était la première de plusieurs étapes qui les éloigneraient de leur famille et les mèneraient vers l'indépendance.

Aujourd'hui, les interactions avec le monde à l'extérieur de la famille commencent tôt dans la vie. Beaucoup de parents retournent travailler au cours de la première année suivant la naissance de l'enfant. Les enfants fréquentent des services de garde, des jardins d'enfants et d'autres familles, composé en général d'autres enfants et des adultes qui ne sont pas leurs parents. Souvent, l'enfant qui entre en maternelle a déjà fait l'expérience du monde extérieur par le biais d'un service de garde d'enfants ainsi que par la télévision, par les pairs et par d'autres situations sociales.

Nous vivons dans un monde complexe où tout va très vite. Ce monde peut devenir une source d'inquiétudes pour les parents. Les enfants seront-ils en sécurité ? S'entendront-ils avec les autres ? S'occupera-t-on bien d'eux en notre absence ? Qu'apprendront-ils du monde ? Dans quelle mesure pouvons-nous contrôler ce qui leur arrivera à partir de maintenant ?

Un des objectifs du rôle parental est de permettre aux enfants d'atteindre leur **indépendance**, d'être responsables d'eux-mêmes et de se débrouiller. Beaucoup de compétences acquises à la maison aident les enfants à devenir de plus en plus indépendants. Au début, ils font de petits pas vers l'indépendance, par exemple choisir leurs vêtements, effectuer des tâches ménagères et aider les membres de la famille. Il y a beaucoup de réussites à célébrer au cours de ce processus. Ne pas pleurer lorsqu'on le dépose à la garderie, jouer avec une ou un camarade, faire du tricycle tout seul jusqu'au coin de la rue et revenir, aller à l'école à pied tout seul pour la première fois, voilà les réussites d'un enfant qui marquent son acquisition de l'indépendance. Les parents doivent encourager les comportements autonomes de leurs enfants, mais ils doivent en même temps leur parler des dangers qui existent en dehors de la famille.

À mesure que les enfants s'engagent dans le monde extérieur, ils rencontrent des gens et vivent toutes sortes de situations. Le respect des autres commence à la maison. Les parents et les membres de la famille qui font preuve de considération envers les autres, peu importe leur race, la couleur de leur peau, leur religion et leur situation sociale, enseignent aux enfants l'importance du respect. Les enfants ont aussi droit au respect. Dans son poème, Dorothy Law Nolte écrit : « Chaque enfant apprend par l'exemple ; s'il vit entouré de gentillesse et de considération, il apprend à respecter. » (Lis ce poème à la page 343.) Si on considère un enfant comme un membre

■ Un des objectifs du rôle parental est d'aider les enfants à atteindre une indépendance responsable.

Figure 16.1
Réussir des tâches, comme faire de la bicyclette tout seuls, permet aux enfants de devenir indépendants.

important de la famille, en mesure de contribuer au fonctionnement et au bien-être de la famille, on lui permet de développer l'estime de soi requise pour respecter les autres et se respecter lui-même.

La sécurité des enfants en dehors du domicile

Une des grandes inquiétudes des parents lorsque leur enfant approche de l'âge scolaire est sa **sécurité personnelle.** L'enfant peut-il traverser la rue en sécurité ? Est-ce dangereux d'aller à l'école à pied ? L'enfant sait-il quoi faire si un membre de la famille, du voisinage, ou encore une personne inconnue agit de manière douteuse ? L'enfant sera-t-il victime de harcèlement à l'école ou fera-t-il du harcèlement lui-même ?

Dr James Garbarino, expert dans le domaine de la violence et des traumatismes familiaux et communautaires au cours du développement infantile, remarque : « Lorsque les enfants se sentent en sécurité à la maison, ils sont prêts à grandir. Lorsqu'ils se sentent en sécurité dans leur quartier, ils sont prêts à jouer, à explorer et à être en relation avec d'autres enfants. Lorsqu'ils se sentent en sécurité à l'école, ils sont prêts à apprendre. »

La sécurité des enfants

Chaque année, les parents entendent parler d'enfants qui, attirés par des personnes suspectes, ont été enlevés ou agressés sexuellement. En novembre 1995, une étude quantitative a été menée auprès de 1 500 ménages, pour le programme « Toujours prudent… jamais mal pris ». L'étude indique que la protection contre les enlèvements est la première priorité en matière de sécurité infantile au Canada. Pourtant, Statistique Canada indique qu'il y a très peu d'enlèvements d'enfants au Canada. « En 1996, environ 56 000 enfants de moins de 18 ans ont été portés disparus au Canada… Plus des trois quarts (78 %) de ces enfants avaient fugué. Les enlèvements représentaient moins de 1 % des cas… En 1996, près de 1 000 enfants (au Canada) de moins de 16 ans ont été victimes d'enlèvement ou de tentatives d'enlèvement. Les enlèvements par des parents représentaient 62 % du nombre total d'enlèvements et les enlèvements commis par d'autres personnes que les parents représentaient les 38 % restants. »

Figure 16.2
La sécurité des enfants au sein de la collectivité est un enjeu social majeur.

Comment expliquer cet écart entre la peur des parents quant aux risques d'enlèvement et le nombre relativement faible d'enfants enlevés ? Lorsqu'un enfant se fait enlever, les médias profitent de ce récit pour augmenter leurs cotes d'écoute ou vendre plus de journaux. Aucun parent ne veut vivre l'horreur de voir son enfant enlevé ou agressé. Un seul récit d'enlèvement suffit à effrayer beaucoup de gens. Les facteurs extérieurs qui font penser à l'enlèvement amènent les parents à prendre des mesures de protection. L'expression **mises en garde des enfants contre les dangers de la rue** désigne les programmes d'éducation des enfants mis sur pied par la police de diverses grandes villes pour les protéger contre les enlèvements ou les agressions sexuelles.

« Toujours prudent… jamais mal pris » est un programme national de mise en garde des enfants contre les dangers de la rue utilisé dans tout le Canada, à l'école et dans la collectivité. La mission de l'organisation est de développer un « programme national continu d'éducation et de sensibilisation à la portée de tous, auquel participent activement les enfants et les adultes. Ce programme vise à sensibiliser les enfants aux dangers, en développant leur " radar " et, mieux encore, leur confiance afin de les aider à reconnaître et à faire face à certaines situations dangereuses. »

Deux lapins, les jumeaux prudents Josée et Dédé, présentent de l'information aux enfants, entre autres :

- Apprendre les dangers possibles de la rue est positif et amusant ; le but n'est pas de te faire peur. L'objectif est de te rendre plus fort et plus puissant.
- Des gens que tu connais ainsi que des gens que tu ne connais pas peuvent être dangereux.
- Apprends à te fier à ton instinct – une drôle d'impression dans ton ventre et dans ta tête. Apprends la différence entre te sentir à l'aise et mal à l'aise.
- Tu peux dire non à une ou à un adulte.
- Ton corps t'appartient et tu peux ne pas vouloir qu'on te touche. Lorsque tu as peur ou que tu ne te sens pas à l'aise, parle à quelqu'un de confiance.
- Sois très prudent lorsque quelqu'un te demande de garder un secret ; les adultes ne doivent pas demander aux enfants de garder des secrets.

Le programme « Toujours prudent… jamais mal pris » encourage une bonne communication entre les parents et les enfants. Ainsi, les parents peuvent saisir les occasions d'apprentissage dès que l'enfant pose des questions. Au lieu de faire peur aux enfants, le programme vise à les encourager à se fier à leur instinct et à oser demander de l'aide lorsqu'ils en ont besoin. Dans cette optique, les mises en garde des enfants contre les dangers de la rue ne consistent donc pas à suivre des règles qui garantissent ou non la sécurité des enfants. Il s'agit plutôt d'un travail de coopération entre parents, enfants et collectivités créant une atmosphère au sein de laquelle les enfants se sentiront en général en sécurité.

La mise en garde des enfants contre les dangers de la rue demande l'intervention des parents, des enfants et des collectivités pour créer une atmosphère au sein de laquelle les enfants se sentent, de manière générale, en sécurité.

Beaucoup de collectivités publient de la documentation afin d'expliquer aux parents la façon d'assurer la sécurité des enfants. Elles encouragent les familles à veiller ensemble à la sécurité des enfants. Il y a de nombreux programmes Parents Secours dans les provinces canadiennes.

Le programme Parents Secours de Winnipeg Inc.

Les conseils suivants proviennent du site Web du programme Parents Secours de la ville de Winnipeg :

Conseil nº 1

Vos enfants connaissent-ils les endroits sécuritaires de votre quartier ?

Parlez à vos enfants des endroits où ils obtiendront de l'aide :

- chez une voisine ou un voisin de confiance ;
- dans un magasin ouvert ;
- dans une maison Parents Secours.

Conseil nº 2

Vos enfants savent-ils quoi faire si quelqu'un les empoigne ?

Ils doivent se débattre, se défendre et crier aussi fort qu'ils le peuvent ! Enseignez à vos enfants que dans des circonstances particulières, il est acceptable de dire « Non ! » à une ou à un adulte ou à un enfant plus âgé.

Conseil nº 3

Vos enfants savent-ils quoi faire si quelqu'un les suit ou les ennuie ?

Ils doivent courir :

- vers la maison ;
- vers le groupe de personnes le plus proche ;
- vers un magasin ouvert ;
- vers toute maison ;
- vers une maison Parents Secours.

Conseil nº 4

N'étiquetez pas les vêtements, les jouets ou les sacs d'école de manière à placer le nom des enfants à la vue de tout le monde.

Les enfants se méfieront moins si une personne inconnue les appelle par leur prénom.

Conseil nº 5

Savez-vous qui sont les amies et les amis de vos enfants ?

Conservez une liste des noms, des adresses et des numéros de téléphone des amies et des amis de vos enfants.

Conseil nº 6

Vos enfants savent-ils quoi faire lorsqu'ils sont seuls à la maison ?

Assurez-vous que vos enfants savent :

- qu'ils ne doivent dire à personne, à la porte ou au téléphone, qu'ils sont seuls à la maison ;
- qui appeler s'ils ont besoin d'aide.

L'éducation est la première étape vers la sécurité.

Figure 16.3
Un panneau Parents Secours.

L'intimidation

En grandissant, les enfants doivent prendre conscience des autres menaces à leur sécurité personnelle et savoir y répondre. L'**intimidation** est une grande préoccupation, que ce soit à l'école primaire ou secondaire. L'intimidation résulte d'actions négatives faites par un ou plusieurs enfants contre un autre enfant, de façon répétée et durable, avec l'intention de blesser ou d'embarrasser. Il peut s'agir de poussées, de gifles, de coups, de gestes grossiers, de menaces verbales, de taquineries, de moqueries et de l'exclusion d'un groupe. L'intimidation est une situation négative : les victimes de même que les agresseuses et les agresseurs ont des problèmes de maîtrise de soi et d'acceptation sociale qui peuvent se perpétuer. Elle constitue un problème social qui demande des efforts de la part des parents, des écoles et de la société entière afin de mettre en œuvre des mesures d'intervention et de prévention.

Quelles sont les causes de l'intimidation ?

On a reconnu plusieurs causes contribuant aux problèmes d'intimidation, dont des facteurs familiaux, individuels, scolaires et un manque de surveillance.

Les facteurs familiaux Certains styles de pratiques éducatives amènent les enfants à faire de l'intimidation. Des études notent qu'un manque d'attention et d'affection envers un enfant, accompagné d'une mauvaise surveillance et de l'exemple de comportements agressifs à la maison, contribue au développement d'un comportement d'intimidation chez un enfant. Suivre un modèle de comportements agressifs signifie imiter les personnes qui ont recours à la violence, comme l'agression physique et verbale de parents envers leurs enfants ou entre eux. Des études explorent le lien avec le fait d'être témoin de violence conjugale, surtout pour un garçon. D'autres études indiquent que tous les types de comportements agressifs sont plus fréquents chez les enfants ayant été témoins de violence faite à leur mère par le père ou un partenaire masculin.

Les facteurs individuels Les enfants actifs, impulsifs et manquant de maîtrise de soi sont plus enclins à faire de l'intimidation. Bien sûr, beaucoup de garçons forts et habiles physiquement n'essaieront jamais d'intimider les autres. Néanmoins, chez les garçons, une force physique supérieure à celle de leurs pairs semble être une caractéristique associée à l'intimidation.

Les facteurs scolaires M. Sudermann, P. G. Jaffe et E. Shieck ont mentionné que de nombreuses associations scolaires font des recherches sur l'intimidation et sur les manières de l'éviter. Le contexte social et la surveillance à l'école jouent un rôle important dans la fréquence et la gravité des problèmes d'intimidation. Bien sûr, le personnel enseignant et des directions d'école ne parvient pas à contrôler les facteurs individuels et familiaux qui conduisent un enfant à faire de l'intimidation. Cependant, il peut grandement réduire la gravité du problème par une surveillance, des interventions et l'établissement d'un bon climat dans l'école.

Le manque de surveillance Surveiller des enfants est extrêmement important. À la maison, un manque de surveillance peut mener au développement de comportements d'intimidation chez les enfants. À l'école, le manque de surveillance dans la cour de récréation, sur le terrain de jeu et dans les corridors a le même effet. La façon dont les adultes interviennent dans les cas d'intimidation est aussi très importante.

Figure 16.4
L'intimidation est une situation négative pour toutes les personnes concernées.

Figure 16.5
Une surveillance et une intervention appropriées à l'école contribuent grandement à réduire les risques d'intimidation dans les cours de récréation.

Reconnaître les petits durs et les victimes

L'intimidation n'est pas un inoffensif droit de passage à payer. Il s'agit d'un comportement qui blesse aussi bien l'agresseuse ou l'agresseur, la victime et les témoins. Heureusement, les parents et le personnel enseignant ne sont pas sans ressources devant cette dynamique nuisible. Voici quelques signes qui permettent de reconnaître les petits durs qui intimident des victimes qui subissent l'intimidation, afin d'aider les enfants à développer de meilleures relations entre pairs.

Qui sont les petits durs ?	Qui sont les victimes ?
Il existe plusieurs types de petits durs. Les caractéristiques suivantes se dégagent surtout des travaux consacrés aux garçons qui se livrent à l'intimidation. Nous savons peu de choses à propos des filles qui intimident les autres.	Comme dans le cas des petits durs, les enfants deviennent des victimes pour quantité de raisons différentes, et il n'existe pas qu'un seul type de victime. Chez certains enfants, les caractéristiques suivantes peuvent être présentes avant que l'intimidation ne survienne, alors que chez d'autres, elles peuvent en être le résultat.
Le sexe D'après les enquêtes, un plus grand nombre de garçons que de filles déclarent se livrer à l'intimidation, mais l'écart entre les taux d'intimidation chez les garçons et les filles n'est pas aussi grand dans les observations faites dans les cours de récréation. Les garçons font davantage état de formes physiques d'intimidation ; les filles, elles, ont tendance à intimider les autres de manière indirecte, notamment par le commérage et l'exclusion.	• **Le sexe** Dans les enquêtes, les garçons risquent autant que les filles de déclarer qu'ils ont été victimes.
L'âge Dans les enquêtes canadiennes, les écoliers de 11 et 12 ans déclarent intimider les autres plus souvent que leurs cadets (9 et 10 ans) ou que leurs aînés (13 et 14 ans).	• **L'âge** La victimisation décroît avec le niveau de scolarité : 26 p. 100 des élèves de la 1re à la 3e année indiquent qu'ils ont été victimes, contre 15 p. 100 chez les élèves de la 4e à la 6e année et 12 p. 100 chez ceux de la 7e et de la 8e année. Les enfants des niveaux inférieurs courent davantage le risque d'être victimes de petits durs plus âgés qu'eux, alors que les enfants de niveau scolaire plus élevé risquent plus d'être victimes de petits durs de leur âge. L'intimidation directe s'exerce davantage à l'endroit des écoliers plus jeunes, et l'intimidation indirecte, à l'endroit des écoliers plus âgés.
Le tempérament Les petits durs ont tendance à être hyperactifs, perturbateurs et impulsifs.	• **Le tempérament** Certains enfants victimes ont tendance à être anxieux et renfermés. Les données à l'appui de cette affirmation sont plus nombreuses au sujet des enfants d'âge préscolaire que des enfants d'âge scolaire.
L'agressivité Les petits durs sont généralement agressifs : à l'égard de leurs pairs, de leurs enseignants, de leurs parents, de leurs frères et sœurs et des autres. Les petits durs ont tendance à faire preuve d'assurance et à être facilement provoqués. Ils sont attirés par les situations à contenu agressif et ont des attitudes positives à l'égard de l'agressivité.	• **L'apparence physique** Les recherches ne confirment pas le stéréotype populaire selon lequel les victimes ont des traits physiques inhabituels.
La force physique Les garçons qui recourent à l'intimidation sont physiquement plus forts que les autres et ressentent le besoin de les dominer. Par contre, les filles qui se livrent à l'intimidation ont tendance à être physiquement plus faibles que les autres filles de leur classe.	• **L'estime de soi** Les victimes font souvent état d'un faible niveau d'estime de soi vraisemblablement parce qu'elles sont exposées à être victimes de manière répétée.
Le manque d'empathie Les petits durs n'ont guère d'empathie pour leurs victimes et ils démontrent peu ou pas de remords pour avoir fait de l'intimidation.	• **La dépression** Les garçons aussi bien que les filles qui sont victimes font état de symptômes de dépression, comme la tristesse et le manque d'intérêt pour les activités.
	• **L'anxiété** Les garçons et les filles qui sont victimes font état de symptômes d'anxiété, comme la tension, les craintes et les soucis.

Source : Stratégie nationale pour la prévention du crime, gouvernement du Canada.

Des stratégies pour développer des attitudes prosociales chez les enfants et les adolescentes ou les adolescents qui font de l'intimidation

- Prendre conscience de la manière dont un enfant ou une ou un élève fait face à l'agression ; valider et récompenser les comportements manifestant de l'assurance plutôt que de l'agressivité.
- Prendre conscience de son propre comportement agressif. Il est important de donner le bon exemple.
- Changer la manière dont la famille-la classe-l'école régit la discipline. Les enfants qui font de l'intimidation ont besoin d'une discipline non violente et logique.
- Ne jamais excuser un comportement insultant, intimidant, taquin ou moqueur, ni chez soi-même, ni chez un enfant ou une ou un élève. Important : personne ne mérite jamais un tel comportement.
- Fournir des occasions à l'enfant-l'élève de tirer de la fierté à aider les autres.
- Limiter la présence de culture populaire violente dans la vie des enfants-des élèves. Discuter avec eux de la violence à laquelle on les expose.
- Assurer une surveillance adéquate en fonction de l'âge des enfants. Les enfants et les adolescentes ou les adolescents qui font de l'intimidation montrent un manque de jugement critique et une incapacité à prendre de bonnes décisions.
- Encourager l'aptitude de l'enfant-l'adolescente ou l'adolescent à ressentir de l'empathie. Les jeunes qui font de l'intimidation montrent un manque d'empathie envers les autres.

Vérifie tes connaissances

1. Explique pourquoi l'indépendance des enfants est un des objectifs du rôle parental.
2. Qu'est-ce qui explique la peur de l'enlèvement chez les parents ?
3. Quels sont les objectifs d'un programme efficace de mise en garde des enfants contre les dangers de la rue ?
4. Indique des comportements adultes a) qui encouragent des comportements d'intimidation ; b) qui empêchent des comportements d'intimidation.

Liens

1. Pense à la première fois que tu as vraiment eu un sentiment d'indépendance. Quelles sont les actions que tu as faites qui te procuraient ce sentiment ? Comment ta famille et ton entourage t'ont-ils permis d'atteindre ce niveau d'indépendance ?
2. Fais une recherche sur les programmes Parents Secours. Rédige un rapport sur le fonctionnement de ces programmes et décris la façon dont ils aident les parents et les enfants. Trouve le programme le plus près de chez toi.
3. Fais une recherche dans Internet au sujet des travaux de Debra Pepler et de Wendy Craig relatifs à l'intimidation. Résume tes découvertes dans un rapport.

Info-carrière

LES INTERVENANTES ET LES INTERVENANTS AUPRÈS DES JEUNES EN DIFFICULTÉ

Les tâches et les responsabilités

L'intervention auprès des jeunes en difficulté a pour but d'aider les jeunes, pendant l'enfance et l'adolescence, à comprendre et à gérer leurs problèmes personnels et sociaux. Il peut s'agir de problèmes vécus à la maison, à l'école ou avec les pairs, de problèmes de consommation de drogue ou encore de problèmes d'ordre juridique. Les intervenantes et les intervenants auprès des jeunes gèrent des établissements de traitement et de résidence pour les jeunes. Dans ces établissements, le niveau de stress est réduit et les enfants ont la possibilité de grandir et de mûrir. Certains offrent des programmes pour traiter les dépendances telles que la toxicomanie.

Les intervenantes et les intervenants auprès des jeunes se relaient dans les établissements résidentiels, car il faut y assurer une surveillance 24 heures sur 24. Les interventions se font individuellement ou auprès de groupes. Le travail exige de résoudre beaucoup de conflits et d'intervenir en cas de confrontations orageuses entre les jeunes d'un établissement. Il faut aussi aider chaque jeune à adopter de nouveaux comportements, à changer ses attitudes et à acquérir un savoir-vivre de base.

L'environnement de travail

Les intervenantes et les intervenants auprès des jeunes travaillent là où il y a des enfants, des adolescentes ou des adolescents ayant des problèmes. Cela les amène dans des résidences d'accueil, des foyers d'urgence, des centres de services sociaux, des établissements de traitement, des foyers d'accueil privés et même des écoles. Dans les résidences d'accueil, il y aura plusieurs quarts de travail puisqu'il faut y assurer une surveillance 24 heures sur 24. Les gouvernements provinciaux ou territoriaux, les agences communautaires et gouvernementales du secteur des services sociaux emploient généralement du personnel spécialisé dans l'enfance et la jeunesse.

Il y a des intervenantes et des intervenants auprès des jeunes qui font du travail de bureau et des visites sur le terrain. D'autres travaillent à temps partiel, par exemple seulement en soirée ou les week-ends, ou sur appel. Les intervenantes et les intervenants auprès des jeunes en résidences spécialisées doivent habituellement y travailler la nuit. Les conditions de travail peuvent générer beaucoup de stress.

La formation et les aptitudes

Pour obtenir un poste d'intervenante ou d'intervenant auprès des jeunes, il faut avoir étudié au moins deux ans dans un collège communautaire. Pour avancer dans cette carrière, il faut détenir un baccalauréat ou même une maîtrise. Dans certaines provinces et dans certains territoires, on peut obtenir un emploi dans ce domaine directement après l'école secondaire si on fait un stage.

L'intervention auprès des jeunes demande de bonnes compétences en communication et en résolution de conflits ainsi qu'un certain détachement empathique. Il est essentiel de savoir résoudre des problèmes rapidement et efficacement. Il faut savoir gérer des crises et garder son calme en tout temps. Une grande maturité personnelle et la capacité de faire preuve d'objectivité face à des problèmes émotionnels aident beaucoup. La plupart des agences exigent un casier judiciaire vierge.

Le harcèlement sexuel

Le **harcèlement sexuel** constitue une autre forme de menace à la sécurité personnelle. Il peut prendre la forme d'insultes, y compris de commentaires homophobes, de gestes évocateurs, d'insinuations sexuelles et de commentaires de nature sexuelle visant à embarrasser ou à humilier la personne à qui on les adresse. Cela peut se produire dans la cour de récréation, dans l'autobus scolaire, dans les couloirs de l'école ou dans les salles de classe. Le harcèlement sexuel peut commencer dès le premier cycle, par des taquineries ou des commentaires grossiers, puis se poursuivre, car les victimes en parlent rarement. Pour y mettre fin, on doit apprendre aux jeunes à le reconnaître et les encourager à le dénoncer. Le harcèlement sexuel est une violation des droits de la personne et, dans certains cas, consiste en un acte criminel.

Outre le harcèlement sexuel, quatre autres crimes d'ordre sexuel concernent les enfants et les adolescentes ou les adolescents. Il s'agit de crimes fédéraux selon le Code criminel du Canada : les agressions sexuelles, l'interférence sexuelle, l'exploitation sexuelle et la pornographie enfantine. Il faut informer les jeunes de ces dangers ; cependant, des descriptions trop précises peuvent les effrayer et leur en dire plus que ce qu'ils ont besoin de savoir. Une bonne stratégie consiste à parler tôt durant l'enfance de la relation entre un sentiment de bien-être et des attouchements appropriés et inappropriés. De plus, il est bon de nommer les parties du corps par leur véritable nom. Cela permet de commencer à protéger l'enfant contre les crimes sexuels.

La protection des enfants et des jeunes contre les dangers d'Internet

Beaucoup d'enfants et d'adolescentes ou d'adolescents naviguent régulièrement dans Internet et peuvent rapidement découvrir des sites Web aux contenus préjudiciables à leur estime de soi et à leur bien-être moral. Bien des parents se procurent des logiciels de filtrage qui bloquent l'accès aux sites au contenu injurieux ou non éthique, par exemple comportant des propos haineux et de la pornographie.

Cependant, à l'adolescence, les jeunes ont plus de liberté pour naviguer dans Internet. Ils accèdent, par hasard ou volontairement, à des sites Web traitant de sujets dégradant d'autres êtres humains et présentant des images malsaines sur le plan émotionnel. Les parents doivent parler avec franchise et ouverture du contenu haineux et pornographique qu'on trouve dans Internet avec leurs enfants qui vieillissent. Il faut amener les enfants à comprendre que ce type de contenu est très dégradant et blessant pour les personnes représentées ou engagées dans sa production.

Figure 16.6
Même si les logiciels de filtrage bloquent l'accès à des sites Web inappropriés, il est important que les parents surveillent la manière dont leurs enfants utilisent l'ordinateur.

Astuces

Des conseils de sécurité concernant Internet pour les parents

Ces dernières années, on a reconnu le besoin de protéger les enfants de sites Web inappropriés et de situations potentiellement dangereuses. Diverses stratégies peuvent aider les parents à s'assurer que leurs enfants utilisent Internet de la meilleure manière possible. Le texte suivant provient du *Guide de sécurité pour les jeunes internautes.*

Voici donc un guide-conseil pour les parents, quelques règles simples à enseigner à vos enfants.

- ✓ Avisez vos enfants du danger auquel ils peuvent être exposés auprès des pédophiles.
- ✓ Placez l'ordinateur dans un espace commun afin qu'il soit accessible à tous.
- ✓ Initiez-vous au fonctionnement de base d'un ordinateur et aux différentes façons de naviguer dans Internet.
- ✓ Abonnez-vous à un fournisseur de services Internet responsable, et au moment de l'inscription, assurez-vous que le code d'identification ou le nom d'usager choisi ne dévoile pas le nom de votre enfant. Utilisez plutôt un pseudonyme et assurez-vous que son nom ne figure sur aucune liste.
- ✓ Installez un « filtre de contrôle d'accès » (vous en trouverez auprès de votre fournisseur de services, chez divers marchands ou sur plusieurs sites Web) afin d'empêcher que vos enfants accèdent à certains documents qui ne conviennent pas à des personnes de leur âge ou à certains sites ou groupes de discussion. Toutefois, comme ces outils ne sont pas parfaits, l'engagement, la participation et la supervision des parents demeurent essentiels.
- ✓ Avertissez vos enfants de ne jamais divulguer d'informations personnelles et financières, particulièrement leur nom, date de naissance, adresse, numéro de téléphone, numéros de carte de crédit et de carte d'appel, l'institution d'enseignement qu'ils fréquentent, etc.
- ✓ Établissez des règles de base quant à l'utilisation du réseau (heure, durée, sites, etc.).
- ✓ N'envoyez jamais de photos personnelles ou familiales à qui que ce soit, par courrier postal ou électronique.
- ✓ Sachez que dans certains sites, groupes de discussion et sessions de bavardage appelées « chat » se retrouvent des pédophiles à la recherche de nouvelles victimes.
- ✓ Rappelez-vous que les personnes avec qui votre enfant communique peuvent facilement changer d'identité. La « jeune fille de 13 ans » peut très bien être, en réalité, un homme de 45 ans.

✓ N'acceptez jamais de rencontrer en personne quelqu'un dont vous avez fait la connaissance par Internet. Si votre enfant accepte un tel rendez-vous, assurez-vous que la rencontre aura lieu dans un endroit public et en votre présence.

✓ Ne jamais donner suite aux messages de menaces ou aux propos obscènes. Si votre enfant se sent inconfortable face à certaines questions posées par un inconnu, qu'il sauvegarde le message et vous en avise. Transmettez-les, au besoin, à votre fournisseur de services.

✓ Vérifiez occasionnellement les sites que visite votre enfant. Efforcez-vous de passer du temps avec votre enfant lorsqu'il est en ligne.

✓ Renseignez-vous sur les nouveautés concernant Internet. Consultez les émissions de télévision et les publications reconnues.

Source : SPCUM, *Guide de sécurité pour les jeunes internautes*

Les parents et les personnes qui s'occupent des enfants doivent déceler toute activité inappropriée envers ces derniers et la signaler immédiatement.

Les Canadiennes et les Canadiens doivent savoir que depuis 1993 le Canada a adopté une nouvelle loi contre la pornographie enfantine. Cette loi définit la pornographie enfantine comme tout film, toute photographie, toute vidéo ou toute autre représentation visuelle dépeignant des personnes de moins de 18 ans ayant des activités sexuelles. Cela inclut des peintures, des dessins et des documents écrits. Produire, distribuer, vendre et posséder de tels matériaux au Canada constitue un crime selon le Code criminel du Canada. Cette loi est conçue pour protéger les enfants de moins de 18 ans contre l'exploitation sexuelle dans un contexte pornographique.

Liens

1. Selon un proverbe africain, « il faut tout un village pour élever un enfant ». En quoi cette affirmation rejoint-elle l'idée selon laquelle le rôle parental et la sécurité des enfants sont l'affaire de toute la société ?
2. Donne ton point de vue au sujet du rôle de la surveillance des adultes dans la protection des enfants au sein de la société.

Il faut tout un village pour élever un enfant.
Proverbe africain

Les parents prennent conscience des enjeux sociaux à mesure que leurs enfants s'engagent dans la société, et la société considère également de plus en plus les enfants comme sa responsabilité. Le rôle parental ne se fait plus dans l'isolement, mais plutôt avec le soutien offert par la collectivité et par la société entière.

Figure 16.7
Beaucoup de lois fédérales concernent les enfants, les parents et les personnes qui s'occupent des enfants.

Le rôle de la société dans la vie des enfants

Les lois d'un pays influencent le rôle des parents et celui des tutrices et des tuteurs dans la société. Ces personnes sont légalement et socialement responsables de fournir la nourriture, un logement, des soins et une éducation qui conviennent aux enfants. Des programmes communautaires et des agences sociales soutiennent les parents et leur viennent en aide s'ils ne peuvent remplir ces obligations.

Les lois régissant les parents et les enfants

Des lois aux échelons fédéral et provincial ou territorial réglementent les droits et les devoirs des enfants et des parents dans la société. La législation régissant la protection des enfants, les soins à leur apporter et l'instruction relève des provinces et des territoires. Le gouvernement fédéral légifère au sujet des aspects plus généraux, tels que le travail des enfants et leur bien-être. Les enfants sont à la fois un actif national et l'espoir pour l'avenir du pays. Dans notre société démocratique, les enfants et les parents ont leur mot à dire dans le programme politique.

La législation fédérale canadienne

La *Loi sur le droit de la famille*

- régit le mariage et le divorce.

Le Code criminel du Canada

- spécifie que les parents, les familles d'accueil, les tutrices et les tuteurs et les chefs de famille doivent fournir les produits de première nécessité aux enfants de moins de 16 ans, sous peine de dispositions pénales ;
- détermine la nature de la pornographie enfantine et les peines encourues pour toute possession de tels matériaux.

La *Charte canadienne des droits et libertés*

- résume les droits des parents et des enfants.

La législation du travail

- inclut des mesures contre le travail des enfants.

La *Loi sur les jeunes contrevenants*

- protège les droits des enfants de moins de 18 ans condamnés pour des délits.

La législation provinciale ou territoriale

La législation provinciale ou territoriale définit encore davantage les droits et les responsabilités des parents et des enfants. Les provinces et les territoires déterminent le financement et la mise en œuvre de leur système d'éducation. Ils enregistrent les naissances, les décès et les mariages. Ils ont également la responsabilité de leur système de soins de santé, de l'aide sociale, du logement et des services aux enfants et aux familles.

Le Plan d'action de la petite enfance de l'Ontario

Le Plan d'action de la petite enfance de l'Ontario est un investissement de 114 millions de dollars consenti au titre des programmes et des services qui offrent un soutien aux jeunes enfants et à leurs familles. Le plan repose sur des partenariats, programmes et services actuels dont bénéficient tous les parents ayant des enfants âgés de zéro à six ans.

Renseignements sur le Plan d'action

Le gouvernement de l'Ontario croit que les enfants âgés de moins de six ans méritent le meilleur départ possible dans la vie et reconnaît que les parents jouent un rôle primordial au chapitre du développement et du succès de leurs enfants. Pour aider les parents à accomplir ce rôle vital, le gouvernement a annoncé, en mai 2001, son Plan d'action de la petite enfance. Le Plan met à profit les recherches et les effectifs communautaires pour permettre la création, au niveau provincial, d'une initiative souple qui répond aux besoins étendus de tous les enfants de l'Ontario et de leur famille.

La Trousse d'alphabétisation des nouveau-nés

Le 29 avril 2003, le gouvernement de l'Ontario a lancé la Trousse d'alphabétisation des nouveau-nés. La trousse inclut un livre de l'auteure primée, Barbara Reid, une bande vidéo, un CD et un passeport pour consigner des renseignements importants comme des cartes d'immunisation.

Elle contient également des renseignements sur le développement de la petite enfance et sur les programmes et services offerts dans les centres de la petite enfance de l'Ontario. La Trousse d'alphabétisation des nouveau-nés vise à encourager les parents et les personnes responsables des enfants à lire aux enfants, car l'acquisition des compétences linguistiques durant la petite enfance est la clé du succès des enfants.

Centres de développement de la petite enfance de l'Ontario

Dans le cadre du Plan d'action de la petite enfance du gouvernement, des centres de développement de la petite enfance de l'Ontario ouvrent leurs portes dans des collectivités de toute la province, afin d'assurer aux jeunes enfants de l'Ontario le meilleur départ possible dans la vie. Pour obtenir de plus amples renseignements sur les centres de la petite enfance de toute la province, consultez : www.ontarioearlyyears.ca.

Fonds d'aide au développement de la petite enfance de l'Ontario

Pour que les enfants démarrent de la meilleure façon possible dans la vie, il faut que nous collaborions tous ensemble – entreprises, organismes communautaires, groupes confessionnels, bénévoles, fournisseurs de services et divers paliers de gouvernement.

Établi par le gouvernement de l'Ontario en 2001, le Fonds d'aide au développement de la petite enfance a été créé pour aider les collectivités à mettre sur pied des projets réussis visant la petite enfance. Le Fonds d'aide verse des sommes égales aux contributions communautaires pour appuyer les projets novateurs répondant aux besoins des enfants et des familles.

[Extrait du Plan d'action de la petite enfance]

Les mesures sociales et les services sociaux

Le ministère fédéral du Développement des ressources humaines Canada (DRHC) est responsable de la politique sociale. Le service Politique stratégique, point central des travaux d'élaboration des politiques du Ministère, est constitué de plusieurs divisions qui collaborent aux recherches, au développement et à la gestion des politiques. La division de la politique sociale « présente des analyses de politiques stratégiques ayant trait aux nombreux défis qui se posent aux Canadiennes et aux Canadiens dans les domaines des politiques sociales et de la sécurité du revenu ». (Gouvernement du Canada, 2003).

La **politique sociale** du Canada présente ce qui est légal et autorisé en matière de sécurité sociale et de programmes de services sociaux. Elle présente en outre le plan d'action du Canada qui permet d'assurer le bien-être social de la population. La division de la politique sociale développe des politiques et des prestations pour les personnes âgées, les personnes souffrant de handicaps, les pauvres et les sans-abri ainsi que les familles et les enfants. Certaines politiques et prestations développées pour les familles et les enfants incluent la Prestation nationale pour enfants, le Plan d'action national pour les enfants, l'initiative « Comprendre la petite enfance » et les mesures permettant d'aider les familles à faible revenu avec des enfants à faire la transition de l'aide sociale au marché du travail.

Les politiques sociales développées par les provinces et les territoires établissent les règlements et procurent le financement pour les centres de la petite enfance, les hôpitaux, les unités sanitaires publiques et divers autres services publics importants pour les parents et les enfants. Des recherches récentes montrent l'importance des premières années du développement d'un enfant. Ces découvertes ont encouragé les gouvernements fédéral, provinciaux et territoriaux à créer des programmes et à proposer des participations financières dans les domaines de la santé, du bien-être et de l'apprentissage potentiel de tous les enfants.

Les services communautaires

Figure 16.8
Certains services communautaires mettent sur pied des projets ou des programmes qui favorisent la santé et le bien-être de la collectivité.

Des services communautaires viennent également en aide aux familles et aux enfants. Ils peuvent dépendre de financements locaux ou de bourses fédérales ou provinciales, ou encore recevoir un financement privé ou des dons caritatifs. Des organisations, par exemple les YMCA et YWCA locales, la Société d'aide à l'enfance et les Grands Frères et Grandes Sœurs du Canada, fournissent des programmes et des services visant à aider les parents à créer des foyers à l'atmosphère positive propice à un développement humain optimal.

Chaque communauté est différente. Pour connaître les services disponibles pour les parents et les enfants dans ta collectivité, consulte le Conseil régional de santé (CRS) de ta région, le bureau Centraide, l'hôpital, les journaux, l'annuaire téléphonique ou les babillards communautaires. Tu y trouveras des listes de services publics, d'annonces, de publicités ou d'actualités. Afin de contribuer à l'effort communautaire, tu pourrais devenir bénévole dans un projet ou un programme communautaire aidant les parents ou les enfants.

Étude de cas : Le service communautaire, les pères s'y prennent autrement

« On est bientôt arrivés, papa ? » demande Denis, fébrile. Denis et son père se rendent à la « Journée pères et enfants » mise sur pied par les élèves de 11e année du cours sur le rôle parental. Un samedi par mois, les élèves organisent une activité différente pour les pères, les beaux-pères ou les pères adoptifs et leurs enfants. En décembre, ils ont fabriqué des chandeliers avec des branches et ont fait des biscuits. En janvier, ils ont construit une glissade en formant une énorme pente de neige qu'ils ont arrosée jusqu'à l'obtention d'une surface glacée parfaite. C'est le mois de juin. La dernière activité de l'année consiste à laver les voitures. Il y a des tuyaux, des seaux et des éponges partout dans le parc de stationnement du personnel. Les enfants nettoient les portières et les enjoliveurs alors que les pères lavent les toits des voitures.

« Que fait ta mère en ce moment ? » demande un élève à une petite fille de six ans tenant une éponge verte.

« Oh, répond-elle sur un ton sérieux, elle se repose et profite du calme. »

Enfin, on vide et on roule les tuyaux, on range les seaux dans les coffres et les pères et leurs enfants se rassemblent autour d'un barbecue pour manger des hot-dogs et des sucettes glacées.

« J'espère que l'activité reviendra l'an prochain », dit l'un des pères à l'enseignante chargée de la surveillance alors que les autres pères acquiescent d'un signe de tête. « J'ai eu l'impression de retourner en enfance ! »

Questions

1. À la lumière de cette initiative, quelles activités pourrait-on mettre sur pied pour des familles vivant près de ton école ? Fais tes recommandations.
2. Comment pourrais-tu faire connaître ce programme et faire en sorte que ta classe apporte son aide un samedi ? Quels obstacles pourrais-tu rencontrer si tu préparais un tel programme dans ta communauté ?
3. Quel est l'intérêt de ce type de programme de services communautaires pour les familles de ton quartier ?

Vérifie tes connaissances

1. Décris la façon dont le harcèlement sexuel menace la sécurité personnelle.
2. Dresse la liste des questions et des politiques sociales dont s'occupe le gouvernement fédéral.
3. Que sont les services communautaires ? Comment peuvent-ils aider les familles ayant des enfants ?

Les défis des parents dans la société d'aujourd'hui

Élever des enfants est une activité sociale. Les parents comparent leurs enfants aux autres enfants. Ils comparent les défis qu'ils doivent relever à ceux des autres parents. La société influence de plusieurs façons la manière dont les parents envisagent leurs rôles et assument leurs responsabilités. La religion et la culture déterminent toutes sortes de pratiques éducatives. Les antécédents, les croyances et le statut social définissent l'autorité des parents sur leurs enfants. Les autres facteurs d'autorité qui entrent en ligne de compte sont : si un ou les deux parents travaillent à l'extérieur ; qui passe plus de temps avec les enfants ; qui s'occupe des tâches ménagères et qui fait quoi avec les enfants.

Dans ta culture et ta religion, qu'attend-on des hommes et des femmes en matière de discipline familiale, de soins aux enfants, de revenu familial et d'autorité ? Qu'attend-on du personnel enseignant, des figures religieuses

Figure 16.9
Dans plusieurs cas, une cérémonie religieuse marque les transitions importantes de la vie familiale.

et culturelles ainsi que des garçons et des filles dans les familles et la société ? Le grand nombre de races, de cultures et de religions au Canada constitue un éventail intéressant de croyances en ce qui concerne le rôle parental et les pratiques éducatives. Des enfants qui considèrent les traditions de leur famille comme restrictives en adopteront peut-être de nouvelles lorsqu'ils auront leurs propres enfants. Par contre, d'autres vont réussir à incorporer leur histoire familiale à leur nouvelle famille.

La protection de la culture et de la religion

Le Canada jouit d'un héritage culturel riche et diversifié. Pour beaucoup de gens au pays, la religion demeure un aspect important et significatif de la vie. Au fil des ans, de nombreuses familles du monde entier sont venues au Canada afin d'échapper aux persécutions religieuses. Au Canada, la liberté religieuse est un droit. Cela permet à beaucoup de familles d'avoir une identité commune solide à travers leur religion. Souvent, une cérémonie religieuse marque les transitions importantes de la vie familiale, dont le mariage, la naissance et la mort. Les principes religieux définissent et protègent le caractère sacré de la famille au sein de la société.

Les cultures autochtones du Canada ont dû se battre pour ne pas perdre leurs racines culturelles et spirituelles. Les communautés autochtones et inuites du Canada tentent de recouvrer leur héritage. On a établi à leur intention des programmes favorisant les langues autochtones et la renaissance du savoir spirituel et traditionnel. La préservation de la culture autochtone est un domaine de recherche important. L'extrait suivant, d'un rapport effectué par les Affaires indiennes et du Nord du Canada, décrit les raisons et les objectifs de ces recherches :

> Par leurs déclarations nombreuses et éloquentes au sujet de l'importance de la culture et de l'identité, les Autochtones nous ont communiqué très clairement leur détermination à maintenir leurs cultures, à revitaliser les aspects culturels qui ont été érodés par le colonialisme et à conserver encore longtemps leur identité autochtone. Il est nettement apparu que les Autochtones et les non-Autochtones du Canada ne pourront partager un avenir commun, caractérisé par la paix et la créativité, que si cet avenir accueille ouvertement et généreusement les cultures et les valeurs que les Autochtones tiennent à conserver. Autrement, les pratiques oppressives du passé colonial ne pourront que se perpétuer.
>
> Après avoir réfléchi sur les descriptions qui leur ont été faites de la vie, de la philosophie et de la spiritualité autochtones, les commissaires ont tiré un certain nombre de conclusions. Nous en sommes arrivés ensemble

à la conviction qu'il existe une vision du monde proprement autochtone, qui varie dans le détail selon les peuples et selon les endroits, mais qui présente certaines similitudes importantes chez tous les peuples autochtones du Canada. Nous sommes maintenant persuadés que les façons autochtones d'appréhender la réalité et de régir les comportements individuels et collectifs peuvent aider à faire face aux exigences de la survie dans une société postindustrielle. Et nous en avons conclu qu'il était important de rendre ce patrimoine plus accessible à tous les Canadiens.

Source : Affaires indiennes et du Nord Canada, « Rapport de la Commission royale sur les peuples autochtones », volume 1 : *Un passé, un avenir.*

Figure 16.10
La Journée nationale des Autochtones reconnaît les importantes contributions des peuples inuits, métis et membres des Premières Nations.

Le Canada reconnaît la diversité des familles canadiennes et l'importance de préserver leurs identités religieuses et culturelles. Trois journées nationales célèbrent l'héritage culturel canadien. La **Journée nationale des Autochtones** a lieu le 21 juin, jour du solstice d'été, car ce jour a une importance symbolique pour les peuples autochtones. Cette journée célèbre les grandes réalisations des peuples inuits, métis et des membres des Premières Nations ainsi que leur contribution à la construction du Canada. Le 24 juin, on fête la **Saint-Jean-Baptiste** en l'honneur de saint Jean-Baptiste, patron des Canadiennes françaises et des Canadiens français. On reconnaît alors l'héritage linguistique et culturel des francophones et leur contribution à la construction du pays. La **Journée canadienne du multiculturalisme**, le 27 juin, fait partie de la série d'événements « Canada en fête ». Elle fournit l'occasion de reconnaître la contribution des nombreuses collectivités de la société canadienne. Ces journées ne sont pas des jours fériés et chômés (sauf la Saint-Jean-Baptiste au Québec). Cependant, elles rendent hommage au riche héritage culturel du Canada.

Les défis d'une société en évolution

La société a beaucoup changé au cours des 100 dernières années. Au début du siècle dernier, le Canada était une société principalement agricole, fermière et rurale. La ferme familiale représentait un modèle courant d'unité de production ; les deux parents restaient à la maison et faisaient les travaux nécessaires. Les enfants assez vieux allaient à l'école locale, généralement après avoir fait quelques tâches à la ferme. Quand ils rentraient, ils avaient d'autres corvées à faire avant de terminer leurs devoirs pour le jour suivant. Les familles, nombreuses, tiraient leur nourriture et leur revenu de la ferme.

Dans les villes, la vie n'était pas très différente. Il y avait beaucoup d'entreprises familiales. Souvent, les deux parents travaillaient dans l'entreprise, comme les familles travaillaient à la ferme. L'épicerie familiale, la quincaillerie familiale ou la station-service familiale appartenait à une seule famille qui la gérait. Avec le développement du secteur manufacturier au début du XIXe siècle, ce type d'économie de production a fait place à l'économie salariale. Les usines avaient besoin de main-d'œuvre et attiraient les gens qui désiraient un revenu régulier. Durant les années 1950, un homme pouvait gagner assez d'argent à l'usine pour subvenir aux besoins de sa femme et de ses enfants, rembourser un prêt hypothécaire, acheter une voiture et prendre des vacances en famille tous les ans. Des familles ont quitté leur ferme pour s'installer à la ville. Là, les hommes travaillaient pour un salaire ; les femmes restaient à la maison et s'occupaient des enfants et du ménage. Elles s'assuraient que le repas soit prêt au retour du salarié, le soir. Dans les familles plus pauvres, cependant, les femmes devaient aussi travailler pour joindre les deux bouts.

Le niveau de vie a augmenté au cours des années 1960 alors que l'économie canadienne prospérait. La société a changé. Avec l'avènement de la pilule contraceptive et l'émergence de nouveaux points de vue quant au rôle de la femme dans la société, on a commencé à considérer les femmes autrement que comme des génitrices et des ménagères. Les femmes avaient moins d'enfants, elles étudiaient davantage ; on avait besoin d'elles et on les acceptait de plus en plus sur le marché du travail.

Durant les années 1970, le niveau de vie a continué à croître rapidement. Le coût de la vie a augmenté de façon substantielle. Bientôt, un seul revenu familial n'a plus suffi pour subvenir à l'éducation des enfants et payer les coûts du logement, du transport, des vacances et des biens de consommation. Les familles à deux revenus sont devenues la norme. Les femmes faisaient partie de la population active dans des domaines jusque-là réservés aux hommes. Il y avait plus de divorces et la société les acceptait.

Avec une plus grande espérance de vie, les grands-parents vivent plus vieux et ont parfois besoin de l'aide de leurs enfants. Cela crée la « génération sandwich » ; les parents doivent subvenir aux besoins de leurs enfants et à ceux de leurs parents. La vie se complique pour les hommes, les femmes, les enfants et les familles. Divers problèmes sociaux ont surgi et les familles d'aujourd'hui continuent à y faire face.

Figure 16.11
Au cours des 40 dernières années, le niveau de vie et l'espérance de vie au Canada ont beaucoup augmenté. L'une des conséquences de ces changements est l'apparition d'une génération sandwich.

Les générations sandwich s'occupent souvent de parents âgés et parfois de grands-parents. Les maladies gériatriques, les maladies mentales et les handicaps physiques des grands-parents âgés posent souvent des défis supplémentaires aux parents qui travaillent.

La conciliation du travail et de la famille

Les familles à deux revenus relèvent plusieurs défis, avec la gestion du temps en premier lieu. Il est difficile d'emmener les enfants à la garderie ou à l'école, de fournir des repas nourrissants pour toute la famille, d'entretenir la maison et de trouver du temps pour les activités et les loisirs. Les femmes qui ont un poste rémunéré se trouvent avec deux emplois : l'un à l'extérieur et l'autre à effectuer les tâches ménagères à la maison le reste du temps. Les hommes s'occupent plus de la maison et des enfants que par le passé, mais des données de recensement récentes montrent qu'ils ont encore du retard par rapport aux femmes dans ces domaines. Voici un article de la Presse canadienne publié le 17 mars 1998 qui décrit ce phénomène.

Un recensement montre que les femmes font la plupart des tâches ménagères non rémunérées

TORONTO (PC) – Nous avons enfin des données concernant les tâches ménagères et les soins aux enfants et aux personnes âgées.

Statistique Canada a publié les résultats du premier recensement au monde ayant demandé aux personnes la quantité de travail non rémunéré et non reconnu qu'elles font à leur domicile.

Comme on s'y attendait, ce recensement montre que les femmes effectuent la majeure partie de ce travail même si la plupart d'entre elles ont également un emploi rémunéré hors de la maison.

Le recensement de 1996 montre que 92 % des 11,8 millions de femmes adultes canadiennes disent effectuer les tâches ménagères, contre 85 % des hommes ; 42 % des femmes s'occupent d'enfants, contre 34 % des hommes ; et 19 % des femmes s'occupent de personnes âgées contre 14 % des hommes.

Dans chaque catégorie, les femmes consacrent plus de temps à ces tâches.

Un quart des femmes passent 30 heures ou plus par semaine à effectuer les travaux ménagers ; deux tiers des femmes ayant un emploi rémunéré à temps plein passent 15 heures ou plus par semaine à s'occuper de leurs enfants.

Dans les cas extrêmes, 18 % des épouses ayant un emploi à temps plein passent 60 heures ou plus à s'occuper des enfants, c'est-à-dire presque le double que pour la moitié des épouses sans emploi à temps plein.

Les options des parents qui travaillent

Le nombre d'heures passées à travailler hors de la maison pour subvenir aux besoins de la famille varie. Deux revenus permettent parfois un meilleur style de vie à certains égards. Cependant, ce choix peut aussi signifier qu'on passe moins de temps en famille. Travailler à des heures différentes s'avère une solution, car le parent qui ne travaille pas est à la maison avec les enfants avant ou après l'école, par exemple. On réduit ainsi le budget consacré à la garde des enfants.

Figure 16.12
Deux revenus peuvent permettre un meilleur style de vie à certains égards. Cependant, ce choix signifie aussi qu'on passe moins de temps en famille.

Si aucun des parents n'est disponible avant ou après l'école, il existe des **programmes destinés aux enfants d'âge scolaire** dans les écoles ou les centres communautaires. On leur confie les enfants trop jeunes pour rester à la maison sans surveillance. Une autre possibilité est qu'un des parents ou les deux aient un emploi à temps partiel. Ainsi, la famille a un revenu suffisant et les parents sont avec leurs enfants plus souvent. Parfois, des parents partagent un même emploi ou travaillent à tour de rôle lorsque leurs enfants sont petits, ce qui assure la présence d'un des parents en tout temps.

Les familles où les deux parents travaillent ont un meilleur train de vie que les familles monoparentales ou à faible revenu. Les parents qui ne tirent pas un revenu suffisant de leur emploi cumulent parfois deux emplois ou font des heures supplémentaires afin de pourvoir aux besoins de leur famille. Un parent seul n'a pas beaucoup de choix de vie. Il doit généralement travailler à temps plein pour garantir un revenu à sa famille. Dans ce cas, un service de garde d'enfants fiable et abordable améliore sa capacité de travail.

Comment reconnaître un lieu de travail favorable à la famille ?

Les lieux de travail sont en général des environnements axés sur les adultes. Cependant, ils influent sur les enfants des parents qui y travaillent ainsi que sur les jeunes qui arrivent sur le marché du travail.

Les parents se préoccupent de la disponibilité et de la qualité des services de garde d'enfants. Ils s'inquiètent aussi de leur propre capacité de concilier le travail et la famille. Les parents veulent être là pour leurs enfants dans les moments importants, au cours d'événements scolaires ou en cas de maladie. Les enfants, pour leur part, doivent comprendre la vie professionnelle de leurs parents et sentir qu'ils y contribuent.

La plupart des jeunes souhaitent trouver du travail, et même avoir une forme d'emploi régulier dès leur adolescence. L'enjeu en regard du lieu de travail, pour les jeunes, a trait à la transition de l'école et de la maison à un travail à temps partiel ou à temps plein.

Les lieux de travail favorables à la famille répondent aux besoins des parents, du jeune personnel et des familles en général, par l'application de politiques, de programmes et de pratiques d'assistance.

Quelles mesures rendent les communautés favorables à la famille en matière de lieux de travail ?

- Les entreprises qui paient des salaires acceptables et respectent la législation du travail.
- Les grandes entreprises qui fournissent des services de garde d'enfants sur les lieux de travail, y compris des installations pour les mères qui allaitent ; les entreprises plus petites qui fournissent de l'information et de l'aide pour trouver des services de garde d'enfants.
- Les grandes entreprises qui ont de bonnes politiques de congés parentaux.
- Les grandes entreprises qui promeuvent, permettent et soutiennent le partage d'emploi et les horaires flexibles.
- Les grandes entreprises qui fournissent de l'information et de l'aide relativement aux problèmes parentaux (par des ateliers éducatifs sur place, par exemple).
- Les entreprises qui permettent aux parents d'amener leurs enfants au travail (en cas d'urgence, par exemple, ou dans un but d'apprentissage) et qui organisent des fêtes familiales.
- Les entreprises qui soutiennent les programmes communautaires destinés aux enfants et aux jeunes.
- Les entreprises qui s'assurent que les heures et les conditions de travail ne nuisent pas aux études de leur jeune personnel.
- Les politiques en milieu de travail traitant de la discrimination et du harcèlement sexuel élaborées à l'aide du personnel.
- Des renseignements et de l'aide communautaire pour les jeunes cherchant un emploi, surtout ceux des minorités et ceux qui ont de la difficulté à trouver un emploi.

La parole aux parents

Janit Porter, chiropraticienne, mère de Noah, 16 mois, et de Daniel, 3 ans

J'adore être avec mes enfants, mais j'adore aussi mon travail. Je ne crois pas que je serais une bonne mère si je ne pouvais pas faire mon métier. J'ai établi mon cabinet dans une maison rénovée, et nous vivons à l'étage au-dessus. Cela m'a permis d'allaiter mes deux enfants. Je ne perds pas de temps en voiture sur la route et je suis toujours là en cas d'urgence. Mes enfants le savent. J'ai un mari qui m'aide bien, une merveilleuse garde d'enfants à domicile et un personnel très coopérant que je considère comme ma famille.

Il faut tout un village pour élever un enfant. Je crois que les enfants ont besoin de l'influence et de l'attention de toutes les personnes qui les entourent, pas seulement des parents. Nos enfants ne nous appartiennent pas. Tous les jours, je suis reconnaissante du rôle que ma famille et ma clientèle jouent dans la vie de mes enfants.

Figure 16.13
Janit, Noah et Daniel.

Comme la plupart des jeunes parents, je lis beaucoup au sujet des enfants, parfois trop. Au cours des deux dernières années, cependant, j'ai constaté que mes patientes et mes patients m'ont donné les conseils les plus pratiques et les plus utiles sur le rôle de parent. Si j'ai des doutes à propos d'une chose, je peux en parler à une des mères qui viennent me consulter. J'aime bien parler aux mères plus âgées, car après tant d'années, elles sont en général plus détendues face à l'éducation d'un enfant et ne paniquent pas pour des riens. Ainsi, les expériences d'autres personnes m'ont aidée à m'occuper de mes enfants. Il faut prendre tous les renseignements qu'on peut trouver et faire ce qui nous paraît bien, ce avec quoi on se sent à l'aise. Ça a marché pour moi jusqu'à maintenant.

Les services de garde d'enfants

On sait que les femmes s'occupent davantage des enfants en dehors des heures de travail. Les études montrent de plus qu'elles s'investissent davantage dans le choix d'un service de garde de qualité qui réponde aux besoins individuels de leurs enfants lorsqu'elles travaillent. Souvent, parce qu'on considère leur salaire comme le deuxième revenu de la famille, on laisse aux femmes la responsabilité de trouver un service de garde d'enfants lorsqu'elles retournent au travail après leur congé de maternité. Dans beaucoup de collectivités, il manque de places en services de garde d'enfants agréés. Les parents doivent inscrire leurs enfants sur des listes d'attente assez longues, parfois même avant leur naissance.

Les centres de la petite enfance accueillent tout enfant, quelle que soit sa situation familiale. Ces centres sont agréés par la province ou le territoire et respectent des normes rigoureuses. Ils proposent également des services subventionnés aux familles à faible revenu ; cependant, il y a peu de places disponibles et les listes d'attente s'allongent. Les services de garde privés ne suivent pas la même réglementation. Il peut s'agir de services de garde offerts par des particuliers ou par des groupes communautaires, à raison de quelques heures par semaine. Les parents trouvent souvent les services de garde privés en parlant avec des gens. Ces services ne sont pas agréés et sont donc généralement moins formels. Un service de garde d'enfants privé peut fermer sans préavis, laissant les parents se débrouiller pour trouver un service de remplacement.

Figure 16.14
Il est parfois difficile de trouver un service de garde d'enfants fiable. Les parents ont le devoir de s'assurer que leur enfant est en sécurité lorsqu'il est sous la garde d'autres personnes.

La question de savoir qui prendra soin des enfants est une préoccupation majeure pour toutes les familles ayant de jeunes enfants. Il y a de nombreux facteurs à considérer, qu'on cherche une ou un garde d'enfants fiable pour quelques heures de temps en temps ou pour tous les jours pendant que les parents travaillent.

Le coût Les sommes versées aux services de garde d'enfants augmentent les coûts liés à l'éducation pendant la petite enfance. Il arrive que ces coûts correspondent au revenu tiré d'un emploi à temps partiel ou au salaire minimum. Si on ajoute les frais de transport pour se rendre au travail, il reste une si petite part du salaire que certaines femmes choisissent de ne pas travailler du tout. Certaines familles ayant un revenu très bas ont droit à un service de garde d'enfants subventionné, c'est-à-dire que le gouvernement paie pour la totalité ou une partie des frais des services de garde.

La qualité Il peut être difficile de trouver des services de garde où l'environnement est attentif, encourage l'apprentissage, inclut de l'activité physique et répond aux besoins de développement de chaque enfant. Tout service de garde ne satisfait pas tous les enfants et ne correspond pas aux valeurs de tous les parents. Il faut du temps pour trouver l'endroit idéal et si un service n'est pas satisfaisant, les parents, la plupart du temps la mère, doivent recommencer les recherches.

La sécurité Les parents veulent s'assurer que leurs enfants sont en sécurité lorsque d'autres personnes prennent soin d'eux. Les casiers judiciaires des responsables d'agressions sexuelles et les vérifications policières menées auprès du personnel s'occupant d'enfants ont accru la sécurité. Le personnel en charge d'enfants doit posséder un certificat attestant une formation en premiers soins et en mesures de sécurité. Des exercices d'alertes incendie et l'application des mesures de sécurité doivent se faire dans tous les établissements de services de garde d'enfants.

L'emplacement Le service de garde doit être accessible et proche. Conduire les enfants chaque jour à l'autre bout d'une grande ville cause un stress inutile et allonge le temps de transport de la journée. Il est pratique de bénéficier d'un service de garde près de son emploi ou sur son lieu de travail. De plus en plus d'entreprises découvrent que des services de garde sur place ont un effet bénéfique et augmentent la productivité de leur personnel.

Les services de garde de remplacement Lorsqu'un enfant est trop malade pour aller au service de garde, les parents doivent pouvoir le confier à une autre personne ou prendre un jour de congé. Toutes les entreprises n'autorisent pas leur personnel à prendre un congé payé pour s'occuper d'un enfant malade ; souvent, les parents perdent ainsi un jour de salaire. Pour affronter ce problème, il est bon de pouvoir compter sur des membres de la famille, du voisinage ou des amis.

Figure 16.15
La conciliation du rôle parental et du travail se complique lorsqu'un enfant est malade.

❖ Vérifie tes connaissances

1. Qu'est-ce que la génération sandwich ?
2. Comment des parents en couple peuvent-ils s'aider pour concilier le travail et la famille ?
3. Si tu avais besoin d'un service de garde pour ton enfant, quels facteurs de coût, de qualité, de sécurité et d'emplacement auraient de l'importance pour toi ?
4. Dans ta famille ou dans ta collectivité, sur qui pourrais-tu compter pour garder ton enfant si tu en avais besoin aujourd'hui ?

❖ Liens

1. Fais une recherche sur les différents services de garde d'enfants disponibles dans ta collectivité. Étudie leur emplacement et décris le type de service de garde qu'ils proposent.
2. Fais une recherche sur trois des principales entreprises de ta collectivité pour déterminer s'il s'agit de lieux de travail favorables aux familles. Présente tes résultats sous forme d'un tableau comparatif.

Le divorce, la garde des enfants et les pensions alimentaires

Au cours des années 1960 et 1970, le taux de divorce au Canada a augmenté régulièrement, surtout après que des modifications aux lois ont rendu le divorce plus facile à obtenir. Les films et les émissions de télévision d'Hollywood ont présenté le divorce comme la solution lorsque la magie amoureuse disparaissait. Dans la société canadienne, les mariages se basent surtout sur l'amour et la bonne entente, et non sur des relations de partenariat économique comme dans le cas des mariages arrangés. Le taux de divorce a un peu diminué au cours des dix dernières années. Cependant, il reste plus élevé qu'avant les années 1960. Le divorce est une réalité pour de nombreux enfants de notre société.

Les traumatismes sont moins grands lorsque les parents s'efforcent d'obtenir un divorce à l'amiable et en parlent avec leurs enfants. Malgré tout, les enfants de tous âges ressentent des émotions négatives et de l'incertitude lorsque leur famille éclate. La consultation familiale permet à des familles d'éviter le divorce ou les aide à surmonter cette épreuve.

Avis d'experts

ANNE MARIE AMBERT

Anne Marie Ambert, professeure de sociologie à l'Université de York, est l'auteure de Divorce : Faits, causes et conséquences, *publié par l'Institut Vanier de la famille. Elle répond aux questions suivantes :*

Comment le divorce influe-t-il sur les enfants ? Cet effet varie-t-il en fonction de l'âge de l'enfant ?

Les recherches montrent qu'à tout âge, les enfants de parents divorcés présentent des taux plus élevés de problèmes émotifs, comportementaux, sociaux et scolaires que les enfants de familles biparentales. L'âge de l'enfant au moment du divorce est un des facteurs qui déterminera l'impact que la séparation aura sur lui. Si les parents divorcent lorsque l'enfant a 20 ans, par exemple, il est moins probable que cet enfant soit affecté par la situation économiquement diminuée de l'un des parents. Il est plus probable que la pauvreté influe sur les enfants en âge préscolaire, surtout si la mère obtient la garde de l'enfant, car presque 60 % des mères seules vivent en dessous du seuil de pauvreté. Cependant, il est important de noter qu'« il n'existe vraiment pas de bon moment pour divorcer ».

L'impact du divorce varie selon l'âge de l'enfant.

Les bébés Bien que le cerveau d'un bébé se développe rapidement, il ne possède pas la capacité cognitive lui permettant de comprendre le divorce. Cependant, le bébé est parfaitement conscient des émotions de ses parents et ressent le bouleversement qu'un divorce peut causer. Les bébés sont également en plein processus de développement d'un sentiment de confiance envers le monde et sont profondément conscients de la présence de stress. Il est très probable que les parents seront très stressés pendant la procédure de divorce et ne pourront pas éviter de transmettre leur stress à leur enfant. Par conséquent, l'enfant présentera probablement des troubles du sommeil et pleurera plus souvent.

Les tout petits enfants Les enfants de cet âge ressentiront le changement qu'un divorce apporte à leur vie. La vie des parents peut devenir confuse et cela perturbera le petit enfant. Il peut, en réaction, régresser vers des comportements passés – par exemple, vouloir téter ou retourner au biberon. Il est conseillé aux parents d'accepter ces comportements régressifs, car exiger un comportement plus mûr peut aggraver le problème. Un aspect positif en revanche est que, si un parent a toujours été la fournisseuse ou le fournisseur de soins principal et peut continuer à jouer ce rôle, la plupart des tout petits enfants ne remarqueront pas vraiment l'absence de l'autre parent.

Les enfants d'âge préscolaire Un divorce peut plus sévèrement affecter un enfant d'âge préscolaire qu'un enfant plus âgé, car il est le plus exposé aux risques des conséquences durables d'une éventuelle pauvreté. De récentes recherches indiquent clairement que la pauvreté au cours des premières années de l'enfance interfère avec le développement cognitif et verbal à long terme. La disposition à apprendre et la réussite scolaire future dépendent énormément de ces facteurs.

À un niveau individuel, on a observé des enfants d'âge préscolaire réagissant à un divorce demander plus de contacts qu'à l'accoutumée, manifester plus de colère ainsi que des troubles du sommeil. Les parents peuvent aider leur enfant à traverser cette période en le réconfortant et en l'aidant à retrouver sa maîtrise de soi après une colère.

Les jeunes enfants d'âge scolaire (entre 6 et 7 ans) Les enfants dans les premières années de l'école élémentaire se sentent souvent responsables du divorce de leurs parents. « Si seulement je n'avais pas fait cette horrible chose, maman aimerait toujours papa » pourrait être une réaction typique d'un enfant de cet âge. Ces enfants luttent souvent avec un sentiment de culpabilité et bon nombre se réfugient dans un monde imaginaire où leurs parents sont toujours ensemble. Ils organisent parfois des « pièges » pour leurs parents – par exemple, « Papa veut te parler au téléphone » – dans l'espoir que les parents se rapprochent à nouveau comme par magie.

D'autres jeunes enfants adoptent des comportements qui leur sont totalement étrangers. Se faire remarquer peut avoir de sérieuses conséquences à l'école et préparer le terrain pour une chute des résultats scolaires. Si ce phénomène s'accompagne de difficultés financières dans la famille, les opportunités futures de l'enfant peuvent être sérieusement affectées.

Les enfants d'âge scolaire (entre 8 et 12 ans)
Les préadolescentes et les préadolescents manifestent une large variété de réactions au divorce. Certains peuvent parler du divorce à leurs parents, mais la plupart ne le font pas.

Bon nombre n'en parleront même pas à leurs pairs. Malgré une attitude indifférente, ces enfants peuvent réprimer des sentiments de colère et de honte. Dans de nombreux cas, le parent seul obtenant la garde doit déménager dans un logement plus abordable après le divorce et l'enfant peut ainsi perdre ses relations habituelles. Il s'agit d'une perte grave pour la plupart des enfants d'âge scolaire plus âgés. Les résultats scolaires peuvent être les premiers à refléter le divorce, ce qui engendre des conséquences durables sur la réussite future de l'enfant.

Les adolescentes et les adolescents Traverser la puberté rend les jeunes à l'adolescence au mieux lunatiques, et un divorce dans la famille ajoute un important volume de stress et de frustration à leur vie. Les adolescentes et les adolescents tendront à se tourner vers leurs pairs pour chercher du soutien et soulager leur stress plutôt que vers leurs parents. Une adolescente ou un adolescent peut exprimer sa frustration par la délinquance ou la promiscuité sexuelle.

Dans le cas des adolescents, une difficulté particulièrement délicate survient lorsque le parent ayant obtenu la garde perd la possibilité de communiquer avec l'enfant et de le surveiller, car elle ou il doit travailler pour subvenir aux besoins de la famille. L'adolescence est déjà un âge où les « tentations » vers le non-respect des normes abondent et une jeune personne manquant de soutien parental peut ainsi succomber aux pressions néfastes de ses pairs. La réussite scolaire peut en souffrir. Les adolescentes dont les parents se sont séparés sont particulièrement confrontées au risque de devenir sexuellement actives et donc d'être enceintes plus vite.

Sur une note positive, les adolescentes et les adolescents dont les parents divorcent peuvent déjà connaître une bonne réussite scolaire, être bien établis et continuer dans cette voie. Ils ont souvent des emplois à temps partiel et peuvent ne pas être autant affectés par la diminution du revenu familial.

Bien que les recherches montrent qu'à tout âge les enfants de parents divorcés présentent un taux plus élevé de problèmes émotifs, comportementaux, sociaux et scolaires que les enfants des familles biparentales, il est important d'interpréter les informations précédentes avec beaucoup de prudence. Tout d'abord, parmi un nombre inconnu d'enfants, certains comportements de ce qui apparaît ici être des effets négatifs causés par le divorce existaient avant la séparation des parents. Il est important d'étudier la manière dont ces enfants se comportaient avant le divorce.

Ensuite, quelles que soient les statistiques qu'on lise relatives aux conséquences négatives du divorce sur les enfants, elles ne s'appliquent pas à la majorité des enfants vivant un divorce. Ce que ces statistiques indiquent est que les enfants de parents divorcés présentent un plus grand risque de développer ces problèmes que les enfants de parents restant ensemble. Ces statistiques indiquent pourtant également que la majorité des enfants de parents divorcés ne présentent pas de problèmes de développement.

Cependant, je ne souhaite pas influencer le lecteur dans la direction opposée et paraître atténuer les effets négatifs du divorce. Ils sont réels et lourds de conséquences pour les enfants, les parents, les écoles ainsi que les systèmes d'assistance sociale et de soins de santé. Je conseille aux élèves qui souhaitent en savoir plus sur mes recherches concernant les effets du divorce sur les enfants de lire mon article complet traitant de ce sujet.

Dans la plupart des cas, les enfants continuent à vivre avec leur mère après un divorce. Cependant, ils peuvent maintenant dire avec quel parent ils souhaitent vivre. Dans la **garde conjointe**, l'enfant passe du temps avec ses deux parents et les deux parents conservent la responsabilité des décisions parentales. Après un divorce, le niveau de vie d'une mère et de ses enfants diminue souvent, alors qu'il augmente pour le père. Les mères seules n'occupent pas toujours les emplois les mieux rémunérés. Malgré tout, elles continuent à fournir la nourriture, les vêtements et le logement à l'enfant.

Depuis le 1er mai 1997, des modifications à la *Loi fédérale sur le divorce* exigent le paiement d'une **pension alimentaire obligatoire.** Selon Malcolm C. Kronby : « Il existe un barème de sommes approximatives pour chaque province présentant de petites variations en fonction du revenu. Par exemple, la pension alimentaire pour un enfant dans le cas d'une résidente ou d'un résident de l'Ontario qui gagne 40 000 $ et qui a un enfant est de 345 $ par mois. Pour 50 000 $ et trois enfants, elle est de 917 $ par mois. » Si le père a la garde des enfants, la mère doit payer une pension alimentaire mensuelle à l'enfant calculée en fonction de son revenu.

En général, les accords de séparation établis avant le divorce légal tiennent compte de ces tableaux de pensions alimentaires pour enfants. Ils indiquent aussi jusqu'à quel âge, 18 ou 21 ans, l'enfant recevra une pension alimentaire. Pour protéger leurs droits et leurs intérêts, les deux parents ont recours à une conseillère ou à un conseiller juridique dans le cas d'une séparation ou d'un divorce.

L'augmentation de la violence dans les médias

Un autre défi de nature sociale pour les parents est l'exposition accrue des enfants à la violence dans notre société. Les parents peuvent réduire le temps que les enfants passent devant le téléviseur, mais ils ne contrôlent pas le nombre d'images violentes dans les émissions. On trouve des scènes de violence subtiles et masquées dans les jeux vidéo, les dessins animés, les émissions de télévision et les vidéocassettes pour enfants. Il y a des images de violence dans les actualités, les publicités, les vidéoclips et les jeux informatiques. Les parents se sentent parfois impuissants quant à l'exposition de leurs enfants à la violence. Cependant, ils sont en mesure de parler avec eux de ce qu'ils voient et de ce qu'ils ressentent face à des images violentes. Les parents peuvent interdire les émissions violentes et les jouets dérivés qui génèrent des comportements violents. En outre, ils ont la possibilité de réduire l'exposition de leurs enfants à la violence en surveillant les activités du service de garde et de l'école.

La pauvreté

Les réductions budgétaires gouvernementales qui ont touché les services sociaux et l'aide sociale ont aggravé la dépendance des familles avec enfants envers les services communautaires et les banques alimentaires. Le nombre de **travailleuses et** de **travailleurs pauvres** – c'est-à-dire des gens qui travaillent pour un revenu égal ou inférieur au seuil de faible revenu (SFR) – a augmenté. Les familles à revenu unique ou monoparentales ont plus de risques de connaître la pauvreté que les familles à deux revenus. Cependant, d'autres facteurs conduisent à la pauvreté. La perte d'un emploi, un handicap, des problèmes de santé, la toxicomanie et la dépendance à l'alcool contribuent tous à la perte ou à la mauvaise utilisation d'un revenu.

On ne voit pas toujours la pauvreté. Des familles réussissent à vêtir leurs enfants comme les autres en se procurant des vêtements auprès d'organisations comme Renaissance, l'institut Amity ou l'Armée du Salut. Ces enfants continuent à aller à l'école, mais vont cacher qu'ils ont faim. Des phrases comme « J'ai oublié mon dîner » ou « Je n'ai pas faim » cachent parfois le fait que la famille n'a plus assez d'argent pour finir le mois.

L'indicateur le plus évident de la pauvreté est la perte du domicile. Il y a un nombre croissant de familles sans abri dans les foyers communautaires ou même dans la rue. Les logements peuvent coûter très cher, surtout dans les grandes villes. Le premier et le dernier loyers qu'il faut payer à la signature d'un bail représentent un montant trop élevé pour une **famille sans abri.** Les subventions pour le logement et les programmes comme Habitat pour l'Humanité, qui aident les familles à se loger, ne sont pas toujours disponibles. Les gouvernements municipaux et provinciaux ou territoriaux continuent de s'occuper du problème du logement et d'aider les familles à s'en sortir.

Figure 16.16
Les programmes comme Habitat pour l'Humanité aident les familles à faible revenu à obtenir des logements abordables.

Des bouches à nourrir

C'est un fait triste qui donne à réfléchir: bien que, par de nombreux standards, le Canada soit une nation riche, beaucoup de ses résidentes et de ses résidents ne peuvent pas s'offrir un régime nourrissant.

La dernière enquête nationale sur la santé de la population de Statistique Canada montre qu'en 1998 et 1999, un manque d'argent a forcé presque 2,5 millions de personnes (environ 8 % de la population canadienne) à compromettre la qualité de leur régime alimentaire ou leur quantité de nourriture au moins une fois. Pendant la même période, un demi-million de personnes s'inquiétaient de savoir si elles auraient assez d'argent pour manger. L'enquête a également permis de découvrir qu'environ 600 000 personnes ont reçu de l'aide de banques alimentaires ou d'autres agences caritatives pendant l'année précédant l'enquête.

Pourtant, les enfants de ces ménages n'ont pas nécessairement souffert de sous-alimentation: les adultes tendant souvent à sacrifier leur propre régime alimentaire pour éviter à leurs enfants de connaître la faim. « Cela confirme des recherches passées montrant que les femmes ayant un faible revenu font toujours de leur mieux pour nourrir leurs enfants malgré un manque d'argent », commente Debbie Field, directrice de FoodShare à Toronto. Elle ajoute que cette étude confirme que le nombre de ménages enclins à souffrir de la faim est bien plus élevé qu'on ne le pensait.

Auteur: F. Berkoff, mars 2002.

La protection des droits des enfants dans la société

En 1979, pendant l'Année internationale de l'enfant, les Nations Unies ont entrepris de consolider divers travaux relatifs à une déclaration des droits de l'enfant. On a examiné les mauvaises conditions de vie des enfants dans le monde et on a conclu que les enfants ne recevaient pas un traitement égal et équitable. Les parents n'arrivaient pas toujours à protéger leurs enfants, à répondre à leurs besoins ou à assurer leur sécurité. Les enfants n'échappaient pas forcément à l'exploitation, à la violence ou aux mauvais traitements dans les pays où ils n'avaient aucun droit. Les Nations Unies ont déterminé qu'il fallait aider les parents à protéger leurs enfants. On a alors résumé les responsabilités des parents et des nations quant à la protection et au soutien des droits de tout enfant. En 1989, on a ratifié la Convention des Nations Unies relative aux **droits de l'enfant.** En 1995, 185 pays, dont le Canada, avaient ratifié cette convention.

La Convention des Nations Unies relative aux droits de l'enfant définit un enfant comme un être humain de moins de 18 ans. Les lois d'un gouvernement doivent, sans discrimination, respecter et appliquer les droits des enfants tels que définis dans la Convention. Tous les enfants, peu importe leur race, leur sexe, leur classe sociale, leurs capacités ou leurs handicaps, ont droit au même traitement. Il faut toujours avoir les intérêts des enfants en tête. Il revient aux gouvernements d'adopter et de mettre en œuvre des lois qui maintiennent les droits et la sécurité de tous les enfants.

D'après la Convention, les gouvernements doivent, d'une part, respecter les droits et les devoirs des parents ainsi que des tutrices et des tuteurs et, d'autre part, assumer la responsabilité de la survie et du développement de tout enfant. Les enfants ont le droit de vivre et de bénéficier des premières nécessités de la vie, telles que la nourriture et le logement. Les enfants ont le droit d'avoir un nom, une nationalité et une identité, de connaître leurs parents, de recevoir les soins de leurs parents et de vivre avec leurs parents, sauf si ces derniers les maltraitent.

La Convention contient actuellement 50 articles détaillant longuement tous les aspects des droits des enfants. Le Canada a adopté ces droits de l'enfant en plus d'ajouter et de récrire certaines lois pour les adapter à notre société. Cependant, le gouvernement ne peut pas garantir le respect des droits des enfants sans le soutien et le travail des familles, des personnes qui s'occupent des enfants et de toute personne intervenant auprès des enfants par sa carrière, sa profession ou son rôle dans la société.

Liens

1. **Parle à des enfants d'âge scolaire afin de savoir s'ils connaissent leurs droits. Prépare une brochure simple mais intéressante à l'intention des enfants. Inclus les renseignements relatifs à leurs droits et indique la façon dont ils peuvent obtenir de l'aide s'ils pensent qu'on a violé leurs droits.**

Au Canada, les situations violentes représentent la plus grande menace aux droits des enfants. Les médecins, le personnel scolaire, le personnel des institutions religieuses, les agences sociales et la police sont responsables, selon la loi dans certaines provinces et dans certains territoires, de signaler les cas de mauvais traitements infligés aux enfants, de négligence et de violence. Toute personne vivant et travaillant avec des enfants doit connaître ses responsabilités légales lorsqu'il est question de reconnaître, de signaler et de mettre fin à la violence envers un enfant.

La violence envers les enfants

La violence envers les enfants constitue rarement un incident isolé. Les recherches indiquent que les circonstances menant à un **scénario de violence** dans les familles se répètent. Les enfants ayant subi des mauvais traitements de la part de leurs parents reprennent souvent le même comportement avec leurs propres enfants ou d'autres enfants.

Le **cycle de la violence** d'une génération à l'autre continue jusqu'à ce qu'une personne reconnaisse sa tendance à la violence et pose des gestes pour y mettre fin. Quand on élève un enfant, cependant, le stress et la colère peuvent déclencher des comportements violents même chez les personnes les mieux intentionnées. Les services de conseil, l'accès à un service téléphonique d'assistance et des formations de gestion de la colère améliorent la situation en aidant à rompre ce cycle de la violence.

Voici un article tiré du magazine en ligne *Santé! Canada* (février 2001).

La violence familiale – Elle frappe tout le monde

La violence familiale et l'abus peuvent survenir n'importe où, à n'importe qui, dans les petits villages comme les grandes villes, dans toutes les classes sociales, à n'importe quel âge et dans tous les milieux religieux et ethnoculturels.

L'abus est la trahison de la confiance dans une relation intime. L'abus peut être physique, sexuel, psychologique ou les trois. La négligence et l'exploitation financières en sont d'autres facettes.

Statistiques inquiétantes

Des données de sondages réalisés au cours des cinq dernières années illustrent l'ampleur de la violence familiale au Canada :

- Sept pour cent des personnes mariées ou vivant en union libre sont victimes d'une forme de violence aux mains d'un partenaire.
- Les femmes sont trois fois plus souvent victimes de violence conjugale que les hommes, et cinq fois plus susceptibles d'avoir besoin de soins médicaux.
- Les enfants et les jeunes de moins de 18 ans représentent 60 % des victimes d'agression sexuelle et 20 % des victimes d'agression physique.
- Les parents, plus que les autres membres de la famille, commettent plus souvent des actes de violence envers les enfants et les jeunes.
- Les adultes plus âgés sont plus souvent victimes d'abus psychologiques et d'exploitation financière que de violence physique ou sexuelle.
- Pendant les 20 dernières années, le tiers des victimes de meurtre étaient apparentées au tueur.

Source : Santé ! Canada.

Les mauvais traitements et les agressions envers les enfants ne surviennent pas seulement dans leurs familles, mais dans toutes sortes de situations. Diverses formes de violence affectent les enfants à des degrés différents : les agressions sexuelles, la violence physique, la présence lors de violence familiale, la violence psychologique et la négligence. Les personnes reconnues coupables d'agression envers les enfants proviennent de tous les milieux : des membres du clergé, des membres du personnel enseignant, des gardes d'enfants, des animatrices et des animateurs de scoutisme, des entraîneuses et des entraîneurs, des proches de la famille et des personnes à qui on avait confié des enfants. Reconnaître et signaler la violence est la responsabilité de tout le monde.

Les signes de mauvais traitements et de violence

Toute personne interagissant avec des enfants doit connaître les signes et les symptômes de mauvais traitements d'un enfant. Les personnes qui s'occupent des enfants, les médecins, le personnel enseignant, le voisinage et les autres personnes qui voient les enfants régulièrement sont les premiers à reconnaître les signes de mauvais traitements. La violence physique est parfois la plus facile à détecter, car elle laisse des traces. Cependant, il arrive que les agressions visent les endroits en général couverts par les vêtements. Au cours d'une journée normale, les enfants peuvent tomber, se cogner la tête ou se casser un os. Cependant, des blessures répétées, des bleus inhabituels, des brûlures ou des lacérations éveillent les soupçons. Les enfants maltraités manifestent parfois des peurs inhabituelles. Ils peuvent avoir un mouvement de recul lorsqu'on les touche ou lorsqu'ils entendent du bruit. Ils montrent qu'ils n'ont pas envie de rentrer chez eux après l'école, sans rien dire qui puisse nuire à leurs parents. Le repli sur soi, l'anxiété, la dépression, les comportements autodestructeurs ou agressifs et un retard de développement indiquent souvent qu'un enfant subit une violence psychologique.

Figure 16.17
Les professionnelles et les professionnels, notamment en soins des enfants, en orthophonie et en travail social, doivent signaler tout soupçon de mauvais traitements infligés à un enfant au bureau local de la Société d'aide à l'enfance.

La responsabilité de signalement

Certaines provinces disposent d'une législation réglementant le signalement de toute violence envers les enfants. En Ontario, la *Loi sur les services à l'enfance et à la famille* reconnaît que chaque citoyenne ou chaque citoyen est responsable du bien-être des enfants. Elle stipule clairement dans la section 72 (1) que toute personne, y compris les personnes exerçant des fonctions professionnelles ou officielles en relation avec des enfants, doit communiquer promptement avec la Société d'aide à l'enfance si elle soupçonne qu'un enfant a besoin ou peut avoir besoin de protection. Cette personne doit elle-même signaler le mauvais traitement soupçonné ou observé ; elle ne doit pas se dire qu'une autre personne le fera à sa place. De plus, si une personne a déjà signalé un cas de mauvais traitement observé ou soupçonné et que le comportement se reproduit, elle a la responsabilité de réitérer le signalement. Un enfant ayant besoin de protection est un enfant subissant des mauvais traitements physiques, sexuels ou psychologiques ainsi que de la négligence ou un risque de blessures.

Les personnes qui travaillent auprès des enfants ont une responsabilité particulière relative aux signalements de violence ou de mauvais traitements soupçonnés. Du fait de cette responsabilité, ne pas signaler une telle situation est un délit dans leur cas et elles sont passibles d'amendes s'élevant à 1 000 $ ou de peines de prison d'au moins un an. Il s'agit des professions suivantes :

- le personnel de la santé, y compris les médecins, les infirmières et les infirmiers, les dentistes, les pharmaciennes et les pharmaciens et les psychologues ;
- le personnel enseignant, les directions d'établissements scolaires, les travailleuses et les travailleurs sociaux, les conseillères et les conseillers en matière de famille ;
- les prêtres, les rabbins et les autres membres du clergé ;
- le personnel des garderies, des centres de la petite enfance, des centres récréatifs ou pour la jeunesse, les agents de la paix, les médecins légistes, les avocates et les avocats, le personnel de centres de services et toute autre personne qui intervient auprès d'enfants dans son travail.

Même sous le sceau du secret professionnel, toute personne ayant des fonctions professionnelles ou officielles qui concernent des enfants doit signaler ceux qui ont un besoin de protection.

Les faux signalements de mauvais traitements

Parfois, des enfants, des adolescentes et des adolescents ou des adultes signalent qu'on les a maltraités alors que c'est faux. Les enfants inventent parfois des histoires afin d'attirer l'attention ou de blesser une ou un adulte qu'ils connaissent. Il s'agit d'actes mesquins visant à ruiner la réputation d'une personne liée d'une manière ou d'une autre à l'enfant. Il y a peu de faux signalements, mais lorsqu'ils se produisent, ils causent beaucoup de dommages dans la vie de la personne accusée. Les personnes injustement accusées arrivent rarement à rétablir leur réputation et leur carrière. Il ne faut jamais donner l'impression qu'on ne croit pas un signalement de mauvais traitement. Une fois le signalement rapporté, le système judiciaire se charge de déterminer si l'accusation est fausse ou non.

Les effets de la violence

La violence envers les enfants a des conséquences durables. Les mauvais traitements laissent des cicatrices psychologiques. Une fois adultes, certains enfants vivront une vie normale avec l'aide d'une ou d'un thérapeute. Par contre, d'autres auront de la difficulté à vivre des relations ou auront des problèmes de nature violente ou criminelle. La violence envers les enfants peut même mener au suicide. La violence engendre souvent la désintégration de la famille. Un divorce devient parfois nécessaire pour protéger l'enfant d'un parent violent. Le divorce peut aussi être le résultat du traumatisme vécu par la famille entière, même si une personne extérieure à la famille a infligé les mauvais traitements.

Le Code criminel du Canada réglemente les agressions, les abus sexuels, la cruauté psychologique et toute forme de blessures et de violence infligées aux enfants. Qu'une personne soit ou non reconnue coupable, les charges seules suffisent souvent à détruire sa réputation. Les membres du personnel enseignant peuvent ne plus jamais pouvoir enseigner ; les personnes qui s'occupent d'enfants qui ont un casier judiciaire se verront interdire l'exercice de leur profession. Une fausse accusation ruinera la vie d'une personne innocente. On envoie les personnes reconnues coupables en prison dans l'espoir de les réhabiliter. Cependant, beaucoup d'entre elles commettent de nouveau des actes de violence contre les enfants dans d'autres collectivités ou d'autres familles à leur sortie de prison. Les lois doivent continuer à protéger nos enfants de la violence.

Vérifie tes connaissances

1. Qu'est-ce que la garde conjointe ?
2. Définis l'expression « travailleuses et travailleurs pauvres ».
3. Décris les indicateurs de mauvais traitements infligés à un enfant.

Liens

1. Regarde une émission de télévision qui s'adresse aux enfants de 8 à 10 ans. Note les types d'incidents violents que tu vois et compte-les par catégorie. Évalue si l'émission contient trop de violence ou non. Explique ton point de vue.
2. Indique ce que doit faire une personne qui soupçonne qu'un enfant subit des mauvais traitements dans ta collectivité.

Résumé

Points marquants

- Les parents prennent conscience de divers enjeux sociaux à mesure que leurs enfants s'engagent dans la vie à l'extérieur de la famille et gagnent en indépendance.
- La sécurité personnelle des enfants hors du foyer est primordiale.
- La mise en garde des enfants contre les dangers de la rue participe d'une manière importante à leur protection, car elle les aide à reconnaître les dangers et à y réagir.
- L'école et les parents doivent appliquer des mesures pour combattre l'intimidation et le harcèlement sexuel.
- Les parents n'élèvent pas leurs enfants en vase clos. La société entière est responsable des enfants.
- On a mis en place plusieurs lois, politiques sociales et services sociaux et communautaires afin de protéger, de diriger et d'aider les parents.
- Avec l'évolution rapide de la société, les familles ayant des enfants font face à plusieurs défis de nature sociale : la conciliation du travail et de la famille, l'obtention d'un service de garde d'enfants de qualité, le divorce, l'exercice de l'autorité parentale, les pensions alimentaires, la gestion de la violence dans les médias et une sensibilisation croissante à la pauvreté et à la perte de logement.
- Les gouvernements aident les parents à protéger les droits des enfants.
- Le Canada a adopté la Convention des Nations Unies relative aux droits de l'enfant et a élaboré des lois visant à protéger les droits des enfants.
- Les parents, les personnes qui s'occupent des enfants et celles qui travaillent auprès d'eux peuvent agir afin de défendre les droits des enfants en matière de violence. Pour enrayer la violence envers les enfants, il est important de prendre conscience du phénomène, d'une part, et de reconnaître et de signaler les cas où des enfants ont besoin de protection, d'autre part.

Révision et approfondissement

1. Quels peuvent être les effets négatifs sur les enfants de programmes de mise en garde contre les dangers de la rue mal pensés et trop zélés ? R/R

2. Relis les facteurs qui causent les comportements d'intimidation. Dans un court texte, indique des stratégies que les parents et les directions d'école peuvent utiliser pour éviter l'intimidation. C/C R/R C A

3. Prépare une présentation sur le problème de l'intimidation à l'intention des parents qui ont des enfants à l'école élémentaire. C/C C

4. Fais une recherche sur les lois de ta province ou de ton territoire concernant les droits et les responsabilités des parents et des enfants. R/R

5. Les familles font face à de nombreux défis. Quels défis concernent les personnes qui s'occupent des enfants ou qui travaillent auprès d'eux ? Explique chacun de tes choix. C/C A

6. Fais une recherche sur trois services de garde de bébés et de tout-petits dans ta collectivité. Remplis un tableau comparatif de ces trois établissements en matière de coût, de qualité, de sécurité, d'emplacement, d'accessibilité et de tes valeurs et opinions. C/C R/R C A

7. Analyse les liens entre le divorce et la pauvreté. Décris les effets de chacune de ces situations sur les enfants. R/R

8. Analyse les causes et les conséquences de la violence envers les enfants. Décris les effets de la violence sur les familles, sur les personnes qui s'occupent des enfants et sur celles qui travaillent auprès d'eux. C/C R/R

9. Dresse un bref questionnaire visant à déterminer ce que les enfants savent de la violence et de ses effets sur eux. Compile les résultats de ton enquête. Présente tes découvertes à la classe. R/R C

Recherche

10. Fais une recherche dans Internet pour le Canada uniquement, à partir des mots clés « services sociaux » ainsi que ta province ou ton territoire. Étudie les programmes sociaux visant la protection des enfants disponibles dans ta région – par exemple, les lois relatives à l'éducation, les centres de la petite enfance et les garderies, les services à l'enfance et à la famille. Quels programmes sociaux, quelles lois ou politiques sociales protègent les enfants de moins de 6 ans ? de 6 à 12 ans ? de 12 à 18 ans ? Selon toi, le gouvernement de ta province ou de ton territoire protège-t-il bien les enfants ou devrait-il faire des changements ?

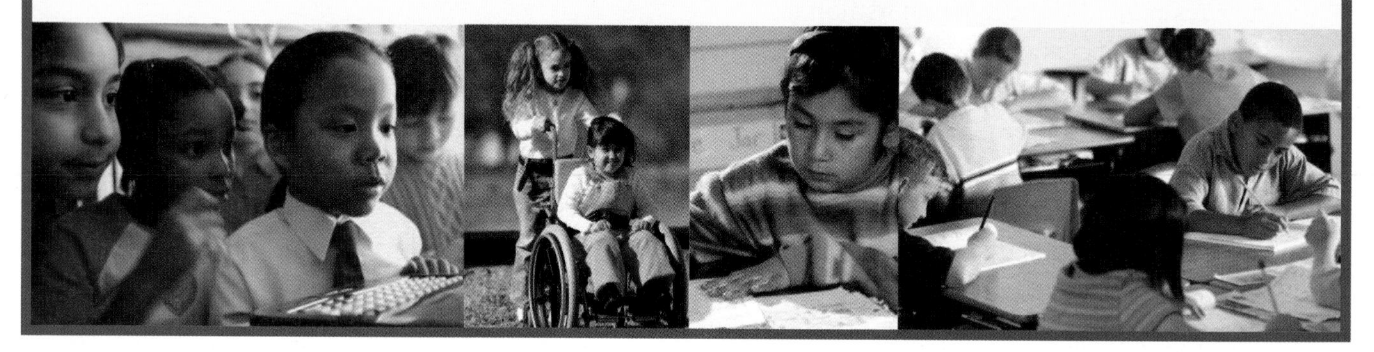

Chapitre

17

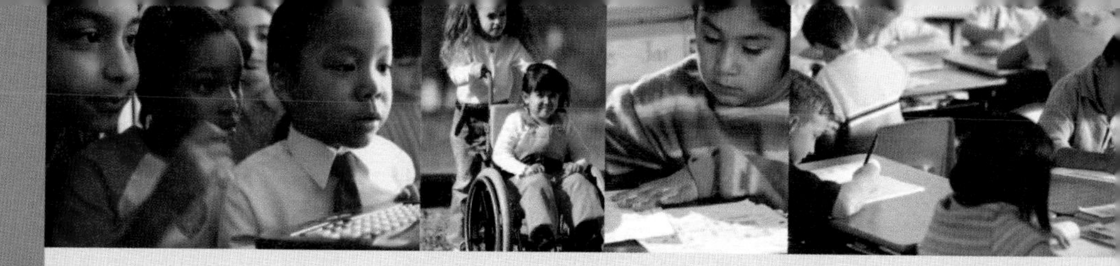

Au-delà de la famille

À la fin de ce chapitre, tu pourras :

- analyser le rôle des personnes qui s'occupent des enfants dans la conciliation du travail et de la famille ;
- expliquer la mission et le rôle de l'école dans notre société et en lien avec la famille ;
- étudier et interpréter la contribution de l'école à la socialisation des personnes tout au long de la vie ;
- comprendre comment les médias peuvent être des agents de socialisation ;
- évaluer l'influence des médias sur les parents, les enfants, les adolescentes et les adolescents.

Mots clés

affichage publicitaire
agent de socialisation
apprentissage en ligne
censure
conventions sociales
curriculum
défi à l'autorité
école buissonnière
écoles privées
écoles publiques
éducation formelle
éducation informelle
imprimés
médias électroniques
mentor
programmes du petit déjeuner à l'école
stéréotype
technologie audiovisuelle
violence à l'école

Aperçu du chapitre

Quelle est l'influence de l'école et des médias sur les parents et les enfants ?

Les parents et les enfants ne peuvent échapper à l'influence de l'école et des médias. Dès que l'enfant a six ans, il fréquente l'école jusqu'à sept heures par jour, cinq jours par semaine et près de dix mois par année. De plus, dès la première année, il a des devoirs à faire à la maison.

Les enfants ont accès à plusieurs médias :

- les **imprimés**, comme les livres, les magazines, les catalogues et les journaux ;
- la **technologie audiovisuelle**, comme la télévision, la radio et la vidéo ;
- les **médias électroniques**, comme les ordinateurs, Internet, le courrier électronique et les jeux interactifs ;
- l'**affichage publicitaire**, comme les affiches des magasins, les vitrines, les panneaux-réclames et les enseignes.

Du matin au soir, l'école et les médias bombardent les enfants d'information, de valeurs, de modes de pensée et de façons d'agir qui débordent le cadre de leur famille immédiate. En général, les parents approuvent et encouragent l'influence de l'école et des médias pour sa contribution positive au développement de l'enfant. À l'école, les enfants découvrent les **conventions sociales**, comme attendre son tour, former les rangs, penser avant de parler, faire preuve de gentillesse envers les autres, dire « merci » et « s'il vous plaît ». De plus, l'école réunit les enfants entre pairs. Grâce à sa formation, le personnel enseignant encourage l'interaction chez les enfants ainsi que leur sentiment d'appartenance. Les enfants apprennent les règles et mettent en pratique les comportements essentiels à la vie en société. Ils suivent les étapes qui les mènent vers l'autonomie. Cependant, toutes les expériences vécues à l'école ne sont pas positives. Beaucoup de parents s'inquiètent à ce sujet.

Au Canada, l'école et les médias bombardent les enfants de messages en matière d'information, de valeurs, de modes de pensée et de façons d'agir.

Les parents apprécient le potentiel éducatif des médias électroniques. Leur influence se fait sentir bien avant l'entrée à l'école et se poursuit toute la vie. Les émissions conçues pour les tout-petits, sur bandes vidéo ou à la télévision, enseignent aux enfants des mots, des chansons et des concepts de base en les faisant chanter, répéter les mots et imiter des gestes. Les émissions éducatives pour les enfants plus vieux les initient aux arts, aux mathématiques, à l'artisanat, au théâtre et à différentes activités. Par contre, les enfants qui regardent des émissions captivantes, mais de mauvaise qualité, se font bombarder de publicité. Les parents et les personnes qui s'occupent des enfants doivent trouver un bon équilibre entre les effets positifs et négatifs de l'école et des médias sur la socialisation des enfants.

L'école en tant qu'agent de socialisation

On considère l'école comme un **agent de socialisation** parce qu'un de ses rôles consiste à apprendre aux enfants à se comporter en société. On discute souvent de ce que l'école devrait enseigner. Des gens pensent que l'école doit se limiter à l'enseignement des matières de base, soit la lecture, l'écriture et l'arithmétique. Selon d'autres personnes, l'école doit traiter davantage des choses de la vie et de la gestion des problèmes de société, comme le sida, la sexualité, la pauvreté, la violence, la consommation et les ruptures familiales. Des gens sont d'avis que les écoles devraient pousser chaque enfant à développer pleinement son potentiel sur le plan scolaire. Par contre, d'autres estiment que l'école devrait former des personnes pour tous les emplois disponibles dans la société.

Si je pouvais choisir ce que les écoles doivent enseigner, qu'est-ce que j'inclurais ?

La petite histoire de l'école

L'école telle que nous la connaissons aujourd'hui existe depuis peu. Il n'y a pas si longtemps, les enfants recevaient leur instruction des parents, des anciens de la tribu, du clergé, de tutrices et de tuteurs ou d'enseignantes et d'enseignants privés dans le cas de familles riches. Certains enfants devenaient apprentis d'une ou d'un artiste, d'une artisane ou d'un artisan ou encore dans un commerce. Avant l'invention de l'imprimerie, les gens transmettaient leurs compétences oralement et en personne. La lecture et l'écriture demeuraient le privilège de l'Église, de l'État et de l'élite.

Avant l'invention du parchemin en Égypte, on sculptait les documents dans le bois ou on les gravait sur la pierre. L'histoire se transmettait oralement. On accordait une grande importance à la tradition orale de raconter des événements et de se remémorer les histoires. La lecture et l'écriture ont fait tout doucement leur chemin dans la société. La possibilité d'écrire sur le parchemin ou sur le papier permettait de conserver les paroles. Les vagues de migration venant des régions méditerranéennes vers l'Europe ont permis la diffusion de la lecture et de l'écriture. Lorsque des gens voyageaient, on leur confiait des documents écrits. Cela permettait d'envoyer et de partager les nouvelles, bien avant la parution des premiers journaux.

Figure 17.1
Au Moyen Âge, on écrivait tous les documents et les manuscrits historiques à la main avec une plume et de l'encre.

Les premiers livres étaient écrits à la main. Un mode d'impression primitif utilisait des blocs de bois sculptés. On les trempait dans l'encre et on les pressait à la main sur le papier. Ce processus était long et difficile. Il y avait peu de livres et ils coûtaient cher. L'invention de la presse à imprimer, au cours des années 1400, a permis de produire en série des livres, des journaux et des publications semblables à des magazines. Plus on imprimait, plus il devenait important de savoir lire et écrire.

Même si l'instruction demeurait individuelle et privée, la disponibilité de documents imprimés a facilité l'enseignement à des groupes de personnes.

Pendant la révolution industrielle, la mécanisation a eu pour effet d'éliminer un grand nombre d'emplois. Les usines n'avaient plus besoin des enfants et des jeunes. Ces enfants désœuvrés devenaient un problème pour la société. L'école a apporté la solution au problème. Au Canada, les villes, les villages et même les collectivités rurales ont fondé des **écoles publiques,** c'est-à-dire financées par les impôts des contribuables, afin d'instruire les enfants. On y enseignait la lecture, l'écriture, l'arithmétique et les sciences naturelles. Au fil de l'évolution sociale, on a ajouté d'autres sujets. Il y avait déjà des **écoles privées,** c'est-à-dire des écoles où les parents paient un montant en échange de l'instruction de leurs enfants. Ces écoles ont continué à offrir leurs services. Aujourd'hui, les écoles publiques et privées ont toujours pour mission l'instruction des enfants et l'enseignement des comportements acceptables.

Vérifie tes connaissances

1. Quelles « conventions sociales » enseigne-t-on à l'école ?
2. Qu'est-ce qu'un agent de socialisation ?
3. Quelles sont les différences entre l'école publique et l'école privée ?
4. Comment l'invention de la presse à imprimer a-t-elle contribué à l'enseignement formel ?

Les règles et les règlements relatifs à l'éducation

Il est bon que les parents connaissent les règles et les règlements relatifs à l'éducation avant que leurs enfants ne commencent l'école. Au Canada, les provinces et les territoires régissent l'instruction publique. Une fois un enfant inscrit, ses parents ont la responsabilité de lui faire fréquenter l'école. L'État peut poursuivre des parents si un enfant fait l'**école buissonnière** ou n'assiste pas régulièrement aux cours.

L'éducation au Canada : quelles sont les responsabilités des parties ?

Les gouvernements provinciaux ou territoriaux ont généralement la responsabilité :

- d'établir des politiques et des directives pour les administrations scolaires, les directions des services pédagogiques, les directions d'école et les cadres des commissions scolaires ;
- de déterminer les curriculums et les exigences pour l'obtention des diplômes et des certificats ;
- de préparer les listes des manuels scolaires approuvés et du matériel didactique.

Les commissions scolaires ont généralement la responsabilité :

- de déterminer le nombre, la taille et l'emplacement des écoles ; de les construire, de les équiper, de les meubler et de les entretenir ; d'établir les programmes pour l'éducation spécialisée, le primaire et le secondaire ;
- de dresser un budget annuel et de gérer les fonds alloués par la province ou le territoire ;
- d'assurer le transport sécuritaire des enfants vers les écoles primaires (par autobus scolaires et autres moyens de transport) ;

- d'embaucher le personnel enseignant et d'autres personnels ;
- d'aider le personnel enseignant à améliorer ses méthodes d'enseignement et sa performance ;
- de contrôler les présences en classe et de faire en sorte que les écoles se conforment aux dispositions de la *Loi sur l'éducation*.

Chaque direction d'école a généralement la responsabilité :

- de voir à l'organisation générale de l'école, d'assurer l'entretien continu des immeubles et de gérer le budget de l'école ;
- de s'assurer du respect du curriculum et de la conformité des pratiques d'évaluation aux règlements provinciaux ou territoriaux ;
- d'admettre les élèves, d'ouvrir leur dossier, de le garder à jour et de faire parvenir les bulletins aux parents ;
- d'assurer la supervision des élèves, d'appliquer une discipline scolaire et d'élaborer un code de vie ;
- d'attribuer des classes à chaque enseignante ou enseignant, de les soutenir et de les superviser ; de recommander les nominations, les promotions, les rétrogradations et les congédiements.

Le personnel enseignant a généralement la responsabilité :

- de préparer des plans de leçons et d'enseigner aux élèves ;
- de soutenir les élèves dans leurs études, d'évaluer leur travail et leurs progrès ;
- de superviser le comportement des élèves et d'assurer la discipline en classe ;
- de faire preuve de civisme et de respect envers toutes les catégories de gens.

Les élèves ont généralement la responsabilité :

- d'assister aux cours, de faire les travaux scolaires et de se présenter aux examens ;
- de faire preuve d'autodiscipline et de se comporter avec courtoisie envers le personnel enseignant et avec leurs pairs.

Les parents ont généralement la responsabilité :

- de préparer leurs enfants à l'apprentissage avant qu'ils ne commencent l'école (un rôle parental efficace dès le jeune âge de l'enfant lui donne la maturité nécessaire pour commencer l'école) ;
- de s'assurer de la présence de leurs enfants à l'école ; le plus souvent, la présence en classe est obligatoire entre 6 et 16 ans.

En Ontario, l'école française a un rôle particulier à jouer puisqu'elle s'adresse à une minorité linguistique. Dyane Adam, alors qu'elle était commissaire aux langues officielles, a défini la mission de l'école française en quatre points résumés ici :

- l'école française doit convaincre les parents qui y ont droit d'inscrire leurs enfants, car ainsi ces enfants pourront le faire plus tard pour leurs propres enfants ;
- l'école de langue française doit être un milieu d'excellence dans lequel la fierté de bien maîtriser la langue et la culture françaises permet un apprentissage rapide ;
- elle doit offrir une éducation de première qualité, qui assure l'épanouissement des élèves et leur donne les outils nécessaires pour réussir ;
- elle doit être l'école de la collectivité, c'est-à-dire qu'elle doit soutenir la minorité par son leadership et ses services.

Les enfants qui arrivent à l'élémentaire « prêts à apprendre » risquent moins d'éprouver des difficultés scolaires, de décrocher avant la fin des études secondaires, de devenir délinquants, de fumer et de consommer de l'alcool et des drogues.
— Ontario Coalition for Better Childcare

Liens

1. En tant qu'élève, réfléchis aux responsabilités de chaque groupe de personnes relativement à ton instruction. Si c'était possible, souhaiterais-tu modifier, ajouter ou éliminer des responsabilités ? Explique tes raisons à des camarades de classe.

Étude de cas : Ces parents qui ne font pas leur travail

Ann Landers, chroniqueuse d'agence, a écrit des chroniques de conseils qui ont paru dans des centaines de journaux. La lettre suivante a paru pour la première fois dans *The Toronto Star,* le 5 janvier 2002.

Chère Ann,
Je suis enseignante au primaire. Je pense que les parents ont oublié la tâche qui leur revient de préparer leurs enfants pour l'école. Me permettez-vous de profiter de votre chronique pour leur rafraîchir la mémoire ?

C'est le travail des parents de voir à ce que leur enfant arrive à l'école propre, nourri, habillé convenablement et à l'heure.

C'est le travail des parents de voir à ce que leur enfant arrive à l'école avec ses manuels, papier, crayons et autres articles nécessaires.

C'est le travail des parents de voir à ce que leur enfant fasse tous ses devoirs.

C'est le travail des parents d'enseigner à leur enfant le respect, la courtoisie, le sens des responsabilités et les bonnes manières.

Quel est le rôle de l'enseignant ? C'est le travail de l'enseignant de préparer votre enfant sur le plan scolaire et de lui donner une base solide pour son éducation future. C'est le travail de l'enseignant de lui transmettre le goût de relever des défis et de lui proposer des projets et des travaux stimulants.

J'ai du mal à faire correctement mon travail quand les enfants arrivent en retard, n'ont pas leur matériel scolaire, n'ont pas fait leurs devoirs et se comportent mal. Je ne suis pas suffisamment payée pour servir de mère à ces enfants. S'il vous plaît, parents, faites votre travail afin que je puisse faire le mien. – Une enseignante

Chère enseignante,
Je vous remercie de m'avoir remplacée, aujourd'hui. Parents, à vous d'écouter !

Adapté avec l'autorisation d'*Eppie Company and Creators Syndicate, Inc.*

Questions

1. Es-tu d'accord avec l'enseignante ? Explique ton raisonnement.
2. Quel lien y a-t-il entre les demandes de l'enseignante et la disposition d'un enfant à apprendre ?
3. Développe une argumentation en faveur de la position de l'enseignante ou contre sa position. Fais un débat avec une ou un camarade qui défend l'opinion contraire.

L'éducation formelle et informelle

L'**éducation formelle** est régie par le gouvernement et doit respecter le **curriculum** établi, c'est-à-dire des programmes d'études spécifiques. Du personnel enseignant donne des cours dans des lieux désignés à cet effet. L'**éducation informelle** se fait en dehors des écoles. Chaque jour, les enfants apprennent beaucoup de leurs parents. Les parents doivent donner l'exemple de comportements acceptables, enseigner différentes habiletés et aider leurs enfants à s'entendre avec les membres de leur famille et en société. Les enfants apprennent également de leurs frères et sœurs, de leurs pairs et dans leurs relations d'amitié.

Les enfants s'instruisent aussi de façon non formelle en dehors de leur famille, par exemple auprès des jeunes qui les entraînent à la natation, qui leur enseignent la danse ou le patinage, qui animent le terrain de jeu. Ces jeunes donnent aux enfants d'importantes leçons de vie et présentent des comportements acceptables. Tout le monde peut tirer profit de l'influence d'un **mentor**, c'est-à-dire d'une personne qui joue un rôle clé par ses bons conseils. Un mentor peut être une personne qui sait écouter, une personne que tu admires, que tu respectes et à qui tu voudrais ressembler. Un mentor peut t'aider à t'améliorer dans un sport, à l'école ou au travail. Même les parents ont parfois des mentors afin de mieux jouer leur rôle parental.

Figure 17.2
Toutes les personnes qui participent à l'éducation ont des responsabilités particulières.

Liens

1. Compare ce que l'éducation formelle et l'éducation informelle t'ont appris. Comment ces deux formes d'éducation t'aident-elles en vue de l'avenir ?
2. Nomme des mentors qui t'ont enseigné des choses ou qui t'ont donné des conseils. Lesquelles de leurs qualités aimerais-tu avoir ? Pourquoi ?

L'influence à long terme de l'école

Au Canada, les élèves ont l'obligation d'aller à l'école jusqu'à l'âge de 16 ans. La plupart des emplois exigent au moins un diplôme d'études secondaires. Cependant, on continue d'apprendre toute la vie, de différentes façons. Certaines personnes choisissent de poursuivre des études postsecondaires. D'autres préfèrent entrer tout de suite sur le marché du travail. Dans les deux cas, on a des occasions d'apprentissage durables. Beaucoup d'adultes continuent à suivre des cours pour avancer dans leur emploi ou leur carrière. De nouveaux loisirs ou intérêts peuvent également inciter les gens à développer d'autres compétences. « Il n'est jamais trop tard pour apprendre », comme dit le proverbe.

Info-carrière

ENSEIGNANTE OU ENSEIGNANT AU PRIMAIRE

Les tâches et les responsabilités

Le personnel enseignant au primaire enseigne aux enfants de la maternelle à la 8e année. La plupart des enseignantes et des enseignants abordent plusieurs matières. Il y a aussi des spécialistes des mathématiques, de la musique, de la santé et de l'éducation physique qui enseignent à plusieurs groupes d'élèves. Le personnel enseignant a l'obligation de respecter le curriculum prescrit par la province ou le territoire où il travaille. Son rôle consiste à concevoir des façons intéressantes et innovatrices d'enseigner les matières et à évaluer l'apprentissage des élèves. Il faut aussi rédiger des rapports détaillés et rencontrer les parents pour discuter du progrès de leur enfant. Quand un enfant éprouve des difficultés d'apprentissage, l'enseignante ou l'enseignant cherche des solutions de concert avec des spécialistes capables d'aider l'enfant. Le personnel enseignant doit aussi transmettre, en paroles et en actions, les valeurs, les attitudes et les habiletés sociales en même temps que le contenu visé par le curriculum.

L'environnement de travail

Au Canada, les classes du primaire regroupent entre 20 et 30 élèves. Les enseignantes et les enseignants sont habituellement seuls avec les élèves et passent une grande partie de la journée à leur enseigner et à leur parler. Dans certains cas, il leur faut surveiller les enfants pendant les récréations et la période du dîner. Savoir appliquer les règles de discipline, gérer les conflits et résoudre les problèmes sont des compétences nécessaires dans cet environnement.

Les enseignantes et les enseignants travaillent les jours d'école et, souvent, apportent du travail à la maison afin de préparer les cours et de corriger les travaux. Au primaire, une semaine de travail peut représenter 50 heures. L'enseignement requiert du temps et peut causer du stress.

La formation et les aptitudes

Pour se lancer dans l'enseignement, il faut aimer les enfants et avoir soi-même le goût d'apprendre. On doit absolument avoir des compétences en communication. Les personnes calmes, patientes et empathiques font souvent de bonnes enseignantes et de bons enseignants. De plus, ces personnes doivent s'entendre avec le reste du personnel enseignant, le personnel de soutien et les parents.

Au Canada, pour enseigner, il faut un diplôme universitaire de premier cycle ainsi qu'un diplôme en éducation, obtenu en même temps ou après ; il faut généralement cinq ans pour terminer ces études. Beaucoup d'enseignantes et d'enseignants poursuivent des études postuniversitaires en éducation ou suivent des cours de perfectionnement pour améliorer leurs compétences tout au long de leur carrière.

L'école et les problèmes sociaux

L'école doit s'ajuster aux changements sociaux. Il y a des problèmes de société qui s'infiltrent jusque dans la classe, par exemple les enfants qui ont une langue d'origine autre que celle de l'école, les enfants qui vivent en garde conjointe ou ceux qui ne mangent pas à leur faim.

La faim est devenue un problème social que les écoles observent régulièrement. Les enfants qui arrivent à l'école sans avoir déjeuné ont plus de difficulté à se concentrer et prennent du retard dans leur apprentissage. Des écoles et des collectivités ont travaillé de concert pour offrir des **programmes du petit déjeuner à l'école** aux enfants qui ont faim. En plus de nourrir les enfants et de bien amorcer leur journée, ces programmes servent à encourager l'interaction sociale et à enseigner des habiletés de vie. Par exemple, les enfants qui y participent aident à préparer le petit déjeuner, à faire le service et à nettoyer après le repas.

Figure 17.3
Beaucoup d'élèves fréquentent les programmes du petit déjeuner à l'école.

La violence s'accroît dans notre société. Même s'il y en a peu au Canada, les drames, comme les fusillades dans les écoles, soulèvent de l'inquiétude quant à la sécurité dans les écoles. La **violence à l'école** a plusieurs causes profondes. Quelquefois, l'école et la société manquent de solutions pour la contrer. Les politiques pour une « école sécuritaire » peuvent inclure le tutorat par les pairs, la médiation par les pairs, des conférences sur la motivation et des exercices favorisant l'estime de soi. On peut aussi lancer des programmes dans les écoles, comme le programme « Échec au crime » qui encourage les élèves à rapporter, de façon anonyme, les comportements suspects.

Avis d'experts

STU AUTY

Stu Auty, président du Canadian Safe School Network, *a publié l'article suivant dans le magazine* Orbit.

Les écoles sont-elles des endroits sécuritaires où les parents peuvent envoyer leurs enfants sans inquiétude ?

Les écoles de l'Ontario sont encore des lieux sécuritaires pour la grande majorité de nos enfants, mais nous devons reconnaître que cette génération d'élèves ne va pas à l'école dans les mêmes conditions que ses parents et ses enseignants. Qu'il s'agisse de la peur de se faire intimider dans la cour d'école ou de voir quelqu'un brandir une arme au cours d'un conflit, les temps ont bien changé. De plus, les enfants victimes savent qu'ils courent un risque de représailles s'ils avisent leurs parents, leurs enseignants et même la police. Les administrateurs scolaires voient naître une nouvelle catégorie d'élèves qui manquent l'école parce qu'ils ont peur de s'y rendre. Les armes, les bandes de jeunes, la violence faite aux filles, l'intimidation et le harcèlement n'ont rien de nouveau pour les écoles, mais ces problèmes prennent une ampleur inquiétante. Certaines commissions scolaires ont même consacré une partie de leur budget pour engager des gardiens de sécurité en uniforme et presque toutes travaillent en étroite collaboration avec la police municipale afin d'assurer la sécurité des écoles.

Les solutions à ces problèmes sont encore floues parce qu'ils prennent une proportion alarmante. Nous savons qu'il importe de créer un climat où les enfants évitent les « solutions de la rue » et se sentent à l'aise de confier leurs problèmes. Nous savons aussi que les stratégies qui donnent des résultats ne sont pas toujours à portée de la main. Les adultes ne savent pas nécessairement comment pénétrer le monde d'un enfant ou d'un adolescent et le remettre d'aplomb. Sans compter que soulever de faux espoirs fait quelquefois plus de tort que de bien. C'est pourquoi nous devons poursuivre nos efforts pour trouver des solutions qui conviennent aux enfants à l'école autant qu'aux parents et aux éducateurs.

Par des conférences, des recherches et des prises de position publiques, le *Canadian Safe School Network,* qui a vu le jour grâce aux efforts de *Task Force,* tente de demeurer axé sur les problèmes que représente la sécurité des écoles et d'y remédier.

Il y a un autre obstacle omniprésent, y compris dans les collèges et les universités, qui est le **défi à l'autorité.** À une certaine époque, le personnel enseignant et des directions d'école inspirait le respect et avait un certain pouvoir pour contrôler les élèves ou les employées et les employés rebelles. Plusieurs facteurs sociaux ont commencé à miner la notion d'autorité dans l'ensemble de la société.

Une attitude de « laisser-aller » de plus en plus fréquente à la télévision et au cinéma montre des personnages qui font rire par leur grossièreté, qu'on admire pour leur franc-parler et qui assument rarement la responsabilité de leur comportement. Il faut encore enseigner la courtoisie et le respect et faire valoir l'importance de ces valeurs auprès des personnes de tous âges. La société compte sur les parents pour apprendre à leurs enfants, à la maison, la politesse et le respect. C'est ce qu'on entend par envoyer à l'école un enfant « disposé à apprendre ».

Aujourd'hui, les écoles doivent pouvoir s'ajuster à une société en évolution rapide.

Y a-t-il une solution au nombre croissant des problèmes sociaux qui surgissent dans les écoles, sur tous les plans ? D'une part, certains programmes de qualité, comme les cours de la langue d'enseignement aux allophones, l'éducation spécialisée et le tutorat par les pairs, donnent aux élèves des outils pour réussir. D'autre part, les associations de parents trouvent des façons créatives de soutenir les élèves, les écoles et les programmes. Grâce à l'**apprentissage en ligne,** on suit des cours à partir de chez soi, par Internet. Cette façon de faire permet à beaucoup plus de Canadiennes et de Canadiens de poursuivre leur formation sans devoir laisser un emploi indispensable. Les écoles n'ont pas d'autre choix que de s'adapter à la société en transformation et aux besoins éducatifs des gens de tous les âges.

❖ Vérifie tes connaissances

1. Comment les écoles devraient-elles réagir à la faim, à la violence et au défi à l'autorité ?
2. Compose et chante un rap qui donne les caractéristiques d'une « école sécuritaire ».
3. Quels sont les avantages de l'apprentissage en ligne ?

L'emprise des médias sur les parents et les enfants

Les médias ont une énorme influence sur la formation de l'identité et la définition des attitudes acceptables en société. À 18 ans, bien des enfants auront passé plus d'heures devant le téléviseur qu'à l'école. Malgré tout, des gens continuent de nier l'influence des médias. Tu peux entendre des personnes dire : « Je ne porte vraiment pas attention à la publicité. Elle ne m'influence certainement pas. » Pourtant, si tu observes leurs vêtements, les articles de toilette qu'ils utilisent, la nourriture et les boissons qu'ils achètent, tu auras peut-être la preuve du contraire. En raison de leur emprise sur les gens, les médias sont le véhicule privilégié de la publicité. Les médias et la publicité ne vendent pas seulement des produits, ils vendent également des styles de vie.

Les enfants comme cibles

Les parents doivent porter une grande attention à la façon dont les techniques de marketing, la publicité et les médias ciblent leurs enfants. Les enfants apprennent sans difficulté le nom de tous les produits qui apparaissent sur le marché à la sortie d'un film, d'un dessin animé ou d'une émission pour enfants. Les parents contribuent à ce phénomène. Avant même que leur bébé puisse parler ou marcher, il porte déjà des pantoufles, des couches et des pyjamas à l'insigne des personnages en vogue ou marqués du logo d'une compagnie. Chaque événement fait miroiter aux enfants les plus nouveaux produits et stimule leur désir. Cela va du « retour à l'école » à Noël, avec ses nouveaux jouets, à la Saint-Valentin et ses découpages en cœur, jusqu'aux déguisements d'Halloween. La boîte à lunch ou les vêtements de l'an dernier ne font tout simplement plus l'affaire.

Des études ont montré que les enfants décident, dès le jardin d'enfants, quels camarades ils acceptent en fonction des vêtements ou des jouets qu'ils possèdent. Les enfants et les médias font pression sur les parents pour qu'ils cèdent aux plus récentes tendances vestimentaires ou aux jouets à collectionner. Les publicitaires savent que cibler les enfants est la façon idéale d'atteindre les parents. Les vêtements des enfants ne durent pas longtemps, pas plus que leurs intérêts. Les gens de marketing proposent des nouveaux produits ou des versions améliorées d'anciens produits dès qu'un enfant a besoin d'une taille plus grande ou qu'il acquiert une nouvelle habileté. Peut-on s'étonner qu'il en coûte bien au-delà de 150 000 $ pour élever un enfant jusqu'à l'âge de 18 ans ?

Figure 17.4
Des études ont montré que les enfants subissent l'influence des médias dès le jardin d'enfants.

Liens

1. Analyse différents types de publicités adressées aux enfants. Rédige un compte rendu sur les techniques des publicitaires pour faire la promotion des produits.
2. Conçois une affiche pour mettre les parents en garde contre la publicité.
3. Rédige un essai sur le sujet suivant : « Les parents de jeunes enfants devraient-ils boycotter les produits affichant des logos ? »
4. Apporte en classe une photo ou un article d'un produit ou d'un logo à la mode pendant ton enfance. Qu'est-il arrivé à cette gamme de produits ?

Étude de cas : Les enfants et la télévision

Josée, 36 ans, et David, 38 ans, ont quatre enfants. Ève et Sylvie ont respectivement 3 et 4 ans. Didier a 14 ans et Matthieu, 15 ans. Josée a observé beaucoup de changements depuis la naissance de ses deux fils, quand elle avait un peu plus de 20 ans. Les garçons étaient très actifs et l'argent était rare, mais ils avaient beaucoup de plaisir ensemble. Les week-ends d'été, ils faisaient du camping, des excursions, de la bicyclette. L'hiver, ils jouaient dehors et allaient aux parties de hockey des garçons. Aujourd'hui, Josée trouve que les choses sont différentes. Est-ce parce qu'elle a vieilli ou parce que les petites dernières sont des filles ?

Josée a décidé de tenir un journal de toutes leurs activités hebdomadaires. Elle a noté les très longues journées de travail de David, trois jours sur cinq, le nombre de fois qu'ils mangent sur le pouce dans des restaurants rapides et le nombre d'heures passées devant le téléviseur. Elle a constaté que la télé était presque toujours ouverte, du retour de la prématernelle jusqu'à l'heure du bain. Les filles regardent les dessins animés le samedi matin et des bandes vidéo l'après-midi. Josée a même remarqué qu'elles bougeaient à peine quand elles regardaient la télé ; elle s'est alors sentie coupable pour toutes les fois où elle leur avait apporté des collations qu'elles ont mangées sans quitter l'écran des yeux.

Il était temps de passer à l'action. Ses notes en main, elle a discuté avec David des options possibles. Une idée consistait à se débarrasser du téléviseur pour de bon. David a répliqué qu'eux aussi avaient leurs émissions préférées et que la télévision avait certains aspects positifs. Josée a soutenu qu'ils avaient pris de très mauvaises habitudes qu'il fallait corriger de façon radicale.

(À suivre)

« Essayons de bannir la télévision pour deux semaines et voyons ce qui arrive », a-t-elle suggéré.

La première semaine a été difficile. Les filles boudaient et pleurnichaient. Les garçons avaient tous les deux des emplois à temps partiel. C'était moins dur pour eux, mais ils se plaignaient quand même. David avait les nerfs à fleur de peau. Cela épuisait Josée d'occuper les enfants pour éviter qu'ils s'ennuient. Cependant, vers la fin de la semaine, David et Josée ont remarqué que les filles dormaient mieux. Elles avaient sorti des jouets inutilisés depuis longtemps. Le samedi, Josée les a laissées laver la salle de bains avec elle, sans se préoccuper de la mousse partout et des traces de savon. Elles ont fait une promenade l'après-midi et préparé des macaronis pour souper. Dimanche, comme il pleuvait, elles ont fait des biscuits, puis David a fait des casse-tête avec elles.

La deuxième semaine, tout allait mieux. Les filles ont commencé à s'amuser par elles-mêmes et ont beaucoup joué à faire semblant. Le soir, David et Josée lisaient plus longtemps avec leurs filles. À l'exception d'un soir où David a regardé le match de base-ball en cachette, le téléviseur est resté fermé toute la semaine. Josée et David écoutaient plus de musique et parlaient davantage, non seulement à leurs enfants, mais aussi l'un à l'autre. Cette expérience a été un franc succès, mais il leur reste à décider ce qu'ils vont faire maintenant.

Questions

1. Comment la qualité de vie de cette famille a-t-elle changé à partir du moment où Josée a fermé le téléviseur ?
2. Es-tu d'accord avec l'énoncé « tout n'est pas mauvais à la télé » ? Explique ta réponse.
3. Que peuvent faire les parents qui souhaitent contrôler les émissions de télé que regardent leurs enfants ?

Le monde vu par les médias

Les médias prennent diverses formes. On voit des magazines débordants de publicités accrocheuses à des endroits stratégiques, par exemple près des caisses des magasins. Ces magazines proposent de nous aider à perdre du poids rapidement et nous offrent des tas de conseils sur les relations, la famille, les parents et la maison. Quel style de vie essaient-ils de nous vendre avec leurs modèles parfaits, leurs intrigues bizarres et leur conception irréaliste d'un corps idéal ?

La programmation à la télévision se divise en tranches horaires où la publicité occupe autant de temps que les émissions elles-mêmes. La télévision, le cinéma et les vidéoclips nous envoient sans relâche une vision irréaliste du monde. Au cinéma, il n'y a pas de pause publicitaire. Cependant, des entreprises paient très cher pour qu'on voie leurs produits dans certaines scènes. La télévision et le cinéma déforment la réalité en accélérant l'action, en utilisant le découpage, le collage, le montage de scènes, les effets spéciaux, l'imagerie numérique et les gros plans. Surtout, ils simplifient de façon exagérée la vie et les relations humaines. À force de voir des personnages, on a envie de croire qu'ils représentent la réalité, alors que c'est tout le contraire.

Les ordinateurs procurent une satisfaction instantanée parce qu'il suffit d'un clic de souris pour obtenir un résultat. La technologie informatique est une préoccupation croissante des parents : l'accès à la pornographie, à la propagande, aux jeux de hasard et les liens dangereux que peuvent créer les enfants et les adolescentes ou les adolescents sont source d'inquiétude. Les médias, sous toutes leurs formes, ont le pouvoir de modifier les façons de penser, les comportements et les systèmes de valeurs. Les meilleurs moyens de défense à la portée des parents sont : être aux aguets, avoir un esprit critique et limiter l'exposition des enfants aux différents médias.

Les messages négatifs des médias

Les médias sont convaincants : ils incitent les enfants à adopter les comportements de l'adolescence, et les adolescentes et les adolescents, à adopter ceux des adultes. Les organismes comme Évaluation-médias et le Centre national d'information sur la violence dans la famille examinent la façon dont les médias reflètent la société et leurs effets possibles sur les enfants et les adolescents. Ils se préoccupent surtout des stéréotypes et de la violence présentés par les médias.

❖ Liens

1. Analyse des publicités de magazines destinées aux enfants et aux parents. Décris la clientèle visée (par exemple, le groupe d'âge) ainsi que le style de vie et l'image proposés.
2. Les enfants regardent beaucoup de films qui ne leur sont pas destinés. Ce faisant, ils apprennent des choses. Comment les parents peuvent-ils contrôler ce que les enfants regardent ?
3. Dresse une liste de 101 activités que les parents peuvent faire avec leurs enfants, autres que regarder la télévision. À partir de ta liste, confectionne une affiche intéressante à l'intention des parents.

Figure 17.5
Les ordinateurs mettent les enfants en contact avec divers aspects du monde en un clic de souris. Les parents doivent savoir à quoi les médias peuvent exposer leurs enfants et contrôler cette exposition.

Les stéréotypes dans les médias

En 1994, Évaluation-médias a publié l'étude *À l'avant plan : représentation des minorités à la télévision*. Cette étude a observé la représentation des gens à la télévision canadienne. Elle a montré ce qui suit :

> De manière générale, les émissions dramatiques se sont avérées celles qui contiennent le pourcentage de loin le plus élevé de personnes d'origines ethniques ou raciales diverses, comparativement aux émissions d'information. Par contre, les femmes d'origines ethniques ou raciales diverses figurent loin derrière les hommes du même groupe, et ce, dans les deux types d'émissions, et ne sont pratiquement pas représentées dans les journaux télévisés, que ce soit comme journaliste ou comme source.
>
> Lorsque des femmes d'origines ethniques et raciales diverses font partie de la distribution de séries dramatiques, elles sont le plus souvent confinées à des rôles mineurs traditionnellement interprétés par des femmes ou encore à des rôles stéréotypés. Dans les émissions d'information, on les voit plus souvent dans le cadre de reportages sur des questions nationales et moins souvent dans ceux qui concernent des questions d'ordre international. Les femmes d'origines ethniques et raciales diverses sont habituellement interviewées dans le cadre de reportages traitant de questions raciales ou culturelles spécifiques, et sont le plus souvent identifiées comme mères ou victimes de violence.

Cette étude s'est penchée sur le nombre de fois où l'on a représenté des styles ou des cultures particulières dans les émissions de télévision canadiennes. La question des stéréotypes dans les médias préoccupe plusieurs organismes dont Réseau éducation-médias, un organisme canadien à but non lucratif qui fait la promotion de l'éducation par les médias et par Internet en concevant des ressources et des programmes en ligne. Parmi les nombreux thèmes dont s'occupe l'organisme figurent les stéréotypes. L'article ci-après, adapté du site Web du Réseau, explique la raison d'être des stéréotypes dans les médias et ce que peuvent faire les parents pour réduire leur influence.

Les stéréotypes

Afin de donner rapidement une identité à un personnage, les auteurs de films, d'émissions télévisées et de publicités recourent souvent à des stéréotypes. Un **stéréotype** est une image préconçue d'une personne ou d'un groupe. Cette image utilise généralement des vêtements et des comportements que tout le monde reconnaît et comprend facilement. Souvent, on porte des jugements, positifs ou négatifs, sur une personne ou un groupe à cause des stéréotypes. En général, le stéréotype est moins vrai, plus parfait et plus exagéré que son double dans la vraie vie, et il agit de façon prévisible.

Figure 17.6
Les jeux informatiques proposent souvent des images irréalistes et violentes qui fascinent les enfants.

Le Réseau éducation-médias

L'existence de stéréotypes dans les médias est inévitable, particulièrement dans le domaine de la publicité, du divertissement et de l'information, trois secteurs dans lesquels l'information doit être comprise rapidement par un auditoire aussi large que possible. Les stéréotypes y servent de codes, de grands dénominateurs communs, pour définir les personnes ou groupes, en fonction généralement de leur classe sociale, leur race ou origine ethnique, leur sexe, leur orientation sexuelle, leur métier ou rôle dans la société.

Les stéréotypes présentent cependant des aspects problématiques. Ils peuvent :

- masquer des réalités très diverses sous des simplifications primaires ;
- présenter des préjugés sur des personnes ou des groupes comme s'il s'agissait de « vérités » prouvées ;
- justifier la position des pouvoirs en place ;
- perpétuer les inégalités et les injustices sociales.

Plus souvent qu'autrement, les groupes qui font l'objet de stéréotypes ne sont pas consultés sur la façon dont les médias les représentent.

Les minorités ethniques et visibles

Il suffit d'examiner les émissions de divertissement et les nouvelles en Amérique du Nord pour se rendre compte que les membres des minorités ethniques et visibles sont mal représentés dans les médias et que l'image qu'ils en donnent est souvent peu flatteuse.

Cette tendance est particulièrement problématique dans un pays multiculturel comme le Canada où 15 % de la population est formée d'immigrants et où les minorités visibles habitent entre 25 et 51 % des plus grands centres urbains. Toronto est la première ville occidentale dans laquelle la majorité des habitants sont des gens de couleur. « Tout naturellement, dit l'historienne Gwynne Dyer, nous sommes devenus le pays dont la diversité est la plus spectaculaire au monde. » Pourquoi, alors, les médias n'ont-ils pas emboîté le pas ?

Les femmes et les filles

Les critères de la société sur l'apparence et le comportement des femmes changent avec le temps. La femme *idéale* des années 1950 (symbole sexuel de la déesse portant la taille 12) que l'on voyait à l'écran essayer avec ténacité d'épouser un millionnaire est peut-être à l'origine des épreuves de la femme professionnelle moderne, névrosée et ultra-mince. En fait, rien n'a vraiment changé.

Plusieurs militants dénonçant les pratiques des médias affirment que les producteurs devraient se faire rappeler à l'ordre et qu'il faudrait les forcer à projeter une image des femmes qui soit plus réaliste.

Christina Kelly, éditrice du magazine *YM*, a fait les manchettes quand elle a annoncé que le magazine renonçait aux articles sur les régimes amincissants et montrerait désormais des mannequins moins minces. La militante Jean Kilbourne a applaudi cette initiative en disant : « Dans un magazine qui se dit pour les filles et les jeunes femmes, il ne devrait pas y avoir de place pour les régimes. C'est un pas dans la bonne direction... Ce serait extraordinaire si un autre magazine avait autant de courage. »

Le Réseau éducation-médias encourage les parents à poser les actions suivantes pour faire obstacle à l'influence des stéréotypes créés par les médias :

- Expliquer aux enfants qu'ils doivent développer leur sens critique, et les aider à distinguer un fait d'une opinion.
- Demander à vos enfants quels points de vue ils observent le plus souvent à la télé (par exemple, pour décrire la classe moyenne, les hommes, la société occidentale) ? Quelles réalités sont passées sous silence et quelles cultures et quels styles de vie ne sont pas montrés ? Pourquoi ? Expliquer comment, à cause de ces omissions, la télévision peut convaincre que certaines personnes et certaines idées sont plus importantes que d'autres.

Discutez avec les enfants pour déterminer avec eux si les personnages montrés à la télévision ressemblent aux gens dans la vraie vie et agissent comme eux.

- Les personnes à la télé ressemblent-elles à celles de la vie de tous les jours ? Quelles sont les différences ?
- Comment les enfants voient-ils les styles de vie présentés à la télé ? Y a-t-il des aspects de la vie des gens à la télé qui leur font envie ? Sont-ils satisfaits de leur propre vie ?
- Aimeraient-ils ressembler aux personnes qu'ils voient à la télé ? Est-ce réaliste ?
- Les enfants à la télé agissent-ils comme les enfants dans la vraie vie ? Eux-mêmes devraient-ils agir comme à la télé ?
- Avec de jeunes enfants, demandez-leur de comparer leurs jeux de « faire semblant » avec la télé et la vraie vie.

La violence dans les médias

Les parents se préoccupent aussi des effets sur les enfants de la violence dans les médias parce qu'elle est maintenant partout. Les vidéoclips, les films, les jeux vidéo et les émissions de télé quotidiennes montrent de nombreuses images violentes, un langage grossier, des agressions sexuelles, des coups, des fusillades et des attaques à coups de couteau. D[re] Jane Ledingham est directrice du Centre d'études sur les enfants à l'Université d'Ottawa. Dans un article écrit pour le Centre national d'information sur la violence dans la famille, intitulé « Les effets de la violence dans les médias sur les enfants » (page 433), elle cite plusieurs études qui font le lien entre la violence à la télévision et l'agressivité chez les enfants.

Plusieurs études voient un lien entre la violence à la télévision et l'agressivité chez les enfants.

Selon une recherche citée dans une importante étude de Jane Ledingham (2002) menée au Canada, il a été prouvé que des enfants sont devenus beaucoup plus agressifs deux ans après l'avènement de la télévision dans leur ville (Kimball et Zabrack, 1986). Les enfants qui préfèrent les émissions violentes quand ils sont jeunes sont plus agressifs en vieillissant, ce qui peut signifier avoir des ennuis avec la loi à l'âge adulte (Huesmann, 1986). Une forte identification aux personnages violents et la croyance que la situation décrite à la télé est réelle sont toutes deux associées à une plus grande agressivité (Huesmann et Eron, 1986). En général, les garçons subissent davantage l'influence des manifestations de violence que les filles (Lefkowitz, Eron, Walder et Huesmann, 1977).

Jane Ledingham avance même que les parents devraient se méfier des effets cumulatifs de la violence sur les enfants. Les parents devraient chercher les occasions de parler à leurs enfants de ce qu'ils voient et leur permettre d'exprimer la façon dont ils se sentent.

Les médias et les styles de vie

Dans les images qu'ils présentent, les médias donnent aussi le ton pour les styles de vie et suggèrent une certaine façon d'être. La sexualité au cinéma et à la télévision est montrée comme normale et inévitable, alors qu'on y aborde rarement les maladies transmises sexuellement (MTS) et le contrôle des naissances.

L'alcool semble avoir sa place autant dans les annonces que dans les contenus d'émission. Les magazines de sport, en particulier, comptent plus d'annonces d'alcool et de tabac que les autres. Les publicités de bière et de vin laissent entendre que l'alcool va nécessairement de pair avec les bons moments de la vie. L'alcool fait presque toujours partie des films et des émissions de télévision, comme si en consommer était tout à fait banal et ordinaire. Selon la loi, il est interdit de faire la publicité du tabac à la télévision et pourtant, les compagnies de tabac dépensent des millions de dollars pour annoncer dans les magazines, les imprimés et les médias. Malgré cela, on voit de plus en plus de personnes fumer au cinéma et à la télévision. Les médias ciblent les enfants en ayant recours aux bandes dessinées et au langage de l'adolescence. Les compagnies de tabac encouragent les jeunes à fumer en laissant entendre que le tabagisme est le signe qu'on a atteint l'âge adulte.

Les médias ont donné naissance à une culture de consommation qui crée chez les gens des besoins et des envies bien au-delà de ce qui est nécessaire à leur survie. Ils inculquent ce « désir de posséder » aux gens, y compris aux enfants de plus en plus jeunes, afin de les inciter à consommer. Aujourd'hui, la qualité de vie semble souvent se définir par les objets qu'on possède plutôt que par les relations qu'on entretient. Le style de vie d'une personne dépend aussi de son contact avec divers médias. Passer plus de 20 heures par semaine devant son téléviseur, des jeux vidéo ou l'ordinateur contribue à accroître le nombre d'enfants, d'adolescentes ou d'adolescents et d'adultes obèses, tout comme les repas minute et les collations riches en calories qui font désormais partie de notre culture.

Les médias et la censure

Les médias définissent des styles de vie et présentent souvent des images irréalistes que les enfants retiennent.

Au fil des ans, les parents ont fait des pressions pour faire bannir certains livres des écoles et des bibliothèques. Leurs démarches ont quelquefois abouti au sein de leur collectivité. Plusieurs groupes et organismes ont réclamé que des types de médias fassent l'objet de **censure** et ont même cherché à faire interdire certains d'entre eux, mais sans grand succès. La liberté de parole est un droit fondamental dans un monde démocratique et la censure des médias empiète sur ce droit. Au Canada, la *Charte canadienne des droits et libertés* est en vigueur depuis le 17 avril 1982. L'article 2 (b) de la Charte garantit la « liberté de pensée, de croyance, d'opinion et d'expression, y compris la liberté de la presse et des autres moyens de communication ». Cependant, on ne peut tolérer la propagande et la documentation haineuses ainsi que les obscénités dans notre liberté d'expression. Les enfants bénéficient d'une protection en vertu de la *Loi sur la pornographie infantile* adoptée à l'unanimité, après plusieurs années de débat, à la Chambre des communes, en 1993.

Le CRTC (Conseil de la radiodiffusion et des télécommunications canadiennes) a le mandat d'exercer une censure des médias en établissant des lignes directrices pour la programmation à la radio et à la télévision et de retirer le permis d'aller en ondes à une station qui ne respecte pas les règles prescrites dans l'article consacré au CRTC.

Le Canada a des lois relatives à l'obscénité, mais l'expression artistique peut donner lieu à l'interprétation et faire l'objet de débats. Le Canada a banni la publicité sur le tabac à la télévision. Comme il n'y a pas d'interdiction semblable en ce qui concerne la violence dans les médias, la responsabilité d'exercer une censure revient aux parents.

Le Conseil de la radiodiffusion et des télécommunications canadiennes (CRTC)

Le Conseil de la radiodiffusion et des télécommunications canadiennes a été créé en 1968. Il s'agit d'une instance publique indépendante qui se rapporte au Parlement par l'intermédiaire du ministère du Patrimoine canadien.

L'objectif premier du CRTC est de permettre à toutes les Canadiennes et à tous les Canadiens de pouvoir compter sur la fiabilité de la téléphonie et des autres services de télécommunications. Dans le cadre de cet objectif, le CRTC vérifie si la programmation de la télévision canadienne reflète adéquatement et équitablement la société et la diversité canadiennes. L'organisme contrôle 3 300 radiodiffuseurs (par exemple, la télévision, la câblodistribution, la radio, la télévision payante et les stations de télévision spécialisées) et près de 80 entreprises de télécommunications (toutes les principales compagnies de téléphone).

Voici un extrait de la loi du CRTC qui détermine l'ensemble des règles relatives à la radiodiffusion, à la télévision payante et aux services spécialisés :

L'entreprise ne doit pas distribuer un service de programmation créé par elle et renfermant ce qui suit :

a) un contenu, quel qu'il soit, contrevenant à une loi, quelle qu'elle soit ;
b) un commentaire ou une représentation picturale offensante qui, pris en contexte, risque d'exposer une personne, un groupe ou une classe de personnes à la haine ou au mépris pour des motifs fondés sur la race, l'origine nationale ou ethnique, la couleur, la religion, le sexe, l'orientation sexuelle, l'âge ou la déficience physique ou mentale ;
c) une représentation picturale ou un langage blasphématoire ou obscène.

L'action des parents face à l'école et aux médias

En raison de l'influence des écoles et des médias sur la socialisation des enfants, il devient d'autant plus important pour les parents de participer à tous les aspects de la vie de leurs enfants. Les enfants ont tout à gagner si leurs parents s'engagent dans leurs activités scolaires et surveillent chaque jour leur exposition aux médias.

La connexion parents-école

Les parents n'ont pas tous le temps de faire partie des conseils d'établissement ou de travailler de pair avec le personnel enseignant. Cependant, ils peuvent faire en sorte que leurs enfants se présentent en classe et les aider à ne pas manquer l'autobus. Chaque parent peut surveiller de près le développement de ses enfants ; il suffit de prendre le temps de s'intéresser à ses progrès après les heures d'école. Montrer à l'enfant qu'on s'intéresse à ce qu'il fait l'aidera à accroître sa confiance en soi. Écouter les problèmes qu'un enfant éprouve avec une enseignante ou un enseignant ou des camarades de classe revêt une grande importance. Les enfants ont besoin de parler de leurs problèmes.

Il y a plusieurs façons de maintenir un lien avec l'école. Les lettres, les notes, les appels téléphoniques et même les courriels au personnel enseignant peuvent entretenir la relation. Les parents qui assistent aux rencontres avec l'enseignante ou l'enseignant montrent qu'ils accordent de l'importance à ce qui se passe à l'école. L'école occupe une grande place dans la vie de l'enfant et les parents peuvent lui aménager une place spéciale à la maison où il fera ses devoirs et ses leçons.

Figure 17.7
Les parents peuvent aider leurs enfants à tirer profit de l'influence positive des médias.

Tirer profit des médias

Les médias ont des effets positifs que les parents peuvent exploiter. Les imprimés encouragent parfois les enfants à lire et à faire des liens entre les objets et les idées. Les médias électroniques, comme l'ordinateur et la téléphonie, inspirent la créativité, développent les aptitudes pour la recherche et font découvrir des activités et des sujets intéressants. La technologie audiovisuelle met le monde à portée de la main et propose de nouvelles connaissances. Toutes ces formes de médias apportent aussi de judicieux conseils : ils incitent les enfants à faire des choix santé, à comprendre les conséquences des mauvaises décisions et à faire l'expérience de ce qu'il y a de meilleur dans l'être humain. Cependant, les parents doivent vérifier la façon dont leurs enfants utilisent les médias afin d'assurer un équilibre et de les protéger.

Les parents peuvent écouter les paroles des chansons préférées de leurs enfants et surveiller les films et les émissions qu'ils regardent. Il est bon de parler avec les enfants de ce qu'ils voient et entendent ainsi que des messages qu'ils reçoivent. Cela les aide à avoir une vision plus critique de ce à quoi les médias les exposent. Parmi les moyens de contrôle, les parents limiteront le temps passé devant le téléviseur en choisissant des émissions à regarder en famille. Ils peuvent en profiter pour discuter de certains points, par exemple pourquoi on a fait appel à des scènes violentes, comment on décrit les personnes ou quel est le véritable message véhiculé par une annonce. De cette façon, on développe chez les enfants le sens critique nécessaire pour examiner par eux-mêmes le contenu des médias.

Les enfants de moins de sept ou huit ans ne font pas la distinction entre le contenu d'une émission et la publicité. Beaucoup d'enfants croient tout ce qu'ils voient. Les parents doivent se servir du langage des médias pour éduquer leurs enfants. Ils peuvent aider les enfants à décoder une annonce et à comprendre la stratégie employée pour essayer de vendre un produit. Si on montre aux enfants la taille véritable d'un jouet qui paraît énorme à l'écran, on les aide à faire la différence entre la télévision et la réalité.

Les parents peuvent souligner les aspects positifs des médias. Regarder les nouvelles en famille et repérer les pays mentionnés sur une carte géographique aideront les enfants à mieux comprendre le monde. Les émissions éducatives qui expliquent le fonctionnement des choses peuvent à la fois divertir et favoriser l'apprentissage. Si les parents montrent leur respect et leur étonnement devant cette émission qui fait appel aux sentiments, à la connaissance et à la créativité, ils aident leurs enfants à prendre conscience de leur propre réaction. Les adultes peuvent aussi relever les situations où ils sont d'accord ou en désaccord avec les médias, selon leurs croyances et leurs principes. Cela permet aux enfants de mieux saisir les valeurs de leur famille. Les jeunes adorent s'amuser, et ils le font de plus en plus en utilisant les technologies de l'information et de la communication. On peut leur proposer des émissions de radio, de télévision, de la musique, des vidéos, des films et des bandes dessinées qui leur présentent des comportements acceptables et des renseignements précieux sur différents aspects de leur vie.

Participer à la Journée internationale de la radio et de la télévision en faveur des enfants contribue à sensibiliser les jeunes au potentiel de leurs pairs dans le monde.

Les parents peuvent utiliser judicieusement les médias pour favoriser l'apprentissage du français par leurs enfants. Par exemple, ils peuvent choisir une ou deux émissions de radio ou de télévision en français et les suivre avec leurs enfants. À partir du contenu des émissions, ils ont la possibilité d'intéresser les enfants à la lecture, à la musique et aux arts. Il est aussi bon de leur lire ou de les écouter lire des livres en français. Le Réseau éducation-médias recommande de privilégier les émissions à contenu canadien au cours des séances d'écoute en famille. En conclusion, les médias sont des outils comme les autres qu'on peut utiliser à bon ou à mauvais escient.

Vérifie tes connaissances

1. Qu'est-ce que la censure ? Quel est son rôle ?
2. Comment la censure protège-t-elle les enfants ?
3. Que peuvent faire les parents pour favoriser au maximum l'influence de l'école sur la vie de leurs enfants ?
4. Quelle a été l'influence positive des médias sur ta connaissance actuelle du monde ?

Les effets de la violence dans les médias sur les enfants : ce que peuvent faire les parents

Voici une adaptation d'un article écrit par Jane Ledingham, « Les effets de la violence dans les médias sur les enfants », publié par le Centre national d'information sur la violence dans la famille et Santé Canada.

- Pas de panique ! Rappelez-vous que regarder une émission ou jouer à un jeu vidéo où il y a des scènes de violence ne causera pas de dommages irréversibles chez votre enfant. Ce qui affecte le plus les jeunes enfants, c'est l'effet cumulatif de ce qu'ils regardent et les habitudes générales d'écoute qu'ils adoptent.
- Établissez des règles et tenez-y tout en faisant preuve d'une certaine souplesse.
- Si possible, commencez tôt à contrôler l'accès de vos enfants à la télévision et aux médias électroniques.
- Si vous voulez réduire la quantité de violence à laquelle ils sont exposés, établissez des règles sur ce que vos enfants peuvent regarder plutôt que sur le nombre d'émissions autorisées.
- Assurez-vous de pouvoir vivre avec les règles que vous établissez et d'être prêt à les faire respecter. Dans une entente avec vos enfants sur l'écoute de la télé, l'important, c'est d'appliquer systématiquement les règles. Qu'elles soient aussi simples que possible !
- Mettez la technologie de la vidéo de votre côté. Certes, il vous est impossible de regarder chaque émission avec votre enfant ou d'examiner au préalable toutes celles qui pourraient les intéresser. Toutefois, les jeunes enfants aiment souvent revoir plusieurs fois leurs émissions préférées sur bande vidéo : vous pouvez ainsi les faire regarder une émission enregistrée que vous avez déjà vue plutôt que de vous inquiéter de ce qui passe à l'écran à cette même heure.
- Rédigez une liste des émissions que vous jugez acceptables.
- Si vos enfants possèdent leur propre téléviseur, songez à vous procurer un appareil électronique qui limite le nombre d'heures d'écoute ou le choix des sites Web.
- Présentez à vos enfants des activités de rechange attrayantes autres que la télévision et les jeux vidéo. Inscrivez-les à des activités communautaires régulières ou organisez des excursions à l'extérieur ou du bricolage à l'intérieur, afin de réduire les discussions sur la télévision et de permettre à vos enfants de s'investir dans une plus grande gamme d'activités.
- Ajustez votre approche selon l'âge de votre enfant. Quand les enfants sont assez vieux, impliquez-les dans l'établissement des règles pour la télé et l'ordinateur.
- Parlez avec vos enfants des scènes violentes et demandez-leur comment ils réagissent. Un des moyens les plus efficaces d'éviter que vos enfants ne soient affectés par la violence télévisée consiste à leur faire dire comment, *selon eux*, la télé peut les aider ou leur nuire.
- Il est possible qu'en vue d'inculquer de bonnes habitudes d'écoute à vos enfants, vous deviez changer les vôtres. Déterminez comment vous percevez les scènes de violence à la télé. Faites attention à ce que vous regardez en présence de vos enfants, puis demandez-vous si vous avez fait le bon choix d'émission.

Résumé

Points marquants

- Les parents continuent à jouer un rôle de premier plan dans la vie de leurs enfants et de leurs adolescentes ou de leurs adolescents même si l'école et les médias occupent une grande partie de leurs journées.
- L'école est un phénomène relativement récent qui renforce la socialisation des enfants, déjà entreprise à la maison, en leur faisant respecter des règles et en les faisant agir de manière acceptable en société.
- Les provinces et les territoires régissent l'instruction publique et attribuent les responsabilités aux groupes concernés, y compris les élèves et les parents.
- Le rôle d'agent de socialisation de l'école se poursuit tout au long du cycle de vie, parce que de plus en plus de gens retournent à l'école pour diverses raisons.
- À mesure que la société change, les écoles doivent s'adapter à des problèmes sociaux toujours plus nombreux, comme la faim, la violence et le défi à l'autorité.
- Les médias et la publicité ont une puissante influence sur la socialisation, notamment en faisant auprès des enfants la promotion de jouets et de vêtements à l'insigne des personnalités à la mode.
- Les médias se présentent sous bien des formes et font la promotion de certains stéréotypes et styles de vie qui ont une influence négative sur les enfants, les adolescentes et les adolescents.
- La *Charte canadienne des droits et libertés* accorde aux médias une grande liberté d'expression.
- Les parents conscients du rôle de l'école et des médias dans la vie de leurs enfants doivent se tenir au courant de leurs activités s'ils veulent les protéger.

Révision et approfondissement

1. À quoi servait l'éducation avant l'avènement de l'école telle que nous la connaissons? Comment les objectifs de l'éducation ont-ils changé avec le temps? C/C
2. De toutes les personnes concernées par l'éducation des enfants, qui a la plus grande responsabilité relativement à leur apprentissage? Cite des exemples. C/C R/R A
3. La liste des responsabilités du personnel enseignant mentionnée dans ce chapitre semble plutôt courte. Interroge une enseignante ou un enseignant pour allonger cette liste. R/R C
4. Pense aux effets négatifs des médias. Dans chaque cas, cite un exemple concret et propose une stratégie pour combattre cet effet négatif. C/C R/R A
5. Quels sont les aspects positifs des médias? Dresse une liste de contrôle à l'intention des parents afin de les aider à repérer les aspects positifs des médias pour leurs enfants. C/C A
6. Prépare un dépliant à l'intention des parents qui propose des stratégies pour aider les enfants à réussir à l'école. C/C C A
7. Effectue une recherche pour savoir ce que les parents pensent de la télévision. Essaie de savoir s'ils contrôlent ou limitent les moments passés devant le téléviseur. Fais part de tes découvertes à la classe. R/R C

Analyse et solution

8. Analyse divers médias comme les comédies de situation, les annonces dans les magazines, les films, les vidéoclips et les sites Web. Détermine comment ils représentent les personnes et les familles. Voici quelques questions auxquelles tu pourrais répondre en fonction de ce que tu vois, ce que tu lis ou ce que tu entends :
   a) Comment les gens sont-ils représentés ? Les hommes et les femmes sont-ils représentés de la même façon ou différemment ?
   b) Pourrait-on remplacer une femme par un homme dans une annonce ou une émission, ou l'inverse, sans que cela change le sens ?
   c) Comment les familles sont-elles représentées ? Quel est le rôle des hommes ? celui des femmes ?
   d) Quelles sont les valeurs et les croyances véhiculées ?
   e) Parle-t-on des conséquences de certains comportements, comme les relations sexuelles non protégées, le tabagisme, la consommation d'alcool ? Y voit-on une femme enceinte boire de l'alcool ?
   f) Y a-t-il des scènes violentes ? Si oui, de quelle nature et à quelle fréquence ?
   g) Qu'est-ce qui te semble le plus réaliste et le plus invraisemblable dans le contenu que les médias proposent ?
   h) À qui ces médias s'adressent-ils ? Leur contenu convient-il aux enfants ?
   i) La violence dans la société est-elle un reflet de la violence dans les médias, ou la violence dans les médias est-elle le miroir de la violence dans la société ? Donne ton opinion.

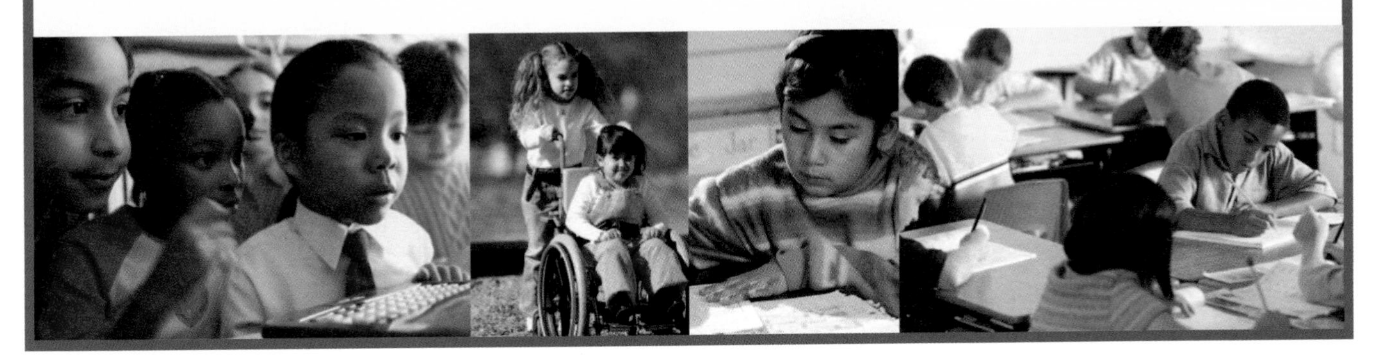

Chapitre

18

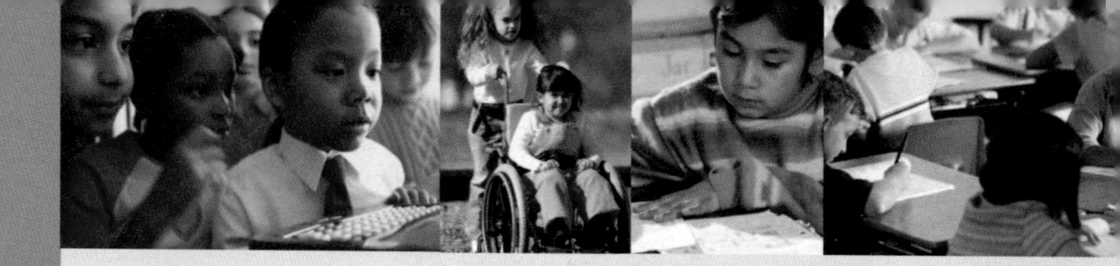

Préparer l'avenir : Investir dans l'enfance

À la fin de ce chapitre, tu pourras :

- comprendre ce que la société attend des parents, des personnes qui s'occupent des enfants et de celles qui travaillent auprès d'eux ;
- évaluer l'aide que la société offre aux parents, aux personnes qui s'occupent des enfants et à celles qui travaillent auprès d'eux ;
- reconnaître les enjeux de l'interaction avec des enfants ;
- décrire le rôle de la société dans la vie des enfants et des familles ;
- décrire ce qui influe sur la vie des enfants et des familles du monde et évaluer les effets sur la croissance et le développement humains ;
- expliquer pourquoi il faut envisager et comprendre les défis de la société dans un cadre intégré ;
- décrire le soutien des agences de services sociaux envers les enfants et les familles en difficulté.

Mots clés

centres de la petite enfance
congé parental
conseillère ou conseiller de personnes en deuil
conseillère ou conseiller en intervention d'urgence
conseillère ou conseiller en relations
consultation familiale
discipline raisonnable
état de stress post-traumatique
fournisseuses et fournisseurs de services de garde
garde d'enfants à domicile
horaires flexibles
initiatives nouvelles
mondialisation
service de garde en milieu familial
service de garde en milieu familial agréé
services sociaux
technologies électroniques
technologies salvatrices

Aperçu du chapitre

Comment les parents et la société se partagent-ils la responsabilité des enfants ?

Autrefois, les familles étaient seules responsables des soins, de l'éducation et de la vie religieuse de leurs enfants. Elles vivaient loin les unes des autres dans les régions agricoles et rurales canadiennes. La société s'occupait peu de ce qui se passait au sein des familles. Si des enfants avaient des besoins particuliers, les familles en prenaient soin sans aide extérieure. Si la mère devait travailler aux champs, les enfants plus âgés ou des membres de la famille étendue surveillaient les plus jeunes. Tu peux voir que la situation a bien changé aujourd'hui dans la majeure partie du Canada.

D'une part, les familles ont beaucoup changé au cours des dernières décennies. La majorité des femmes canadiennes travaillent à l'extérieur afin de gagner un revenu, personnel ou familial, ainsi que pour leur satisfaction propre. Plus de familles que jamais luttent contre la pauvreté, quelquefois à cause du chômage, mais souvent à cause de bas salaires ou d'emplois précaires. Beaucoup de parents ne connaissent personne qui peut s'occuper de leurs enfants. Souvent, leurs parents, frères et sœurs travaillent aussi et les gens du voisinage mènent leur propre vie.

D'autre part, la société s'adapte aux besoins changeants des familles. Elle se préoccupe davantage du nombre croissant de femmes dans la population active, du nombre croissant de pères qui s'occupent de leurs enfants et de l'importance des premières années pour le développement des enfants. La société prend de plus en plus en charge le bien-être des enfants. Les **initiatives nouvelles** des gouvernements, des entreprises, de l'industrie et des collectivités le montrent. Il s'agit de politiques et de procédures qui soutiennent les parents et les familles et qui répondent aux besoins des enfants et des parents qui travaillent. Néanmoins, il y a encore beaucoup à faire.

Le gouvernement fédéral a changé les dispositions relatives aux congés parentaux et de maternité. Des lois récentes permettent à la mère et au père de prendre un congé parental allant jusqu'à un an après la naissance ou l'adoption d'un enfant. Les parents peuvent partager entre eux le **congé parental** afin qu'un parent soit avec l'enfant lorsque l'autre travaille. Cependant, il faut avoir occupé un même emploi assez longtemps et avoir payé le montant requis de primes d'assurance-emploi pour bénéficier de ces mesures. Les personnes qui travaillent à temps partiel et qui changent souvent d'emploi n'y ont pas accès.

Figure 18.1
Les parents peuvent désormais prendre jusqu'à 12 mois de congé parental.

Les gouvernements provinciaux adoptent les dispositions et accordent les permis en matière de soins des enfants afin de fournir les meilleures options possible aux parents. Pourtant, la plupart des enfants vont dans des services de garde en milieu familial non agréés et non réglementés.

Figure 18.2
Les avantages à long terme de services de garde d'enfants de qualité dépassent les coûts.

Les entreprises répondent également aux besoins des parents et des jeunes familles. Certains lieux de travail favorables aux familles offrent des options intéressantes aux parents qui travaillent. Un service de garde d'enfants sur les lieux du travail et des programmes d'emploi partagé permettent aux parents de passer plus de temps avec leurs enfants. Quelques entreprises ont des politiques qui accordent aux parents des jours de congé pour s'occuper des enfants lorsqu'ils sont malades et des **horaires flexibles,** c'est-à-dire que les parents déterminent leurs heures de travail en fonction de l'emploi du temps de leurs enfants. Cependant, ces initiatives se limitent souvent aux grandes entreprises qui abandonnent ces « avantages » en premier lorsque les affaires vont moins bien. La majorité des parents qui travaillent ne bénéficient pas de ces facilités.

Les collectivités locales reconnaissent qu'elles peuvent aussi aider les parents et les enfants. Les services de loisirs, les églises, les organisations culturelles et d'autres initiatives communautaires offrent des programmes de services de garde et d'activités pour les enfants, avant et après l'école, lors de journées pédagogiques ainsi que pendant les congés et les vacances scolaires. Pourtant, il est encore difficile pour de nombreux parents de trouver des services de garde qui répondent à leurs besoins.

Il reste beaucoup à faire au Canada pour satisfaire aux besoins de toutes les familles et de tous les enfants. Il manque encore de services de garde accessibles, abordables et de qualité. Les services pour enfants sont souvent difficiles d'accès, car ils relèvent de nombreuses juridictions locales, provinciales et fédérales. Les gouvernements hésitent à mettre en place des politiques et des programmes universels. Cela tient peut-être à l'idée ancienne selon laquelle le traitement des enfants demeure une affaire privée. Pourtant, la société gagne à investir dans l'enfance et à contribuer au bien-être et au développement des enfants.

Des études canadiennes et américaines montrent que l'investissement dans des programmes de garde de qualité pour les enfants de moins de cinq ans rapporte à la société. Selon une étude de Gordon Cleveland et de Michael Krashinsky (1998), de l'Université de Toronto, chaque dollar investi dans des programmes de garde d'enfants de qualité rapporte deux dollars. De même, une étude d'A. Starr, citée dans *Business Week* (Starr, 2002), signale un retour de quatre dollars pour chaque dollar dépensé en programmes préscolaires de qualité pour les enfants pauvres des États-Unis.

Les programmes de garde d'enfants ne génèrent pas tous des économies. Selon la D^re^ Susan Prentice, il est essentiel que les provinces et les territoires fournissent des services de garde d'enfants universels, réglementés et financés publiquement. Les programmes préscolaires de qualité favorisent aussi le développement des enfants, comme l'explique une étude de Rebecca Marcon. Marcon a suivi 183 enfants depuis leur entrée au préscolaire à 4 ans jusqu'à la fin de la 3e année. Elle conclut que « des expériences d'apprentissage

Étude de cas : Les centres de la petite enfance au Manitoba

Voici un extrait d'un article de la D[re] Susan Prentice, « The Case for Public Child Care in Manitoba » (2000).

Le Manitoba est entré dans les années 1990 en tête de file à l'échelle nationale en matière de services à l'enfance. Cette distinction est désormais révolue. Le système de soins destinés aux enfants a souffert plus de dix ans d'usure et a dû absorber des compressions budgétaires majeures aux échelons fédéral et provincial. Par conséquent, il n'y a désormais plus qu'une place en service de garde pour dix enfants manitobains de moins de douze ans. Ces places disponibles sont trop chères pour de trop nombreux parents et la qualité du service a diminué.

Alors que l'histoire du système manitobain de services à l'enfance a connu un déclin régulier, les gouvernements d'autres provinces ont reconnu les soins à l'enfance comme l'investissement fondamental qu'ils sont et les considèrent désormais comme une responsabilité publique. Depuis plusieurs années, le Québec a mis en place un programme populaire et efficace à cinq dollars par jour et le gouvernement de la Colombie-Britannique a récemment annoncé qu'il proposera bientôt un système de services à l'enfance financé publiquement.

Dans les quinze États membres de l'Union européenne, entre 75 et 99 % de tous les enfants en âge préscolaire de trois à six ans bénéficient de services de garde éducatifs, que leurs parents travaillent ou non.

Ces modèles publics se basent sur le principe que les services à l'enfance sont un bien public – une opinion que partagent les autorités en économie, en santé, en éducation, en services sociaux et en perspectives sociales. Les recherches indiquent que des services à l'enfance de haute qualité stimulent le développement de tous les enfants, aident toutes les familles, quel que soit leur statut au sein de la population active, et sont une condition nécessaire pour atteindre l'égalité des femmes. Les soins à l'enfance favorisent la disposition à l'apprentissage, aident à bâtir des collectivités en bonne santé, permettent de réduire la pauvreté, créent des emplois, facilitent l'autonomie économique, contribuent au bien-être durable des enfants et participent au développement de collectivités plus sécuritaires. Les études soulignent également que des services à la petite enfance pratiquant l'inclusion renforcent l'appréciation de la diversité et promeuvent l'équité entre les classes, les niveaux de capacités, les groupes raciaux et ethniques et les générations, et ainsi renforcent la solidarité sociale.

Les sondages d'opinions confirment que les Canadiennes et les Canadiens reconnaissent ces qualités dans leurs propres expériences. Pour prendre un récent exemple, un sondage d'Environics en 1998 a révélé que 76 % des Canadiennes et des Canadiens pensent que le système de services à l'enfance devrait être disponible à toutes les familles et que l'on devrait en partager les coûts entre les gouvernements et les familles.

Il y a de fortes raisons économiques appelant à l'investissement public dans le domaine des services à l'enfance. De récentes études ont montré que chaque dollar investi dans les services à l'enfance engendre 2 $ de bénéfices pour la société. La chambre de commerce de Vancouver a qualifié de « spectaculaires » « les bénéfices économiques » provenant de l'investissement dans la petite enfance.

Questions

1. Quels arguments la D[re] Susan Prentice donne-t-elle en faveur de services de garde universels et financés publiquement au Manitoba ?
2. Fais une recherche pour savoir si les services de garde ont reçu plus d'attention et plus d'investissements au Canada après la publication de ce rapport.
3. Fais une recherche sur les services de garde de ta région. Combien coûtent les services de garde agréés dans ta collectivité ? Qu'est-ce qui explique ce coût ?

précoces plus actives et initiées par l'enfant semblent avoir stimulé les réussites scolaires ultérieures des enfants ». Par contre, elle souligne que leur progression « peut avoir été ralentie par des expériences préscolaires trop académiques qui ont introduit des expériences d'apprentissage formel trop tôt pour le stade de développement de la plupart des enfants ». Il est essentiel d'investir dans des services à la petite enfance universels et de qualité.

Figure 18.3
Les parents ont la responsabilité légale de satisfaire aux nombreux besoins de leurs enfants.

Les responsabilités sociales et légales des personnes qui vivent et qui travaillent avec des enfants

Alors que la société se préoccupe davantage de la vie des familles et des enfants, il devient nécessaire de définir ce qu'elle attend des parents, des personnes qui s'occupent des enfants et de celles qui travaillent auprès d'eux. Toute personne jouant un rôle dans la vie d'un enfant doit prendre conscience de ses responsabilités légales et des droits des enfants. Elle doit comprendre ce qu'on peut attendre d'un enfant aux divers stades de son développement. Répondre aux attentes du public lorsqu'on s'occupe d'enfants fait partie de ces responsabilités.

Les attentes envers les parents

Qu'attendons-nous des parents de notre société ? Les parents ont la responsabilité légale de répondre aux besoins physiques, économiques, éducatifs, émotionnels et de sécurité de leurs enfants. Ils ont aussi une responsabilité sociale. Ils doivent leur fournir amour et attention, faire preuve de maturité, être responsables et donner l'exemple de comportements positifs. Par-dessus tout, ils doivent exercer une **discipline raisonnable** auprès de leurs enfants. Quand des enfants se comportent mal ou défient la loi, la société critique aussitôt les parents. La société s'attend à ce que les parents engendrent des enfants parfaits, capables de contribuer à la société. Pourtant, on ne naît pas avec des compétences parentales efficaces ; il faut les acquérir.

❖ Liens

Dans notre société, beaucoup d'adultes pensent qu'on devrait enseigner le rôle parental à l'école et que la réussite de ce cours devrait faire partie des exigences pour l'obtention du diplôme d'études secondaires. Puisque tu suis un cours de rôle parental, d'études familiales ou de développement humain, réfléchis aux énoncés suivants et complète-les.

1. Avant de suivre un cours sur le rôle parental, je ne savais pas que...
2. Depuis que j'ai commencé ce cours sur le rôle parental, je sais désormais que...
3. Une fois ce cours terminé, je pense être capable de...
4. Je pense que les élèves devraient (ou ne devraient pas) suivre un cours sur le rôle parental, car...

Les attentes envers les personnes qui s'occupent des enfants

Les éducatrices et les éducateurs en garderie, les gardes d'enfants à domicile, le personnel des services de garde d'enfants et des centres de la petite enfance et les autres personnes qui s'occupent des enfants font partie d'une classe gagnant les plus bas salaires de notre société. Pourtant, on exige de leur part des soins aussi irréprochables que ceux que peuvent fournir des parents. Leur tâche est difficile : donner de l'affection sans prendre la place des parents, imposer une discipline ni trop stricte, ni trop permissive, et procurer un environnement d'apprentissage favorable respectant les soins et la sécurité. On leur demande d'avoir une formation, soit comme parents, soit en éducation à la petite enfance. Des connaissances en premiers soins et en mesures de sécurité sont très importantes, mais non obligatoires, lorsqu'une personne s'occupe des enfants d'une autre. La plupart des provinces et des territoires disposent de législations régissant la manière dont les personnes qui s'occupent d'enfants doivent effectuer leurs tâches. Plus important encore, les personnes qui s'occupent d'enfants doivent répondre aux grandes attentes que les parents ont envers elles, car elles les remplacent auprès de leurs enfants.

Ce que les parents attendent des personnes qui s'occupent des enfants – ACCESS

Attention à la santé, à la sécurité et aux besoins physiques et psychologiques des enfants

Communication portant sur la journée de l'enfant, son développement et les points à surveiller

Compétence dans l'exercice de l'autorité et dans l'application d'une discipline appropriée

Enthousiasme à travailler avec des enfants et à contribuer à leur développement

Structure dans la planification des activités et l'établissement de routines quotidiennes

Surveillance de toutes les activités, de toutes les interactions sociales et de tous les jeux

Les attentes envers les personnes qui travaillent auprès des enfants

Beaucoup de personnes ont un contact avec des enfants, que ce soit dans un contexte professionnel ou moins formel. Les médecins, les dentistes, les psychologues pour enfants, les orthophonistes, les enseignantes et les enseignants, les coiffeuses et les coiffeurs, le personnel de restaurants rapides, les photographes et les optométristes, entre autres, côtoient des enfants tous les jours. Dans certains cas, ces personnes ont suivi une formation spécialisée en développement infantile. D'autres ont une compréhension instinctive des enfants. Les parents et la société entière ont des attentes très claires envers les professionnelles et les professionnels, par exemple les médecins ou les psychologues pour enfants, en raison de leur formation spécialisée. Quant aux autres personnes qui travaillent auprès d'enfants, on s'attend qu'elles fassent preuve de professionnalisme, qu'elles se montrent attentives aux besoins des enfants et capables d'interagir avec eux d'une manière appropriée, respectueuse, vigilante et sincère.

La protection des enfants contre la violence, les mauvais traitements et la négligence est l'affaire de toute personne qui est en contact avec des enfants en raison de son emploi. Beaucoup de professionnelles et de professionnels, notamment le personnel enseignant, le personnel de services de garde, le clergé et les médecins, de par le rôle particulier qu'ils jouent auprès d'enfants, sont tenus légalement de signaler tout cas soupçonné de mauvais traitements infligés à un enfant et sont passibles d'amendes s'ils ne le font pas. Toute personne qui travaille auprès des enfants doit posséder une excellente connaissance de leur développement et une base solide en compétences et en techniques parentales.

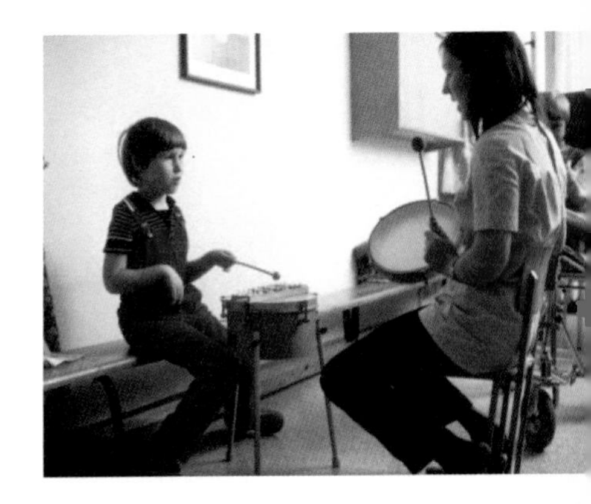

Figure 18.4
Toute personne qui travaille auprès des enfants doit bien connaître leur développement.

Les enfants sont une ressource nationale. Ils sont l'avenir de notre société. Les parents, les personnes qui s'occupent des enfants et celles qui travaillent auprès d'eux de près ou de loin ont l'énorme responsabilité sociale d'assurer leur santé, leur bien-être et leur développement optimal.

❖ Vérifie tes connaissances

1. Quelles modifications récentes a-t-on apportées à la politique des congés parentaux ?
2. Quelle preuve appuie l'affirmation suivante ? « Nous avons encore beaucoup à faire pour répondre aux besoins de tous les parents et les enfants du Canada. »
3. Dresse la liste des obligations des parents envers leurs enfants. Explique chaque obligation.
4. Décris les attentes des parents envers les personnes qui s'occupent des enfants.

L'obligation sociale des services de garde d'enfants

C'est depuis peu qu'on considère les services de garde d'enfants comme une obligation sociale. Historiquement, il y a des services destinés aux enfants, au Canada, depuis la fin du XIXe siècle, notamment des jardins d'enfants et des écoles maternelles. Au début du XXe siècle, des entreprises de quelques grands centres ont eu une certaine vision et ont offert un service de surveillance d'enfants pour amener les femmes à travailler. Cependant, les centres de garde agréés n'existent que depuis les années 1940. L'Ontario a alors passé la *Loi sur les garderies* afin de répondre aux besoins des mères travaillant en usine, dont les usines d'armement, lorsque leurs maris étaient à la guerre. Cette loi fut la première de ce type au Canada et traitait à la fois des soins à apporter aux enfants et de leur développement. L'objectif des services de garde à ce moment-là était de surveiller les enfants tout en contribuant à leur développement.

Notre société considère d'une certaine manière que les soins aux enfants sont la responsabilité d'une mère qui travaille. C'est pourquoi on ne leur a pas accordé l'attention et le financement qu'ils méritent. Cependant, de plus en plus d'enfants fréquentent les services de garde au Canada et les parents y consacrent beaucoup d'argent. Le résumé de l'article « Profil de l'industrie des services de garde d'enfants » (Stafford, 2002), préparé pour Industries de services Canada, indique que ces services pour enfants sont l'affaire de toutes les Canadiennes et de tous les Canadiens.

Profil de l'industrie des services de garde d'enfants

Résumé :
L'industrie des services de garde d'enfants au Canada est unique, car on lui confie une précieuse ressource : près de 1,4 million d'enfants. Les services de garde participent à l'impressionnante tâche de promouvoir le développement des enfants, d'assurer leur sécurité et leur bien-être et de maintenir des relations positives avec chacun d'entre eux.

Ce document examine l'industrie des services de garde d'enfants au Canada et est constitué de trois parties principales. Dans la première, on étudie la demande en services de garde d'enfants, y compris les 3,5 milliards de dollars dépensés par les ménages dans ces services. On examine ensuite les caractéristiques financières de l'industrie et les rôles que jouent le secteur sans but lucratif ainsi que les subventions et les programmes de bourse du gouvernement. Enfin, la dernière section traite de quelques-unes des caractéristiques du personnel œuvrant dans le domaine des services de garde d'enfants.

Source : Statistique Canada

Les options pour la garde d'enfants

Les parents ont besoin de services de garde d'enfants accessibles, abordables et de qualité. Quelles sont leurs options ? Selon Enfant et famille Canada, les parents disposent de trois options de services de garde pour les enfants de 0 à 12 ans :

- une ou un **garde d'enfants à domicile**, au domicile de l'enfant ;
- un **service de garde en milieu familial**, agréé ou non, au domicile de la ou du garde d'enfants ;
- les **centres de la petite enfance**, à la demi-journée, à la journée, en soirée ou la nuit, pour les catégories suivantes : bébé (généralement moins de 12 mois à 18 mois), tout-petit (généralement de 12 à 18 mois jusqu'à 2 ½ à 3 ans), enfant d'âge préscolaire (généralement entre 3 et 5 ans) et enfant d'âge scolaire (généralement entre 5 et 12 ans).

Les services de garde en milieu familial sont ou non agréés par la province, alors que les centres de la petite enfance fonctionnent sous réglementation provinciale.

Trois options pour la garde d'enfants :
1) une ou un garde d'enfants à domicile ;
2) un service de garde en milieu familial ;
3) les centres de la petite enfance.

Les services de garde en milieu familial

Dans un service de garde en milieu familial, une personne s'occupe de cinq enfants au maximum dans une maison privée. Pour s'occuper de plus de cinq enfants, en plus de ses propres enfants, il faut détenir un permis. Les services de garde en milieu familial ne sont généralement pas réglementés ou supervisés. Par conséquent, les parents ont la responsabilité de s'assurer que leur enfant reçoit un service de qualité.

Les avantages d'un service de garde en milieu familial

Les services de garde en milieu familial sont des milieux informels et regroupent de petits nombres d'enfants. Cela encourage le partenariat entre les parents et les gardes d'enfants. Ils fournissent un cadre familial pour les bébés, les tout-petits, les enfants d'âge préscolaire et les enfants d'âge scolaire. Avec ce système, une même personne peut s'occuper des enfants d'une même famille, souvent dans leur propre quartier, près de leur école et de leur entourage. Il est possible d'adapter les horaires pour répondre aux besoins particuliers des familles.

Liens

Les parents doivent prendre le temps de rencontrer les gardes d'enfants avant de décider s'ils veulent employer leurs services.

1. Quelles questions les parents peuvent-ils poser à une ou à un garde d'enfants avant de lui confier leurs enfants ?
2. Quelles questions est-ce que les gardes d'enfants pourraient poser aux parents avant d'accepter de s'occuper de leurs enfants ?

Figure 18.5
Des agences agréées par la province supervisent certains services de garde d'enfants en milieu familial. L'agence organise la formation des personnes souhaitant s'occuper d'enfants chez elles. L'agence fournit de l'assistance et des conseils et surveille les services offerts afin de s'assurer qu'ils correspondent aux exigences provinciales. Cela aide les gardes d'enfants agréés à donner des services de qualité, dont :

- une personne qui connaît et comprend les besoins des enfants ;
- l'engagement des parents dans l'expérience globale de garde ;
- un cadre et des routines appropriés ;
- un accord stable.

Les services de garde en milieu familial non agréés

Tout le monde peut proposer des services de garde d'enfants à son domicile. Les coûts avantageux, la commodité et la disponibilité de ce système peuvent inciter les parents à choisir un service de garde non agréé. Beaucoup de gardes d'enfants fournissent des services formidables qui répondent à toutes les exigences d'un service agréé, mais pas toutes ni tous. Les parents n'ont pas de garantie que les services non agréés fournis seront de qualité et assureront santé et sécurité à leur enfant. Cinq enfants est le nombre maximal accepté pour des services non agréés. Pourtant, on sait que des services de garde dépassent cette limite de temps en temps, voire systématiquement. Il n'y a aucune garantie que les personnes offriront ce service année après année. Parfois, elles fournissent le service pendant quelques mois de l'année seulement ou lorsque leurs propres enfants ne sont pas encore à l'école. D'autres fois, elles en font leur profession. Les parents doivent prévoir toutes les conséquences du choix d'un service de garde d'enfants non agréé.

Les services de garde en milieu familial agréés

Les **services de garde en milieu familial agréés** font intervenir des agences agréées qui recrutent des gardes d'enfants souhaitant s'occuper, à leur propre domicile, d'un maximum de cinq enfants, en plus des leurs. Le personnel de ces agences agréées supervise les gardes d'enfants, appelés aussi **fournisseuses et fournisseurs de services de garde.** Il effectue des inspections sur place. Ces agences relèvent du département ou du ministère responsable des soins à l'enfance. Les agences supervisant les gardes d'enfants à domicile fournissent également aide et ressources.

Les gardes d'enfants reçoivent :

- de l'information relative au développement infantile, aux premiers soins, à la sécurité, à la santé et à l'alimentation ;
- des suggestions d'activités adaptées aux âges des enfants ;

- les listes des parents ayant besoin de services de garde d'enfants ;
- une aide concernant la comptabilité ainsi que les politiques de vacances et de congés ;
- l'accès à des bibliothèques de location de jouets et d'équipement.

Si possible, les parents choisissent les services de garde en milieu familial agréés plutôt que les programmes publics, car une agence les supervise et les assiste. De plus, ils fournissent le confort d'un domicile.

Liens

Penses-tu proposer un service de garde d'enfants à l'avenir ? Trouve les directives en vigueur dans ta province. Par exemple, l'Ontario a publié un livre de référence complet, *Guide pratique sur la garde d'enfants à domicile,* disponible en ligne depuis le site Web du gouvernement. Ce guide offre des renseignements pratiques aidant les gardes d'enfants à mettre sur pied, à domicile, un service sécuritaire et sain dans un environnement stimulant.

1. Quels sont les avantages et les inconvénients de fournir un service de garde d'enfants chez soi ?
2. À l'aide du *Guide pratique sur la garde d'enfants à domicile* ou d'une référence équivalente spécifique à ta région, dresse un plan d'affaires permettant d'exploiter un service de garde d'enfants en milieu familial.
3. Où, dans ta collectivité, pourrais-tu trouver de l'équipement et des fournitures bon marché et sécuritaires pour ton service de garde d'enfants en milieu familial ?

Les centres de la petite enfance

Les provinces et les territoires régissent les centres de la petite enfance. Ces centres peuvent se trouver dans des écoles, des usines, des entreprises, des collectivités, des maisons individuelles ou tout autre établissement approuvé. Dans certains cas, les familles à faible revenu ont droit à des subventions, mais des quotas s'appliquent.

Les avantages des centres de la petite enfance agréés

Les centres actuels sont capables de recevoir un grand nombre d'enfants d'âges différents, mais ils emploient aussi beaucoup de personnel qualifié. En raison de la réglementation, les parents peuvent s'attendre à des services de qualité acceptable. De plus, ils savent que le gouvernement procède à des inspections régulières de ces centres.

La réglementation garantit des collations et des repas nourrissants ; des procédures de santé et d'hygiène définies ; des programmes assurant un développement optimal (activités en extérieur, périodes de repos et d'activités stimulant la motricité fine et grossière) ; un développement langagier, social

Qui réglemente les services de garde d'enfants dans ta province ou dans ton territoire ?

Pour obtenir des directives concernant les services de garde en milieu familial ou les centres de la petite enfance dans ta province, ton territoire ou ta réserve, communique avec les organismes suivants :

Île-du-Prince-Édouard : Health and Community Services (Santé et services communautaires)

Nouveau-Brunswick : Services familiaux et communautaires

Nouvelle-Écosse : Family and Children's Services (Services à l'enfance et à la famille)

Terre-Neuve-et-Labrador : Department of Health and Social Services (Ministère de la Santé et des Services sociaux)

Québec : Ministère de la Santé et des Services sociaux

Ontario : Ministère des Services sociaux et communautaires

Manitoba : Ministère des Services à la famille et Logement

Saskatchewan : Department of Social Services (Ministère des Services sociaux)

Alberta : Department of Health and Social Services (Ministère de la Santé et du Bien-être)

Colombie-Britannique : Ministry for Children and Families (Ministère de l'Enfance et de la Famille)

Yukon : Santé et Affaires sociales

Territoires du Nord-Ouest : Department of Health and Social Services (Ministère de la Santé et des Services sociaux)

Nunavut : Department of Health and Social Services (Ministère de la Santé et des Services sociaux)

Premières Nations vivant en réserves : Services à l'enfance et à la famille des Premières Nations (administrés par les Premières Nations en coopération avec les autorités provinciales et territoriales)

Figure 18.6
La réglementation régissant les centres de la petite enfance assure les parents qu'on y respectera les normes gouvernementales.

et cognitif ; de la nurturance ; la sécurité, dont des inspections en matière de risque d'incendie et de santé et des vérifications de casier judiciaire pour tout le personnel. L'environnement doit également respecter des normes acceptables d'éclairage, de clôture, de modules de jeu et de sécurité. La réglementation interdit de surcroît toute punition corporelle.

Les services de garde après l'école

Les parents d'enfants d'âge scolaire ayant besoin de services de garde en dehors des heures de cours peuvent choisir des programmes que fournissent des services de garde agréés ou non. Les parents recherchent des endroits où on favorise des comportements acceptables, où on fournit une collation après l'école, des activités et de l'aide aux devoirs. Des particuliers ou des centres de la petite enfance peuvent proposer des programmes de qualité pour tous les enfants jusqu'à 12 ans, que leurs parents travaillent ou non.

Nous disposons d'un ensemble complet et divers de recherches qui concluent que les enfants tirent avantage de programmes préscolaires de bonne qualité offerts par un personnel formé. C'est le cas, que leur mère fasse ou non partie de la population active et quel que soit le statut socioéconomique des parents.
— Kerry McCuaig

Vérifie tes connaissances

1. Pourquoi a-t-on mis en place la *Loi sur les garderies* en Ontario ?
2. Quelle entité gouvernementale agrée les services de garde d'enfants dans ta collectivité ?
3. Indique les avantages et les inconvénients des services de garde d'enfants agréés et non agréés.

Les services sociaux : une communauté d'assistance

Parfois, les choses se passent mal au sein d'une famille. Elle a alors besoin de recourir aux **services sociaux** ou aux services pour les familles que financent les impôts et les dons caritatifs.

Exemples d'agences soutenant les familles dans le besoin

- Les **Services à l'enfance et à la famille des Premières Nations** fournissent une assistance aux familles des Premières Nations inscrites vivant dans des réserves.
- Les associations **Alcooliques anonymes, Joueurs anonymes** et **Outremangeurs anonymes** aident les personnes souffrant de dépendances.
- Les **maisons d'hébergement pour femmes** et les **sociétés d'aide à l'enfance** répondent aux besoins en cas de violence familiale, de mauvais traitements infligés aux enfants et de négligence.
- Le **Service familial catholique**, le **Mennonite Relief Committee** (comité mennonite d'assistance), l'**Armée du salut, Teen Challenge Farms** (fermes de réadaptation pour adolescentes et adolescents) et d'autres **organisations religieuses** aident à la gestion du budget, répondent aux besoins de logement, de nourriture et de vêtements et procurent divers services de conseils personnels et relationnels.
- Les **services gouvernementaux**, tels que les services aux familles et les services sociaux, peuvent fournir des services de garde d'enfants subventionnés, une aide financière, des formations et des services de santé.
- Les **centres de ressources communautaires**, les **centres de la petite enfance** et les **unités de santé publique** donnent des conseils et des formations pour les parents et les personnes qui s'occupent des enfants quant aux besoins des enfants en matière de santé et de développement.

- **Parents Without Partners** (parents sans partenaire), les **Grands Frères** et les **Grandes Sœurs** fournissent de l'aide aux familles monoparentales et à leurs enfants.
- Les **foyers pour jeunes mères célibataires** aident les adolescentes non mariées qui sont enceintes ou ont récemment eu un enfant.
- Les **centres d'hébergement des sans-abri** fournissent un logement et de l'assistance aux personnes, aux familles, aux enfants, aux adolescentes et aux adolescents qui vivent dans la rue.

Chaque province, chaque territoire et chaque collectivité dispose de services sociaux visant à aider les familles. Les bibliothèques publiques, les sites Web gouvernementaux et les annuaires téléphoniques, ainsi que les cliniques, les centres communautaires, les pharmacies, les centres d'assistance des écoles secondaires et même les bureaux de poste, disposent d'information relative aux services sociaux disponibles dans une région donnée.

Avis d'experts

BRUCE RIVERS

Bruce Rivers est titulaire d'une maîtrise en service social, résident en service social, directeur exécutif de la Société d'aide à l'enfance de Toronto et président de la Ligue pour le bien-être des enfants du Canada, organisation nationale mutuelle de pression s'intéressant aux besoins des enfants et des jeunes gens vulnérables. Il répond à la question suivante :

Quels principaux changements sont survenus dans le domaine de l'assistance à l'enfance, et quels changements sociaux faciliteraient votre tâche de protection des enfants ?

La demande dans notre ville en services de bien-être pour les enfants a régulièrement augmenté de 10 à 15 % par an ces cinq dernières années et on peut attribuer cette augmentation à trois facteurs principaux :

- une législation de protection à l'enfance plus stricte et mettant l'accent sur le devoir de chacun de signaler toute inquiétude en matière de mauvais traitements infantiles ou de négligence à la Société d'aide à l'enfance ou à la police ;
- un plus grand intérêt du public et des médias quant à la sécurité des enfants du fait de cas abominables de négligence d'enfants ;
- un ensemble de facteurs stressants qui se combinent pour éroder la capacité des parents de faire face à leurs responsabilités parentales quotidiennes.

Chaque jour, à la Société d'aide à l'enfance, nous recevons de la communauté environ 150 nouveaux appels ou signalements de besoins d'assistance. Les renseignements que nous récoltons sont complets et, lorsque rassemblés, commencent à dépeindre un tableau qui est à la fois instructif et profondément troublant. Le point le plus marquant est qu'environ 75 % des enfants et des familles avec lesquels nous travaillons sont sous le seuil de pauvreté ou presque. La plupart des familles sont jeunes, constituées d'une mère seule ; environ 53 %, ou six familles sur dix, que nous servons reçoivent une forme d'assistance sociale et seulement 24 % vivent dans des logements subventionnés. De toutes les familles avec lesquelles nous avons travaillé, 670 étaient sans abri l'année dernière.

À ces indicateurs sociaux et économiques, il faut ajouter le fait que près de 60 % des parents avec lesquels nous travaillons sont confrontés à d'importants troubles émotionnels ou mentaux à une époque où l'assistance psychiatrique est peu disponible et les listes d'attente, longues. En outre, pour 40 % de nos familles, les cas de violence familiale ne sont pas rares et l'abus de substances se retrouve chez 50 % d'entre elles. Rassemblez tous ces facteurs et vous vous retrouvez à observer précisément ce que nous appelons des situations familiales toxiques – toxiques en regard de la santé et du bien-être des enfants.

Au cours du dernier siècle, par le biais de notre travail auprès d'enfants, de jeunes et de familles, nous avons beaucoup appris. Quatre-vingt-dix pour cent des familles que nous rencontrons ne souhaitent pas faire du mal à leurs enfants. Il s'agit de personnes qui vivent simplement en tant qu'adultes ce qu'elles ont appris lorsqu'elles étaient enfants. Il y a plusieurs années, Santé Canada a estimé le coût de l'assistance aux enfants maltraités à un million de dollars tout au long d'une vie. Notre agence a effectué une étude faisant intervenir 100 familles dans lesquelles la personne en charge était toxicomane ou alcoolique. Les résultats ont montré que 84 % des adultes dépendants avaient été victimes de violence physique et que 76 % avaient subi des abus sexuels au cours de leur enfance.

Les enfants ayant subi des abus sexuels sont sept fois plus enclins à devenir dépendants de l'alcool ou de la drogue et dix fois plus enclins à tenter de se suicider. Nos prisons sont remplies d'adultes qui ont été victimes de violence physique ou sexuelle. Jusqu'à 85 % des femmes en prison ont été victimes de mauvais traitements lorsqu'elles étaient enfants et on estime que le coût de l'emprisonnement de chacune de ces femmes s'élève à 100 000 $ par an.

Nous savons que les enfants et les jeunes apprennent ce dont ils sont témoins. Parmi les parents avec lesquels nous travaillons, 65 % rapportent que leurs parents les ont maltraités lorsqu'ils étaient enfants et la plupart rapportent qu'ils n'ont pas été exposés à un modèle parental positif au cours de leur enfance.

Pour 72 % des cas de mauvais traitements dont la Société d'aide à l'enfance a pris connaissance, le mauvais traitement provenait de sessions et d'épisodes disciplinaires allant trop loin. Je sais qu'il s'agit d'un sujet controversé. Ainsi, si un seul argument peut remettre en question le recours aux punitions corporelles pour les enfants et les jeunes, il s'agit bien de cette statistique troublante. Le moment est arrivé où nous devons remettre en question notre façon de penser à ce sujet.

Les recherches fournissent des résultats très clairs lorsqu'on s'intéresse aux environnements familiaux violents et racistes. Il s'agit de zones de développement de violence et de racisme futurs, puisque les enfants apprennent de leurs parents comment former des relations, comment interagir avec les autres et comment réagir à des problèmes et les résoudre. Une étude portant sur des enfants ayant été témoins de violence chez eux rapporte que 60 % ont été violents avec leurs frères et sœurs et 30 % ont été violents avec leurs amis, amies et pairs.

La plus grande responsabilité dans la vie est celle d'être parents, pourtant il s'agit de la tâche que nous sommes souvent les moins prêts et aptes à effectuer. La Société de l'aide à l'enfance rejoint de nombreuses personnes au sein de la société, dont le personnel enseignant, les conseils scolaires, les agences d'aide sociale, les groupes d'assistance aux parents, les juges, les officiers de police, et d'autres, qui pensent que des cours en rôle parental et en développement infantile devraient être obligatoires dans toutes les écoles ontariennes afin d'améliorer ou de compenser toute expérience acquise au cours de l'enfance. De nombreux jeunes parents, par exemple, n'ont absolument aucune idée de la grande fragilité d'un bébé. Au cours des deux dernières années, nous avons enregistré 34 cas de syndrome du bébé secoué (SBS). Certains enfants s'en sont remis, d'autres pas et deux en sont morts. S'il fallait un autre argument en faveur de l'éducation des parents, celui-ci renforce mon opinion.

Si l'on souhaite considérer l'avenir des enfants et des jeunes de notre pays, nous devons mobiliser nos ressources et notre énergie afin de briser le cycle des mauvais traitements et de la violence. Nous devons adopter une approche à plusieurs facettes étudiant les besoins en politiques sociales et économiques viables qui agissent sur les enfants. Nous devons remettre en question nos opinions quant à certains points fondamentaux, tels que le recours aux punitions corporelles chez les enfants. Nous devons rendre les cours en rôle parental universels et obligatoires dans toutes nos écoles.

Nous devons investir en prévention et agir sur tout ce que nous savons concernant les premières années de la vie d'un enfant en soutenant des programmes et des interventions qui renforceront l'attention et les soins que ces jeunes enfants reçoivent avant l'âge de six ans. Et nous ne devons jamais oublier les victimes actuelles qui souffrent physiquement et psychologiquement.

Liens

1. Fais une recherche sur les services sociaux disponibles dans ta collectivité. Avec ta classe, confectionne une affiche ou une brochure résumant les services disponibles, à qui ils s'adressent et la façon dont on peut y avoir accès.

Les services de conseil aux familles

Ann Landers était une chroniqueuse bien connue. On la consultait souvent pour des problèmes personnels ou familiaux. Lorsqu'elle ne trouvait pas de réponse au problème ou que la personne nécessitait une aide professionnelle, elle recommandait toujours des services de conseil. Il s'agit de services où des professionnelles et des professionnels écoutent les problèmes personnels et familiaux des gens et aident à trouver des solutions. Lorsque les problèmes concernent des conjoints, des partenaires, un enfant, la belle-famille ou d'autres membres de la famille, on se tourne parfois vers la **consultation familiale.** Les familles cherchent souvent à consulter en cas de crise. Qu'il s'agisse de la perte d'un emploi, d'une faillite, d'un accident ou d'un handicap, cela peut aider de parler avec une **conseillère ou** un **conseiller en intervention d'urgence** pour faire ce qu'il faut afin de reprendre le contrôle. Lorsque des relations se détériorent en couple ou entre parents et enfants, une **conseillère ou** un **conseiller en relations** écoutera les deux parties et permettra de trouver une solution par la médiation ou aidera à trouver un compromis et à aller de l'avant. Parfois, un deuil difficile peut suivre un décès dans une famille. Une **conseillère ou** un **conseiller de personnes en deuil** fournira la compréhension et le soutien dont les familles ont besoin afin de survivre à leur perte. Les médecins de famille, les responsables religieux, les cliniques locales ou les associations canadiennes locales pour la santé mentale fournissent des renseignements permettant de localiser les services de conseil adéquats.

Les enfants et le deuil

Pour certains enfants, la première expérience de la mort est la mort d'un animal familier. Cet événement donne l'occasion aux parents de parler avec l'enfant de la mort et de ce qu'elle signifie. Les enfants prennent tout au pied de la lettre. Il faut donc faire attention aux mots utilisés. Si on choisit des images irréalistes, l'enfant peut passer ses journées à rêver au « paradis des chiens ». On ne protège pas les enfants de la mort en n'en parlant pas. Tout être vivant meurt un jour – les plantes, les animaux et les personnes.

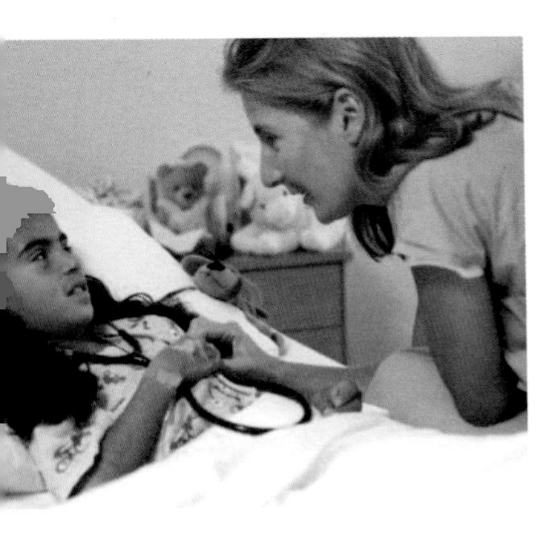

Figure 18.7
L'hospitalisation d'un membre de la famille – enfant ou parent – peut être traumatisant pour tous les membres de la famille.

Les enfants font également l'expérience du deuil lorsqu'ils vivent des séparations traumatisantes des personnes qu'ils aiment. Ils peuvent éprouver des sentiments de perte et de chagrin intenses dans le cas d'un divorce, d'une grave maladie d'une ou d'un garde d'enfants, de leur séparation de leur propre famille, comme dans le cas des enfants en foyer d'accueil, de l'absence prolongée de visites de la famille, de l'inscription dans un programme de placement ou dans un camp ou d'un séjour prolongé à l'hôpital.

Les sentiments et les émotions constituent une part importante du processus de deuil. Les enfants doivent savoir que les parents sont tristes lorsque quelqu'un meurt, qu'il est normal et acceptable de ressentir de la tristesse ou de la solitude. S'il s'agit du décès d'un parent, d'un frère, d'une sœur, d'une amie ou d'un ami, les enfants se sentent parfois responsables d'une manière ou d'une autre. Il est important de les rassurer.

Parler des causes de la mort permettra aux enfants de comprendre que les personnes meurent pour une raison. Cela peut les aider à exprimer leurs peurs concernant leur propre mort ou la mort d'une personne proche. Bon nombre de familles trouvent du réconfort dans les rituels religieux et spirituels. Il est important de préparer un enfant qui n'a jamais assisté à un enterrement. On doit lui dire ce que les gens font lors d'un enterrement, la façon dont il doit se comporter et que certaines personnes pleureront. Il faut le rassurer et lui dire qu'il peut pleurer également.

Il vaut mieux rappeler des souvenirs positifs, établir un rituel comme apporter des fleurs au cimetière et parler librement de la personne décédée qu'ignorer la mort ou prétendre que ce n'est pas important. Les parents mal à l'aise pour parler à leurs enfants de la mort trouveront des livres à ce sujet à la bibliothèque ou se feront aider par un membre de la famille, des responsables religieux, du personnel d'hospices communautaires ou par la direction des services funéraires. Les services de conseil aux personnes en deuil sont souvent utiles pour toute la famille, surtout si le chagrin du parent l'empêche de soutenir ses enfants en deuil.

Figure 18.8
Bien sûr, les enfants ayant des besoins spéciaux nécessitent plus de ressources et d'assistance sociale, mais leur amour et leur personnalité unique apportent beaucoup à la famille.

Les familles et les enfants ayant des besoins particuliers

Autrefois, les bébés nés avec de graves complications ou ayant subi des traumatismes à la naissance vivaient rarement plus de quelques semaines ou quelques mois. Aujourd'hui, avec le développement de **technologies salvatrices**, par exemple les couveuses, les respirateurs, les tuyaux et sondes d'alimentation et la médication, les enfants peuvent survivre à diverses complications, dont les naissances prématurées et un faible poids à la naissance, les anomalies congénitales, les traumatismes, les blessures et les maladies.

Alors que l'espérance de vie de ces enfants augmente, les parents sont souvent confrontés à la tâche d'élever un enfant souffrant de troubles du développement, de l'apprentissage, d'une atypie physique ou d'une maladie chronique ou héréditaire.

L'Institut Vanier de la famille a récemment rapporté qu'entre 5 et 20 % des familles canadiennes ont des enfants souffrant de handicaps. Cela représente au moins de 400 000 à plus de 1,5 million de familles. Le handicap est plus que le problème de l'enfant. Il s'agit d'un problème de famille et de société. De plus, il est important de comprendre que « les enfants handicapés influent positivement sur la vie de leur famille et de leur entourage » (McCloskey).

Il faut donc, au Canada, se concentrer non seulement sur les handicaps, mais également sur les aptitudes qui les accompagnent.

La parole aux parents

L'extrait suivant provient de « Voix de famille : Vivre avec un handicap » (2002), publié par l'Institut Vanier de la famille.

Rhonda Grant de Regina

On pourrait dire que nous sommes une famille ordinaire composée de quatre membres. Nous avons une fille de sept ans et un garçon de quatre ans. Ce qui nous sépare des autres c'est que nous avons habité dans cinq provinces et un territoire et qu'un de nos enfants a le syndrome de Down.

Nous avons vécu sur la côte Est et sur la côte Ouest et à plusieurs endroits entre les deux. Nous avons vite constaté que les services, les principes directeurs et l'éducation pour les enfants ayant des incapacités manquent d'homogénéité. Cette situation peut s'avérer très frustrante et surtout nuisible si l'on pense à l'importance de l'intervention précoce pour assurer le meilleur développement des enfants. On ne réussit pas à rattraper le temps perdu. Nous avons besoin de normes nationales.

Il faut davantage mettre l'accent sur l'importance de l'intégration scolaire. L'intégration d'enfants ayant des incapacités dans une classe ordinaire a des avantages pour tout le monde. Si les enfants grandissent aux côtés de leurs camarades handicapés – leur premier contact avec la diversité sociale –, ils les apprécieront et ils ne mettront pas en doute leur valeur en tant que citoyens quand ils grandiront et deviendront des décideurs. La société doit comprendre tout le tableau et les avantages à long terme du soutien aux familles et aux enfants ayant des incapacités.

Ma cousine Jessica a trois ans et elle brille comme le soleil. Ses yeux pétillent chaque fois que je la vois et son sourire illumine la pièce. Jessica est quelqu'un de vraiment très spécial pour moi, parce qu'elle est née avec une trisomie 21 et qu'elle m'a fait comprendre à quel point elle est gentille et tendre.
— Chris, 13 ans, *Transition*

Notre cinquième garçon est autiste... Sam ne réussit pas à se développer de son mieux... Mais je constate des failles profondes dans les soutiens dont il a besoin... Par exemple, malgré un trouble grave de communication, l'année dernière il n'a vu un orthophoniste que pendant 20 minutes par mois. Vingt minutes. Je trouve cela très frustrant, voire intolérable. À mon avis, c'est contrevenir aux lois canadiennes sur les soins de santé universels... Le frère cadet de Sam dit que Sam devrait devenir bibliothécaire quand il grandira. Il aime les livres, garde les choses en ordre et ne fait pas de bruit. J'espère qu'il pourra l'être.
— Teresa et Blair, *Transition*

Élever un enfant ayant des besoins spéciaux comporte de nombreux défis. Toute la vie, on doit s'occuper d'interventions médicales plus nombreuses, par exemple une médication quotidienne, de la physiothérapie ou de l'ergothérapie, des hospitalisations et peut-être même plusieurs interventions chirurgicales. Les soins physiques demandent parfois un équipement particulier, des meubles spécialement conçus et peut-être un environnement hautement sanitaire et stérile. Les efforts supplémentaires à investir pour encourager l'apprentissage et le développement d'un tel enfant exigent souvent des cours particuliers, une formation spéciale et une assistance individuelle. Un enfant ayant des besoins spéciaux requiert l'attention à temps plein d'un parent en plus de l'aide de tous les membres de la famille. Les frères et les sœurs de cet enfant apprennent très tôt à accepter ses limites et trouvent des moyens d'interagir avec lui et même d'aider à s'en occuper. Bien que l'attention puisse se porter plus vers l'enfant ayant des besoins spéciaux, il fait vite simplement « partie de la famille ».

Les parents ont parfois besoin d'une aide extérieure, au-delà des professions médicales. Toutes les collectivités ne disposent pas d'un centre pour enfants proposant des programmes et de l'aide. Les familles doivent parfois déménager pour se rapprocher d'établissements fournissant de l'aide ou parcourir de grandes distances afin de bénéficier des services. Elles peuvent également avoir recours à des services locaux, à des gardes d'enfants spécialisés dans les soins à apporter aux enfants ayant des besoins spéciaux ou à des travailleuses sociales et à des travailleurs sociaux en mesure de faire des activités avec ces enfants.

Certaines collectivités disposent de programmes de « jours de relâche ». Des bénévoles fournissent alors des soins aux enfants ayant des besoins spéciaux afin de permettre aux parents de prendre des congés. Toutes les situations impliquant des enfants ayant des besoins spéciaux sont différentes. L'une des stratégies les plus utiles est de trouver un groupe de soutien constitué de parents vivant les mêmes défis. S'il n'y a pas un tel groupe près de chez eux, les parents en trouveront par le biais d'hôpitaux pour enfants ou d'Internet, ou encore créer leur propre groupe. Parfois, la meilleure manière de s'aider est d'aider les autres.

Vérifie tes connaissances

1. Nomme les agences sociales destinées à aider un parent seul vivant sous le seuil de la pauvreté.
2. Comment est-ce qu'une conseillère ou un conseiller en relations peut venir en aide aux familles ?
3. Décris les effets des technologies salvatrices sur les familles.

Info-carrière

ERGOTHÉRAPEUTE

Les tâches et les responsabilités

Les ergothérapeutes aident les personnes ayant des difficultés physiques, mentales et émotionnelles ou des retards de développement. Il y a des ergothérapeutes qui s'occupent seulement d'enfants.

Les ergothérapeutes conçoivent et mettent en œuvre des programmes pour enfants visant à les aider à développer leurs capacités motrices et à atteindre des étapes de développement. Grâce à un programme thérapeutique, les enfants ayant des troubles d'apprentissage ou d'importants retards peuvent améliorer leur confiance et acquérir des stratégies d'apprentissage adaptées. L'ergothérapie implique un grand nombre d'activités physiques pratiques. Elle amène l'amélioration de compétences de base permettant à l'enfant de vivre une vie plus indépendante et de s'intégrer au système scolaire.

Les ergothérapeutes travaillent généralement avec des médecins, la ou le physiothérapeute de l'enfant, une travailleuse sociale ou un travailleur social et des psychothérapeutes afin de concevoir et d'évaluer des programmes de soins. Leurs tâches administratives ont aussi beaucoup d'importance. Les dossiers compilés par les ergothérapeutes servent souvent lors de procès en guise de preuves de la réhabilitation et du degré d'infirmité d'une personne.

L'environnement de travail

Les ergothérapeutes pour enfants travaillent dans les hôpitaux, les écoles (par exemple, les écoles pour enfants souffrant de surdité ou de cécité), les cabinets privés, les centres communautaires et au domicile des patientes et des patients. Il leur arrive de travailler en soirée ou le week-end. Cette profession est souvent exténuante physiquement et émotionnellement. Des récompenses, soit le développement de la mobilité, de l'indépendance, des compétences de base des patientes et des patients ainsi que l'amélioration de leur santé mentale, expliquent pourquoi les ergothérapeutes aiment leur travail.

La formation et les aptitudes

Les ergothérapeutes ont besoin d'excellentes aptitudes interpersonnelles et de communication. L'ergothérapie est une carrière exigeante faisant appel à un taux élevé d'énergie et à de bonnes aptitudes en résolution de problèmes. La patience, l'optimisme et l'empathie sont des qualités essentielles à la réussite du programme conçu pour une patiente ou un patient.

Un baccalauréat de premier cycle de quatre ans en ergothérapie est la base préalable à l'exercice de cette profession. Ensuite, on recommande une maîtrise en sciences physiques et sociales si on veut avancer dans cette carrière. Pour travailler au Canada, la diplômée ou le diplômé doit réussir l'examen d'agrément de l'Association canadienne des ergothérapeutes.

Les défis du développement des enfants à l'échelle mondiale

Une nation qui néglige ses enfants néglige son avenir.
— Dr Fraser Mustard

Le terme **mondialisation** désigne la conscience accrue de notre appartenance à une réalité qui va bien au-delà de notre famille, de notre collectivité ou de notre pays. Il a également une connotation négative lorsqu'il devient possible d'exploiter le monde entier. Les corporations transnationales ont mis en danger des familles partout parce qu'elles veulent étendre leur marché et obtenir une plus grosse part de l'économie mondiale. La télévision, les communications par satellite et les réseaux informatiques nous apportent le monde à domicile. Grâce aux **technologies électroniques,** telles que la radio à ondes courtes, les agences de transmission, la télévision et Internet, nous nous familiarisons avec la vie des enfants et des personnes qui vivent et travaillent avec eux dans le monde entier.

Les enfants d'autres pays ont des vies difficiles et vivent de terribles réalités. Ils souffrent de la guerre, de la famine, de la surpopulation, de la pauvreté, du travail des enfants et de la malnutrition. Ils subissent d'incroyables traumatismes physiques et psychologiques. Pourtant, ils ont une capacité de survie impressionnante. De nombreux enfants victimes de la guerre ont non seulement vécu l'effroi des attaques et l'horreur de voir de près la mort et la destruction, mais ils ont également perdu leur maison et des membres de leur famille. De très jeunes enfants se retrouvent en orphelinats, dans des camps de réfugiés ou dans la rue à lutter pour leur survie. La peur, l'anxiété et les cauchemars les hantent pendant des années. Ils subissent un choc semblable à celui que les militaires vivent pendant les guerres. Les médecins, les psychothérapeutes et les psychiatres parlent souvent d'un **état de stress post-traumatique.**

Figure 18.9
La pauvreté des enfants est une préoccupation globale. Dans de nombreux pays, le niveau de pauvreté est bien plus grave qu'au Canada.

Dans beaucoup de pays, le niveau de pauvreté dépasse grandement celui du Canada. Le manque d'eau courante, la surpopulation et l'itinérance sont communs dans bien des endroits. Dans certains pays, les familles vivent dans des décharges publiques au milieu des déchets des riches et y trouvent de quoi vivre. La famine survient lorsque des sécheresses ou des crues détruisent les récoltes. La famine engendre la malnutrition, l'inanition et la mort d'adultes et d'enfants. L'épidémie de sida tue adultes et enfants dans le monde entier.

Les enfants survivent comme ils peuvent. Il y en a beaucoup qui travaillent pour quelques sous par jour dans des conditions choquantes. Ils risquent leur vue, leur ouïe, leur vie et leurs membres dans des pays où aucune loi sur le travail des enfants ne les protège. D'autres encore se tournent vers la prostitution, le vol ou la mendicité pour assurer leur survie au jour le jour.

Il est difficile de prévoir ce que l'avenir apportera aux enfants vivant ces réalités. Les gens, les gouvernements et de nombreuses organisations se demandent ce qu'on peut faire pour améliorer la situation des enfants du monde, y compris au Canada.

Les facteurs socioéconomiques et le développement humain

Durant les années 1990, les Canadiens Daniel Keating, Clyde Hertzman, Margaret McCain et Fraser Mustard ont étudié la manière dont les facteurs sociaux et économiques interagissent avec le développement humain.

La nurturance que les enfants reçoivent tôt dans leur vie a une grande influence sur leur santé, leur bien-être et leurs compétences à venir. Les familles qui connaissent un déclin de leur statut socioéconomique ont plus de difficulté à fournir les soins et l'attention dont leurs enfants ont besoin.

Cependant, les études en neurosciences et en développement du cerveau indiquent que les enfants pauvres qui reçoivent des stimulations tôt dans leur vie manifestent de meilleurs niveaux de développement malgré leur situation économique. « Les personnes élevées par des parents peu conscients des besoins de l'enfant seront plus susceptibles d'être de mauvais parents et de perpétuer le cycle. Cela ne veut pas dire pour autant qu'elles deviennent toutes de mauvais parents, mais que celles qui ont reçu peu d'attention éprouvent des difficultés accrues à acquérir les compétences parentales puisqu'elles n'ont pas eu de modèle à suivre, tiré de leur propre enfance. Le soutien aux parents peut combler ces lacunes. » (McCain et Mustard, 1999) Les programmes et l'aide aux parents qui encouragent la mise en place d'un environnement interactif et favorable à une bonne éducation peuvent promouvoir le développement, peu importe le niveau de revenu, et améliorer le bien-être futur de la société.

Les personnes élevées par des parents peu conscients des besoins de l'enfant seront plus susceptibles d'être de mauvais parents et de perpétuer le cycle.
— Margaret McCain et Fraser Mustard

Les changements et les bouleversements sociaux ne touchent pas seulement l'Amérique du Nord, mais le monde entier. Les conditions mondiales exercent plus de pression sur les familles avec de jeunes enfants. Dès lors, leurs besoins en services de garde et de soutien aux parents augmentent. Si on n'investit pas aujourd'hui dans l'enfance, une génération entière connaîtra une baisse du niveau de santé, de bien-être et de productivité. Les institutions et les politiques sociales doivent changer partout afin de faire face aux problèmes du développement humain.

Il faut mettre en place des programmes bien conçus afin de fournir une stimulation sensorielle aux jeunes enfants et afin de soutenir les parents, surtout ceux à faible revenu. Les gouvernements doivent consacrer davantage de ressources au développement de la petite enfance et adopter des politiques mettant l'accent sur les enfants pour assurer le bien-être futur de toutes les nations.

Diverses initiatives pourraient aider les pays à se préparer à répondre aux nouveaux défis mondiaux qui attendent les parents et les enfants, notamment des programmes d'adoption de petits-enfants, des centres de ressources communautaires, l'accès à une éducation au rôle parental et un meilleur accès aux centres et aux programmes consacrés à la petite enfance. Partout, on doit fournir et encourager des soins, de l'attention, une stimulation sensorielle, des interactions humaines et des pratiques parentales de confiance.

Investir dans la petite enfance et les programmes parentaux

À l'heure actuelle, on doit faire face à de nombreuses inquiétudes relatives aux enfants de notre société. Les soins aux enfants, l'éducation au cours de la petite enfance et le rôle parental préoccupent de nombreuses associations qui reconnaissent l'importance d'investir dans l'enfance. Selon l'Ontario Coalition for Better Child Care, le fait d'investir dans l'enfance permet une réduction directe des coûts sociaux.

La réduction des coûts sociaux

Le gouvernement canadien commence à financer davantage des programmes consacrés à la petite enfance en raison des bénéfices gagnés en matière de réduction de dépenses sociales, comme les soins de santé, les services de bien-être de l'enfance, l'instruction, la police et les prisons. Les enfants qui participent à des programmes de développement de la petite enfance de qualité offrant des jeux axés sur l'enfant et un environnement propice à l'apprentissage arrivent à l'école « disposés à apprendre ». Ils manifestent des aptitudes langagières et mathématiques supérieures, sont plus aptes à se concentrer sur leurs tâches scolaires, ont moins recours à des programmes ultérieurs d'orthopédagogie, sont davantage capables de suivre les instructions des adultes et montrent plus d'empathie envers leurs pairs. Ces bénéfices se retrouvent chez tous les enfants, qu'un parent soit ou non à domicile à temps plein.

Le fait d'investir dans l'enfance permet entre autres choses une réduction directe des coûts sociaux.

❖ Liens

1. À la Réunion des premiers ministres tenue à Ottawa en septembre 2000, le gouvernement fédéral ainsi que les provinces et les territoires ont défini un ordre du jour national concernant les enfants, l'Entente fédérale-provinciale-territoriale sur le développement de la petite enfance. Ils ont engagé 2,2 milliards de dollars auprès des provinces et des territoires, de 2000 à 2005, afin d'aider les initiatives concernant les premières années de l'enfance. Par cet accord, les provinces et les territoires s'engagent à dépenser leur part de cette somme dans certains ou dans tous les domaines suivants :
   - la promotion de grossesses, de naissances et de petites enfances saines ;
   - l'amélioration de l'assistance aux parents et aux familles ;
   - le renforcement du développement et des soins au cours de la petite enfance ;
   - le renforcement de l'assistance communautaire afin d'améliorer les soins et le développement au cours de la petite enfance.

   Fais une recherche pour savoir ce que ta province ou ton territoire a fait avec les sommes reçues en vertu de cette entente. Est-ce que ta province ou ton territoire a favorisé un des quatre domaines ? Si oui, lequel ? Analyse la situation actuelle de ta province ou de ton territoire relativement à cet accord. Que peux-tu faire en tant que citoyenne ou citoyen et peut-être parent à venir afin d'encourager encore ces efforts ?

Des études continuent à fournir les preuves d'un besoin grandissant en services pour enfants, en éducation de la petite enfance et en soutien pour les familles ayant de jeunes enfants. Mises ensemble, ces preuves constituent des arguments irréfutables en faveur d'un soutien.

Des programmes de développement infantile complets

Kerri McCuaig et Dan Keating discutent de soins universels pour les enfants

Malgré le nombre croissant de preuves tentant de le démontrer, les programmes universels de soins à l'enfance et de développement infantile ne reçoivent pas le soutien qu'ils devraient. De nombreux domaines et secteurs doivent encore fournir une aide adéquate. Il y a pourtant des réussites. Selon McCuaig et Keating (2000), deux autorités en matière d'enfance, la province de Québec propose un programme complet de services pour enfants. Le Québec octroie des allocations de congés parentaux et de maternité pour les personnes employées ou autonomes qui remplacent 70 % de leur revenu. Ses conseils scolaires fournissent aux enfants de cinq ans et plus l'école toute la journée, des services de garde avant et après l'école et pendant les vacances. Pour les enfants de moins de cinq ans, les centres de la petite enfance proposent un cadre en groupe ou dans un foyer agréé, permettant l'avantage d'horaires flexibles et coûtant seulement cinq dollars par jour. Les familles à faible revenu reçoivent des subventions. Que des mères faisant partie ou non de la population active demandent ces aides suggère que les programmes québécois proposent plus que des services de garde, ils permettent aux enfants de se développer.

Un cadre intégré

McCuaig et Keating exigent des programmes complets identiques dans tout le Canada. Quand les services pour enfants relèvent de différents ministères et organisations, ils deviennent difficiles d'accès. Si les familles n'avaient qu'un seul enfant, ce serait moins compliqué. La réalité est qu'elles ont souvent deux, trois enfants ou plus, chacun ayant besoin de services différents. Si on rassemblait tous les services sous une même autorité, ils deviendraient bien plus accessibles. Les enfants et les familles en bénéficieraient, car l'attention se tournerait vers le développement des enfants et ses effets positifs à long terme sur la société. McCuaig et Keating pensent que les services de développement de la petite enfance pourraient combiner leurs forces et répondre à tous les problèmes liés au développement au cours de la petite enfance, comme le montre la figure 18.10 à la page 458.

■ Le bénéfice d'un cadre intégré pour les services destinés aux enfants serait la concentration de l'attention sur le développement des enfants. Cela aurait des conséquences positives à long terme sur la société.

Un cadre intégré

Figure 18.10
Quelques éléments contribuant à un développement sain au cours de la petite enfance.

Le rôle essentiel de l'éducation au rôle parental

L'éducation au rôle parental est une matière scolaire depuis peu de temps au Canada et résulte de plusieurs changements sociaux. Les rôles des parents ont changé au cours des dernières décennies. Durant les années 1980, la présence des pères lors de la naissance de leurs enfants était devenue normale. Les styles de pratiques parentales ont divergé des modèles autoritaires. Les rôles des hommes et des femmes ont changé au travail et dans les familles.

Dans les écoles canadiennes, des cours réservés depuis longtemps aux garçons ou aux filles se donnent dorénavant aux élèves des deux sexes. Les cours traitant du développement infantile, qui faisaient partie de l'économie familiale, ont évolué et s'adressent désormais à un public mixte.

À la fin des années 1970 et au début des années 1980, on a proposé des cours sur l'art d'être de bons parents et des formations au rôle de parents dans tout le Canada afin de répondre aux besoins d'une société en évolution et à une demande accrue d'instruction en techniques parentales. Aujourd'hui, on peut voir les bénéfices d'une éducation au rôle parental. On a constaté un déclin du recours aux punitions corporelles, un intérêt grandissant vers le développement optimal des enfants et une augmentation de l'engagement parental des hommes et des femmes.

La parole aux parents

L'importance de l'éducation au rôle parental

Beverley Murray est conseillère en économie domestique et consultante dans le secteur privé.

À moins de prendre consciemment la décision de changer, les parents ont recours aux mêmes pratiques parentales envers leurs enfants que celles que leurs propres parents ont utilisées. La majorité des parents souhaitent ce qu'il y a de meilleur pour leurs enfants, mais s'ils ne disposent pas d'aptitudes efficaces ni de connaissances sur lesquelles baser leurs pratiques parentales, ils se fieront à leur « instinct » et c'est ainsi que les mauvaises habitudes des parents se transmettent aux enfants, de génération en génération.

L'éducation au rôle parental est une manière efficace pour la jeune génération d'acquérir des connaissances et des aptitudes qui fourniront à leurs enfants un meilleur environnement de développement que ce qu'ils ont connu eux-mêmes lorsqu'ils étaient enfants. Les enfants en vivront directement les avantages, car leurs parents leur enseigneront comment être des adultes plus heureux, plus productifs et plus équilibrés. Cette initiative continuera à influer positivement sur leurs propres enfants et sur ceux des générations suivantes. Grâce à une éducation au rôle parental pour tout le monde, chaque génération de parents continuera à améliorer ses connaissances et ses aptitudes, ce qui lui permettra de rester au courant des meilleures pratiques.

Toute la société canadienne tirera aussi profit des programmes d'éducation au rôle parental. De meilleures pratiques parentales réduiront les besoins en programmes de soutien aux enfants, amélioreront la santé des personnes de tous âges, réduiront les coûts sociaux et économiques pour la société entière et augmenteront la productivité de toutes les citoyennes et de tous les citoyens.

Il est vital que tous les membres de la société canadienne reconnaissent l'importance de l'éducation au rôle parental et qu'ils soutiennent ces efforts. Ainsi, tous les enfants seront bien éduqués et le rôle parental sera une activité respectée à laquelle participeront des adultes bien préparés et une collectivité coopérante. Les aptitudes et les connaissances relatives aux pratiques parentales efficaces ne sont pas seulement importantes à domicile. Tout adulte interagissant avec un enfant influe sur son développement de façon positive ou négative. Plus le lien émotionnel est fort, plus l'effet est grand. Même les adultes n'ayant pas de contacts directs avec des enfants influent sur leur vie par les décisions qu'ils prennent dans les écoles, les collectivités et à tous les échelons du gouvernement.

Figure 18.11
Beverley Murray.

■ Toute la société canadienne bénéficiera directement des programmes d'éducation au rôle parental.

Figure 18.12
L'éducation au rôle parental te fait découvrir la façon dont tu peux être un meilleur parent pour tes enfants.

❖ Vérifie tes connaissances

1. Quelles ont été les conséquences négatives de la mondialisation sur les enfants et les familles ?
2. Comment les enfants canadiens pourraient-ils bénéficier de chacun des quatre domaines de l'Entente fédérale-provinciale-territoriale sur le développement de la petite enfance ?
3. Décris les bénéfices immédiats et à long terme d'une éducation au rôle parental.

Les parents d'aujourd'hui et de demain qui reçoivent une éducation formelle au rôle parental comprennent les nombreux défis liés au rôle parental. Ils apprennent la manière de contribuer à la grossesse la plus saine, à la meilleure expérience d'accouchement possible et aux plus importantes années de la vie et du développement de leurs enfants. Ils apprennent diverses façons d'enseigner à leurs enfants et de les encourager et ils possèdent tout un répertoire de techniques parentales. L'éducation au rôle parental permet de découvrir la façon dont tu peux être un meilleur parent pour tes enfants.

Si tu as choisi de suivre les cours de rôle parental, félicitations ! Tu te tournes vers l'avenir.

Résumé

Points marquants

- L'évolution rapide des familles et de la société ont fait des enfants la responsabilité de tout le monde.
- Les parents, les personnes qui s'occupent des enfants et celles qui travaillent auprès d'eux ont des responsabilités légales et sociales envers les enfants.
- Le domaine qui concerne le plus notre société aujourd'hui est l'obligation de fournir des services de garde d'enfants abordables, accessibles et de qualité pour tous les enfants canadiens.
- Les deux principaux types de services de garde d'enfants disponibles sont les services de garde en milieu familial et les centres de la petite enfance. Tous les services de garde en milieu familial ne sont pas agréés, mais tous les centres de la petite enfance doivent l'être.
- Les services sociaux sont responsables de fournir une « communauté d'assistance » aux familles qui vivent des crises familiales, la désintégration de la famille ou un décès au sein de la famille.
- Les familles avec des enfants ayant des besoins spéciaux nécessitent des services procurant l'aide et les soins essentiels que la famille ne peut pas fournir seule.
- Chaque enfant et chaque situation demandant des soins spéciaux diffère et appelle des stratégies uniques. Le financement et le soutien du gouvernement, d'organisations, de bénévoles et d'autres parents sont essentiels.

- Les enfants du monde entier doivent relever de nombreux défis, dont la guerre, la famine, la pauvreté, le travail des enfants et d'autres situations menaçant leur vie.
- La mondialisation a attiré notre attention sur les mauvaises conditions de vie des enfants du monde. Les initiatives qui font passer les enfants avant tout et qui contribuent positivement à leur développement précoce donneront leurs fruits à l'avenir.
- Il est important d'investir dans l'enfance en fournissant des services de garde universels et abordables ainsi qu'une éducation précoce et en intégrant les programmes sociaux afin de les rendre plus accessibles aux parents et à tous les enfants, et ce, pour le bien de la société de l'avenir.
- On peut améliorer la vie des enfants en reconnaissant l'importance de l'éducation au rôle parental.

Révision et approfondissement

1. Compare les obligations légales et les attentes sociales des parents et des personnes qui s'occupent des enfants. R/R
2. Au moins un expert aurait déclaré que mal s'occuper d'un enfant était pire que de ne pas s'en occuper du tout, en regard des conséquences sur l'enfant. Es-tu d'accord ou non avec cet énoncé ? Explique ton raisonnement. C/C R/R
3. Les parents devraient toujours choisir un service de garde d'enfants qui partage leur philosophie parentale. Rédige un essai d'une page qui expliquera pourquoi c'est important. C/C R/R C
4. Compare les avantages d'un service de garde en milieu familial avec ceux d'un centre de la petite enfance. Pourquoi les parents choisiraient-ils l'un plutôt que l'autre ? C/C R/R
5. Passe un peu de temps avec une personne ayant des besoins spéciaux dans ta collectivité ou dans ton école. À partir de ton expérience, propose des stratégies permettant de répondre aux besoins spéciaux d'un enfant dans des contextes réels. Par exemple, tu peux aller à un match de base-ball, jouer au parc, aller à la piscine, jouer à des jeux, aller magasiner ou aider dans une classe d'éducation spécialisée. Évalue la qualité de tes stratégies. C/C R/R C A
6. À l'aide de l'information tirée de l'entretien avec Bruce Rivers et de tes propres recherches, rédige une proposition visant à résoudre les problèmes liés aux services de garde d'enfants. R/R C A
7. À partir du texte de Beverley Murray, rédige une publicité visant à convaincre la population de l'importance de l'éducation au rôle parental. C A
8. De bien des façons, « les enfants et adultes handicapés influent positivement sur la vie de leur famille et de leur entourage » (Donna McCloskey, *Transition*). Explique cet énoncé. Concentre-toi sur les capacités de personnes souffrant d'infirmités. C/C R/R C A

Recherche

9. Les gardes d'enfants à domicile s'occupent des enfants au domicile de ces derniers. Cherche les coûts, les avantages et les inconvénients d'un service de garde d'enfants à domicile.

Ce service est-il une option valable en comparaison des services de garde en milieu familial et aux centres de la petite enfance ?

10. Essaie de prendre de l'expérience dans le secteur des services sociaux. Le gouvernement et des contributions privées financent les services sociaux. Faire du bénévolat dans un centre communautaire, répondre au téléphone pour un service social, travailler dans un centre de la petite enfance ou surveiller des enfants lorsque les parents participent à des réunions communautaires peuvent enrichir toute personne intéressée par une profession dans le secteur des services sociaux.
    - Trouve qui fournit des services sociaux dans ta collectivité.
    - Trouve comment tu pourrais faire du bénévolat ou vivre une expérience professionnelle dans ces organisations.
    - Assure-toi d'obtenir une preuve de ton nombre d'heures de bénévolat.
    - Si tu prévois utiliser ton expérience de bénévolat comme référence, assure-toi d'en demander d'abord l'autorisation.

11. Passe en revue les informations disponibles sur un handicap spécifique aux enfants. Présente tes conclusions selon les en-têtes suivants :
    - les caractéristiques ;
    - les soins et l'attention envers les enfants ;
    - les récompenses et les défis pour les familles.

    Rappelle-toi d'inclure une introduction, une conclusion et une liste des références citées dans ton étude.

12. Fais une recherche dans Internet, par exemple sur le site de Statistique Canada ou du Conseil canadien de développement social, pour trouver des statistiques reflétant l'état des familles et des enfants au Canada aujourd'hui. Rassemble des statistiques sur les mères faisant partie de la population active, le nombre d'enfants ayant besoin de services de garde, le nombre d'enfants bénéficiant de ces services et le nombre de programmes de services de garde qui promeuvent le développement précoce. À partir de ces statistiques, rédige un essai en faveur de l'augmentation des financements pour les services de garde et de l'assistance sociale pour les parents de jeunes enfants.

13. Dans Internet, trouve les écoles canadiennes qui donnent des cours sur le rôle parental et le développement humain. À quel niveau d'études donne-t-on ces cours ? Comment appelle-t-on ces cours ? Avec des punaises, situe les emplacements sur une carte du Canada.

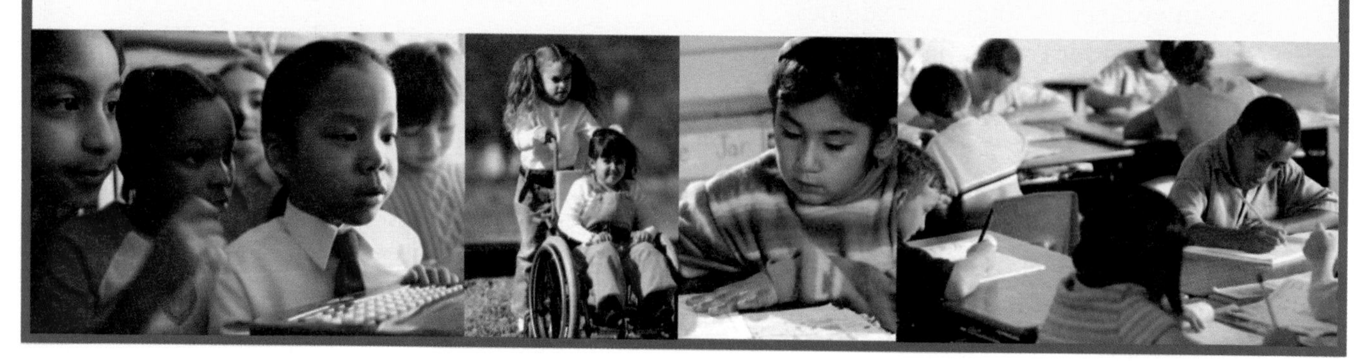

Annexe

Les pages suivantes sont issues du livret : *L'avenir de votre enfant dépend de vous et de tous : un guide-ressources pour les cinq premières années.* Ce livret est publié par Investir dans l'enfance, une organisation sans but lucratif qui se consacre au sain développement social, émotionnel et intellectuel de l'enfant âgé de zéro à cinq ans.

LES BASES DU DÉVELOPPEMENT DE L'ENFANT

Développement émotionnel.
Un enfant se développe bien sur le plan émotionnel s'il peut exprimer et gérer un registre complet d'émotions : joie, tristesse, colère... D'autres qualités suivront alors, l'empathie, la vitalité, l'estime de soi, la confiance en soi, la capacité à prendre soin des autres et à faire face aux défis de la vie.

Un enfant restera dans sa coquille ou chantera au réveil chaque matin.

Les enfants écoutés et aimés seront confiants et feront preuve d'empathie. Élevés dans un climat de sécurité, nos tout-petits apprendront à relever les défis de la vie avec assurance et enthousiasme. Aidons-les à prendre un bon départ dans la vie en leur assurant un nid douillet.

Un enfant sera emporté au premier coup du sort ou aura de solides racines.

Pour bien grandir, une jeune pousse a besoin de soins et de soutien. Il en va de même des tout-petits, qui auront besoin de sécurité et d'encouragements, en particulier au cours des cinq premières années de leur vie. Entourés, cajolés et rassurés, nos enfants apprendront à plier sans se briser, à s'adapter au changement et à se relever après l'épreuve. Aidons-les à grandir en beauté.

Développement social.
Un enfant se développe bien sur le plan social s'il peut se faire des amis, s'entendre avec son entourage, travailler en équipe et être un bon leader. Tout cela repose sur sa confiance en lui, son esprit de collaboration et sa capacité à faire confiance.

Un enfant végétera dans l'ombre ou s'épanouira dans la lumière.

L'avenir d'un enfant dépend des graines que nous aurons semées durant les cinq premières années de sa vie. Le simple fait de parler, de chanter ou de faire la lecture à un enfant dès sa naissance est déterminant pour son avenir. L'intelligence ne pousse pas dans les arbres, mais elle mûrira si on la nourrit d'amour et de stimulation.

Développement cognitif.
Un enfant se développe bien sur le plan cognitif s'il peut communiquer, penser de façon créative et abstraite, se concentrer, résoudre des problèmes et faire preuve de jugement et du désir d'apprendre.

Rassurer, jouer, enseigner : les bases de l'éducation

L'enfant ne naît pas avec un mode d'emploi. Les recherches démontrent qu'il n'y a pas de méthode universelle, ni de potion magique pour transformer notre enfant en un adulte épanoui et déterminé. Certaines approches, cependant, ont prouvé leur efficacité. Ainsi, ces trois grandes bases peuvent aider un enfant à partir du bon pied dans la vie.

RASSURER :

Le bébé ou le jeune enfant n'a que peu de ressources pour se sécuriser lui-même. Il a besoin de nous pour le réconforter lorsqu'il est malade, fatigué, contrarié ou en colère. Durant les cinq premières années de sa vie, il a besoin des adultes pour lui apprendre graduellement à gérer ses émotions et à demander de l'aide.

JOUER :

Il est important que l'enfant joue. C'est par le jeu que le tout-petit apprend à se connaître et à découvrir les autres. Durant les cinq premières années de sa vie, l'enfant a besoin que ses parents et son entourage jouent avec lui et partagent des moments de pur plaisir, spontanés et sans contraintes.

ENSEIGNER :

À sa naissance, l'enfant n'a presque aucune notion de ce qui est sécuritaire ou important. Jusqu'à l'âge de cinq ans, il compte sur ses parents et sur son entourage pour lui dicter les règles de sécurité et de respect des autres. Les éducateurs, parents ou autres, doivent donc lui apprendre les conséquences de ses gestes et le guider sur le plan moral en accord avec son âge et son tempérament. À la naissance, l'enfant n'a pas non plus cette capacité de se stimuler intellectuellement. Il a besoin des adultes pour lui apprendre à penser à trouver des solutions à ses problèmes et à communiquer.

Ces trois bases du développement s'inscrivent généralement dans le cadre des activités quotidiennes de l'enfant, à la maison ou à la garderie.

La plupart des adultes peuvent combler l'un de ces trois besoins. Il n'est pas nécessaire que chacun d'eux réponde « parfaitement » aux trois ! L'enfant qui grandit dans un milieu où les parents et autres personnes de son entourage se partagent ces besoins fondamentaux évoluera très bien.

Ce qu'il faut se rappeler, c'est que l'enfant a besoin d'être exposé à ces trois dimensions essentielles de l'éducation.

VOTRE ENFANT DE LA NAISSANCE À 6 MOIS

**Du nouveau-né au bébé :
les grands pas de son développement**

Social

Votre enfant peut déjà :

- Réagir à son image dans un miroir
- Tendre un jouet à quelqu'un
- Rendre un sourire à quelqu'un
- Tenter d'imiter des mimiques et des gestes

Votre enfant commence à :

- Être troublé par la présence d'étrangers
- Reconnaître le mot « non »
- Réclamer l'aide de ses parents
- Prendre plaisir à jouer à des jeux de cache-cache

Cognitif

Votre enfant peut déjà :

- Prendre plaisir à examiner et à frapper des objets
- Rester bien éveillé deux heures d'affilée
- Modifier l'apparence des objets en les retournant ou en les éloignant

Votre enfant commence à :

- Chercher un objet que l'on a caché
- Se rappeler qu'un objet est caché et le chercher
- Chercher un objet tombé
- Découvrir le plaisir des pitreries
- Utiliser plus d'un sens à la fois

Langage

Votre enfant peut déjà :

- Pleurer
- Exprimer sa joie en gloussant et en vocalisant
- Commencer à combiner les voyelles et les consonnes
- Émettre des consonnes : f, v, b, s, ch, z, m, n
- Moduler le volume, le ton et le rythme de ses vocalisations

Votre enfant commence à :

- Babiller
- Répondre à certains mots (comme « non, non »)
- Imiter deux ou trois gestes familiers comme dans la chanson « Tape, tape, tape »
- Réagir à son nom

Émotionnel

Votre enfant peut déjà :

- Commencer à se calmer seul après une contrariété
- Exprimer plusieurs émotions : tristesse, colère, joie et excitation
- Chercher ses parents et leur toucher le visage, comme pour le mémoriser
- Changer rapidement d'humeur

Votre enfant commence à :

- Adopter un toutou ou un jouet avec lequel il dort toujours
- Dormir plus longtemps la nuit

Motricité globale

Votre enfant peut déjà :

- Se tenir assis avec un simple appui léger
- Lever la tête et se mettre en position assise si on lui tient les mains
- Se retourner sur le ventre et sur le dos
- Tourner librement la tête
- Sautiller assis dans une chaise

Votre enfant commence à :

- Prendre appui sur ses pieds lorsqu'on le tient en position debout
- Faire des mouvements de pas
- Se placer en position de ramper
- « Danser » en élevant une jambe bien droit dans les airs

Motricité fine

Votre enfant peut déjà :

- Bouger un objet d'une main à l'autre
- Tenir un jouet déposé dans ses deux mains
- Frapper une cuiller placée dans sa main
- S'agripper à une table
- Atteindre et prendre à pleines mains un objet

Votre enfant commence à :

- Transférer un jouet d'une main à l'autre
- Laisser tomber ses jouets
- Jeter ses jouets volontairement
- Tenir deux blocs et en chercher un troisième
- Tourner le poignet pour faire pivoter un objet ou le manipuler

VOTRE ENFANT DE LA NAISSANCE À 6 MOIS

Jeux et activités pour vous et votre bébé

RASSURER

Le simple fait de voir votre visage ou un visage familier, de sentir le contact de vos mains ou d'entendre votre voix inspire à l'enfant un sentiment de bien-être et de sécurité, et l'impression que son nouvel environnement est prévisible, réactif et chaleureux.

Cajolez votre enfant. Vous répondez ainsi à son besoin de contact et de bien-être.

Lorsque votre bébé vous regarde accomplir vos tâches quotidiennes, il s'amuse, découvre et se sent en sécurité auprès de vous.

Massez doucement votre bébé. Ce faisant, vous l'apaisez tout en lui communiquant amour, sécurité et réconfort.

JOUER

Jouez à cache-cache ! Vous développez sa mémoire des objets et des gens. Comme tous les petits, votre enfant raffolera aussi du jeu « Je vais t'attraper ! ». Hurlements de plaisir assurés.

Faites sauter ou bercez doucement votre enfant sur vos genoux au son de la musique provenant de la radio ou de la télé. À travers les mouvements de son corps, il s'éveille au rythme.

ENSEIGNER

Les chansons et les comptines, par leur caractère répétitif et mélodieux, procurent à l'enfant plaisir et bien-être, surtout lorsqu'elles sont chantées par une voix familière. Tout peut être prétexte à une petite chanson : le changement de couche, l'allaitement, le bain...

Agitez des jouets qui font du bruit. Stimulants et amusants, ils encouragent votre bébé à essayer d'attraper de nouveaux objets pour découvrir le son qu'ils font lorsqu'il les secoue.

L'avenir de l'enfant se joue avant l'âge de cinq ans[MC].

Préparé par Sarah Landry, Ph.D., Hincks-Dellcrest Institute, conseillère auprès de la Fondation Investir dans l'enfance.

VOTRE ENFANT DE 6 À 18 MOIS

De la dépendance à l'indépendance : les grands pas de son développement

Social

Votre enfant peut déjà :
- Manger seul, mais pas encore proprement
- Imiter les autres
- Boire à la tasse
- Refuser de partager
- Contester les limites établies
- Faire preuve d'égocentrisme et penser que le monde tourne autour de lui

Votre enfant commence à :
- Relever son pantalon
- Jouer aux côtés d'un autre enfant

Langage

Votre enfant peut déjà :
- Dire quelques mots
- Montrer ce qu'il veut à l'aide de gestes
- Comprendre des instructions simples
- Exécuter un ordre

Votre enfant commence à :
- Écouter une histoire
- Chanter
- Comprendre plus de mots qu'il n'en dit

Motricité globale

Votre enfant peut déjà :
- Marcher seul
- Monter et descendre un escalier en tenant quelqu'un par la main
- Lancer un ballon
- Passer de la position debout à assise
- « Danser » au son de la musique
- Se promener sur un jouet à roulettes

Votre enfant commence à :
- Faire quelques pas à reculons
- Faire quelques pas de côté
- Courir
- Sauter et grimper
- S'asseoir seul sur une petite chaise

Cognitif

Votre enfant peut déjà :
- Pointer les parties du corps
- Commencer à jouer à faire semblant
- Initier des activités
- Prendre conscience que les choses existent même s'il ne les voit pas

Votre enfant commence à :
- Classer et jumeler des objets
- Distinguer les couleurs et les formes
- Prendre conscience du temps et de la signification de « quand nous retournerons à la maison », « pas maintenant » et « demain ».

Émotionnel

Votre enfant peut déjà :
- Être curieux et « embarquer » dans ce qu'il fait
- Affirmer son individualisme
- Être réfractaire au changement
- Être sujet à des changements d'humeur et à des accès de colère

Votre enfant commence à :
- Se concentrer sur une activité pendant un certain temps
- Se préoccuper des autres

Motricité fine

Votre enfant peut déjà :
- Placer dix cubes dans un gobelet
- Prendre des objets entre le pouce et l'index
- Tenter de ramasser de petits objets
- Empiler trois ou quatre blocs
- Tourner les pages d'un livre
- Griffonner
- Remplir et vider des contenants

Votre enfant commence à :
- Plier une feuille de papier
- S'attaquer à des casse-tête simples
- Reproduire des lignes simples dessinées sur une feuille

VOTRE ENFANT DE 6 À 18 MOIS

Jeux et activités pour vous et votre bébé

RASSURER

Explorez avec votre enfant le monde des émotions. Montrez-lui des photos de gens exprimant différents sentiments et humeurs : il deviendra plus sensible aux autres.

Multipliez les mots d'encouragement : « bravo » ou « c'est vraiment bien ». En plus d'être réconfortants, ces mots aident à développer chez l'enfant la confiance en soi et l'autonomie.

JOUER

Les jeux de mouvements font prendre conscience à l'enfant de son individualité et de sa force physique. Danser, utiliser des jouets sur roues, faire des sauts de grenouille, jouer à des jeux d'imitation comme « Jean dit » ou encore suivre les pas de la chanson « Je fais le boogie-woogie » sont autant de façons de développer les habiletés et la conscience de soi.

ENSEIGNER

Toutes les activités associées au langage, lecture, chansons et comptines, permettent à votre enfant de se familiariser avec les sons et les mots courants. En faisant sauter votre enfant sur vos genoux, chantez-lui des chansons ou jouez avec lui. Vous pouvez, par exemple, imiter le cri d'un animal et lui montrer une illustration qui l'aidera à associer le son à l'animal et à son nom. Faites de même avec des objets courants.

Reprenez souvent les mêmes chansons et comptines. L'enfant, peu à peu, apprend à reconnaître les mots et les sons qu'il entend souvent.

Les jeux de mains et de doigts aident l'enfant à se concentrer sur le rythme des mots. Il tentera aussi d'imiter le geste. Allez-y avec les grands classiques : « Ainsi font font font les petites marionnettes », « Le pouce part en voyage » ou « Un deux trois, ma petite vache a mal aux pattes ». Ils ont toujours autant de succès.

L'avenir de l'enfant se joue avant l'âge de cinq ans[MC].

Préparé par Sarah Landry, Ph.D., Hincks-Dellcrest Institute, conseillère auprès de la Fondation Investir dans l'enfance.

VOTRE ENFANT DE 1 ½ À 2 ½ ANS

Des tout premiers pas aux terribles deux ans : les grands pas de son développement

Social

Votre enfant peut déjà :
- Jouer avec plaisir aux côtés d'un autre enfant
- Mordre, frapper ou tirer les cheveux dans ses moments de frustration
- Sur une photo, se reconnaître et reconnaître les membres de sa famille
- Être conscient des différences entre les sexes

Votre enfant commence à :
- Partager un aliment
- Attendre son tour dans une chanson ou un jeu
- Être propre

Langage

Votre enfant peut déjà :
- Désigner au moins une partie du corps
- Nommer des objets dans un livre
- Répéter des mots
- Construire des phrases de deux à quatre mots
- Exécuter des ordres simples

Votre enfant commence à :
- Chanter des chansons simples
- Utiliser des pronoms personnels comme « mien », « moi » et « tu »
- Exprimer verbalement ses sentiments (ex. : je suis fâché)
- Utiliser correctement des mots plus longs

Motricité globale

Votre enfant peut déjà :
- Courir sans tomber
- Marcher à reculons et de côté
- Grimper sur les meubles
- Monter un escalier en alternant les jambes
- Marcher sur une ligne
- Insérer des gobelets et des cubes les uns dans les autres

Votre enfant commence à :
- Envoyer un ballon d'un coup de pied
- Faire quelques pas sur la pointe des pieds
- Lancer et rapporter des objets
- Sauter sur place en soulevant les deux pieds de terre
- Faire du tricycle

Cognitif

Votre enfant peut déjà :
- Comprendre les notions « aujourd'hui » et « bientôt », mais pas « hier »
- Nommer les parties du corps
- Jouer à des jeux de rôles avec d'autres

Votre enfant commence à :
- Compter jusqu'à cinq
- Jumeler des objets familiers parmi un choix d'objets
- Comprendre le concept d'unicité
- Grouper des objets en fonction de leur forme ou de leur taille

Émotionnel

Votre enfant peut déjà :
- Être séparé de ses parents pour un bref moment sans être trop perturbé
- Ressentir des peurs et se laisser apaiser
- Vouloir imposer ses volontés la plupart du temps
- S'attacher à une peluche ou à un jouet en particulier
- Être contrarié par tout changement de routine

Votre enfant commence à :
- Écouter et exécuter des directives simples
- Nommer diverses émotions et apprendre à les reconnaître chez les autres

Motricité fine

Votre enfant peut déjà :
- Dévisser le couvercle d'un pot
- Tracer une ligne verticale
- Construire des tours de cinq blocs
- Réaliser des casse-tête encartés simples

Votre enfant commence à :
- Tenir un crayon à pleines mains
- Tenir un pinceau et peindre sur une feuille
- Découper à l'aide de petits ciseaux
- Enfiler des perles
- Plier une feuille en deux par imitation

VOTRE ENFANT DE 1 1/2 À 2 1/2 ANS

Jeux et activités pour vous et votre enfant

RASSURER

Les jeux où chacun joue à tour de rôle et les chansons comme « Dans la ferme à Maturin » aident votre enfant à attendre son tour et à développer son esprit de coopération.

Prévoyez du temps avec votre enfant pour lui permettre de parler de sa journée, de ses impressions. Il vous faudra sans doute l'aider en lui suggérant des mots, le temps qu'il acquière davantage de vocabulaire.

JOUER

Jeux de rôles : Garnissez un coin de toutes sortes d'objets qui stimuleront votre enfant à « faire semblant ». Entrez dans ses jeux à l'occasion. Ces jeux de rôles aident certains enfants à explorer et à exprimer leurs sentiments.

Jeux sensoriels : Stimulez le sens du toucher de votre enfant en l'invitant à toucher divers objets tels qu'une brosse, un jouet à pics de caoutchouc, une éponge, du papier sablé, du velours, etc. Faites-lui jumeler des textures à des objets. Placez ces objets dans un sac et demandez à votre enfant de les deviner au toucher.

Activités créatives : Les enfants adorent jouer avec des crayons, de la peinture, du papier et autre matériel d'art. En plus de favoriser la coordination oculo-motrice et la motricité fine, ce genre d'activités donne à votre enfant un sentiment de maîtrise.

ENSEIGNER

Activités de tri : Incitez votre enfant à trier les objets en fonction de leur couleur, de leur forme, de leur taille et de leur texture.

Jeux de rimes : Aidez votre enfant à acquérir du vocabulaire. Mettez un mot sur les objets usuels et les activités courantes ; chantez des chansons qui lui sont familières. Regardez ensemble des livres d'illustrations : vous lui apprendrez de nouveaux mots tout en lui inspirant le plaisir de lire. N'oubliez pas d'inciter ensuite votre enfant à utiliser tous les nouveaux mots appris.

Chansons à gestes : Des chansons du genre « Tête, épaules, genoux... » ou « Un p'tit doigt qui bouge » aident votre enfant à connaître les différentes parties de son corps.

L'avenir de l'enfant se joue avant l'âge de cinq ans^MC.

Préparé par Sarah Landry, Ph.D., Hincks-Dellcrest Institute, conseillère auprès de la Fondation Investir dans l'enfance.

VOTRE ENFANT DE 2 1/2 À 3 1/2 ANS

Des terribles deux ans aux délicieux trois ans : les grands pas de son développement

Social

Votre enfant peut déjà :
- S'intégrer à des jeux collectifs avec d'autres enfants
- Faire preuve d'empathie dans des situations non extrêmes
- Être définitivement propre
- Participer à la routine de l'habillage et du déshabillage
- Avoir plaisir à jouer en groupe

Votre enfant commence à :
- Partager ses jouets
- Aider à ranger ses jouets
- Attendre son tour
- Jouer à des jeux comportant des règles simples

Langage

Votre enfant peut déjà :
- Utiliser un vocabulaire d'environ 900 mots
- Exprimer verbalement ses désirs
- Exprimer verbalement ses sentiments
- Réagir à des directives simples
- Utiliser le pluriel et les pronoms personnels « je », « tu », « moi »
- Répéter trois chiffres
- Construire des phrases de cinq mots
- Nommer dans un livre les illustrations d'objets familiers

Votre enfant commence à :
- Poser les questions « pourquoi », « où » et « qui »
- Maîtriser certaines constructions de phrase
- Jouer avec les mots en formant des rimes rigolotes
- Utiliser des mots nouveaux et moins courants

Motricité globale

Votre enfant peut déjà :
- Courir 15 mètres en moins de dix secondes
- Grimper sur des modules de jeux
- Donner un coup de pied dans un ballon
- Sauter d'une hauteur de 20 centimètres lorsqu'on lui tient la main
- Se tenir en équilibre sur une jambe pendant un petit moment
- Lancer une balle
- Se relever sans aide de la position accroupie

Votre enfant commence à :
- Exécuter des sauts d'une longueur de 30 centimètres
- Sauter à pieds joints
- Faire quelques sauts à cloche-pied
- Utiliser les pédales de son tricycle et éviter les obstacles en tournant le guidon
- Attraper un gros ballon en étendant les bras
- Sauter six fois en imitant quelqu'un

Cognitif

Votre enfant peut déjà :
- Trier des objets en fonction de leur couleur, de leur taille ou de leur fonction (ex. : jouets, vêtements)
- Nommer une ou plusieurs couleurs
- Compter jusqu'à trois objets
- Dire son nom et son adresse partielle
- Saisir de mieux en mieux les notions de temps (aujourd'hui, demain, hier)

Votre enfant commence à :
- Compter jusqu'à dix et comprendre la notion du chiffre jusqu'à trois
- Utiliser, en les comprenant de mieux en mieux, les pronoms et les prépositions
- Comprendre l'expression « c'est le temps de »

Émotionnel

Votre enfant peut déjà :
- Voir les choses du point de vue de quelqu'un d'autre
- Contrôler, en partie, son agressivité et ses accès de colère
- Être moins contrarié par les limites et la discipline
- Comprendre et respecter des règles simples
- Se calmer plus facilement après un cauchemar
- Dormir des nuits complètes

Votre enfant commence à :
- Être d'humeur plus égale et plus coopérative avec ses parents
- Mieux ranger sa chambre et ses jouets
- Développer une autonomie et une estime de soi de plus en plus grandes
- Jouer à des jeux de rôles sur des thèmes de plus en plus riches et structurés
- Utiliser les jeux de rôles pour faire face à des expériences frustrantes ou angoissantes
- Dans ses jeux de rôles, assumer des personnages adultes

Motricité fine

Votre enfant peut déjà :
- Reproduire le dessin d'un cercle
- Construire une tour de neuf blocs
- Insérer des formes rondes, carrées et triangulaires dans une base
- Réaliser des casse-tête simples
- Construire un pont de blocs en suivant un modèle

Votre enfant commence à :
- Mieux manipuler les ciseaux et à découper des formes
- Reproduire une croix
- Remonter sa fermeture éclair, sans pouvoir cependant attacher un bouton
- Revisser le couvercle d'un pot
- Transporter un gobelet contenant du liquide
- Mettre ses chaussures, sans pouvoir cependant nouer ses lacets

VOTRE ENFANT DE 2 ½ À 3 ½ ANS

Jeux et activités pour vous et votre enfant

RASSURER

Composez un album de photos de famille, en réservant une page pour chaque membre de la famille. Vous aiderez votre enfant à développer son sentiment d'appartenance. Ajoutez sur chaque page des photos de fêtes, ou encore des images de ses plats, couleurs et activités préférés.

Le coin des arts : Réservez un mur ou une porte pour afficher les dessins et bricolages préférés de votre enfant. Toute la famille pourra admirer avec fierté ses merveilleuses créations.

JOUER

Les enfants adorent les activités de construction à l'aide de blocs ou de boîtes de carton. Installez un coin chantier comportant des blocs, des boîtes et du carton. N'oubliez pas qu'il est aussi amusant de démolir que de construire.

Quel plaisir que de jouer avec de l'eau, de la pâte à modeler, de la boue ou du sable et d'en mettre partout ! En fait, toutes les activités de création et de fabrication avec les mains sont importantes pour les enfants d'âge préscolaire. Mettez à la disposition du vôtre ciseaux, crayons de couleur, peinture et papier.

ENSEIGNER

Les jeux coopératifs, comme « Le chat » (la « tag ») ou « Jean dit » offrent à votre enfant l'occasion de jouer avec d'autres enfants dans le cadre d'une situation régie par des règles simples.

Le jumelage d'images en fonction de l'illustration, de la couleur, de la forme, de la taille et des sentiments aident votre enfant à catégoriser les objets et à découvrir les rudiments de l'abstraction.

Les activités de lecture, au cours desquelles votre enfant renoue avec ses histoires préférées ou en découvre de nouvelles, sont autant d'occasions d'apprendre de nouveaux mots.

Les jeux et les chansons de chiffres peuvent s'intégrer à la routine ou constituer une activité en soi. Rappelez-vous les chansons « Un mille à pied », « Une souris verte », « Un, deux, trois sur ma jambe de bois ».

L'avenir de l'enfant se joue avant l'âge de cinq ans^MC^.

Préparé par Sarah Landry, Ph.D., Hincks-Dellcrest Institute, conseillère auprès de la Fondation Investir dans l'enfance.

VOTRE ENFANT DE 3 1/2 À 4 1/2 ANS

De l'âge de l'observation à l'âge de l'exploration : les grands pas de son développement

Social

Votre enfant peut déjà :

- Cerner de mieux en mieux le concept de partage
- S'attacher plus particulièrement à un ou à une camarade
- Prendre plaisir aux jeux avec des règles
- Démontrer une curiosité pour les différences entre sexes et même se déshabiller avec d'autres enfants
- Jouer au théâtre avec d'autres enfants
- Attendre son tour
- Cesser de harceler pour avoir ce qu'il veut

Votre enfant commence à :

- Se préoccuper de personnes plus jeunes ou blessées
- Démontrer des attitudes de leader
- Avoir un esprit de coopération au sein d'un groupe

Langage

Votre enfant peut déjà :

- Jouer avec les mots et en inventer de nouveaux
- Utiliser un vocabulaire d'environ 2 000 mots
- Utiliser des structures grammaticales correctes
- Décrire un monde imaginaire
- Utiliser la négation (ex. : « je ne veux pas aller là »)
- Comprendre les notions « au-dessus de » et « sous »
- Chanter l'air d'une chanson
- Utiliser la forme du pluriel (ex. : « des chiens »)

Votre enfant commence à :

- Poser des questions commençant par « pourquoi » et « comment »
- Réciter des comptines et chanter des chansonnettes
- Conjuguer ses verbes au passé, au présent et au futur (ex. : « j'ai parlé », « je parle » et « je parlerai »)
- Comprendre les notions « le haut », « le milieu » et « le bas »
- Prononcer correctement la plupart des sons
- Être intelligible à 80 % pour des gens autres que les membres de sa famille
- Construire des phrases de cinq à six mots
- Avoir un discours grammaticalement correct

Motricité globale

Votre enfant peut déjà :

- Marcher trois mètres sur la pointe des pieds
- Marcher en équilibre sur une poutre
- Rouler en tricycle sans heurter les obstacles
- Lancer et attraper sans se lasser
- Bouger au rythme de la musique
- Monter et descendre un escalier en alternant les jambes

Votre enfant commence à :

- Sauter sur un trampoline
- Galoper de façon rudimentaire
- Sauter d'une hauteur d'un demi-mètre

Cognitif

Votre enfant peut déjà :

- Désigner six formes courantes (étoile, triangle, etc.)
- Comprendre les notions « le plus proche » et « le plus long »
- Raconter des événements récents
- Jumeler de mieux en mieux les illustrations des jeux de loto
- Distinguer la réalité de l'imaginaire
- Compter jusqu'à cinq
- Distinguer les objets inanimés des organismes vivants

Votre enfant commence à :

- S'intéresser aux mots écrits et aux lettres
- Exécuter trois directives simples
- Comprendre des phrases complètes
- Comprendre la notion du chiffre jusqu'à dix
- Trier les objets en fonction de leur couleur, de leur forme et de leur taille
- Nommer cinq couleurs

Émotionnel

Votre enfant peut déjà :

- Maîtriser beaucoup plus facilement sa frustration et sa colère
- Éprouver de l'estime de soi et de la fierté face à ses réalisations
- Parler de sensations telles que la faim, la fatigue ou la maladie
- Respecter plus souvent les demandes de ses parents
- Se concentrer durant une vingtaine de minutes
- Démontrer un intérêt et des sentiments très forts pour sa famille
- Persévérer plus longtemps lorsque confronté à une difficulté

Motricité fine

Votre enfant peut déjà :

- Réaliser des casse-tête à gros morceaux
- Découper à l'aide de ciseaux d'enfant
- Peindre sur de grandes feuilles à l'aide de gros pinceaux
- Jouer au jeu de poches
- Manipuler la pâte à modeler
- Dessiner une personne à trois parties
- Plier du papier

Votre enfant commence à :

- Boutonner et déboutonner ses vêtements
- Découper aux ciseaux le long d'une ligne
- Transporter un gobelet sans en renverser le contenu
- Enfiler de petites perles pour faire un collier

VOTRE ENFANT DE 3 ½ À 4 ½ ANS

Jeux et activités pour vous et votre enfant

RASSURER

Parlez avec votre enfant de ses activités et impressions de la journée. Vous développerez chez lui un sentiment de confiance.

Incitez votre enfant à se déguiser : il apprendra à laisser aller son imagination et à jouer à l'adulte. Donnez-lui vos vieux vêtements chic et aidez-le à monter une pièce de théâtre ou de marionnettes. En explorant différents rôles, votre enfant acquerra un sentiment de sécurité essentiel en bas âge.

JOUER

Les jeux physiques, comme « Le chat » ou « Je t'ai vu » incitent les enfants à courir, à rouler et à se dépenser, tant à l'intérieur qu'à l'extérieur. Un enfant de quatre ans a besoin de courir, de grimper, de galoper et de sauter. En lui offrant l'occasion de prendre une bouffée d'air frais et de laisser sortir son trop-plein d'énergie, vous aiderez toute la famille.

D'autre part, les activités tranquilles, comme la peinture, le bricolage, les jeux de construction, les casse-tête et l'apprentissage des lettres, stimulent la concentration et la motricité fine.

ENSEIGNER

Encouragez votre enfant à exprimer ses sentiments en :

- échangeant sur ce que vous aimez, n'aimez pas ou ressentez ;
- évoquant les notions de « grand et petit », « rapide et lent », « près et loin » ;
- incitant votre enfant à dire tout ce qu'il peut sur lui-même ;
- interrompant la lecture d'une histoire pour lui demander ce que le personnage ressent ;
- lui faisant régulièrement la lecture.

Les livres, les jeux de mots et les histoires contribuent à enrichir le langage de votre enfant. Celui-ci y prêtera d'autant plus attention qu'ils porteront sur des sujets qui l'intéressent. Faites preuve de patience face aux questions incessantes de votre enfant. Ensemble, vous pouvez aussi créer un livre rédigé dans ses mots et illustré à son goût.

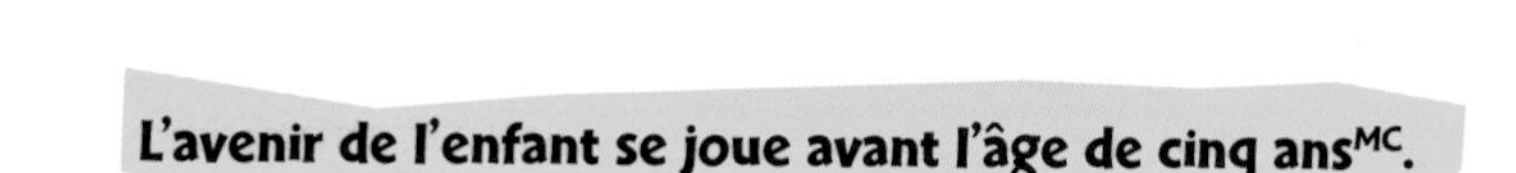

Préparé par Sarah Landry, Ph.D., Hincks-Dellcrest Institute, conseillère auprès de la Fondation Investir dans l'enfance.

VOTRE ENFANT DE 4 1/2 À 5 1/2 ANS

De l'âge de l'exploration à l'âge des découvertes : les grands pas de son développement

Social

Votre enfant peut déjà :

- Jouer de façon coopérative avec deux à cinq enfants
- Adorer rendre visite
- Prendre goût à la compétition
- Aimer les jeux collectifs et les discussions en cercle
- Ressentir de la gêne à être vu nu
- Se faire facilement des amis
- Acquérir des habiletés sociales : donner, partager, recevoir
- Se préoccuper d'enfants qui pleurent

Votre enfant commence à :

- Développer un intérêt pour les sports et les activités d'équipe
- Planifier des activités avec des amis
- Rester à dormir chez des amis

Langage

Votre enfant peut déjà :

- Utiliser un vocabulaire de 2 200 à 3 000 mots
- Aimer utiliser de longs mots
- Connaître son nom et son adresse
- Parler avec aisance et de façon grammaticale
- Construire des phrases d'au moins cinq à six mots
- Être intelligible à 90 % pour des gens autres que les membres de sa famille

Votre enfant commence à :

- Se souvenir de son anniversaire
- Distinguer la droite de la gauche

Motricité globale

Votre enfant peut déjà :

- Imiter les gestes des adultes pour lancer et attraper une balle
- Monter et descendre un escalier en alternant les jambes et sans appui
- Faire un saut d'une longueur de un mètre
- Sauter à pieds joints et galoper
- Marcher en équilibre sur une poutre de six centimètres de largeur
- Lancer une balle à une distance de six mètres
- Sauter pour toucher un objet haut placé
- Sauter par-dessus un obstacle de 30 centimètres de hauteur
- Se tenir en équilibre sur une jambe ou l'autre
- Courir sur la pointe des pieds

Votre enfant commence à :

- Sauter à cloche-pied sur une distance de 15 mètres
- Rythmer les mouvements de son corps sur une musique (mouvements lents, durs, doux, comme un ours...)
- Se toucher les orteils sans plier les genoux

Cognitif

Votre enfant peut déjà :

- Élaborer un plan avant d'agir
- Nommer correctement une pièce de monnaie
- Compter plus de dix objets
- Participer à une activité qui l'intéresse durant une vingtaine de minutes
- Se rappeler le thème d'un jeu joué la veille
- Nommer cinq couleurs
- Se rappeler le récit et l'indicatif musical d'émissions de télé
- Distinguer trois ou quatre tailles
- Être la plupart du temps d'humeur calme et tranquille
- Trier les objets en fonction de leur couleur, de leur forme et de leur taille

Votre enfant commence à :

- Comprendre la notion de nombre
- Écrire les chiffres de 0 à 5 et quelques lettres
- Comprendre le calendrier et l'horloge
- Classer les choses par catégories
- Connaître les jours de la semaine, les mois et les saisons
- Se rappeler plus clairement des événements passés
- Épeler des mots très simples

Émotionnel

Votre enfant peut déjà :

- Être très actif et aimer être occupé
- Faire preuve de plus de confiance en soi et d'assurance que l'année précédente
- Accepter l'autorité, demander la permission et respecter les règles
- Demander en mariage le parent du sexe opposé
- Ressentir de la gêne et de la honte après avoir désobéi
- Adorer rire, raconter des blagues et poser des devinettes
- Connaître les règles et les dire aux autres
- Prendre conscience des opinions positives et négatives sur lui-même et les autres
- Faire des rêves étranges et des cauchemars

Votre enfant commence à :

- Adopter des habitudes et des tics : se ronger les ongles, tirer sur ses vêtements, cligner des yeux, etc.
- Avoir un ami imaginaire

Motricité fine

Votre enfant peut déjà :

- Dessiner une personne avec tous ses membres
- Reproduire un carré, un cercle et un rectangle
- Reproduire une construction comportant dix blocs
- Réaliser un casse-tête de sept ou huit morceaux
- Tenir un crayon entre le pouce et l'index
- Utiliser régulièrement la même main
- Tracer des lettres et des chiffres
- Découper et coller
- Se laver les mains et le visage
- S'habiller seul lorsqu'il en a le temps
- Écrire son nom en lettres moulées
- Manger plus proprement en utilisant une fourchette et une cuiller

Votre enfant commence à :

- Nouer ses lacets et faire des boucles
- Se débrouiller avec les boutons et autres fermoirs
- Reproduire un triangle

VOTRE ENFANT DE 4 ½ À 5 ½ ANS

Jeux et activités pour vous et votre enfant

RASSURER

Un paradis sécuritaire : Donnez à votre enfant la possibilité d'affirmer son autonomie dans un cadre et un climat de sécurité. Votre enfant doit sentir que, s'il y a un problème, il trouvera auprès de vous l'aide et le réconfort qu'il recherche.

Un apprenti de choix : Demandez à votre enfant de participer aux différentes tâches domestiques.

Un calendrier d'événements spéciaux : Élaborez un calendrier sur lequel votre enfant et vous indiquez les événements importants pour chacun des membres de votre famille.

JOUER

Des activités nouvelles, comme la cuisine, offrent à votre enfant l'occasion d'explorer différentes matières. Attirez son attention sur les changements qui se produisent.

Préparez une « boîte de bricolage » contenant des feuilles et retailles diverses, des crayons de couleur et de la colle, afin d'offrir à votre enfant la possibilité d'exprimer sa créativité.

ENSEIGNER

Les jeux de lettres et de chiffres, intégrés au quotidien, aident votre enfant à saisir les bases du calcul, de l'addition et de l'épellation. Vous pouvez, par exemple, lui faire compter le nombre de couverts sur la table ou lui faire dire tous les mots qu'il connaît commençant par la première lettre de son prénom.

Des jeux interactifs, comme « Devine ce que je vois », en plus d'être très amusants, développent chez l'enfant le sens de l'observation et la prise de conscience de son environnement.

La cuisine est une activité tout indiquée pour initier votre enfant aux notions de mesure, de mélange et de temps.

L'avenir de l'enfant se joue avant l'âge de cinq ans^MC.

Préparé par Sarah Landry, Ph.D., Hincks-Dellcrest Institute, conseillère auprès de la Fondation Investir dans l'enfance.

Glossaire

A

à l'épreuve des enfants : qualité des lieux ou des objets sans danger pour un enfant.

abstinence : dans ce contexte, ne pas avoir de relations sexuelles.

abus sexuel : action d'imposer une relation sexuelle à une autre personne.

accouchement par césarienne : méthode d'accouchement par incision chirurgicale effectuée dans la paroi de l'abdomen et l'utérus de la mère.

adapté à l'âge : se dit des comportements d'un enfant qui reflètent son âge ; également, se dit des jouets, des activités et des jeux qui conviennent bien à l'âge d'un enfant.

adolescence : étape du développement entre l'enfance et l'âge adulte.

affichage publicitaire : matériel voyant destiné à communiquer de l'information à un large public ; par exemple, des panneaux d'affichage, des vitrines.

agent de socialisation : personne ou organisation, par exemple une école ou une famille, qui joue le rôle important d'enseigner à un enfant les mœurs de la société.

agent tératogène : substance chimique qui cause des anomalies congénitales.

amorce de discussion : expression, par exemple « Veux-tu dire que... », qui encourage une conversation.

anarchie : absence de lois.

anomalies congénitales : anormalité présente dès la naissance.

anthropologie : étude de la vie et de la culture des êtres humains.

anxiété face aux étrangers : émotion que les bébés d'entre huit et dix mois environ peuvent ressentir, qui s'exprime par la timidité ou la peur en présence de personnes inconnues.

apprentissage en ligne : action de suivre des cours éducatifs par Internet.

attachement : un lien solide avec une autre personne ; de l'affection ou une sympathie particulière qu'on éprouve envers une personne.

attachement ambivalent-résistant : comportement d'un bébé qui refuse ou évite le contact avec un parent de retour après une absence.

attachement évitant : comportement d'un bébé qui manifeste de la résistance, de la colère ou de l'hostilité lorsqu'un parent revient après une absence.

attachement sécurisé : pour un enfant, fait d'être à l'aise avec un parent de retour après une absence.

autodiscipline : capacité de contrôler et de doser ses propres comportements.

autonomie : capacité de se débrouiller, de prendre ses propres décisions et de faire ses propres choix moraux.

autorité égalitaire ou partagée : pouvoir réparti entre les adultes chefs de famille.

avortement : interruption volontaire d'une grossesse.

axone : partie d'une cellule nerveuse par laquelle les impulsions s'éloignent de la partie principale de la cellule.

B

bafouer l'autorité : ne pas respecter délibérément des lois gouvernementales ou d'organisations sociales.

blastocyste : début d'un embryon humain ; une boule de cellules constituée d'une masse cellulaire interne, d'une cavité et d'une couche externe.

C

câblage du cerveau : ensemble des connexions présentes dans le cerveau.

capillaires : minuscules vaisseaux sanguins qui connectent des artérioles et des veinules.

cellules filles : deux noyaux identiques qui se forment à partir de la division d'une cellule simple, donnant deux cellules totalement nouvelles, chacune contenant 46 chromosomes.

censure : pratique qui consiste à bannir des documents ou des idées considérés comme critiquables ou à en empêcher la diffusion.

centres de la petite enfance : établissements qui offrent des services de surveillance d'enfants ainsi que des programmes destinés aux enfants de moins de 13 ans ; régis par la législation provinciale.

cerveau droit dominant : chez une personne, activité supérieure dans le côté droit du cerveau, qui est le centre de la créativité et du langage.

cerveau gauche dominant : chez une personne, activité supérieure dans le côté gauche du cerveau, qui est le centre de la logique et des mathématiques.

chargement génétique : phénomène ayant lieu lorsque les deux parents transmettent un gène spécifique.

chromosome : matériel génétique qui contient l'information codée déterminant l'hérédité.

cohabitation : fait, pour la mère et l'enfant, d'occuper la même chambre de jour comme de nuit immédiatement après la naissance de l'enfant.

communication bidirectionnelle : communication qui reçoit une rétroaction.

communication non verbale : utilisation du langage corporel ou des gestes, du regard, des expressions du visage et de la position du corps afin de transmettre un message.

communication unidirectionnelle : communication qui a lieu lorsqu'une personne parle ou envoie des messages, mais qu'elle ne reçoit pas de réponse.

communication verbale : communication qui fait intervenir des paroles, comme lorsqu'on parle ou qu'on écoute, ou qu'on envoie ou qu'on reçoit des messages écrits.

compétence en calcul : connaissance des nombres et des concepts numériques.

comportement criminel : action qui enfreint la loi.

comportement de séparation : phase du développement que de nombreux enfants traversent si leurs parents les abandonnent entre huit mois et trois ans, qui se manifeste par des protestations, un désespoir et un détachement.

comportement socialement acceptable : comportement qui est habituel ou qu'on attend dans une société.

compromis : entente qui survient entre deux personnes en conflit lorsqu'elles sont presque d'accord et décident d'abandonner une partie de ce qu'elles veulent individuellement afin de résoudre un problème.

conception : moment où le spermatozoïde et l'ovule se rencontrent.

conflit externe : désaccord qui débute lorsque les besoins, les envies et les valeurs d'une personne entrent en conflit avec ceux d'une autre personne.

conflit interne : situation où une personne ressent des sentiments opposés parce qu'elle fait face à deux ensembles d'exigences entrant en conflit.

congé parental : congé partiellement rémunéré offert aux parents admissibles et pouvant durer au plus une année après la naissance ou l'adoption d'un enfant.

conseil de famille : réunion de tous les membres de la famille où on discute selon un ordre du jour afin d'attribuer des responsabilités et de prendre des décisions familiales importantes.

conseillère ou conseiller de personnes en deuil : professionnelle ou professionnel qui aide des personnes à faire face au sentiment de perte et aux émotions liées au décès d'un membre de la famille ou d'une autre personne.

conseillère ou conseiller en intervention d'urgence : professionnelle ou professionnel formé pour aider les personnes à retrouver la maîtrise de leur vie après une crise, telle qu'une faillite, un accident ou un handicap.

conseillère ou conseiller en relations : professionnelle ou professionnel qui aide des personnes à résoudre leurs problèmes en matière de relations intimes, par exemple entre partenaires de vie ou entre parents et enfants.

consentement éclairé : dans ce contexte, autorisation ou permission écrite d'une personne permettant d'effectuer une étude après qu'on l'a informée de tous les aspects de la recherche.

conséquences logiques : effets qui découlent logiquement d'un comportement ; par exemple, si tu salis tes chaussures, tu dois les nettoyer.

conséquences naturelles : dans ce contexte, effets qui découlent directement d'un comportement d'un enfant ; par exemple, si l'enfant sort sans ses gants lorsqu'il fait froid, la conséquence naturelle sera qu'il aura froid aux mains.

consultation familiale : aide que fournit une professionnelle ou un professionnel formé afin d'aider les personnes à résoudre leurs problèmes personnels ou concernant d'autres membres de la famille, par exemple une ou un partenaire ou un enfant.

contraception : prévention intentionnelle de la conception.

contractions de Braxton-Hicks : contractions qui se manifestent vers le milieu ou la fin de la grossesse, lorsque l'utérus se contracte de temps en temps ; n'indiquent pas encore le travail.

contre-culture : opinions opposées ou rejet des valeurs et coutumes de la société dominante.

conventions sociales : entente ou habitudes générales, telles qu'attendre son tour, faire la queue, réfléchir avant de parler, faire preuve de gentillesse envers les autres, dire s'il vous plaît et merci.

cordon ombilical : cordon qui transporte le sang du fœtus au placenta.

création d'un lien : relation intime entre des personnes, par exemple entre un parent et son enfant.

culture : ensemble des arts, des croyances, des habitudes, des institutions et d'autres coutumes propres à une collectivité, à une nation ou à un peuple donné.

curriculum : ensemble de cours et de programmes qu'offre une école.

cycle de la violence : modèle de comportements violents ou de mauvais traitements qui se répète d'une génération à l'autre, à moins qu'une personne choisisse volontairement de changer les choses.

D

décision d'intérêt majeur : décision qui peut faire intervenir une dépense importante ou qui peut changer la vie d'un ou de plusieurs membres de la famille.

décision d'intérêt mineur : décision qui n'engage pas une grosse dépense ni n'affecte de manière importante la vie d'une personne.

défi à l'autorité : action de s'opposer à une personne ou à une organisation influente.

dégourdissement : mouvement fœtal que ressent la mère aux environs du cinquième mois de la grossesse.

dendrites : ramifications multiples aux extrémités des axones du système nerveux qui se fixent sur les nouvelles cibles.

développement : processus de croissance et de changement.

développement affectif : maturation et évolution des émotions, des aptitudes sociales, de l'identité, de la personnalité et du sens moral.

développement cognitif : évolution des connaissances factuelles et de la compréhension.

développement de la famille : évolution des relations sans cesse changeantes entre les membres d'une famille.

développement humain : ensemble des manifestations de la maturation physique, sociale, émotionnelle, intellectuelle, morale et spirituelle tout au long de la vie.

développement intellectuel : maturation des processus mentaux, comme l'apprentissage, l'imagination, la mémoire et la perception.

développement moteur : développement qui dépend du développement musculaire et progresse de la tête aux orteils, et des grands muscles aux petits muscles.

développement physique : croissance et maturation des sens, des muscles et de la motricité.

développement social : évolution des connaissances relatives aux interactions entre les gens, à la manière dont ils jouent, partagent, attendent leur tour et parlent en société.

différenciation cellulaire : processus au cours duquel les cellules sont programmées pour leur fonction particulière.

dilatation : dans ce contexte, élargissement et ouverture du col de l'utérus pendant le travail d'accouchement.

dilemme moral : situation demandant de choisir entre deux comportements que soutiennent des considérations morales.

discipline : condition apprise d'obéissance ou de réglementation personnelle.

discipline raisonnable : façon souhaitable de guider les enfants, qui favorise les comportements positifs.

domaine public : chose que tout le monde peut utiliser, telle que la télévision, les journaux ou la radio.

dot : biens ou possessions qu'on donne à la famille du jeune marié pour le remercier d'accueillir la mariée dans sa famille.

droits de l'enfant : déclaration des Nations Unies qui dit que tous les enfants, peu importe leur race, leur sexe, leur classe sociale, leurs capacités ou leurs handicaps, ont droit au même traitement.

E

échelle de Brazelton : outil qui sert à mesurer le potentiel des bébés à la naissance et à comparer leurs différences individuelles. Il mesure entre autres la sensibilité au bruit et à la lumière, le temps de réponse à divers stimuli et les niveaux d'activités.

école buissonnière : fait pour une ou un élève de ne pas se présenter à l'école.

écoles privées : écoles financées par les frais d'inscription que paient les parents souhaitant un type d'éducation particulier pour leurs enfants.

écoles publiques : écoles que financent les impôts et le gouvernement, permettant à tous les enfants de recevoir une éducation suivant un curriculum complet.

écologie humaine : étude interdisciplinaire des personnes en lien avec leur famille et leur environnement. Aussi appelée étude de la famille.

écoute active : écoute pendant laquelle on fait des hochements de tête et des sourires, on pose des questions et on utilise des messages au « je » pour faire savoir avec respect à l'enfant ce qu'on pense de son comportement.

éducation formelle : instruction réglementée officiellement qui suit un programme scolaire défini et qui a lieu dans un cadre particulier faisant intervenir des enseignantes et des enseignants ou des instructrices et des instructeurs d'expérience.

éducation informelle : apprentissage qui n'a pas lieu dans le cadre d'un programme scolaire organisé ; apprentissage qui peut provenir de l'interaction avec des amies ou des amis, des membres de la famille, la communauté et les médias et mener à la découverte de soi.

effacement : amincissement du col de l'utérus pendant le travail d'accouchement permettant sa dilatation.

élaboration d'un consensus : utilisation de stratégies de résolution de problèmes afin de trouver une solution bénéfique pour tous, où les deux parties sentent avoir gagné quelque chose.

embryon : organisme en développement dans l'utérus depuis son implantation jusqu'à ce qu'il prenne la forme humaine de base du **fœtus.**

émondage : dans ce contexte, atrophie ou extinction des connexions entre les neurones qui n'ont pas été renforcées au cours du développement cérébral initial.

empathie : capacité de comprendre les sentiments des autres.

encouragement : commentaires favorables qui renforcent un comportement, donnant à l'enfant le courage d'agir d'une manière socialement acceptable.

enfance : période du développement humain située entre la petite enfance et l'adolescence.

enfant actif : enfant qui ne dort pas longtemps et qui aime le mouvement, le bruit, l'action et le jeu.

enfant agressif : enfant qui interagit avec son environnement par des réponses énergiques et vigoureuses.

enfant passif : enfant satisfait, non exigeant ou ne se mettant pas facilement en colère, qui aime les câlins, dort bien et ne pleure pas facilement.

enfant placide : se dit d'un enfant calme, paisible et silencieux.

enfant sensible : enfant qui réagit intensément aux stimulations et aux changements d'environnement.

enfants à la clé : enfants qui passent une partie de leur journée seuls à la maison avant ou après l'école et qui possèdent les clés de la maison afin de pouvoir rentrer chez eux.

environnement d'apprentissage : espace qui permet aux bébés, aux tout-petits et aux enfants d'âge préscolaire d'explorer leur entourage en toute sécurité à l'aide de leur cinq sens.

épisiotomie : incision effectuée dans le périnée pour agrandir l'ouverture vaginale afin de permettre à la tête du bébé de sortir du corps de la mère.

état de stress post-traumatique : ensemble de symptômes indiquant un état de choc suivant une expérience stressante ou traumatisante.

éthique : normes ou règles professionnelles de conduite ou de comportement.

étude de la famille : étude interdisciplinaire des personnes et de leur famille du point de vue de l'anthropologie, de la sociologie, de la psychologie ainsi que de l'économie et de la science politique ; fait aussi intervenir des disciplines des sciences humaines, comme la religion, la philosophie, le droit et l'éducation.

étude interdisciplinaire : recherche humaine basée sur une combinaison de disciplines.

évolution de la vie familiale : étapes identifiables de la vie familiale : jeune célibataire, nouveau couple, famille avec de jeunes enfants, famille avec des enfants adolescents, départ des enfants et famille vieillissante.

expérience d'apprentissage positive : dans ce contexte, expérience qui aide l'enfant à apprendre grâce à des réponses positives de la part d'un parent ou d'une personne qui s'occupe de lui.

F

famille : « toute association de deux personnes ou plus liées entre elles par des liens de consentement mutuel, la naissance, l'adoption ou le placement et qui, ensemble, assument la responsabilité des fonctions familiales » (Institut Vanier de la famille).

famille charpente : famille qui allie souplesse et définition de limites.

famille de procréation : famille que l'on crée ; celle dont on s'occupe et qu'on éduque.

famille d'orientation : famille dans laquelle une personne naît, ou famille qui s'occupe d'une personne et l'éduque.

famille grandissante : étape de la vie d'une famille correspondant à la période où un deuxième enfant et d'autres naissent et grandissent.

famille méduse : famille dans laquelle les limites définissant les comportements acceptables ne sont pas claires.

famille mur de briques : famille inflexible et autoritaire ayant recours à des pratiques parentales punitives.

famille rétrécie : famille qui devient plus petite, par exemple, lorsque les enfants plus âgés quittent la maison.

famille sans abri : famille sans domicile ; il peut s'agir d'une situation temporaire ou durable.

filière pelvigénitale : pendant un accouchement, le vagin.

fœtus : embryon humain huit semaines après la conception ; commence à prendre une forme humaine de base avec des bourgeons de bras et de jambes, un tronc et une tête bien distincte ainsi que des organes formés.

fontanelles : parties molles du crâne du nouveau-né où l'os ne s'est pas encore formé.

fournisseuses ou fournisseurs de services de garde : gardes d'enfant qui proposent des services de garde d'enfants dont les parents ont besoin.

G

garde conjointe : situation où les enfants passent du temps avec les deux parents et où les deux parents continuent à prendre la responsabilité des décisions parentales.

garde d'enfants à domicile : personne fournissant un service de garde de jeunes enfants au domicile des parents.

génitrice, géniteur : personne qui procrée.

guides de rédaction : ensemble de règles encadrant la mise en forme et l'utilisation du texte écrit.

H

harcèlement sexuel : menaces à la sécurité personnelle, y compris des insultes, des gestes suggestifs, des sous-entendus et des commentaires d'ordre sexuel, visant à embarrasser ou à humilier une personne.

horaires flexibles : organisation du temps qui permet aux parents employés hors de leur domicile de structurer leur journée de travail en fonction de l'emploi du temps de leurs enfants.

horloge biologique : dans ce contexte, expression qui définit un processus qui peut inciter des personnes à avoir des enfants.

humour : forme d'esprit qui consiste à présenter la réalité de manière à en dégager les aspects plaisants et insolites.

hypothèse : supposition ou résultat prédit d'une question de recherche.

I

imprimés : documents à lire constitués de papier et d'encre, tels que des livres, des magazines, des brochures, des guides d'utilisation et des journaux.

indépendance : dans ce contexte, capacité de l'enfant de prendre la responsabilité de ses actions et d'effectuer les bons choix.

infertilité : incapacité d'un homme ou d'une femme à procréer.

initiatives nouvelles : dans ce contexte, nouvelles politique ou procédure qui visent à répondre aux besoins des parents et des enfants.

intelligence cognitive : possession de connaissances factuelles et capacité de les utiliser et de les comprendre.

intelligence émotionnelle : capacité d'une personne de reconnaître ses propres émotions, de reconnaître les émotions des autres et d'y répondre, de résoudre des problèmes d'ordre affectif.

intelligences multiples : types d'intelligences qui s'expriment par différentes aptitudes.

intériorisation : dans ce contexte, motivation de choisir le bien plutôt que le mal pour sa satisfaction personnelle et non pour obtenir une récompense extérieure.

intimidation : actions négatives qu'un ou plusieurs enfants dirigent vers un autre enfant de manière répétée et durable avec l'intention de le blesser ou de l'embarrasser.

J

jeu actif : type de jeu faisant intervenir du mouvement, de l'interaction et de la manipulation.

jeu associatif : type de jeu social au cours duquel des enfants jouent ensemble et partagent leurs jouets.

jeu coopératif : type de jeu social où les participants comprennent et acceptent des règles et travaillent ensemble pour atteindre un objectif commun.

jeu d'observation : situation dans laquelle un enfant regarde d'autres enfants jouer sans se joindre à eux.

jeu exubérant : type de jeu qui demande beaucoup d'espace, par exemple un gymnase ou une aire de jeu extérieure.

jeu imaginatif : jeu de représentation qui allie plusieurs types de jeux, par exemple jouer au papa et à la maman, reproduire des métiers d'adultes ou faire des jeux de rôles à l'extérieur, dans le bac à sable ou avec des boîtes.

jeu parallèle : type de jeu où les enfants s'amusent côte à côte avec des activités et des jouets différents en interagissant peu ou pas du tout, chaque enfant étant concentré sur sa propre activité.

jeu solitaire : type de jeu où les personnes jouent seules ; par exemple, les bébés jouant avec leurs pieds ou les tout-petits enfants se réveillant et manipulant un centre d'activités placé au bord de leur berceau.

jeu symbolique : type de jeu spontané que les enfants de tous âges apprécient, qui fait intervenir l'utilisation de jouets ou d'objets pour représenter quelque chose de totalement différent. Par exemple, une brosse à cheveux qu'on fait avancer sur le sol devient une voiture ou un train.

jeu tranquille : type de jeu au cours duquel un enfant joue seul ou avec un tout petit groupe.

jeune famille : période pendant laquelle le choix d'une compagne ou d'un compagnon de vie et la naissance ou l'adoption d'un premier enfant signifient le début d'une famille.

Journée canadienne du multiculturalisme : événement annuel, célébré le 27 juillet, faisant partie du festival « Canada en fête ! ».

Journée nationale des Autochtones : événement annuel ayant lieu le 21 juin (jour du solstice d'été) qui reconnaît les réussites remarquables des Inuits, des Métis et des peuples des Premières Nations ainsi que leur contribution à la construction du Canada.

K

kibboutz : forme de vie communautaire en Israël.

L

langage corporel : expression d'un sentiment à travers l'attitude corporelle.

langue maternelle : première langue qu'une personne apprend.

lanugo : duvet qui couvre le corps d'un fœtus ou d'un nouveau-né.

limites : comportements acceptables clairement définis.

limites personnelles : limites que définit un enfant pour lui-même.

liquide amniotique : fluide enveloppant l'embryon et le fœtus dans le placenta.

loi de la majorité : façon de résoudre des conflits simples au sein d'un groupe, où l'option qui obtient le plus de votes l'emporte, par exemple pour le choix d'un film.

ludothérapie : méthode qu'utilisent les psychologues pour enfants afin de découvrir des émotions cachées, des frustrations, des peurs, de la colère ou de l'hostilité.

M

maîtrise de soi : capacité de contrôler ses propres émotions et actions.

malnutrition : état attribuable au manque de nutriments nécessaires à la croissance et à un développement normal.

manipulation : fait de prendre et de bouger des objets et d'apprendre en utilisant ses sens.

matriarcat : culture dans laquelle la mère est le chef de famille et la figure d'autorité dans la famille ou la tribu.

maturité émotionnelle : capacité de reconnaître et d'exprimer des émotions et de pouvoir en parler.

mauvais traitements (infligés aux enfants) : blessures physiques non accidentelles, violence psychologique, violence sexuelle ou inceste qu'inflige un parent ou une ou un adulte à un enfant.

médias électroniques : informatique, Internet, courrier électronique, jeux interactifs et autres technologies de l'information.

médiation : processus dans lequel une tierce partie pose des questions aidant deux autres parties à se calmer et à se concentrer afin de trouver une solution à un conflit.

mentor : personne qui joue un rôle clé dans la vie d'une autre personne en la conseillant ou en la guidant ; personne douée pour écouter ; quelqu'un qu'on peut admirer ou imiter.

message ambigu : communication verbale dans laquelle les mots ne correspondent pas au langage corporel ni au ton de la voix de la personne qui parle.

métamessage : signification derrière un message.

méthode scientifique : étapes qu'on suit en recherche, qui comprennent l'objectif, l'hypothèse, la méthode, les résultats, l'analyse et la conclusion.

mise au point : action d'inclusion plutôt que d'exclusion ; par exemple, lorsqu'un enfant se comporte mal, le parent s'assoit avec lui, discute calmement des sentiments de l'enfant et lui enseigne à résoudre ses problèmes.

mise en garde des enfants contre les dangers de la rue : expression désignant les programmes qui enseignent aux enfants à réagir en cas d'une possibilité d'enlèvement ou d'agression sexuelle.

mitose : division d'une cellule.

modèle : personne qu'on admire et dont on cherche à imiter les comportements.

molécules : dans ce contexte, substances, telles que l'oxygène, les vitamines, les minéraux, les glucides, les protéines et les lipides, essentielles à la croissance et au développement du fœtus.

mondialisation : dans ce contexte, prise de conscience accrue de faire partie d'un ensemble bien plus étendu que notre propre famille, collectivité ou pays.

monologue interne : répétition mentale ; capacité d'acquérir de l'assurance en s'encourageant soi-même.

motricité fine : aptitude à utiliser les petits muscles, par exemple couper avec des ciseaux.

motricité grossière : aptitude à utiliser les grands muscles, par exemple s'asseoir.

N

naissance à terme : fait de naître à la date prévue de l'accouchement ou presque.

négligence : forme de mauvais traitements infligés à un enfant qui consiste à le priver des premières nécessités que sont la nourriture, le logement, l'hygiène, un environnement sans danger, une surveillance ainsi que l'amour et l'affection.

négociation : discussion bidirectionnelle qui permet à deux parties d'atteindre une décision ou une solution acceptable pour elles.

néonate : nouveau-né.

neurone : cellule spécialisée qui est l'unité de fonctionnement principale du tissu nerveux.

neurotoxine : toxine, telle que l'alcool, qui détruit les cellules du cerveau de manière permanente.

norme : façon d'agir acceptée d'une société.

nurturance : somme des facteurs environnementaux, tels que l'amour et l'attention, qui agissent sur un individu ; l'action ou le processus d'élever un enfant.

O

obstacle à la communication : comportement qui nuit à la communication, entre autres blâmer, utiliser le sarcasme, insulter et injurier.

P

pair aidant : élève qui conseille, soutient ou guide d'autres élèves.

pairs : tout groupe constitué de personnes ayant le même âge.

parent : père ou mère ; personne qui engendre un enfant ou qui a la pleine responsabilité d'un enfant.

paternité : relation d'un père envers son enfant.

patriarcat : culture dans laquelle le père est le chef de famille et la figure d'autorité dans une famille ou une tribu.

pauvreté : fait de ne pas avoir assez d'argent ou de ressources pour se procurer les premières nécessités.

pension alimentaire obligatoire : depuis le 1er mai 1997, la loi fédérale sur le divorce impose au parent n'ayant pas la garde des enfants de leur fournir un soutien financier.

pensionnat : école qui fournit l'hébergement et la nourriture pendant la période scolaire pour l'ensemble ou une partie des élèves.

père putatif : homme qu'on suppose responsable de la grossesse d'une femme.

période critique : période au cours de laquelle certains aspects deviennent importants pour une situation.

philosophie parentale : ensemble de règles ou de croyances qui résume ce que les parents pensent être la meilleure approche à utiliser avec leurs enfants.

placenta : organe de la femme riche en sang qui se développe dans l'utérus uniquement pendant la grossesse, nourrit le fœtus et gère ses déchets.

politique sociale : ensemble de règles établies par l'un des trois paliers de gouvernement qui déterminent ce qui est légal et permis en matière de sécurité sociale et de services sociaux.

poussée de croissance : augmentation rapide de la croissance s'accompagnant souvent d'une augmentation de l'appétit.

prématuré : se dit d'un enfant né six semaines ou plus avant la date prévue de la naissance ou pesant moins de 2,5 kilogrammes.

premier travail : première étape du travail d'accouchement, commençant par de légères contractions et se poursuivant jusqu'à ce que le col de l'utérus soit dilaté de trois centimètres.

prénom androgyne : nom qui n'exprime pas le genre ; par exemple, Claude et Dominique.

prise de décision éclairée : action d'analyser attentivement les avantages, les inconvénients et les conséquences d'une décision.

privation d'environnement d'apprentissage : fait de ne pas fournir à une personne (un enfant) les occasions et les stimulations nécessaires à sa croissance et à son développement optimaux.

prix de la fiancée : objet de valeur ou biens que le nouveau marié offre au père de la mariée en guise de paiement.

programmes destinés aux enfants d'âge scolaire : service de garde offert par l'école ou la collectivité pour les enfants d'âge scolaire qui ne peuvent pas rester seuls chez eux.

programmes du petit déjeuner à l'école : service de petit déjeuner dans des écoles et des collectivités destiné aux enfants ayant faim.

projet de naissance : liste des préférences des parents et des médecins quant à l'accouchement.

propriété : possession ou bien tel que des meubles et des animaux.

protocole d'observation : outil formel permettant de consigner des observations, en respectant une liste de questions à poser et une liste de points à examiner.

psychologie : étude scientifique des comportements et de l'esprit humains.

psychologue du développement : spécialiste en sciences sociales qui étudie le développement humain et les détails de la croissance et du développement physique, social, émotionnel, moral et intellectuel (ou cognitif).

puberté : âge auquel une personne atteint sa maturité reproductrice.

punition : action délibérée contre une personne, une réprimande ou une dure sanction.

Q

question de recherche : question à laquelle une experte ou un expert en sciences sociales espère répondre par des recherches et qui suggère une méthode de travail.

R

recherche primaire : étude effectuée et présentée par la personne faisant la recherche.

recherche qualitative : recherche qui ne se base pas sur les nombres ou sur les statistiques, mais qui rassemble des preuves de la qualité de vie humaine.

recherche quantitative : recherche expérimentale qui résulte en des données, telles que des nombres, des mesures et des statistiques.

recherche secondaire : recherche dans laquelle on doit enregistrer ou rapporter ce que d'autres études ont déjà révélé.

réflexes du nouveau-né : réactions instinctives et automatiques à des stimuli.

règles explicites : code à suivre clairement énoncé, qu'on peut remettre en question et changer.

règles implicites : ensemble de règles sous-entendues sans être clairement énoncées, par exemple passer la nourriture au chef de famille avant de se servir soi-même.

régression : retour à des comportements adoptés par des enfants plus jeunes.

relation de nurturance : relation dans laquelle on fournit à des personnes – dans ce contexte, des enfants – la sécurité dont elles ont besoin pour grandir et se développer.

renforcement : encouragements répétés reconnaissant un comportement positif, jusqu'à ce que ce comportement devienne naturel chez l'enfant.

résilience : capacité de faire face à des problèmes et de gérer sa vie efficacement.

résolution de problèmes : capacité qui s'acquiert à force de manipulation d'objets et de jouets entourant l'enfant.

responsabilités : 1) les nombreuses choses que les parents doivent fournir à leurs enfants, dont une nourriture adéquate, le logement, des soins, de l'attention et une éducation ; 2) sur le plan personnel, fait de déterminer ses propres choix, comportements, actions et relations.

retard staturo-pondéral : incapacité de croître ou de se développer attribuable à de la négligence.

rétroaction : réponse à un message ; boucle la communication bidirectionnelle.

rétroaction positive : réponses (verbales ou non) qui encouragent ou récompensent un comportement.

rite de passage : croyances, cérémonies ou rituels religieux et culturels qui marquent un changement important de statut ou le début d'une nouvelle phase de la vie.

rivalité fraternelle : sentiments de ressentiment, de jalousie et de compétition qui peuvent exister entre des frères et sœurs.

rôle parental : participation à l'acte d'élever un enfant.

S

sage-femme : femme qui fournit les soins à la mère et au bébé avant et pendant un accouchement.

Saint-Jean-Baptiste : événement annuel célébré le 24 juin qui reconnaît la contribution des francophones à la construction du Canada ; au Québec, le 24 juin a été déclaré fête nationale.

sang fœtal : sang circulant du fœtus au placenta par le cordon ombilical.

sang maternel : sang de la mère, qui ne se mélange pas avec le sang du fœtus.

santé prénatale : ensemble des examens de santé qu'effectue une sage-femme ou un médecin pendant la grossesse afin de déceler tout problème et de donner les conseils nécessaires permettant une grossesse saine et allant à terme.

scénario de violence : notion de violence familiale qui se répète d'une génération à l'autre dans une famille.

science cognitive : étude des façons d'apprendre.

sciences sociales : étude de la société, des pensées, de la culture et des comportements humains.

sécurité personnelle : protection d'une personne contre les agressions, le harcèlement sexuel ou les menaces à son bien-être physique et mental.

sens de l'autonomie : état ou désir d'indépendance et d'autodétermination.

sentiment de confiance : sentiment qui se développe en présence d'un attachement à une personne importante pour soi ; assurance que ses besoins seront satisfaits.

service de garde d'enfants agréé : service de garde d'enfants agréé par le gouvernement et soumis à une réglementation stricte.

service de garde en milieu familial : surveillance et soins des enfants effectués au domicile de la ou du garde d'enfants.

service de garde en milieu familial agréé : garde d'enfants individuel que recrute une agence agréée ; peut s'occuper d'un maximum de cinq enfants.

services de garde privés : services de garde d'enfants agréés ou non que fournit une personne ou une organisation.

services sociaux : agences financées par le gouvernement ou des contributions privées qui fournissent des services de garde subventionnés, une assistance financière, une rééducation et des soins de santé pour les membres d'une collectivité.

simulateur de grossesse : voir ventre d'empathie.

socialisation : processus continu qui enseigne aux personnes les manières de faire d'une société.

sociologie : étude systématique des relations humaines au sein d'organisations sociales.

spina-bifida : anomalie congénitale présentant une malformation de la totalité ou d'une partie de la colonne vertébrale, exposant partiellement la moelle épinière et les méninges.

stade des opérations concrètes : période (entre 7 et 12 ans) où, selon Piaget, les enfants comprennent la relation entre les objets et les actions.

stade des opérations formelles : période (de 12 ans environ à 14 ans) où, selon Piaget, une personne devient capable de logique, de raisonnement par déduction et de pensée abstraite.

stade préopératoire : deuxième des quatre phases de développement de Piaget qui commence lorsque l'enfant a deux ans et se termine lorsqu'il a environ sept ans.

stade sensorimoteur : première des quatre phases de développement selon Piaget ; débute à la naissance et se termine lorsque l'enfant a deux ans.

statut de parent : étape de la vie caractérisée par les soins et l'attention à apporter à un enfant ; la tâche d'élever un enfant, dont répondre à ses besoins avant et après sa naissance, s'en occuper, lui fournir une éducation et le guider tout au long de sa vie.

stéréotype : image ou opinion fixe ou extrêmement simplifiée relativement à une personne ou à un groupe de personnes.

stimulation : état d'excitation des sens qui reçoivent de l'information.

stimulus : information reçue par l'un des cinq sens et traitée par le cerveau.

structure de socialisation négative : situation où l'on donne l'exemple de comportements inacceptables, où l'on accepte des comportements inacceptables et où l'on fait des commentaires négatifs.

style autoritaire : style de pratiques parentales restrictif qui se base sur les ordres, l'autorité et la discipline et qui inclut l'usage de la force ou des punitions corporelles.

style de vie : routines et pratiques de la vie d'une personne, y compris le travail, le revenu, l'endroit et la façon de vivre, les amitiés, les loisirs, et bien plus.

style directif : style de pratiques parentales souple qui définit des limites, fournit des explications rationnelles, attend un comportement mûr, favorise le dialogue et se base sur l'encouragement plutôt que sur la punition.

style permissif : style de pratiques parentales qui ignore les mauvais comportements, a peu de contrôle et laisse l'enfant prendre ses propres décisions.

styles de pratiques parentales : approche en matière d'éducation des enfants, qui peut être permissive, autoritaire ou directive.

surnom : version raccourcie ou différente du prénom ; peut être un témoignage d'affection ou une source d'embarras.

surstimulation : bombardement des sens avec trop d'information.

synapse : connexion entre les neurones qui permet le flux des impulsions électriques.

syndrome d'alcoolisation fœtale (SAF) : ensemble de problèmes médicaux résultant de la consommation d'alcool pendant la grossesse.

syndrome de mort subite du nourrisson (SMSN) : décès inattendu d'un bébé apparemment en bonne santé, généralement pendant son sommeil.

syndrome du bébé secoué : ensemble des symptômes d'un traumatisme qui indiquent la manipulation brutale ou le secouement délibéré d'un bébé, qui peuvent causer des dommages cérébraux permanents ou la mort.

T

technologie audiovisuelle : médias, comme la télévision et la vidéo, et sources électroniques, comme les ordinateurs, Internet, le courrier électronique et les jeux interactifs, qui allient des représentations de sons et d'images.

technologies électroniques : services de télécommunication, tels que la radio à ondes courtes, les services de transmission, la télévision et Internet.

technologies salvatrices : dans ce contexte, technologies telles que les couveuses, les respirateurs, les sondes et tubes d'alimentation et la médication permettant aux enfants de survivre à beaucoup de complications, dont les naissances prématurées et les très faibles poids à la naissance, les anomalies congénitales, les traumatismes, les blessures et les maladies.

tempérament : combinaison des qualités physiques, mentales et émotionnelles qui constituent la nature d'une personne.

temps de réflexion : période pendant laquelle on retire l'enfant d'une situation posant problème afin de lui donner le temps de se calmer et de réfléchir sur son comportement.

tendance à l'acquiescement : le fait d'accepter de faire quelque chose pour plaire à quelqu'un d'autre, par exemple d'accepter de modifier son comportement parce que quelqu'un le demande.

test d'Apgar : examen qui sert à mesurer et à évaluer la santé d'un nouveau-né afin de déterminer si une intervention médicale est nécessaire.

théorie : explication ou opinion concernant des événements, des comportements ou des situations qui les rend plus faciles à structurer et à comprendre.

toxoplasmose : maladie que causent des parasites qui peut endommager les organes et le système nerveux d'un bébé au cours des premières étapes de la grossesse ; ces parasites se trouvent dans les excréments des chats et dans le lait non pasteurisé.

transition : changement ou passage d'une condition, d'un endroit, d'une forme, d'une étape à un autre.

travail actif : lors d'un accouchement, deuxième étape du travail pendant laquelle une femme ressent des contractions fortes pendant une minute entière toutes les deux ou trois minutes.

travail de transition : dernière phase du travail, pendant laquelle le col de l'utérus se dilate jusqu'à dix centimètres et où des contractions plus fortes et plus longues se rapprochent.

travail des enfants : travail qu'effectuent des enfants dans une entreprise ou une usine.

travailleuses et travailleurs pauvres : familles ou personnes qui ont un emploi, mais dont le revenu se situe sous le seuil de faible revenu (SFR) ou presque.

trophoblaste : couche externe de la boule de cellules qui atteint l'utérus après la conception ; couche qui se fixe sur la paroi utérine.

V

ventre d'empathie ou simulateur de grossesse : sac de tissu rembourré, porté par une personne non enceinte, destiné à simuler la taille et le poids atteints lors d'une grossesse.

vernix caseosa : couche de graisse blanche qui recouvre le fœtus afin de protéger sa peau.

violence à l'école : utilisation de la force physique causant des blessures ou des destructions sur les lieux de l'école.

violence familiale : recours intentionnel à des comportements préjudiciables – allant de la violence physique à la violence psychologique, au chantage, aux menaces, à la manipulation et à d'autres comportements de contrôle – d'un membre de la famille envers un autre.

violence physique : acte de faire du mal physiquement à un enfant, à une ou à un adulte ; par exemple, provoquer des marques, des brûlures ou des fractures.

violence psychologique : ignorance ou dénigrement des besoins d'amour et d'appartenance d'un enfant.

visage attentif : expression du visage qui indique l'attention, exprime de la chaleur et comporte un contact visuel.

Index

Sources

Sources des photos

Module 1, p. 2 : gauche à droite : © Steve Smith/ SuperStock, © Francisco Cruz/SuperStock, PhotoDisc, © Royalty-Free/CORBIS/MAGMA, © Comstock IMAGES ; p. 3 : PhotoDisc 24 ; p. 5 : haut droit : Gracieuseté de Eva Meriorg, bas gauche : Gracieuseté de Robert Glossop ; p. 7 : PhotoDisc ; p. 8 : © Bluestone Productions/ SuperStock ; p. 10 : PhotoDisc ; p. 13, 17 : © Royalty-Free/CORBIS/MAGMA ; p. 21 : Gracieuseté de Tina Morrison ; p. 23 : © James Leynse/CORBIS SABA/MAGMA ; p. 24 : PhotoDisc ; **Module 2,** p. 27 : gauche à droite : © Comstock IMAGES, © Royalty-Free/CORBIS/MAGMA, PhotoDisc ; p. 29 : PhotoDisc 41 ; p. 30 : © Archives photo de la P.C. ; p. 33 : © Archivo Iconografico, S.A./CORBIS/ MAGMA ; p. 34 : © Bettmann Archive, F2563 ; p. 35 : Archives nationales du Canada, Ottawa (N° d'accès 1990-568-1)/C-010688 ; p. 39 : Archives nationales du Canada/C-004239 ; p. 42 : Stockbyte CD 128 ; p. 43 : Société canadienne du micro-film ; p. 44 : © Comstock IMAGES ; p. 45 : © Francisco Cruz/SuperStock ; p. 50 : PhotoDisc ; p. 51 : Chip Henderson/Index Stock Imagery ; p. 52 : Gracieuseté de Eva Meriorg ; p. 53 : © ThinkStock/ SuperStock ; p. 54 : PhotoDisc ; p. 57 : © Jim Craigmyle/CORBIS/MAGMA ; p. 58 : haut gauche : PhotoDisc, bas gauche : Gracieuseté de Laura Tryssenaar ; p. 59 : © Royalty-Free/CORBIS/ MAGMA ; p. 61 : © Comstock IMAGES ; p. 62 : Eyewire ; p. 64 : Gracieuseté de Ashleigh Poole ; p. 66 : Bill Lai/Index Stock Imagery ; p. 69 : © Royalty-Free/CORBIS/MAGMA ; p. 73-75 : PhotoDisc ; p. 76 : Eyewire ; p. 77 : PhotoDisc ; p. 78 : Gracieuseté de Marta Kivik ; p. 79 : PhotoDisc ; p. 80 : © Royalty-Free/CORBIS/MAGMA ; p. 81 : PhotoDisc ; p. 83 : Al Harvey/Image Network Inc. ; p. 84 : Chuck Carlton/Index Stock Imagery ; p. 87 : HIRB/Index Stock Imagery ; p. 88 : © Peter Turnley/CORBIS/MAGMA ; p. 89 : CP/Kelowna Courier/Gary Nylander ; p. 90 : Gracieuseté de Pedro Barrata ; **Module 3,** p. 93 : gauche à droite : PhotoDisc, © Bananastock/ SuperStock, Eyewire ; p. 95 : PhotoDisc ; p. 97 : Gracieuseté de Thu Thuy Caya ; p. 99 : © Royalty-Free/CORBIS/MAGMA ; p. 100 : Françoise Lemoyne ; p. 101 : haut droit : Françoise Lemoyne, bas droit : PhotoDisc ; p. 102 : CP PHOTO/ Winnipeg Free Press/Ken Gig ; p. 104 : Dick Hemingway ; p. 106 : haut gauche : PhotoDisc, bas gauche : Antony Nagel Mann/firstlight.ca ; p. 107 : Françoise Lemoyne ; p. 111 : haut droit : © Royalty-Free/CORBIS/MAGMA, centre droit : Don Stevenson/Index Stock Imagery ; p. 118 : Chris Minerva/Index Stock Imagery ; p. 120 : © Royalty-Free/CORBIS/MAGMA ; p. 123 : haut droit, Gracieuseté de Laura Tryssenaar ; bas droit : Eyewire ; p. 124 : Françoise Lemoyne ; p. 126 : © Royalty-Free/CORBIS/MAGMA ; p. 128 : © Bluestone Productions/ SuperStock ; p. 131 : PhotoDisc ; p. 132 : Graham French/ Masterfile ; p. 134 : Eyewire ; p. 136 : © Comstock IMAGES ; p. 137 : PhotoDisc ; p. 143 : Gracieuseté de la famille MacIntyre ; **Module 4,** p. 147 : gauche à droite : © Pixtal/ SuperStock, PhotoDisc, PhotoDisc ; p. 149, 152, 155 : PhotoDisc ; p. 156 : © Image Source/SuperStock ; p. 158 : haut : FOR BETTER OR FOR WORSE © UFS, reproduit avec autorisation, bas gauche : © ThinkStock/SuperStock ; p. 160 : PhotoDisc ; p. 161 : Gracieuseté de Jessica Pegis ; p. 163 : Frank Siteman/Index Stock Imagery ; p. 164 : Gracieuseté de Johanne Ewing ; p. 166, 169 : PhotoDisc ; p. 170 : © Comstock IMAGES ; p. 171 : Mark Segal/Index Stock Imagery ; p. 172 : Omni Photo Communications Inc./Index Stock Imagery ; p. 178 : PhotoDisc ; p. 180 : © ThinkStock/SuperStock ; p. 181 : Myrleen Cate/ Index Stock Imagery ; p. 183 : Eyewire ; p. 186 : © Royalty-Free/ CORBIS/MAGMA ; p. 187 : © Bryn Colton/ Assignments photographers/CORBIS/ MAGMA ; p. 191, 193 : PhotoDisc ; p. 195 : ADAM @HOME © 1997 par Universal Press Syndicate. Reproduit avec autorisation. Tous droits réservés ; p. 196 : Gracieuseté de Jeanne Kennedy ; p. 197 : Gracieuseté de Bonnie Buxton ; p. 199 : Gracieuseté de la famille Allen ; p. 201 : Kindra Clineff/Index Stock Imagery ; **Module 5,** p. 205 : gauche à droite : PhotoDisc, © Royalty-Free/CORBIS/MAGMA, © Royalty-Free/ CORBIS/MAGMA ; p. 207 : © Royalty-Free/CORBIS/ MAGMA ; p. 209 : Copyright © BOB SCHUCHMAN/ Phototake-Tous droits réservés ; p. 211 : toutes les images : Gracieuseté de Laura Tryssenaar ; p. 212 : © Royalty-Free/CORBIS/ MAGMA ; p. 213 : Gracieuseté de Eva Meriorg ; p. 214 : PhotoDisc ; p. 217 : FOR BETTER OR FOR WORSE © UFS, reproduit avec autorisation ; p. 219 : Gracieuseté de Eva Meriorg ; p. 220 : © 1997 TIME Inc. reproduit avec autorisation ; p. 221 : PhotoDisc ; p. 224 : © Royalty- Free/CORBIS/MAGMA ; p. 230 : Gracieuseté du Dr Andrew Meltzoff ; p. 236 : © Owen Franklin/ CORBIS/MAGMA ; p. 237 : Gracieuseté de Linda Silver ; p. 241 : haut : Lennart Nilsson/ Albert Bonniers Forlag AB, *A Child Is Born* ; p. 246 : haut : Oxford Science Films ; centre : Oxford Science Films ; bas : Lennart Nilsson/ Albert Bonniers Forlag AB, *A Child Is Born* ; p. 247 : Lennart Nilsson/Albert Bonniers Forlag AB, *A Child Is Born* ; p. 248 : FOR BETTER OR FOR WORSE © UFS, reproduit avec autorisation ; p. 249 : © John Henley/CORBIS/ MAGMA ; p. 255 : © Royalty-Free/CORBIS/MAGMA ; p. 257 : Getty Images/Per Eriksson/The Image Bank ; p. 263 : PhotoDisc ; p. 264 : Gracieuseté de Mary Cunningham ; p. 267 : haut et bas : PhotoDisc ; p. 268 : Eyewire ; p. 269 : © Royalty-Free/CORBIS/ MAGMA ; p. 270 : Brand X ; p. 271-272 : PhotoDisc ; p. 274 : © Royalty-Free/CORBIS/MAGMA ; p. 275 : PhotoDisc ; p. 276 : Rubber Ball Productions ; p. 277 : © ASTIER FREDERIK/CORBIS SYGMA/ MAGMA ; p. 279 : haut droit : Gracieuseté de Anne et Mark Brown, bas droit : PhotoDisc ; p. 280 : SW Production/Index Stock Imagery ; p. 282 : PhotoDisc ; p. 286 : haut gauche : T. Bonderud/Firstlight.ca, bas gauche : Gracieuseté de Carol Crill Russell, Investir dans l'enfance ; p. 289 : Matthew Borkoski/ Index Stock Imagery ; p. 290 : PhotoDisc ; p. 291 : © Royalty-Free/ CORBIS/MAGMA ; p. 292 : Gracieuseté de Mary Cunningham ; p. 293-295 : PhotoDisc ; p. 296 : toutes les images : PhotoDisc ; p. 297 : Jesse Parker/firstlight.ca ; p. 299 : Steve/Mary Skjold/Index Stock Imagery ; p. 300 : © Tony Arruza/CORBIS/MAGMA ; p. 302 : © Jennie Woodcock, Reflections Photolibrary/CORBIS/MAGMA ; p. 306 : PhotoDisc ; p. 308 : Getty Images/Barros & Barros/The Image Bank ; p. 309, 311, 313 : PhotoDisc ; p. 314 : Bob Rowan, Progressive Image/CORBIS/MAGMA ; p. 315 : Gracieuseté de la famille MacIntyre ; p. 316 : Gracieuseté de Anne et Mark Brown ; p. 317 : Gracieuseté de Mary Cunningham ; p. 318 : Reproduit avec autorisation spéciale, King Features Syndicate Inc. ; p. 319 : Network Productions/Index Stock Imagery ; p. 321 : © Norbert Schaefer/CORBIS/MAGMA ; p. 325 : PhotoDisc ; p. 326 : Skjold Photographs ; **Module 6,** p. 329 : gauche à droite : PhotoDisc, © Royalty-Free/CORBIS/MAGMA, PhotoDisc ; p. 331 : Benelux Press/Index Stock Imagery ; p. 332 : Gracieuseté de Eva Meriorg ; p. 335, 338 : PhotoDisc ; p. 340 : SW Production/Index Stock Imagery ; p. 341 : PhotoDisc ; p. 345 : Gracieuseté de Nico Trocme ; p. 348 : Gracieuseté de Centraide ; p. 349 : PhotoDisc ; p. 354 : © Royalty-Free/ CORBIS/MAGMA ; p. 357 : © Tom Stewart/CORBIS/ MAGMA ; p. 358 : Reproduit avec autorisation spéciale, King Features Syndicate Inc. ; p. 360 : © Royalty-Free/CORBIS/MAGMA ; p. 361 : Gracieuseté de Barbara Coloroso, Kids Are Worth It Inc. ; p. 364 : PhotoDisc ; p. 365 : Stewart Cohen/ Index Stock Imagery ; p. 368 : © David Lok/ SuperStock ; p. 369 : FOR BETTER OR FOR WORSE © UFS, reproduit avec autorisation ; p. 373 : Omni Photo Communications Inc./Index Stock Imagery ; p. 375 : Gracieuseté de Mary Cunningham ; p. 374 : Gracieuseté de Otto Weininger ; **Module 7,** p. 379 : gauche à droite : © Royalty-Free/CORBIS/MAGMA, PhotoDisc,

PhotoDisc, PhotoDisc ; p. 381 : PhotoDisc ; p. 382 : Dick Hemingway ; p. 384 : © Clarence W. Norris/Lone Pine Photo ; p. 385 : haut droit : PhotoDisc, bas droit : Dick Hemingway ; p. 388 : Skjold Photographs ; p. 389, 392 : PhotoDisc ; p. 394 : © Jay Syverson/CORBIS/MAGMA ; p. 396 : © Bob Krist/CORBIS/MAGMA ; p. 397 : CP/Toronto Star/Tony Bock ; p. 398 : © Joseph Sohm, ChromoSohm Inc./CORBIS/MAGMA ; p. 399 : © Ed Bock/CORBIS/MAGMA ; p. 401 : Gracieuseté de Janit Porter ; p. 402 : © Rob Morsch/CORBIS/MAGMA ; p. 403 : Reproduit avec autorisation spéciale, King Features Syndicate Inc. ; p. 404 : Gracieuseté de Anne Marie Ambert ; p. 407 : CP/Toronto Star/Dave Cooper ; p. 411 : PhotoDisc ; p. 417 : © Gianni Dagli Orti/CORBIS/MAGMA ; p. 419 : © Simon Fraser University, Collection Editorial Cartoons, Len Norris, 7 septembre 1966 ; p. 421 : haut droit : © Mug Shots/CORBIS/MAGMA, bas gauche : PhotoDisc ; p. 422 : © Bob Rowan, Progressive Image/CORBIS/MAGMA ; p. 423 : Gracieuseté de Stu Auty ; p. 425 : © Joel Stettenheim/CORBIS/MAGMA ; p. 427 : haut droit : © Royalty-Free/CORBIS/MAGMA ; p. 432 : © Royalty-Free/CORBIS/MAGMA ; p. 437-438, 440 : PhotoDisc ; p. 441 : © James L. Amos/CORBIS/MAGMA ; p. 444 : Chris Lowe/Index Stock Imagery ; p. 446 : © Mika/Collection Zefa/Masterfile ; p. 447 : Gracieuseté de Bruce Rivers ; p. 450 : haut gauche : PhotoDisc, bas gauche : Gracieuseté de Anne et Mark Brown ; p. 453 : Getty Images/Anthony Johnson/The Image Bank ; p. 454 : William Holdman/Index Stock Imagery ; p. 459 : Gracieuseté de Beverley Murray ; p. 460 : Gracieuseté de Eva Meriorg.

Sources des textes

p. 4, Figure 1.2 : *Canada's Teens : Today, Yesterday, and Tomorrow,* par R.W. Bibby, 2001, p. 200, Toronto : Stoddart Publishing ; p. 20 : Adapté de *Introduction to Child Psychology,* 5e édition par Dworetzky, © 1993. Reproduit avec l'autorisation de Wadsworth, une division de Thomson Learning : www.thomsonrights.com. Télécopieur 800 730-2215 ; p. 22 : www.infoplease.com, Infoplease® Dictionary Copyright © 1999, 2000, 2001, 2002 Family Education Network. Tous droits réservés. Des parties de ce manuel sont reproduites avec l'autorisation de Random House, Inc., à partir du Random House Webster's Unabridged Dictionary Copyright © 1991 par Random House, Inc. et en format digital, tel que dans Random House's Dictionary Database Copyright © 1997. Licencié de Inso Corporation ; p. 30 : « Les pratiques d'éducation autochtones », une version de cet article est originellement apparue dans *Child Care Focus* (maintenant intitulé *Child Care Bridges*), volume 20, automne 1991, une publication de l'Association manitobaine d'aide à l'enfance ; p. 37, Figure 2.6 : Adapté de la publication « Statistiques historiques du Canada » de Statistique Canada, Catalogue 11-516, 1983 ; p. 44 : www.parentingtoday.ca. Reproduit avec l'autorisation de Kathy Lynn ; p. 46 : Adapté de *Progrès des enfants au Canada 2001,* Ottawa, ON : Conseil canadien de développement social ; p. 65 : *Terrains de jeu – Danger d'étranglement,* Bureau de la sécurité des produits, Santé Canada, 2003 © Reproduit avec l'autorisation du ministère des Travaux publics et Services gouvernementaux Canada, 2003, http ://www.hc-sc.gc.ca/hecs-sesc/spc/contact.htm ; p. 86 : Points saillants de la *Convention relative aux droits de l'enfant,* © Copyright 1997 – 2003, Haut-Commissariat des Nations Unies aux droits de l'homme, Genève, Suisse ; p. 89 : *Civics Today Student Text* par Watt/Sinfield. © 2000. Reproduit avec l'autorisation de Nelson, une division de Thomson Learning : www.thomsonrights.com. Télécopieur 800 730-2215 ; p. 98, Figure 5.4 : « Sur 100 familles » (types de familles), 2001 : Sources : *Profiling Canada's Families II,* p. 31, Institut Vanier de la famille et adapté du site Web de Statistique Canada, *L'évolution de la famille canadienne, La structure familiale,* Recensement de 2001 ; p. 103 : Gendercide Watch, http ://www.gendercide.org/case_infanticide.html, recherché et écrit par Adam Jones. © Gendercide Watch (1999-2000) ; p. 104 : *The Canadian Press,* à partir de *The Toronto Star,* par Marlene Habib, samedi, 11 mai 2002, p. L6 ; p. 105, Figure 5.11 : Adapté du site Web de Statistique Canada, http ://www.statcan.ca/Daily/Francais/990616/q990616b.htm ; p. 112 : *Breaking the Cycle of Violence : Children Exposed to Woman Abuse A Resource Guide for Parents and Service Providers,* novembre 2000, The Peel Committee Against Woman Abuse. Reproduit avec l'autorisation de The Peel Committee Against Woman Abuse ; p. 114 : *Transition,* juin 1992, Vol. 28, No 2, Institut Vanier de la famille ; p. 118-119 : Étude de cas : « Devenir père est une expérience qui change une vie », par Bruce Alexander, *The Record,* 25 novembre 2003, p. A11 ; p. 121-122 : "And Baby Makes Three," par Susan Miller, *Island Parent,* novembre 2001. Reproduit avec l'autorisation de Island Parent et Susan Miller ; p. 126 : *Décidément tu ne me comprends pas ! Surmonter les malentendus entre hommes et femmes,* Deborah Tannen, 1990, traduction libre ; p. 138 : *Principes directeurs pour des services de garde de qualité au Canada,* septembre 1996, Fédération canadienne des services de garde à l'enfance. Reproduit avec l'autorisation de la Fédération canadienne des services de garde à l'enfance ; p. 143, Figure 6.17 : Adapté de Santé Canada (2001). « Étude canadienne sur l'incidence des signalements de cas de violence et de négligence envers les enfants. », Ottawa, Ont. © Ministère des Travaux publics et Services gouvernementaux Canada ; p. 144 : Centre national d'information sur la violence dans la famille, 1994 ; p. 150, Figure 7.2 : Adapté du site Web de Statistique Canada, Recensement 2001, « Structure de la famille et chiffres selon les concepts de famille de recensement 2001 et d'avant 2001 pour les familles de recensement dans les ménages privés, pour le Canada », Catalogue No 97F0005XCB01006 ; p. 151 : "The Death of The Hired Man", par Robert Frost, *The Complete Poems,* New York : Holt, Rinehart et Winston, 1961 ; p. 154, Figure 7.6 : Adapté du site Web de Statistique Canada, « Révision historique de la population active », Catalogue No 71F0004, 2001 ; p. 167, Figure 7.16 : Statistique Canada, CANSIM II, Tableau 282-0002 ; p. 170 : *Rapport sur les services à l'enfance et à la famille,* p. 23, Gouvernement de l'Ontario, 2001 ; p. 182 : http ://www.driesen.com/emotional_maturity_criteria.htm ; p. 184 haut, Figure 8.6 : Adapté de *Family Finance : The Cost of Raising a Child 2002,* Agriculture et Alimentation Manitoba, http ://www.gov.mb.ca/agriculture/homeec/cba28s02.html, bas : *The Canadian Press,* à partir de *The Record,* mercredi, 7 novembre 2001 ; p. 185 : © Association canadienne pour la santé mentale, http ://www.cmha.ca/french/ ; p. 198 : © FASWorld Canada, Reproduit avec l'aimable autorisation de la Société canadienne de pédiatrie ; p. 199-200 : Adapté de http ://www.come-over.to/fasstar/faspix/allenfamily.htm ; p. 215, Figure 9.9 : *The Irreducible Needs of Children : What Every Child Must Have to Grow, Learn, and Flourish,* p. 200-201. Copyright © 2000 par T. Berry Brazelton et Stanley Greenspan. Reproduit avec l'autorisation de Perseus Books Publishers, un membre de Perseus Books, L.L.C. ; p. 216 : *Étude sur la petite enfance, Rapport Final,* par M.N. McCain et J.F. Mustard, 1999, p. 35, Toronto, ON : Children's Secretariat ; p. 220, Figure 9.13 : *Time Magazine,* 9 juin 1997, © 1997 TIME Inc. reproduit avec autorisation ; p. 222, Figure 9.15 : Adapté de « Périodes critiques pour certains aspects du développement et du fonctionnement du cerveau », *Étude sur la petite enfance, Rapport Final,* par M.N. McCain et J.F. Mustard, 1999, Toronto, ON : Children's Secretariat ; p. 224 : *Les premières années durent toute la vie,* Institut canadien de la santé infantile. Ottawa, ON ; p. 242-244 : *Usborne Facts of Life, Babies, Understanding Conceptions, Birth, and the First Year,* p. 8-11, Londres, Angleterre : © 1985 Usborne Publishing ; p. 245 : http ://www.infoplease.com/ce6/sci/A0849984.html ; p. 253 : *Decolonizing Methodologies, Research and Indigenous People,* 1999, Dunedin, NZ : University of Otago Press, Londres, Angleterre : Zed Books Ltd., Copyright © Linda Tuhiwai Smith ; p. 255 : *Women and Children First,* par Michele Landsberg, 1985, p. 169-170, Penguin Books Canada Ltd, John Wiley and Sons Canada ; p. 263 : Adapté de "Conditions arising in childhood that impact health later in life," par Dr R.A. Casl, *Global Forum for Health Research,* 1999, Harvard Institute for International Development et Harvard School of Public Health et *Étude sur la petite enfance, Rapport Final,* par M.N. McCain et J.F. Mustard, 1999, Toronto, ON : Children's Secretariat ; p. 265 : © 2001, Hachette Multimédia/Hachette Livres. Tous droits réservés ; p. 271-272 : « Craquer pour quelqu'un : le lien père-bébé », par John Hoffman, *Transition,* été 2002, Vol. 32, No 2, Institut Vanier de la famille ; p. 275 : *The Canadian Press,* à partir de *The Toronto Star,* mardi, 5 décembre 1998 ; p. 278 : *Préparer l'avenir : les cinq premières années de votre enfant,* Investir dans l'enfance ; p. 287 : *Les premières années durent toute la vie,* Institut canadien de la santé infantile ; p. 296 : *Time Magazine,* 9 juin 1997, © 1997 TIME Inc. reproduit avec autorisation ; p. 301-303 : "Encouraging Self-Esteem" de *Your Child's Feelings,* par Carolyn M. Usher, BC Council for Families ; p. 307, Figure 13.2 : *CHILDREN : Development and Relationships,* Smart/Smart, 1972. Reproduit avec l'autorisation de Pearson Education Inc., Upper Saddle River, New Jersey ; p. 310 : Reproduit avec l'autorisation de *Prevention Magazine.* Copyright 2002 Rodale Inc. Tous droits réservés ; p. 320 : « Un programme qui prépare les élèves au rôle parental », par John Earle, *Western Star,* 13 juin 2001 ; p. 321 : *Internet Encyclopedia of Philosophy,* http ://www.utm.edu/research/iep ; p. 325-326 : « Être parents d'adolescents : les hauts et les bas », *Magazine Santé ! Canada,* Santé Canada (février 2001), http ://www.hc-sc.gc.ca/francais/features/revue/2001_02/adolescents.htm. © Reproduit avec l'autorisation du Ministère des Travaux publics et Services gouvernementaux Canada, 2003 ; p. 331 : *Le curriculum de l'Ontario, 9e et 10e année : Sciences humaines et sociales,* Ministère de l'Éducation Ontario, Toronto, ON : Imprimeur de la Reine pour l'Ontario, 1999 ; p. 338-340 : « Une discipline efficace : Une démarche saine », reproduit avec l'aimable autorisation de la Société canadienne de pédiatrie, Élaboré par le comité de la pédiatrie psychosociale de la SCP en 1998 ; p. 343, Figure 14.8 : Extrait du livre CHAQUE ENFANT APPREND PAR L'EXEMPLE, © 1998 par Dorothy Law Nolte et Rachel Harris. Le poème « Chaque enfant apprend par l'exemple » © 1972 Dorothy Law Nolte. Workman Publishing Company ; p. 354 : *Infusing Culture into Parenting Issues : A supplement for psychology instructors*, par Vicki Ritts, Meramec : St. Louis Community College, 1999, http ://www.stlcc.cc.mo.us/mc/users/vritts/culture.htm ; p. 355 : Adapté de *Between Generations : The Six Stages of Parenthood* par Ellen Galinsky, Times Books, © 1981 ; p. 357-358 : *Le défi de l'enfant,* 1re édition, par Rudolf Dreikurs et Vicki Soltz, New York : Duell, Sloan & Pearce, 1964 ; p. 361- 362 : Adapté de *Les enfants, ils en valent la peine,* par Barbara Coloroso, 1994, Littleton, CO : *Kids Are Worth It Press*; p. 362, Figure 15.8 : Adapté de *Étude sur la petite enfance, Rapport Final,* par M.N. McCain et J.F. Mustard, 1999, p. 97, Toronto, ON : Children's Secretariat ; p. 363 : *Infants and Mothers : Differences in Development,* par T.B. Brazelton, 1983, New York : Dell Publishing ; p. 370 : *Hope Today*, La Fondation Hope for Children, p. 3, printemps 2002, Toronto, ON : Catholic Children's Aid Society ; p. 371 : "The Role of the physician in promoting effective discipline," *Paediatrics & Child Health 1997,* 2 (1) : 29-33, N° de référence PP96-01 (MH96-01). Société canadienne de pédiatrie, 2002, http ://www.cps.ca/; p. 373 : Enfant et famille Canada, septembre 1996, Services à la famille – Canada, http ://collections.ic.gc.ca/child ; p. 382 : Statistique Canada, http ://www.statcan.ca/Daily/Francais/980212/q980212.htm#ART3, Enfants disparus et enlevés ; p. 383 : *SASS Fact sheet,* Stay Alert, Stay Safe, 2002, http ://www.sass. ca/sassinfo.htm ; p. 384 : Programme Parents Secours de la ville de Winnipeg Inc. : Source : http ://www.winnipegblockparents.mb.ca ; p. 386- 387 : *Bullying : Myths, Facts and Strategies for Reducing it,* The Family Centre, 2001, http ://www.the-family-centre.com, reproduit avec autorisation ; p. 390-391 : *Internet Safety Tips for Parents,* Province de la Colombie-Britannique, Ministry of Education, http ://www.bced. gov.bc.ca/resourcedocs/internet_safe, Copyright © 2001, Province de la Colombie-Britannique ; p. 393 : http ://www.gov.sk.ca, Gouvernement de la Saskatchewan, Social Programs, 2002 ; p. 396-397 : *The University of Victoria's Canada Research Chairs Strategic Research Plan,* University of Victoria, 2000, p. 6, http ://www.research.uvic.ca/research_uvic/2003_04_CFI_CRC_Strategic_Plan_%2018Jun03FV.doc ; p. 399 : *The Canadian Press, from Canadian News Digest*, 17 mars 1998, http ://www.canoe.ca/News ArchiveMar98/candigest_mar17.html ; p. 400 : Extrait de *Family Connections,* été 2001, Vol. VIII, N° 1, p. 14, BC Council for Families, de *Making Your Community More Child and Youth Friendly : Getting Started,* 2001, Society for Children and Youth of British Columbia. Reproduit avec autorisation ; p. 408 : « Des bouches à nourrir », par Fran Berkoff, *Canadian Living,* mars 2002 ; p. 410 : « La violence familiale – Elle frappe tout le monde », *Magazine Santé ! Canada,* Santé Canada, (février 2001), http ://www.hc-sc.gc.ca/francais/features/revue/2001_02/famille.htm, © Reproduit avec l'autorisation du Ministère des Travaux publics et Services gouvernementaux Canada, 2003 ; p. 420 : Adapté avec l'autorisation de The Eppie Company and Creators Syndicate, Inc ; p. 423 : *Orbit Magazine,* 1999, Stu Auty, OISE, www.orbitmagazine.ca, reproduit avec l'autorisation de *Orbit Magazine,* OISE/UT's Magazine for Schools ; p. 427 : http ://www.mediawatch.ca/Default.asp ?language=French, MediaWatch, *À l'avant-plan : représentation des minorités à la télévision,* 1994 ; p. 433 : *Les effets de la violence dans les médias sur les enfants,* Centre national d'information sur la violence dans la famille, Santé Canada, 1993. Adapté et reproduit avec l'autorisation du Ministère des Travaux publics et Services gouvernementaux Canada, 2003. Santé Canada n'est pas responsable pour les erreurs ou omissions qui auraient pu se produirent au cours de l'adaptation de son matériel ; p. 439 : "The Case for Public Child Care in Manitoba," par D[re] Susan Prentice, Canadian Centre for Policy Alternatives-Manitoba, 2001, http ://www.policyalternatives.ca/manitoba/fast-factsjune20.html ; p. 443 : Statistique Canada, J. Stafford, *Profil de l'industrie des services de garde d'enfants*, Catalogue N° 63F0002XPB2002040 ; p. 446 : "Universal Early Childhood Development Services : Time for Action-Part 1," *The Atkinson Letter,* 7 janvier 2000, p. 2, The Atkinson Charitable Foundation ; p. 451 : *Transition,* printemps 2002, Vol. 32, N° 1, p. 4, Institut Vanier de la famille ; p. 452 haut : *Transition,* printemps 2002, Vol. 32, N° 1, p. 3, Institut Vanier de la famille, bas : *Transition,* printemps 2002, Vol. 32, N° 1, p. 4, Institut Vanier de la famille ; p. 458, Figure 18.10 : "Universal Early Childhood Development Services : Time for Action-Part 1," *The Atkinson Letter,* 7 janvier 2000, p. 2, The Atkinson Charitable Foundation ; p. 464-477 : *L'avenir de votre enfant dépend de vous et de tous : un guide-ressources pour les cinq premières années,* © 2002 Investir dans l'enfance.